CB062070

COMENTÁRIO AO EVANGELHO SEGUNDO JOÃO

VOLUME 1 (1-12)
Introdução, Tradução e Notas

Editores responsáveis
Rico Silva
Prof. Dr. Paulo Cappelletti
Prof. Dr. Waldecir Gonzaga (PUC-Rio, Brasil)

ACADEMIA CRISTÃ

CONSELHO EDITORIAL

Prof. Dr. Abimar Oliveira de Moraes (PUC-Rio, Brasil)
Prof. Dr. Adelson Araújo dos Santos (Gregoriana, Roma, Itália)
Profa. Dra. Andreia Serrato (PUC-PR, Brasil)
Profa. Dra. Aparecida Maria de Vasconcelos (FAJE, Brasil)
Prof. Dr. Carlos Ignacio Man Ging Villanueva (PUCE, Equador)
Profa. Dra. Edith Gonzáles Bernal (PU Javeriana, Bogotá, Colômbia)
Profa. Dra. Eileen Fit Gerald (UC de Cochabamba, Bolívia)
Prof. Dr. Erico João Hammes (PUC-RS, Brasil)
Prof. Dr. Fernando Soler (PUC-Chile, Santiago)
Profa. Dra. Francilaide Queiroz de Ronsi (PUC-Rio, Brasil)
Prof. Dr. Francisco Nieto Rentería (UP, México)
Prof. Dr. Gabino Uríbarri (UP Comillas, Espanha)
Prof. Dr. Gilles Routhier (U. Laval, Quebéc, Canadá)
Profa. Dra. Gizela Isolde Waechter Streck (EST, Brasil)
Dr. Júlio Paulo Tavares Zabatiero (FTSA, Brasil)
Profa. Dra. Maria Isabel Pereira Varanda (UCP, Portugal)
Profa. Dra. Maria Teresa de Freitas Cardoso (PUC-Rio, Brasil)
Profa. Dra. Sandra Duarte de Souza (UMESP, Brasil)
Prof. Dr. Valmor da Silva (PUC-GO, Brasil)
Profa. Dra. Vilma Stegall de Tommaso (PUC-SP, Brasil)
Prof. Dr. Waldecir Gonzaga (PUC-Rio, Brasil)
Profa. Dra. Gleyds Silva Domingues (FABAPAR)

RAYMOND E. BROWN, S.S.

COMENTÁRIO AO EVANGELHO SEGUNDO JOÃO

Volume 1 (1-12)

Introdução, Tradução e Notas

Tradutor:
Valter Graciano Martins

São Paulo- SP
2022

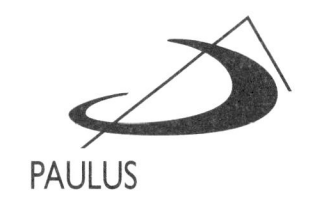

ACADEMIA CRISTÃ

PAULUS

© by Yale University as assignee from Doubleday, a division of Randon House, Inc.
© by Editora Academia Cristã

Título do original inglês: The Gospel According to John (I-XII)

Supervisão editorial:
Rico Silva
Dr. Paulo Cappelletti

Diagramação:
Cicero Silva

Revisão:
Pe. Mizael A. Silva
Rogerio de Lima Campos

Capa:
James Valdana

Dados Internacionais de Catalogação na Publicação (CIP)
Angélica Ilacqua CRB-8/7057

Brown, Raymond Edward, 1928-1998.
   Comentário ao evangelho segundo João Volume 1 (1-12): introdução, tradução e notas / Raymond Edward Brown, S.S.; tradução de Valter Graciano Martins. – Santo André: Academia Cristã; São Paulo: Paulus, 2020.

Bibliografia
ISBN 978-65-5562-096-2
Título original: The Gospel According to John (I-XII)

1. Bíblia N.T.-João-Comentários.   I. Título.   II. Martins, Valter Graciano

20-3498

CDD 226.5077
CDU 226.5

Índices para catálogo sistemático:

1. Evangelho segundo João – Comentário

ACADEMIA CRISTÃ

Rua José do Passo Bruques, 181 - Jardim Avelino
03227-070 - São Paulo, SP - Brasil
(11) 3297-5730
editorial@editoraacademiacrista.com.br
www.editoraacademiacrista.com.br

PAULUS

Paulus Editora
Rua Francisco Cruz, 229
04117-091 - São Paulo - SP
(11) 5087-3700
editorial@paulus.com.br
www.paulus.com.br

Sumário

PREFÁCIO À EDIÇÃO BRASILEIRA IX
PRINCIPAIS ABREVIATURAS XIII
INTRODUÇÃO 1
   I. O ATUAL ESTADO DOS ESTUDOS JOANINOS 2
   II. UNIDADE E COMPOSIÇÃO DO QUARTO EVANGELHO 6
      A. O problema 6
      B. Soluções possíveis 8
      C. A teoria adotada neste comentário 19
   III. A TRADIÇÃO POR DETRÁS DO QUARTO EVANGELHO 28
      A. O valor da informação encontrada somente em João 29
      B. A questão da dependência dos evangelhos sinóticos 32
      C. O valor de João na reconstrução do ministério de Jesus 37
   IV. INFLUÊNCIAS PROPOSTAS SOBRE O PENSAMENTO RELIGIOSO
      DO QUARTO EVANGELHO 44
      A. Gnosticismo 45
      B. Pensamento helenista 49
      C. Judaísmo palestino 54
   V. DESTINATÁRIOS E PROPÓSITO DO QUARTO EVANGELHO 63
      A. Apologética contra os adeptos de João Batista 64
      B. Controvérsia com os judeus 67
      C. Controvérsia contra hereges cristãos 74
      D. Encorajamento aos cristãos, gentios e judeus 76
   VI. DATA DA REDAÇÃO FINAL DO EVANGELHO 80
      A. A última data plausível 80
      B. Data mais primitiva plausível 84

VII. IDENTIDADE DO AUTOR E LOCAL DA COMPOSIÇÃO 90
   A. A evidência externa sobre o autor 91
   B. Evidências internas sobre o autor 97
   C. Correlação da hipótese de João como autor com uma teoria moderna de composição 106
   D. Local da composição 111

VIII. QUESTÕES CRUCIAIS NA TEOLOGIA JOANINA 114
   A. Eclesiologia 114
   B. Sacramentalismo 122
   C. Escatologia 126
   D. Os motivos sapienciais 136

IX. IDIOMA, TEXTO E FORMATO LITERÁRIO DO EVANGELHO – E ALGUMAS CONSIDERAÇÕES SOBRE O ESTILO 145
   A. O idioma original do evangelho 145
   B. O texto grego do evangelho 147
   C. O formato poético dos discursos do evangelho 149
   D. Características notáveis no estilo joanino 153

X. ESBOÇO DO EVANGELHO 158
   A. Esboço geral do evangelho 158
   B. Esboço geral do Livro dos Sinais 160

XI. BIBLIOGRAFIA SELECIONADA GERAL 167

I. PRÓLOGO

1. Hino Introdutório (1,1-18) 170

II. O LIVRO DOS SINAIS

Primeira Parte: Os dias iniciais da revelação de Jesus 217

Esboço da primeira parte 218
  2. O testemunho de João Batista: – Acerca de sua função (1,19-28) 219
  3. O testemunho de João Batista: – Acerca de Jesus (1,29-34) 236
  4. Os discípulos do Batista vão a Jesus: – Os primeiros dois discípulos e Simão Pedro (1,35-42) 259
  5. Os discípulos do Batista vão a Jesus: – Filipe e Natanael (1,43-51) 270

Sumário

SEGUNDA PARTE: DE CANÁ A CANÁ 285

Esboço da segunda parte 286
  6. O primeiro sinal em Caná da Galileia – Transformação da
     Água em Vinho (2,1-11) 288
  7. Jesus vai para Cafarnaum (2,12) 308
  8. A purificação do Templo em Jerusalém (2,13-22) 311
  9. Reação a Jesus em Jerusalém (2,23-25) 327
10. Diálogo com Nicodemos em Jerusalém (3,1-21) 330
11. O testemunho final do Batista (3,22-30) 359
12. A conclusão do diálogo (3,31-36) 368
13. Jesus deixa a Judeia (4,1-3) 376
14. Diálogo com a Mulher samaritana junto ao Poço de Jacó (4,4-42) 378
15. Jesus entra na Galileia (4,43-45) 404
16. O segundo sinal em Caná da Galileia – A cura do filho
     do oficial (4,46-54) 409

TERCEIRA PARTE: JESUS E AS PRINCIPAIS FESTAS DOS JUDEUS 421

Esboço da terceira parte 422
17. Jesus e o sábado: – A cura em Betesda (5,1-15) 426
18. Jesus e o sábado: – Discurso sobre sua atuação no sábado (5,16-30) 435
19. Jesus e o sábado: – Discurso sobre sua atuação no
     sábado (*Continuação*) (5,31-47) 448
20. Jesus na páscoa: – A multiplicação dos pães (6,1-15) 460
21. Jesus na páscoa: – Caminhando sobre o Mar da Galileia (6,16-21) 484
22. Jesus na páscoa: – A multidão vai até Jesus (6,22-24) 491
23. Jesus na páscoa: – Introdução ao discurso sobre o Pão da Vida
     (6,25-34) 495
24. Jesus na páscoa: – Discurso sobre o Pão da Vida (6,35-50) 505
25. Jesus na páscoa: – Discurso sobre o Pão da Vida
     (*Continuação*) (6,51-59) 522
26. Jesus na páscoa: – Reações ao discurso sobre o Pão da Vida
     (6,60-71) 540
27. Jesus na festa dos tabernáculos: – Introdução (7,1-13) 554
28. Jesus na festa dos tabernáculos: – Cena I (7,14-36) 560
29. Jesus na festa dos tabernáculos: – Cena II (7,37-52) 572
30. O relato da mulher adúltera (7,53; 8,1-11) 589
31. Jesus na festa dos tabernáculos: – Cena III (8,12-20) 598
32. Jesus na festa dos tabernáculos: – Cena III (*Continuação*) (8,21-30) 608

33. Jesus na festa dos tabernáculos: – Cena III (*Conclusão*) (8,31-59) 616
34. O clímax na festa dos tabernáculos: – A cura de um cego (9,1-41) 639
35. O clímax na festa dos tabernáculos: – Jesus como a porta do
    aprisco e o pastor (10,1-21) 657
36. Jesus na festa da dedicação: – Jesus como Messias e
    Filho de Deus (10,22-39) 680
37. Aparente conclusão do ministério público de Jesus (10,40-42) 695

QUARTA PARTE: JESUS SEGUE RUMO À HORA DA MORTE E GLÓRIA 699

Esboço da quarta parte 700
38. Jesus dá vida aos homens: – O relato de Lázaro (11,1-44) 701
39. Os homens condenam Jesus à morte: – O sinédrio (11,45-54) 724
40. Jesus irá a Jerusalém para a páscoa? (11,55-57) 733
41. Cenas preparatórias para a páscoa e a morte:
    – A unção em Betânia (12,1-8) 735
42. Cenas preparatórias para a páscoa e a morte:
    – A entrada em Jerusalém (12,9-19) 746
43. Cenas preparatórias para a páscoa e a morte:
    – A chegada da hora (12,20-36) 759

CONCLUSÃO: AVALIAÇÃO E BALANÇO DO MINISTÉRIO DE JESUS 779

44. Uma avaliação do ministério de Jesus entre seu próprio povo (12,37-43) 780
45. Um diálogo de Jesus usado como um resumo de sua proclamação
    (12,44-50) 787

APÊNDICES

I: Vocabulário Joanino 794
II: A "Palavra" 823
III: Sinais e Obras 831
IV: *Egō Eimi* – "Eu Sou" 841

ÍNDICE DOS PRINCIPAIS AUTORES CITADOS 849

ÍNDICE DE CITAÇÕES BÍBLICAS 856

OUTRAS FONTES CITADAS 892

Prefácio à Edição Brasileira

Com dupla alegria é que aceitei e me proponho a fazer este prefácio à edição brasileira da obra do Prof. RAYMOND EDWARD BROWN, renomado biblista, com grande destaque sobremaneira no *corpus joanino*: a primeira foi a de receber a notícia da tradução e publicação para o português do Brasil desta obra monumental, em dois volumes realmente densos e completos em todos os sentidos; e a segunda foi ter sido convidado para prefaciar esta obra, que já tanto usamos em nossos cursos de literatura joanina, na Graduação e na Pós-graduação em todo o território deste imenso Brasil, de norte a sul, de leste a oeste.

Esta obra foi escrita por BROWN, com seu original em inglês. Aliás, o primeiro volume, *The Gospel According to John, I-XII. A new translation with introduction and commentary*, The Anchor Yale Bible Commentaries Series, Vol. 29. Hardcover: Yale University Press, 1966, 538 pp., e o segundo volume, sempre no inglês: *The Gospel According to John, XIII-XXI. A new translation with introduction and commentary*, The Anchor Yale Bible Commentaries Series, Vol. 29, Part A. Hardcover: Yale University Press, 1970, 688 pp. Depois essa belíssima obra foi traduzida para vários idiomas, o que a tornou ainda mais acessível. A língua portuguesa é mais um ganho na difusão desta obra de superlativa grandeza e de valor incomensurável para os estudos joaninos e bíblicos em geral, sendo muito apreciada pelas várias tradições cristãs.

O Prof. RAYMOND EDWARD BROWN, nascido em 1928 e falecido em 1998, atravessou o século XX sendo realmente um dos maiores biblistas e renomados professores de Sagrada Escritura, especialmente do Novo Testamento, com sede na *Union Theological Seminary* (UTS), de New York, EUA. Como grande especialista em Literatura Joanina – além de outros temas e textos do Novo Testamento –, a fim de que realmente tenhamos uma maior ideia da grande envergadura das capacidades deste querido biblista joanino, eu gostaria aqui de recordar algumas de suas obras, inclusive traduzidas para o português e muito usadas em nossos cursos de teologia pelo vasto território nacional. Vou procurar citar apenas algumas de suas obras, mantendo sua ordem cronológica de tradução e publicação no Brasil: *Evangelho de João e Epístolas* (1975), *As Recentes Descobertas e o Mundo Bíblico* (1986), *As Igrejas dos Apóstolos* (1986), *A comunidade do discípulo amado* (1999), *Entendendo o Antigo Testamento* (2004), *O Nascimento do Messias* (2011), *A Morte do Messias: Vol. 1* (2011), *A Morte do Messias: Vol. 2* (2011), *Introdução ao Novo Testamento* (2012), *Novo Comentário Bíblico São Jerônimo – Antigo Testamento* (2007) e *Novo Comentário Bíblico São Jerônimo – Novo Testamento* (2011), sendo essas duas últimas obras uma coedição entre RAYMOND E. BROWN/JOSEPH A. FITZMYER/E. ROLAND.

Por isso, e por tudo mais que BROWN representa no mundo da literatura bíblica, ver agora o seu *Comentário ao Evangelho segundo João*, esta obra monumental, de superlativa qualidade e seriedade acadêmica – como já o sabemos –, sendo traduzida e publicada no Brasil, disponível em nossas mãos, a fim de facilitar ainda mais nossos estudos, é algo que nos enche de alegria e renova nosso ânimo acadêmico. Desde que o Vol. 1 foi publicado originalmente, em 1966, e o Vol. 2, em 1970, a obra continua sendo muito atual e indispensável para os estudos referentes ao Quarto Evangelho, sendo cada vez mais traduzida e publicada em novas línguas, como está sendo agora para o português. Por isso, continua sendo muito empregada nos estudos teológico-bíblicos, como uma obra referencial. De fato, poucos textos têm sido usados no mundo com tão ampla difusão e tradução para vários idiomas como esta obra. Sendo já volumosa no original inglês, com seus dois amplos volumes, ela é traduzida respeitando a mesma divisão, até mesmo porque são 1.698 páginas contando os dois volumes, na edição brasileira.

Não me cansarei de afirmar e não tenho dúvidas de que, como dito acima, tendo em vista o amplo uso que já é feito desta obra no meio acadêmico nos cursos de Teologia no Brasil – tanto em nível de graduação como de Pós-Graduação –, a tradução desse livro/dessa coletânea para o português e sua publicação no Brasil constitui um ganho incalculável, visto que abrirá inúmeras possibilidades para os estudos futuros, proporcionando um maior acesso, em todos os sentidos, e não apenas linguístico.

Nestes dois volumes dedicados ao Evangelho de João, BROWN reúne todos os seus anos de magistérios, lecionando sobre a literatura joanina, bem como recolhendo os frutos de seus antecessores neste mesmo campo das Sagradas Escrituras. Nesse sentido, podemos considerar que BROWN faz e nos apresenta uma grande síntese de todas as colaborações anteriores a ele e lança luzes sobre as produções posteriores a esta obra, como podemos conferir pelo seu amplo uso. Ele, mais que ninguém de sua época, soube meditar e refletir sobre a riqueza da literatura joanina e, em especial, sobre o Quarto Evangelho e tudo aquilo que ele representa em paralelo aos três outros Evangelhos no Novo Testamento, da literatura Sinótica, trazendo/dando/conferindo outra tonalidade e riqueza de detalhes sobre a vida e a obra do Mestre.

Nos últimos séculos foram realizadas grandes descobertas bíblicas que trouxeram luzes para os estudos bíblicos, os quais avançaram e muito em suas pesquisas e investigações. Sobremaneira recordamos: a) Guenizá do Cairo (Egito: 1896); Nag Hammadi (Egito: 1945) e Qumran (Israel: 1947). Porém, alguns falam também do valor dos 70 livros de metal com bíblicos, encontrados na caverna da Jordânia (2011). Mas em nada todas essas descobertas afetaram os textos bíblicos. Pelo contrário, toda a literatura encontrada até então tem ajudado ainda mais os sérios trabalhos realizados nos estudos bíblicos, com muitas dissertações e teses que são produzidas dentro de nossas inúmeras Universidades espalhadas pelos cinco continentes do orbe terrestre.

Se os sinóticos (Mateus, Marcos e Lucas) produziram a sua teologia própria, como, aliás, todos os autores bíblicos – com maior aproximação de temas, linguagem, fatos da vida de Cristo –, o autor do Evangelho de João seguiu um caminho diverso, com temas, vocabulário e narrativas próprias, diferenciando dos sinóticos, com igual ou superior riqueza de dados e teologia, mas não entrando em contradição e sim completando ainda mais os dados da revelação que o Verbo Encarnado veio nos trazer. A riqueza teológica de João completa a grandeza dos dados sobre a vida do Mestre e da Igreja nascente, sem a qual não teríamos o mesmo acesso a tão fina teologia sobre Jesus Cristo, como o Quarto Evangelho nos apresenta.

No que diz respeito ao trabalho de RAYMOND EDWARD BROWN. *Comentário ao Evangelho segundo João*. Volume 1: Introdução, Tradução e Notas (1-12). Santo André: Academia Cristã / São Paulo: Paulus, 2020, a obra apresenta uma *introdução geral ao Evangelho de João, tradução do texto bíblico, comentários e notas* ao texto grego dos capítulos 1 a 12 do Quarto Evangelho, que conta com o *Prólogo* e o *Livro dos Sinais*. Outro aspecto muito positivo é toda a parte introdutória, com um *status quaestionis* sobre o Quarto Evangelho, destinatários, data, autoria, local de composição, propósito, linguagem, unidade, gnosticismo, helenismo, judaísmo, teologia etc., sendo dividida entre *Prólogo* (1,1-18) e *Livro dos Sinais*: Primeira Parte: Os dias iniciais da Revelação de Jesus (1,19-51); Segunda Parte: De Caná a Caná (2,1 a 4,54); Terceira Parte: Jesus e as principais Festas dos Judeus (5,1 a 10,42); Quarta Parte: Jesus segue rumo à Hora da Morte e Glória (11,1 a 12,50); Apêndices e vasta bibliografia para ulteriores aprofundamentos.

BROWN pretende, com isso, apresentar-nos toda a riqueza do Quarto Evangelho. Sua tradução procura manter a riqueza linguística, inclusive em seus detalhes, respeitando as nuances e o contexto de cada narrativa; suas notas e seus comentários intentam traduzir a riqueza e a beleza que a literatura joanina comporta, trazendo sempre luzes para, inclusive, aproximar-se dos sinóticos com maior gosto e desejo de crescer nas pesquisas e nos estudos bíblicos. É óbvio que ao fazer a passagem do grego, língua original do Novo Testamento, para uma outra língua, como o inglês ou o português, não é algo tão fácil de se conseguir com isenção e maestria como consegue o nosso autor. Mais ainda quando se trata de traduzir esta obra escrita originalmente em inglês e agora versada para o português. Mas a tradução realmente foi feita com esmero e coloca em nossas mãos esta obra-prima, com todas as suas riquezas e detalhes.

Enfim, se não bastasse toda a riqueza da obra em si, com todos os seus comentários e notas, ao longo dos dois volumes, BROWN vai nos presenteando com uma rica e vasta bibliografia, que muito ajuda a todos os interessados em aprofundar ainda mais o tema, além de que nos proporciona ter ciência das fontes em que o autor bebeu para tecer sua obra. Mais ainda, esta obra também apresenta os índices remissivos dos autores e das passagens bíblicas citadas, separadas por Antigo Testamento e Novo Testamento, inclusive do Evangelho de João, bem como dos deuterocanônicos e de apócrifos.

Prof. Dr. Waldecir Gonzaga
Waldecir Gonzaga, Doutor em Teologia Bíblica pela Pontifícia Universidade Gregoriana (Roma) e Pós-Doutorado pela FAJE (Belo Horizonte). Diretor e Professor de Teologia Bíblica do Departamento de Teologia da PUC-Rio: graduação e pós-graduação.
Rio de Janeiro / RJ – Brasil / E-mail: waldecir@puc-rio.br

Principais Abreviaturas

1. Obras Bíblicas e Apócrifas

Além das abreviações padrão de livros da Bíblia usadas na série:

Livros Deuterocanônicos do AT:
Tob	Tobias
Jt	Judite
I & II Mac	I & II Macabeus
Sir	Sirácida ou Eclesiástico
Sab. Sal.	Sabedoria de Salomão
Bar	Baruque

Livros Apócrifos relatados no AT:
Jub	Jubileu
1 En	1 Enoque
II Bar	II Baruque
I & II Esd	I & II Esdras
Sal. Sal.	Salmos de Salomão

2. Publicações

AASOR	Annual of the American Schools of Oriental Research
AER	American Ecclesiastical Review
APCh	*Apocrypha and Pseudepigrapha of the Old Testament in English* por R. H. Charles (2 vols.; Oxford: Clarendon, 1913)
ATR	Anglican Theological Review

BA	The Biblical Archaeologist
BAG	W. Bauer (como traduzido por W. F. Arndt e F. W. Gingrich), A *Greek-English Lexicon of the New Testament* (University of Chicago, 1957)
BASOR	Bulletin of the American Schools of Oriental Research
BCCT	*The Bible in Current Catholic Thought*, ed. J. L. McKenzie, em honra de M. Gruenthaner (Nova York: Herder & Herder, 1962)
BDF	F. Blass and A. Debrunner (como traduzido por R. W. Funk), A *Greek Grammar of the New Testament and Other Early Christian Literature* (University of Chicago, 1961). Referências a Seções
Bib	Biblica
BibOr	Bibbia e Oriente
BJERL	Bulletin of the John Rylands Library (Manchester)
BNTE	*The Background of the New Testament and Its Eschatology*, eds. W. D. Davies and D. Daube, em honra de C. H. Dodd (Cambridge, 1956)
BVC	Bible et Vie Chrétienne
BZ	Biblische Zeitschrift
CBQ	Catholic Biblical Quarterly
CDC	Cairo Genizah Document of the Damascus Covenanters (the Zadokite Documents)
CINTI	*Current Issues in New Testament Interpretation*, eds. W. Klassen e G. F. Snyder, em honra de O. A. Piper (Nova York: Harper, 1962)
CSCO	Corpus Scriptorum Christianorum Orientalium (Louvain)
CSEL	Corpus Scriptorum Ecclesiasticorum Latinorum (Vienna)
DB	H. Denzinger e C. Bannwart, *Enchiridion Symbolorum*, rev. por A. Schönmetzer, 32 ed. (Freiburg: Herder, 1963). Referências a seções
DBS	Dictionnaire de la Bible – Supplément
ECW	Early Christian Worship by Oscar Cullmann (ver General Selected Bibliography)
EstBib	Estudios Bíblicos (Madri)
ET	Expository Times

ETL	Ephemerides Theologicae Lovanienses
EvJean	*L'Evangile de Jean* by M.-E. Boismard *et al.* (Recherches Bibliques, III; Louvain: Desclée de Brouwer, 1958)
EvTh	Evangelische Theologie (Munique)
GCS	Die Griechischen Christlichen Schriftsteller (Berlim)
HTR	Harvard Theological Review
IEJ	Israel Exploration Journal
IMEL	*In Memoriam Ernst Lohmeyer*, ed. W. Schmauch (Stuttgart: Evangelisches Verlag, 1951)
Interp	Interpretation (Richmond, Virginia)
JBL	Journal of Biblical Literature
JeanThéol	*Jean le Théologien* by F.-M. Braun
JG	Johannine Grammar by E. A. Abbott (Londres: Black, 1906). Referências a seções
JJS	Journal of Jewish Studies
JNES	Journal of Near Eastern Studies
JohSt	*Johannine Studies* by A. Feuillet (Nova York: Alba, 1964)
JPOS	Journal of the Palestine Oriental Society
JTS	Journal of Theological Studies
LumVie	Lumiére et Vie
MD	La Maison-Dieu
NovT	Novum Testamentum
NRT	Nouvelle Revue Théologique
NTA	New Testament Abstracts
NTAuf	*Neutestamentliche Aufsätze*, eds. J. Blinzler, O. Kuss, e F. Mussner, em honra de J. Schmid (Regensburg: Pustet, 1963)
NTE	*New Testament Essays* by Raymond E. Brown (Milwaukee: Bruce, 1965; reimpresso em Nova York: Doubleday Image, 1968)
NTPat	*Neotestamentica et Patristica*, em honra de O. Cullmann (SNT, VI)
NTS	New Testament Studies (Cambridge)
PG	Patrologia Graeca-Latina (Migne)
PL	Patrologia Latina (Migne)
1QH	Hinos de Ação de Graças

1QpHab	pēšer sobre Habacuque
1QM	Qumran War Scroll [A Regra para a Guerra]
1QS	Qumran Manual of Discipline [Manual de Disciplina]
RB	Revue Biblique
RecLC	*Recueil Lucien Cerfaux* (3 vols.; Gembloux, 1954-62)
RHPR	Revue d'histoire et de philosophie religieuses
RivBib	Rivista Biblica (Brescia)
RSPT	Revue des sciences philosophiques et théologiques
RSR	Recherches de science religieuse
RThom	Revue Thomiste
SacPag	*Sacra Pagina*, eds. J. Coppens, A. Descamps, E. Massaux (Louvain, 1959)
SBT	Studies in Biblical Theology (Londres: SCM)
SC	Sources Chrétiennes (Paris: Cerf)
ScEccl	Sciences Ecléstiastiques (Montreal)
SFG	*Studies in the Fourth Gospel*, ed. F. L. Cross (Londres: Mowbray, 1957)
SNT	Supplements to Novum Testamentum (Leiden: Brill)
StB	H. L. Strack e P. Billerbeck, *Kommentar zum Neuen Testament aus Talmud und Midrasch* (5 vols.; Munique: Beck, 1922-55)
StEv	*Studia Evangelica* (Papers from the Oxford International Congresses of NT Studies; published at Berlin, Akademie-Verlag)
TalBab	The Babylonian Talmud, English ed. by I. Epstein (Londres: Soncino, 1961)
TalJer	The Jerusalem Talmud
TD	Theology Digest
ThR	Theologische Rundschau (Tübingen)
TLZ	Theologische Literaturzeitung
TNTS	*Twelve New Testament Studies* by John A. T. Robinson (SBT, No. 34; Londres: SCM, 1962).
TS	Theological Studies
TWNT	*Theologisches Wörterbuch zum Neuen Testament*, ed. G. Kittel (Stuttgart: Kohlhammer, 1933–)
TWNTE	Same work translated into English by G. W. Bromiley (Grand Rapids: Eerdmans, 1964–)

TZ	Theologische Zeitschrift (Basel)
VD	Verbum Domini
VigChr	Vigiliae Christianae
VT	Vetus Testamentum
ZDPV	Zeitschrift des Deutschen Palästina-Vereins
ZGB	M. Zerwick, Graecitas Biblica (4 eds.; Roma: Pontifical Biblical Institute, 1960). Referências são a seções; estas são as mesmas na tradução inglesa da 4ª ed. por J. Smith (Roma: 1963)
ZKT	Zeitschrift für katholische Theologie
ZNW	Zeitschrift für die neutestamentliche Wissenschaft und die Kunde der älteren Kirche
ZTK	Zeitschrift für Theologie und Kirche

3. Versões

KJ	The Authorized Version of 1611, ou a King James Bible
LXX	The Septuagint
TM	Masoretic Text [Texto Massorético]
NEB	The New English Bible (New Testament, 1961)
RSV	The Revised Standard Version, 1946, 1952
SB	La Sainte Bible – "Bible de Jérusalem" – traduite en français (Paris: Cerf). D. Mollat, *L'Evangile de Saint Jean* (2 ed. 1960)
Vulg.	Vulgata

4. Outras Abreviações

NT	Novo Testamento
AT	Antigo Testamento
Aram.	Aramaico
Boh.	Bohairic (Cópta)
Et	Etíope
Gr.	Grego
Heb.	Hebreu
OL	[Latim antigo]
OS	[Siríaco antigo] (OS^{cur}; OS^{sin} denote the Curetonian and Sinaiticus mss. Respectivamente)

Sah.	Sahidic (Cópta)
App.	Apêndices no final do livro
P	Papyrus
par.	Ver paralelo(s)
*	O asterisco depois de um manuscrito indica a mão do copista original, como distinta da dos últimos revisores.
[ ]	Colchetes na tradução indica uma palavra ou passagem textualmente dúbia.

INTRODUÇÃO

I
O ATUAL ESTADO DOS ESTUDOS JOANINOS

Neste século, um enorme volume de literatura tem-se dedicado ao Quarto Evangelho. Aliás, a introdução mais instrutiva ao estudo do evangelho é ler qualquer repertório bibliográfico da literatura sobre João – por exemplo, o de HOWARD, ou o artigo mais sucinto de COLLINS. O caráter efêmero de algumas posições assumidas merece reflexão sóbria. A análise mais valiosa da literatura joanina se encontra em francês, nos escritos de MENOUD, cujas próprias opiniões competentes e equilibradas emergem de sua crítica das obras de outros estudiosos. Suas bibliografias são de muita ajuda. A bibliografia em alemão de HAENCHEN é também notavelmente completa.

Particularmente, na década após a Segunda Guerra Mundial emergiu ali um número de contribuições maiores ao estudo de João. Os comentários de ambos, HOSKYNS (1940) e de BULTMANN (1941) podem ser inclusos neste grupo, visto que não tiveram ampla circulação até após a Guerra. Além disso, a *Interpretação do Quarto Evangelho* de DODD (1953) e os comentários de BARRETT (1955) e LIGHTFOOT (1956) vêm imediatamente à mente. A diferença de abordagem nestas várias obras causou muita discussão, como evidenciado pelos artigos de GROSSOUW, KÄSEMANN e SCHNACKENBURG.

Mesmo uma leve familiaridade com esta literatura revela que a tendência nos estudos joaninos tem passado por um interessante ciclo. No final do último século e nos anos iniciais deste século, a erudição tem enfrentado um período de extremo ceticismo acerca deste evangelho. João foi datado mui tardiamente, sim, na segunda metade do segundo século. Como produto do mundo helenista, pensou-se que ele fosse totalmente destituído de valor histórico e tivesse pouca relação com a Palestina de Jesus de Nazaré. O pequeno núcleo de dados, em suas páginas, foi supostamente tirado dos evangelhos sinóticos que serviram como base para as elaborações do autor. É desnecessário dizer que poucos críticos pensaram que o Evangelho segundo João tivesse a mais leve conexão com João filho de Zebedeu.

Algumas destas posições céticas, especialmente aquelas relativas à autoria e à fonte de influência sobre o evangelho, são ainda mantidas por muitos reputáveis estudiosos. Não obstante, não existe sequer uma posição que não tenha sido afetada por uma série de inesperadas descobertas arqueológicas, documentárias e textuais. Estas descobertas nos têm levado a desafiar inteligentemente os pontos de vista críticos que quase vieram a ser ortodoxos e a reconhecer quão frágil era a base que sustentava a análise altamente cética sobre João. Consequentemente, desde a Segunda Guerra Mundial emergiu aí o que o Bispo JOHN A. T. ROBINSON chama um "novo olhar" nos estudos joaninos – um novo olhar que partilha muito com a visão ao mesmo tempo tradicional no Cristianismo. A datação do evangelho tem sido recuada para o final do primeiro século ou ainda mais cedo. A tradição histórica subjacente aos evangelhos sinóticos está sendo proposta por alguns. De fato, o autor do evangelho está gradualmente tendo seu status como um cristão ortodoxo restaurado, após longa debilitação nas masmorras do Gnosticismo às quais ele foi relegado por muitos críticos. E talvez mais forte ainda, alguns estudiosos ainda ousam sugerir, uma vez mais, que João, filho de Zebedeu, bem que poderia ter algo a ver com o evangelho. Entretanto, esta inversão de tendência não significa que toda a crítica erudita interveniente tem sido em vão. A erudição não pode retornar aos dias pré-crítica, e nem sempre se deixa embaraçar pelo fato de que ela aprende através dos equívocos. Aliás, é a admirável honestidade da crítica bíblica e sua habilidade em criticar-se que a tem conduzido a uma avaliação mais conservadora do valor histórico do Quarto Evangelho.

No vasto corpo da literatura sobre João, os alemães e os britânicos têm sido os mais frutíferos contribuintes. Os alemães têm sido mais aventureiros em suas teorias das passagens, composição e sequência do evangelho. Os britânicos, tendendo menos às reconstruções hipotéticas, têm feito mais para extrair uma teologia do evangelho como agora se encontra. E também surpreendentemente, nenhuma destas grandes abordagens à exegese joanina tem sido marcantemente influenciada pelas outras. O individualismo dos principais estudiosos tem sido conspícuo, e em uns poucos casos pareceria que pontos de vista opostos foram deliberadamente ignorados. Como as bibliografias indicam, este comentário tem tirado proveito dos escritores de todas as escolas.

BIBLIOGRAFIA

Sumários da literatura sobre João

BRAUN, F.-M., *"Où en est l'étude du quatrième évangile"*, ETL 32 (1956), 535-46.
COLLINS, T. A., *"Changing Style in Johannine Studies"*, BCCT, pp. 202-25.
GROSSOUW, W., *"Three Books on the Fourth Gospel"*, NovT 1 (1956), 35-46.
HAENCHEN, E., *"Aus der Literatur zum Johannesevangelium 1929-1956"*, ThR 23 (1955), 295-335.
HOWARD, W. F., e BARRETT, C. K., *The Fourth Gospel in Recent Criticism and Interpretation*, 4 ed. (Londres: Epworth, 1955).
KÄSEMANN, E., *"Zur Johannesinterpretation in England"*, *Exegetische Versuche und Besinnungen*, II (Göttingen: Vandenhoeck, 1964), pp. 131-55.
MENOUD, P.-H., *L'Evangile de Jean d'après les recherche* récentes (Neuchâtel: Delachaux, 1947).
_____ *"Les études johanniques de Bultmann à Barrett"*, EvJean, pp. 11-40.
MONTGOMERY, J. W., *"The Fourth Gospel Yesterday and Today"*, Concordia Theological Monthly 34 (1963), 197-222.
ROBINSON, James M., *"Recent Research in the Fourth Gospel"*, JBL 78 (1959), 242-52.
SCHNACKENBURG, R., *"Neuere englische Literatur zum Johannesevangelium"*, BZ 2 (1958), 144-54.
STANLEY, D. M., *"Bulletin of the New Testament: The Johannine Literature"*, TS 17 (1956), 516-31.

O "Novo Olhar" nos Estudos Joaninos

HUNTER, A. M. *"Recent Trends in Johannine Studies"*, ET 71 (1959-60), 164-67, 219-22.
MITTON, C. L., *"The Provenance of the Fourth Gospel"*, ET 71 (1959-60), 337-40.

POLLARD, T. E., "*The Fourth Gospel: Its Background and Early Interpretation*", *Australian Biblical Review* 7 (1959), 41-53.

ROBINSON, John A. T., "*The New Look on the Fourth Gospel*", StEv, I, pp. 338-50. Now in Robinson's TNTS, pp. 94-106.

II
UNIDADE E COMPOSIÇÃO DO QUARTO EVANGELHO

A. O PROBLEMA

O Quarto Evangelho, como o temos agora, é obra de um só homem? (Excluiremos desta discussão o relato da mulher Adúltera em 7,53-8,11, o qual não se encontra nas testemunhas gregas mais antigas; ver § 30). A solução comumente aceita, diante do advento da crítica bíblica, é que este evangelho foi obra de João, filho de Zebedeu, escrito pouco antes de sua morte. Discutiremos a identidade do autor na Sétima Parte abaixo; mas, mesmo que descartemos a questão da identidade, há no evangelho características que oferecem dificuldade para qualquer teoria de autoria unificada. Com muita frequência – como salientou Teeple, *art. cit.* –, as dificuldades têm sido criadas por não se respeitar a intenção do autor, e hipóteses têm sido construídas onde explicações simples estavam disponíveis. Todavia, levando em conta estes fatos, encontramos estas dificuldades maiores:

Primeiro, há no evangelho diferenças de estilo grego. Enviamos o leitor à discussão do capítulo 21 (segundo volume), a qual difere do restante do evangelho em pequenos detalhes estilísticos que delatam a diferença de autoria. O Prólogo está escrito intercalando um padrão poético cuidadosamente construído, só encontrado raramente no próprio evangelho. Além do mais, o Prólogo emprega importantes termos teológicos não encontrados em outro lugar no evangelho, por exemplo, *logos* ("Palavra" personificada), *charis* ("graça" ou "amor pactual"), *plērōma* ("plenitude").

II • Unidade e composição do quarto evangelho

Segundo, há interrupções e inconsistências na sequência. Muito se tem falado dos "saltos" geográficos e cronológicos em João, com os quais, sem qualquer indicação de uma transição, um capítulo pode ser situado num lugar diferente daquele do capítulo anterior. Tais saltos só seriam cruciais se o evangelho fosse uma tentativa de dar-nos um relato completo do ministério de Jesus, mas 20,30 e 21,25 declaram especificamente que o relato no evangelho é incompleto. Todavia, mesmo que sejamos cuidadosos em não impor ao evangelista nossa paixão moderna por cronologia, há ainda aparentes contradições na presente ordem do evangelho. Em 14,31, Jesus conclui suas observações na última ceia e dá a ordem de partir; mas isso é seguido por mais três capítulos do discurso e a partida parece não ocorrer até 18,1. Em 20,30-31, nos é dada uma clara conclusão do evangelho: o evangelista resume sua narrativa e explica o propósito que tinha na composição; mas isso é seguido por outro capítulo, aparentemente independente, com outra conclusão. Também parece haver uma dupla conclusão ao ministério público em 10,40-42 e 12,37-43 (ver discussão em § 37, p. 695), embora aqui a evidência não seja tão clara. Os discípulos de João Batista, que estavam presentes quando o Batista identificou Jesus e explicou sua missão em 1,29-34, parecem não entender nada sobre Jesus em 3,26-30. Após seu primeiro sinal em Caná (2,11), Jesus opera sinais em Jerusalém (2,23); e seu próximo milagre em Caná é aparentemente designado como seu segundo sinal (4,54), como se não houvessem sinais entre estes. Em 7,3-5, seus irmãos falam como se Jesus nunca houvesse operado sinais na Judeia, a despeito dos sinais em Jerusalém recém mencionados e outro milagre no capítulo 5. Na última ceia, Pedro pergunta a Jesus aonde estava indo (13,36, também 14,5); todavia, no mesmo cenário em 16,5, Jesus se queixa de que ninguém lhe perguntou: "Aonde vais?" Por todo o capítulo 3, Jesus esteve em Jerusalém, que está na Judeia; todavia, no meio do capítulo (3,22) somos subitamente informados que ele entrou na Judeia. Uma ou outras destas dificuldades podem ser explicadas, mas nem todas elas. Parece que em João temos, de um lado, os elementos de um esquema planejado e coeso (Décima Parte, p. 158), e, do outro, elementos que parecem indicar alterações, inserções ou redações sucessivas. De um lado há cenas dramáticas que revelam minucioso cuidado redacional (cap. 9 e o julgamento diante de Pilatos em 18-19); do outro, há cenas em que falta término e organização (caps. 7-8).

Terceiro, há repetições nos discursos, bem como passagens que claramente não pertencem ao seu contexto. Às vezes, a economia de estilo do evangelista é realmente impressionante, mas, em outras vezes, o que foi dito parece ser repetido mais e mais vezes apenas em termos ligeiramente diferentes. Esta repetição não é pedagógica, mas parece ser o resultado de duas diferentes tradições das mesmas palavras (um fenômeno parecido com o que encontramos nas tradições do Pentateuco). Por exemplo, o que é dito em 5,19-25, com uma ênfase sobre a escatologia realizada (Oitava Parte, p. 114), aparece outra vez e, em parte, quase literalmente em 5,26-30, com uma ênfase sobre a escatologia final. O que é dito e o que aconteceu em 6,35-50, onde Jesus apresenta sua revelação como o pão da vida, é quase o mesmo que é dito e aconteceu em 6,51-58, onde Jesus apresenta seu corpo como o pão da vida (p. 522ss). O que é dito no último discurso em 14,1-31, é dito largamente e outra vez em 16,4-33. Em adição a estas duplicações, há seções de discurso que não pertencem ao seu contexto. Quem está falando em 3,31-36, João Batista ou Jesus? O contexto indicaria João Batista, mas as palavras são apropriadas a Jesus. Outro discurso que, provavelmente, não está em sua sequência original é 12,44-50, onde encontramos Jesus fazendo uma proclamação pública quando acabamos de ser informados de que ele se ocultou (12,36).

B. SOLUÇÕES POSSÍVEIS

Tais dificuldades como temos exemplificado acima têm levado muitos estudiosos a abandonar a imagem tradicional da composição do evangelho por um homem que consignava suas recordações. Com a máxima simplificação, agruparemos abaixo as explicações modernas alternativas sob três tópicos. Entretanto, enfatizamos que estas soluções não são necessária e mutuamente exclusivas; podem ser, e às vezes são, combinadas.

(1) *Teorias dos deslocamentos acidentais*

Talvez a solução mais simples às dificuldades encontradas em João seja reorganizar partes do evangelho. Desde o tempo de TACIANO (c. de 175) até nossos dias, estudiosos têm imaginado que, movendo passagens de um lado para o outro, poderiam pôr João em ordem consecutiva. Sua pressuposição usual tem sido de que algum acidente deslocou passagens e destruiu a ordem original, criando assim a confusão que agora deparamos no evangelho. Visto que não há absolutamente evidência, em quaisquer das testemunhas textuais, de alguma outra ordem além daquela que possuímos, deve-se assumir que este deslocamento acidental ocorreu antes que o evangelho fosse publicado. E geralmente assume-se que isso aconteceu após a morte ou na ausência do evangelista; pois, se ele estivesse presente, poderia facilmente ter restaurado sua ordem original.

O número de reorganização que se tem proposto varia consideravelmente. Muitos estudiosos que não são a favor de uma reorganização, por exemplo, Wikenhauser, admitem, pelo menos, uma inversão da ordem entre os capítulos 5 e 6 a fim de obter melhor sequência geográfica. (Infelizmente, não temos prova de que o evangelista partilhou esse interesse geográfico). Bernard, em seu comentário, endossa um novo arranjo razoavelmente extenso, afetando não só 5 e 6, mas também a totalidade do 15 e 16, no último discurso, e partes de 3, 4, 10 e 12. Bultmann leva a reorganização ainda mais longe, de modo que versículos e partes individuais dos versículos são afetados; por exemplo, em uma parte de sua reorganização, a ordem dos versículos é 9,41; 8,12 e 12,44. Wilkens e Boismard são outros que tendem a uma frequente reorganização.

Não há dúvida de que a reorganização resolve alguns problemas do evangelho. Que não os resolvem todos os meios que costumam ser combinados com outra explicação da composição do evangelho, por exemplo, as teorias da fonte ou edição que serão discutidas abaixo. Entretanto, é importante notar que há sérias objeções a qualquer teoria de deslocamento e reorganização:

Primeira, há o risco de que as reorganizações reflitam os interesses do comentarista, os quais podem não ser os mesmos interesses do evangelista. É possível que as reorganizações destruam uma sequência que era tencionada, ao menos pelo redator final do evangelho. Por exemplo, se a seção sobre João Batista, em 3,22-30 (§ 11), parece interromper o que poderia ser a melhor sequência entre 3,1-21 e 31-36 (assim Bernard), acaso não poderia alguém argumentar que a passagem foi inserida em seu atual local precisamente para lembrar o leitor da significação batismal das palavras em 3,1-21, significação esta que de outra maneira pode ter-se perdido? Geograficamente, o capítulo 6 transcorre melhor antes do 5, mas a intenção do evangelista poderia ter sido o tema do pão de 6 a ser seguido imediatamente pelo tema da água em 7 (37-38), a fim de ecoar o relato do Êxodo, onde Deus deu a Israel pão do céu e água da rocha. Caso alguém comente o evangelho como ora se encontra, está certo de estar comentando um evangelho antigo tal como existiu realmente no momento final de sua publicação. Se alguém se dedica a uma reorganização extensa, pode estar comentando um híbrido que nunca existiu antes de emergir da mente original do reorganizador. Alguém pode exagerar esta objeção; por exemplo, Bultmann tem sido injustamente acusado de comentar o Evangelho segundo Bultmann, em vez do Evangelho segundo João. Ademais, o próprio título de seu comentário, *Das Evangelium des Johannes* (em vez do mais usual *nach Johannes* ou *Johannesevangelium*) tem sido interpretado por alguns como a indicar a firme certeza de Bultmann de que ele encontrou o real evangelho *de* João por detrás do evangelho como nos tem sido transmitido. Mas isto deve ser lido em grande parte como um título perfeitamente aceitável.

Segunda, reorganizações são baseadas na tese de que o evangelho não faz sentido satisfatório como ora está; muitos comentaristas, entretanto, como Hoskyns, Barrett e Dodd estão convencidos de que a presente ordem faz sentido. Geralmente, se respeitarmos o limitado propósito do evangelista, o evangelho é um documento inteligível em sua presente forma; e podemos razoavelmente assumir que esta forma do evangelho fez sentido a alguém que tinha a responsabilidade final pelo aparecimento do evangelho. Mas devemos contar com a possibilidade de que, enquanto este redator pôs o evangelho na ordem que lhe parecia melhor, ele não estava numa posição de conhecer a ordem original do manuscrito e tinha de decidir pelo que nos foi dado. A questão real é se as ferramentas científicas modernas quase 1900 anos mais tarde são aptas para estabelecer uma ordem mais original do que foi possível para um redator contemporâneo. Que nenhuma grande certeza determina esta tarefa é claramente demonstrado nas penetrantes diferenças entre as elaboradas reorganizações propostas.

Terceira, teorias de deslocamento nem sempre oferecem uma adequada explicação de como se deu o deslocamento. Se o evangelho foi escrito em um rolo, torna-se difícil qualquer teoria de deslocamento. Os rolos tendem a soltar suas folhas mais externas, mas não é plausível a confusão de folhas no interior do rolo. Tem-se sugerido que um rolo

II • Unidade e composição do quarto evangelho

veio à parte em folhas separadas quando as junções onde as folhas foram coladas se soltaram. Mas devemos ter em mente que em tais rolos as colunas escritas sobrepõem as junturas, e, se uma juntura se separa, as folhas podem ser facilmente unidas.

Mais recentemente, os estudiosos têm sugerido que a forma original do evangelho era um códice ou livro, uma forma em que folhas desprendiam constituem um risco maior. Mas, mesmo que as folhas fossem desprendidas, a ordem original podia ser facilmente restaurada por aquelas folhas que não começaram com uma nova sentença e terminaram na conclusão de uma sentença (porque sentenças incompletas proveriam um indício para a sequência das folhas). Somente as páginas que estavam unidas em si causariam problemas. Esta observação tem levado os defensores da teoria do deslocamento a calcularem quantas letras estariam no *recto* e *verso* de uma folha de códice. Unidades que fossem deslocadas teriam de ser de certa extensão ou um múltiplo disso. BERNARD, I, p. 28ss., faz um trabalho louvável de computar isto pelo deslocamento que se propõe em João, e F. R. HOARE fez uma forte exposição das possibilidades desta abordagem. Entretanto, alguém pode indagar quão grande seria a probabilidade matemática de encontrar em um manuscrito de João um número tão grande de unidades que não se sobrepôs a outras folhas. Poderia-se indagar ainda em quantos casos provados na antiguidade ocorreu em grande escala deslocamento acidental antes que a obra fosse publicada.

Se a teoria do deslocamento de unidades regulares ao menos tem alguma plausibilidade, não se poderia dizer o mesmo para uma teoria de deslocamento de linhas. O fato de BULTMANN nunca explicar como o deslocamento que ele propõe poderia ter ocorrido constitui, como observou EASTON, *art. cit.*, uma grande fraqueza. Presume-se que sua reorganização é tão patentemente melhor do que a ordem existente do evangelho, que se pode dizer que os deslocamentos têm sido demonstrados exegeticamente. No entanto, muitos não se deixarão convencer tão facilmente. Acaso o evangelho foi escrito em pequenos pedaços de papiro, amiúde contendo não mais que uma sentença? Isto parece ser a única maneira de explicar os deslocamentos que BULTMANN propõe. Qualquer teoria de dano feito a um rolo ou códice nos deixaria com sentenças interrompidas, que foram desmembradas, mas, na teoria de BULTMANN, os deslocamentos são sempre compostos de sentenças completas.

Em suma, a teoria de deslocamento acidental parece criar quase tantos problemas quanto soluções. A solução de nosso problema pareceria estar na direção de um procedimento mais deliberado.

(2) *Teorias de fontes múltiplas*

Se o quarto evangelista combinou diversas fontes independentes, algumas de diferenças estilísticas, bem como a falta de sequência e a presença de duplicações, pode ser favorável. Nas formas recentes da teoria da fonte, costuma-se presumir que o evangelista não compôs nenhuma das fontes propriamente ditas, mas as recebeu de outro lugar. Também costuma-se propor que estas fontes foram escritas, pois fontes orais teriam sido transmitidas no próprio estilo do evangelista e, assim, seriam mais difíceis de discernir. (Entretanto, podemos notar que NOACK tem sido um forte proponente de uma teoria em que todo o evangelho nasceu de uma tradição oral). Com muita frequência, uma teoria que concebe o evangelho como sendo composto de uma combinação de fontes tem-se associado com uma teoria que vê o evangelho como tendo passado por diversas edições ou redações – mas essa teoria composta pode tornar-se muito complicada. Por exemplo, na primeira parte deste século um estudioso alemão chegou a seis combinações de fontes e redações. Pode-se encontra uma história completa das teorias das fontes nos exames da literatura joanina catalogados no final da Primeira Parte da Introdução; os nomes de WENDT, SPITTA, FAURE e HIRSCH têm-se associado a tais teorias.

Um interessante exemplo moderno é o de MACGREGOR e MORTON. Sobre a base de análise estatística, têm proposto que o evangelho foi composto pela junção de duas fontes, J^1 e J^2. A primeira, a fonte mais longa, é caracterizada por parágrafos curtos; a segunda tem parágrafos longos. Embora ambas as fontes pertençam à mesma esfera geral de convicção teológica, há alguma evidência estilística que provém de mãos diferentes (*op. cit.*, p. 71). J^2 contém o capítulo 4, a maior parte do 6,9-11,14-16.24 e 17. Essa interrupção do material em si mesma não resolve os principais problemas mencionados acima, e assim MACGREGOR também introduz a teoria das redações múltiplas. Tem-se questionado a validade de dividir as fontes sobre a base de parágrafo extenso. Talvez tudo o que a análise estatística tenha feito seja separar as melhores seções redatadas do evangelho.

II • Unidade e composição do quarto evangelho

A forma mais influente da teoria das fontes proposta hoje é a de BULTMANN, e discutiremos isto em detalhe. BULTMANN distingue três fontes *principais*.

(a) *A Fonte Semeia-Quelle ou Fonte dos Sinais*: João narra um número seleto de milagres de Jesus, e estes constituem as principais seções de narrativa na primeira parte do evangelho (caps. 1-12). BULTMANN sugere que estes foram excluídos de uma coleção maior de sinais atribuídos a Jesus. A indicação de empréstimo de uma fonte se encontra na enumeração de sinais em 2,11 e 4,54, e na menção de vários sinais em 12,37 e 20,30. A última passagem declara que Jesus realizou muitos outros sinais não registrados neste evangelho. BULTMANN pensa que o relato do chamado dos discípulos em 1,35-49 pode ter constituído a introdução à Fonte Sinais. Esta fonte foi escrita num grego que mostra fortes afinidades semíticas (verbo antes do sujeito, ausência de partículas conectivas etc.). Uma vez que BULTMANN não crê no miraculoso, e visto que ele acha esta fonte um tanto mais desenvolvida do que o material de narrativa sinótica, ele atribui a esta fonte pouco valor histórico real para reconstruir a trajetória de Jesus de Nazaré. O texto grego da Fonte Sinais reconstruída pode ser encontrada em SMITH, pp. 38-44.

(b) *A "Offenbarungsreden" ou Fonte do Discurso Revelatório*: Foi desta fonte que o evangelista extraiu os discursos atribuídos a Jesus no evangelho. A fonte começou com o Prólogo e continha discursos poéticos escritos em aramaico. As *Odes de Salomão Siríacas* constituem um exemplo sobrevivente do tipo de literatura com que esta fonte se assemelha. A teologia desta fonte era um antigo gnosticismo oriental como professado por um grupo como os seguidores de João Batista e mais tarde pelos escritos Mandeanos (ver Quarta Parte, p. 44). A fonte foi traduzida para o grego ou pelo próprio evangelista ou por outro, mas o formato poético foi mantido. A principal tarefa do evangelista foi cristianizar e demitologizar os discursos. Ele os colocou nos lábios de Jesus e, assim, lhes emprestou um cenário histórico. O que uma vez foi dito pela figura gnóstica do Homem Original é agora dito por Jesus o Redentor; o que uma vez se referiu a algum filho da perdição agora se refere a

Judas (17,12); 12,27 não mais se refere a um conflito geral com o inferior mundo demoníaco, e sim à paixão de Jesus. Adições e mudanças introduzidas na fonte material são reveladas por seu afastamento do formato poético. Um texto grego da Fonte do Discurso Revelatório reconstruída se encontra em Smith, pp. 23-34 e em um texto inglês em Easton, pp. 143-54.

(c) *O Relato da Paixão e Ressurreição*: Embora esta narrativa tenha muito em comum com o relato da paixão que sublinha os evangelhos sinóticos, Bultmann insiste que o quarto evangelista a extraiu de material não sinótico. O estilo desta fonte não é definido claramente, mas foi escrito em grego semitizante. Para o texto grego reconstruído, ver Smith, pp. 48-51.

Na teoria de Bultmann, o evangelista entreteceu estas três fontes com engenhosidade, fazendo-as o veículo de seu pensamento pessoal. Ele mesmo pertencera a um grupo gnóstico de discípulos de João Batista e se convertera ao Cristianismo. Seu grego, como evidenciado nas edições e passagens conectivas, mostra menos influência semítica do que o de suas fontes. (Para detalhes de seu estilo, ver Smith, pp. 9-10). Não obstante, de alguma maneira, a obra do evangelista caiu em desordem; as linhas dos discursos foram misturadas e resultou em um grande número de deslocamentos.

Portanto, Bultmann propõe um estágio final na evolução do evangelho, a saber, a obra do Redator Eclesiástico. Esta figura teve uma tarefa tanto literária quanto teológica. Primeiro, ele tentou recolocar a obra do evangelista na ordem própria. Em parte, teve êxito, mas ainda deixou muitos deslocamentos. (Em alguma medida, o próprio Bultmann concluiu a tarefa do Redator, movendo versículos em círculo para restaurar a ordem original). A segunda tarefa do Redator era a mais importante, a saber, a teológica. A obra do evangelista era ainda gnóstica demais para ser aceita pela Igreja em geral. Por exemplo, ela não fez menção dos sacramentos ou da segunda vinda. O Redator Eclesiástico, um tipo de *censor librorum* primitivo, anexou referências sacramentais, como aquela feita à água em 3,5, à eucaristia em 6,51-58 e aquela em 19,34b-35, se referindo simbolicamente tanto ao Batismo como à Eucaristia. Anexou referências à escatologia final e ao último dia em passagens como 5,29-29 e 12,48. Em detalhes históricos, o Redator tentou harmonizar João com a tradição sinótica.

II • Unidade e composição do quarto evangelho

Assim, ele conquistou para o Quarto Evangelho aceitação pela Igreja da parte da Igreja.

É difícil uma avaliação da teoria de BULTMANN como representante das teorias das fontes. Muitos dos pontos fracos em tal reconstrução de João são pessoais à própria forma da teoria da fonte de BULTMANN; outras deficiências são comuns a todas as teorias das fontes. Entre as primeiras estão a postulada influência gnóstica, o pressuposto caráter não sacramental da obra do evangelista e seu exclusivo interesse na escatologia realizada; essas contendas serão examinadas mais adiante. Já salientamos as dificuldades que enfrenta a hipótese do deslocamento elaborado desenvolvida por BULTMANN. O perfil do Redator Eclesiástico está particularmente sujeito à dúvida. Às vezes é como se as adições creditadas a ele fossem determinadas por uma forma de raciocínio circular em que alguém decide um tanto arbitrariamente o que se adequa à perspectiva teológica do evangelista e atribui o que é deixado para o Redator.

Mas, afora estas dificuldades periféricas, o que diríamos sobre a Fonte Sinais e a Fonte do Discurso Revelatório? O formato quase poético dos discursos joaninos tem sido aceito por muitos (ver Nona Parte, p. 145s); não há nenhuma necessidade de padronizar-se uma coleção de poemas gnósticos, pois se assemelha ao estilo do discurso da Sabedoria personificada no AT. A enumeração de sinais em várias passagens do evangelho é um argumento muito forte. Entretanto, se essa enumeração reflete um estágio (oral) mais antigo e mais simples do esquema do evangelho onde 4,54 foi o segundo sinal após o sinal de Caná de 2,1-11, ou se houve uma Fonte Sinais realmente independente não é decisivo sem outra evidência.

Quatro dificuldades maiores militam contra uma teoria das fontes do tipo que BULTMANN propõe:

(a) Em João, sinais e discursos estão estreitamente entretecidos. DODD, *Interpretation*, tem mostrado, de uma forma impressionante, que os discursos que acompanham os sinais são as interpretações dos sinais. O capítulo 6 é um perfeito exemplo disto, pois o Discurso do Pão da Vida interpreta a multiplicação dos pães. Este é um aspecto consistente dos capítulos 2-12, que parece incrível que os sinais e discursos viessem de fontes totalmente independentes. Entretanto, pode-se reivindicar uma exceção, pois os dois sinais em Caná, os quais não são acompanhados de discursos interpretativos (ver, porém, p. 409 sobre 4,46-54). Estes dois sinais continuam sendo o melhor argumento em prol da existência de algum tipo de Fonte dos Sinais. Ver abaixo, p. 415.

(b) Incorporados nos discursos estão ditos de Jesus que, em comparação com os dos sinóticos, têm muita razão de ser considerados como pertinentes a uma tradição primitiva das palavras de Jesus. DODD, *Tradition*, tem mostrado isto, e no comentário insistiremos no caso. Isto significa que, ao menos em parte, os discursos consistem de ditos tradicionais e desenvolvimentos explicativos. A coleção supostamente pré-cristã de poéticos Discursos Revelatórios então se torna um tanto supérflua.

(c) As diferenças estilísticas entre as várias fontes não são verificáveis. E. SCHWEIZER, *op. cit.*, isolou trinta e três peculiaridades do estilo joanino. Sua obra foi suplementada por JEREMIAS e MENOUD, e tem sido conduzida ao seu desenvolvimento mais pleno por RUCKSTUHL, cuja lista chegou a alcançar cinquenta. Essas peculiaridades joaninas aparecem no material de todas as três fontes propostas por BULTMANN, tanto quanto no material atribuído ao próprio evangelista, e inclusive em algum do material atribuído ao Redator Eclesiástico (embora RUCKSTUHL tenha aqui levado seus argumentos longe demais). Ora, admitimos que, ao incorporar as fontes em uma só obra, o evangelista teria introduzido elementos comuns de estilo. Não obstante, se tivermos em mente que, segundo a hipótese de BULTMANN, uma das fontes estava originalmente na poesia aramaica, e a outra, em grego semitizado, e o próprio evangelista escreveu em um grego menos semitizado, o caráter comum das peculiaridades joaninas, em todos os três, é inexplicável. Como P. PARKER, p. 304, observou, "Parece que, se o autor do Quarto Evangelho usou fontes documentárias, ele as escreveu todas para si mesmo". O estudo compreensivo que SMITH faz de BULTMANN (p. 108) conclui que os argumentos de SCHWEIZER e RUCKSTUHL apresentam obstáculos que as respostas de BULTMANN não conseguiram remover.

(d) Não há paralelos realmente convincentes na antiguidade para os tipos de fontes que BULTMANN tem postulado. Não temos nada parecido com a Fonte Sinais proposta. As *Odes de Salomão* foram propostas como um paralelo à Fonte de Discurso Revelatório, mas a similaridade desta coleção de hinos é mais para o Prólogo do que para os Discursos. Naturalmente, BULTMANN une o Prólogo e os discursos como uma só fonte, mas o elemento poético do Prólogo é bem diferente da dos discursos. HANS BECKER, *op. cit.*, tem buscado paralelos para a Fonte de Discurso de um campo mais amplo da literatura gnóstica. É verdade que se podem achar paralelos isolados nas passagens individuais na literatura Mandeana e Hermética (ver Quarta Parte, p. 44ss). Mas isto não significa que haja um bom exemplo de uma coleção de discursos como BULTMANN propõe.

Parece haver uma forte reação entre os próprios discípulos de BULTMANN, por exemplo, KÄSEMANN, contra a teoria das fontes em sua formulação estrita. Não podemos apoiar, mas julgar que a teoria sofre de dificuldades quase insuperáveis.

(3) *Teorias das redações múltiplas*

O esquema comum para estas teorias é de que um corpo básico do material do evangelho foi redigido várias vezes para dar-nos a presente forma de João. Não há concordância sobre o número de redações ou se estas foram todas feitas pelo mesmo homem; mas, geralmente, ao menos se propõem dois redatores, e um deles é amiúde identificado com o escritor das Epístolas Joaninas. E. SCHWARTZ e WELLHAUSEN estavam entre os primeiros oponentes desta abordagem. Podemos dividir os oponentes modernos em dois níveis: um que propõe um reescrito mais completo do evangelho, outro que propõe redação menor.

Primeiro, a teoria de uma redação que consiste em um reescrito radical atinge o limite de uma teoria de fonte. Aponta para a razão que, se houve documento original a ponto de dar à obra original uma orientação totalmente nova, não estamos longe da combinação de duas fontes. (Assim a hipótese de MACGREGOR-MORTON, de J^1 e J^2, poderia ser realmente catalogada aqui). Somente quando o material adicional vier do mesmo autor como a obra original é que obtemos uma variação decisiva, variação esta que isenta a teoria da redação das objeções sobre consistência estilística que sublinha a teoria da fonte.

Um bom exemplo de uma teoria das redições que atribui reescrito ao mesmo autor (o Discípulo Amado) é a de W. WILKENS. Ele propõe estes três estágios: (*a*) O *Grundevangelium* consistindo das narrativas de quatro sinais galileus e três sinais hierosolimitanos – assim como um livro de sinais (20,30). (*b*) O evangelista adicionou sete discursos aos sinais. Estes discursos tiveram sua própria pré-história pelos quais o evangelista foi responsável. (*c*) Esta coleção de sinais e discursos se converteu em evangelho pascal pela transposição de três relatos da semana pascal em um cenário mais antigo (2,13-22; 6,51-58; 13,1-7), com isso estendendo o tema da páscoa por todo o evangelho. Então houve uma considerável reorganização dos versículos e interrupção de discursos. Estas redações representavam a obra de toda a vida do evangelista; um redator final fez algumas adições, por exemplo, no capítulo 21.

Há algumas contribuições importantes na teoria de WILKENS, da qual temos dado apenas um esboço mais simples. A sugestão (originalmente de seu pai) sobre a transposição de cenas da Páscoa tem certa validade, como salientaremos no comentário. Além do mais, esta teoria que aceita a autoria do Discípulo Amado (ver Sétima Parte, p. 90ss), que foi uma testemunha ocular, é mais aceitável à presença de uma tradição histórica do que a teoria de BULTMANN. Não obstante, uma das objeções à teoria de BULTMANN é também válida aqui; a saber, a dificuldade de explicar a estreita harmonia entre sinal e discurso. Da mesma forma, a teoria de WILKENS do processo redacional consistia em anexar material e reorganizá-lo, mas nunca em reescrever o que foi originalmente escrito; essa parece ser uma maneira curiosa de alguém redatar sua própria obra.

Segundo, há outras teorias da redação que são menos radicais. Por exemplo, PARKER sugere duas redações de João. A segunda teria envolvido a redação de passagens como 2,1-12, 4, 5 e 21, trechos grandemente relativos à Galileia. Assim, PARKER chega a uma primeira redação que consistia no evangelho judaico, em harmonia com sua teoria de que o evangelista era um discípulo judeu. BOISMARD tem sua própria variação de uma teoria redacional: João, filho de Zebedeu, foi o responsável pelo plano central do evangelho e por sua tradição. Ele ou escreveu ou supervisionou o escrito do evangelho básico e foi o responsável por duas ou mais redações, as quais produziram leves mudanças de plano e de diferentes formulações do mesmo material. Então houve uma

II • Unidade e composição do quarto evangelho

redação final por Lucas, o qual juntou no evangelho todos os elementos do material joanino, como o conhecemos agora. BOISMARD busca provar esta identificação do redator das características lucanas que encontra no estilo do capítulo 21 e nas edições ao Prólogo. Daremos um exemplo da teoria da redação de BOISMARD em nossa discussão de 1,19-34 (pp. 252-257) e a comparamos com a teoria de BULTMANN.

Ao julgarmos as teorias das várias redações, devemos abstrair das peculiaridades individuais – por exemplo, a divisão de PARKER paralela a linhas geográficas, a identificação que BOISMARD faz do redator final como sendo Lucas. Em si mesma, a teoria da redação pode explicar as interrupções da sequência na presente forma do evangelho – causada pela inserção do redator de novos materiais do esquema original. Essa teoria pode também explicar repetições, pois o redator poderia ter incluído formas variantes das mesmas palavras. Porções não anexadas de discurso poderiam ser explicadas por um desejo de preservar uma parte da tradição sem ser capaz de achar um lugar ideal para inseri-lo. As objeções estilísticas contra as teorias de fonte não são aplicáveis aqui onde o material usado nas várias redações veio do mesmo autor. Aquelas passagens do evangelho onde o estilo grego mostra uma diferença de mão, por exemplo, capítulo 21, podem ser explicadas pela inserção de uma redação final por outra mão.

Talvez a principal falha das teorias da redação seja a tentação de reconstruir exatamente demais a história das redações. Os problemas em João são óbvios, e é possível que várias redações hajam causado tais problemas; mas devemos preservar nosso ceticismo acerca de qualquer tentativa de comentaristas de dizer-nos qual metade do versículo pertence a que redação.

C. A TEORIA ADOTADA NESTE COMENTÁRIO

Comentaremos o evangelho em sua presente ordem sem impor reorganizações. Alguns objetam a este procedimento com base em que tal abordagem alcança somente o significado dado às passagens na redação final do evangelho, e daí talvez somente ao significado de um redator subordinado em vez do significado do evangelista. Todavia, se alguém pensa no redator final como leal ao pensamento do evangelista, haverá poucas vezes em que a redação mudou completamente o significado original de uma passagem. Preferimos correr este risco a – mediante uma engenhosa reorganização – correr o risco maior de impor às passagens um significado que nunca tiveram. Naturalmente, onde houver razão de suspeitar que na história formativa do evangelho uma passagem tinha outro cenário e significado, a mencionaremos com qualificações próprias quanto à certeza com que a posição original pode ser reconstruída. Mas daremos consideração primária à passagem como agora se encontra.

Propomos cinco estágios na composição do evangelho. Estes, cremos nós, são os passos mínimos, pois suspeitamos que os detalhes completos da pré-história do evangelho são complicados demais para reconstruir. Aqui, simplesmente descreveremos os estágios; as razões para propô-los se tornarão evidentes nas partes seguintes da Introdução, e o impacto prático dos vários estágios serão vistos no comentário sobre a tradução. Naturalmente, as dificuldades mencionadas no início desta parte têm guiado o que propomos aqui, e as soluções prévias mencionadas têm todas elas contribuído para nossa tentativa de solução.

Primeiro estágio: A existência de um corpo de material tradicional pertencente às palavras e obras de Jesus – material similar ao que já entrou nos evangelhos sinóticos, mas material cujas origens eram independentes da tradição sinótica. (Naturalmente sabemos que os evangelhos sinóticos eram dependentes de várias tradições, mas usaremos o singular, "tradição sinótica", quando traçarmos comparação geral entre estes evangelhos e o evangelho de João). Discutiremos este estágio na Terceira Parte desta Introdução, e a questão se o material veio ou não de uma testemunha ocular na Sétima Parte.

Segundo estágio: O desenvolvimento deste material nos padrões joaninos. Sobre um período que talvez durasse várias décadas, o material tradicional foi peneirado, selecionado, avaliado e moldado na forma e estilo dos relatos e discursos individuais que se tornaram parte do Quarto Evangelho. Este processo provavelmente foi realizado através de pregação e ensino orais, se pudermos extrair alguma analogia do que conhecemos da formação dos outros evangelhos. B. Noack tem prestado aos estudos joaninos um serviço na ênfase da influência da tradição oral sobre o evangelho, embora suas conclusões sejam um tanto exageradas. C. Goodwin, JBL 73 (1954), 61-75, notou interessantes indicações de que algumas das citações que João faz do AT são de memória, uma conclusão que também aponta para a transmissão oral.

II • Unidade e composição do quarto evangelho

Todavia, até o final deste segundo estágio, formas escritas do que foi pregado e ensinado tomaram corpo.

Este estágio foi decisivamente formativo para o material que finalmente entrou no evangelho. Alguns dos relatos dos milagres de Jesus, provavelmente aqueles mais usados na pregação, foram desenvolvidos em dramas majestosos, por exemplo, capítulo 9. (Ver E. K. LEE, "The Drama of the Fourth Gospel" [*O Drama do Quarto Evangelho*], ET 65 [1953-54], 173-76). Os ditos de Jesus foram entretecidos em extensos discursos de um caráter solene e poético, muito parecidos com os discursos de Sabedoria personificada no AT (ver Oitava Parte, p. 114s). Todas as técnicas do conto joanino, como equívoco ou ironia (Nona Parte, p. 145s), foram introduzidas ou, ao menos, desenvolvidas na forma como as conhecemos agora. Vários fatores contribuíram para a fusão de sinal e discurso interpretativo. Isto não foi necessariamente uma fusão artificial, pois mesmo no Primeiro Estágio, um milagre às vezes levava consigo palavras de explanação. Agora, porém, as necessidades de pregar e, talvez, em algumas cenas (cap. 6), as necessidades de liturgia incipiente exigiam explicações mais longa e um arranjo mais unificado.

Que esta pregação e este ensino foram obras de mais de um homem, foi sugerido pela existência de unidades do material joanino, como o capítulo 21, que é diferente em estilo do corpo principal do material. Pode ter havido muitas unidades que não sobreviveram. Entretanto, as que tiveram acesso no evangelho parecem originar-se em grande parte de uma fonte dominante. Visto que os fios gerais do pensamento joanino são tão claros, mesmo nas unidades que mostram diferenças menores de estilo, provavelmente pensaríamos em uma escola intimamente unida de pensamento e expressão. Nesta escola, o principal pregador era um dos responsáveis pelo principal corpo de material do evangelho. Também é provável que em tal escola possamos achar a resposta ao problema de outras obras joaninas, como as Epístolas e o Apocalipse, as quais partilham pensamentos e vocabulário comuns, porém mostram diferenças de estilo.

Terceiro estágio: A organização deste material do Segundo Estágio em um evangelho consecutivo. Esta seria a primeira redação do Quarto Evangelho como uma obra distinta. Visto que temos proposto no Segundo Estágio um pregador dominante ou mestre e teólogo que deu forma ao principal corpo de material joanino sobrevivente, parece lógico pressupor que foi ele quem organizou a primeira redação do evangelho; neste comentário, é a ele que nos reportamos quando usamos o termo "evangelista". É impossível dizer se ele escreveu fisicamente o próprio evangelho ou usou os serviços de um escriba. Mais provavelmente, esta primeira redação estava em grego e não em aramaico (ver Nona Parte, p. 145ss).

Como o esboço do evangelho (Décima Parte, p. 158ss) mostrará, há coesão no plano global da obra como chegou até nós, e suspeitamos que esta coesão básica estivesse presente na primeira redação do evangelho. Assim, nós discordamos de uma teoria como a de Wilkens, que veria na primeira redação apenas uma coleção de sinais. Também diferimos de Parker, que propõe uma primeira redação em que não há ministério na Galileia. Nutrimos a dúvida de que qualquer redação substancial de um evangelho que seja baseado finalmente em uma tradição histórica das obras e palavras de Jesus pudesse ter ignorado o ministério na Galileia, o qual foi parte intrínseca da vida de Jesus. Se o plano da primeira redação do evangelho teve por tema a presença de Jesus em várias festas dos judeus, como o presente esquema do evangelho nos capítulos 5-10, então a cena na Galileia no cap. 6 teria sido parte da primeira redação, pois aquele capítulo tem Jesus substituindo o maná associado com o tempo do Êxodo e a Páscoa.

A organização da primeira redação do evangelho implicava seleção, e nem todo o material joanino que provém da pregação do evangelista teria sido incluído. Se o evangelista pregou em diversos anos, provavelmente teria fraseado a tradição das palavras de Jesus em formas diferentes e em tempos diferentes. Assim, teria havido em circulação diferentes versões de discursos, adaptados a variadas necessidades e auditórios. Veremos a importância deste ponto no Quinto Estágio.

Quarto estágio: Redação secundária elaborada pelo evangelista. É possível que o evangelista reeditasse seu evangelho diversas vezes ao longo de sua vida, como Boismard tem sugerido; mas muitas das características que parecem requerer uma redação secundária podem ser explicadas em termos de *uma só* reelaboração redacional. Quando discutimos o propósito pelo qual o Quarto Evangelho foi escrito (Quinta Parte, p. 63s), veremos que ele se propunha a responder a objeções ou dificuldades de diversos grupos, por exemplo, os discípulos de João Batista, judeus-cristãos que ainda não tinham deixado a sinagoga, entre outros. Sugerimos que a adaptação do evangelho a diferentes metas implicava a introdução de novo material destinado a solucionar novos problemas. Por exemplo, a passagem parentética de 10,22-23 parece representar uma adaptação do relato do cego a uma nova situação no final de 80 e início de 90, a qual envolvia a excomunhão da sinagoga dos judeus que criam em Jesus como o Messias. Em nossa discussão de 1,19-34, notaremos os vestígios de redação ali (§2, §3). Entretanto, admitimos francamente que nem sempre é possível distinguir entre o que pertence à segunda redação do evangelho e o que pertence à redação final – que é nosso próximo estágio.

Quinto estágio: A reelaboração ou redação final feita por algum outro além do evangelista e a quem chamaremos o redator. Pensamos que a suposição mais provável é que o redator foi um amigo íntimo ou discípulo do evangelista, e certamente parte da escola geral de pensamento à qual nos reportamos no Segundo estágio.

Uma das principais contribuições do redator ao evangelho foi preservar todo o material joanino disponível do Segundo estágio que não foi inserido previamente nas redações do evangelho. Este material em parte seria material oriundo da pregação dos dias do próprio evangelista e, portanto, não diferiria em estilo ou vocabulário do restante do evangelho. O fato de que este material foi acrescido no último estágio do evangelho não significa que seja algo menos antigo do que o material que encontrou sua forma nas primeiras redações. Assim, a idade do material não é critério que sempre nos capacitará a detectar adições feitas pelo redator; a inconveniência de uma passagem intrusiva na sequência do evangelho é um critério muito mais confiável. Que algum deste material represente uma duplicata variante de material já presente no evangelho é outro critério e, deveras, é a razão para assumir que o redator final não foi o próprio evangelista. O evangelista teria reelaborado o material num todo consistente; mas o redator, não se sentido livre para reescrever o evangelho como chegou a ele, simplesmente inseriu os discursos duplicados, amiúde lado a lado com a forma do discurso que existia na redação anterior, por exemplo, 6,51-58 imediato a 35-50. Com alguns discursos que não tinham lugar próprio, o redator decidiu adicioná-los no final de uma cena apropriada, em vez de interromper a cena, por exemplo, 3,31-36 e 12,44-50.

Em particular, o redator parece ter formado uma grande coleção de material joanino em que Jesus era retratado como a falar aos seus discípulos. Essa coleção foi anexada ao discurso de Jesus da última ceia nos capítulos 15-17. Que esta redação foi obra do redator e não do evangelista parece provável à luz do fato de que o término original do último discurso em 15,31 não foi introduzido ou adaptado à nova inserção. Entre o material assim adicionado está 16,4-33, uma variante duplicada do discurso no capítulo 14.

O redator foi também o provável responsável por anexar ao esquema do evangelho o material nos capítulos 11 e 12. No comentário (p. 696), sugerimos que o término original do ministério público veio em 10,40-42, e salientamos o problema histórico causado pela apresentação do relato de Lázaro em 11 como a principal causa da execução de Jesus. Se os capítulos 11 e 12 representam uma adição tardia do material joanino, não é impossível que esta adição fosse feita na segunda redação do evangelho (Quarto estágio). Não obstante, o uso do termo "os judeus", em 11-12, difere daquele do restante do evangelho, fato esse que é menos difícil de conciliar se o relato sobre Lázaro teve uma história independente e foi agregado pelo redator.

A inserção do tema de Lázaro em 11-12 no relato dos últimos dias antes da Páscoa parece ter levado o redator a mudar o incidente da purificação do templo, originalmente associado à entrada de Jesus em Jerusalém, a outra seção do evangelho (agora no cap. 2). O interesse litúrgico parece ter sido um fator na mudança do material eucarístico associado às palavras de Jesus sobre o pão e o vinho na última ceia daquele lugar para 6,51-58. Nesta sugestão da recolocação do material nos estreitamos com WILKENS, embora não encontremos nada que nos dê o motivo que o levou a atribuir tais mudanças; a saber, manter presente o tema da Páscoa por todo o evangelho. Ao contrário, é bem provável que a Páscoa já fosse mencionada em 2 e 6, e que o redator estivesse simplesmente deslocando o material de uma festa pascal na vida de Jesus para outra. Visto que comentaremos estas passagens em sua atual sequência, também estaremos aptos a salientar os temas teológicos naquela sequência que motivaram a recolocação.

Algum do material que o redator anexou parece ser mais forte em sua referência aos sacramentos do que o restante do evangelho. Embora nas pegadas de BULTMANN, não obstante, não cremos que o propósito do redator fosse inserir referências sacramentais em um evangelho não sacramental, mas, ao contrário, produzir mais clareza ao sacramentalismo latente já no evangelho (Oitava Parte, p. 114s). Cremos que o sacramentalismo pode ser encontrado em todos os estágios que temos proposto para a formação do evangelho, mas as referências sacramentais explícitas podem pertencer predominantemente à redação final.

O redator anexou ao evangelho joanino material que não veio do evangelista. Já apontamos para o capítulo 21 como um exemplo. Provavelmente foi também o redator que anexou o Prólogo como um hino outrora independente composto nos círculos joaninos.

Permanecemos incertos quanto a se o redator final foi também responsável pela introdução em João de alguns paralelos à tradição sinótica. Como se verá na Terceira Parte, cremos que a maior parte do material joanino com paralelos na tradição sinótica não veio diretamente dos evangelhos sinóticos ou de suas fontes, mas de uma tradição independente das obras e palavras de Jesus que têm inevitáveis similaridades com as tradições por detrás dos sinóticos. Todavia, há umas poucas passagens onde, por exemplo, João é tão similar a Marcos (6,7; 12,3.5), que não podemos excluir a possibilidade de que o redator final haja introduzido elementos menores tomados diretamente dos sinóticos (com Marcos como a fonte mais provável). Mas insistimos que tais paralelos estreitos podem também ser explicados em termos de dependência de antigas tradições similares, e assim não encontramos absolutamente razão que nos force a propor dependência joanina dos sinóticos, mesmo neste nível mais superficial de emprestar detalhes incidentais. Há observações redacionais, como 3,24, que mostram consciência dos detalhes acerca da vida de Jesus que não foram mencionados no evangelho propriamente dito, mas, reiterando, isto não é uma prova clara de dependência dos sinóticos.

Resumindo, embora tenhamos conjeturado esta teoria dos cinco estágios da composição do evangelho com alguma extensão, devemos enfatizar que em suas linhas básicas a teoria realmente não é complicada e se adequa bem com mais plausibilidade com o que se pensa sobre a composição dos outros evangelhos. Uma figura distinta na Igreja primitiva pregada e ensinada acerca de Jesus, usando o material não elaborado de uma tradição das obras e palavras de Jesus, mas modelando este material para uma interpretação e expressão teológicas particular. Eventualmente, ele reuniu a substância de sua pregação e ensino em um evangelho, seguindo o padrão tradicional do batismo, ministério e paixão, morte e ressurreição de Jesus. Visto que ele continuou a pregar e ensinar após a redação do evangelho, subsequentemente fez uma segunda redação de seu evangelho, anexando mais material e adaptando o evangelho em resposta a novos problemas. Após sua morte, um discípulo fez uma redação final do evangelho, incorporando outro material que o evangelista havia pregado e ensinado, e inclusive algum do material dos cooperadores do evangelista. Uma teoria de duas redações e uma redação final por um discípulo não seriam extraordinárias entre as teorias da composição de livros bíblicos – uma teoria muito similar é proposta para o Livro de Jeremias.

Cremos que a teoria que temos proposto soluciona a maior parte das dificuldades discutidas acima. Ela explica por que Schweizer e Ruckstuhl encontram um estilo mais uniforme por todo o evangelho, pois nos segundo, terceiro e quarto estágio, uma figura dominante moldou, fraseou e redatou o material, e inclusive em 5 muito do material anexado se originou desta mesma figura. Todavia, enquanto preserva a unidade substancial do evangelho, esta teoria explica os vários fatores que militam contra a unidade da autoria. A redação no Quinto Estágio explica a presença de material joanino de estilo diferente e também a presença de discursos duplicados, as inserções que parecem interromper, a aparente reorganização de algumas cenas (todavia sem propor deslocamentos elaborados).

Nesta teoria permanecem muitas inadequações e incertezas. No Segundo Estágio, onde o material do Primeiro Estágio foi desenvolvido nos padrões joaninos, quanta contribuição pessoal deu o evangelista? O que precisamente estava na primeira redação do evangelho, e o que foi anexado na segunda? Como pode alguém infalivelmente distinguir entre a mão do evangelista que reelaborava sua obra? Não pretendemos respostas fáceis a tais indagações. Tudo o que pretendemos ter feito é apresentar uma hipótese progressiva para o estudo do evangelho, uma hipótese que combine os melhores detalhes das várias teorias apresentadas no início desta discussão e evitar mais dificuldades óbvias.

BIBLIOGRAFIA

BECKER, H., *Die Reden des Johannesevangeliums und der Stil der gnostischen Offenbarungsreden* (Göttingen: Vandenhoeck, 1956).
BOISMARD, M.-E., "*Saint Luc et la rédaction du quatrième évangile*", RB 69 (1962), 185-211.

EASTON, B. S., *"Bultmann's RQ Source"*, JBL 65 (1946), 143-56.

HOARE, F. R., *The Original Order and Chapters of St. John's Gospel* (Londres: Burns and Oates, 1944).

KÄSEMANN, E., *"Ketzer und Zeuge, zum johanneischen Verfasserproblem"*, ZTK 48 (1951), 292-311.

LÁCONI, M., *"La critica letteraria applicata al IV Vangelo"*, Angelicum 40 (1963), 277-312. Macgregor, G. H. C. e Morton, A. Q., *The Structure of the Fourth Gospel* (Edinburgh: Oliver and Boyd, 1961).

MACGREGOR, G. H. C. and Morton, A. Q., *The Structure of the Fourth Gospel* (Edinburgh: Oliver and Boyd, 1961).

NOACK, B., *Zur johanneischen Tradition, Beiträge zur Kritik an der literarkritischen Analyse des vierten Evangeliums* (Copenhagen: Rosenkilde, 1954).

PARKER, P., *"Two Editions of John"*, JBL 75 (1956), 303-14.

RUCKSTUHL, E., *Die literarische Einheit des Johannesevangeliums* (Freiburg: Paulus, 1951).

SCHULZ, S., *Komposition und Herkunft der Johannischen Reden* (Stuttgart: Kohlhammer, 1960).

SCHWEIZER, E., *Ego Eimi* (Göttingen: Vandenhoeck, 1939).

SMITH, *The Composition and Order of the Fourth Gospel*.

TEEPLE, H. M., *"Methodology in Source Analysis of the Fourth Gospel"*, JBL 81 (1962), 279-86.

WILKENS, W., *Die Entstehungsgeschichte des vierten Evangeliums* (Zollikon: Evangelischer Verlag, 1958).

III
A TRADIÇÃO POR DETRÁS DO QUARTO EVANGELHO

Na teoria de composição que temos proposto, o Primeiro estágio envolve a existência de um corpo de material tradicional pertinente às obras e palavras de Jesus. Agora discutiremos a probabilidade da existência de tal tradição e de sua relação com as tradições subjacentes aos evangelhos sinóticos. No momento, a questão diz respeito ao caráter primitivo da tradição por detrás de João e, assim, se esta tradição é de um status comparável com o das tradições sinóticas. A questão ulterior do grau a que tal tradição primitiva da comunidade cristã representa os feitos e as *ipsissima verba* de Jesus serão trazidos a lume no final desta discussão.

O próprio fato de que João é classificado como um evangelho pressupõe que ele é baseado em tradição similar, em caráter, às tradições por detrás dos evangelhos sinóticos. Mesmo aqueles comentaristas que tratam o Quarto Evangelho simplesmente como uma obra de teologia, destituído de valor histórico, se deixariam impressionar pelo fato de que esta teologia está escrita em um formato histórico. Paulo também foi um teólogo, porém não escreveu sua teologia na estrutura do ministério terreno de Jesus. Aliás, alguns considerariam o Quarto Evangelho como uma tentativa de prevenir que a pregação querigmática da Igreja fosse mitologizada e divorciada da história de Jesus de Nazaré.

A Crítica da Forma estabeleceu que o esquema do ministério de Jesus, visto nos evangelhos sinóticos, é uma expansão do esquema querigmático básico dos feitos de Jesus usado pelos pregadores primitivos. DODD, entre outros, tem mostrado que, em seus detalhes fundamentais, o esquema em Marcos é o mesmo encontrado nos sermões petrinos em Atos, especialmente At 10,34-43. Este esquema querigmático não é dessemelhante do esquema do ministério em João, como os artigos de DODD e BALMFORTH afirmam (também BARRETT, pp. 34-35). Se o querigma marcano começa com o batismo de Jesus, por João Batista, assim também João. No querigma sinótico, o batismo é seguido de um longo ministério na Galileia em que Jesus cura e faz o bem; isto é encontrado também em João, porém mais sucintamente (4,46-54,6). Após o ministério Galileu, nos sinóticos e em João, respectivamente, Jesus vai para Jerusalém, onde fala nos recintos do templo; então segue a paixão, morte e ressurreição. Onde João difere significativamente do esquema sinótico é nas notícias de um ministério hierosolimitano muito mais longo, mas isto seria uma variação essencial do esquema? Além do mais, Lucas também tem suas variações, por exemplo, na viagem a Jerusalém, a qual abrange uns dez capítulos. Então podemos admitir que João tenha em seu esquema aspectos basicamente querigmáticos; mas, mesmo com este reconhecimento, devemos indagar se os aspectos querigmáticos se originam de uma tradição primitiva, pois poderiam representar concebivelmente uma imitação artificial do estilo dos evangelhos.

Para responder a esta pergunta, primeiro avaliaremos a informação singular a João. Se o que se encontra somente em João prova ser factual, então temos bons motivos para suspeitar que João tem suas raízes em uma tradição primitiva sobre Jesus. Segundo, examinaremos o material que é partilhado por João e os sinóticos, para ver se João o extrai dos evangelhos sinóticos ou das tradições por detrás deles. Se João não faz isso, então, reiterando, teríamos razão para propor uma tradição independente e primitiva por detrás de João.

A. O VALOR DA INFORMAÇÃO ENCONTRADA SOMENTE EM JOÃO

Hoje há uma crescente tendência de levar muito a sério os detalhes históricos, sociais e geográficos peculiares às narrativas encontradas somente no Quarto Evangelho; as obras citadas na bibliografia para esta discussão de ALBRIGHT, HIGGINS, LEAL, POLLARD e STAUFFER estão entre os muitos exemplos desta tendência. Investigações modernas de antiguidade, especialmente através da arqueologia, têm averiguado muito estes detalhes. Enviamos o leitor ao comentário para elaboração específica, mas aqui podemos mencionar os seguintes casos como os mais notáveis:

- No capítulo 4, as referências de João aos samaritanos, sua teologia, sua prática de cultuarem sobre o Garizim, bem como a localização do poço de Jacó parecem ser acurados.
- No capítulo 5, a mesma informação precisa sobre o poço de Betesda é perfeitamente acurada quanto a nome, localização e construção.
- Os temas teológicos formulados em relação à Páscoa (cap. 6) e a festa dos Tabernáculos (7-8) refletem um acurado conhecimento das cerimônias festivas e das leituras na sinagoga associadas às festas.
- Detalhes sobre Jerusalém parecem ser acurados, por exemplo, as referências ao poço de Siloé (9,7), ao Pórtico de Salomão como um lugar resguardado no inverno (10,22-23) e ao pavimento de pedra do Pretório de Pilatos (19,13).

Com base nessa exatidão podemos dizer que o Quarto Evangelho reflete um conhecimento da Palestina como era antes de sua destruição em 70 d.C., quando pereceram alguns destes marcos divisórios. Naturalmente, isto não significa que a informação joanina sobre Jesus tenha sido verificada, mas ao menos o cenário em que Jesus é colocado é autêntico.

Para os egrégios erros sobre a Palestina uma vez atribuídos a João, amiúde há uma explicação perfeitamente razoável. Tentaremos mostrar, no comentário, que esse propósito teológico – não necessariamente uma cândida suposição acerca da duração do ofício sacerdotal – guiou a referência ao "sumo sacerdote daquele ano" (11,49). O papel exagerado dos fariseus parece ser mais uma questão de ênfase simplificada do que um conceito errôneo de seu papel no governo. Terminologia anacrônica como "os judeus" para os oponentes de Jesus, e o uso de Jesus de "vossa lei" (8,17; 10,34), são mais reflexões das tendências apologéticas do evangelho do que erros por ignorância.

Dos anacronismos uma vez alegados contra João, o mais sério foi a linguagem abstrata que o evangelista atribuiu a Jesus. As referências

III • A tradição por detrás do quarto evangelho

dualistas a luz e trevas, verdade e falsidade, que não são encontradas nos sinóticos, pareceu claramente refletir a linguagem e pensamento de um tempo posterior e outro lugar que o tempo e lugar do ministério de Jesus. O Jesus joanino parecia andar no mundo helênico do 2º século. Mas hoje sabemos que a linguagem atribuída a Jesus, em João, era perfeitamente familiar na Palestina do início do 1º século. Os Rolos do Mar Morto encontrados em Qumran, desde 1947, têm nos dado a biblioteca de uma comunidade essênica cuja extensão de existência cobriu o período de cerca de 140 a.C. a 68 d.C. Estes documentos oferecem paralelos ideológicos e terminológicos mais estreitos, ainda que descobertos pelo dualismo e vocabulário peculiar do Jesus joanino (ver Quarta Parte, p. 44s). Naturalmente, a descoberta não prova que o próprio Jesus falasse nesta linguagem abstrata, visto que o evangelista, familiarizado com tal linguagem, poderia ter meramente reinterpretado Jesus em sua terminologia. (Além do mais, BULTMANN sugere que o evangelista fosse membro de uma seita gnóstica de discípulos de João Batista que reinterpretaram Jesus contra um pano de fundo gnóstico). E temos ainda de enfrentar o problema de por que Jesus fala diferentemente nos evangelhos sinóticos. Todavia, ao menos podemos dizer que a linguagem abstrata usada por Jesus em João já não é um argumento conclusivo contra o uso joanino da tradição histórica.

Voltemos por um momento ao material que não é exclusivo em João, isto é, ao material tratado, respectivamente, em João e nos sinóticos, mas onde o tratamento de João é notadamente diferente. Pensamos principalmente nos detalhes geográficos e cronológicos. Diferente dos sinóticos, João tem: um ministério realizado por Jesus de batizar no vale do Jordão; um ministério público de dois ou três anos; frequentes viagens a Jerusalém; choques com as autoridades hierosolimitanas, que se estendem por um longo período de tempo; cumplicidade romana na prisão de Jesus; um papel atribuído a Anás no interrogatório de Jesus; véspera da Páscoa, e não o dia da Páscoa, como a data da morte de Jesus. Em nossa opinião, como se verá no comentário, pode-se fazer uma defesa em prol de cada um desses detalhes joaninos, e em algum deles a descrição joanina é quase certamente mais correta do que a descrição sinótica. Por exemplo, passagens como Lc 13,34 (várias tentativas de conquistar Jerusalém) e Mc 14,13-14 (Jesus tem conhecidos em Jerusalém) são difíceis de conciliar com o esquema sinótico em que durante seu ministério Jesus vai a Jerusalém somente uma vez, nos últimos dias de sua vida. Reiterando, há a bem notória dificuldade de conciliar as atividades que os evangelhos descrevem como ocorrendo na sexta-feira santa com a datação sinótica daquele dia como sendo a Páscoa.

B. A QUESTÃO DA DEPENDÊNCIA DOS EVANGELHOS SINÓTICOS

Agora voltamos ao material que João partilha em comum com os evangelhos sinóticos. Com respeito à narrativa, isto incluiria: parte do ministério de João Batista; a purificação do templo (2,13-22); a cura do filho do oficial do rei (4,46-54); a sequência centrada na multiplicação dos pães (6); a unção de Jesus e a entrada em Jerusalém (12); e o esquema geral da última ceia, a paixão, morte e ressurreição. Com respeito aos ditos de Jesus, isto incluiria muitos versículos isolados.

O estágio mais antigo da teoria sobre a relação de João com os sinóticos foi a suposição de que João foi escrito para suplementar a descrição sinótica da vida e personalidade de Jesus. Hoje, este ponto de vista está quase universalmente abandonado, pois os relativamente poucos pontos de contato direto entre o esquema de João e o dos sinóticos realmente cria mais problemas cronológicos e históricos do que os resolve. Não existe no Quarto Evangelho nada que dê alguma indicação de que o autor pretendia suplementar os evangelhos sinóticos e nada que nos dê algum guia ou certeza a utilizar João neste sentido.

Na era da crítica, foi ganhando terreno a teoria de que em todo o material comum, João era dependente dos evangelhos sinóticos. Aliás, mesmo as cenas joaninas que não tinham paralelo na tradição sinótica algumas vezes eram explicadas como um amálgama de detalhes sinóticos. Por exemplo, pensava-se que o relato de Lázaro e suas duas irmãs, no capítulo 11, fosse uma combinação de uma dos relatos sinóticos acerca do ressurgir de uma pessoa morta, da parábola lucana acerca de Lázaro (ver Lc 16,31) e do relato lucano acerca de Marta e Maria (Lc 10,38-42).

Esta teoria de modo algum tem sido descartada. MENDNER, *art. cit.*, insiste fortemente que Jo 6 é dependente do relato sinótico da multiplicação (embora para a cena conectada de Jesus caminhando sobre a água, a influência está na direção oposta!). LEE, *art. cit.*, argumenta

III • A tradição por detrás do quarto evangelho

em prol da dependência de João de Marcos, como faz BARRETT em seu comentário. BAILEY, *op. cit.*, mantêm que João conhecia o evangelho de Lucas. Uma variação desta teoria é que o quarto evangelista conhecia as tradições por detrás dos sinóticos mais do que os próprios evangelhos sinóticos. Por exemplo, veja as discussões das teorias de BORGEN e BUSE em nossa discussão de Jo 18-19 (segundo volume). PARKER, OSTY e BOISMARD estão entre os estudiosos que creem que tal relação existia entre os evangelhos de João e Lucas.

Em contrapartida, há um crescente número de estudiosos que pensam que João não era dependente dos evangelhos sinóticos nem de qualquer de suas fontes escritas (contanto que essas fontes possam agora ser reconstruídas). GARDNER-SMITH se deixaram influenciar nesta direção, e o *Tradition* de DODD é uma exaustiva defesa da independência joanina.

Para decidir a questão, é preciso que se estude cada uma das cenas e ditos partilhados pelas duas tradições, para ver em que João e os sinóticos são iguais e em que diferem. É preciso também observar se João concorda consistentemente com algum dos evangelhos sinóticos no material peculiar àquele evangelho, ou com alguma combinação significativa dos evangelhos sinóticos, por exemplo, com o material próprio de Mateus e Lucas. Nesse estudo, as diferenças são ainda mais significativas do que as similaridades; pois se alguém propõe dependência joanina, esse deve estar apto a explicar cada diferença em João como resultado de uma mudança deliberada do material sinótico ou de uma má interpretação desse material. (Vários motivos poderiam guiar tais mudanças; por exemplo, melhor sequência, ênfase teológica). GOODWIN, *art. cit.*, argumenta que o quarto evangelista citou o AT livremente de memória e que poderia ter feito o mesmo com os sinóticos. Entretanto, qualquer explicação das diferenças joaninas que apelem, como um princípio, para as mudanças numerosas, caprichosas e inexplicáveis realmente remove a questão da área do estudo científico.

No comentário, demos atenção particular a uma comparação de João e os sinóticos. Nossa conclusão global relativas às *similaridades* é que João tende a concordar com Marcos e com Lucas mais amiúde do que com Mateus, mas sobre uma série de cenas João não concorda, de uma maneira consistente, com qualquer um dos evangelhos sinóticos. Se alguém quisesse propor dependência sobre a base somente de similaridades, esse mesmo teria que pressupor que o quarto evangelista conhecia os três evangelhos e escolheu de uma maneira eclética, ora de um ora de outro. Não obstante, mesmo esta sugestão não resiste quando se examinam as *dessemelhanças*. Em cenas paralelas, a maioria dos detalhes peculiares a João, alguns dos quais tornam o relato mais difícil, não podem ser explicados como mudanças deliberadas da tradição sinótica. Se alguém não pode aceitar a hipótese de um evangelista displicente ou caprichoso, que mudou, acrescentou e subtraiu detalhes gratuitamente, então esse mesmo se vê forçado a concordar com Dodd, que o evangelista extraiu o material para seus relatos de uma tradição independente, similar, porém não a mesma que as tradições representadas pelos evangelhos sinóticos.

No comentário, temos tido em conta também à possibilidade de que o quarto evangelista extraiu de uma ou mais fontes que pareciam jazer por detrás dos evangelhos sinóticos, por exemplo, de "Q" (a fonte que forneceu o material comum a Mateus e Lucas). Outro exemplo já foi desenvolvido por I. Buse, o qual sugere que, no relato da paixão, João é dependente de uma das duas fontes pré-marcanas isolada por Taylor. Esta é uma questão obviamente mais difícil, visto que uma se trata de uma fonte reconstruída, e não de uma obra existente. Sem sermos absolutos sobre a questão, tendemos a chegar à mesma solução anterior, a saber, a independência joanina, pois uma vez mais há muitas diferenças que não podem ser explicadas sem recorrer ao material não sinótico. Todavia, aqui devemos encarar a dificuldade de que as fontes sinóticas são apenas imperfeitamente representadas nos evangelhos finais, e por isso uma fonte realmente pode ter material contido que João extraiu ou não dos sinóticos. Entretanto, para estabelecer as diferenças joaninas sobre este princípio, é preciso uma vez mais remover a solução de qualquer controle científico real. À luz da evidência disponível, parece ser preferível aceitar a solução geral de uma tradição independente por detrás de João.

Enfatizamos que esta é uma solução *geral*; com isso queremos significar que o corpo principal do material em João não foi extraído dos evangelhos sinóticos ou de suas fontes. Entretanto, anteriormente (Segunda Parte) reconstruímos uma longa história para a composição do Quarto Evangelho. É bem possível que durante aquela história houvesse influência cruzada da tradição sinótica. A menos que tenhamos de pressupor que a comunidade joanina fosse isolada de outras

III • A tradição por detrás do quarto evangelho

comunidades cristãs (uma sugestão que não se harmoniza com a proposta de que João foi escrito em Éfeso ou em Antioquia), é difícil crer que esta comunidade mais cedo ou mais tarde não se tornasse familiarizada com a tradição do evangelho aceita pelas outras comunidades.

Talvez possamos ilustrar com alguns exemplos possíveis de influência cruzada. Podemos começar com Marcos. Ao discutir Jo 6, mostraremos sérias razões para crer que a narrativa de João da multiplicação dos pães repousa sobre tradição independente. Todavia, é notável que somente João e Marcos (6,37) mencionem a soma de duzentos denários em referência ao preço do pão necessário para alimentar a multidão. Outro exemplo notável é a mesma estranha expressão grega "perfume feito de nardo puro" que é usado em Jo 12,3 e Mc 14,3. A soma de trezentos denários aparece somente em Jo 12,4 e Mc 14,5 como um detalhe nos relatos da unção de Jesus. É quase impossível decidir se paralelos tão pequenos representam influência cruzada ou simplesmente mostram o fato de que a tradição independente por detrás de João tinha muitos aspectos em comum com a tradição admitidamente primitiva por detrás de Marcos.

Os importantes paralelos entre João e Mateus são relativamente poucos (ver discussão de 13,16.20; 15,18ss. – Vol. 2). Há alguns contatos interessantes entre João e o material petrino peculiar a Mateus (ver discussão de 1,41-42; 6,68-69; 21,15-17). Além do mais, não se pode esquecer o dito fraseado no estilo joanino que aparece em Mt 11,25-30 (Lc 10,21-22). Todavia, poucos estudiosos propõem contato direto entre Mateus e João.

De muitas maneiras, a possibilidade de influência cruzada sobre João vinda de Lucas é a mais interessante. Em cenas partilhadas por João e vários dos sinóticos, os paralelos entre João e Lucas geralmente não são impressivos. Ao contrário, é com o material peculiarmente lucano que João tem os paralelos importantes. A lista seguinte de modo algum é exaustiva (ver Osty, Parker, Bailey), porém mostra que os paralelos estão, respectivamente, nos detalhes minuciosos e no amplo âmbito da narrativa e ideias.

- Uma multiplicação de pães e peixes.
- Menção de figuras como Lázaro; Marta e Maria; um dos doze, chamado Judá ou Judas (não o Iscariotes); o sumo sacerdote Anás.
- Nenhum julgamento noturno diante de Caifás.

- A dupla questão expressa por Jesus acerca de seu caráter messiânico e divindade (Lc 22,67.70; Jo 10,24-25.33).
- Três afirmações de "inocência" feitas por Pilatos durante o julgamento de Jesus.
- Aparições pós-ressurreição de Jesus em Jerusalém; aqui, a similaridade é muito forte, se os versículos como Lc 24,12 e 40 são originais.
- A pesca miraculosa (Lc 5,4-9; Jo 21,5-11).

Como vamos avaliar tais paralelos? Pessoalmente, nada encontramos neles que prove a Boismard, de que Lucas foi o redator final do Quarto Evangelho. Alguns dos paralelos podem ser mais bem explicados, pressupondo que a tradição independente por detrás de João tinha aspectos também encontrados nas fontes peculiares a Lucas, mesmo que tais aspectos não apareçam de alguma maneira em ambas as tradições, por exemplo, João não conta o mesmo relato acerca de Marta e Maria que conta Lucas. Mas tal suposição não explica todos os paralelos. Por exemplo, no relato da unção dos pés em 12,1-7 (§ 41), João é dependente dos detalhes que vêm de um desenvolvimento lucano peculiar da narrativa básica, e é difícil ver como a fusão de detalhes encontrada, respectivamente, em Lucas e João poderia ter acontecido independentemente. Em contrapartida, há incidentes em Lucas que podem muito bem ter surgido através de influência cruzada de algum estágio da tradição joanina, por exemplo, o segundo remate da parábola sobre Lázaro (Lc 16,27-31) que menciona a possibilidade de Lázaro retornar do túmulo. Assim, nas relações entre Lucas e João, é possível influência cruzada em ambas as direções. Visto que tal influência cruzada não é expressa em vocabulário idêntico, é bem provável que ocorresse em um estágio oral na história da composição do evangelho.

Portanto, para resumir, em muito do material narrado, respectivamente, em João e nos sinóticos, cremos que a evidência não favoreça a dependência joanina dos sinóticos ou suas fontes. João recorreu a uma fonte independente de tradição sobre Jesus, semelhante às fontes que subjazem aos sinóticos. A tradição joanina primitiva era mais aproximada da tradição pré-marcana, mas também continham elementos encontrados nas fontes peculiares a Mateus (p. ex., a fonte petrina) e a Lucas. Em adição ao material extraído desta tradição independente, João tem uns poucos elementos que parecem sugerir um empréstimo direto da tradição sinótica. Durante a formação oral dos relatos e discursos joaninos (Segundo Estágio), mui provavelmente havia alguma influência cruzada da emergente tradição do evangelho lucano. Talvez, ainda quando não estejamos convencidos disto, na redação final de João (Quinto Estágio) houve uns poucos detalhes diretamente emprestados de Marcos. Não há evidência, contudo, com a devida vênia a Bultmann, que tal empréstimo, se realmente houve, foi com o propósito de fazer o Quarto Evangelho aceitável à Igreja em geral.

C. O VALOR DE JOÃO NA RECONSTRUÇÃO DO MINISTÉRIO DE JESUS

Tem sido ordinário na investigação crítica do Jesus histórico que não se pode pôr nenhuma confiança no material encontrado em João. Mesmo a "nova busca" do Jesus histórico entre os pós-bultmanianos, especialmente Bornkamm e Conzelmann, negligencia João. Esta questão merece reavaliação em vista das conclusões alcançadas acima; a saber, que dentro do material próprio a João há um forte elemento de plausibilidade histórica, e que dentro do material partilhado por João e os sinóticos, João recorre à tradição independente e primitiva.

Mas ao reabrir a questão de se o Quarto Evangelho pode ou não ser testemunha do Jesus histórico, devemos prosseguir com cuidado. Na Segunda Parte, propusemos cinco estágios na composição de João, com cada Estágio representando um passo adiante da tradição primitiva. Não podemos ignorar as implicações de tal desenvolvimento, pois ele limita a capacidade da forma final do evangelho de dar um perfil cientificamente acurado do Jesus da história. Examinemos as implicações de cada Estágio do desenvolvimento joanino.

(a) A tradição das obras e palavras de Jesus que subjazem a João (Primeiro Estágio) se assemelha às tradições por detrás dos evangelhos sinóticos. Em suma, essas tradições nos dão formas variantes das narrativas sobre o que Jesus fez e disse. Ora, o desenvolvimento de tais variantes exigiu tempo. Se indagarmos qual dessas tradições é a mais antiga, estamos formulando uma indagação que não admite nenhuma resposta simples. Mesmo dentro da família sinótica de tradições, uma não pode dar uma regra geral quanto a que forma de um dito deve ser sempre preferida, a forma "Q" ou a forma marcana. Assim também, ao comparar João e os sinóticos, descobrimos que alguns casos o material subjacente ao relato de João parece ser mais primitivo do que o material subjacente ao(s) relato(s) sinótico(s), por exemplo, o relato de Jesus caminhando sobre a água em Jo 6,16-21. Em outros casos, a verdade é justamente o oposto. Assim, se faz necessário o julgamento crítico *para cada caso*.

Talvez possamos aproveitar esta ocasião para insistir que, quando no comentário analisamos uma narrativa ou dito joanino e descobrimos que há tradição primitiva subjacente, somos perfeitamente cônscios de que estamos usando "primitivo" num sentido relativo, pois a tradição primitiva já pode representar dez ou vinte anos de desenvolvimento do tempo de Jesus. Em geral, onde possível, tentaremos recuar as origens do material joanino ao Primeiro Estágio, e então mostrar quais as implicações isto *pode* ter para o ministério histórico de Jesus. Mas não pretendemos tentar ou ser capazes de decidir, com qualquer consistência, precisamente quanta história científica subjaz a cada cena joanina. De modo semelhante, ao pontuarmos os paralelos sinóticos para os relatos e ditos joaninos, não fazemos pressuposição de que os paralelos sinóticos são necessariamente ecos exatos do que Jesus fez e disse. Ao contrário, tomamos por admitido algum conhecimento da história da tradição sinótica. O propósito em apresentar tais paralelos é mostrar que o evangelho de João não é tão diferente quanto possa parecer à primeira vista.

(*b*) Os Segundo e Terceiro Estágios, em nossa teoria da composição de João, viram o re-arranjo dramático e teológico da matéria crua da tradição de Jesus e a tessitura desses relatos e ditos reagrupados em um evangelho consecutivo. Este mesmo processo, *mutatis mutandis*, também ocorreu na formação dos evangelhos sinóticos. A um só tempo, João o evangelista foi mencionado como *o Teólogo*, quase com a implicação de que somente no Quarto Evangelho tivemos um ponto de vista teológico da carreira de Jesus. Hoje reconhecemos que cada evangelho tem um ponto de vista teológico, e que o quarto

III • A tradição por detrás do quarto evangelho

evangelista é um teólogo entre os outros evangelistas teólogos. Não obstante, é ainda verdadeiro que o quarto evangelista é o teólogo *par excellence*. Em particular, a formação dos ditos de Jesus nos discursos joaninos representou uma profunda síntese teológica. Parece procedente, por exemplo, que por detrás de Jo 6 subjaz aí um matiz do material tradicional, contendo não só a multiplicação dos pães, mas também uma má interpretação do que estava implícito pela cena, e a consequente explicação do pão feita por Jesus. Todavia, a formação deste material para a magnífica estrutura que ora temos em Jo 6 representa a compreensão teológica sem paralelo das últimas implicações dos feitos e palavras de Jesus. Os relatos sinóticos menos desenvolvidos da cena não são da mesma qualidade ou supremacia teológicas. Naturalmente, em qualquer tentativa de usar João como guia para o Jesus histórico, tal desenvolvimento teológico tem de ser levado em conta. Não estamos sugerindo que a profunda visão teológica joanina não tenha sido leal ao Jesus de Nazaré; ao contrário, às vezes tem produzido implicações encontradas numa cena, por mais que retrocedamos essa cena à sua origem. Mas o desenvolvimento subsequente, não importa quão homogêneo seja, é um elemento de distorção com frequência quando se trata de estabelecer cientificamente as circunstâncias exatas do ministério de Jesus. E assim, embora pensemos que o Quarto Evangelho reflita memórias históricas de Jesus, quanto maior for a extensão do reagrupamento teológico dessas memórias, mais difícil de usar se torna o material joanino na busca do Jesus histórico do que a maioria do material sinótico.

Ainda além do desenvolvimento que entrou na formação das unidades joaninas está o desenvolvimento que ocorreu quando essas unidades foram unidas em um evangelho. Requereram-se seleção e realce para tornar possível a estruturação ora presente em João. Assim, na primeira redação de João assumiram a vanguarda temas que provavelmente eram bem obscuros na grande atividade do ministério atual. É bem plausível, por exemplo, que Jesus houvesse falado publicamente por ocasião das festas judaicas e houvesse dirigido suas observações para um contraste entre seu próprio ministério e o tema da festa. Mas a recolocação sistemática das festas expressas em

Jo 5-10 é o produto de muita reflexão feita pelo autor, em uma tentativa de captar a significação de Jesus e seu ministério.

Se tudo isto significa que João (e isto é também procedente dos outros evangelhos) é um tanto distante de uma história ou biografia de Jesus, Jo 20,30-31 tem deixado claro que a intenção do autor era produzir um documento não com base na história, e sim na fé. Todavia, SANDERS, *art. cit.*, está plenamente certo em insistir que João é profundamente histórico – histórico no sentido em que a história diz respeito não só ao que aconteceu, mas também ao significado mais profundo do que aconteceu.

(c) A redação final do evangelho, Quinto Estágio da composição, põe ainda mais obstáculos a utilização de João na reconstrução do ministério de Jesus. O material extra joanino que foi inserido na narrativa do evangelho não foi necessariamente arranjado em alguma ordem cronológica; e deveras, segundo nossa hipótese, a adição do material causou a recolocação de cenas tais como a purificação do templo. Assim, não é possível uma aceitação absoluta do presente arranjo do evangelho como realmente cronológico.

João menciona ao menos três Páscoas (2,13; 6,4; 11,55) e, portanto, implica ao menos um ministério de dois anos. Os biógrafos de Jesus têm usado esta indicação para formar um esquema do ministério, dividindo o material encontrado nos evangelhos para as atividades do primeiro e segundo (e terceiro) anos. Por exemplo, é possível que nos digam que o Sermão do Monte (Mt 5-7) ocorreu no primeiro ano do ministério, pouco depois da Páscoa (Jo 2,13). Tal procedimento não é válido. Não só ignora o fato de que o próprio material sinótico não é ordenado cronologicamente (p. ex., o Sermão do Monte, como agora se encontra, é um composto de palavras ditas em várias ocasiões), mas também ignora o fato de que os próprios evangelhos não dão indicações reais para tal sincronização da data joanina e sinótica. Avaliada com propriedade, a tradição sinótica e a tradição joanina não são contraditórias; às vezes iluminam uma à outra através de comparação, como MORRIS, *art. cit.*, tem realçado. Entretanto, o fato de que nenhuma tradição mostra interesse científico em cronologia se percebe quando buscamos combiná-las em um quadro consecutivo. Mesmo os poucos pontos de possível contato cronológico entre as duas tradições oferecem dificuldade. Por exemplo, na primeira parte do ministério descrita em João, Jesus faz diversas viagens à Judeia e volta outra vez à Galileia, mas é muito difícil combinar alguma das viagens com a tradição sinótica de um retorno à Galileia depois do batismo por João Batista. A multiplicação dos pães encontrada em todos os quatro evangelhos pode parecer oferecer possibilidade de sincronização, mas o resultado é confundido pela presença de *dois* relatos da multiplicação em Marcos-Mateus.

Entretanto, ainda que houvesse possibilidade de sincronização, uma teoria de um ministério de dois ou três anos como uma estrutura para dividir as atividades de Jesus ignora o problema gerado pelo propósito para o qual o Quarto Evangelho foi escrito. Visto que Jo 20,30 declara especificamente que o evangelho não é um relato completo das atividades de Jesus, não há como saber que as três Páscoas mencionadas eram as únicas Páscoas naquele ministério. Não há razão real para que alguém não possa postular um ministério de quatro ou cinco anos. Além do mais, visto que a primeira Páscoa mencionada em João é finalmente conectada à cena da purificação do templo, uma cena que, provavelmente, foi deslocada, alguns têm questionado o valor da referência a esta primeira Páscoa como uma indicação cronológica.

À luz de todas estas observações, seria claro por que devemos ser mui cautelosos acerca do uso de João em reconstruir cientificamente, com detalhe, o ministério de Jesus de Nazaré, ainda quando devemos ser cuidadosos em usar assim os outros evangelhos. Cremos que João é baseado em uma tradição sólida das obras e palavras de Jesus, uma tradição que às vezes é muito primitiva. Cremos que amiúde João nos dá informação histórica correta sobre Jesus que nenhum dos outros evangelhos preservou, por exemplo, que, à semelhança de João Batista, Jesus teve um ministério de batismo por um período antes de começar seu ministério de ensino; que seu ministério público durou mais de um ano; que foi várias vezes a Jerusalém; que a oposição das autoridades judaicas, em Jerusalém, não se confinou aos últimos dias de sua vida; e muitos detalhes acerca da paixão e morte de Jesus. Todavia, ao avaliar a descrição joanina de Jesus, não podemos negligenciar as inevitáveis modificações feitas nos vários estágios da composição joanina.

BIBLIOGRAFIA

O valor histórico de João

ALBRIGHT, W. F., *"Recent Discoveries in Palestine and the Gospel of John"*, BNTE, pp. 153-71.
BROWN, R. E., *"The Problem of Historicity in John"*, CBQ 24 (1962), 1-14. Também em NTE, Ch. ix.
DODD, C. H., *"Le kérygma apostolique dans le quatrième évangile"*, RHPR 31 (1951), 265-74.
HIGGINS, A. J. B., *The Historicity of the Fourth Gospel* (Londres: Lutterworth, 1960).
LEAL, J., *"El simbolismo historico del IV Evangelio"*, EstBib 19 (1960), 329-48. Digitado em TD 11 (1963), 91-96.
POLLARD, T. E., *"St. John's Contribution to the Picture of the Historical Jesus"*. The Inaugural Lecture at Knox College, Dunedin, Nova Zelândia.
POTTER, R. D., *"Topography and Archeology in the Fourth Gospel"*, StEv, I, pp. 329-37.
SANDERS, J. N., *"The Gospel and the Historian"*, The Listener 56 (1956), 753-57.
STAUFFER, E., *"Historische Elemente in Vierten Evangelium"*, Homiletica en Biblica 22 (1963), 1-7.

João e os sinóticos

BAILEY, J. A., *The Traditions Common to the Gospels of Luke and John* (SNT VII, 1963).
BELMFORTH, H., *"The Structure of the Fourth Gospel"*, StEv, II, pp. 25-33.
BROWN, R. E., *"Incidents that are Units in the Synoptic Gospels but Dispersed in St. John"*, CBQ 23 (1961), 143-60. Também em NTE, Ch. xi.
GARDNER-SMITH, P., *Saint John and the Synoptic Gospels* (Cambridge: 1938).
GOODWIN, C., *"How Did John Treat His Sources"*, JBL 73 (1954), 61-75.
HAENCHEN, El, *"Johanneische Probleme"*, ZTK 56 (1959), 19-54.
LEE, E. K., *"St. Mark and the Fourth Gospels"*, NTS 3 (1956-57), 50-58.
MENDNER, S., *"Zum Problem 'Johannes und die Synoptiker',"* NTS 4 (1957-58), 282-307.
MORRIS, L., *"Synoptic Themes Illuminated by the Fourth Gospel"*, StEv, II, pp. 73-84.

OSTY, E., *"Les points de contact entre le récit de la passion dans saint Luc et dans saint Jean"*, Mélanges J. Lebreton (RSR 39 [1951]), 146-54.

WILKENS, W., *"Evangelist und Tradition im Johannesevangelium"*, TZ 16 (1960), 81-90.

IV
INFLUÊNCIAS PROPOSTAS SOBRE O PENSAMENTO RELIGIOSO DO QUARTO EVANGELHO

Comentamos a fundo a perspectiva teológica do Quarto Evangelho. De muitas maneiras, esta é uma perspectiva única, bem diferente das perspectivas teológicas moderadamente divergentes encontradas nos evangelhos sinóticos. A figura de Jesus que caminha pelas páginas de João difere de muitas maneiras da figura apresentada nos sinóticos. Não só está aí uma maneira diferente de falar, mas também a majestosa atemporalidade da divindade que sobressai mais claramente. O Jesus joanino se apresenta diante dos homens com a solene fórmula "eu sou" (ver Apêndice IV, p. 841ss). Ele adentrou um mundo de trevas como a luz, a um mundo de falsidade e ódio como a verdade; e sua presença divide os homens em dois campos como os que se aproximam da luz ou que se afastam dela, como os que acreditam na verdade ou que se recusam a ouvi-la. Quanto do evangelista entrou neste perfil de Jesus? Alguns dirão que, porque o evangelista se afinava com sua personagem, era apto a ver em Jesus mais do que outros viam e seu gênio o capacitou a apresentá-lo. Outros pensarão no perfil de Jesus como, quase inteiramente, criação do evangelista. Em qualquer caso, até certo ponto, talvez o indefinível, a própria perspectiva e visão do evangelista ecoem no evangelho. Como explicar as características peculiares do pensamento do evangelista? O que o influenciou?

Por todo o comentário, tomaremos cuidado para não exagerar as diferenças entre João e os sinóticos em seus perfis de Jesus, e tentaremos mostrar que mesmo os elementos mais caracteristicamente joaninos têm algum paralelo na tradição sinótica. Todavia, tendo afirmado esta cautela, ainda devemos reconhecer um rasgo caracteristicamente joanino de pensamento que nos é preciso explicar. As três influências mais frequentemente sugeridas sobre o evangelista são gnosticismo, o pensamento helenista e judaísmo palestinense.

A. GNOSTICISMO

A teoria da influência gnóstica sobre João tem sido popularizada pela Escola da História da Religião (Bousset, Reitzenstein), tão proeminente nas primeiras décadas deste século. A teoria tem tido importantes proponentes em W. Bauer e Bultmann. Em contrapartida, Büchsel, Percy e E. Schweizer têm questionado exaustivamente a teoria.

Em geral, a questão é difícil, porque, como J. Munck, CINTI, p. 224, o expressa, o gnosticismo é "um termo científico que não tem nenhuma definição científica aceita por todos". Todos podem reconhecer padrões comuns no gnosticismo desenvolvido. Por exemplo, dualismo ontológico; seres intermediários entre Deus e o homem; a agência desses seres em produzir o mal, mundo material; a alma como uma fagulha divina aprisionada à matéria; a necessidade de conhecimento conquistado através de revelação a fim de livrar a alma e guiá-la à luz; a limitação numérica daqueles que são aptos a receber esta revelação; o revelador salvífico. Mas, qual desses elementos é essencial para um movimento ser realmente chamado gnóstico?

(1) *João e o gnosticismo cristão*

O gnosticismo clássico, como o conhecemos através dos comentários hostis dos Padres da Igreja, era um movimento que apareceu plenamente desenvolvido no 2º século d.C. Portanto, se datarmos o evangelho mais ou menos em 90-100 (ver Sexta Parte, p. 80s), raramente poderia ter sido influenciado por este gnosticismo. Mas tem havido uma tendência de postular uma forma mais antiga de gnosticismo, ou ao menos traçar os componentes do gnosticismo a uma data mais antiga. Os estudiosos falam de gnosticismo pré-cristão, gnosticismo judaico e inclusive aplicam o termo à teologia de Qumran.

Parte da dificuldade é que, até tempos recentes, havia em existência bem pouca literatura gnóstica vinda dos primeiros séculos, e assim o campo era amplamente aberto a hipóteses. Os estudiosos foram inteligentemente cautelosos em reconstruir o pensamento gnóstico a partir de uma apologética patrística dirigida contra ele.

A descoberta em Chenoboskion, no Egito, em 1947, de um grupo de documentos gnósticos em copta tem mudado todo o quadro. Com respeito a João, agora somos aptos a comparar este evangelho com o gnosticismo cristão do 2º século. Uma das obras gnósticas, o *Evangelho da Verdade*, é uma tradução copta de uma obra grega da escola do gnosticismo valentiniano e talvez fosse composto pelo próprio VALENTINO. QUISPEL e BARRETT, em seus artigos, e BRAUN, *JeanThéol*, I, pp. 111-21, têm comparado o pensamento e vocabulário deste documento com o de João. Concluem os dois evangelhos são muito distintos um do outro. Se houvesse pontos comuns de origem, então haveria um considerável divergência nos respectivos desenvolvimentos. O presente escritor tem devotado um artigo a uma comparação entre João e outra obra de Chenoboskion, o *Evangelho de Tomé*. Nesta obra, o gnosticismo não é tão desenvolvido como aquele de o *Evangelho da Verdade*, e Tomé pode ser mais bem descrito como incipientemente gnóstico. Todavia, ainda há uma considerável distância entre João e Tomé, pois termos caracteristicamente joaninos são usados em *Tomé* de uma maneira bem diferente do uso joanino. Se há alguma dependência um do outro, é totalmente indireta; e a direção da dependência seria Tomé de João.

Assim, até onde podemos determinar, João estaria fora de lugar entre as obras gnósticas encontradas em Chenoboskion. Não queremos dizer que João não pudesse ter sido usado pelos gnósticos do 2º século (ver Sexta Parte, p. 80ss), mas que ele não é uma composição gnóstica típica do 2º século.

(2) *João e o gnosticismo pré-cristão reconstruído*

Voltando agora às antigas formas postuladas pelo gnosticismo, examinemos a proposta de BULTMANN de que a Fonte do Discurso Revelatório era gnóstica em sua tendência, e que o evangelista era ex-gnóstico. (Para um conciso tratamento das ideias de BULTMANN sobre o gnosticismo, ver seu *Primitive Christianity* [Nova York: Meridian, 1957], pp. 162-71). Visto que o evangelista tem desmitologizado e cristianizado sua fonte,

BULTMANN desfaz a obra do evangelista a fim de reconstruir este gnosticismo. Ele a classifica como antiga gnose oriental, em distinção à última gnose, mais helenizada, da qual estivemos falando acima. Por exemplo, há no gnosticismo reconstruído um dualismo de luz e trevas, porém não a especulação sobre as origens de trevas e mal. Na esfera da luz há seres sobrenaturais além de Deus, por exemplo, os anjos; mas este gnosticismo não propõe complicadas teorias de emanação. Além do mais, visto que este gnosticismo é um ramo do judaísmo ou que foi influenciado pelo judaísmo, seu dualismo tem sido modificado pelo dogma veterotestamentário da supremacia de Deus mesmo sobre a esfera do mal. Assim, a criação do mundo não envolveu batalha entre trevas e luz, como no dualismo iraniano ou do zoroastrismo.

Talvez a única doutrina mais importante na reconstrução que BULTMANN faz deste gnosticismo seja o mito redentor. Como visto nos documentos gnósticos tardios, este mito pressupõe a existência de um *Urmensch*, um Homem Original, uma figura de luz e bondade, que foi rasgado e dividido em pequenas partículas de luz. Essas partículas, como almas humanas, foram semeadas em um mundo de trevas, e tem sido a tarefa dos demônios fazê-las esquecer suas origens celestiais. Então Deus envia seu Filho em forma corporal para despertar essas almas, liberá-las de seus corpos de trevas e guiá-las de volta ao seu lar celestial. Ele faz isso proclamando a verdade e dando às almas o verdadeiro conhecimento (*gnōsis*) que as capacitará a encontrar seu caminho de volta. BULTMANN encontra traços de tal mito nas entrelinhas dos discursos em João. A figura ora introduzida na história como Jesus foi uma vez o redentor gnóstico e revelador celestial. Na Fonte do Discurso Revelatório, este redentor era o preexistente (Jo 1,1) que se fez carne (1,14) e finalmente voltou para Deus. Ele era a luz que entrou no mundo (1,9; 8,12); ele era o caminho para Deus (14,6). O Paráclito é outra faceta do mito gnóstico (ver Apêndice V, vol. 2, p. 1640).

A acusação de raciocínio circular tem sido lançada contra BULTMANN; a saber, que ele pressupõe que houve um gnosticismo ao pano de fundo de João, e então usa João como sua principal fonte para reconstruir este gnosticismo. Entretanto, BULTMANN alega ter outra evidência deste gnosticismo pré-cristão nos traços daquilo que tem sobrevivido nas *Odes de Salomão* (ver p. 195) e, particularmente, nos escritos mandeístas. Os mandeus foram uma seita batizante ainda existente na Mesopotâmia.

As pesquisas de Lidzbarski e Lady Drower têm capacitado os estudiosos a reconstruírem algo de sua história e pensamento pregressos; para um sumário, veja Dodd, *Interpretation*, pp. 115-130. Sua teologia, quando aparece em plena florescência, é um misto altamente sincrético de doutrina judaica, mito gnóstico e cristianismo nestoriano e sírio. Suas lendas contam como fugiram para Babilônia sob a perseguição dos falsos profetas (como Jesus) e falsas religiões (judaísmo e cristianismo). Seu grande revelador, Manda d'Hayye, cujo nome significa "conhecimento da vida", foi batizado por João Batista. Ele ensinou um caminho de salvação que capacitaria os homens a se transferirem para o mundo de luz.

As formas mais antigas de teologia mandeísta que conhecemos devem datar-se em época relativamente tardia à era cristã, e não há possibilidade de que João fosse influenciado por este pensamento como agora o conhecemos. Devemos notar ainda que não há obra mandeísta semelhante a João; nem há uma obra mandeísta que se assemelhe exatamente à Fonte de Discurso Revelatório proposta por Bultmann. Mas Bultmann presume que o pensamento mandeísta representa um derivativo tardio do mesmo tipo de gnosticismo que ele postula na era neotestamentária entre os discípulos de João Batista, e que serviu de pano de fundo para João. Daí ele citar símbolos paralelos, padrões de pensamento e frases em João e nos escritos mandeísticos; e ele os vê como ecos de gnosticismo cristão.

Como devemos avaliar as teorias de Bultmann acerca dos mandeanos? A investigação mais recente é a de K. Rudolph, *Die Mandäer* (Göttingen: Vandenhoeck, 1960), e ele sugere que os mandeus bem que poderiam estar certos em traçar suas raízes à Palestina, na era cristã mais antiga. E, naturalmente, provavelmente houvesse continuidade entre o estágio mais antigo de seu pensamento e o estágio mais recente que nos é conhecido. Como para as origens do gnosticismo mandeísta, a teoria que está ganhando terreno é que os defensores gnósticos do pensamento e escrito mandeístas são relativamente recentes.

Não obstante, todo o problema do gnosticismo pré-cristão permanece difícil. Quando o gnosticismo aparece no 2º século d.C., é um amálgama de diferentes fios de pensamento, e alguns desses fios são realmente antigos. Mas, realmente foram eles *associados* na era pré-cristã? Pois foi a união desses fios que produziu o gnosticismo.

Como tem realçado A. D. Nock, *"Gnosticism"*, HTR 57 (1964), 255-79, as descobertas de Chenoboskion têm reafirmado a imagem patrística do gnosticismo como uma heresia cristã. A figura de Cristo parece ter sido o catalizador que estimulou a forma de atitudes e elementos proto-gnósticos nos corpos defináveis de pensamento gnóstico.

Em particular, as últimas pesquisas sobre o redentor do mito gnóstico feitas por C. Colpe (1961) e H. M. Schenke (1962) lança sérias dúvidas sobre se os elementos antigos, porém heterogêneos, que compuseram aquele mito já estavam unidos no período pré-cristão ou cristão primitivo. Schenke tem argumentado que a identificação amiúde feita do redentor gnóstico com a teoria de "o Filho do Homem" é um desenvolvimento pós-cristão. Outro fato que lança dúvida sobre a teoria de Bultmann é que o pensamento da comunidade de Qumran não tem semelhança com a reconstrução de Bultmann de que uma seita batizante palestinense no 1º século já estava em pauta. E, no entanto, esta comunidade, inegavelmente, tem estreitas afinidades geográficas e teológicas com João Batista, e assim se poderia esperar que fosse algo similar aos sectários gnósticos de João propostos por Bultmann. Em Qumran há um dualismo modificado; há elementos proto-gnósticos, porém não há redentor mitológico e não há gnosticismo desenvolvido.

Em suma, não se pode alegar que a dependência de João de um postulado gnosticismo oriental primitivo tenha sido refutada, mas a hipótese permanece muito tênue e de muitas maneiras desnecessária. Esperamos mostrar abaixo que a especulação veterotestamentária acerca da Sabedoria personificada e o vocabulário e pensamento do judaísmo sectário, como a comunidade de Qumran, percorrem um longo caminho para preencher o pano de fundo do vocabulário e expressão teológicos joaninos. Visto que se sabe que estas fontes propostas de influência existiram, e a existência da fonte proto-mandeísta gnóstica de Bultmann permanece duvidosa, temos muita razão para dar-lhes preferência.

B. PENSAMENTO HELENISTA

Ao suscitar-se a questão da influência grega sobre João, temos de fazer uma importante distinção. Há um forte elemento helenista já presente no judaísmo dos tempos neotestamentários, tanto na Palestina como em Alexandria. Portanto, se João era dependente do judaísmo contemporâneo, inevitavelmente houve uma influência helenista sobre o pensamento joanino. Já falamos de especulação da Sabedoria personificada; nos livros deuterocanônicos, como Sirac e Sabedoria de Salomão, esta especulação foi matizada pelo pensamento helenista. Já falamos também de Qumran, e houve forte influência helenista sobre tais seitas judaicas. Josefo traça uma analogia entre o pensamento dos essênios (consideramos que o grupo Qumran se compunha de essênios) e o dos neopitagóricos, atribuindo aos essênios uma antropologia com claros aspectos helenistas. Braun, *JeanThéol*, II, pp. 252-76, aponta para afinidades entre a *Hermética* e o pensamento essênio como encontrado em Josefo e nos rolos de Qumran. Cullmann tem tentado unir os essênios de Qumran, os samaritanos e os helenistas (At 6,1) sob as bandeiras de um judaísmo neoconformista partilhando uma oposição ao templo e uma predileção pelo pensamento helenista.

Portanto, tomamos por admitido uma tendência grega dentro do judaísmo que exerceu uma influência sobre o vocabulário e pensamento joaninos. Mas a pergunta que fazemos aqui é se houve outra influência helenista sobre João que não surgiu através do judaísmo, mas veio de fora. Acaso o evangelista estava particularmente familiarizado com o pensamento grego, a ponto de interpretar a mensagem evangélica em termos helenistas? Têm-se oferecido três tendências do pensamento grego como possíveis explicações para as peculiaridades na expressão teológica joanina: uma forma popular de filosofia grega, Filo e a *Hermética*. Discutiremos cada um por sua vez, mas talvez seja oportuno enfatizar que estamos buscando influência *formativa* no pensamento do evangelista. Um problema ligeiramente diferente é se o evangelista deu ou não ao evangelho um verniz de fraseologia helenista a fim de converter o mundo grego. Esta questão se relaciona mais estreitamente com o propósito do evangelho que será discutido na Parte V, p. 63ss.

(1) *João e a filosofia grega*

Alguns dos comentaristas mais antigos sobre João, por exemplo, E. A. Abbott, W. R. Inge, enfatizaram os empréstimos joaninos das escolas de pensamento filosófico grego, especialmente do platonismo ou estoicismo.

IV • Influências propostas sobre o pensamento religioso do quarto evangelho

Primeiro, podemos considerar o platonismo. Há em João contrastes entre o que está acima e o que está abaixo (3,31), entre espírito e carne (3,6; 6,63), entre vida eterna e existência natural (11,25-26), entre o verdadeiro pão do céu (6,32) e o pão natural, entre a água da vida eterna (4,14) e água natural. Estes contrastes podem ser comparados a uma forma popular de platonismo onde existe um mundo real, invisível, eterno, contrastado com o mundo das aparências aqui embaixo. A similitude é impressionante, mas devemos notar que o platonismo popular já havia se infiltrado no judaísmo. Como veremos na Parte VIII, p. 114ss, além da distinção horizontal e linear entre a era atual na história de Israel e a era futura após a intervenção divina, havia também no pensamento judaico deste período uma distinção vertical entre o celestial e o terreno. Não é desconhecido no AT um contraste entre espírito e carne (Is 31,3), e Qumran oferece um contraste entre o que jaz no nível da carne e o que é de cima (1QH 10.23,32). Mesmo o contraste entre verdadeiro pão e pão natural é prefigurado numa passagem como Is 55,1-2, onde o pão do ensino de Deus é contrastado com o que não é pão. Assim, as afinidades com o platonismo popular que têm sido propostas por João são muito bem explicáveis à luz do judaísmo palestino. Algumas vezes são apenas afinidades aparentes que são explicáveis em termos do AT; algumas vezes são afinidades reais, mas que têm sua origem no pensamento grego que já se tornaram parte do pano de fundo judaico.

Tem-se sugerido um paralelo com o estoicismo pelo uso de *logos*, "a Palavra", no Prólogo, pois este era um termo popular no pensamento estoico. Nosso tratamento deste termo no Apêndice II, p. 823 mostrará que o uso joanino é bem diferente daquele dos estoicos. Além do mais, o hino que constitui o Prólogo teve sua própria história dentro dos círculos joaninos, e é arriscado argumentar com base nos paralelos terminológicos no Prólogo com vistas a influenciar todo o evangelho. Assim, não há razão para supor que o evangelho fosse influenciado por alguma filosofia mais grega do que o que já estava presente no pensamento e linguagem gerais da Palestina.

(2) *João e Filo*

Tem-se sugerido uma dependência joanina de Filo de Alexandria. Contemporâneo de Jesus, Filo representou em sua obra uma tentativa de combinar pensamento judaico e grego. Não temos clara evidência de que a obra de FILO era conhecida na Palestina do 1º século; e, assim, se o evangelista foi dependente de FILO, provavelmente esta familiaridade foi adquirida fora da Palestina. Uma vez mais, o uso de *logos*, no Prólogo, constitui um argumento-chave, pois FILO empregava este termo (ver Ap. II, p. 823ss). ARGYLE, *art. cit.*, tenta mostrar uma ampla dependência joanina de FILO, em virtude de algumas das imagens bíblicas usadas por João (escada de Jacó, serpente de bronze, visão de Abraão), que são também usadas por FILO, precisamente em conexão com a doutrina do *logos*. É possível perdermos o ponto do argumento; mas o próprio fato de que, diferente de FILO, João não usa esta imagem em conexão com "a Palavra", e o fato de que, no evangelho como um todo, "a Palavra" exerce apenas uma função menor, pareceria enfraquecer o caso da dependência de FILO.

O instrutivo artigo de WILSON sobre o tema é muito ponderado. Ele observa que, enquanto conhecemos a obra de FILO, a maior parte do trabalho de seus predecessores não chegou a sobreviver. As reflexões filonianas sobre o *logos* provavelmente são o clímax de uma longa história de tal pensamento. Além do mais, tanto FILO como João recorreram ao AT, e no conceito do *logos* ambos recorreram à Literatura Sapiencial do AT. Portanto, não surpreende que às vezes seu pensamento se desenvolva ao longo de linhas paralelas. Mas quando se passa a procedimento metodológico essencial, FILO e João estão longe um do outro. O esmagador colorido filosófico encontrado em FILO não aparece em João, e as elaboradas alegorias filonianas têm pouco em comum com o uso joanino da Escritura. DODD, *Interpretation*, p. 133, disse que FILO, juntamente com o judaísmo rabínico e a *Hermética*, permanece uma de nossas fontes mais diretas para o pano de fundo do pensamento joanino. Pessoalmente, cremos que a evidência aponta mais para um pano de fundo comum partilhado tanto por FILO como por João. Talvez BRAUN, *JeanThéol*, II, p. 298, o haja formulado melhor: se FILO nunca existisse, o Quarto Evangelho mui provavelmente não teria sido nada diferente do que é.

(3) *João e a hermética*

Não obstante, outros estudiosos que propõem a influência helenista sobre João se volvem para uma religião mais elevada e filosófica,

IV • Influências propostas sobre o pensamento religioso do quarto evangelho

tal como a da *Hermética*. No Egito, no 2º e 3º séculos d.C., um corpo de literatura grega se desenvolveu centrado em Hermes Trismegistus, um lendário filósofo do antigo Egito, que cria ter sido deificado como o deus Thoth (= Hermes). O pensamento expresso nesta literatura é um sincretismo de filosofia platônica e estóica com a tradição religiosa do Oriente Próximo. Os vários livros da literatura, grandemente independentes uns dos outros, em sua maior parte foram escritos depois do Quarto Evangelho, embora haja elementos antigos contidos neles. A edição crítica deste corpus de escrito, que constitui a *Hermética*, tem sido publicada por NOCK e FESTUGIÈRE. Lançados na forma de diálogos entre Hermes e seus filhos, estes escritos proclamam um elevado conceito de Deus e das obrigações éticas do homem. O homem perfeito possui o conhecimento de Deus, e a salvação se dá através deste conhecimento revelado (ver Jo 17,3). Podem-se encontrar na *Hermética* elementos de semipanteísmo e de gnosticismo.

Ao comparar estes escritos com João, os estudiosos têm encontrado alguns paralelos de pensamento e vocabulário muito interessantes (ambos, BRAUN e DODD, fornecem listas). A maioria não propõe dependência direta de João da *Hermética*, mas DODD fica impressionado com o valor da *Hermética* na interpretação de João. KIRKPATRICK, *art. cit.*, ressaltou que as similaridades entre as duas literaturas não devem ser super enfatizadas. Alguns dos termos teológicos que são os mais importantes na *Hermética* estão totalmente ausentes de João, por exemplo, *gnōsis*, *mystērion*, *athanasia* ("imortalidade"), *dēmiourgos* ("demiurgo"). Uma comparação estatística de vocabulário é também interessante. Há 197 palavras significativas em João que começam com uma das quatro primeiras letras do alfabeto grego; 189 destas aparecem na LXX; somente 82 delas aparecem na *Hermética*. Assim, João é muito mais próximo à linguagem grega veterotestamentária do que à da *Hermética*. BRAUN expressa outra cautela. Há indicações de que alguns dos autores da *Hermética* conheciam o Cristianismo e inclusive escreveram contra ele. BRAUN detecta a presença de um escriba que poderia ter algum conhecimento de João. Se este for o caso, a direção de paralelos entre João e a *Hermética* teria de ser seriamente examinada.

Assim, uma vez mais, estamos tratando com uma literatura que é mais recente que João, mas cujos antigos estágios hipotéticos são usados para explicar o pensamento do quarto evangelista. A melhor explicação poderia ser que nas similaridades as duas literaturas se entrelaçam (p. ex., vocabulário como "luz", "vida", "palavra") são ambas dependentes de uma terminologia teológica mais antiga que qualquer uma delas; a saber, a terminologia que dependia da combinação de especulação sobre Sabedoria e pensamento grego abstrato. Tal combinação já é exemplificada no período pré-cristão no deuterocanônico Livro de Sabedoria. Que esta base comum foi construída de duas maneiras tão diferentes como agora vemos na *Hermética* e João, sugere que as duas literaturas tinham pouco a ver uma com a outra nos estágios formativos. Assim, concordaríamos com Kirkpatrick de que podemos avaliar a *Hermética* no mesmo nível que os escritos mandeus e que outras evidências do gnosticismo, isto é, como constituindo não de parte significativa do pano de fundo do evangelho.

C. JUDAÍSMO PALESTINO

Um grande número de estudiosos está chegando ao acordo de que o principal pano de fundo para o pensamento joanino foi o judaísmo palestino dos dias de Jesus. Este judaísmo estava longe de ser monolítico, e sua própria diversidade ajuda a explicar diferentes aspectos do pensamento joanino. Consideraremos o AT, o judaísmo rabínico e o judaísmo dos sectários de Qumran.

(1) *João e o Antigo Testamento*

João tem menos citações diretas do AT do que têm os outros evangelhos. O texto grego de Nestle indica somente 14, todas dos livros do cânon palestinense do AT. Na lista de referências veterotestamentárias de Westcott-Hort, usadas no NT, somente 27 passagens são catalogadas por João, quando comparadas com 70 por Marcos, 109 por Lucas e 124 por Mateus. Não obstante, a infrequência de *testimonia* joanina é decepcionante, como mostra Barrett em seu artigo sobre o tema. Muitos dos temas do *testimonia* sinótico têm sido entretecidos na estrutura do Quarto Evangelho sem citação explícita do AT. Diferente de Mc 7,6, João não cita Is 29,13, em razão de que o coração do povo de Israel estava longe de Deus, embora o honrassem com seus lábios; todavia, no Quarto Evangelho, este tema corre por todos os argumentos de Jesus perante "os judeus".

IV • Influências propostas sobre o pensamento religioso do quarto evangelho

Mais importante, como Braun tem mostrado em *JeanThéol*, II, João reflete ainda mais claramente do que os evangelhos sinóticos as grandes correntes do pensamento veterotestamentário. Jesus é apresentado como o Messias, o Servo de Yahwéh, o Rei de Israel e o Profeta – todas figuras na galeria das expectativas veterotestamentárias. Muitas das alusões ao AT são sutis, porém muito efetivas. Hoskyns, *art. cit.*, tem mostrado como Gênesis influenciou João, ainda que João nunca o cite explicitamente. A narrativa dos primeiros dias da criação e do primeiro homem e mulher é a espinha dorsal de Jo 1,1-2,10, e o tema da mãe Eva retorna quando Jesus pende da cruz em 19,25-30. Há referências a Abraão (8,31ss.), Isaac (3,16) e Jacó (4,5ss.).

Todo o relato de Moisés e do Êxodo é um assunto muito dominante, como Glasson tem mostrado detalhadamente. Alguns estudiosos têm inclusive sugerido que toda a organização do Quarto Evangelho foi modelada no Êxodo. Enz, *art. cit.*, compara os sinais de Jesus, como registrados em João, com os sinais de Moisés em trazer as pragas sobre o Egito. Inevitavelmente, essas equivalências elaboradas são forçadas em alguns detalhes, embora concordemos com Smith de que um fator muito importante no conceito joanino de "sinal" foi o uso de "sinal" para os milagres de Moisés (Ap. III, p. 831). Sem nos tornarmos dependentes desta busca pelo mesmo padrão estrutural em Êxodo e João, todavia podemos ressaltar as numerosas referências joaninas a Moisés (1,17; 5,46 etc.) e aos eventos do Êxodo (o maná em 6,31ss., a água da rocha em 7,38, a serpente de bronze em 3,14, o tabernáculo em 1,14). Os discursos de Moisés em Deuteronômio têm sido sugeridos com frequência como oferecendo um paralelo na psicologia de sua composição dos discursos de Jesus em João, isto é, ambos representam uma re-elaboração do material tradicional no formato de discurso. O conceito deuteronômico de mandamento é bem estreito com o conceito joanino. Há também referências a outros eventos na história subsequente de Israel (aos Juízes em 10,35; ao tema do pastor régio em 10,1ss.).

Metade das citações explícitas de João provém dos profetas (cinco de Isaías; duas de Zacarias). Griffiths, *art. cit.*, tem oferecido o Deuteroisaías como um bom paralelo veterotestamentário a João, pois ambos reinterpretam tradições prévias com considerável originalidade. É ao Deuteroisaías que devemos ir para o pano de fundo do uso joanino de *egō eimi*, "Eu sou" (Ap. IV, p. 841s) e para alguns elementos da universalidade atribuída à missão de Jesus. A última parte de Zacarias parece estar por detrás das reflexões de João sobre a festa dos tabernáculos e sobre a fonte de água viva (7,37-38). VAWTER, *art. cit.*, sugere que Ezequiel pode oferecer o pano de fundo para certos aspectos na teologia joanina do Filho do Homem e do Paráclito.

A literatura sapiencial é também importante para uma compreensão de João. Como nos outros evangelhos, assim também em João o livro dos Salmos é uma frequente fonte para *testimonia*. Na Parte VIII mostraremos que a influência mais decisiva sobre a forma e estilo dos discursos de Jesus no Quarto Evangelho vem dos discursos da divina Sabedoria nos livros como Provérbios, Sirac e Sabedoria de Salomão.

Pode-se indagar legitimamente se tal dependência do AT mostra que o ambiente do pensamento de João foi o judaísmo *palestino*, pois a LXX era conhecida fora da Palestina. Alguns estudiosos têm argumentado que ao menos algumas das citações explícitas do AT, que aparecem em João, parecem ser diretamente traduzidas do hebraico e não vêm da LXX (assim BRAUN, *JeanThéol*, II, pp. 20-21); isto modificaria a sugestão de GOODWIN de que as variações em João da LXX provêm do fato de que o evangelista citou livremente e de memória. Uma possibilidade mais interessante é que nas passagens como 3,14; 4,6.12; 7,38 e 12,41, João pode estar citando os Targuns palestinos (as traduções aramaicas locais da Escritura) em vez da Bíblia Hebraica. As implicações para o pano de fundo do evangelho são óbvias.

(2) *João e o judaísmo rabínico*

Estas reflexões nos levam à questão da relação entre o Quarto Evangelho e os documentos rabínicos. Os últimos são notoriamente difíceis de datar. Foram escritos na era cristã e amiúde muito recentes, mas frequentemente preservam material muito antigo que retrocede ao tempo de Jesus e inclusive mais cedo. (Entretanto, o leitor sai lucrando em observar que, enquanto citaremos paralelos rabínicos, às vezes se torna impossível provar que este paralelo reflita o pensamento do judaísmo do 1º século). Visto que a obra dos rabinos é a continuação do judaísmo farisaico dos dias de Jesus, ela é de grande importância para o estudo neotestamentário.

Estudiosos como SCHLATTER e STRACK e BILLERBECK têm apontado para muitos paralelos entre o pensamento joanino e o rabínico, como veremos no comentário. Mais recentemente, DODD, *Interpretation*, pp. 74-97, e D. DAUBE, *The New Testament and Rabbinic Judaism* (London University, 1956), têm proposto interessantes aspectos de João em sua participação da literatura rabínica. Conceitos como o de Messias oculto (ver p. 53) e especulações sobre o papel criativo da Torá (que João adaptou para "a Palavra" – ver Ap. II, p. 823) e sobre a natureza da vida no mundo por vir são todos importantes para os desenvolvimentos da compreensão joanina.

MISS GUILDING tem afirmado que os discursos que Jesus pronuncia por ocasião das grandes festas estão estreitamente relacionados com os temas das leituras assinaladas para serem feitas nas sinagogas durante essas festas (ver p. 518ss). No capítulo 6, BORGEN ressaltou quão similar é o formato do Discurso de Jesus sobre o Pão da Vida ao modelo homilético da *Midráshim* rabínica (ou interpretação livre de passagens bíblicas). Outros têm encontrado no capítulo 6 paralelos à Páscoa judaica, *Haggadah*, no serviço *Seder*. Essa forte influência judaica sobre o Quarto Evangelho poderia mui plausivelmente ser explicada se teve suas origens na Palestina ou se seu autor estava familiarizado com o judaísmo palestinense. Isto explicaria também o acurado conhecimento de detalhes palestinos mencionados na Parte III acima.

(3) *João e qumran*

Até a descoberta dos Rolos do Mar Morto, pouco se conhecia do judaísmo sectário na Palestina. Os documentos rabínicos preservaram o espírito e pensamento dos fariseus; mas os saduceus eram (e permanecem) escassamente conhecidos, e ainda menos conhecidos eram os essênios que foram mencionados brevemente em JOSEFO, FILO e PLÍNIO. É a vida e pensamento do último grupo que nos têm sido desvendados através dos manuscritos e descobertas arqueológicas em Qumran no extremo noroeste do Mar Morto. O fato de que a comunidade essênia em Qumran foi destruída em 68 d.C. significa que, com rara exceção, seus documentos antedataram a literatura cristã e que, diferente do caso da literatura mandeísta e da *Hermética*, não temos de reconstruir uma teologia pré-cristã com base em documentos posteriores.

Visto que tanto a literatura de Qumran como a do NT são dependentes do AT, os únicos paralelos de pensamento e vocabulário que realmente podem ser significativos para determinar a influência são aqueles que também não se encontram no AT. Artigos sobre a relação entre João e Qumran (BROWN, F.-M., BRAUN, KUHN) têm distinguido um dualismo modificado como um dos mais importantes paralelos. Na literatura de Qumran há dois princípios criados por Deus os quais estão numa luta ferrenha para dominar a humanidade até o tempo da intervenção divina. São eles o príncipe das luzes (também chamado o espírito da verdade e o espírito santo) e o anjo das trevas (o espírito de perversão). No pensamento de João, Jesus veio ao mundo como a luz que vence as trevas (1,4-5), e todos os homens devem escolher entre luz e trevas (3,19-21). Jesus é a verdade (14,6), e depois de sua morte a luta para vencer a força má é deflagrada pelo Espírito da Verdade (ou o Espírito Santo: 14,17,26). Notar-se-á que não só o dualismo, mas também sua terminologia é partilhada por João e Qumran. Este dualismo não se encontra no AT, e KUHN pode estar certo em sugerir que suas raízes últimas estão no zoroastrismo (onde, entretanto, se encontra um dualismo absoluto dos princípios opostos e incriados – uma possível exceção é a forma zervanista do zoroastrismo em que os dois princípios são subordinados a uma deidade suprema). Diversos dos apócrifos refletem também este dualismo; por exemplo, os *Testamentos dos Doze Patriarcas*. Em geral, são estas obras que de alguma maneira se relacionam com o grupo de Qumran. O recente estudo de O. BÖCHER, *Der johanneische Dualismus im Zusammenhang des nachbiblischen Judentums* (Gütersloh: Mohn, 1965) insiste que o dualismo joanino é mais próximo ao dualismo da apocalíptica judaica e o pensamento sectário do que é para qualquer outra nas fontes helenistas e gnósticas.

Outro ponto significativo partilhado por João e Qumran é o ideal do amor entre irmãos dentro da comunidade. Enquanto algumas passagens nos evangelhos sinóticos enfatizam o dever do cristão de amar todos os homens, a ênfase de João é sobre o amor para com os demais cristãos (13,34; 15,12). O conceito de Qumran de amor como um mandamento positivo é mais desenvolvido do que no AT, mas sempre a ênfase é sobre o amor entre os membros da seita, até ao ponto de odiar os demais. A relação entre a água e a doação do espírito, um simbolismo querido a João (3,5; 7,37-38), pode também estar sugerido na literatura Qumran. Documentaremos estas observações no comentário.

Em nosso julgamento, os paralelos não são bastante estreitos para sugerir uma dependência literária direta de João sobre a literatura

Qumran, porém sugerem familiaridade joanina com o tipo de pensamento exibido nos rolos. (Devemos admitir a possibilidade de que este pensamento e vocabulário não eram a propriedade exclusiva dos essênios de Qumran). Ora, naturalmente, João é um documento cristão; e a centralidade de Jesus no pensamento joanino o torna bem diferente da teologia de Qumran, a qual é centrada na Lei. Por exemplo, enquanto para Qumran o príncipe das luzes e o espírito da verdade são títulos para o mesmo ser celestial, para João a luz e o Espírito da Verdade são dois agentes distintos da salvação. Esperamos tais diferenças em qualquer comparação entre uma literatura cristã e não cristã, e é uma inadimissível simplificação pensar que, por causa de tais diferenças óbvias, não possa haver nenhuma relação entre João e Qumran. Assim, TEEPLE, *art. cit.*, atribui uma grande importância ao fato de que há conceitos e termos teológicos que se encontram com frequência na literatura Qumran, porém não em João, e vice-versa. Isso nada significa, a menos que alguém esteja tentando mostrar que a literatura de Qumran foi a única e direta fonte do pensamento de João. Realmente não é significativo que se assuma alguns dos mais importantes paralelos do vocabulário entre João e os rolos de Qumran e encontre uma única ou ocasional ocorrência de tal vocabulário em outro lugar na literatura judaica. A real questão é se as outras ocorrências dão evidência da ênfase que é partilhada por João e Qumran. Por exemplo, no AT há muitas referências à luz como algo espiritualmente bom; o Sl 27,1 diz: "Yahweh é minha luz". (M. DAHOOD, *The Anchor Bible*, vol. 16). Mas isso não é o mesmo que a oposição dualística entre luz e trevas, que é *um fator maior* na teologia de Qumran e de João. Já dissemos que ambos, Qumran e João, têm raízes no AT; mas se estas duas literaturas revalorizaram termos veterotestamentários relativamente insignificantes, e os desenvolveram em grande parte da mesma maneira, então temos paralelos significativos.

O que se pode dizer é que para *alguns* aspectos do pensamento e vocabulário joaninos a literatura de Qumran oferece um paralelo mais próximo do que qualquer outra literatura contemporânea ou não cristã mais antiga, quer no judaísmo ou no mundo helênico. E, de fato, para tais aspectos Qumran oferece um paralelo melhor do que mesmo os mais recentes escritos mandeístas pós-joaninos ou herméticos.

Portanto, em suma, sugerimos que nos esquemas do pensamento teológico joanino se deu a influência de uma combinação peculiar de vários modos de pensar que eram correntes na Palestina durante a vida terrena do próprio Jesus, e depois de sua morte. Os pregadores cristãos interpretaram Jesus, o Cristo, com o pano de fundo do AT, e a pregação por detrás do Quarto Evangelho não era exceção. Entretanto, o Quarto Evangelho tem feito isto não tanto através de citação explícita, quanto para mostrar como os temas veterotestamentários foram implicitamente entretecidos nas ações e palavras de Jesus. Em particular, este evangelho foi muito mais longe do que os sinóticos ao interpretar Jesus em termos da figura do AT da Sabedoria personificada. Algum pano de fundo do pensamento de Jesus pode ser encontrado nas pressuposições da teologia farisaica de seu tempo, como estas nos são conhecidas dos escritos rabínicos posteriores. Não é acidental que Jesus é chamado de Rabi mais frequentemente em João do que em qualquer outro evangelho. Além do mais, em João o pensamento de Jesus é expresso num peculiar vocabulário teológico que agora sabemos ter sido usado por um importante grupo sectário judaico na Palestina.

Tudo isto significa que o quarto evangelista tomou a simples mensagem de Jesus e a reinterpretou em termos da Literatura Sapiencial veterotestamentária e do pensamento farisaico e sectário, talvez porque o próprio evangelista fosse particularmente familiarizado com tal pensamento? Ou tais elementos já estavam na própria perspectiva e expressão de Jesus, e até certo ponto ficaram perdidos na tradição sinótica de suas obras e palavras? Uma resposta matizada, em parte, incluiria ambas as sugestões. De um lado, é tempo de liberar-se da presunção de que o próprio pensamento e expressão de Jesus eram sempre simples e sempre em um só estilo, e que tudo o que cheira a sofisticação teológica viria dos evangelistas (implicitamente mais inteligentes). Do outro, devemos reconhecer no quarto evangelista um homem de gênio teológico que depositou algo de si mesmo e de sua própria perspectiva na composição do evangelho. Na literatura grega, ninguém tem um problema similar nos diálogos de Platão em distinguir o que é de Sócrates e o que é de Platão, ainda quando o Sócrates de Xenofonte fala diferentemente do Sócrates de Platão? Talvez *uma* chave deste problema no evangelho seja a própria reivindicação dos evangelhos de serem dependentes do testemunho de um discípulo que era particularmente amado por Jesus (21,20 e 24; 19,35 – ver Parte VII, p. 90ss). Se este é o caso, pode-se presumir certa congenialidade de pensamento entre discípulo e mestre.

IV • Influências propostas sobre o pensamento religioso do quarto evangelho   61

BIBLIOGRAFIA

João e Gnosticismo

BARRETT, C. K., *"The Theological Vocabulary of the Fourth Gospel and of the Gospel of Truth"*, CINTI, pp. 210-23.
BROWN, R. E., *"The Gospel of Thomas and St. John's Gospel"*, NTS 9 (1962-63), 155-77.
DODD, *Interpretation*, pp. 97-114.
QUISPEL, G., *"Het Johannesevangelie en de Gnosis"*, Nederlands Theologisch Tijdschrift 11 (1956-57), 173-203.

João e Filo

ARGYLE, A. W., *"Philo and the Fourth Gospel"*, ET 63 (1951-52), 385-86.
DODD, *Interpretation*, pp. 54-73.
WILSON, R. McL., *"Philo and the Fourth Gospel"*, ET 65 (1953-54), 47-49.

João e a Hermética

BRAUN, F.-M., *"Hermétisme et Johannisme"*, RThom 55 (1955), 22-42, 259-99.
_____ *"Appendices II et III"*, in JeanThéol, II, pp. 253-95.
DODD, *Interpretation*, pp. 10-53.
KILPATRICK, G. D., *"The Religious Background of the Fourth Gospel"*, SFG, pp. 36-44.

João, o Antigo Testamento, e Judaísmo Rabínico

BARRETT, C. K., *"The Old Testament in the Fourth Gospel"*, JTS 48 (1947), 155-69.
BRAUN, JeanThéol, II: *Les grandes traditions d'Israël*.
DODD, *Interpretation*, pp. 74-96.
ENZ, J. J., *"The Book of Exodus as a Literary Type for the Gospel of John"*, JBL 76 (1957), 208-15.
GLASSON, *Moses*.
GRIFFITHS, D. R., *"Deutero-Isaiah and the Fourth Gospel"*, ET 65 (1953-54), 355-60.

HOSKYNS, E. C., *"Genesis i-iii and St. John's Gospel"*, JTS 21 (1920), 210-18.
SMITH, R. H., *"Exodus Typology in the Fourth Gospel"*, JBL 81 (1962), 329-42.
VAWTER, B., *"Ezekiel and John"*, CBQ 26 (1964), 450-58.
YOUNG, F. W., *"A Study of the Relation of Isaiah to the Fourth Gospel"*, ZNW 46 (1955), 215-33.

João e Qumran

BRAUN, F.-M., *"L'arrière-fond Judaïque du quatrième évangile et la Communauté de l'Alliance"*, RB 62 (1955), 5-44.
BRAUN, H., *"Qumran und das Neue Testament"*, ThR 28 (1962), especialmente pp. 192-234.
BROWN, R. E., *"The Qumran Scrolls and the Johannine Gospel and Epistles"*, CBQ 17 (1955), 403-19, 559-74. Reprinted in *The Scrolls and the New Testament*, ed. K. Stendahl (Nova York: Harper, 1957), pp. 183-207. Também in NTE, Ch. vii.
KUHN, K. G., *"Johannesevangelium und Qumrantexte"*, NTPat, pp. 111-21.
TEEPLE, H. M., *"Qunran and the Origin of the Fourth Gospel"*, NovT 4 (1960), 6.25.

V
DESTINATÁRIOS E PROPÓSITO DO QUARTO EVANGELHO

Os comentaristas sobre João têm sugerido muitos motivos que poderiam ter inspirado a composição do evangelho. Talvez houvesse uma advertência contra exagerar a necessidade de encontrar objetivos específicos no evangelho. Se João tem por base uma tradição histórica e uma visão teológica genuínas, então uma das razões primordiais para escrever o evangelho poderia ter sido preservar esta tradição e esta teologia. Mas, uma vez observada esta advertência, surge a questão dos objetivos imediatos que poderiam ter guiado a escolha do material e a orientação que o autor lhe deu.

Muitos têm encontrado um motivo apologético ou missionário no Quarto Evangelho. Os grupos propostos a quem a argumentação poderia ter sido dirigida inclui os adeptos de João Batista, "os judeus", e vários grupos heréticos, gnósticos ou docéticos. Outros estudiosos ressaltam que João foi escrito para confirmar cristãos em sua fé. SCHNACKENBURG tem proposto sabiamente que um erro insistente tem sido a tentativa de interpretar tudo no evangelho em termos de um desses objetivos, e o fracasso de reconhecer que as distintas redações do evangelho podem representar a adaptação da mensagem central a uma nova necessidade. Assim, é perfeitamente legítimo falar dos diversos objetivos do evangelho. Distinguiremos quatro.

A. APOLOGÉTICA CONTRA OS ADEPTOS DE JOÃO BATISTA

No final do último século, BALDENSPERGER, insistindo que o Prólogo era a chave para se entender João, ressaltou o desfavorável contraste entre João Batista e Jesus no Prólogo. Ele sugeriu que um dos principais propósitos do evangelho era refutar as reivindicações dos adeptos de João Batista, os quais estavam exaltando seu mestre à custa de Jesus. Que BALDENSPERGER reconhecera um dos objetivos do evangelho, isso foi aceito pela maioria dos comentários subsequentes. Como já mencionamos, BULTMANN até mesmo propôs que o evangelista foi um dos adeptos gnósticos de João Batista e que o Prólogo inicialmente era um hino de louvor de João Batista. Entretanto, mais recentemente SCHNACKENBURG, em "Johannsjünger", e outros têm reagido contra exageros na ênfase dada a este motivo apologético. Notemos os seguintes pontos.

Nossa evidência acerca dos adeptos de João Batista é muito escassa. Em At 18,5-19,7, Lucas fala de um grupo de cerca de doze discípulos em Éfeso (local tradicional para a composição do Quarto Evangelho) que haviam sido batizados com o batismo de João e nada conheciam do Espírito Santo. Geralmente se pensa que eram seguidores de João Batista que mantinham sua identidade e circulavam pelo mundo grego. Mas a passagem poderia significar simplesmente que eram discípulos primitivos de Jesus que haviam sido batizados com água durante o ministério de Jesus (Jo 3,23) antes que o Espírito fosse dado (7,39), pois tais discípulos não mostram nenhuma oposição para aceitarem a plena iniciação cristã que lhes oferece Paulo.

Nossa outra fonte mais importante de informação é o *Recognitions* da *Pseudo-Clementina*, uma obra do 3º século extraída de fontes mais antigas (provavelmente 2º século). Na época em que *Recognitions* foi composta, era conhecido do autor que os adeptos de João Batista alegavam que seu mestre, e não Jesus, era o Messias (ver abaixo, pp. 224-225). Assim, estes sectários teriam muito bem sobrevivido na era cristã e se convertido em oponentes do Cristianismo. Não obstante, não podemos estar absolutamente certos de que os sectários do 1º século já estivessem fazendo tais alegações acerca de João Batista. Aliás, as formas siríacas e latinas do *Recognitions* diferem significativamente quanto a leitura de ao menos uma das passagens em que João Batista é chamado o Messias – uma diferença que pode indicar uma teologia

V • Destinatários e propósito do quarto evangelho

em desenvolvimento sobre este ponto que só encontrou gradualmente seu caminho na literatura. De qualquer maneira, não temos muitos dados para interpretar o pensamento dos adeptos na época em que João foi escrito.

Não há prova de que os primeiros adeptos de João Batista fossem gnósticos, e a *Pseudo-Clementina* não apresenta evidência disto. É verdade que o gnosticismo aparece entre os mandeus, os quais bem que poderiam ter descendido de um grupo dos sectários, mas tudo induz a suspeitar de que o gnosticismo foi um elemento mais recente acrescido através de sincretismo mandeano, em vez de ser parte da herança dos sectários. (Em geral, a literatura mandeísta mostra respeito para com João Batista e menciona que ele batizou o revelador celestial, Manda d'Hayye). Uma indicação mais sólida de um possível elemento gnóstico na teologia dos adeptos de João Batista é a tradição patrística que traça as origens do gnosticismo em Samaria, onde João Batista provavelmente foi ativo (ver nota sobre 3,23). Os pais fundadores do gnosticismo, Simão Mago e Dositheus de Siquém, foram identificados nos escritos patrísticos como seguidores de João Batista. Discutiremos abaixo os possíveis aspectos antignósticos em João, porém permanece duvidoso se estes devam ser também considerados como dirigidos contra os seguidores de João Batista.

É razoável suspeitar que algumas das *negações* sobre João Batista, no Quarto Evangelho, se destinavam como refutações das reivindicações que os adeptos de João Batista fizeram em prol de seu mestre. Aqui se pode fornecer um guia através das reivindicações feitas pelos últimos adeptos de João Batista no *Recognitions* no 3º século. Assim, é possível encontrar os motivos apologéticos em 1,8-9, os quais afirmam que Jesus, não João Batista, era a luz; em 1,30, que afirmam que Jesus existiu antes de João Batista e é maior que ele; em 1,20 e 3,28, que ressaltam que João Batista não é o Messias; em 10,41, que diz que João Batista nunca operou quaisquer milagres. É bem provável que seja parte da apologética contra os adeptos de João Batista que João não põe ênfase no ministério de João Batista como pregador e batizador, tal como encontramos descrito em Mt 3,1-12. João apresenta João Batista apenas como testemunha de Jesus. A adição do redator final, em 4,2, refuta qualquer alegação de que Jesus fosse um batizador no mesmo nível que João Batista (alegação que pode achar apoio em 3,22.26), e que a ideia pode também estar por detrás de 1Jo 5,6.

Talvez a expressão mais eloquente em qualquer discussão dos correspondentes méritos de João Batista e de Jesus se encontra em Jo 3,30, em que João Batista fala de sua própria decrescente importância diante de Jesus. (Ver mais B. W. BACON, JBL 48 [1929], 40-81).

O comentário fará menção de outros possíveis exemplos desta apologética. Não obstante, deve ficar claro que é impossível interpretar todo o evangelho com o pano de fundo da teologia dos adeptos de João Batista. Muitos estudiosos veem uma conexão entre João Batista e Qumran: João Batista viveu na mesma época e na mesma região da Judeia como os sectários de Qumran, e seu pensamento e vocabulário têm muitas afinidades com Qumran. Sobre esta base, tem-se sugerido que os seguidores de João Batista seriam solidários com o pensamento de Qumran, e que, visto que o Quarto Evangelho lhes é dirigido, isso explica tantas afinidades com Qumran. Em outras palavras, João retratou Jesus com vestes de Qumran a fim de conquistar os adeptos de João Batista. Isto é possível, mas um tanto simplista e resulta muito hipotético. No máximo consegue explicar pequena parte do evangelho.

O Prólogo merece especial consideração, pois em passagens como 1,6-9,15 há forte apologética contra qualquer exagero do papel de João Batista. Não é sábio usar o Prólogo como chave para todo o evangelho se, como cremos, uma vez que ele era um hino independente que foi adaptado para servir como a introdução ao evangelho. Além do mais, a atenção dada a João Batista no Prólogo em parte é acidental. O comentário sugerirá que, quando o Prólogo foi anexado, ele causou um deslocamento das primeiras linhas do evangelho que naturalmente concernia a João Batista. A inserção destas linhas deslocadas no coração do Prólogo foi guiada em parte pelo desejo prático de não perdê-las e em parte por motivo apologético. (Isto nos leva a suspeitar que a apologética contra os seguidores de João Batista pertence a um dos últimos estratos da composição do evangelho). A história literária das linhas acerca do Batista inseridas no Prólogo impossibilita interpretar outras partes do Prólogo à luz desta apologética. Por exemplo, justamente porque o Prólogo identifica Jesus como a Palavra, não há razão para crer que os sectários pensassem que João Batista fosse a Palavra.

Embora possa haver passagens dirigidas contra os exageros destes sectários, o Quarto Evangelho dá um lugar de honra ao próprio

João Batista. É verdade que João não registra o dito encontrado em Mt 11,11 e Lc 7,28, em que Jesus identifica João Batista como o maior entre os nascidos de mulheres. Não obstante, para João, o papel de João Batista era muito importante: foi enviado por Deus (1,6) a revelar Jesus a Israel (1,31; 3,29); e foi um dentre as maiores testemunhas em prol de Jesus, sendo colocado lado a lado com a Escritura e os milagres (5,31-40). Se Jesus era a luz, João Batista "era a lâmpada que ardia e alumiava" (5,35). Assim, a visão de João Batista no Quarto Evangelho não é menos elogiável do que a dos sinóticos.

B. CONTROVÉRSIA COM OS JUDEUS

Em um evangelho que contém tradição histórica, esperaríamos encontrar alguma memória da polêmica de Jesus com os fariseus. Visto que Jesus se dirigiu primariamente ao povo de Israel e tentou levá-los a crer que o reino de Deus estava presente em seu próprio ministério, naturalmente esperamos encontrar este elemento preservado nos evangelhos na forma de apelo missionário a Israel ou em termos de uma apologética a responder à rejeição judaica de Jesus. Há exemplos disto em Mateus; mas, ao formar um contraste entre cristão e judeu, João bem que poderia ser o mais enérgico entre os evangelhos.

Por exemplo, João insiste enfaticamente que Jesus é o Messias, a mesma alegação que os judeus rejeitavam. João usa a forma grega deste título (*christos*) mais amiúde do que qualquer outro evangelho e é o único evangelho a usar a forma transliterada *messias* (1,41; 4,25). João identifica Jesus com figuras retratadas no AT e nas expectativas apocalípticas judaicas: o Servo de Deus (ver comentário sobre 1,29.34); o cordeiro apocalíptico (1,29); o Rei de Israel (1,49); o Santo de Deus (6,69). Um relance no Esboço do Primeiro Livro do evangelho (p. 161) mostra a importância dada ao tema da substituição de Jesus das instituições judaicas como a purificação ritual, o templo e o culto em Jerusalém (caps. 2-4) e das festas judaicas como o Sábado, a Páscoa, os Tabernáculos e a Dedicação (caps. 5-10). Ora, plausivelmente, por que alguns destes temas, da própria perspectiva de Jesus sobre seu ministério, senão em razão desta ênfase em João? Sugeriremos duas tendências na ênfase joanina sobre os judeus e sua teologia.

(1) *Justificação das reivindicações cristãs contra a incredulidade judaica*

A impressão mais forte que se tem ao ler sobre o tratamento que o Quarto Evangelho dá aos judeus, é de sua atitude polêmica. Aqui, há um ataque contra a posição religiosa do judaísmo – Jesus é o Messias, e em sua presença, e face a face com o que ele tem feito, o judaísmo tem perdido sua preeminência. Além do mais, a atitude do evangelho é mais forte do que caberia esperar pela tentativa do cristianismo de justificar seu próprio status; aqui, há um argumento contundente. João recorre a um estilo rabínico de argumentar em passagens como 10,34-36, a fim de defender o direito de Jesus de ser chamado Filho de Deus. O evangelho apela para princípios judaicos legais (5,31ss.; 8,17) a fim de justificar o testemunho de Jesus em seu próprio favor. O caráter mais amargo das polêmicas pode ser facilmente visto em passagens como 8,44-47.54-55. Os discípulos de Moisés e os discípulos de Jesus (9,28) estão implicados em uma luta.

A atitude polêmica do Quarto Evangelho para com o judaísmo é vista no uso do termo "os judeus", o qual ocorre setenta vezes em João como comparado com cinco ou seis ocorrências em cada evangelho sinótico. GRÄSSER, *art. cit.*, tem questionado a evidência do uso deste termo como um índice da atitude joanina, visto que o termo tem várias nuanças de significado no evangelho – esta observação é procedente. Por exemplo, quando Jesus está falando a um estrangeiro, como a samaritana em 4,22, ele usa os judeus como não mais que meros religiosos, designação nacionalista (ver também 18,33.35). Em passagens que falam das festas ou dos costumes dos judeus (2,6.13; 7,2), não pode haver nenhum uso pejorativo do termo. Além do mais, há um estrato do material joanino, particularmente evidente em 9-12, em que o termo, os judeus, simplesmente se reporta aos judaizantes, e assim abrange tanto os inimigos de Jesus como aqueles que criam nele. (Há evidência de que esta porção é uma inserção recente no plano original do evangelho e, portanto, pode ter tido sua própria história dentro da tradição joanina; ver também o comentário sobre 8,31). Deixando de lado estas exceções, algumas das quais bem óbvias, outras delas são explicáveis em termos de crítica literária, o Quarto Evangelho usa "os judeus" quase como termo técnico para *as autoridades religiosas, particularmente as de Jerusalém que são hostis para com Jesus.*

Esta compreensão do termo pode ser evidenciada de três maneiras. *Primeiro*, fica bem claro que em muitos casos o termo "os judeus" nada tem a ver com diferenciação étnica, geográfica ou religiosa. Aqueles que são judeus étnica, religiosa e geograficamente (mesmo no sentido estrito de pertencer à Judeia) são distinguidos de "os judeus". Por exemplo, em 9,22, os parentes do cego, obviamente eles mesmos judeus, lemos que temiam "os judeus", isto é, os fariseus que, no caso, são investigadores. O ex-coxo, ele mesmo judeu, é descrito em 5,15 como a informar "os judeus" de que Jesus fora seu benfeitor. *Segundo*, em algumas passagens, o evangelho fala intercambiavelmente de "os judeus" e os principais sacerdotes e fariseus, enquanto em 18,12 são a guarda de "os judeus". Em 8,13, os que interrogam são chamados fariseus, enquanto em 8,18ss., eles são "os judeus". *Terceiro*, esta compreensão é endossada por uma comparação com os sinóticos. Em Jo 18,28-31, "os judeus" conduzem Jesus perante Pilatos, enquanto em Mc 15,1, o sinédrio tem esta tarefa. Ver também Jo 2,18 e Mc 11,27-28.

Ora, como este uso peculiar do termo pode ser explicado, pois obviamente é anacrônico no ministério de Jesus? Amiúde tem-se observado que em João muitas das classes e divisões de pessoas tão proeminentes na cena sinótica viessem a desaparecer: por exemplo, os saduceus, herodianos, zelotes, coletores, escribas, pecadores, justos, pobres, ricos etc. Em certa extensão, isto se deve ao dualismo do evangelho que nivela a distinção de classe: agora só há bom e mau, filhos da luz e filhos das trevas, os verazes e os mentirosos. Mas, de outra maneira, o desaparecimento destes grupos é a obra de simplificação e a mudança de perspectiva histórica. Cremos que o evangelho foi escrito depois de 70 d.C., quando muitas das distinções e agrupamentos religiosos dos dias de Jesus não mais tinham qualquer significado; a destruição do templo tinha simplificado o judaísmo. Assim, somente os principais sacerdotes e os fariseus permanecem em João – os principais sacerdotes, em razão de seu papel no sinédrio e nos julgamentos de Jesus eram parte tão essencial da história a ser esquecida; os fariseus, porque são precisamente aquela seita judaica que sobreviveu à calamidade de 70. O judaísmo da época, durante a qual o evangelho foi escrito, era o judaísmo farisaico.

É esta situação em que o evangelho foi escrito que explica o uso do termo "os judeus". A era das grandes incursões missionárias cristãs ao judaísmo já havia passado. Jesus fora pregado aos judeus respectivamente na Palestina e na Diáspora, e a decisão pró ou contra Jesus já havia sido tomada. Para a maioria, os judeus que aceitaram Jesus eram agora simplesmente cristãos e parte da Igreja, de modo que, quando os cristãos falavam "os judeus", sem qualificação, estavam se referindo aos que haviam rejeitado Jesus e permanecido leais à sinagoga. Descobrimos exatamente este uso do termo em Mt 28,15. Assim, numa época em que havia sentimentos indispostos entre a Igreja e a sinagoga, "os judeus" era um termo usado com conotação de hostilidade para com os cristãos. No Quarto Evangelho, pois, o evangelista usa o termo com a implicação que ele teve em sua própria época. Para ele, "os judeus" pertencem a "o mundo", isto é, são parte daquela divisão de homens que estão em oposição dualística a Jesus e se recusam a vir a ele como a luz. (João não é antissemita; o evangelista está condenando não a raça nem as pessoas, e sim a oposição a Jesus).

Isto não significa que o evangelista tenha esquecido as verdadeiras circunstâncias do ministério de Jesus no uso anacrônico de "os judeus". Com este termo, ele indica sua convicção de que os judeus de sua própria época são os descendentes espirituais das autoridades judaicas que foram hostis a Jesus durante seu ministério. Ele considera a atitude dessas autoridades como a atitude tipicamente judaica como a conhece em seu próprio tempo. Diferente dos evangelhos sinóticos, João não ataca os fariseus nem os judeus por hipocrisia ou por seu comportamento moral ou social; todo o ataque sobre eles se centra em sua recusa de crer em Jesus e seu desejo de matá-lo. Eis por que a luta entre a Igreja e a sinagoga, no tempo do evangelista, não tem por base os costumes, e sim a aceitação de Jesus como o Messias. Mesmo a questão da observância da Lei que de tal modo envolveu as energias de Paulo desapareceu em João. João não trata da Lei ou como um problema para os cristãos ou como inimiga; ela é simplesmente algo que já foi superado pelo grande ato do amor pactual divino em Jesus Cristo (1,17). A Lei é algo que diz respeito aos judeus, não aos cristãos; e assim Jesus fala dela aos judeus como "vossa Lei" (8,17; 10,34; também 15,25 – note bem o uso similar de "vossas sinagogas" em Mt 18,34).

Ainda outro aspecto da atitude joanina é visto na distinção entre "os judeus" e "Israel". O último é um termo favorável que descreve a real sucessão à herança veterotestamentária. João Batista veio para

V • Destinatários e propósito do quarto evangelho

que Jesus fosse revelado a *Israel* (1,31). Natanael, que prontamente aceita Jesus, não é um judeu, e sim um genuíno israelita (1,47), um homem sem dolo que substitui o antigo Jacó-Israel em quem não havia dolo. Mesmo a ênfase sobre Jesus como um rabi, no Quarto Evangelho, pode refletir polêmicas joaninas. O termo não é claramente um anacronismo como anteriormente assumiu (ver nota sobre 1,38), mas a ênfase joanina sobre o título pode ser com o intuito de contrastar Jesus com os grandes rabinos da assembleia judaica em Jâmnia, no último quarto do 1º século. O contraste entre os discípulos de Moisés e os discípulos de Jesus em 9,28 é mais do mesmo tipo. Entretanto, deve-se notar que João não reage às reivindicações judaicas sobre Moisés, sem denegrir Moisés; pois, no pensamento joanino, se os judeus realmente criam em Moisés, então deveriam crer em Jesus (5,46).

(2) *Apelo aos judeu cristãos na sinagoga da diáspora*

Se a polêmica contra a sinagoga é um importante fator motivador no Quarto Evangelho, devemos reconhecer que provavelmente esta batalha não está sendo deflagrada na Palestina. O evangelho, em sua presente forma, é escrito em grego e tem cuidado de explicar palavras hebraicas e aramaicas como Messias, Rabi, Siloé termos oriundos da Palestina que raramente necessitam de explicação na Palestina. Tampouco, uma informação como 4,9, requeira um auditório palestino. Naturalmente, não é impossível que a primeira redação de João fosse dirigida ao cenário palestino, e a(s) redação(s) subsequente(s), adaptada(s) a um auditório que vive fora da Palestina. Tampouco, uma vez que creiamos que o evangelho foi também dirigido aos gentios, seja impossível que algumas dessas explicações fossem incluídas para leitores gentílicos. (Isto parece ser verdadeiro em 2,6 e 19,40, onde costumes judaicos de caráter geral são explicados). Não obstante, a teoria mais plausível é que mesmo essas passagens que contêm polêmica contra a sinagoga contemplam a situação fora da Palestina. Em 7,35 há uma referência sarcástica feita pelas multidões ao que os judeus farão: "Irá porventura para os dispersos entre os gregos, e ensinará os gregos?" Este é um exemplo de ironia joanina onde a verdade é proposta involuntariamente pelos adversários de Jesus. O evangelho é prova de que, através de seus pregadores, Jesus se encaminha para a Diáspora.

Ora, como temos enfatizado, a atitude de João para com "os judeus" não é missionária, e sim apologética e polêmica. A violência da linguagem no capítulo 8, comparando os judeus a raça do diabo, raramente se destina a converter a sinagoga, a qual, no pensamento joanino, é agora a "sinagoga de Satanás" (Ap 2,9; 3,9). Não é acidental que algumas das discussões em João entre Jesus e os judeus antecipam a clássica apologética que Justino dirigiu a Trifo em meados do 2º século. Assim, juntamente com Schnackenburg, *"Messiasfrage"*, rejeitamos, ao menos em parte, a tese de John A. T. Robinson e Van Unnik de que o propósito principal e quase exclusivo de João era servir como um manual missionário para converter os judeus da Diáspora. Se a linguagem do argumento joanino contra os judeus serve como guia, o propósito teria sido o de opor-se à propagando judaica, e não de persuadir os judeus com uma esperança de conversões em massa.

Todavia, poderia ter havido um grupo de judeus ao qual o evangelho foi dirigido com certa perspectiva promissora; a saber, o pequeno grupo de judeus que criam em Jesus, mas que ainda não tinham rompido sua relação com a sinagoga. Nos anos 80 e 90 do 1º século, estes cristãos judaicos ainda enfrentavam uma crise.

Nos primeiros anos após a morte de Jesus, seus discípulos se depararam com oposição da parte dos líderes hierosolimitanos, justamente como Jesus enfrentara oposição. Atos preserva memórias de conflitos entre os líderes cristãos e o Sinédrio (4,1-3; 5,17-18). A decisão de Gamaliel em At 5,33-40 parece haver marcado uma encruzilhada para a comunidade cristã judaica de Jerusalém e haver iniciado um período de relações mais pacíficas entre ela e o Sinédrio. É verdade que At 8,1 se reporta a uma perseguição da Igreja em Jerusalém, mas os que foram dispersos eram os cristãos helenistas que antagonizaram as autoridades judaicas por sua oposição ao templo. Em anos subsequentes, houve casos isolados de violência, como a execução de Tiago, filho de Zebedeu, e a prisão de Pedro, da parte de Herodes (At 12,2-3), mas, diferentemente, a comunidade hierosolimitana parece ter vivido em paz com as autoridades judaicas. Não há indício de perseguição em 49 d.C., quando o concílio de Jerusalém foi convocado. Tiago foi muito cuidadoso em juntar a observância de alguns pontos básicos do ritual mosaico a todos os cristãos, inclusive gentios, no território da Palestina e Síria (At 15,22ss.), provavelmente com a intenção de evitar atrito com o judaísmo. Em 58, quando Paulo veio a Jerusalém

V • Destinatários e propósito do quarto evangelho

(At 21,18ss.), era ainda costumeiro aos cristãos judaicos oferecer sacrifício no templo. A subsequente execução de Tiago nos anos 60, sob a ordem do sumo sacerdote, marcou a abertura de um novo período de hostilidade.

Não obstante, como CARROL, *art. cit.*, tem ressaltado, foi somente o judaísmo encurralado dos dias depois da destruição do templo que pensavam ser absolutamente necessário eliminar os judeus que criam em Jesus. O perigo de extinção geralmente força uma religião a tornar-se mais rigidamente ortodoxa a fim de sobreviver, e o judaísmo não era exceção. Com o templo e o sacrifício extintos, a devoção à Lei era o fato principal que mantinha o judaísmo unido. A atitude de Paulo para com a Lei e, deveras, a própria liberdade do comportamento de Jesus teriam sido bem notórias; e, portanto, na situação perigosa que o judaísmo enfrentou depois de 70, os judeus que criam em Jesus foram considerados como um fator possivelmente subversivo a respeito da importantíssima questão da Lei. Ao longo dos anos 80 houve uma tentativa organizada de forçar os judeus cristãos a abandonar as sinagogas. Vemos um eco disto no *Shemoneh Esreh* ou *Eighteen Benedictions* recitado pelos judeus como a principal oração nas sinagogas. A reformulação dessas bênçãos ocorreu depois de 70; e a décima segunda bênção, mais ou menos em 85, era uma maldição sobre os *minim* ou hereges, primariamente judeus cristãos. (Ver W. D. DAVIES, *The Setting of the Sermon on the Mount* [O Cenário do Sermão do Monte] [Cambridge: 1964], pp. 275-76). Visto que esta maldição tinha de ser recitada pelos judeus nas sinagogas, um judeu que cria em Jesus seria forçado a amaldiçoar a si mesmo ou ainda admitir publicamente sua crença, recusando-se a recitar a maldição. Em torno de 90, enquanto o Rabi Gamaliel II era presidente da assembleia de Jâmnia, a excomunhão formal veio a ser de uso mais frequente como uma arma contra os dissidentes.

Já explicamos esta sequência de eventos com detalhes por causa de sua importância para a datação do Quarto Evangelho (ver Parte VI, p. 80ss). Há indicações mais claras de que o Quarto Evangelho faz um apelo a estes judeus que criam em Jesus e que estavam divididos entre sua fé e um desejo natural de não desertarem do judaísmo. O ataque geralmente hostil contra "os judeus" não se aplicaria a eles, pois foram precisamente os judeus hostis a Jesus que estavam causando problema aos judeus com tendências cristãs. A forte ênfase sobre Jesus como o Messias (especialmente 20,31) se destinaria a fortalecer sua fé nesta confissão crucial que tinha se tornado duro teste da contínua admissão às sinagogas. O tema da substituição que Jesus fez das instituições e festas judaicas seria para eles um estímulo, pois teriam de deixar tais práticas para trás se fossem afastados das sinagogas.

Mais especificamente: em três ocasiões (9,22; 12,42; 16,2), João menciona excomunhão da sinagoga. Duas vezes João se refere àqueles que criam em Jesus porém não tinham coragem de confessar sua fé. Em 12,42-43, esta referência é combinada com amargo sarcasmo; em 19,38, José de Arimateia é apresentado como exemplo de alguém que vencera este temor e publicamente reconhecido como seguidor de Jesus. O tema da excomunhão é mais forte no capítulo 9; e nesta narrativa, como ALLEN, *art. cit.*, tem mostrado, o protagonista é um homem que veio a crer em Jesus mesmo à custa de sua expulsão da sinagoga. João está convidando os judeus cristãos nas sinagogas da Diáspora a seguirem seu exemplo.

C. CONTROVÉRSIA CONTRA HEREGES CRISTÃOS

Uma tradição que retrocede ao 2º século e IRINEU (*Contra Heresia*, 3, 11:1; SC 34:179-80) diz que o evangelho de João foi escrito contra CERINTO, um herege da Ásia Menor com tendências gnósticas. Não sabemos muito do pensamento de CERINTO, mas IRINEU (IBID., 1, 26:1; PL 7:686) diz que CERINTO considerava *Jesus* como sendo o filho de José, enquanto *Cristo* era um *aeon* celestial que desceu sobre Jesus por certo tempo na época de seu batismo e o abandonou antes de sua morte. Se esta é uma descrição correta da doutrina de CERINTO, há pouco no evangelho que se destina a refutar tal teoria. A refutação real deste tipo de pensamento vem de 1 João com sua forte insistência de que Jesus é o Cristo que veio em carne e que Jesus não pode ser separado (4,2-3). Talvez toda a informação que IRINEU nos passa é que na literatura joanina havia um ataque contra CERINTO. Pode ser que CERINTO também mantivesse que o mundo foi criado por um demiurgo, e não por Deus. Neste caso, Jo 1,3 seria significativo, pois ele insiste que toda a criação foi efetuada pela Palavra de Deus. Mas dificilmente isto se constitui uma ênfase no evangelho.

JERÔNIMO (*In Matt. Prolog.*; PL 26:19) menciona que o evangelho de João foi dirigido a EBION ao mesmo tempo que a CERINTO. Provavelmente EBION não fosse uma pessoa real, mas um herói epônimo dos ebionitas, um grupo judaico cristão. Irineu faz a primeira menção de Ebion na mesma página onde menciona Cerinto (*Contra Heresia*, 1, 26:2; PL 7:686 – talvez esta seja a razão por que Jerônimo pressupõe que o evangelho foi também dirigido a Ebion). O pensamento de que o Quarto Evangelho foi escrito para refutar cristãos como os ebionitas, que não conseguiram abandonar suas práticas judaicas, é algo parecido com a proposta feita acima de que ele foi escrito em parte com um discurso dirigido aos judeus cristãos nas sinagogas. Os ebionitas tinham traços deste pensamento teológico, por exemplo, dualismo, o que também foi encontrado em Qumran (ver J. Fitzmyer, TS 16 [1955], 335-72). Assim, o que dissemos acima sobre os possíveis aspectos de Qumran na teologia dos adeptos de João Batista também pode aplicar-se aqui. O quarto evangelista poderia ter escolhido linguagem como a de Qumran para apelar a grupos que partilhavam linguagem e pensamento similares. Em suma, enquanto não negamos que certas características que aparecem na teologia ebionita mais recente correspondam às características em João, o fato é que o evangelho pode ser proveitosamente lido por aqueles com incipientes tendências ebionitas, ainda quando não creiam que haja suficiente evidência de que o evangelho foi dirigido aos ebionitas especificamente. Pode-se mencionar que Vitorino de Pettau, em torno de 300 d.C., junta o Valentino gnóstico a Ebion e Cerinto como outro objetivo contra quem o evangelho supostamente foi dirigido (*In Apoc.* 11.1; CSEL 49:97).

Também se tem sugerido que o Quarto Evangelho foi dirigido contra o docetismo. O docetismo não era por si só tão herético quanto uma postura que se achava um certo número de heresias. Sua afirmação central era que Jesus Cristo realmente não veio em carne, pois sua carne era apenas uma aparência – apenas se parecia com homem. Algumas das observações de Inácio de Antioquia, em torno de 110 d.C., parecem ser dirigidas contra tal erro, e assim este pensamento herético bem que poderia estar em circulação quando João foi escrito. A teoria de Wilkens acerca das várias redações do evangelho (ver Parte II acima) vê uma crescente polêmica contra o docetismo nas últimas redações do evangelho. Por certo que há em João passagens que têm uma tendência anti-docética. "A Palavra se fez carne" (1,14) vem imediatamente à mente. A cena em 19,34 deveria ser um golpe mortal a causa docetista, pois o realismo do sangue e água vertendo do lado ferido de Jesus milita contra qualquer teoria de que fosse um fantasma.

Que esta é uma cena importante em João é sublinhado pelo parêntese redacional no versículo seguinte (35), o que reivindica verificação de testemunha ocular. Não obstante, há muitos motivos teológicos em 19,34, por exemplo, sacramentalismo, o cumprimento de 7,38-39; e não é possível estar certo qual motivo estava sendo sublinhado pelo redator. Os docetistas parecem ter negligenciado a Eucaristia e ter negado que ela era a carne de Jesus (INÁCIO, *Smyrnaeans* v 1). Portanto, o realismo eucarístico de Jo 6,51-58 pode também ter sido anti-docético em tendência. A dificuldade é que todas estas passagens são perfeitamente compreensíveis mesmo sem a interpretação anti-docética. Um julgamento equilibrado seria que um motivo anti-docético é possível e mesmo provável no evangelho, mas não tem grande proeminência. Se ele existe, sua melhor atestação se encontra em passagens que pertencem ao último estágio da redação joanina. Por contraste, a Primeira Epístola oferece mais versículos passíveis de interpretação anti-docética do que o evangelho que é mais extenso.

Nem uma das sugestões de que João foi escrito contra cristãos hereges primitivos é destituída de dificuldade. O evangelho não parece endossar a tese de que este motivo era particularmente forte na mente do evangelista.

D. ENCORAJAMENTO AOS CRISTÃOS, GENTIOS E JUDEUS

JOHN A. T. ROBINSON e VAN UNNIK mantêm que João mostra pouco interesse nos gentios. Ressalta-se que 20,31 especifica o propósito do evangelho nestas palavras: "... para que [continueis] tendo fé de que Jesus é o Messias", e que, para os gentios, o Messias ou *Christos* não era um título religioso significativo. Primeiro, entretanto, há a questão se este versículo se refere aos que viriam a crer ou aos que já são crentes. Segundo, não devemos esquecer que os pregadores cristãos levavam para os gentios muita terminologia religiosa judaica. Os gentios que se tornavam interessados na mensagem sobre Jesus logo teriam que aprender certo pano de fundo veterotestamentário (um bom exemplo é o argumento de Paulo extraído do AT e dirigido aos gentios conversos na Galácia) e ter que aprender o que Messias significava. Assim, não há contradição em dirigir um evangelho aos gentios a fim de persuadi-los de que Jesus é o Messias. Terceiro,

V • Destinatários e propósito do quarto evangelho

a totalidade de Jo 20,31 deve receber atenção; o texto diz que o evangelho foi escrito "... para que [continueis a] ter fé de que Jesus é o Messias, *o filho de Deus*". Como SCHNACKENBURG, "*Messiasfrage*", enfatiza, não há dúvida de que o segundo título apelaria a um contexto religioso de um gentio onde os deuses tinham filhos.

Se no Quarto Evangelho nada há que exclua atenção aos gentios, há do lado positivo claras afirmações de universalismo. Jesus vem ao mundo como luz para *todo homem* (1,9). Jesus tira os pecados do *mundo* (1,29); ele vem para salvar o *mundo* (3,17). Quando ele for levantado na cruz e na ressurreição, atrairá a si *todos os homens* (12,32). Além dessas afirmações, que implicam inclusão dos gentios, há referências específicas. Com ironia inconsciente, os judeus em 7,35 predizem incredulamente que Jesus iria à Diáspora ensinar aos gregos. O ministério público atinge um clímax final em 12,20-21, quando os gregos ou gentios querem ver a Jesus – um sinal de que todos os homens começaram a ir a Jesus e que, portanto, agora é o tempo (ou "a hora") de seu retorno ao Pai na crucificação, ressurreição e ascensão. (ROBINSON, TNTS, p. 112[7], pensa que "gregos" em 7,35 significa os judeus de fala grega, porém pensamos que o papel de 12,20, no plano do evangelho, não pode ser explicado a menos que "gregos" signifique gentios). Em 10,16, Jesus frisa que tem outras ovelhas que não pertencem a este aprisco, mas que devem ser buscadas e feitas parte de um só rebanho sob um só pastor. Que isto se refere à conversão dos gentios, recebe o endosso de 11,52; ali somos informados que Jesus morreu não só pela nação judaica, mas também para reunir os filhos dispersos de Deus e fazê-los um só. Em 4,35, Jesus vê o campo da missão samaritana já maduro para a ceifa; e conquanto os samaritanos não fossem precisamente gentios, estão fora da corrente principal do judaísmo. Estes mesmos samaritanos saúdam Jesus em 4,42 como "o Salvador do *mundo*". Finalmente, não é impossível que a homenagem feita a Jesus com desdém, pelos romanos em 19,1-3,19-22, tenha implícita ironia joanina a predizer que um dia estes gentios realmente aceitarão a Jesus como rei. Assim, parece bem claro que os gentios exercem um papel na perspectiva do Quarto Evangelho.

Não obstante, talvez seria melhor afirmar que muito do evangelho é dirigido ao cristão crente sem distinção de se sua ascendência é judaica ou gentílica. Este é um evangelho designado a radicar o crente mais fundo em sua fé. É bem provável que o expresso propósito do evangelho em 20,31 não seja primariamente missionário, e pode-se apresentar bons argumentos para se compreender este versículo no sentido de o leitor *continuar* tendo fé de que Jesus é o Messias, o Filho de Deus. O evangelho quer tornar esta fé em algo vivo, e assim o nome de Jesus gere vida no leitor. Certamente, o crente está em foco por todos os capítulos 13-17 (capítulos que Van Unnik, p. 410, encontra dificuldade para sua tese de que o evangelho é primariamente uma obra missionária dirigida aos judeus). Um novo povo tem-se manifestado, um povo vindo, respectivamente, do aprisco judaico e de fora (10,16), um povo cujas origens terrenas são de pouca importância, visto que são gerados de cima (3,3). É verdade que, à moda de apologética contra os judeus, o evangelista frisa que Jesus veio para os seus, e os seus não o receberam (1,11). Mas o evangelista fala muito mais àqueles que o aceitam e, assim, se tornam filhos de Deus, gerados não da vontade humana, e sim de Deus (1,12-13).

Na Parte VIII, p. 114ss, discutiremos algumas das ênfases teológicas decisivas que subjazem ao evangelho, aqui, porém, devemos antecipar, ressaltando que todas essas ênfases são dirigidas a crises dentro da Igreja crente, mais que à conversão dos não-crentes. Se o evangelho enfatiza a escatologia realizada, isso deve afastar o crente de qualquer ênfase exagerada sobre as glórias antecipadas do futuro advento de Jesus. O evangelho deseja que o crente compreenda que já possui a vida eterna, que ele já é filho de Deus e já satisfez seu juiz. Se o evangelho tem um forte matiz sacramental, seu propósito é enraizar o batismo e a eucaristia no que Jesus disse e fez, para que o crente não perca o senso de contato com o Jesus terreno e, assim, o Cristianismo se degenere em uma religião de mistério. Se o evangelista conduz à figura do Paráclito (ver Apêndice V, vol. 2, p. 1641), seu propósito é reassegurar ao crente que, com o passar da geração apostólica, a memória de Jesus não deve ser extinta, pois o Espírito de Jesus permanece no cristão, mantendo viva aquela memória. Portanto, o propósito primordial do evangelho é fazer o crente ver existencialmente o que este Jesus em quem ele crê significa em termos de vida. Bultmann não fez dos estudos joaninos um desserviço em indicar algumas das qualidades existenciais do Quarto Evangelho. No entanto, muito mais que Bultmann, cremos que o evangelista fundamentou este alvo existencial numa descrição de Jesus que era não só histórico, mas também de valor histórico.

BIBLIOGRAFIA

ALLEN, E. L., *"The Jewish Christian Church in the Fourth Gospel"*, JBL 74 (1955), 88-92.
BOWKER, J. W., *"The Origin and Purpose of St. John's Gospel"*, NTS 11 (1964-65), 398-408.
CARROLL, K. L., *"The Fourth Gospel and the Exclusion of Christians from the Synagogues"*, BJRL 40 (1957-58), 19-32.
GRÄSSER, E., *"Die Antijüdische Polemik im Johannesevangelium"*, NTS 11 (1964-65), 74-90.
JOCZ, J., *"Die Juden im Johannesevangelium"*, Judaica 9 (1953), 129-42.
ROBINSON, John A. T., *"The Destination and Purpose of St. John's Gospel"*, NTS 6 (1959-60), 117-31. Também em TNTS, pp. 107-25.
SCHNACKENBURG, R., *"Das vierte Evangelium und die Johannesjünger"*, Historisches Jahrbuch 77 (1958), 21-38.
_____ *"Die Messiasfrage im Johannesevangelium"*, NTAnf, pp. 240-64.
VAN UNNIK, W. C., *"The Purpose of St. John's Gospel"*, StEv, I, pp. 382-411.

VI
DATA DA REDAÇÃO FINAL DO EVANGELHO

Agora é a vez de abordar a questão da data a ser atribuída à *forma escrita final* do evangelho. Deve ressaltar-se que não estamos indagando quando a tradição histórica por detrás do Quarto Evangelho tomou forma, ou quando o evangelho foi primeiro escrito e redatado – em outras palavras, primariamente, aqui não estamos preocupados em datar os Estágios 1-4 em nossa teoria da composição do evangelho, pois, além do mais, estes estágios são hipotéticos. Aqui, a questão diz respeito à data somente do estágio do evangelho que não é claramente hipotético, a saber, a forma final que chegou a nós, inclusive o capítulo 21.

A. A ÚLTIMA DATA PLAUSÍVEL

A margem para datar João tem sido grandemente reduzida nos últimos trinta anos. Hoje, a maioria dos estudiosos considera uma grande impossibilidade as datas anteriormente sugeridas por H. Delafosse (170 d.C.) e A. Loisy (150-160 – sua opinião em 1936). Barrett, p. 108, estabelece 140 d.C. como a última data possível para a publicação do evangelho, mas mesmo isto é muito excessivo. (Note, entretanto, que Barrett está falando de publicação, não de composição). A opinião geral fixa 100-110 como a última data plausível para a composição escrita de João. Discutamos alguns dos fatores que têm ajudado a determinar este *terminus ante quem*.

VI • Data da redação final do evangelho

O argumento clássico usado em apoio de uma data muito recente para João foi o desenvolvimento da teologia. F. C. Baur coloca os sinóticos, Paulo e João no esquema de tese, antítese e síntese hegelianas, com João representando um período que tem ido muito além da teologia paulina. Embora Baur ainda tenha seus admiradores, por exemplo, Mary Andrews, a teoria do desenvolvimento linear da teologia neotestamentária tem sido refutada com êxito. Se nos lembrarmos de que os escritos de Paulo antedataram os evangelhos sinóticos, uma cristologia desenvolvida se torna um cronômetro muito precário, como tem ressaltado Goodenough. O ponto de vista de que o sacramentalismo joanino, por exemplo, 6,51-58, é desenvolvido demais para ter sido formulado no 1º século reflete algumas ideias antiquadas sobre as origens do pensamento sacramental na Igreja. Basicamente, temos outro exemplo do argumento do desenvolvimento da teologia na alegação de que o Quarto Evangelho seria posterior, porque ele provém do mesmo autor que as Epístolas Joaninas, e estas são posteriores, porque refletem a organização tardia da Igreja. Não obstante, a autoria comum do evangelho e das Epístolas é algo que deve ser examinado, e não assumido; e também os paralelos da organização entre a comunidade dos escritos do Mar Morto e o perfil lucano da Igreja em Atos têm causado sério repensar acerca do suposto caráter tardio da organização da Igreja. Assim, pode-se dizer que, enquanto a maioria dos estudiosos ainda pensa em João como o último dos quatro evangelhos, é muito difícil fixar a data do evangelho com base numa teoria do desenvolvimento teológico. Nada existe na teologia de João que exclua claramente do 1º século a redação final.

Outro argumento usado para demonstrar a necessidade de datar-se João no fim do 2º século foi a alegação de que não há evidência do uso de João por escritores antes do 2º século. É suficientemente claro que na última parte do 2º século, depois de 170, o Quarto Evangelho era conhecido de Taciano, Melito de Sardes, Teófilo de Antioquia, Irineu, entre outros. Todavia, um detido exame dos primeiros escritores neste século levou Sanders, seguido de Barrett, a manter que não há prova satisfatória para o uso do evangelho antes de 150. Esta evidência tem sido re-examinada exaustivamente por Braun, *JeanThéol*, 1, que encontra ampla razão para afirmar que João foi aceito nos círculos ortodoxos no Egito, Roma, Síria e Ásia Menor, ainda desde os primeiros anos do 2º século. Por exemplo, Braun, argumentando contra

SANDERS e BARRETT, tem por certo que INÁCIO de Antioquia, em torno de 110, era dependente de João, ainda quando não cite o evangelho *ad litteram*. O tratamento com toda amplitude feito por MAURER, do problema, chega à mesma conclusão. À luz de um cuidadoso estudo de uma passagem em JUSTINO MÁRTIR, em torno de 150, ROMANIDES, *art. cit.*, mantém que este apologista conhecia o Quarto Evangelho; e esta é também a conclusão de BRAUN. TARELLI e BOISMARD acreditam que CLEMENTE de Roma, 96 d.C., fez uso do Quarto Evangelho, mas isso é muito difícil de estabelecer. Neste caso, a evidência quando muito parece mostrar que CLEMENTE tinha conhecimento do pensamento e vocabulário teológicos similares aos encontrados em João.

Assim, sobre a questão do antigo uso patrístico de João ainda resta muita diferença de opinião entre os estudiosos competentes. Pessoalmente, achamos atraente o estudo de BRAUN, pois seus critérios sobre o uso de João, por vários escritores, são criteriosamente qualificados. Uma avaliação objetiva pareceria indicar que o argumento da data tardia de João, em razão de o evangelho não ter sido usado no início de 2º século, já perdeu toda a força probatória que porventura tenha tido. Em contrapartida, permanecemos incertos sobre qualquer argumento conclusivo de uma data precisa do evangelho extraída do suposto uso dele por CLEMENTE ou por INÁCIO. Ainda que INÁCIO conhecesse a tradição joanina, como podemos estar certos de que estágio de composição do evangelho provém seu conhecimento? Não há prova possível de que INÁCIO conhecesse a forma final do evangelho, como ela chegou a nós.

Ainda outro argumento para a data tardia de João tem sido a evidente afeição por este evangelho entre os círculos gnósticos do 2º século. VON LOEWENICH (1932) formula a tese de que João circulou primeiramente nos ambientes gnósticos heterodoxos antes que fosse amplamente admitido na Igreja; e SANDERS e BARRETT postulam que os gnósticos são os primeiros a mostrar traços definidos do uso de João. A força deste argumento para a datação do evangelho depende, em alguma extensão, da data que se atribui para a emergência do gnosticismo. Se o gnosticismo é um fenômeno do 2º século, e João tem sua origem nos círculos gnósticos, então é lógico datar João no 2º século. Mas, se à maneira de BULTMANN, se postule um gnosticismo pré-cristão, então o uso gnóstico de João não é decisivamente significativo para datar o evangelho. Já discutimos a última hipótese na Parte IV:A.

VI • Data da redação final do evangelho

O estudo de BRAUN do 2º século tinha em mente o problema do uso gnóstico do evangelho, e ele chegou à conclusão de que o uso ortodoxo do evangelho era, respectivamente, mais antigo e mais fiel ao evangelho do que o uso gnóstico. À medida que praticamente não tivemos obras representativas do gnosticismo do 2º século, era possível postular a existência de um gnosticismo cristão um tanto anômalo, bem diferente da heresia descrita pelos Padres – um gnosticismo do qual João seria representante. Como já mencionamos na Parte IV:A, a descoberta em Chenoboskion de documentos representando o gnosticismo do 2º século tem mostrado que João tem pouco em comum com obras como o *evangelho da Verdade* e o *evangelho de Tomé*. Onde quer que esses evangelhos e João tenham desenvolvido um tema comum, os documentos gnósticos mantêm uma distância muito maior da mensagem evangélica primitiva do que João. Assim, parece óbvio que o gnosticismo do 2º século, como nos é conhecido a partir de Chenoboskion, é pós-joanino.

A tese de que João era dependente dos evangelhos sinóticos tem favorecido uma datação posterior, especialmente se Mateus e Lucas forem datados nos anos 80. Mas, como vimos na Parte III:B, esta dependência é agora rejeitada por muitos estudiosos. O ponto de vista oposto que propõe uma tradição histórica independente por detrás de João tende a retroceder a data do Quarto Evangelho. Se há em João uma tradição correta de lugares, situações e costumes palestinos, parece lógico manter que tal tradição tomou forma antes da destruição de 70 ou, ao menos, pouco depois de 70, quando havia ainda uma testemunha que podia lembrar-se do ambiente palestino tal como era. É muito improvável que alguém pudesse voltar à Palestina dos anos 80 e compor uma tradição confiável das obras e palavras de Jesus com base em tradições locais já perdidas. Pois a devastação romana da terra e o exílio da comunidade cristã nos anos 60 constituíram uma formidável barreira à continuidade da tradição. Ora, se aceitarmos a probabilidade (que é uma certeza aproximada) de que a tradição histórica por detrás do evangelho, nosso Primeiro Estágio, foi formada antes de 70, os estágios subsequentes da composição do evangelho não podem ser prolongados muito além de 100. Que tal tradição poderia ter sobrevivido bem no 2º século antes de assumir a forma final é muito difícil de acreditar.

O argumento mais conclusivo contra a datação tardia de João tem sido a descoberta de diversos textos de João em papiro do 2º século.

Em 1935, C. H. ROBERTS publicou Rylands Papyrus 457 (P^{52}), um fragmento de códice egípcio de Jo 18,31-33.37-38. A datação deste papiro em 135-50 tem sido amplamente aceita; e a última tentativa de datar o papiro neotestamentário por K. ALAND, NTS 9 (1962-63), 307, assinala a P^{52} uma data no "início no 2º século". Mais recentemente, duas datas posteriores ao 2º século ou anteriores ao 3º século (175-225) testificam que o Quarto Evangelho foi publicado como Bodmer Papyri II e XV (P^{66}, P^{75}), dando-nos muitas seções substanciais de João. Outra testemunha egípcia de João é Papyrus Egerton 2 (tratado em um adendo ao comentário sobre o cap. 5), uma obra composta de mais ou menos 150, recorrendo tanto a João quanto aos sinóticos. Que este "evangelho desconhecido" é dependente de João, e não vice-versa, é hoje amplamente aceito; e é importante que ambos estes papiros e o *Diatessaron* de TACIANO, ou harmonia dos evangelhos, escrito em torno de 175, dão a João igual status com os evangelhos sinóticos. Dificilmente se pode imaginar tal avaliação, se João acabasse de ser composto.

Assim, é suficientemente óbvio que João circulava em muitas cópias no Egito no período de 140-200. A teoria de que João foi composto no Egito tem tido escasso apoio. Se, como geralmente se supõe, ele foi composto na Ásia Menor (ou mesmo na Síria), admitiríamos tempo para ele chegar ao Egito e ter ali uma circulação popular. Além do mais, o Bodmer Papyri reflete parcialmente diferentes tradições textuais do evangelho, isto é, P^{66} é próximo ao texto que recentemente encontramos no Codex Sinaiticus; P^{75} é quase o mesmo que o texto do Codex Vaticanus. O desenvolvimento de tal variação teria querido tempo.

Em suma, os argumentos positivos parecem apontar para 100-110 como a última data plausível para a composição do evangelho, com forte probabilidade favorecendo a limite mais antigo de 100.

B. DATA MAIS PRIMITIVA PLAUSÍVEL

De alguma maneira, o *terminus post quem* não é tão fácil de estabelecer como o *terminus ante quem*. Uma vez mais, mencionemos os fatores que incidem nesta questão, com o lembrete de que estamos primariamente preocupados com a redação final do evangelho.

VI • Data da redação final do evangelho

Ressaltamos previamente que a tradição histórica que temos proposto por detrás do Quarto Evangelho foi mui provavelmente formada antes de 70, e que várias décadas provavelmente decorreram entre a formação desta tradição (Primeiro Estágio) e a redação final do evangelho (Quinto Estágio). As tradições que sublinham os evangelhos sinóticos geralmente são datadas no período entre 40 e 60. Alguns gostariam de dar uma data posterior à tradição correspondente a João; mas, como temos insistido, não se pode formular um juízo absoluto de que a tradição pré-joanina é mais desenvolvida do que a tradição pré-sinótica. Em relatos e ditos partilhados pelas duas tradições, tem-se feito um critério em cada caso, e algumas vezes tal critério favorece a antiguidade de João. Assim, pessoalmente estaríamos dispostos a assinalar a mesma data à tradição por detrás de João que é assinalada para as fontes sinóticas, e datar o Primeiro Estágio da composição do evangelho ao período entre 40 e 60.

Não obstante, mesmo com os evangelhos sinóticos, houve um lapso de tempo entre a formação das fontes por detrás dos evangelhos e a atual composição escrita dos evangelhos. Por exemplo, Mateus e Lucas às vezes são datados no período entre 75 e 85. Em conformidade com nossa hipótese, João passou por várias redações e uma redação final. Pensamos ser bem provável que a *primeira* redação de João tenha sido datada no mesmo período geral como Mateus e Lucas.

Temos advertido contra a temeridade de fixar a data das obras neotestamentárias com base no desenvolvimento comparativo de suas teologias. Todavia, quando confinado a uma única forma de literatura, este método tem certa validade. É lícito comparar os quatro evangelhos a fim de decidir em geral qual é o mais primitivo e qual o mais desenvolvido. De um modo geral, cremos que o critério pré-crítico de que João é teologicamente o mais desenvolvido e o último dos evangelhos é essencialmente judicioso. Em nossa opinião, Mateus, provavelmente o último dos evangelhos sinóticos (ca. 85?), comparado a João, é o que mais compete em desenvolvimento teológico.

Entretanto, outros, por exemplo, GOODENOUGH, têm usado a teologia comparativa para argumentar em prol de uma data mais antiga para João. Por exemplo, observa-se que João, na última ceia, não se reporta à instituição da eucaristia, e, portanto, alega-se que João representa um período antes que o relato paulino da instituição viesse adquirir preponderância. Tal argumento reflete o pressuposto altamente questionável de que o relato da instituição tem sua origem em Paulo, e não na tradição mais antiga. Além do mais, ela falha em reconhecer que Jo 6,51-58 pode muito bem conter o relato joanino *adaptado* da instituição, removido aqui do relato da última ceia. Outro argumento do silêncio é que João, como Marcos ou Lucas, ignora o nascimento virginal, e por isso é mais antigo do que Mateus ou Lucas. Entretanto, deve-se deixar aberta a possibilidade de que em Jo 7,42 a observação sobre o nascimento de Jesus é deixada sem resposta, não por causa da ignorância do evangelista, mas como um exemplo de ironia joanina, uma ironia que implica que o evangelista conhecia o verdadeiro relato do nascimento de Jesus. (Não obstante, outras interpretações da ironia são possíveis, e assim o argumento não é seguro). Certamente, João evidencia um interesse no que precedia o batismo de Jesus no Jordão; somente a investigação joanina, diferente da de Mateus e Lucas, não toca as origens humanas de Jesus, e sim sua preexistência. Se o redator final de João decidiu prefaciar o evangelho com um hino comunitário a Jesus como a Palavra, isto não significa que ele ignorava todas as narrativas da infância. Mui plausivelmente, ele está simplesmente refletindo o uso local na Ásia Menor onde o povo cantava "hinos a Cristo como a Deus", enquanto Mateus e Lucas estão refletindo a mentalidade da Palestina onde tradições populares do nascimento de Jesus foram preservadas. Ao julgar a tentativa de Goodenough e outros de argumentar em prol de uma data antiga da teologia comparativa, devemos admitir que nada encontramos em João que exige uma data anterior a 70 para a forma escrita final do evangelho.

Há uma indicação razoavelmente precisa para o *terminus post quem* em prol da datação de João no tema da excomunhão das sinagogas que, como vimos na Parte V:B, exerce um importante papel no evangelho. O problema não parece ter sido acentuado antes de 70; e os datáveis incidentes como a formulação das doze bênçãos no *Shemoneh Esreh* e o uso de excomunhão formal em Jâmnia pertencem ao período de 80-90. Esta evidência torna improvável uma data anterior a 80 para a composição escrita final do evangelho, e deveras faz os anos 90 a época provável. O *Diálogo contra Trifo* de Justino, em torno de 160, representa um acúmulo da polêmica judaico-cristã que se desenvolveu ao longo do 2º século. Às vezes ela parece estar em continuidade direta com a polêmica contra a sinagoga em João, e isto oferece outra razão para não se datar a forma final de João tão cedo no 1º século.

VI • Data da redação final do evangelho

Já notamos e salientaremos mais no comentário que as seções em João que se reportam especificamente à excomunhão parecem pertencer aos estágios finais da redação do evangelho. Isto pode significar que a primeira redação do evangelho tomou corpo nos anos 70 ou início de 80, antes que a questão da excomunhão se inflamasse.

O capítulo 21,18-19 fornece um testemunho simbólico, porém relativamente claro do fato de que Pedro morreu por crucifixão, evento este que se deu no final dos anos 60. Além do mais, se o Discípulo Amado é uma figura histórica (e isto, em nossa opinião, é virtualmente disponível pela evidência – ver Parte VII, p. 90ss), então, aparentemente em um considerável intervalo após a morte de Pedro, uma testemunha ocular do ministério de Jesus vivera por muito tempo –, testemunha que estava intimamente conectada com o Quarto Evangelho. A discussão no comentário sobre 21,22-23 realmente só é inteligível nestes termos; pois, por que surgiria aí um problema acerca da datação do discípulo antes do retorno de Jesus, se o discípulo ainda estava vivo e com saúde? O raciocínio complicado em torno da interpretação mais óbvia da afirmação de Jesus é uma tentativa patentemente desesperadora de justificar o que é um *fait accompli*. Aliás, o tom da crise no capítulo pareceria indicar que a morte deste discípulo marca o fim de uma era na Igreja e a conclusão do período das testemunhas oculares. Uma vez mais, uma data muito anterior a 80 elimina toda esta plausibilidade, e uma data nos anos 90 parece mais provável. Pode-se notar que outra obra neotestamentária que se preocupa com o mesmo problema da morte da geração apostólica, a saber, 2Pd (3,3-4), geralmente é considerado pelos críticos, protestantes e católicos, como sendo uma das últimas obras do NT (embora pensemos que não há razão para que cheguem a datar 2 Pedro mais tarde que, mais ou menos, 125).

Na Parte VIII, apresentaremos nossa compreensão dos problemas teológicos básicos do evangelho; estes problemas, como os entendemos, exigem uma data posterior a 70. A escatologia realizada que domina o evangelho parece ser uma resposta à demora indefinida da parousia. Como apareceu antes de 70, o problema da parousia era tema para resposta mais fácil – Jesus logo viria outra vez, mas o tempo exato não podia ser determinado. Se 1 Pedro for datada antes de 70, temos uma eloquente testemunha de que a iminência da parousia era ainda uma grande parte da expectativa cristã apontando para a queda de Jerusalém (1Pd 4,7). A reinterpretação radical da questão em

João que põe a ênfase principal na escatologia realizada (sem excluir a expectativa contínua, porém indefinida, de uma vinda final) parece pertencer a um período posterior. De modo semelhante, como esperamos mostrar no Apêndice V (no vol. 2, p. 1641), toda a doutrina do Paráclito como a presença contínua de Jesus em sua Igreja, parece ser causada pelo passageiro período apostólico e a ruptura dos laços humanos com Jesus de Nazaré. O sacramentalismo do evangelho, visando a radicar os sacramentos no ministério de Jesus, parece dirigido a uma época em que a relação entre a vida eclesiástica e a vida histórica de Jesus se tornou obscurecida.

Em suma, cremos que a extensão de tempo durante o qual a forma final do Quarto Evangelho poderia ter escrito é, em seus limites máximos, 75 a 110 d.C., mas a convergência de probabilidades aponta fortemente para uma data entre 90 e 100. O testemunho dado mais ou menos em 200 por IRINEU (EUSÉBIO, *Hist.* 3, 23:1-4; GCS 9¹:236-38), nossa mais antiga e importante testemunha em prol do Quarto Evangelho, diz que João, o discípulo associado com o evangelho, viveu em Éfeso durante o reinado de TRAJANO (98-117). Caso se aceite esta antiga atribuição do evangelho (ver Parte VII, p. 90ss) e a combina com a implicação em Jo 21,20-24 de que o discípulo responsável pelo evangelho está moribundo ou já morreu, então se pode fixar uma data plausível de mais ou menos 100 para a *redação final* do evangelho. Se a tradição histórica que sublinha o evangelho retroage a 40-60, e a primeira redação do evangelho for datada algo entre 70 e 85 (uma datação que é muito mais uma conjectura), então os cinco estágios que temos proposto na composição do evangelho cobririam quarenta anos de pregação e redação escrita.

BIBLIOGRAFIA

Geral

ANDREWS, Mary E., "*The authorship and Significance of the Gospel of John*", JBL 64 (1945), 183-92.
GOODENOUGH, E. R., "*John a Primitive Gospel*", JBL 64 (1945), 145-82.
TURNER, G. A., "*The Date and Purpose of the Gospel of John*", *Bulletin of the Evangelical Theological Society* 6 (1963), 82-85.

João e os escritores do 2º Século

BOSMARD, M.-E., *"Clément de Rome et l'Evangile de Jean"*, RB 55 (1948), 376-87.
MAURER, Christian, *Ignatius Von Antiochien und das Johannesevangelium* (Zürich; Zwingli, 1949).
ROMANIDES, J. S., *"Justin Martyr and the Fourth Gospel"*, Greek Orthodox Theological Review 4 (1958-59), 115-34.
SANDERS, J. N., *The Fourth Gospel in the Early Church* (Cambridge: 1943).
TARELLI, C. C., *"Clement of Rome and the Fourth Gospel"*, JTS 48 (1947), 208-9.

VII
IDENTIDADE DO AUTOR E LOCAL DA COMPOSIÇÃO

É notório que muitos estudiosos bíblicos são também leitores calorosos das histórias de investigação. Estes dois interesses se conjugam na busca da identidade do autor do Quarto Evangelho. Antes de discutirmos a evidência, pode ser bom aclarar o conceito de "autor". Na terminologia da crítica literária moderna, "autor" e "escritor" costumam ser termos sinônimos; quando não são, é costumeiro identificar o colaborador literário como sendo também autor. A antiguidade não partilhava este excelente sentido de créditos próprios, e amiúde os homens, cujos nomes iam unidos a livros bíblicos, nunca puseram a pena em papiro. Portanto, em relação a livros bíblicos, muitas vezes temos de distinguir entre o *autor*, cujas ideias o livro expressa, e o *escritor*. Os escritores recorriam a uma escala maior que vai de secretários que se limitavam a colocar por escrito servilmente o que era ditado pelos autores até os colaboradores altamente independentes que, trabalhando com base no rascunho das ideias dos autores, davam seu próprio estilo literário à obra final. Que alguma distinção entre autor e escritor pode ser útil em considerar o Quarto Evangelho é sugerido pela existência de várias obras joaninas no NT que mostram diferenças de estilo. A questão de diferenças estilísticas entre João e 1 João será discutida na introdução ao comentário sobre as Epístolas [no prêlo]; mas a necessidade de propor diferentes escritores para João e Apocalipse é deveras óbvia.

Mesmo que reservemos a autoria à responsabilidade das ideias básicas que aparecem em um livro, os princípios que determinam a

VII • Identidade do autor e local da composição 91

atribuição de autoria na Bíblia são invariavelmente amplos. Se um autor particular é cercado por um grupo de discípulos que leva avante seu pensamento mesmo após sua morte, suas obras podem ser-lhe atribuídas como autor. O livro de Isaías foi obra aos menos de três principais contribuintes, e sua composição cobriu um período de mais de 200 anos. Todavia, ele não é simplesmente uma antologia heterogênea; pois ele tem similaridades de tema e estilo que refletem uma escola de pensamento e que, no amplo sentido bíblico de autoria, justifica a atribuição do livro a Isaías. Em um sentido ainda mais amplo de autoria, Salomão é tido como o autor da Literatura Sapiencial (Provérbios, Eclesiastes, Sabedoria de Salomão), porque sua corte propiciou uma atmosfera em que a literatura de sabedoria formal pôde desenvolver, e assim ele serviu de patrono dos escritores sapienciais. De um modo similar, Davi é tido como autor dos Salmos, e Moisés como autor do Pentateuco, ainda que partes destas obras foram compostas centenas de anos após a morte do autor tradicional. Agora voltamos aos antigos testemunhos sobre a autoria do Quarto Evangelho, e devemos manter diante de nós o amplo conteúdo da antiga concepção de autoria, para que não nos inclinemos a fazer estes testemunhos dizer mais do que se destinavam a dizer. Algumas vezes o "autor" de um livro é simplesmente uma designação para a *autoridade* por detrás dele.

A. A EVIDÊNCIA EXTERNA SOBRE O AUTOR

Esta evidência consiste nas afirmações de antigos escritores cristãos e está convenientemente disponível nos comentários de BERNARD e BARRETT. Ela tem sido exaustivamente discutida por NUNN. Ofereceremos apenas um sumário aqui. IRINEU (c. 180-200) em *Adv. Haer.* 3, 1:1 (SC 34:96) diz que, depois da composição dos outros evangelhos, João, o discípulo do Senhor que reclinou sobre seu peito (Jo 13,23; 21,20), publicou seu evangelho em Éfeso. Oriundas do mesmo período, há outras antigas testemunhas da autoria de João, o discípulo do Senhor (BARRETT, pp. 96-97); BERNARD, I, pp. LVI-IIX): o Fragmento Muratoriano (c. 170-200); o Prólogo latino marcionita (c. 200); e CLEMENTE de Alexandria como citado por EUSÉBIO, *Hist.* 6, 14:7 (GCS 9^2:550). Se esta tradição de autoria foi bem estabelecida no final do 2º século, parece provável que os autores destes testemunhos estavam identificando "João o discípulo" como João filho de Zebedeu, um dos Doze (ainda que SANDERS, *art. cit.*, conteste isto). IRINEU não afirma que ele esteja falando do filho de Zebedeu (ver, porém, EUSÉBIO *Hist.* 7, 25:7 [GCS 9²: 692] e o Leuciano *Atos de João* [c. 150]). Todavia, mesmo que aceitemos a evidência de que os antigos escritores estiveram falando do filho de Zebedeu, permanece outra questão, a saber, se estavam certos quando assim identificam este João a quem o evangelho costumeiramente era atribuído – uma questão que discutiremos mais adiante.

Entretanto, deve-se formular a primeira questão concernente ao valor da tradição de que o Quarto Evangelho veio de *João*, o discípulo do Senhor. O próprio evangelho fala do Discípulo Amado que recostou ao peito do Senhor. Acaso IRINEU estava simplesmente conjeturando que este discípulo sem nome era João? Há uma boa indicação de que não, pois segundo EUSÉBIO *Hist.*, 4, 14:3-8 (GCS 9¹:332), IRINEU obteve sua informação de POLICARPO, bispo de Esmirna, que ouvira a João. Se for possível estabelecer uma cadeia de tradição, de João para POLICARPO para IRINEU, então o testemunho de IRINEU quanto à autoria é deveras muito valiosa, mas a exatidão da corrente de tradição tem sido contestada sob várias razões.

    a. IRINEU situa João em Éfeso, e não há evidência neotestamentária de que João, filho de Zebedeu, algum dia esteve em Éfeso. É verdade que Apocalipse (1,9) assume ter sido escrito por certo João em Patmos, nas cercanias de Éfeso, mas seria este João o filho de Zebedeu? Em Ap 18,20 e 21,14, o autor se refere aos Doze como se não fosse um de seu número – uma objeção dificilmente conclusiva, porém digna de consideração. Quanto à carreira do filho de Zebedeu, parece ter sido ativo na área de Jerusalém e Palestina, ao menos até 49 d.C. (At 3,1; 8,14; Gl 2,9). Nem no discurso de Paulo aos anciãos de Éfeso em 58 (At 20,18ss.), nem na Epístola aos Efésios (63?) há qualquer indicação da presença de João em Éfeso. Quanto à teoria de que João foi para Éfeso no tempo da revolta na Palestina (66-70), pode-se objetar de que na *Carta aos Efésios* de INÁCIO (c. 110) se menciona o trabalho de Paulo em Éfeso, mas nada de João. PAPIAS, que escreve da Ásia Menor em torno de 130, não parece mencionar a estada de João na Ásia. Não causa surpresa que POLICARPO de Esmirna, em sua breve carta aos filipenses (c. 135), não haja mencionado João, mas devemos notar que a vida um tanto lendária de Policarpo, por Pionio, não faz referência a Policarpo como tendo conhecido João, detalhe que é básico para a evidência de Irineu.

Nenhum argumento de evidência negativa é naturalmente conclusivo, e há alguma evidência impressionante de que João, o filho de Zebedeu, realmente esteve em Éfeso. Justino, em Éfeso em torno de 135, fala de João um dos apóstolos de Cristo, como havendo residido ali (*Trypho* 81,4; PG 6:669; com Eusébio *Hist.* 4, 18:6-8; GCS 9^1:364-66). Poderia uma tradição espúria ter se desenvolvido tão depressa? O apócrifo *Atos de João*, escrito em torno de 150, por Leucius Charinus, menciona o ministério de João em Éfeso. Policrates, bispo de Éfeso, escrevendo ao papa Vitor em torno de 190 (Eusebius, *Hist.* 5, 24:3; GCS 9^1:490), afirma que João foi sepultado em Éfeso. Escavações em Selçuk, uma colina nas proximidades de Éfeso, embaixo da basílica recentemente construída em honra de João, têm mostrado a existência de um mausoléu do 3º século; e Braun, *JeanThéol*, 1, p. 374, pensa que isto confirma o testemunho de Policrates. Assim, a objeção à tradição de Irineu com base em que João nunca esteve em Éfeso é escassamente conclusiva.

b. Há uma tradição de que João, filho de Zebedeu, morreu ainda jovem. As evidências sumariadas, extraídas tanto de Philip de Side (430) como de George Hamartolus (9º século), atribuem a Papias a tradição de que João foi morto pelos judeus, juntamente com seu irmão Tiago (que morreu nos anos 40). Duas martirologias de Edessa e Cartago (5º-6º séculos) trazem a mesma tradição. É possível encontrar uma discussão completa em Bernard, I, pp. XXXVII-XLV, mas a confiabilidade dessas fontes não é particularmente impressiva. Em parte, a tradição provavelmente resulta de uma confusão de João Batista com João o filho de Zebedeu, e em parte de uma interpretação por demais literal de Mc 10,39, onde Jesus prediz que os filhos de Zebedeu partilhariam de seu sofrimento. Este argumento contra a tradição de Irineu é muito fraco.

c. Tem-se sugerido que Irineu estava errado acerca da relação de Policarpo com João, como aparentemente estava errado em outros casos. Em *Contra Heresias* 5, 33:4 (PG 7:1214), ele diz que Papias ouviu João; mas isto contradiz a própria evidência de Papias, como Eusébio (*Hist.* 3, 39:2; GCS 9^2:286) foi pronto em salientar. Se PAPIAS conheceu João somente através de intermediários, e IRINEU estava simplificando a relação entre PAPIAS e João, como podemos saber que não estava simplificando a relação entre POLICARPO e João? Naturalmente, IRINEU diz que conheceu POLICARPO pessoalmente, enquanto não alega ter conhecido PAPIAS. Não obstante, o fato de que IRINEU fosse muito jovem no tempo em que alega ter conhecido POLICARPO, no mínimo ele causa confusão como uma possibilidade.

d. Tem-se sugerido que havia em Éfeso outro João que foi o autor do evangelho, e que IRINEU e outro antigo escritor confundiram este João com o filho de Zebedeu que fora discípulo do Senhor. (Esta proposta é um tanto diferente da sugestão já mencionada, que, ao falar de João, o discípulo do Senhor, IRINEU não tinha em mente o filho de Zebedeu; todavia, muitos dos pontos formulados abaixo serão relevantes a ambas as sugestões). Diversos candidatos têm sido propostos para este outro João de Éfeso.

Primeiro, podemos mencionar João Marcos que figura em Atos como parente de Barnabé e parte do tempo companheiro de Paulo. Que João Marcos estava em Éfeso, isso é mencionado em 2Tm 4,11. Não se oferece pela tradição nenhuma dificuldade que associa João Marcos com o vidente de Alexandria, em vez de Éfeso, pois esta tradição não aparece até o 4º século (EUSÉBIO, *História*, 2, 16:1 e 24:1; GCS 9¹:140,174). Além do mais, em dois artigos muito interessantes, BRUNS mostrou que havia confusão na antiguidade entre João, filho de Zebedeu, e João Marcos. Ao comentar sobre At 12,12, CRISÓSTOMO parece ter pensado que o João mencionado ali era João o discípulo, quando comumente se concorda que era João Marcos (BRUNS, "John Mark", p. 91). Uma testemunha egípcia do 5º século identifica João Marcos como o discípulo sem nome de Jo 1,35. Uma tradição do 6º século, de Chipre, diz que Jesus encontrou João Marcos quando realizou o milagre do tanque de Betesda, um milagre narrado somente no Quarto Evangelho, e fala da presença deste João em Éfeso. Escritores eclesiásticos espanhóis do 6º-8º séculos identificam João, o discípulo, como parente de Barnabé. Uma obra árabe do 10º século, trazendo consigo fragmentos mais antigos, identifica João Marcos como um dos servos que distribuíram a água transformada em vinho em Caná, outro milagre só encontrado no Quarto Evangelho. Toda esta informação pode ser reforçada quando MORTON SMITH publica sua recém descoberta

VII • Identidade do autor e local da composição

carta de Clemente de Alexandria, a qual pertence a um evangelho secreto de Marcos, um evangelho que parece narrar ou ecoar certos relatos joaninos.

Todo este material indica a possibilidade de uma confusão na antiguidade, embora algumas das referências sejam claramente sem valor. Deve-se notar que até agora não há muito testemunho antigo que identifique João Marcos como o autor do Quarto Evangelho. Quando João Marcos é identificado como um evangelista, ele é associado ao evangelho de Marcos (Prólogo monarquiano do 3º século ao Segundo evangelho). Caso se possa formular algum argumento convincente em prol da autoria de João Marcos do Quarto Evangelho, isso tem sua origem em evidência interna e será discutido mais adiante.

Segundo, podemos mencionar João o Presbítero, assim chamado por Papias, bispo de Hierópolis, na Ásia Menor. Escrevendo mais ou menos em 130 (Eusébio, *Hist.*, 3, 39:4; GCS 9¹:286), Papias nos conta como saiu em busca da verdade cristã nesta cidade fora do caminho: "Se, pois, veio alguém que fosse seguidor dos anciãos [*presbyteroi*], eu investigava os ditos dos anciãos – o que disse André, ou Pedro, ou Filipe, ou Tomé, ou Tiago, ou João, ou Mateus, ou o que disse algum outro dos demais discípulos do Senhor; e as coisas que Aristion e o ancião [*presbyteros*] João, discípulos do Senhor, estavam dizendo". Nesta afirmação, aparentemente Papias menciona dois grupos de homens, denominando a ambos de "discípulos do Senhor", e há um João em cada grupo. O primeiro grupo contém os nomes dos Doze, com base no pretérito perfeito do verbo ("disse"), pareceria já estar mortos, e assim se pode identificar o João no primeiro grupo como o filho de Zebedeu. O segundo grupo contém dois homens, Aristion e João, que talvez estivessem entre o número maior dos discípulos de Jesus fora os Doze (ver Lc 10,1); com base no tempo presente do verbo, pareceria ainda estar vivos quando Papias fez suas inquirições. Alguns estudiosos têm objetado que testemunhas oculares como discípulos do Senhor dificilmente ainda estariam vivos em 130 d.C., e têm proposto que este segundo grupo consistia de discípulos dos Apóstolos e, portanto, de discípulos da segunda geração ("presbítero" pode ter este significado). Entretanto, deve-se ressaltar que, enquanto Papias poderia estar escrevendo em torno de 130, ele fala de averiguações anteriores, quem sabe muitos anos antes e em uma época em que discípulos do Senhor poderiam ainda estar vivos.

Assim, parece que, além de falar do filho de Zebedeu, Papias fala de outro João que ocupava a posição de comunicar certas notícias acerca de Jesus, se era ou não propriamente uma testemunha ocular. (Parecem forçadas as tentativas de Zahn e outros de sustentar que Papias fala duas vezes do mesmo João). Papias *não diz* que este João vivia em Éfeso ou que escrevesse algo. Que este João viveu em Éfeso é pressuposto por escritores posteriores. O *Apostolic Constituitions* do 4º século, VII 46 (Funk ed., pp. 453-55), ao mencionar bispos de Éfeso, fala de um João como sendo o João, aparentemente João o Presbítero, designado por João o Apóstolo. Eusébio (*Hist.* 3, 39:6 (GCS 9¹:288) cita uma notícia de que havia em Éfeso dois túmulos ou monumentos funerários figurando o nome "João". Ambas estas passagens e também Dionísio de Alexandria, citado por Eusébio (*Hist.* 7, 25:6-16; GCS 9²:694-96), sugere atividade literária para João o Presbítero, a saber, que foi o autor visionário do Apocalipse. Tal sugestão visa a isentar o filho de Zebedeu da responsabilidade pelo milenarismo daquele livro.

Portanto, uma vez mais, não há a mais leve evidência positiva, na antiguidade, de fazer João o Presbítero o autor do Quarto Evangelho. Aliás, a evidência, segundo Papias que menciona João o Presbítero, afirma que João, filho de Zebedeu, estava também em Éfeso e foi o autor do Quarto Evangelho. Que o evangelista era João o Presbítero constitui uma teoria moderna. Tem-se observado que o autor de 2 e 3 João se denomina presbítero, e pode-se firmar a tese de que este mesmo presbítero foi o autor de 1 João e do Quarto Evangelho. Não obstante, a autoria comum do evangelho e das Epístolas é disputada; e, ainda que se admita, o título "presbítero", encontrado em 2 e 3 João, seria aplicável a João, filho de Zebedeu. Em 1Pd 5,1 temos evidência de que o termo "presbítero" era usado para membros dos Doze; e deveras a afirmação de Papias com que começamos esta discussão parece usar o termo "anciãos" ou "presbíteros" para o primeiro grupo de homens mencionados que são definitivamente membros dos Doze. Consequentemente, podemos observar que certamente há bem pouca evidência a endossar João o Presbítero como o autor do Quarto Evangelho, mas a presença de dois Joães cria a possibilidade de confusão na recente evidência patrística quanto a quem escreveu o evangelho.

e. Um fator final que tem levado alguns a duvidar da evidência de Irineu é a existência na antiguidade de grupos que negavam que o Quarto Evangelho foi escrito por João, filho de Zebedeu.

VII • Identidade do autor e local da composição

IRINEU, *Contra Heresias*, 3, 11:9 (SC 34:202), menciona aqueles mestres equivocados que, em sua ansiedade de combater os falsos carismáticos e profetas montanistas, se recusavam a admitir o dom do Espírito. Isto os forçou a rejeitar o evangelho segundo João onde o Senhor prometera enviar o Paráclito. TERTULIANO, *Contra Marcião*, 4,2 (CSEL 47:426), sugere um embaraço acerca do Quarto Evangelho em virtude da dificuldade de harmonizar-se sua cronologia com a dos sinóticos. Em seu *Contra Heresias*, LI (GCS 31:248ss.), Epifânio (c. 375, mas recorrendo à obra mais antiga de HIPÓLITO de Roma, aluno de IRINEU) menciona que o *Alogoi* atribuiu, respectivamente, Apocalipse e João ao herege CERINTO. O nome *Alogoi*, refletindo o grego para "não *logos*", parece ser uma alcunha criada para designar os que rejeitavam o evangelho que começa com um Prólogo concernente ao *logos*. Presume-se que HIPÓLITO tenha escrito um livro em defesa de um Quarto Evangelho. Estudiosos argumentarão que tal oposição ao evangelho escassamente poderia ter-se desenvolvido, se o evangelho fosse comumente atribuído a um apóstolo. Não obstante, não podemos ignorar o fato de que estes grupos marginais, que para seus propósitos teológicos pessoais rejeitavam o Quarto Evangelho, eram vistos como hereges; e a audácia de grupos heréticos em seus conceitos bíblicos, por exemplo, os marcionitas, não deve ser subestimada. Não parece que haja na Igreja primitiva evidência real de uma dúvida geral acerca da autoria joanina.

Assim, é justo dizer que a única tradição antiga sobre a autoria do Quarto Evangelho em prol da qual se pode aduzir um conjunto considerável de evidência é que tem por autor do evangelho a João, filho de Zebedeu. Há alguns pontos válidos nas objeções suscitadas a esta tradição, mas a afirmação de IRINEU está longe de ter sido invalidada.

B. EVIDÊNCIAS INTERNAS SOBRE O AUTOR

Tanto implícita, quanto explicitamente, o Quarto Evangelho nos informa algo sobre seu autor. Comecemos concentrando-nos na evidência explícita. Duas passagens identificam a fonte da tradição que se encontra no evangelho. Em 19,35, somos informados que um que vira o lado traspassado de Jesus durante a crucifixão dera testemunho, e seu testemunho era verdadeiro. A testemunha ocular no Calvário não é claramente identificada, mas um pouco antes desta passagem, em 19,26-27, ouvimos da presença do discípulo a quem Jesus amava ao pé da cruz. Uma passagem mais clara se encontra em 21,24, onde somos informados acerca do discípulo a quem Jesus amava: "Este é o discípulo que testifica destas coisas e as escreveu; e sabemos que o seu testemunho é verdadeiro". À luz deste versículo, não fica definido se o discípulo em questão escreveu fisicamente estas coisas ou as fez escrever. "Estas coisas" podem referir-se somente aos eventos no capítulo 21; visto, porém, que esta é obviamente uma referência à mesma testemunha ocular como em 19,35, o discípulo em questão está sendo proposto como a fonte de toda a narrativa do evangelho. Notar-se-á que a afirmação em 21,24 distingue claramente o discípulo do escritor do capítulo 21 (o "nós").

Como devemos avaliar estas duas passagens? O capítulo 21 é uma adição ao evangelho e pertence à redação final. A outra passagem, 19,35, é um parêntese, provavelmente adicionado no ato de publicar o evangelho. Portanto, não podemos estar seguros de que, na primeira redação do evangelho, houvesse tal atribuição da tradição do evangelho a um discípulo que foi testemunha ocular. Não obstante, ainda quando esta atribuição pertença ao último estágio da pré-publicação do evangelho, pareceria representar o conceito prevalecente nos círculos joaninos do final do 1º século. É verdade que tal atribuição poderia ter sido anexada ao evangelho como uma tentativa de vestir uma obra anônima com o manto da autoridade apostólica, porém uma atribuição sem um nome pessoal não parece a mais adequada para tal propósito. De qualquer modo, antes que se faça tal concessão, a primeira tarefa é ver se a atribuição pode ser levada a sério.

Quem é este discípulo a quem Jesus amava? Há no Quarto Evangelho três tipos de referências a discípulos anônimos:

(a) Em 1,37-42, dois discípulos de João Batista seguem a Jesus. Um é chamado André; o nome do outro não é mencionado. No contexto imediato, aparecem outros discípulos: Simão Pedro, Filipe e Natanael.

(b) Há duas passagens que mencionam "outro discípulo" ou "o outro discípulo":

VII • Identidade do autor e local da composição 99

- 18,15-16: Pedro e outro discípulo seguem a Jesus, o qual foi levado cativo para o palácio do sumo sacerdote. O outro discípulo é conhecido do sumo sacerdote e introduz Pedro no palácio.
- 20,2-10: Maria Madalena corre a Pedro e ao outro discípulo (aquele a quem Jesus amava) para informar-lhes que o corpo de Jesus não está no túmulo. O outro discípulo passa adiante de Pedro rumo ao túmulo. Pedro entra primeiro; então o outro discípulo entra, vê e crê.

(c) Há seis passagens que mencionam o discípulo a quem Jesus amava (o verbo "amar" é *agapan* em todos os casos, exceto 20,2, onde se usa *filein*):
- 18,23-26: O discípulo a quem Jesus amava reclina sobre o peito de Jesus durante a última ceia, e Simão Pedro lhe faz sinais a que perguntasse sobre o traidor.
- 19,25-27: O discípulo a quem Jesus amava permanece junto à cruz, e Jesus dá Maria a este discípulo como sua mãe.
- 20,2-10: O "outro discípulo" mencionado sob (b) acima é identificado em um parêntese como "aquele a quem Jesus amava". Para o conteúdo da cena, ver acima.
- 21,7: O discípulo a quem Jesus amava se encontra em um barco pesqueiro com Simão Pedro e os demais discípulos; ele reconhece o Jesus ressurreto em pé na praia e informa a Pedro.
- 21,2-23: O discípulo a quem Jesus amava está seguindo Pedro e Jesus; o escritor nos lembra, entre parêntese, que ele é o mesmo discípulo mencionado em 13,23-26. Pedro se volta e vê o discípulo e indaga de Jesus sobre ele. Jesus diz que, possivelmente, o discípulo ficará vivo até que ele volte. O escritor diz que esta afirmação de Jesus gerou confusão entre os cristãos que começaram a crer que o discípulo não morreria. Lendo nas entrelinhas, podemos presumir que o discípulo já havia morrido, daí a necessidade de explicação.
- 21,24: O escritor nos informa que este discípulo é a fonte das coisas que têm sido narradas.

Ao comparar estes tipos de referências, descobrimos que 20,2 identifica o Discípulo Amado (doravante DA) com o outro discípulo mencionado na segunda passagem de (b). Não fica claro se o DA deve ou não ser também identificado com o outro discípulo na primeira passagem sob (*b*); mas uma resposta afirmativa é sugerida pelo fato de que o discípulo nesta cena (18,15-16) é associado com Pedro, uma associação que parece caracterizar ao DA. Não existe nada que claramente identifique o discípulo anônimo em (*a*) como sendo o DA, embora Pedro esteja uma vez mais no contexto, ainda que menos diretamente. Assim, deve-se notar que ao menos na segunda passagem sob (*b*) e em (*c*) temos o mesmo discípulo anônimo que é conhecido de duas maneiras diferentes, como "o outro discípulo" e como "o discípulo a quem Jesus amava". Se foi a modéstia que levou esta testemunha ocular a não referir-se a si mesmo nominalmente ao reportar-se aos relatos tradicionais sobre Jesus, é difícil de crer que ele chamasse a atenção constantemente para o amor especial que Jesus tinha para com ele. Uma solução plausível é que o discípulo, testemunha ocular, referiu a si simplesmente como "o outro discípulo", e que foram seus próprios seguidores que se referiram a ele como o DA. Esta sugestão recebe alguma confirmação de 20,2, onde "aquele a quem Jesus amava" é obviamente um parêntese adicional para identificar "o outro discípulo". Discutamos agora as várias soluções propostas para a identidade do DA.

Primeiro, tem-se proposto que o DA não é uma figura real, e sim um símbolo. Para Loisy, p. 128, ele é o discípulo cristão perfeito, junto a Jesus na última ceia e na hora da morte, o primeiro a crer no Cristo ressurreto. Para Kragerud, o DA é o símbolo da escola joanina de pensamento. Para Bultmann, p. 369ss., em várias cenas o DA representa o ramo helenista da Igreja Cristã. Em 19,26, Jesus deixa sua mãe (= cristianismo judaico) aos cuidados do DA (= igreja helenista). Em 20,2-10, o DA (igreja helenista) passa adiante de Pedro (igreja judaica) em crer. Na verdade, este é uma renovação do simbolismo antigo; Gregório o grande (*Hom. In Evang.* II 22; PL 76:1175), encontrou o mesmo simbolismo encontrado por Bultmann, apenas em ordem inversa, pois o DA no pensamento de Gregório representa a Sinagoga e Pedro representa a Igreja.

Que o DA tem uma dimensão figurativa é patente. De muitas maneiras, ele é o cristão exemplar, pois no NT "amado" é uma maneira de distinguir aos cristãos. No entanto, esta dimensão simbólica não significa que o DA nada mais é do que um símbolo. Alguém pode aceitar uma dimensão simbólica para Maria e Pedro, como faz Bultmann;

VII • Identidade do autor e local da composição

mas isso não reduz estes personagens a meros símbolos. A essência óbvia das passagens em João que descreve o DA é que se trata de um ser humano real, cujas ações são importantes no cenário do evangelho. E assim não cremos que o reconhecimento da dimensão secundária e simbólica do DA impeça a busca por sua identidade.

Segundo, Lázaro é a figura masculina no evangelho de quem se diz especificamente que Jesus o amava. *Filein* ou *philos* se aplica a Lázaro em 11,3.11.36; *agapan* é usado em 11,5. (Notamos que o uso de verbos em referência ao DA é apenas o oposto, pois ali *agapan* é mais frequente). FILSON, *art. cit.* argumenta que o evangelho estava destinado a ser auto-inteligível a seus leitores, os quais não tivessem que recorrer a uma tradição do 2º século para identificar o autor como sendo João, filho de Zebedeu, e daí o DA seria interpretado pelo próprio evangelho em referência ao amor de Jesus para com Lázaro. (Seu argumento só é válido se os leitores não fossem bem cientes da identidade do autor mesmo antes que tivessem começado o evangelho, e bem que poderiam ter sido cônscios disto se o autor fosse um apóstolo famoso). ECKHARDT, *op. cit.*, vai ainda mais longe sugerindo que Lázaro era um pseudônimo para João, filho de Zebedeu, depois de ser trazido de volta dentre os mortos pelo poder de Jesus! SANDERS, *art. cit.*, p. 84, pensa que a base do Quarto Evangelho foi uma obra escrita em aramaico por Lázaro (o qual era então citado por João Marcos, que era o evangelista). É digno de nota que todas as passagens acerca do DA ocorrem após a ressurreição de Lázaro. Tem-se sugerido (com exagerada imaginação?) que a razão pela qual o DA foi o primeiro a reconhecer o Cristo ressurreto, em 21,7, foi em razão de Lázaro haver passado pela mesma experiência.

Todavia, é difícil crer que a mesma pessoa seja mencionada anonimamente nos capítulos 13-21 e seja outra vez mencionada nominalmente só nos capítulos 11 e 12. É verdade que os capítulos 11 e 12 podem muito bem representar o material joanino inserido no último estágio da redação do evangelho ou da redação final, e isto pode explicar o diferente emprego nesses capítulos. Mas devemos pressupor que o redator final teria deixado esta evidente inconsistência e não teria introduzido a designação do DA também naqueles capítulos? Naturalmente, reconhecemos que esta objeção não é insuperável: depois de tudo, nos cânticos do Servo do Deuteroisaías o Servo é anônimo, enquanto em outros capítulos o Servo é identificado como Jacó-Israel.

Não obstante, nós perguntamos se não é mais lógico pressupor que o DA seja alguém que não é mencionado no evangelho, mas era bem conhecido aos leitores.

Terceiro, João Marcos é outro possível candidato para o papel do DA. PARKER e SANDERS identificaram o autor do Quarto Evangelho como sendo João Marcos (para SANDERS, o evangelista não é o mesmo personagem que o DA seria Lázaro), ponto de vista mantido anos atrás por WELLHAUSEN. Há um número de fatores que parecem pressupor isto e fazer de João Marcos um bom candidato:

- O lar de João Marcos em Jerusalém (At 12,12), e a maior parte do Quarto Evangelho está centrado no ministério de Jesus em Jerusalém. A informação geográfica correta peculiar a este evangelho pertence grandemente à área hierosolimitana.
- João Marcos parece ter tido parentes na classe sacerdotal. Seu primo Barnabé era levita (Cl 4,10; At 4,36). Aliás, há algumas referências antigas a João Marcos como sacerdote. O Quarto Evangelho mostra certo interesse no templo e nas festas; e se o discípulo de 13,15 fosse o DA, então era conhecido do sumo sacerdote.
- Através de Paulo, Marcos parece ter-se familiarizado com Lucas (Fm 24), e isto explicaria a influência cruzada entre a tradição lucana e joanina.
- João Marcos parece ter tido contato com Pedro (At 12,12; 1Pd 5,13), e o DA é constantemente associado com Pedro. O Quarto Evangelho dá a Pedro um papel muito importante.

Outros argumentos têm sido fomentados, mas estes são os mais notáveis. Aí vem imediatamente à mente a objeção de que tradicionalmente João Marcos é tido como sendo o autor do segundo evangelho, não do Quarto. Entretanto, como ressaltou BRUNS, *"John Marks"*, p. 90, as testemunhas do 2º século, no tocante ao Evangelho de Marcos, nunca identificam João Marcos com Marcos o evangelista. É digno de nota que em Atos Lucas nunca refere a João Marcos simplesmente como Marcos, e muitos escritores patrísticos não reconheceram que o Marcos das cartas paulinas era o João Marcos de Atos.

Pode-se oferecer uma objeção mais fundamental para a tese de que João Marcos era o DA, isto é, que pareceria lógico que o DA fosse

VII • Identidade do autor e local da composição

um dos Doze. Sua intimidade com Jesus parece ter-lhe dado uma posição ao lado de Pedro como uma das figuras mais importantes no ministério. Estes são os primeiros dois discípulos a serem informados do túmulo vazio em 20,2. A posição do DA junto a Jesus na última ceia é outra indicação, pois os evangelhos sinóticos descrevem esta refeição como uma das partilhadas por Jesus com os Doze (Mc 14,17; Mt 26,20). Como, pois, poderia o DA ter sido João Marcos (ou, por essa razão, Lázaro), que nunca é mencionado no relato sinótico do ministério? Isto significaria que o discípulo que estava mais próximo a Jesus nem mesmo fosse lembrado nas listas de seus discípulos especialmente escolhidos! Todo o mundo cristão estava aguardando com expectativa que Jesus voltasse antes da morte do DA (Jo 21,23); todavia, se o DA fosse João Marcos, os registros cristãos nem mesmo registra o fato que Jesus o conhecera.

Quarto, João, filho de Zebedeu, parece preencher muitos dos requisitos básicos para a identificação como o DA. Ele era não só um dos Doze, mas, juntamente com Pedro e Tiago, um dos três discípulos constantemente selecionados por Jesus a estar com ele. A íntima associação com Pedro proposta na descrição do DA não se enquadra com nenhuma outra figura neotestamentária tanto quanto se enquadra com João, filho de Zebedeu. Nos sinóticos, João aparece com Pedro mais amiúde do que qualquer outro discípulo; e na história primitiva descrita em Atos, João e Pedro são companheiros em Jerusalém (caps. 3-4) e na missão a Samaria (8,14). A última missão é muito importante à luz do que o Quarto Evangelho diz sobre uma missão entre os samaritanos (ver p. 402).

Um fator extremamente importante ao estudar a identidade do DA é que o Quarto Evangelho alega preservar suas memórias de Jesus. Se estas são realmente suas memórias, elas sobreviveram mesmo quando amiúde fossem muito diferentes das memórias que introduziram o querigma petrino que subjaz a Marcos e, através de Marcos, influenciou Mateus e Lucas. Em outras palavras, a tradição histórica de João aparece assim como um desafio à tradição geral partilhada pelos sinóticos. Não parece provável que o homem por detrás dela devesse ser um homem de efetiva autoridade na Igreja, um homem de um status não diferente do de Pedro? Neste aspecto, João, filho de Zebedeu, seria um candidato mais provável do que uma figura menor como João Marcos.

Há outros pontos menores que favorecem João, filho de Zebedeu. É bem possível que ele fosse aparentado com Jesus. Na nota sobre 19,25, salientaremos as razões por que tem-se sugerido que Salomé fosse a mãe de João e também a irmã de Maria, mãe de Jesus. Se João era sobrinho de Maria, isto explicaria por que Jesus confiou a João sua mãe (19,25-27). Poderia também explicar um dos grandes problemas sobre o DA; a saber, que, se "o outro discípulo" de 18,15-16 era o DA, então o DA era conhecido do sumo sacerdote. Para explicar como um pescador Galileu como João teria tido "acesso" na casa do sumo sacerdote, alguém faria João um provedor oficial de peixe, ao palácio sacerdotal! Outros recuam à informação de POLICRATES de Éfeso (c. 190) de que João, o DA, era um sacerdote que usava a lâmina sacerdotal de ouro (EUSÉBIO, *Hist*. 5, 24:3; GCS 9^1:490). Enquanto a informação de POLICRATES de que João estava em Éfeso pode justificar alguma confiança, a informação sobre o sacerdócio de João bem que poderia ser uma dedução da passagem que estamos considerando. O mesmo parecer foi feito na antiguidade de Tiago e Marcos (de todos os três, BERNARD, II, p. 594, leva esta informação muito a sério, ressaltando que sua posição sacerdotal poderia explicar por que Tiago e João, juntamente com Pedro, eram importantes na igreja hierosolimitana em conformidade com Gl 2,9). Mas, se deixarmos de lado o parecer de POLICRATES sobre o sacerdócio de João, a possibilidade de que João fosse sobrinho de Maria pode ajudar a explicar suas conexões sacerdotais, pois Maria tinha parentes na família sacerdotal, de acordo com Lc 1,5.36 (embora a historicidade desta informação lucana não seja aceita por todos).

A lista mais completa de objeções à identificação de João, filho de Zebedeu, como o DA se encontra no *"John the Sun of Zebedee"* de PARKER, um artigo escrito com o fim de opor-se às hipóteses, que gradualmente ganhava terreno, de que João foi o autor do evangelho. Em nosso juízo pessoal, algumas das muitas objeções que ele apresenta não são convincentes. Por exemplo, o fato de que o Quarto Evangelho não mencione Salomé, mãe de João, ou Tiago, seu irmão, não pareceria difícil de entender; se João não fez menção dele mesmo por razões de anonimato, poderia ter estendido este anonimato à sua família. Os argumentos seguintes são uns dos que oferecem real dificuldade:

VII • Identidade do autor e local da composição

- João era Galileu, mas este é um evangelho que dá máxima atenção ao ministério hierosolimitano de Jesus. A explicação usual é que, como um dos três escolhidos de Jesus, João o acompanhava a Jerusalém em seus vários itinerários. Se João era sobrinho de Maria, podemos também relembrar que Maria tinha parentes na Judeia (Lc 1,39). A razão por que o Quarto Evangelho centra a atenção em Jerusalém, em parte é teológica; não há implicação necessária de que o autor não tivesse conhecimento do extenso ministério galileu.
- At 4,13 descreve o filho de Zebedeu como "iletrado e sem posição social", atributos dificilmente dados ao quarto evangelista. Não obstante, autoria, como mencionamos no início desta parte, não significa necessariamente que João escrevesse fisicamente o evangelho ou lhe desse expressão gráfica relativamente fluente. O evangelho alega que DA foi a fonte de sua tradição, e é isso que nos preocupa aqui.
- Duas das principais cenas de que João foi testemunha, a Transfiguração e a agonia no jardim, não são mencionadas neste evangelho. Isto é estranho, a menos que aceitemos a sugestão um tanto forçada de que a paixão do DA pelo anonimato o levou a omitir cenas que não pudessem ser descritas sem auto-identificação. Entretanto, se notará que os elementos que aparecem nas descrições sinóticas da transfiguração e da agonia também aparecem no Quarto Evangelho (ver comentário sobre 12,23.27-28); e, de *certos aspectos*, como esperamos mostrar, o tratamento de que o material no Quarto Evangelho poderia ser mais original do que o tratamento sinótico.

Portanto, há com muita clareza dificuldades a serem encaradas, caso se identifique o DA como sendo João, filho de Zebedeu. Não obstante, em nossa opinião pessoal, há dificuldades ainda mais sérias se ele for identificado como sendo João Marcos, Lázaro ou algum desconhecido. Quando tudo isso é dito e feito, a combinação de evidências externas e internas, associando o Quarto Evangelho com João, filho de Zebedeu, faz esta hipótese mais forte, se se está preparado para dar crédito à pretensão deste evangelho no sentido de depender de uma testemunha ocular como fonte.

C. CORRELAÇÃO DA HIPÓTESE DE JOÃO COMO AUTOR COM UMA TEORIA MODERNA DE COMPOSIÇÃO

A alegação do evangelho de ter uma testemunha ocular como fonte tem o amparo, sob a análise de uma crítica moderna, da tradição que subjaz ao evangelho? Como se pode conciliar a alegação de que João, filho de Zebedeu, foi o autor com o processo de composição do evangelho proposto na Segunda Parte? João teria sido responsável somente pela tradição histórica por detrás do evangelho (Primeiro Estágio)? Esta pareceria ser a proposta mínima que se poderia fazer e ainda atribuir autoria (no antigo sentido de "autor" = autoria) a João. Ou a evidência admite João como tendo sido o autor de uma maneira mais imediata, no sentido de que João foi o pregador e teólogo que deu forma ao material histórico nos relatos e discursos do evangelho (Segundo e Terceiro Estágios) e ainda redatou o evangelho (Quarto Estágio)?

Antes de tentar uma resposta a estas perguntas, temos que recordar que não se pode manter que João fosse o redator final do evangelho (Quinto Estágio), porque o "nós" de 21,24 é distinto do DA, e também porque o DA provavelmente já estivesse morto quando o capítulo 21 foi escrito (21,22-23). Isto significa que alguém mais, além de João, estava envolvido na composição do evangelho; e, deveras, a antiga evidência não atribui a João a autoria completa do evangelho, pois quase cada relato da composição associa outros com João. CLEMENTE de Alexandria (EUSÉBIO *Hist.*, 6, 14:7; GCS 9²:550) diz que João foi encorajado por seus discípulos ou companheiros. O Fragmento Muratoriano (c. 170) também fala da instigação dos discípulos e bispos colegas de João, e diz que João relatou "todas as coisas em seu próprio nome, ajudado pela *revisão* de todos". O Prefácio latino à Vulgata de João fala que João reuniu seus discípulos em Éfeso antes de morrer. O Prólogo latino anti-marcionita (c. 200) fala de PAPIAS escrevendo o evangelho sob o ditado de João. Há uma tradição do 4º século de que Marcião foi escriba de João; e nos *Atos de João*, do 5º século, Prócoro, discípulo de João, alega ter sido o escriba a quem João ditou o evangelho em Patmos. Estas atribuições são lendárias; mas, tomadas como um todo, constituem um antigo reconhecimento de que os discípulos de João contribuíram para o evangelho como escribas ou mesmo como redatores.

Voltando agora à questão suscitada acima, podemos começar indagando se a tradição histórica por detrás do evangelho (Primeiro Estágio)

VII • Identidade do autor e local da composição

reflete o testemunho de uma testemunha ocular. Naturalmente, o próprio fato de que propomos tradição histórica ao menos torna possível que João esteja por trás deste evangelho, mas ainda existem dificuldades. DODD provavelmente seja o maior defensor moderno de uma tradição histórica independente na base deste evangelho, e, todavia, ele não considera como provável a autoria joanina (*Tradition*, p. 17[1]). A dificuldade fundamental é que, enquanto em alguns casos a forma de uma narrativa ou dito subjacente o relato joanino seja mais primitivo que a forma subjacente ao relato sinótico, em outros casos ela é mais desenvolvida. Como pode tal desenvolvimento conciliar-se com a teoria de que a forma se origina de uma testemunha ocular que presumivelmente recordaria exatamente o que aconteceu?

Ao tratar dos evangelhos sinóticos, onde há também marcante desenvolvimento na tradição histórica subjacente, os críticos enfatizam que os próprios evangelistas não foram testemunhas oculares e que as tradições que usaram permaneceram, em sua maior parte, em alguma distância no tempo e maturidade do testemunho ocular. Entretanto, em Marcos parece haver com frequência cenas que aparentemente têm característicos oculares diretos, presumivelmente porque, nestes casos, Marcos está se valendo do testemunho ocular de Pedro. Alguns dos aspectos na tradição histórica que subjaz a João denunciam memórias que podem ter vindo, sem alteração, de uma testemunha ocular (ver Parte III:A, p. 29). Mas se alguém atribui toda a tradição histórica a uma testemunha ocular, então esse mesmo proporia que esta testemunha ocular exerceu considerável liberdade em adaptar e desenvolver suas memórias do que Jesus disse e fez. Isto não parece improvável se nos lembrarmos de que um que se presume ser a testemunha ocular, João, filho de Zebedeu, era também apóstolo comissionado a pregar Jesus aos homens. Necessariamente, ele teve que adaptar ao seu auditório a tradição da qual ele era uma testemunha viva. A concepção da testemunha apostólica como um reportar imparcial cujo principal interesse era a detalhada exatidão das memórias que ele relatou constitui um anacronismo. (Sobre esta questão, a discussão da Comissão Bíblica Pontifícia Católica de 21 de abril de 1964 é de interesse para deixar bem claro que as testemunhas apostólicas não foram canais passivos da tradição: "Interpretaram suas palavras e feitos em conformidade com as necessidades de seus ouvintes").

Em suma, pois, a questão de se a tradição histórica subjacente a João veio de uma testemunha ocular como João, filho de Zebedeu, só pode ser respondida cientificamente em termos de probabilidade. Em um prato da balança está o fato de que esta tradição mostra desenvolvimento. Isto não constitui um obstáculo insuperável, e pessoalmente cremos que se compensa com a antiga tradição e o próprio evangelho reivindica que ele representa o testemunho de uma testemunha ocular. Assim, não pensamos ser anti-científico manter que João, filho de Zebedeu, provavelmente fosse a fonte da tradição histórica por detrás do Quarto Evangelho.

Agora podemos voltar à questão de se uma testemunha ocular (João) fosse também o responsável pelo Segundo Estágio até o Quarto Estágio, pela composição do evangelho, onde a tradição histórica foi formada por narrativas dramáticas e polidas e por longos discursos e, finalmente, por um evangelho cuidadosamente redatado. Aqui, as dificuldades são mais formidáveis. Por exemplo, é realmente concebível que uma testemunha ocular fosse responsável pela forma *final* do relato de como Maria ungiu a Jesus (12,1-7)? Se a crítica moderna tem alguma validade, então a unção dos pés de Jesus representa um amálgama de detalhes diversos de dois relatos independentes, em um deles uma mulher ungiu a cabeça de Jesus e no outro uma mulher pecadora enxugou e seus cabelos caíram sobre seus pés. Assim, neste e em muitos outros casos há uma considerável distância entre o que está agora no evangelho e o que a investigação crítica reconstruiria como a cena ou dito real no ministério de Jesus – uma distância que envolve simplificação, ampliação, organização, dramatização e desenvolvimento teológico. Os estudiosos divergirão na avaliação desta distância, mas todos concordarão que *há* uma distância. Só com grande dificuldade é que o processo responsável por tal desenvolvimento pode ser atribuído a uma testemunha ocular.

Aqui, em nossa opinião, as probabilidades favorecem outra solução, pois podemos fazer uso da antiga evidência de que os discípulos de João exerceram certo papel na composição do evangelho. Acima, favorecemos a sugestão de que João, filho de Zebedeu, foi a fonte da tradição histórica subjacente que já havia tido algum desenvolvimento em sua própria pregação. É bem possível que seus discípulos, imbuídos com seu espírito e sob sua diretriz e estímulo, pregaram e desenvolveram ainda mais suas reminiscências, segundo as

VII • Identidade do autor e local da composição

necessidades da comunidade à qual ministravam. Visto que o evangelho parece implicar que o DA viveu mais tempo do que a maioria das outras testemunhas oculares, não precisamos pressupor que a fonte da tradição histórica havia cessado no início da pregação dos discípulos, pois poderiam voltar ao seu mestre e compartilhar grande parte de suas experiências com o ministério de Jesus. (Em parte, isto pode explicar o fato de que alguns dos relatos joaninos mostram maior polidez e desenvolvimento do que outros relatos). Em particular, proporíamos *um só discípulo principal* cuja transmissão do material histórico recebido de João foi caracterizada por um gênio dramático e profunda visão teológica, e é a pregação e ensino deste discípulo que deram forma aos relatos e discursos ora encontrados no Quarto Evangelho. Em suma, este discípulo teria sido responsável pelos Segundo Estágio até o Quarto Estágio na composição do evangelho como os temos proposto. Foi sugerida uma analogia por GÄECHTER (ZKT 60 [1936], 161-87): a relação entre o discípulo que escreveu o Quarto Evangelho e a testemunha ocular que foi sua fonte não é diferente da relação entre Marcos e Pedro. (Dispensar dizer que esta analogia teria de ser qualificada). Não damos nome ao discípulo-evangelista do Quarto Evangelho, ainda que alguém se deixe atrair pela hipótese de João o Presbítero.

Pode-se suscitar a objeção de que, se João, filho de Zebedeu, foi apenas a fonte da tradição histórica, então o discípulo-evangelista foi o autor real do evangelho; e na realidade o evangelho não seria o Evangelho segundo João. A mesma analogia de Marcos e Pedro pode ser usada contra nossa teoria, pois, além do mais, o segundo evangelho não surgiu como o Evangelho segundo Marcos, nem como o evangelho segundo Pedro. Há dois pontos que podem ser formulados em resposta a esta objeção.

Primeiro, na mentalidade cristã primitiva, as raízes apostólicas de uma obra realmente eram mais dignas de nota do que as contribuições dos que realmente compuseram e escreveram a obra. Os estudiosos diferem em seus critérios sobre a autoria do NT, mas *alguns* evocariam tal princípio para explicar a atribuição de 2 Pedro a Pedro e as Pastorais a Paulo. O fato de que o segundo evangelho foi atribuído a Marcos e não a Pedro provavelmente não deva ser resolvido em termos de quanto ou quão pouco Marcos examinou detidamente a tradição de Pedro, e sim em termos do fato de que Marcos era conhecido na Igreja primitiva como companheiro de Paulo, Barnabé e Pedro. (Assim, assumimos que a identificação moderna de Marcos com João Marcos seja correta, mesmo que essa identificação pareça ter sido ignorada no 2º século). O primeiro evangelho reflete uma situação que é justamente o oposto. A relação do primeiro evangelista com Mateus provavelmente fosse mais tênue do que a dependência que Marcos teve de Pedro; mas o primeiro evangelista não era uma figura bem conhecida, e assim seu evangelho veio a ser designado de acordo com sua fonte apostólica um tanto distante. O fato de que o discípulo-evangelista do Quarto Evangelho não era famoso provavelmente fosse um fato na atribuição daquele evangelho.

Mas há uma *segunda* consideração mais importante. Sugerimos que a relação de João com seus discípulos fosse muito mais estreita do que a relação de Pedro com Marcos (que em seus primeiros dias era mais íntimo de Paulo), e que o Quarto Evangelho realmente está no espírito de João. Admitidamente, aqui estamos especulando, mas as antigas referências aos discípulos de João parecem implicar certa intimidade entre o mestre e os que se reuniram em torno dele. E assim, quando falamos os discípulos, estamos pensando em homens totalmente formados nos próprios padrões do pensamento de João. Em nossa compreensão pessoal do evangelho, não seria exato dizer que a influência de João se confinasse à provisão da tradição histórica, pois o desenvolvimento deste material no Segundo Estágio até o Quarto Estágio é uma continuação nos moldes do desenvolvimento já encontrado no Primeiro Estágio. (E essa é a razão por que às vezes é muito difícil estar seguro se um aspecto particular de um relato ou exposição de um dito de Jesus pertence à tradição histórica ou é parte de interpretação subsequente). Além do mais, o evangelho parece implicar, ao menos no capítulo 21, que o DA permaneceu vivo como uma influência contínua através do período em que o evangelho estava sendo escrito, de modo que se pode dizer (21,24): "É ele quem escreveu estas coisas" (i.e., fez com que fossem escritas – ver nota). Em contrapartida, isto não significa que o discípulo-evangelista pudesse ser reduzido ao papel de secretário de João, mas, ao contrário, que a real contribuição formativa do discípulo ao evangelho refletiu estreitamente a perspectiva de seu mestre.

Como mencionamos na Segunda Parte, pode-se encontrar alguma evidência desta teoria no fato de que existem várias obras joaninas (Evangelho, Epístolas e Apocalipse) que partilham de ambiente teológico distintivo, porém trazem a lume diferenças de estilo e desenvolvimento. BARRETT, p. 113, tem sugerido que os diferentes alunos reunidos em torno de João foram responsáveis pelas três obras (embora as Epístolas sejam mais subdivididas). Ele pensa que Apocalipse é a obra que é mais diretamente de João, pois é muito mais primitiva e semítica do que o estilo mais polido das Epístolas e do evangelho. Se alguém se sente inclinado a propor escritores diferentes para o evangelho e as Epístolas, sua proximidade pareceria indicar que seus escritores pertenceram à mesma escola de pensamento; e assim a sugestão de que foram diferentes discípulos de João é bem plausível. (Deixaremos para a Introdução às Epístolas uma discussão completa desta questão e uma exposição de nossos pontos de vista pessoais). E, naturalmente, descobrimos a mão de outro discípulo de João, e provavelmente um estreitamente associado ao evangelista, na redação final do evangelho (Quinto estágio).

Uma vez mais, a fim de sermos perfeitamente claros, não temos ilusões de que a teoria da autoria apresentada nesta discussão tenha sido ou possa ser provada. É uma teoria *ad hoc*, formulada com a intenção de fazer a máxima justiça possível à evidência antiga, ao testemunho do próprio evangelho e às claras exigências da erudição crítica. Ela não satisfará a alguém que se convence de que somente uma destas três fontes de conhecimento sobre a autoria do evangelho necessita de ser levada a sério.

D. LOCAL DA COMPOSIÇÃO

As antigas tradições sobre a composição de João mencionam Éfeso, e mencionaremos abaixo a evidência interna em favor de Éfeso. Mas, antes de tudo, consideremos os outros candidatos.

Alexandria tem tido seguidores certos (STATHER HUNT, BROOMFIELD, J. N. SANDERS, por enquanto). A ampla circulação de João no Egito, como atestado pelos papiros, é um fator aqui. Não obstante, exige-se prudência, pois uma razão pela qual há papiros egípcios de qualquer obra é que o clima do Egito era mais favorável do que o de outros centros cristãos para a sobrevivência dos papiros. O fato de que Alexandria era a pátria de FILO, dos autores do *Corpus Herméticos* e do VALENTINO gnóstico tem sido de alguma importância no pensamento dos estudiosos que mantêm que o evangelho foi influenciado por uma ou outra dessas escolas de pensamento.

Antioquia da Síria é outra candidata, e uma endossada por W. BAUER e BURNEY. A possibilidade de que INÁCIO de Antioquia se valesse de João é um importante fator aqui. Se há ou não dependência literária direta, o fato de que há similaridades na teologia de INÁCIO com os temas joaninos é bastante para suscitar a questão de se vieram da mesma região. Há evidência de uma tradição entre escritores latinos de que INÁCIO foi discípulo de João (paráfrases por RUFINO de EUSÉBIO *Hist.* III 36:1-2 [GCS 9^1:275] e por JERÔNIMO de EUSÉBIO *Crônicas* [GCS 47:193-4]). Para evidência siríaca da mesma tradição nos séculos quarto e sexto, ver C. F. BURNEY, *The Aramaic Origins of the Fourth Gospel* [As Origens Aramaicas do Quarto Evangelho] (Oxford: Clarendon, 1922), p. 130. Outros extraem um argumento das relações entre 1 João e Mateus, visto que o último é geralmente tido como sendo um evangelho da Síria. Não obstante, a falta de paralelos estreitos entre João e Mateus tem tornado argumento duvidoso. Todavia, outro argumento está baseado nas semelhanças entre João e as *Odes de Salomão*, uma obra siríaca; realmente nada existe aqui que nos convença de que o evangelho fosse escrito na Síria.

Éfeso ainda permanece tendo a primazia para a identificação como sendo o local onde João foi composto. Além disso, a voz quase unânime das antigas testemunhas que tratam do tema, temos um argumento dos paralelos entre João e o Apocalipse, pois a última obra pertence claramente à área de Éfeso. O motivo anti-sinagoga no evangelho (ver Sexta Parte, p. 80ss) faz sentido na região de Éfeso, pois Ap 2,9 e 3,9 atesta amargas polêmicas anti-sinagogas nesta área da Ásia Menor. Se há no evangelho uma polêmica contra os discípulos de João Batista, só há menção neotestamentária de discípulos batizados com o batismo de João em um lugar fora da Palestina – Éfeso (At 19,1-7). Se há paralelos entre João e os rolos de Qumran, acaso é acidental que paralelos sejam quase visíveis em Colossenses e Efésios, epístolas dirigidas à região efésia? Qualquer incipiente polêmica anti-docética e anti-gnóstica também teria sido numa cena doméstica de Éfeso.

A questão do local da composição do evangelho não é de extrema importância; porém nada há na evidência interna que dê maior suporte a qualquer outra teoria do que a de uma atestação antiga; a saber, que o evangelho foi composto em Éfeso.

BIBLIOGRAFIA

BRUNS, J. E., *"John Mark: A Riddle within the Johannine Enigma"*, Scripture 15 (1963), 88-92.

_____ *"The Confusion between John and John Mark in Antiquity"*, Scripture 17 1965), 23-26.

ECKHARDT, K. A., *Der Tod des Johannes* (Berlin: De Gruyter, 1961). Ver review in CBQ 24 (1962), 218-19.

FILSON, F. V., *"Quo Was the Beloved Disciple?"* JBL 68 (1949), 83-88.

DRAGERUD, A., *Der Lieblingsjünger im Johannesevangelium* (Oslo University, 1959). Ver review por M.-E. Boismanrd, RB 67 (1960), 405-10.

NUNN, H. P. V., *The Authorship of the Fourth Gospel* (Oxford: Blackwell, 1952).

PARKER, P. *"John and John Mark"*, JBL 79 (1960), 97-110.

_____ *"John the Son of Zebedee and the Fourth Gospel"*, JBL 81 (1962), 35-43.

SANDERS, J. N. *"St. John on Patmos"*, NTS 9 (1962-63), 75-85.

VIII
QUESTÕES CRUCIAIS NA TEOLOGIA JOANINA

Obviamente, um comentário não oferece espaço a um longo tratamento da teologia joanina. Entretanto, a abordagem que se assume para certas questões disputadas na teologia joanina contribui para determinar toda sua perspectiva no propósito e composição do evangelho. Estas questões seletas serão aqui discutidas sucintamente.

A. ECLESIOLOGIA

A questão de se há em João uma teologia da Igreja tem se tornado uma questão candente nos estudos joaninos. Para BULTMANN, o evangelista foi um gnóstico converso, e uma das fontes básicas do evangelho era gnóstica; portanto, não se pode esperar que o Quarto Evangelho mostre um verdadeiro sentido da tradição, ordem eclesiástica, história da salvação ou dos sacramentos (*Theology*, II, pp. 8-9,91). Em João (4,23), a Igreja é um conjunto de indivíduos unidos por uma fé pessoal em Jesus, em vez de ser o povo de Deus descendido de Israel. Em João, não há ênfase sobre a unidade orgânica da Igreja. E. SCHWEIZER, *art. cit.*, não partilha das pressuposições gnósticas de BULTMANN, mas suas conclusões sobre a eclesiologia joanina não são muito diferentes. Em contrapartida, para BARRETT, p. 78, o quarto evangelista é mais cônscio da existência da Igreja do que qualquer outro evangelista. O. CULLMANN, "L'évangile johannique et l'histoire du salut", NTS 11 (1964-65), 111-22, contradiz vigorosamente a pretensão de BULTMANN de que João perdeu a perspectiva da história da salvação.

Antes de trazer o problema a tona, temos de fazer certas considerações metodológicas. O argumento do silêncio (i.e., um argumento baseado em uma omissão significativa) exerce um importante papel na visão minimalista da eclesiologia joanina. Um princípio tácito parece ser que aquilo que João não menciona é que a isso se opõe, ou, ao menos, considera de importância mínima. Tal pressuposição não está isenta de riscos, como esperamos demonstrar.

Como nosso *primeiro* exemplo do argumento do silêncio, podemos mencionar a alegação de que muitos termos eclesiais não se encontram em João. O estudioso católico, D'ARAGON, *art. cit.*, observa que não encontramos em João descrições da comunidade cristã como "igreja", ou como "povo de Deus", ou como "corpo de Cristo". Não há imagem da comunidade como um edifício. Outros termos eclesiais ocorrem apenas raras vezes: "noiva" (3,29); "reino de Deus" (3,3,5); "aprisco" (10,16). Mas, como tal silêncio deve ser avaliado? Os termos citados são termos eclesiais neotestamentários; mas, com a exceção de "reino de Deus", realmente não são termos *evangélicos*. Como os evangelhos sinóticos fariam se este critério de eclesiologia lhes fosse aplicado? Nestes três evangelhos, o termo "igreja" no sentido estrito ocorre somente em Mt 16,18 (ver Mt 18,17). Em Marcos, somente em uma passagem (2,19-20) há certo uso da imagem da noiva/noivo para descrever a relação de Jesus com seus discípulos, e Marcos não usa o conceito de "povo de Deus". Aqui, a dificuldade real não seria que a terminologia eclesial de João está sendo comparada com a de obras que não estão nos evangelhos, por exemplo, as epístolas paulinas? A presunção tácita parece ser que, se João estava interessado na Igreja, João seria tão livre como as epístolas paulinas no uso do vocabulário eclesial. Entretanto, se há validade a afirmação de que João era dependente de uma tradição histórica das palavras de Jesus, então houve limites mais estreitos impostos ao vocabulário usado no evangelho. Por certo que o pensamento joanino representa um desenvolvimento e amplificação do que Jesus ensinara durante seu ministério, mas o formato de um evangelho tornou imperativo expressar este desenvolvimento em termos que fosse razoavelmente fiel ao vocabulário de Jesus. Não podemos esperar encontrar o evangelista colocando flagrante anacronismo nos lábios de Jesus – por exemplo, encontrar o Jesus joanino falando sobre seu corpo que é a Igreja.

A *segunda* consideração metodológica sobre o argumento do silêncio diz respeito a comparações feitas entre João e os outros evangelhos. Tem-se observado que João falha em registrar algumas das expressões e cenas eclesiais registradas nos evangelhos sinóticos. Por exemplo, Schweizer, p. 237, diz de João: "Ele não faz menção ou da eleição (Mc 3,13ss.) ou do envio dos discípulos (Mc 6,7ss.)". Como veremos abaixo, outros estudiosos caracterizam João como não sacramentalista, porque o Quarto Evangelho omite as cenas pertinentes à eucaristia e o batismo, as quais se encontram nos sinóticos. Todavia, a seleção de cenas evangélicas em grande medida foram determinadas pelo propósito do evangelista, e não se deve esperar que todos os evangelhos expressem sua eclesiologia nos mesmos termos. É verdade que João ignora a missão apostólica dos discípulos? Realmente, João não dá uma lista dos Doze e não tem nenhuma cena pelo Mar da Galileia onde os discípulos são chamados a deixar sua pesca e a seguir Jesus. Mas, acaso a cena em 1,35-50 não é o equivalente joanino da eleição dos discípulos? Esta eleição é pressuposta em 6,70; 13,18 e 15,16. Em 15,16; 17,18; 20,21 reflete-se uma missão dos discípulos e está inclusa em 21,1-11. Assim, a ideia da missão dos Doze não está ausente em João, mas é expressa em termos que são diferentes de sua apresentação nos evangelhos sinóticos. De modo semelhante, não representa a verdade dizer que João não incluiu nenhuma cena de uma aliança com um novo povo de Deus, só porque João deixou de registrar as palavras de Jesus sobre o sangue da aliança (Mc 14,24). O tema da aliança aparece em Jo 20,17 em outra forma: "Eu estou subindo... para meu Deus e vosso Deus". Este dito adapta à nova situação cristã a fórmula pactual de Lv 26,12 e Ex 6,7: "Eu serei o vosso Deus".

Às vezes o argumento do silêncio pode ser distorcido; pois é possível que certas coisas não sejam mencionadas em João, não porque o evangelista discorde delas, mas porque ele as pressupõe. Se o evangelho foi escrito para mostrar aos cristãos que sua vida na Igreja estava radicada no próprio ministério de Jesus, então, mui logicamente, podemos suspeitar que o evangelista estivesse pressupondo a existência de situações e ordem eclesiásticas, e não sentiu necessidade de provar a importância da Igreja no viver cristão. Se o evangelista enfatizou a união individual com Jesus, esta necessidade não se deu porque o evangelista fizesse oposição ao aspecto intermediário da Igreja e dos sacramentos, mas talvez porque fizesse oposição ao formalismo que

VIII • Questões cruciais na teologia joanina

é o inevitável perigo das instituições e práticas estabelecidas. É bem provável que o propósito do evangelista não fosse o desvio dessas instituições, e sim a tentativa de resguardar sua significação. É possível que não tenha sido seu desdém da Igreja, e sim o temor de que a Igreja fosse interpretada gradualmente como uma entidade independente do Jesus histórico. Assim, deve-se ser extremamente cuidadoso em inferir o motivo do evangelista de seu silêncio.

Em particular, a abordagem que BULTMANN faz do evangelho o deixa aberto a objeções metodológicas sobre a questão da eclesiologia (e dos sacramentos). BULTMANN reconhece que no evangelho, como ora o temos, há claras referências aos sacramentos e à história da salvação, porém considera estes como adições do Redator Eclesiástico que impôs eclesiologia no evangelho original. Algumas vezes há sólidas razões extraídas da crítica literária de atribuir tais passagens à redação final do evangelho; mas, em outros casos, como veremos no comentário (p. ex., 19,34), suspeita-se que uma passagem é atribuída ao redator precisamente porque ela é sacramental. Além do mais, como temos insistido, o conceito do redator como alguém que corrige a teologia do evangelista está longe de ser provado. Se estivermos certos em pensar no redator como um discípulo de João e co-discípulo do evangelista, então a eclesiologia mais óbvia de cenas anexadas pelo redator pode ser simplesmente uma clarificação e ampliação da própria perspectiva do evangelista.

Isto nos leva nossa *terceira* e última observação metodológica. Justamente como Atos é usado lado a lado com o evangelho de Lucas em um estudo da teologia lucana, assim também as outras obras da escola joanina, Epístolas e Apocalipse, devem ser consultadas antes de generalizar acerca do ponto de vista joanino da Igreja. FEUILLET e SCHNACKENBURG têm feito isso em seus estudos; e sua interpretação da eclesiologia joanina é, em minha opinião, muito mais satisfatória do que a dos estudiosos que parecem propor uma oposição necessária entre estas obras, mesmo quando "os escritos joaninos" tenham tanto em comum no que se refere ao estilo, ideologia e terminologia. As limitações impostas a um evangelho por seu formato e seu propósito nos advertem que um evangelho necessariamente será um mostruário incompleto aos pensamentos de seu autor. Ora, se João, 1-3 João e Apocalipse têm sua origem em escritores diferentes dentro da escola joanina, deve-se esperar que tais escritores não concordem em cada ponto.

Não obstante, mui amiúde estes outros escritos seriam suficientes para ajudar-nos a preencher pontos na teologia joanina sobre os quais o evangelho manteve silêncio. Recorrer a outras obras joaninas é, em muitos casos, muito menos arriscado do que aquelas reconstruções especulativas do pensamento do evangelista que têm como bases o que ele *não disse*.

Com tais cautelas na mente, volvamo-nos a alguns dos pontos discutidos na eclesiologia joanina. A questão de se João perdeu ou não a perspectiva da história da salvação será tratada na escatologia. Aqui, porém, podemos dizer que haveria alguma qualificação da alegação feita por SCHWEIZER, p. 240, de que João não retrata a Igreja como um povo baseado num ato de Deus na história. Para João, não é possível nenhuma vida cristã sem a morte, ressurreição e ascensão de Jesus, pois aquele ato salvífico de Deus na história é a fonte do Espírito, o qual é o princípio da vida cristã. João não pode usar o termo "povo" para descrever aqueles cujo status cristão é dependente deste ato de Deus; mas, como passamos a ver agora, isso não exclui outros modos possíveis de indicar a existência da unidade entre os crentes.

(1) *A questão da comunidade*. A ênfase em João sobre uma relação individual com Jesus exclui o conceito de comunidade que é essencial para a eclesiologia? Por exemplo, tem-se alegado que o quarto evangelista tomou a vinha, símbolo veterotestamentário para a nação de Israel, e a adaptou à figura de uma videira que representa Jesus e os ramos que representam os cristãos. Agora, o motivo do símbolo não é a coletividade, e sim a dependência de Jesus. Não obstante, o simbolismo da videira e dos ramos não é tão simples. Como salientaremos no comentário sobre o capítulo 15 [no volume II], a LXX, no Sl 80,14-15, já identificou a videira com o "filho do homem", e assim a identificação da videira como Jesus pode ter tido raízes, por assim dizer, em uma antiga tradição. O fato de que em Dn 7 um "filho do homem" é uma figura humana que representa todo o povo de Deus, e, assim, é uma pessoa corporativa, nos adverte em classificar com tanta facilidade o uso joanino da videira e dos ramos como estritamente individualista.

À alegação de que João enfatiza a unidade com Jesus à custa da comunidade, devemos notar a oração de Jesus em 17,22: "... para que sejam um". Ademais, podemos questionar se na concepção neotestamentária há uma distinção aguda entre união pessoal com Jesus e a comunidade. É interessante que em Qumran, por exemplo, a palavra *yaḥad*, que é o nome para comunidade, enfatiza a unidade dos membros. Um fator muito importante nesta unidade é a aceitação de uma interpretação particular da Lei. *Mutatis mutandis*, a mesma ideia seria aplicável à comunidade cristã e à adesão dos membros a Jesus. Uma das lições do símbolo da videira e dos ramos é que, se alguém deve permanecer na videira como um ramo, esse alguém deve permanecer no amor de Jesus (15,6). Todavia, esse amor deve ser expresso em amor para com o crente como irmão/irmã (15,12). Nenhum evangelho enfatiza tanto quanto faz João, a ponto de que o amor cristão seja um amor de co-discípulo de Jesus e, portanto, um amor no interior da comunidade cristã.

Tampouco a videira é a única metáfora importante do evangelho em relação ao conceito joanino de comunidade. Há também a imagem do rebanho e do aprisco no capítulo 10. Alguns têm objetado que nesta parábola "rebanho" ou "ovelha" é mencionado somente uma vez (10,16). Mas a imagem do aprisco que percorre implicitamente o todo é também símbolo da comunidade. No corpo maior da literatura joanina, encontramos uma forte ênfase sobre a comunidade cristã. 1Jo 2,19 descreve os anticristos como aqueles que têm se excluído da comunidade cristã. Ap 19,6-8 e 21,2 usa a imagem da noiva de Cristo (também Jo 3,29); e Ap 21,3 se reporta ao povo de Deus, apresentando implicitamente os cristãos como os herdeiros do Israel de outrora. É verdade que no Quarto Evangelho não há ênfase sobre a continuidade de sangue com Israel, um problema que deixou Paulo aturdido. Para João, o verdadeiro israelita é Natanael (1,47) que crê em Jesus. O verdadeiro israelita não nasce da linhagem carnal (1,13), mas é gerado da água e do Espírito (3,5); é filho de Deus, não porque Israel seja filho de Deus, mas porque ele é crente (1,12). Mas estes crentes estão atados à comunidade através da fé em Jesus e seu amor uns para com os outros, e são ajuntados do mundo inteiro em um só povo (11,52).

(2) *A questão da ordem eclesiástica*. A figura joanina da videira é salientada (p. ex., Schweizer, p. 236), a saber, enquanto ambas as figuras retratam Jesus como a fonte da vida, não há nenhuma ênfase no símbolo de João sobre as diferentes funções dos vários membros da comunidade. Para João, o importante é que os membros estejam unidos a Jesus, e não há ênfase de que alguns ramos são os canais através dos quais a vida passa de Jesus para os outros. Através do argumento do silêncio, isto pode implicar que não há em João nenhum

sentido de organização eclesiástica. (Schweizer, p. 237), diz da imagem joanina da Igreja: "Não tem sacerdotes nem oficiais. Já não há qualquer diversidade de dons espirituais. ... Não há absolutamente ordem eclesiástica"). Mas, seria esta é uma dedução válida? Aqui se aplicam todas as nossas cautelas prévias sobre o argumento do silêncio. Do simbolismo da videira e dos ramos, por exemplo, se pode concluir que o evangelista deseja frisar a união com Jesus, e esta ênfase se adequa ao propósito do evangelho. Mas, ir além disso, e propor que o evangelista se opõe ou é indiferente a uma Igreja estruturada, é demasiadamente temerário.

Em termos concretos, há passagens em João que implicam uma organização entre os que creem em Jesus. No tratamento joanino dos discípulos há um duplo aspecto. Amiúde eles são o modelo para todos os cristãos. Como diz Via, p. 173: "Para João, os discípulos representam a Igreja ou são a Igreja em miniatura, de modo que, o que ele diz sobre os discípulos, compreende a Igreja". Entretanto, em algumas passagens onde Jesus fala do futuro, os discípulos assumem os aspectos de líderes da Igreja. Em Jo 21,15-17, a Pedro se confia o cuidado pastoral sobre o rebanho. Em 4,35-38 e 13,20, subentende-se que os discípulos exercem um papel na missão cristã; e 20,23, a eles se dá poder autoritativo de absolver ou reter os pecados dos homens. As outras obras da escola joanina apresentam um sentido de organização eclesiástica. 1Jo 2,24 subentende-se um ensino autoritativo. Ap 21,14 descreve a Jerusalém celestial como edificada sobre os fundamentos dos Doze Apóstolos. A descrição da corte celestial em Ap 4 bem que pode refletir o arranjo da distribuição das autoridades eclesiásticas na liturgia terrena no tempo do escritor. No entanto, o fato de que as referências procedem de diferentes tons na literatura joanina torna difícil fazer um juízo global da concepção que o evangelista tinha de organização eclesiástica.

(3) *A questão do reino de Deus*. A omissão em João da fórmula *basileia tou theou*, "reino de Deus [ou do céu]", exceto para 3,3,5, constitui um problema difícil, ainda que um obstáculo não tão difícil para a escatologia joanina como poderia parecer à primeira vista. A ênfase sinótica sobre *basileia* que se faz presente em Jesus parece ter-se tornado em João uma ênfase sobre Jesus que é *basileia* ("rei") e que reina. João se refere quinze vezes a Jesus como rei, quase o dobro do número de vezes que esta referência ocorre em qualquer dos outros evangelhos.

VIII • Questões cruciais na teologia joanina

Além do mais, as parábolas que os sinóticos associam a *basileia* parece dar lugar em João à linguagem figurativa centrada na pessoa de Jesus. Se *basileia* nos sinóticos é como o fermento agindo numa massa de pão, o Jesus joanino é o pão da vida. Se há uma parábola sinótica do pastor e da ovelha perdida, o Jesus joanino é o modelo de pastores. Se os sinóticos registram uma parábola em que *basileia* é como a vinha que será cedida a outros (Mt 21,43), o Jesus joanino é a videira.

Em certa extensão, esta mudança de ênfase significa que em João há menos referência aparente à coletividade do que há no conceito sinótico de *basileia*. Mas não devemos exagerar. Se Jesus é o rei de Israel, então ele tem um Israel de crentes a governar; se Jesus é o pastor, então tem um rebanho que tem de ser congregado; se Jesus é a videira, então há ramos na videira. Além do mais, ao comparar o simbolismo dos sinóticos e de João sobre este pondo, devemos ter um entendimento preciso do que está implícito nos evangelhos sinóticos por *basileia tou theou*. A ênfase primária nesta expressão está no reinado ou governo de Deus, e não em seu reino – algo ativo está implícito, não algo estático; não um lugar ou instituição, mas o exercício do poder de Deus sobre as vidas dos homens. Assim, *basileia tou theou* não é simplesmente a Igreja, e a raridade da expressão em João não reflete necessariamente uma falta de apreciação pela Igreja. Ao enfatizar o papel de Jesus como *basileia* e ao usar linguagem parabólica do próprio Jesus (em vez de "o reinado de Deus"), talvez João apresente mais claramente do que os sinóticos o papel de Jesus na *basileia tou theou*. Mas tal clareza é mais compreensível em termos do propósito deste evangelho.

Em suma, há em João passagens que fornecem um quadro de uma comunidade de crentes congregados por aqueles a quem Jesus enviou. Esta comunidade é estruturada, pois alguns são pastores (ao menos Pedro de acordo com 21,15-17) e outros são ovelhas. Que tal eclesiologia não recebe maior ênfase no evangelho é mais inteligível se o evangelista estava tomando por admitido a existência da Igreja, sua vida e instituições, e tentando relacionar esta vida diretamente a Jesus. Que este foi o caso e que o evangelista não se opunha a uma Igreja organizada é sugerido pelas outras obras joaninas. Em 1 João, encontramos uma comunidade ortodoxa e justa da qual os hereges são excluídos; no Apocalipse, encontramos um forte sentido da continuidade entre a Igreja cristã organizada sobre os Doze Apóstolos e o Israel do AT oriundo das doze tribos.

B. SACRAMENTALISMO

Talvez nenhum outro ponto do pensamento joanino haja uma divisão tão incisiva entre os estudiosos como há sobre a questão do sacramentalismo. Em contrapartida, há um grupo de estudiosos joaninos, incluindo, respectivamente, protestantes (Cullmann, Corell) e católicos (Vawter, Niewalda), que encontra em João referências sobre os sacramentos. Esta avaliação sacramental do Quarto Evangelho tem sido popularizada na França pelo comentário de Bouyer sobre João e na América por D. M. Stanley em uma série de artigos na revista litúrgica católica *Worship*. Em geral, os comentários britânicos de Hoskyns, Lightfoot e Barrett têm se revelado decisivamente favoráveis ao sacramentalismo joanino. Barrett, p. 69, afirma: "... há mais ensino sacramental em João do que nos outros evangelhos". Todos estes estudiosos tendem a ver referências simbólicas ao batismo em passagens joaninas que mencionam água e à eucaristia em passagens joaninas que tratam de refeições, pão, vinho e videira. Um âmbito ainda mais amplo de referência sacramental tem sido proposto pelos escritores católicos, por exemplo, ao casamento em Caná e à extrema unção na cena da unção dos pés (12,1-8). Em nosso artigo (cf. p. 143, bibliografia) sobre o tema, pp. 205-6, damos uma lista de umas vinte e cinco referências sacramentais propostas em João! Quase todas estas referências sacramentais propostas são à moda de simbolismo. A explicação de por que o evangelista apresentou os sacramentos através de simbolismo parece jazer neste princípio: o reconhecimento de que a profecia veterotestamentária que teve um cumprimento no NT criou uma sensibilidade cristã à tipologia; portanto, era inteligível apresentar as palavras e ações de Jesus como tipos proféticos dos sacramentos da Igreja. Cullmann enfatiza que o batismo e a eucaristia eram familiares às comunidades cristãs primitivas, e que, portanto, as referências simbólicas a eles seriam facilmente reconhecidas. Ao associar Batismo e Eucaristia com as próprias palavras e ações de Jesus, João está uma vez mais tentando mostrar as raízes da vida eclesial no próprio Jesus.

Em contrapartida, há outro grupo de estudiosos joaninos que não veem em João referências aos sacramentos. Entre os que assumem um ponto de vista mínimo de sacramentalidade joanina pode-se enumerar Bornkamm, Bultmann, Lohse e Schweizer, notando, contudo, que seus pontos de vista variam amplamente. Em geral, baseiam sua tese na falta de referências patentes ao batismo e à eucaristia em João. João não narra a ação eucarística de Jesus na última ceia nem um mandamento batismal explícito como Mt 28,19. Além do mais, alguns insistiriam que, ao centrar a salvação na aceitação pessoal de Jesus como o enviado de Deus, João criou uma atmosfera teológica que evitariam elementos intermédios como os sacramentos. A ênfase em João é sobre a palavra, não sobre o sacramento. Já chamamos a atenção para a atribuição de Bultmann para o Redator Eclesiástico do que ele considera as três referências claramente sacramentais no evangelho (ver p. 14). Quanto às referências simbólicas aos sacramentos, estes estudiosos da escola não sacramentalista simplesmente considerariam a descoberta de muito deste simbolismo como eisegesis.

Como devemos julgar esses pontos de vista radicalmente opostos? Há pontos válidos formulados de cada lado. Comecemos com as referências joaninas mais explícitas aos sacramentos, aquelas que Bultmann relega ao Redator Eclesiástico. Será visto no comentário sobre 6,51-58 que concordamos com Bultmann e Bornkamm de que há razões válidas para se pensar que estes versículos foram anexados ao capítulo 6. Sem considerar os argumentos literários válidos em prol de tal ponto de vista, alguns dos intérpretes sacramentalistas de João têm enfraquecido sua própria postura. Mas, ainda que uma referência mais explícita a um sacramento, como 6,51-58, seja uma adição, ainda surge a questão se tal adição se destinava a corrigir a teologia do evangelista ou tornar seu pensamento mais explícito. Köster, *art. cit.*, pp. 62-63, é perfeitamente correto, por exemplo, ao insistir que já houve um elemento cúltico e sacramental presente no capítulo 6 mesmo sem 51-58. Portanto, o reconhecimento de que algumas das referências sacramentais explícitas pertencem à redação final não significa qualquer aceitação da teoria de que o evangelho original era não sacramental e anti-sacramental. É uma questão de ver diferentes graus de sacramentalidade na obra do evangelista e na do redator final.

Quando voltamos às referências joaninas implícitas e simbólicas aos sacramentos, cremos que muitos dos intérpretes sacramentalistas não têm usado critério realmente científico em determinar a presença de símbolos sacramentais. Seu princípio diretivo parece ser que, visto que uma passagem pode ser entendida sacramentalmente, sua intenção era sacramental. Não só Bultmann, mas a maioria dos estudiosos conservadores como Michaelis e Schnackenburg tem detectado o perigo de eisegesis aqui. Para algumas das referências sacramentais propostas por Cullmann e Niewalda não há no contexto evidência de que a intenção do evangelista era esta para a passagem. Diante desta dificuldade, Niewalda tem posto de lado, como impraticável, a busca de indicações internas da intenção sacramental do autor. Ele recua a uma evidência externa, a saber, uma indicação, nos primeiros séculos, de que uma passagem de João era entendida como uma referência simbólica a um sacramento. Para esse propósito, ele consulta os escritos patrísticos, a liturgia, a arte das catacumbas etc.

No *art. cit.* temos apresentado uma exposição detalhada de nossos pontos de vista pessoais sobre o critério necessário para aceitar referências sacramentais simbólicas em João. Em resumo, devemos aceitar a evidência externa proposta por Niewalda como um critério *negativo*. Se não há na Igreja primitiva evidência de que uma passagem de João era entendida sacramentalmente, então deve ser recebida com muita cautela tentativas modernas de introduzir uma interpretação sacramental. Fazemos uma suposição fundamental de que a intenção do evangelista era que suas referências implícitas fossem entendidas como sendo aos sacramentos, e que algum vestígio desse entendimento provavelmente teria sobrevivido no uso cristão primitivo do evangelho. Os sacramentos do batismo e da eucaristia eram temas populares entre escritores e artistas cristãos, e é improvável que ignorassem uma passagem que geralmente fosse entendida como sendo uma referência sacramental.

Entretanto, evidência externa somente é insuficiente como um critério *positivo* de referência sacramental. Muitos dos primeiros escritores cristãos não estavam fazendo exegese do evangelho, e sim usando-o livremente como uma ferramental catequética. Portanto, mesmo que usassem um relato joanino, como a da cura no capítulo 5, como uma ilustração do batismo cristão, isto não é uma garantia suficiente de que o evangelista tivesse essa finalidade em mente com o relato. Às vezes um considerável período de tempo separa o evangelho da pertinente referência litúrgica, literária e artística que achasse um uso sacramental para uma passagem do evangelho. Naquele tempo, um simbolismo poderia ter desenvolvido o que não era parte do evangelho original.

E assim, em adição ao sinal negativo suprido por evidência externa, teríamos uma indicação positiva dentro do próprio texto de que a intenção do evangelista era fazer referência aos sacramentos. Naturalmente, ao determinar o que constitui uma indicação positiva, os exegetas concordarão. MICHAELIS, por exemplo, ao rejeitar praticamente todos os exemplos de CULLMANN, parece exigir do evangelista o tipo de indicação que poderíamos esperar em um escritor do século 20. Isto seria hiper-crítico, pois o simbolismo tomado por admitido no 1º século poderia não parecer absolutamente óbvio à mentalidade moderna, muito menos propensa ao simbolismo. Quem teria ousado ver na elevação da serpente de bronze numa haste um símbolo do Jesus crucificado, se o próprio evangelista não houvesse indicado isto (3,14)? Dos símbolos que o próprio evangelho tem identificado (para outro exemplo, ver 21,18-19), é óbvio que a mentalidade do evangelista não era absolutamente a mesma que a mentalidade do intérprete moderno. Como um exemplo do que consideraríamos uma indicação positiva adequada de que a intenção do evangelista era apresentar uma referência sacramental, o leitor pode consultar o comentário sobre o relato da cura do cego, no capítulo 9, e da lavagem dos pés, em 13,1-11.

Assim, o critério necessário para se reconhecerem referências simbólicas aos sacramentos se encontra na combinação de indicação interna e na evidência cristã externa primitiva. Este critério não é perfeitamente seguro; mas ele reduz consideravelmente os perigos de eisegesis, enquanto que não expõe o evangelho a exegese minimalista. Usando este critério de evidência combinada, descobrimos que, em adição às referências mais explícitas aos sacramentos, algumas das quais é possível que venham do redator final, há na própria substância do evangelho um amplo interesse sacramental; e neste aspecto João está em plena harmonia com a Igreja em geral.

Então, o que dizer da omissão, em João, de passagens sacramentais encontradas nos sinóticos? A ausência da cena amiúde tida como a representar a instituição do batismo (Mt 28,19) realmente não constitui problema, visto que a cena não se encontra em Marcos ou Lucas. (E deve-se notar que os teólogos clássicos não estão concordes de que a cena descreve a instituição do batismo. Há alguns, por exemplo, ESTIUS, que associariam a instituição com a cena de Nicodemos encontrada somente em João. Em qualquer caso, este é um problema posterior ao NT). A omissão da cena eucarística na última ceia é mais difícil; mas se a hipótese no comentário for correta, ecos desta cena foram incorporados em 6,51-58.

O que uma comparação com os sinóticos mostra é que, enquanto João poderia tratar do batismo e da eucaristia, este evangelho não associa estes sacramentos com um dito simples e de grande importância de Jesus pronunciado no final de sua vida como parte de suas instruções de despedida dirigidas aos seus discípulos. As referências joaninas a estes dois sacramentos, tanto as referências explícitas quanto aquelas que são simbólicas, em todas as cenas do ministério. Isto parece ajustar-se bem à intenção do evangelho de mostrar como as instituições da vida cristã estão radicadas no que Jesus disse e fez em sua vida.

Além do mais, entre os quatro evangelhos, ao de João, mais que a todos os outros, devemos a profunda compreensão cristã do propósito do batismo e da eucaristia. É João quem nos informa que, através da água batismal, Deus gera filhos para Si e derrama sobre eles Seu Espírito (3,5; 7,37-39). Assim o batismo se torna uma fonte de vida eterna (4,13-14), justamente como a eucaristia também é um meio indispensável de transmitir a vida de Deus aos homens através de Jesus (6,57). De uma maneira simbólica, João mostra que o vinho eucarístico significa uma nova dispensação a substituir o antigo (a cena em Caná e a descrição da videira no capítulo 15) e que o pão eucarístico é o verdadeiro pão do céu a substituir o maná (6,32). Finalmente, em uma cena dramática (19,34), João mostra simbolicamente que ambos estes sacramentos, água batismal e sangue eucarístico, têm a fonte de sua existência e poder na morte de Jesus. Este sacramentalismo joanino não é meramente anti-docético nem periférico, porém mostra a conexão essencial entre o meio sacramental de receber vida no seio da Igreja no final do 1º século e o meio pelo qual a vida era oferecida aos que ouviam Jesus na Palestina. Caso se use o simbolismo, é porque somente através do simbolismo o evangelista podia ensinar sua teologia sacramental e ainda permanecer fiel à forma literária do evangelho na qual estava escrevendo. Ele não podia intercalar teologia sacramental no relato evangélico por meio de adições anacrônicas e estranhas, mas podia mostrar ressonâncias sacramentais das palavras e obras de Jesus que já eram partes da tradição do evangelho.

C. ESCATOLOGIA

Há uma enorme quantidade de literatura que trata da escatologia neotestamentária, e o problema é tão complicado que aqui só podemos tocar de leve nas ramificações do problema que aparecem em João.

VIII • Questões cruciais na teologia joanina   127

Embora quase cada ponto sobre a escatologia seja controverso, inclusive sua definição, talvez possamos abordar melhor a escatologia joanina sob dois tópicos.

(1) *O ponto de vista "vertical" e o "horizontal" da ação salvífica de Deus*

Se usarmos a terminologia espacial, podemos caracterizar o ponto de vista bíblico geral da salvação como "horizontal", pois enquanto Deus age do alto, Ele age em e através da sequência da história. Desde o tempo da criação, Deus tem guiado o mundo e os homens de maneira inexorável rumo a um clímax, um clímax que às vezes é visto em termos de intervenção divina no curso linear da história. E assim a salvação jaz ou na história ou como clímax da história. Oposto a este está o ponto de vista "vertical" que visualiza dois mundos coexistentes: um celestial e um terreno; e o mundo terreno é apenas uma sombra do celestial. A existência terrena é existência fracassada, e a história é o prolongamento do sem sentido. A salvação se torna possível através do escape para o mundo celestial, e isto só pode ocorrer quando alguém ou alguma coisa desce do mundo celestial para libertar os homens da existência terrena. Obviamente, estas são descrições simplificadas dos dois pontos de vista, mas teremos que indagar para qual ponto de vista da história e salvação o Quarto Evangelho se inclina.

De muitas maneiras, este evangelho revela uma aproximação vertical da salvação. O Filho do Homem desceu do céu (3,13); a Palavra se fez carne (1,14), com o propósito de oferecer salvação aos homens. O ápice de sua carreira é quando ele for elevado ao céu, na morte e ressurreição, a fim de atrair a si todos os homens (12,32). Há em João um constante contraste entre dois mundos: um em cima e o outro em baixo (3,3.31; 8,23); uma esfera que pertence ao Espírito e uma esfera que pertence à carne (3,6; 6,63). Jesus traz a vida do outro mundo, "vida eterna", aos homens deste mundo; e a morte não tem poder sobre esta vida (11,25). Seus dons são dons "reais", isto é, dons celestiais: a verdadeira água da vida, como contrastada com água ordinária (4,10-14); o verdadeiro pão da vida, como contrastado com pão perecível (6,27); ele é a verdadeira luz que veio ao mundo (3,19). Estes característicos, revelando uma aproximação temporal e vertical da salvação, têm constituído um dos principais argumentos de BULTMANN no desenvolvimento da hipótese da influência gnóstica sobre João.

Mas há também em João muito da aproximação da ideia horizontal da salvação. O Prólogo, que descreve a descida da Palavra em carne humana, não ignora a história da salvação que começa com a criação. Se a vinda de Jesus representa a era do domínio do Espírito sobre a carne, de modo que todos os homens cultuem a Deus em Espírito, a história judaica tem sido a preparação para esta era culminante (4,21-23). A totalidade das Escrituras que registram a história da salvação aponta para Jesus (5,39). A "hora" de que ouvimos tanto em João (2,4; 8,20; 12,23 etc.), a hora da paixão, morte, ressurreição e ascensão de Jesus é a hora culminante na longa história do trato de Deus com os homens. Os costumes, festas e instituições religiosas judaicos encontram seu cumprimento em Jesus (ver Esboço na Décima Parte, p. 158ss).

Tampouco a história se detém nesta hora. Tem-se observado que, em vez de escrever um evangelho e um Livro de Atos, o quarto evangelista concentrou dentro do evangelho não só a hora escatológica do ministério, mas também todo o "tempo da Igreja". E assim se pode pensar que, com a intervenção de Jesus, nada mais podia haver. Mas o evangelista, como já sugerimos acima, está pressupondo a existência de uma Igreja. Seu problema não é se haverá um "tempo da Igreja", mas como isto se relaciona com Jesus. Ele pressupõe atividade missionária cristã (4,35-38; 20,21), um conflito do Cristianismo com o mundo (16,8), um influxo dos que virão a crer através da pregação da palavra (17,20) e a reunião deles em um só rebanho para que sejam pastoreados (21,52; 10,16; 21,15-17). Que estamos certos em insistir que o pensamento joanino não é destituído de uma perspectiva horizontal sobre a salvação é também sugerido no Livro do Apocalipse, o qual se preocupa precisamente com uma salvação que há de vir no fim da história. Indubitavelmente, Apocalipse e João revelam diferentes ênfases sobre esta questão, mas devemos ser cautelosos em assumir que suas posições são contraditórias.

Assim, o ponto de vista joanino da salvação é tanto vertical quanto horizontal. O aspecto vertical expressa a singularidade da intervenção divina em Jesus; o aspecto horizontal estabelece uma relação entre esta intervenção e a história da salvação. Eis por que nenhuma interpretação gnóstica do Quarto Evangelho pode fazer justiça ao seu ensino pleno. Pode-se dizer (talvez com demasiada simplicidade) que a combinação do vertical com o horizontal representa uma combinação das abordagens helenistas e judaicas da salvação, mas tal combinação ocorreu muito antes que o Quarto Evangelho fosse escrito. Já estava presente no deuterocanônico Livro da Sabedoria. Dodd, *Interpretation*, p. 144ss., tem mostrado que o antigo pensamento rabínico reflete dois diferentes aspectos da "vida futura". Um limite o horizontal, porquanto propõe duas eras em que a vida da era por vir substitui a vida da era atual. O outro limita o vertical, pois propõe uma vida além-túmulo, diferindo da vida dos homens sobre esta terra. Naturalmente, a teologia cristã tem feito uma síntese similar do vertical e do horizontal, propondo a imortalidade da alma tanto quanto a ressurreição final dos mortos.

(2) *Escatologia realizada e escatologia final*

Este tópico se relaciona com o precedente, mas tem uma modalidade levemente diferente. Na pregação de Jesus sobre a *basileia tou theou* e em sua atitude para com seu próprio ministério há uma perspectiva claramente escatológica, pois ele se apresenta como quem de algum modo tem introduzido o momento definitivo na existência humana. Mas, de que forma exatamente?

Os defensores da escatologia final e apocalíptica, por exemplo, A. Schweitzer, mantém que, ao falar da vinda da *basileia*, Jesus estava falando daquela dramática intervenção de Deus que levaria a história a uma consumação. Em sua interpretação, Jesus esperava essa intervenção em seu próprio ministério ou no futuro imediato, de modo que fosse concretizado através de sua morte. Quando suas esperanças foram frustradas e a *basileia* não veio, a Igreja eventualmente resolveu o problema projetando a vinda final de Jesus para um futuro remoto. Em contrapartida, os defensores da escatologia realizada, por exemplo, C. H. Dodd, mantêm que Jesus proclamou a presença da *basileia* dentro de seu próprio ministério, mas sem os adornos apocalípticos geralmente associados com o evento. Sua presença entre os homens era uma e a única vinda de Deus. Mas seus seguidores foram os herdeiros de uma tradição apocalíptica que falava de uma vinda em poder e majestade, e assim não podiam crer que tudo foi realizado no ministério de Jesus. Para satisfazer suas expectativas, projetaram uma segunda vinda mais gloriosa no futuro – a princípio, num futuro próximo; depois, num futuro remoto. Entre estes dois pontos de vistas extremos da escatologia do evangelho, há toda uma gama de pontos de vista intermédios. Um outro ponto de vista, comum em outros tempos, agora está perdendo a popularidade, a saber, que a *basileia tou theou* estabelecida como resultado do ministério de Jesus era a Igreja. Talvez o ponto de vista intermédio mais amplamente aceito seja que o reinado escatológico de Deus estava presente e operante no ministério de Jesus, mas de uma maneira provisória. O estabelecimento ou realização da *basileia* ainda está por vir, e a Igreja é orientada para essa futura *basileia*.

Em muitos casos, João é o melhor exemplo, no NT, de escatologia realizada. Deus se revelou em Jesus de uma forma definitiva, tudo indica que já não há mais nada o que dizer. Se alguém aponta para passagens veterotestamentárias que parecem implicar uma vinda de Deus em glória, o Prólogo (1,14) responde: "Temos visto a glória de Deus". Se alguém indaga onde está o juízo de Deus que marca a intervenção final de Deus, Jo 3,19 responde: "Ora, o juízo de Deus é este: a luz entrou no mundo". De uma maneira afirmativa, Mt 25,31ss. descreve a vinda apocalíptica do Filho do Homem em glória e se assentando no trono do juízo para separar os bons e os maus. Mas, para João, a presença de Jesus no mundo como a luz separa os homens em aqueles que são filhos das trevas, que odeiam a luz, e aqueles que se achegam para a luz. Através do evangelho, Jesus provoca auto-juízo quando os homens se alinham para ele ou contra ele; na verdade, sua vinda constitui uma *crise* no sentido radical desta palavra, onde ela reflete o grego *krisis* ou "julgamento". Aqueles que se recusam a crer já estão condenados (3,18), enquanto os que creem não estarão sob condenação (5,24) – ver a discussão do conceito joanino de Julgamento na p. 605ss). Até mesmo o galardão já está realizado. Para os sinóticos, "vida eterna" é algo que alguém recebe no juízo final ou numa era futura (Mc 10,30; Mt 18,8-9), mas para João ela é uma possibilidade presente para os homens: "Aquele que ouve minhas palavras e tem fé naquele que me enviou *possui* a vida eterna... já passou da morte para a vida" (5,24). Para Lucas (6,35; 20,36), a filiação divina é um galardão da vida futura; para João (1,12), ela é uma dádiva concedida aqui sobre a terra.

Todavia, em João há também passagens que refletem um elemento futuro em sua escatologia. Temos que distinguir entre as que são simplesmente futuristas e as que são apocalípticas. Por exemplo, um destacado elemento futurista é que o dom completo da vida não vem durante o ministério de Jesus, mas só mais tarde através da ressurreição. Quando Jesus fala de uma oportunidade presente de receber vida, devemos compreender que na intenção do evangelista Jesus realmente está falando através das páginas do evangelho a um auditório cristão pós-ressurreição. Estes cristãos são aqueles que têm a chance de obter vida pela fé em Jesus, através do batismo (3,5) e através da eucaristia (6,54). O fator gerador de vida é o Espírito (6,63; 7,38-39), e esse Espírito só é dado depois que Jesus houver subido para o Pai (7,39; 16,7; 19,30; 20,22). A fé plena em Jesus, que traz vida aos homens só é possível depois da ressurreição, quando os homens o confessarem como Senhor e Deus (20,28). Somente então compreendem o que ele significa quando diz: "eu sou" (8,28). O alimento eucarístico é um dom futuro da perspectiva do ministério público (6,27.51).

Há outro elemento futurista na atitude de Jesus para com o que acontece depois da morte. Embora Jesus insista que "vida eterna" é oferecida aqui em baixo, ele reconhece que a morte física ainda intervém (11,25). Esta morte não pode destruir a vida eterna, mas obviamente haveria um aspecto de completude na vida eterna após a morte que falta àqueles que ainda não passaram pela morte física. Além do mais, após a morte já não há a possibilidade de perder a vida eterna através do pecado. Outra indicação de galardão futuro é a afirmação de que Jesus passa pela morte e ressurreição, a fim de preparar moradas na casa de seu Pai para onde ele levará os que creem nele (14,2-3). Se os homens veem a glória de Jesus sobre esta terra, há uma visão futura de glória a ser concedida quando se juntarem a Jesus na presença do Pai (17,24).

A maioria dos estudiosos ao menos admitirá os elementos futuristas mencionados até então; o problema real diz respeito aos elementos finais ou apocalípticos na escatologia de João. Haverá uma segunda vinda, uma ressurreição dos mortos, no fim dos tempos, e um juízo final? Há passagens claras que falam nestes termos (5,28-29; 6,39-40.44.54; 12,48). Como estas passagens devem ser tratadas e reconciliadas com o que temos visto da escatologia realizada? Para BULTMANN, elas são adições do Redator Eclesiástico, adaptando a teologia joanina à teologia da Igreja em geral. Que este não é um ponto de vista satisfatório mesmo sobre bases meramente literárias, tem sido frequentemente observado, pois algumas das passagens não parecem ser adições (ver SMITH, pp. 230-32). Que isso não é certo sobre o quadro global da teologia joanina é sugerido por outra obra, o Apocalipse, que é o livro do NT que trata da escatologia apocalíptica *ex confesso*. Em contrapartida, ainda que creiamos, contra Bultmann, que há uma corrente de escatologia apocalíptica no pensamento joanino genuíno, há pouca dúvida de que a tentativa de Van Hartingsveld de refutar Bultmann, pondo em João a ênfase sobre escatologia futura leva o pêndulo excessivamente na direção oposta.

Stauffer tem sugerido que o evangelista é um reformador no sentido de que, por sua ênfase sobre a escatologia realizada e o Messias oculto (p. 232s) está arrancando os elementos apocalípticos vulgares que têm penetrado o pensamento cristão desde a morte de Jesus. Seu ponto de vista não está longe da posição de Dodd de que a escatologia realizada joanina é muito próxima do pensamento original de Jesus. Boismard, contudo, pensa que as passagens que tratam da apocalíptica final são as mais antigas no desenvolvimento do pensamento joanino, e as que tratam da escatologia realizada representam a perspectiva mais recente.

Não podemos discutir todas estas sugestões; mas, a partir da evidência neotestamentária, sugerimos como uma hipótese viável o seguinte desenvolvimento geral da escatologia neotestamentária. Dentro da própria mensagem de Jesus havia uma tensão entre a escatologia realizada e a final. Em seu ministério, o reinado de Deus estava se fazendo manifesto entre os homens; e, no entanto, como herdeiro de uma tradição apocalíptica, Jesus também falou de uma manifestação final do poder divino ainda por vir. A obscuridade das referências do evangelho indicaria que Jesus não tinha um ensino claro sobre como ou quando esta manifestação final se concretizaria. Há algumas afirmações que parecem reportar-se à sua vinda no futuro próximo (Mc 9,1; 13,30; Mt 10,23; 26,64); outras parecem pressupor um lapso de tempo (Lc 17,22) e uma data imprecisa (Mc 13,32-33). É um procedimento duvidoso suprimir um ou o outro grupo de afirmações a fim de reconstruir um ponto de vista escatológico consistente mantido por Jesus. O reconhecimento de que havia elementos na própria escatologia de Jesus tanto realizada quanto final significa que, nos subsequentes desenvolvimentos que discutiremos abaixo, os escritores neotestamentários não estavam criando teorias *ex nihilo* da escatologia realizada ou da final, mas estavam aplicando a uma situação particular uma ou outra tensão já presente no pensamento de Jesus. E podemos agregar que havia tensões de ambos os tipos de escatologia no judaísmo contemporâneo de Jesus. O *Rolo de Guerra* (1QM) mostra as expectativas de Qumran da intervenção divina final. Todavia, ao mesmo tempo, os adeptos criam que já partilhavam dos dons celestiais de Deus, foram libertados do juízo e desfrutavam da companhia dos anjos. Ver J. LICHT, IFJ 6 (1956), 12-13, 97.

A confusão acerca da escatologia é uma característica do pensamento cristão primitivo. At 2,17s. retrata Pedro a proclamar que o último dia chegara na ressurreição de Jesus e o derramamento do Espírito. Assim, a primeira ênfase na expectativa escatológica parece ter sido que todas as coisas eram acompanhadas por e em Jesus Cristo e que somente um breve ínterim seria concedido por Deus para permitir que a proclamação escatológica fosse feita aos homens. A rejeição desta proclamação por muitos levava avante outra tensão de pensamento oriunda de Jesus que falou de uma vinda do Filho do Homem em juízo sobre os perversos, um quadro que naturalmente era matizado por elementos apocalípticos do próprio pano de fundo do pregador. A passagem gradual dos anos suscitou mais agudamente o problema de quão logo esta vinda ocorreria, um problema que causou angústia a Paulo em sua correspondência com os tessalonicenses e coríntios. (Que a expectativa de Paulo de uma segunda vinda não o impediu de ter uma forte escatologia realizada é visto em sua atitude para com a Igreja nas Epístolas do Cativeiro). Escrita talvez nos anos 60, 1Pd 4,7 podia ainda proclamar: "O fim de todas as coisas está próximo".

A destruição de Jerusalém em 70 foi um divisor de águas no desenvolvimento do pensamento escatológico do NT. É óbvio, à luz de passagens como Lc 21,20 e Ap 4-11 que alguns teólogos viram a destruição de Jerusalém como o cumprimento (parcial) das palavras de Jesus atribuindo a vinda do Filho do Homem em juízo para punir os perversos. Mas, o que dizer do glorioso estabelecimento da *basileia*? Alguns parecem ter conservado suas esperanças de uma viva parousia imediata enquanto houvesse um representante da geração apostólica vivo. As reações à passagem deste último sinal tangível da parousia imediata são encontradas no cinismo que é o alvo de 2Pd 3,4 e o desapontamento do qual se fala em Jo 21,22-23.

Outros assumiram uma resposta mais positiva. Deixando de lado a questão de quando Jesus voltaria, enfatizaram tudo o que os cristãos já haviam recebido em Jesus Cristo. Não há necessidade de excessiva preocupação sobre o juízo final, pois a reação dos homens para com

Jesus em relação à fé ou falta de fé já era um juízo. Não há necessidade de excessivo anseio pelas bençãos que a parousia traria, pois a divina filiação e a vida eterna, os dois dons maiores, já estavam de posse dos cristãos, através da fé em Jesus e através do batismo e da eucaristia. Para aqueles que morriam em Jesus não havia agonia indefinida de aguardar até o último dia e a ressurreição dos mortos, pois após a morte havia uma continuação da vida eterna que já possuíam – uma continuação que a morte não podia afetar e uma continuação que constituía uma união ainda mais íntima com Jesus e seu Pai. De tempo em tempo, a perseguição e a provação reacenderiam o profundo anelo pelo retorno imediato de Jesus e o divino livramento. Vemos isto em Ap 12-22, onde a perseguição romana age como um catalisador para as esperanças apocalípticas. Mas o ensino cristão ordinário era mais e mais formulado em termos de escatologia realizada. Esta combinação de uma predominante escatologia realizada com misturas de expectativas apocalípticas tem continuado como uma perspectiva cristã normal até nossos dias.

Propondo como supomos um longo desenvolvimento na composição do Quarto Evangelho, a partir do estágio da tradição histórica até o estágio da redação final (Primeiro ao Quinto Estágio), *a priori* podemos esperar encontrar em João vestígios de oscilação para cá e para lá de expectativa escatológica no 1º século. BULTMANN, DODD e BLANK estão, cremos nós, certos em insistir que a principal ênfase no evangelho é sobre a escatologia realizada, pois o evangelho propriamente dito foi escrito no período após a queda de Jerusalém, quando as esperanças de uma parousia imediata rapidamente se desvaneceram. Um dos propósitos do evangelho era ensinar aos cristãos qual o dom que haviam recebido em Jesus, que era a fonte e base de sua vida na Igreja. O evangelho considera mui claramente a vinda de Jesus como um evento escatológico que marcou a mudança dos aeons. Se o evangelho começa com "No princípio", isso se deve ao fato de que a vinda de Jesus será apresentada como uma nova e definitiva criação. O soprar de Jesus sobre os discípulos em 20,22, quando lhes comunica o Espírito gerador de vida, é como o soprar de Deus sobre o pó quando no princípio criou o homem (Gn 2,7), mas agora, através de Seu Espírito, Deus tem recriado os homens como Seus próprios filhos (1,12-13).

As passagens em João que tratam da escatologia apocalíptica são uma lembrança de que este tema era encontrado na própria pregação de Jesus. Eles tomaram sua formulação em um período no desenvolvimento do pensamento joanino quando a escatologia final era um importante motivador. Acaso este foi um período primitivo como pensa Boismard, ou um período recente como pensa Bultmann? Como veremos no comentário, estas passagens são amiúde duplicatas de outras passagens onde as mesmas palavras de Jesus são interpretadas em termos de escatologia realizada; por exemplo, compare 5,26-30 (apocalíptica) com 5,19-25 (realizada). Em tais casos, Bultmann poderia estar certo em atribuir a adição da passagem com escatologia final ao redator final (ou, ao menos, pode-se sugerir, à segunda redação do evangelho – Quarto Estágio).

Entretanto, é necessário duas advertências. *Primeira*, uma vez que não cremos que o redator fosse um censor, e sim, ao contrário, alguém que preservava o material joanino, e que tentava fazer do evangelho uma coleção completa deste material tanto quanto possível, o material pertinente à escatologia final acrescido ao evangelho não era necessariamente um material tardio. Boismard poderia estar certo ao pensar que estas passagens adicionadas eram antigas interpretações; talvez tomassem forma no período anterior a 70 quando a escatologia final era mais vívida. Neste caso, o redator estaria adicionando material antigo que não fora incorporado na primeira redação do evangelho. Entretanto, visto que houve também momentos, após 70, em que a escatologia apocalíptica reviveu, como já mencionamos em referência ao Apocalipse, é muito difícil fazer quaisquer afirmações absolutas sobre a relativa antiguidade de tais passagens.

Uma *segunda* advertência diz respeito ao pressuposto propósito do redator (ou o responsável) em adicionar ao evangelho passagens nas quais a escatologia final foi proposta. Não existe prova real de que isto foi feito numa tentativa de fazer o evangelho mais ortodoxo e aceitável à Igreja. Em parte, a intenção do redator poderia ter sido a preservação do material joanino que de outro modo teria se perdido. Se a redação final do evangelho ocorreu no final dos anos 90, talvez pouco depois do período em que o Apocalipse foi escrito, o redator estava vivendo em um período de perseguição, quando uma ênfase sobre a escatologia final teria encorajado os leitores do evangelho. Ou pode-se ainda supor que ele não desejava que a intensiva escatologia realizada do evangelho fomentasse a expectativa da segunda vinda e assim dar um falso quadro do pensamento total de João, filho de Zebedeu, e do evangelista. Em qualquer caso, a forma final do evangelho, com sua dupla escatologia, não é, em minha opinião, um espelho infiel das várias tensões na própria atitude de Jesus para com a escatologia.

D. OS MOTIVOS SAPIENCIAIS

Um aspecto que destaca imediatamente o Quarto Evangelho dos outros evangelhos e lhe dá força peculiar é sua apresentação de Jesus como revelação encarnada que desce do alto para oferecer aos homens luz e verdade. Em discursos de solenidade quase poética, Jesus se proclama com a famosa fórmula "Eu sou", e suas origens divinas e celestiais são visíveis tanto no que diz quanto na maneira como o diz. Seu eu sou de outro mundo é visível na maneira de tratar com majestoso desdém as tramas contra ele e as tentativas de prendê-lo. Ele é mais bem descrito em suas próprias palavras: "No mundo, porém não dele". Sugerimos que, ao esboçar este perfil de Jesus, o evangelista grafou com maiúsculo uma identificação de Jesus com a Sabedoria divina personificada como descrita no AT. (Obviamente, este não é o único fator que tem contribuído para o perfil, mas aqui desejamos chamar a atenção para a força e número dos temas sapienciais). Justamente como os escritores neotestamentários encontraram em Jesus o antítipo de elementos nos livros históricos do AT (p. ex., do Êxodo, Moisés, Davi) e o cumprimento das palavras dos profetas, o evangelista de tal modo viu em Jesus a culminação de uma tradição que percorre a literatura sapiencial do AT.

A literatura sapiencial cobre um amplo espectro de material e é um dos setores mais cosmopolitas do AT, tendo muito em comum com os escritos dos sábios do Egito, Suméria e Babilônia. Este ecumenismo do movimento sapiencial ficou patente em um período tardio na abertura dos sábios bíblicos à influência helenista, pois ele estava em ação como Eclesiastes e a Sabedoria de Salomão que o pensamento e vocabulário filosóficos gregos fizeram suas mais importantes incursões na Bíblia. Quase metade da literatura deuterocanônica, preservada no cânon de Alexandria, é de um caráter sapiencial. A mescla de misticismo oriental e mitologia com a filosofia grega, encontrada na literatura sapiencial, exerceu uma influência que continuou mesmo após o período bíblico, e podem-se encontrar vestígios dela no gnosticismo e no hermeticismo egípcio.

No NT, Tiago representa um livro sapiencial cristão, ilustrando aquela parte de escrito sapiencial que trata da ética prática. Algumas das tendências mais místicas no pensamento sapiencial tiveram ramificações em Colossenses e Efésios. O evangelho de João, que se supõe haver surgido naquele mesmo ambiente como aquele apontado nestas duas epístolas, também revela esta influência. No Apêndice II, p. 823ss mostraremos o pano de fundo que a literatura sapiencial oferece para o conceito de "Palavra" ou *logos*; aqui estaremos mais preocupados com o perfil joanino de Jesus.

Embora referências à Sabedoria divina personificada (uma figura feminina, visto que a palavra hebraica para sabedoria, *ḥokmā*, é feminina) estejam espalhadas por toda parte no AT, aqui nossas fontes principais serão os poemas dedicados à Sabedoria e encontrados em Jó 28; Pr 1-9; Baruque 3,9-4,11-19; 6,18-31; 14,20-15,10; 24; Sb 6-10.

De acordo com estas descrições, a Sabedoria existiu com Deus desde o princípio, ainda antes que houvesse uma terra (Pv 8,22-23; Siraque 24,9; Sb 6,22) – assim também o Jesus joanino é a Palavra que era no princípio (1,1) e estava com o Pai antes que o mundo viesse à existência (17,5). Diz-se que Sabedoria é uma emanação pura da glória do Onipotente (Sab 7,25) – assim também Jesus tem a glória do Pai a qual ele fez manifesta aos homens (1,14; 8,50; 11,4; 17,5.22.24). Diz-se que a Sabedoria é um reflexo da eterna luz de Deus (Sab 7.26); e, ao iluminar a vereda dos homens (Sir 1,29), ela deve ser preferida a qualquer luz natural (Sab 7,10.29) – no pensamento joanino, Deus é luz (1Jo 1,5); e Jesus, que vem de Deus, é a luz do mundo e dos homens (Jo 1,4-5; 8,12; 9,5), finalmente destinado a substituir toda a luz natural (Ap 21,23).

A Sabedoria é descrita como havendo descido do céu para morar com os homens (Pv 8,31; Sir 24,8; Bar 3,37; Sab 9,10; Tg 3,15) – assim também Jesus é o Filho do Homem que desceu do céu à terra (1,14; 3,31; 6,38; 16,28). Em particular, Jo 3,13 é muito estreito com Bar 3,29 e Sab 9,16-17. O retorno final da Sabedoria ao céu (*1 Enoque* 42,2) propicia um paralelo com o retorno de Jesus a seu Pai.

A função da Sabedoria entre os homens é ensiná-los sobre as coisas que são do alto (Jó 11,6-7; Sab 9,16-18), enunciar a verdade (Pv 8,7; Sab 6,22), ministrar instruções quanto ao que agrada a Deus e como fazer Sua vontade (Sab 8,4; 9,9-10) e, assim, guiar os homens à vida (Pv 4,13; 8,32-35; Sir 4,12; Bar 4,1) e imortalidade (Sab 6,18-19). Esta é precisamente a função de Jesus como revelador, como retratado em numerosas passagens em João. Ao cumprir sua tarefa, a Sabedoria fala na primeira pessoa em longos discursos dirigidos aos seus ouvintes (Pv 8,3-36; Sir 24) – assim também Jesus assume sua posição e fala aos homens em seus discursos, às vezes começando com "Eu sou"... (Apêndice IV, p. 841ss). Os símbolos que Sabedoria usa para a instrução que oferece são símbolos de alimento (pão) e bebida (água, vinho), e convida os homens a comer e beber (Pv 9,2-5; Sir 24,19-21; Is 4,1-3 [Deus oferecendo Sua instrução]) – assim também Jesus usa estes símbolos para sua revelação (Jo 6,35.51ss.; 4,13-14).

A Sabedoria não se satisfaz em simplesmente oferecer seus dons aos que vierem; ela percorre as ruas em busca de homens e lhes clama (Pv 1,20-21; 8,1-4; Sab 6,16) – assim também encontramos o Jesus joanino caminhando pelas ruas, a encontrar os que o seguirão (1,36-38.43), saindo ao encontro dos homens (5,14; 9,35) e anunciando seu convite em lugares públicos (7,28.37; 7,44). Uma das tarefas mais importantes que a Sabedoria empreende é instruir discípulos (Sab 6,17-19) que são seus filhos (Pv 8,32-33; Sir 4,11; 6,18) – assim também em João aqueles discípulos que são reunidos em torno de Jesus são chamados seus pequeninos (8,33). A Sabedoria testa estes discípulos e os forma (Sir 6,20-26) até que a amem (Pv 8,17; Sir 4,12; Sab 6,17-18) e se tornem amigos de Deus (Sab 7,14.27) – assim também Jesus purifica e santifica seus discípulos com sua palavra e a verdade (15,3; 17,17) e os testa (6,67) até que possam chamá-los seus amados amigos (15,15; 16,27). Em contrapartida, há homens que rejeitam a Sabedoria (Pv 1,24-25; Bar 3,12; En 42,2) – assim também vemos em João muitos que não ouvirão quando Jesus lhes oferece a verdade (8,46; 10,25). A morte é inevitável para os que rejeitam a Sabedoria; a verdade é inatingível; e seu prazer nas coisas da vida é transitório. (BRUNS, *art. cit.*, ressaltou que a fria perspectiva causada pela bancarrota da sabedoria em Eclesiastes não é diferente daquela que se alude em Jo 6,63, onde lemos que a carne é sem valor e só o Espírito pode dar vida). Assim a vinda da Sabedoria provoca uma divisão: alguns buscam e acham (Pv 8,17; Sir 6,27; Sab 6,12); outros não buscam, e quando mudarem de ideia, será tarde demais (Pv 1,28). A mesma linguagem em João descreve o efeito de Jesus sobre os homens (7,34; 8,21; 13,33).

Além destas comparações entre a carreira da Sabedoria e o ministério de Jesus, pode-se encontrar outro paralelo com a Sabedoria no Espírito-Paráclito que ensina os homens a entender o que Jesus lhes contou (Apêndice V, Vol. 2, p. 1640). Também se pode comparar a habitação pós-ressurreição de Jesus no interior dos que creem nele (14,23) com o poder da Sabedoria de penetrar os homens (Sab 7,24.27).

Esta breve exposição ajudaria a confirmar nossa afirmação (Quarta Parte acima) de que a literatura sapiencial oferece melhores paralelos para a descrição joanina de Jesus do que passagens gnósticas posteriores, mandeanas ou herméticas algumas vezes sugeridas. (Pode-se também notar que, o que João partilha em comum com estes últimos corpos de literatura, costuma representar uma herança comum, porém independentemente recebida, da literatura sapiencial judaica). Entretanto, João notavelmente modificou detalhes da apresentação da Sabedoria, introduzindo uma perspectiva histórica muito mais aguda do que se encontra nos poemas veterotestamentários. Se Jesus é a Sabedoria encarnada, esta encarnação ocorreu em um lugar e tempo particulares, uma vez e para sempre. Mas, mesmo esta demitologização do conceito de Sabedoria, incorporando-a na história da salvação, não é totalmente nova, pois se encontra a mesma tendência na própria literatura sapiencial tardia. Siraque 24,23 e Baruque 4,1 identificariam a Sabedoria com a Lei dada no Sinai, e Sb 10 ilustra a atividade da Sabedoria nas vidas dos patriarcas, desde Adão até Moisés. (É interessante notar que as referências de João ao AT são em grande parte referências a homens como Abraão, Moisés e Isaías, que têm dado testemunho de Jesus e previram seus dias e, assim, têm sido testemunhas da sabedoria divina – 5,46; 8,56; 12,41). João leva isto mais longe, vendo em Jesus o supremo exemplo da Sabedoria divina ativa na história e deveras a própria Sabedoria divina.

A apresentação de Jesus como a Sabedoria divina é um desenvolvimento particularmente joanino, ou pode remontar-se à antiga tradição dos outros evangelhos? É possível encontrar alguma informação pertinente a esta compreensão de Jesus em todos os evangelhos. Por exemplo, embora às vezes Jesus usasse o manto de profeta, também revelava certos característicos do mestre de sabedoria. (Ver A. FEUILLET, RB 62 [1955], 179ss). Ele era abordado como "Mestre"; e reunia discípulos; respondia a indagações sobre a Lei; falava em provérbios e parábolas. Nos últimos evangelhos há tendência para salientar o caráter sapiencial dos pronunciamentos de Jesus. Mateus e Lucas generalizam ditos de Jesus uma vez dirigidos a uma situação particular e fizeram deles ditos sapienciais com aplicação universal (p. ex., ver DAVIES, *Setting*, pp. 457-60). Os estudiosos diferem sobre quanto deste caráter sapiencial foi encontrado em "Q" (a fonte comum para Mateus e Lucas), mas o fato de que "Q" tenha ao menos alguns aspectos sapienciais significa que as ênfases sapienciais remonta a um estágio relativamente antigo na formação da tradição do evangelho. Entretanto, deve-se notar que em geral a corrente da tradição sapiencial nos sinóticos não se desenvolve exatamente da mesma forma que se desenvolve em João. Nos sinóticos, o ensino de Jesus mostra certa continuidade com os ensinos éticos e morais dos sábios da literatura sapiencial; em João, Jesus é a Sabedoria personificada.

Não obstante, há umas poucas passagens nos sinóticos que são muito mais próximas à tensão sapiencial que achamos em João. Em Lc 21,15, Jesus promete dar a seus discípulos sabedoria que os capacitará a falar. Em Lc 11,49, atribui-se um dito a "a Sabedoria de Deus", a qual Mt 23,34 atribui ao próprio Jesus. O dito enigmático, "A Sabedoria é justificada por [todos] os seus filhos [ou feitos]", se encontra em ambos, Mt 11,19 e Lc 7,35, em um contexto que pode levar o leitor a identificar Jesus como a "Sabedoria" do dito. Em outra passagem "Q" (Lc 11,31; Mt 12,42), Jesus é exaltado acima da sabedoria de Salomão. Em Mc 10,24, Jesus se dirige a seus discípulos como "Filhos", uma forma de discurso que, como dissemos acima, emprega, respectivamente, a Sabedoria personificada e o Jesus joanino. O tema de Jesus vindo ao mundo para chamar homens se encontra em todos os três sinóticos (Mc 2,17 e par.). Em Lc 6,47 (porém não em Mt 7,24), Jesus diz: "*Todo aquele que vem a mim* e ouve minhas palavras"... – um dito no estilo da Sabedoria personificada e típica do Jesus joanino (5,40; 6,35.45).

A passagem mais importante nos evangelhos sinóticos que reflete o tema da Sabedoria personificada é o "logion joanino" (Mt 11,25-27; Lc 10,21-22), um dito "Q" em que Jesus é apresentado como um revelador, como o Filho que capacita homens a conhecerem o Pai. DAVIES, *Setting*, p. 207, sugere que a ênfase original nesta revelação poderia ter sido mais escatológica do que sapiencial. Não obstante, aqui temos um dito do tipo marcantemente joanino, o qual se remonta à tradição primitiva. O dito que o segue em Mt 11,28-30, quando Jesus convida homens a irem a ele a fim de achar descanso, ecoa estreitamente os apelos da Sabedoria em Siraque 24,19 e 51,23-27.

VIII • Questões cruciais na teologia joanina

A evidência sinótica não é esmagadora, mas há bastante dela para levar se a suspeitar que a identificação de Jesus com a Sabedoria personificada não era a criação original do Quarto Evangelho. Provavelmente aqui, como se dá com outros temas joaninos como os ditos "a hora" e o "Eu sou", João grafou em maiúsculo e desenvolveu um tema que já era parte da tradição primitiva.

• • •

Portanto, na forma de avaliação, como devemos estimar o lugar da teologia joanina no espectro da teologia do NT? Como já advertimos (Parte IV:A), pouco crédito se pode dar ao ponto de vista mais antigo que colocava os sinóticos, Paulo e João em uma sequência hegeliana de tese, antítese e síntese. À moda de reação a tais sequências artificialmente uniformes, a tendência mais recente tem sido tratar a teologia joanina como se estivesse fora de sequência – ou no sentido de que o evangelista estivesse tão afastado do pensamento cristão ortodoxo a ponto de ser um profeta inconsciente de uma aproximação existencial de Jesus que penetra o externalismo da Igreja e dos sacramentos e colocou cada cristão numa relação direta de "Eu-tu" com Jesus. Ainda outra sugestão é que João representa o pensamento que circulava em uma comunidade "contra-corrente", separada da Igreja em geral.

Pessoalmente, não encontramos maior dificuldade em adequar João à vertente principal do pensamento cristão; é outra faceta da multiforme compreensão cristã de Jesus. Naturalmente, a teologia de João não é a mesma de Paulo, ou a de Tiago, ou de qualquer dos escritores sinóticos. Embora todos esses escritores partilhassem de uma unidade essencial na fé que os tornou cristãos, também exibiam uma notável diversidade na abordagem e ênfase teológicas (ver nossas observações em NovT 6 [1963], 298-308). Tal diversidade é bem ilustrada nos diferentes tratamentos neotestamentários dos problemas já discutidos – eclesiologia, sacramentos e escatologia. Não cremos que haja evidência convincente de que algum escritor neotestamentário considerasse a Igreja, os sacramentos ou a parousia como sendo irrelevantes; mas certamente expressão, de muitas maneiras diferentes, à relevância destes tópicos, e esta expressão foi grandemente guiada por fatores de tempo, lugar e entendimento individual. Certamente, através de comparação, podemos achar vestígios de desenvolvimento e sequência, mas não há desenvolvimento linear todo-abrangente no pensamento neotestamentário. Reconhecer isto torna muito compreensível o lugar do pensamento teológico altamente peculiar como o de João.

Que João tem muito em comum com outras obras do NT já foi enfatizado em artigos comparativos recentes. Além dos estudos de João e dos sinóticos mencionados na Terceira Parte, têm havido estudos sobre João e Paulo, por exemplo: A. FRIDRICHSEN, em *The Root of the Vine* (Nova York: Philosophical Library, 1953), pp. 37-62; e P. BENOIT, NTS 9 (1962-63), 193-207 (resumido em inglês em TD 13 [1965], 135-41). Estes artigos encontram muitas similaridades subjacentes entre o pensamento joanino e paulino, a despeito da articulação muito diferente. Quando considerarmos o Prólogo, salientaremos que esse hino joanino aparentemente único tem paralelos definidos com os hinos paulinos em Colossenses e Filipenses.

Em seu exaustivo comentário sobre a Epístola aos Hebreus, C. SPICQ (Paris: Gabalda, 1952), I, pp. 109-38, dedica um estudo muito interessante a uns dezesseis paralelos em pensamento entre João e Hebreus. E agora alguém poderia adicionar a esta lista as afinidades de Qumran encontradas em ambas as obras. SPICQ, I, p. 134, observa que destes contatos parece que Hebreus representa um elo entre as elaborações teológicas de Paulo e João. Poderia também ser extraída uma longa lista de paralelos entre João e as Epístolas Gerais, especialmente 1 Pedro. Assim, enquanto o quarto evangelista poderia ser "o Teólogo", ele não era tão solitário nem tão desatualizado como muitos querem nos fazer crer.

BIBLIOGRAFIA

Eclesiologia

CORELL, Alf, *Consummatum Est: Eschatology and Church in the Gospel of St. John* (Londres: SPCK, 1958).

DAHL, N. A., "The Johannine Church and History", CINTI, pp. 124-42.

D'ARAGON, J.-L., "Le caractère distinctif de l'Eglise johannique", in *L'Eglise dans la Bible* (Paris: Desclée de Brouwer, 1962), pp. 53-66.

FEUILLER, A., "Le temps de l'Eglise d'après le quatrième évangile et l'Apocalypse", MD 65 (1961), 60-79. Sumariado em inglês em TD 11 (1963), 3-9.

SCHNACKENBURG, R., *The Church in the New Testament* (Nova York: Herder and Herder, 1965), especialmente pp. 103-17.

SCHWEIZER, E., *"The Concept of the Church in the Gospel and Epistles of St. John"*, in *New Testament Essays in Memory of T. W. Manson*, ed. A. J. B. Higgins (Manchester University, 1959), pp. 230-45.

VAN DEN BUSSCHE, H., *"L'Eglise dans le quatrième Evangile"*, Aux origins de l'Eglise (Recherches Bibliques, VII: Louvain: Desclée de Brouwer, 1965), pp. 65-85.

VIA, D. O., *"Darkness, Christ, and the Church in the Fourth Gospel"*, Scottish Journal of Theology 14 (1961), 172-93.

Sacramentalismo

BRAUN, F.-M., *"Le baptême d'après le quatrème évangile"*, RThom 48 (1948), 347-93.

BROWN, R. E., *"The Johannine Sacramentary Reconsidered"*, TS 23 (1962), 183-206, também em NTE, Ch. iv.

BULTMANN, R., *Theology of the New Testament* (Nova York: Scribner, 1955), II, pp. 3-14 [em port.: *Teologia do Novo Testamento*. São Paulo: Editora Academia Cristã, 2008].

CLAVIER, H., *"Le problem du rite et du mythe dans le quatrième évangile"*, RHPR 31 (1951), 275-92.

CRAIG, C. *"Sacramental Interest in the Fourth Gospel"*, JBL 58 (1939), 31-41. Cullmann, ECW.

KÖSTER, H., *"Geschichte und Kultus im Johannesevangelium und bei Ignatius von Antiochien"*, ZTK 54 (1957), 56-69.

LOHSE, E., *"Wort und Sakrament im Johannesevangelium"*, NTS 7 (1960-61), 110-25.

MICHAELIS, W., *Die Sakrament im Johannesevanvelium* (Bern: 1946).

NIEWALDA, P., *Sakramentssymbolik im Johannesevangelium* (Limburg: Lahn, 1958).

SCHNACKENBURG, R., *"Die Sakrament im Johannesevangelium"*, SacPag, II, pp. 235-54.

SMALLEY, S., *"Liturgy and Sacrament in the Fourth Gospel"*, Evangelical Quarterly 29 (1957), 159-70.

VAWTER, B., *"The Johannine Sacramentary"*, TS 17 (1956), 151-66.

Escatologia

BLANK, Josef, *Krisis: Untersuchungen zur johanneischen Christologie und Eschatologie* (Freiburg: Lambertus, 1964).
BOISMARD, M.-E., *"L'évolution du thème eschatologique dans les traditions johanniques"*, RB 68 (1961), 507-24.
STÄHLIN, G., *"Zur Problem der johanneischen Eschatologie"*, ZNW 33 (1934), 225-59.
STAUFFER, E., *"Agnostos Christos: Joh. ii. 24 und die Eschatologie des vierten Evangeliums"*, BNTE, pp. 281-99.
VAN HARTINGSVELD, L., *Die Eschatologie des johannesevangeliums* (Assen: van Gorcum, 1962).

Temas Sapienciais

BRAUN, F.-M., *"Saint Jean, La Sagesse et l'histoire"*, NTPat, pp. 123-33. Ver JeanThéol, II, pp. 115-50.
BRUNS, J. E., *"Some Reflections on Coheleth and John"*, CBQ 25 (1963), 414-16.
MOELLER, H. R., *"Wisdom Motifs and John's Gospel"*, Bulletin of the Evangelical Theological Society 6 (1963), 92-100.
ZIENER, G., *"Weisheitsburch und Johannesevangelium"*, Bib 38 (1957), 396-418; 39 (1958), 37-60.

IX
IDIOMA, TEXTO E FORMATO LITERÁRIO DO EVANGELHO – E ALGUMAS CONSIDERAÇÕES SOBRE O ESTILO

A. O IDIOMA ORIGINAL DO EVANGELHO

É provável que o idioma ordinário de Jesus fosse o aramaico, embora haja alguns estudiosos que pensam que ele falava normalmente o hebraico. O fato de que os Rolos do Mar Morto em grande parte estão em hebraico, significa que o hebraico fosse preferido como o idioma sacro e literário, e que o hebraico falado permaneceu em uso entre os letrados da Judeia mais do que se pensava antigamente. Mas esta evidência realmente é pouco para provar que um profeta galileu como Jesus falasse ao povo em hebraico, embora Jesus conhecesse o hebraico para o uso na sinagoga.

Esse pano de fundo aramaico naturalmente teve um efeito na qualidade do grego em que as memórias das palavras de Jesus fossem preservadas pelos evangelhos. Além do mais, havia mais influência semítica sobre este grego, pois os primeiros pregadores apostólicos que levaram a mensagem de Jesus ao mundo grego eram também semitas para os quais o grego era, no máximo, um idioma secundário. Provavelmente, também, muitos dos evangelistas eram judeus cujo imperfeito domínio do grego tem de ser levado em conta. Todavia, outro fator é que a mensagem cristã no mundo grego foi anunciada primeiramente nas sinagogas da diáspora e, consequentemente, era exprimida no vocabulário religioso do judaísmo de fala grega – um grego que fora influenciado pelo estilo semitizado da LXX, o grego do AT. Portanto, de todos estes canais, o aramaísmo, o hebraísmo e o semitismo (i.e., construções anormais em grego, porém normais em aramaico, em hebraico ou em ambos estes idiomas semitas) fizeram seu ingresso nos evangelhos. Deve ser evidente que a presença de tais aspectos não é suficiente para provar que um evangelho foi primeiro escrito em um destes dois idiomas; no máximo, pode-se provar que certos ditos anteriormente existiram em aramaico ou hebraico, ou que o idioma nativo do evangelista não era o grego.

É possível que o Quarto Evangelho fosse originalmente escrito em aramaico no todo ou em parte, e o que isto indicaria? Dificilmente se pode negar a possibilidade, pois tudo indica que algum material evangélico foi escrito em aramaico. Por exemplo, PAPIAS informa que Mateus compôs as palavras (do Senhor) no "dialeto hebraico", isto é, presumivelmente aramaico. *Um evangelho segundo os Hebreus*, ou "escrito em letras hebraicas", era conhecido antes do tempo de JERÔNIMO. Entre os estudiosos modernos que têm sugerido que, no todo ou em parte, João foi primeiro escrito em aramaico estão BURNEY, TORREY, BURROWS, MACGREGOR, DE ZWAAN, BLACK e BOISMARD; e lembramos que BULTMANN pressupôs um original aramaico para a Fonte do Discurso Revelatório. Os seguintes argumentos têm sido propostos:

(a) A presença de aramaísmos, porém não de hebraísmos – GORREY considera isto conclusivo, porém não BURNEY;

(b) A presença de traduções confusas, isto é, crê-se que o estado confuso de uma passagem grega resultou de um erro de considerar em grego uma frase aramaica obscura, e o verdadeiro sentido da passagem fica clara retraduzindo ao aramaico – BURNEY depende bastante disto;

(c) A existência de manuscrito grego com variantes que podem representar duas possíveis traduções diferentes para o grego, do aramaico original – BLACK e BOISMARD têm apresentado numerosos exemplos, e no comentário chamaremos a atenção para suas sugestões;

(d) O fato de que algumas citações que João faz do AT parecem que foram extraídas diretamente do hebraico (BURNEY) ou dos targuns, traduções aramaicas do AT usadas nas sinagogas galileias (BOISMARD);

(e) A possibilidade de retroverter a "poesia" dos discursos ou do Prólogo em boa poesia aramaica (BURNEY) – lembramos que BULTMANN sugere o paralelo das *Odes de Salomão*, as quais estão em siríaco (uma forma tardia de aramaico).

Estes argumentos não são de igual valor. Já chamamos a atenção para a insuficiência de (a) como prova. As traduções confusas mencionadas em (b) são mais convincentes, mas há sempre um elemento de subjetividade em decidir que o grego não faz sentido como agora está. Com (d) temos sempre que enfrentar a possibilidade de que o evangelista estivesse realmente citando o grego veterotestamentário, porém livremente e de memória. Mesmo a citação do AT dos targuns aramaicos pode simplesmente refletir o próprio uso de Jesus, sem provar que o evangelho foi escrito em aramaico. Assim, nenhum argumento é suficiente, e é mais uma questão de convergência de possibilidades. A dificuldade do problema é indicada pela advertência sempre crescente dos partidários de um original aramaico. BURNEY foi mais cauteloso do que TORREY, e BLACK e BOISMARD são ainda mais cautelosos do que BURNEY.

Pessoalmente, tendemos a concordar com a maioria dos estudiosos que não encontram evidência adequada de que uma edição completa do Evangelho segundo João (Terceiro Estágio) sempre existiu em aramaico. Entretanto, é possível que porções da tradição histórica subjacente em João fossem escritas em aramaico, especialmente se a fonte desta tradição foi João, filho de Zebedeu. Mas, mesmo esta possibilidade permanece além de prova. Se há traduções confusas para o grego ou traduções alternativas, estas podem ter surgido na transmissão oral e tradução do material histórico antes do Primeiro Estágio, especialmente já que o grego não teria sido o idioma nativo de João. Como as antigas traduções gregas alternativas encontraram seu ingresso nas traduções de diferentes manuscritos do Quarto Evangelho não é fácil explicar, mas este fenômeno não é destituído de dificuldade, não importa quando ocorreu.

B. O TEXTO GREGO DO EVANGELHO

A ciência da crítica textual é bem difícil; uma discussão completa das pressuposições textuais por detrás da tradução seria complicada para o leitor comum, e um tanto desnecessária para o erudito. Como se dá com a maior parte das outras obras neotestamentárias, o texto grego básico é determinado por uma comparação dos grandes códices do 4º e 5º séculos: Vaticano, Sinaíticus e o Códice Greco-Latino Bezae. Em geral, o Vaticanus representa uma tradição textual "oriental" popular no Egito, particularmente em Alexandria, enquanto Bezae representa uma tradição textual "ocidental", também encontrado nas antigas traduções para o latim (LA) e Siríaco (SA). Enquanto em outro lugar o Sináiticus é parecido com o Vaticanus, pois os primeiros sete capítulos de João são mais parecidos com o Bezae.

Devem-se avaliar as diferentes redações destas e de outras testemunhas textuais gregas, somadas à evidência das antigas versões em latim, siríaco, cóptico e etiópico. As citações de João nos antigos Padres da Igreja são também importantes. Onde há redações diferentes de alguma importância real, apresentaremo-las com uma avaliação; mas não fazemos nenhuma tentativa de dar a lista completa de testemunhas por detrás de cada redação. Não nutrimos o desejo de sobrecarregar nossas notas com todas as referências e siglas que se podem achar nas notas de rodapé de uma crítica do grego neotestamentário.

Aqui, devemos dar alguma atenção às recentes descobertas de papiros que afetam o texto de João, pois estes são da máxima importância. Agora temos mais cópias de papiro de João (dezessete) do que de qualquer outro livro do NT. Os papiros gregos da coleção de Bodmer, publicados nos últimos dez anos, são os mais notáveis em virtude de sua antiguidade. Em sua maioria, são testemunhas textuais do evangelho uns 150 anos mais antigos que os grandes códices mencionados acima. É bem óbvio que P^{75} concorde mais estritamente com o Códice Vaticanus, contudo tem um texto que está em algum lugar entre o Vaticanus e o Sináiticus, talvez um tanto mais parecido com o último. Quando estes dois papiros concordam, propiciam uma evidência muito forte para uma redação, e temos feito uso amplamente deles em nossa tradução. Não obstante, não temos hesitado em rejeitar sua evidência quando as leis da crítica textual parecem apontar para outra redação encontrada em uma testemunha mais recente como sendo a mais original. Além do mais, o próprio fato de que P^{66} e P^{75} nem sempre concordam significa que até 200 d.C. muitas mudanças e equívocos de copistas já haviam adentrado as cópias do texto do evangelho.

Outro desenvolvimento digno de nota no estudo textual de João tem sido a obra de BOISMARD, o qual está buscando estabelecer redações mais primitivas do que as preservadas em quaisquer das testemunhas gregas. Suas principais ferramentas são as primeiras versões, as citações encontradas nos Padres da Igreja e o *Diastessaron* de TACIANO (harmonia dos evangelhos escrita mais ou menos em 175, provavelmente em grego, porém só preservada em comentários e traduções mais recentes). Ele salienta que as redações patrísticas, por exemplo, as de JOÃO CRISÓSTOMO, costumam ser significativamente mais breves do que as redações encontradas nos códices, e a brevidade é frequentemente um sinal de uma redação mais original. Recentemente, J. N. BIRDSALL demonstrou a possibilidade de que o texto patrístico divergente reconstruído por BOISMARD era ainda valioso no tempo de FÓCIO (9º século). As discussões de BOISMARD têm exercido considerável influência sobre a tradução francesa de João para a "Bíblia de Jerusalém", La Sainte Bible (abrev. SB). Nas notas para nossa tradução mencionaremos alguns dos exemplos mais impressivos apresentados por BOISMARD; mas onde suas redações são inteiramente dependentes das versões e das citações patrísticas, e não encontram endosso nas testemunhas do manuscrito grego, ficamos muito hesitantes. Os Pais às vezes apresentavam uma breve forma de uma passagem porque estavam interessados só em parte da citação; às vezes adaptaram para propósitos teológicos; e assim têm suas limitações como guias para o vocabulário exato das passagens da Escritura.

Mesmo com o uso de toda a evidência mais recente e a aplicação das regras da crítica textual, os estudiosos nem sempre concordarão sobre as redações gregas originais de algumas passagens controversas. Nestes casos, temos preferido usar colchetes para tornar esta incerteza imediatamente óbvia ao leitor.

C. O FORMATO POÉTICO DOS DISCURSOS DO EVANGELHO

Que a prosa joanina dos discursos de Jesus é excepcionalmente solene tem sido reconhecido por muitos. Alguns têm sugerido que esta prosa é quase poética e deve ser impressa em formato poético. Isto ofereceria mais um ponto de similaridade entre o Jesus joanino e a Sabedoria personificada, pois a Sabedoria fala em poesia. Qual seria a base para considerar os discursos joaninos como quase poéticos?

O princípio fundamental na poesia do AT é o paralelismo, e ocasionalmente aparece paralelismo nas palavras de Jesus como reportadas por João. Paralelismo sinonímico, onde a segunda linha reitera a ideia da primeira, é exemplificado em Jo 3,11; 4,36; 6,35; 7,34; 13,16. Paralelismo antitético, onde a segunda linha oferece um contraste com a primeira, se encontra em 3,18; 8,35; 9,39. Há um interessante exemplo em 3,20 e 21, onde a totalidade de um versículo é contrapesada com outro. Paralelismo sintético, onde o sentido flui de uma linha para a outra, é bem ilustrado em 8,44. Uma forma particular disto é o paralelismo "escalonado", onde uma linha retira a última palavra principal da linha precedente, se encontra no Prólogo, em 6,37; 8,32; 13,20; 14,21. Entretanto, a presença de paralelismo, enquanto frequente em João, não é o característico dominante dos discursos. Podemos notar ainda que o paralelismo não é peculiar ao Quarto Evangelho. BURNEY, *Poetry*, pp. 63-99, mostra que as mesmas formas de paralelismo se encontram nas palavras de Jesus registradas pelos sinóticos.

Ritmo não é muito frequente na poesia semita, porém ocorre. Em *Poetry*, pp. 174-75, BURNEY retraduz Jo 10,1ss. para o aramaico e mostra um modelo de ritmo. A retroversão não é somente muito especulativa, mas também há relativamente poucas seções do evangelho que se prestam a um padrão de ritmo, mesmo quando retrovertido ao aramaico.

Se os discursos de Jesus em João devem ser impressos em formato poético, a base do estilo quase poético jaz no ritmo. Alguns proporiam um ritmo com base nos acentos. Ao menos em alguma extensão, a delineação de pulsação é calculada numa hipótese aramaica original. Por exemplo, BURNEY encontra linhas de quatro batidas cada em 14,1-10; linhas de três batidas em 3,11 e 4,36; e a dolorosa métrica *Qinah* de três batidas na primeira linha e duas na segunda em 16,20. GÄCHTER tem sido o mais esmerado em sua busca de um ritmo de sílabas enfatizadas em João. Suas obras com o texto grego, embora ocasionalmente reconstrua o original aramaico. Ele prefere linhas curtas de duas batidas cada, e não crê que a divisão poética de uma linha constitua necessariamente uma unidade de sentido – a linha é uma de acento rítmico e não necessita comunicar um pensamento completo. Este aspecto faz a reconstrução de GÄCHTER da poesia totalmente única e lhe dá bem pouca semelhança com a poesia sapiencial do AT. GÄCHTER também insiste em um sistema altamente complexo de arranjo estrófico.

IX • Idioma, texto e formato literário do evangelho

Como já mencionamos, Bultmann mantém que a forma grega dos discursos em João tem em sua maior parte preservado o formato poético da Fonte do Discurso Revelatório original. A seleção e publicação que D. M. Smith faz do material que Bultmann atribui a esta fonte (ver *Composition*, pp. 23-34) mostra, num primeiro relance, quão bom seria publicar João no formato poético. E sugerimos que isto se prova verdadeiro mesmo quando não recorremos aos supostos originais aramaicos ou ainda separar as batidas rítmicas. Nas várias seções de discurso do evangelho há um constante efeito rítmico de linhas de aproximadamente a mesma extensão, cada uma constituindo uma cláusula. Possivelmente, isto reflete um ritmo forte num original aramaico, mas o padrão geral é totalmente observável no grego. Dois aspectos do arranjo de Bultmann são mais abertos a dúvida. Ele junta o Prólogo com o restante do material de discurso, mas o paralelismo "escalonado" do Prólogo representa um estilo poético muito mais cuidadosamente elaborado do que qualquer passagem nos discursos. Em nossa opinião, o Prólogo era um hino, enquanto os discursos não o eram. Segundo, em sua reconstrução do formato poético, Bultmann é mais arbitrário em sua excisão das glosas que ele atribui ao redator final. Não estamos certos de que o formato poético seja tão fixo ou estrito que linhas desarrumadas possam ser tratadas como adições.

Em sua tradução de João para a "Bíblia de Jerusalém" francesa, D. Mollat nos deu os discursos num formato poético – uma das poucas tentativas modernas de fazer isto em uma Bíblia destinada ao público geral. Ele nunca formula seus princípios para dividir os versos; mas, como se dá com Burney e Bultmann, faz suas divisões de acordo com o sentido. Às vezes, em seu esforço para apresentar os versos equilibrados na tradução francesa, Mollat sacrifica o equilíbrio dos versos gregos. Bultmann não teve de enfrentar este problema de tradução, pois ele imprime em grego os versículos do evangelho. Mollat adotou a forma de bloco para seus versos poéticos, enquanto Bultmann o quebra ao por os versos em posições subordinados.

É um exercício muito interessante fazer um estudo comparativo destas várias tentativas de pôr os discursos joaninos num formato poético. Talvez dois terços das vezes, Bultmann e Mollat estarão de acordo sobre o número de linhas em que um versículo deva ser dividido. Todavia, mesmo com um terço de variação, eles estão muito mais perto um do outro do que de Gächter. Tomando apenas um exemplo, em 6,35, ambos, MOLLAT e BULTMANN, têm três versos, enquanto GÄCHTER tem cinco.

É difícil dar alguma prova conclusiva de que um formato poético é justificado. Talvez tudo o que se possa dizer é que, quando se elabora o material por certo tempo, procurando achar uma estrutura poética, então acaba sentindo-se envolvido por um ritmo. E assim, com alguma hesitação, temos decidido usar o formato poético em nossa própria tradução a fim de oferecer ao leitor uma oportunidade de julgar por si mesmo se há ou não um equilíbrio rítmico nos versos joaninos. Mas temos de fazer uma advertência. Nossa divisão dos versos na presente obra permanece fiel à divisão no grego (com ocasional inversão de versos); e assim, visto ser preciso várias palavras portuguesas para traduzir uma palavra grega, nem sempre será possível aparecer o equilíbrio entre os versos na tradução portuguesa. Para se obterem mais linhas se faz necessário ignorar o equilíbrio grego, como MOLLAT tem feito de tempo em tempo. Temos traduzido como um só verso o duplo "amém" (para tradução, ver nota sobre 1,51), usado tão amiúde pelo Jesus joanino para introduzir um discurso. Estritamente, ele não é parte da poesia, mas não parecia valer a pena manter um formato especial para a única linha.

Não hesitamos consultar as reconstruções de BULTMANN, MOLLAT e BURNEY, nem hesitamos em discordar com sua divisão em versos onde cremos se justificava outra divisão. Em alguns casos difíceis, uma sugestão de algum estudioso é tão boa como outra, e recorrer a um original aramaico hipotético realmente não é decisivo. Algumas vezes, a divisão dos versos tem de ser determinada pela divisão que se encontra no contexto. Por exemplo, o que agora temos como os quatro primeiros versos de 12,26 realmente poderia ser impresso como dois:

> Se alguém quer servir-me, então me siga;
> e onde eu estiver, aí também estará meu servo.

Entretanto, somos inclinados a interromper isto e tratar das cláusulas adverbiais como versos distintos por analogia das cláusulas condicionais em 12,24. Na verdade, em certa época, provavelmente estes fossem ditos independentes, e assim a força da analogia não é segura. Reiterando, 3,15, que traduzimos como dois versos, poderiam permanecer facilmente como um só verso. Entretanto, é um contraste óbvio com a última parte de 3,16 que realmente tem de ser quebrada em

IX • Idioma, texto e formato literário do evangelho 153

dois versos, e este contraste tem determinado nosso emprego em 3,15. Sucessivamente, ambos estes versículos têm guiado nossa presente divisão de 3,20-21. No contexto do Prólogo temos impresso o versículo 15 inserido como prosa, pois ele não se harmoniza com a cuidadosa poesia deste hino. Mas, quando as mesmas palavras aparecem no próprio evangelho, correspondem ao formato poético dos discursos (1,30). Portanto, os princípios da divisão são flexíveis.

Talvez valha a pena insistir uma vez mais que o uso do formato poético significa apenas que há um equilíbrio quase poético com a prosa dos discursos. Não cremos que consistentemente se possa achar ritmo, paralelismo estrito ou padrões acentuados exatos. Se a prosa é solene, está longe de ser lírica. A linguagem dos discursos completa a monótona grandeza pela repetição das simples palavras e não pelo uso de vocabulário altamente literário. Por essa razão, temos traduzido estes discursos para o português ordinário (e deveras não teríamos a capacidade literária para criar uma genuína poesia para eles, caso fosse isso justificado).

D. CARACTERÍSTICAS NOTÁVEIS NO ESTILO JOANINO

(1) *Inclusão*. No final de uma passagem, o evangelho costuma mencionar um detalhe ou faz uma alusão que lembra algo registrado na abertura da passagem. Este aspecto, bem atestado em outros livros bíblicos, por exemplo, a Sabedoria de Salomão, pode servir como um meio de delimitar uma unidade ou uma subunidade, ao unir o início e o fim. Note as referências aos dois milagres de Caná em 2,11 e 4,54; as referências à Transjordânia em 1,28 e 10,40; as referências implícitas ao cordeiro pascal em 1,29 e 19,36.

(2) *Quiasmo* ou paralelismo invertido. Em duas unidades que partilham um número de aspectos paralelos, o primeiro versículo de I corresponde ao último versículo de II, o segundo versículo de I corresponde ao último versículo vizinho de II etc.

I	II
vs. 1 =	vs. 7
vs. 2 =	vs. 6
vs. 3 =	vs. 5
vs. 4	

Bons exemplos podem ser vistos em 6,36-40 (p. 276) e na organização do julgamento perante Pilatos (18,28-19,16).

(3) *Significado duplicado ou duplo*. O evangelho costuma exercer duplos significados de palavras, quer em aramaico ou em grego, por exemplo: em 3,3ss. em *anōthen* como "de cima" ou "novamente"; em 4,10-11 no duplo significado "vivo" e "fluindo" para descrever a água; em 7,8 na ambiguidade de "subindo" (a Jerusalém ou ao Pai?).

(4) *Incompreensão*. Este aspecto algumas vezes é a contraparte do precedente; em outros casos, se relaciona com a linguagem simbólica de Jesus. Quando Jesus está falando no nível celestial ou eterno, suas observações às vezes são incompreendidas como se referindo a uma situação material ou terrena. A água e o pão que ele emprega para simbolizar sua revelação não são compreendidos pelo auditório como símbolos (4,10ss.; 6,32ss.). Seu corpo é o templo que será destruído e ressuscitado, mas os ouvintes pensam no templo de Jerusalém (2,19-22). Em parte, isto pode ser uma técnica literária intencionada, pois a incompreensão geralmente leva Jesus a explicar-se mais amplamente e a revelar sua doutrina. Entretanto, visto que este simbolismo é o equivalente joanino da linguagem parabólica dos sinóticos, esta incompreensão é o equivalente joanino da falha em compreender que vai de encontro às parábolas na tradição sinótica (Mc 4,12). Representa a incapacidade do mundo em ver a verdade.

(5) *Ironia*. Os oponentes de Jesus gostam de fazer afirmações sobre ele que são depreciativas, sarcásticas, incrédulas ou, ao menos, inadequadas no sentido que pretendem. Não obstante, à moda de ironia, estas afirmações às vezes são verdadeiras ou mais significativas num sentido que eles não compreendem. O evangelista simplesmente apresenta tais afirmações e as deixa sem resposta (ou respondidas com eloquente silêncio), pois ele está certo de que seus leitores crentes verão a verdade mais profunda. Bons exemplos são 4,12; 7,35.42; 8,22; 11,50.

(6) *Notas explicativas*. No evangelho, às vezes encontramos comentários explicativos, inseridos na narrativa corrente do relato. Explicam nomes (1,38.42) e símbolos (2,21; 12,33; 18,9); corrigem possíveis incompreensões (4,2; 6,6); lembram o leitor dos eventos relatados (3,24; 11,2) e re-identificam quem são os personagens envolvidos na trama (7,50; 21,20). TENNEY computou umas cinquenta e nove dessas notas; e se não levassem à confusão bem que poderiam ser colocadas

embaixo da página como notas de rodapé, como faz E. V. Rieu em suas traduções do NT. Não obstante, isto cria um problema de versificação; e assim temos adotado o razoável compromisso de usar parênteses, exceto para a nota ocasional que não pudermos trabalhar uniformemente na narrativa. Estas notas às vezes são indicativas do processo redacional em atividade na composição do evangelho.

BIBLIOGRAFIA

Idioma original

BROWN, Schyler, *"From Burney to Black: The Fourth Gospel and the Aramaic Question"*, CBQ 26 (1964), 323-39 – boa bibliografia.
GUNDRY, R. H., *"The Language Milieu of First-century Palestine"*, JBL 83 (1964), 404-8.

Texto grego

1. O Papiro Bodmer:

P^{66} ou Bodmer Papyrus II, datando de mais ou menos 200, foi publicado por V. Martin, com caps. i-xiv, surgindo em 1956 e o resto em 1958. Para correções da edição de 1956, ver Teeple e Walker em JBL 78 (1959), 148-52; e Fee em JBL 84 (1965), 66-72. Para uma boa bibliografia, ver NTA 2 (1958), #322. Uma edição revisada de P^{66} foi publicada por Martin e J. W. Barns em 1962. Para correções subsequentes, ver Barns em *museon* 75 (1962), 327-29.
P^{75} ou Bodmer Papyrus XV, datando de mais ou mentos 200, foi publicado por Martin e R. Kasser em 1961.
Em um artigo sequenciado, K. Aland tem analisado as relações destes dois papiros e confrontado suas reedições: NTS 9 (1962-63), 303-13; NTS 10 (1963-64), 62-79, datando particularmente com P^{66}; NTS 11 (1964-65), 1-21, tratando particularmente com P^{75}.
CLARK, K. W., *"The Text of the Gospel o John in Third-century Egypt"*, NovT 5 (1962), 17-24.
PORTER, C. L., *"Papyrus Bodmer XV (P^{75}) and the Text of Codex Vaticanus"*, JBL 81 (1962), 363-76.

ZIMMERMANN, H., *"Papyrus Bodmer II und seine Bedeutung für die Textgeschichte des Johannesevangeliums"* BZ 2 (1958), 214-43.

Em 1958, R. Kasser publicou Papyrus Bodmer III, uma versão de João do 4º século Boh. (Cópta) traduzida diretamente do grego. Em um artigo *museon* 74 (1961), 423-33, Kasser estuda este manuscrito em relação a outras testemunhas cópticas de João.

2. Citações patrísticas

BIRDSALL, J. N., *"Photius and the Text of the Fourth Gospel"*, NTS 4 (1957-58), 61-63.
BOISMARD, M.-E., *"Critique textuelle et citations patristiques"*, RB 57 (1950), 388-408.
_____ *"Lectio Brevior, Potior"*, RB 58 (1951), 161-68.
_____ *"Problèmes de critique textuelle concernant le quatrième évangile"*, RB 60 (1953), 347-71.

Formato poético

BURNEY, C. F., *The Poetry of Our Lord* (Oxford: Clarendon, 1925).
GÄCHTER (Gaechter)* P., em uma série de artigos, tem discutido passagens individuais:

João		
	1,1-18	ZKT 60 (1936), 99-111;
	5,19-30	NTAuf, pp. 65-68;
	5,19-47	ZKT 60 (1936), 111-20;
	5,35-58	ZKT 59 (1935), 419-41;
	8,12-59	ZKT 60 (1936), 402-12;
	10,11-39	ZKT 60 (1936), 412-15;
	13-16	ZKT 58 (1934), 155-207.

Característicos de estilo

CLAVIER, H., *"L'ironie dans le quatrième évangile"*, StEv, I, pp. 261-76.
CULLMANN, O., *"Der johanneische Gebrauch doppeldeutiger Ausdrücke als Schlülssel zum Verständnis des vierten Evangeliums"*, TZ 4 (1948), 360-72.

---

* Ambas as grafias são usadas pelo autor em suas próprias obras publicadas.

LÉON-DUFOUR, X., *"Trois chiasmes johanniques"*, NTS 7. (1960-61), 249-55.
LUND, N. W., *"The Influence of Chiasmus upon the Structure of the Gospels"*, ATR 13 (1931), 27-48, 405-33.
TENNEY, M. C., *"The Footnotes of John's Gospel"*, Bibliotheca Sacra 117 (1960), 350-64.

X
ESBOÇO DO EVANGELHO

A. ESBOÇO GERAL DO EVANGELHO

A seguinte divisão é sugerida pelo próprio evangelho:

1,1-18: PRÓLOGO

> Um primitivo hino cristão, provavelmente oriundo dos círculos joaninos, o qual foi adaptado para servir como abertura à narrativa evangélica da carreira da Palavra encarnada.

1,19-12,50: LIVRO DOS SINAIS

> O ministério público de Jesus no qual ele se manifesta como sinal e palavra ao seu próprio povo como a revelação de seu Pai, só para ser rejeitado.

13,1-20,31: LIVRO DA GLÓRIA*

> Àqueles que o aceitam Jesus mostra sua glória regressando ao Pai em "a hora" de sua crucifixão, ressurreição e ascensão. Plenamente glorificado, ele comunica o Espírito de vida.

21,1-25: EPÍLOGO*

> Um relato adicional de uma aparição pós-ressurreição de Jesus na Galileia, para demonstrar como Jesus provê as necessidades da igreja.

---

* Estas divisões aparecem no volume 2.

É suficientemente claro que o final do capítulo 12 e o início do 13 marcam especificamente a interrupção da narrativa. Em 12,37-43 há uma descrição e análise sumariadas do ministério público de Jesus e seu efeito sobre o povo; 12,44-50 apresenta as últimas palavras de Jesus dirigidas ao povo em geral. Em 13,1-3 há uma mudança em ênfase, marcada pelas palavras "Ora, um pouco antes da festa da páscoa, estando Jesus ciente de que já havia chegado a hora de passar deste mundo para o Pai". Todas as palavras de Jesus nos capítulos 13-17 são dirigidas a "os seus" (13,1) discípulos a quem ele ama e que vieram a crer nele. O espírito destas duas principais divisões do evangelho é resumido em dois versículos do Prólogo (1,11-12) que contrasta seu próprio povo que não o aceitou e os que o aceitaram, tornando-se assim filhos de Deus. A segunda divisão do evangelho chega ao fim em 20,30.31, uma conclusão que comenta o conteúdo e propósito do evangelho. As razões para tratar capítulo 21 como um Epílogo serão expostas em nosso segundo volume.

Temos designado 1,19-12,50 como "O Livro dos Sinais", porque estes capítulos se ocupam principalmente dos milagres de Jesus, designados como "sinais", e os discursos que interpretam os sinais. Por contraste, a palavra "sinal", na segunda divisão do evangelho, ocorre somente na afirmação sumariada de 20,30. A segunda divisão, que narra o que aconteceu desde a tarde de quinta-feira da última ceia até o aparecimento de Jesus a seus discípulos depois da ressurreição, tudo isso contém o tema do retorno de Jesus a seu Pai (13,1; 14,2.28; 15,26; 16,7.28; 17,5.11; 20,17). Este retorno significa a glorificação de Jesus (13,31; 16,14; 17,1.5.24), de modo que o Jesus ressurreto apareceu a seus discípulos como Senhor e Deus (20,25.28) – daí nosso título "O Livro da Glória". Os sinais do primeiro livro anteciparam a glória de Jesus de uma maneira figurativa para aqueles que tinham a fé de ver através dos sinais sua significação (2,11; 11,4.40), mas muitos saudaram estes sinais com apenas percepção limitada e uma fé insuficiente. A ação do segundo livro, dirigida aos que criam nos sinais do primeiro, na realidade concretiza o que foi antecipado pelos sinais do primeiro livro, de modo que o Prólogo pode exclamar: "e vimos a sua glória, como a glória do unigênito do Pai" (1,14).

B. ESBOÇO GERAL DO LIVRO DOS SINAIS

Propomos dividir este livro em quatro partes; o esboço detalhado de cada parte será dado no início de nossa exposição da mesma. Nas próximas duas páginas simplesmente daremos um esboço geral de todo o livro com as principais subdivisões, de modo que o leitor possa seguir inteligentemente nossa exposição dos princípios que nos orienta para estabelecer a divisão do Livro dos Sinais.

Quais são as indicações dentro do próprio evangelho que podem servir como guia para subdividir o Livro dos Sinais? Que as indicações não são absolutamente claras é sugerido pelas muitas discussões entre os estudiosos sobre como este livro do evangelho deve ser dividido. Depois do Prólogo, há uma narrativa relativamente contínua de 1,19 a 12,50. O evangelho nos dá algumas indicações da passagem do tempo, por exemplo, as três Páscoas mencionadas em 2,13; 6,4 e 11,55; mas estas são meramente para situar o cenário para uma narrativa particular, e não existe nada a sugerir que possam ser utilizados como indicadores para uma divisão do evangelho. A ideia de dividir o ministério de Jesus em dois ou três anos não provém do próprio evangelho.

Se falarmos de um Livro dos Sinais, não é impossível que precisamente os *sinais* representem uma chave para a divisão do livro. Os seguintes sinais miraculosos são narrados com certo detalhe:

(1) Transformação da água em vinho em Caná (2,1-11)
(2) Cura do filho do oficial do rei em Caná (4,46-54)
(3) Cura do paralítico no poço de Betesda (5,1-15)
(4) Multiplicação dos pães na Galileia (6,1-15)
(5) Caminhando sobre o Mar da Galileia (6,16-21)
(6) Cura de um cego em Jerusalém (9)
(7) Ressurreição de Lázaro dentre os mortos em Betânia (11)

DIVISÃO DO LIVRO DOS SINAIS
(1,19-12,50)

Primeira Parte: Os dias iniciais da Revelação de Jesus (1,19-51; 2,1-11)

A. 1,19-34 O Testemunho de João Batista:
    (19-28)   Concernente ao seu papel em relação àquele que há de vir;
    (29-34)   Concernente a Jesus.

B. 1,35-51 Os Discípulos do Batista vão a Jesus quando se manifesta;
    (35-42)   a. Dois discípulos – Jesus reconhecido como Rabi;
               b. Simão Pedro – Jesus como o Messias;
    (43-51)   a. Filipe – Jesus como o cumprimento da Lei e dos Profetas;
               b. Natanael – Jesus como o Filho de Deus e Rei de Israel;
               – Dito sobre o Filho do Homem.

(2,1-11 Os Discípulos creem em Jesus quando manifesta Sua Glória em Caná – esta cena tanto encerra a Primeira Parte como abre a Segunda Parte)

Segunda Parte: De Caná a Caná – várias reações ao ministério de Jesus nas diferentes seções na Palestina (2-4)

A. 2,1-11 O Primeiro Sinal em Caná da Galileia – água em vinho.
    12 Transição – Jesus vai para Cafarnaum.

B. 2,13-22 Purificação do Templo em Jerusalém.
    23-25 Transição – reação a Jesus em Jerusalém.

C. 3,1-21 Discurso ante Nicodemos em Jerusalém.
    22-30 O testemunho final acerca de Jesus.
    31-36 Discurso de Jesus concernente ao precedente.
    4,1-3 Transição – Jesus deixa a Judeia.

D. 4,4-42 Discurso à mulher samaritana junto ao poço de Jacó.
    43-45 Transição – Jesus entra na Galileia.

E. 4,46-54 O Segundo Sinal em Caná da Galileia – cura do filho do oficial; a família crê.
    (Esta cena tanto encerra a Segunda Parte como abre a Terceira Parte)

Terceira Parte: Jesus e as principais festas dos judeus
(5-10, introduzido por 4,46-54)

(4,46-54 Jesus devolve a vida ao filho do oficial em Caná)

A. 5,1-47 **O Sábado** – Jesus realiza obras que somente Deus pode fazer no sábado:
- (1-15) Dom da vida [cura] para o homem no poço Betesda em Jerusalém;
- (16-47) Discurso explicativo da doação da vida e sua obra no sábado.

B. 6,1-71 **Páscoa** – Jesus oferece pão que substitui o maná do Êxodo:
- (1-21) Multiplicação dos pães; caminhando sobre o mar;
- (22-24) Transição – A multidão vai a Jesus.
- (25-71) Discurso explicativo da multiplicação.

C. 7,1-8.59 **Tabernáculos** – Jesus substitui as cerimônias da água e da luz:
- 7 (1-13) Introdução: Jesus subirá à festa?
- (14-36) Cena 1: Discurso sobre o meio dia da semana festiva;
- (37-52) Cena 2: O último dia da festa:
  [7,53-8,11 A Adúltera – interpolação não joanina]
- 8 (12-59) Cena 3: Discursos mistos.
- 9,1-10,21 Consequência dos Tabernáculos:
- 9 (1-41) Cura do cego de nascença – Jesus como a luz;
- 10 (1,21) Jesus como a porta e pastor.

D. 10,22-39 **Dedicação** – Jesus, o Messias e Filho de Deus, é consagrado no lugar do altar do templo:
- (22-31) Jesus como o Messias;
- (32-39) Jesus como o Filho de Deus.
- 40-42 Aparente conclusão ao ministério público.

Quarta Parte: Jesus segue rumo à hora da morte e da glória (11-12)

A. 11,1-54 Jesus dá vida aos homens; os homens condenam Jesus à morte:
- (1-44) Jesus dá vida a Lázaro – Jesus como a vida;
- (45-54) O Sinédrio condena Jesus à morte; foge para Efraim.
- 55-57 Transição – Jesus irá a Jerusalém para a Páscoa?

B. 12,1-36 Cenas preparatórias para a Páscoa e morte:
- (1-8) Em Betânia, Jesus é ungido para a morte;
- (9-19) As multidões aclamam Jesus quando entra em Jerusalém;
- (20-36) A vinda dos gregos marca a vinda da hora.

Conclusão: Apreciação e clímax do ministério de Jesus (12,37-50):
- 12 (37-43) Apreciação do ministério de Jesus por seu próprio povo;
- (44-50) Discurso independente de Jesus usado como proclamação final.

X • Esboço do evangelho

Um simples olhar de relance na distribuição destes sinais que estão ao longo dos capítulos de João indica que dificilmente formam uma base adequada para a divisão do evangelho. E deveras cabe-nos enfatizar que estes sinais são mencionados não só no Livro dos Sinais, pois há referências passageiras (algumas vezes implícitas) aos sinais em 2,23; 4,45; 7,4; 12,37 (e ver 20,30). O fato de haver *sete* sinais narrados por extenso tem fascinado alguns, pois um esquema de setes é evidente em outra obra na escola joanina, Apocalipse. BOISMARD, *art. cit.*, aperfeiçoou com muito refinamento a descoberta de sete no Quarto Evangelho: sete milagres; sete discursos; sete símiles usados por Jesus; sete títulos no capítulo 1; sete dias em 1-2; sete períodos na vida de Jesus etc. Mas uma visão mais de perto leva à suspeita de que esta engenhosidade está sendo imposta ao evangelista, o qual nunca deu a mais leve indicação de que ele tem em mente tais esquemas numéricos e nunca usa a palavra sete (em contraste com o Apocalipse). Por exemplo, a intenção do evangelista (4) e (5) acima será tratada como dois sinais separados.

DODD, *Interpretation*, divide o Livro Um em sete episódios, os quais formam uma distribuição muito mais satisfatória do que os sete sinais:

(1) O Novo Princípio (2,1-4,42)
(2) A Palavra Geradora de Vida (4,46-5,47)
(3) O Pão da Vida (6)
(4) Luz e Vida (7-8)
(5) Juízo através da Luz (9,1-10,21) e Apêndice (10,22-39)
(6) A Vitória da Vida sobre a Morte (11,1-53)
(7) Vida através da Morte (12,1-36)

O princípio geral de DODD de unir sinal com discurso interpretativo é válido, e sua brilhante análise que ele faz de muitas destas unidades deve deixar uma marca permanente nos estudos joaninos. Mas há um problema de distribuição geral. Há certa unidade nos capítulos 2-4, mas esta unidade deve ser posta em pé de igualdade com um capítulo singular como 11? Capítulos 2-4 são compostos de no mínimo cinco relatos diferentes colocados em locais diferentes; capítulo 11 consiste, substancialmente, de uma narrativa compacta. DODD não teria se deixado impressionar pelo desejo de encontrar um padrão de sete no evangelho?

Propomos nossa própria divisão com certa hesitação, estando ciente do risco de impor nossos pontos de vista ao evangelista. Porém alegamos que há no próprio evangelho certas indicações em prol das linhas gerais desta divisão. Por exemplo, o tema de João Batista e de seus discípulos que se tornaram discípulos de Jesus serve de nexo a 1,19-2,11, nossa Primeira Parte. O próprio evangelho faz a conexão entre o primeiro sinal em Caná e o segundo sinal em Caná, as duas cenas que constituem a demarcação de nossa Segunda Parte. A ênfase sobre festas como ocasião e simultaneamente tema dos discursos de Jesus é sublinhada pelo evangelista nos capítulos 5-10, nossa Terceira Parte. E não só o tema de Lázaro, mas também certas peculiaridades estilísticas conferem certa unidade aos capítulos 11-12, Quarta Parte.

Além do mais, há nesta divisão um deliberado esforço de respeitar a fluidez do pensamento do evangelho. No Apocalipse fica bem claro o último membro de uma série de sete assuntos é ao mesmo tempo o início da série seguinte, por exemplo, Em Ap 8,1, o sétimo selo abre as sete trombetas. Enquanto nos sentimos relutantes em transferir aspectos que são peculiares a Apocalipse como um livro apocalíptico (p. ex., padrões números) à diferente forma literária do evangelho, não obstante, sugerimos que este aspecto de pensamento sobreposto pode ajudar também a estabelecer a divisão do evangelho. Por exemplo, o evangelista une claramente a cena em Caná à que precedeu, enfatizando o papel dos discípulos (2,2.11); todavia, ao enfatizar que este foi o primeiro sinal de Jesus, o evangelista também olha para o que segue. Salta à vista o mesmo problema com o segundo milagre em Caná (4,46-54), que volta o olhar para o primeiro milagre em Caná, e, no entanto, focaliza adiante seu tema de vida, o qual está elaborado no capítulo 5. Os argumentos finais sobre como situar todas as cenas numa divisão do evangelho pode achar uma solução se reconhecermos que estas cenas têm um duplo papel de concluir uma parte e abrir a seguinte.

Os temas das partes individuais do Livro dos Sinais

Primeira Parte: Aqui, os temas são óbvios em nossa divisão. A questão adicional de se esta parte é mantida junta pelo tema dos setes dias da nova criação será discutida em relação a 2,1-11.

Segunda Parte: Há ao menos dois temas principais que percorrem esta parte. Enquanto o evangelista sugere estes temas mais claramente,

X • Esboço do evangelho   165

não se pode achá-los elaborados consistentemente em cada subdivisão; e o anseio por desenvolvimento lógico tem levado os intérpretes a forçar estes temas para além da intenção expressa do evangelho. O primeiro tema é o de substituir as instituições e os pontos de vista religiosos judaicos pela pessoa de Jesus:

>   Em A: a substituição da água para as purificações judaicas
>   Em B: a substituição do templo
>   Em D: a substituição do culto praticado em Jerusalém e em Garizim

Entretanto, em C não há referência clara a substituição; é forçada a sugestão de que Jesus está substituindo o nascimento no seio do Povo Escolhido pela geração de cima. Possivelmente, em E possa-se achar uma substituição de fé inadequada em sinais, mas isto dificilmente é um ponto de vista religioso particularmente judaico.

O segundo tema é o das diferentes relações de indivíduos e grupos com Jesus:

>   Em A: os discípulos creem em Caná da Galileia
>   Na Transição de 2,23-25, muitos em Jerusalém creem inadequadamente em seus sinais
>   Em C: Nicodemos, em Jerusalém, crê inadequadamente
>   Em D: a mulher samaritana crê com dúvidas (4,29); a população samaritana crê mais plenamente (4,42)
>   Na Transição de 4,43-45, muitos dentre os galileus creem inadequadamente em seus sinais
>   Em E: o oficial do rei e sua casa passam a crer com base na palavra e sinal de Jesus

A tentação é encontrar um desenvolvimento lógico nesta sequência. Tem-se sugerido o crescimento da fé de Nicodemos, um judeu, através da mulher samaritana (semi-judia), em relação ao oficial do rei, um gentio. Entretanto, a designação do oficial como gentio tem por base sua identificação com o centurião sinótico; João não menciona tal coisa, e dificilmente o evangelista poderia esperar que os leitores o sugerissem. Outros estudiosos veem uma progressão geográfica: a fé fica mais forte quando Jesus se retira de Jerusalém através de Samaria para a Galileia. Mas a fé dos galileus, em 4,43-45, é a mesma que a fé dos de Jerusalém em 2,23-25; e não há diferença significativa de fé entre a população samaritana de 4,42 e da casa do oficial de 4,53. Precisamos acautelar-nos para não sermos mais engenhosos do que o próprio evangelista.

Terceira Parte: Esta é dominada pelas ações e discursos de Jesus por ocasião das grandes festas judaicas. Não obstante, a relação entre o que é dito a um tema da festa é menos óbvia em alguns casos do que em outros. As subdivisões B e C são as mais claras, mas em D a referência ao tema da Dedicação é sutil e se limita a um único versículo (10,36). Há subtemas: o simbolismo do Êxodo no maná e na água que verte da rocha, unindo 6 e 7; a oposição aos fariseus unindo 9 e 10. O tema da luz ilustrado em 9 é combinado na próxima parte por uma ordenação do tema da vida em 11, e há muitos paralelos entre estes dois capítulos.

Quarta Parte: O tema da vida e morte que domina esta parte é centrado em torno de Lázaro. Discutiremos no comentário os detalhes da crítica literária que sugere que esta parte teve sua própria história peculiar.

BIBLIOGRAFIA

BOISMARD, M.-E., "L'Évangile à quatre dimensions", LumVie 1 (1951), 94-114.

FEUILLET, A., "Essai sur la composition littéraire de Joh. ix-xii", Mélanges Bibliques rédigés en l'honneur de André Robert (Paris: Bloud et Gay, 1957), pp. 478-93. Agora em inglês em JohSt, pp. 129-47.

VAN DEN BUSSCHE, H., "De Structuur van het vierde Evangelie", Collationes Brugenses et Gandavenses 2 (1956), 23-42, 182-99.

XI
BIBLIOGRAFIA SELECIONADA GERAL

Não se tem feito nenhuma tentativa de dar uma bibliografia joanina completa; só são citadas obras realmente usadas – obras recentes recebem a máxima atenção. Para o método de referência a esta bibliografia, ver p. XI.

BARRETT, C. K., *The Gospel According to St. John* (Londres: SPCK, 1956).
BERNARD, J. H., *A Critical and Exegetical Commentary on the Gospel According to St. John*, ed. A. H. MacNeile, 2 vols. (Edinburgh: Clark, 1928).
BLACK, M., *An Aramaic Approach to the Gospels and Acts* (2 ed.; Oxford: Clarendon, 1954).
BLINZLER, J., *The Trial of Jesus* (Westminster: Newman, 1959).
BRAUN, F.-M., *Jean le Théologien* (abbr. JeanThéol), I: *Jean le Théologien et son Évangile dans l'Eglise ancienne*, 1959; II: *Les grandes traditions d'Israël*, 1964; III: *Sa théologie: Le mystère de Jésus-Christ*, 1966 (Paris: Gabalda).
BULTMANN, R., *Das Evangelium des Johannes* (16 ed. with Suppl.; Göttingen: Vandenhoeck, 1959).
CULLMANN, O., *Early Christian Worship* (abbr. ECW), trs. A. S. Todd and J. Bo Torrance (SBT, No. 10; Londres: SCM, 1953).
DODD, C. H., *The Interpretation of the Fourth Gospel* (Cambridge, 1953).
_____ *Historical Tradition in the Fourth Gospel* (Cambridge, 1963).
GLASSON, T. F., *Moses in the Fourth Gospel* (SBT, No. 40; Londres: SCM, 1963).
GUILDING, Aileen, *The Fourth Gospel and Jewish Worship* (Oxford: Clarendon, 1960).
HOSKYNS, E., *The Fourth Gospel*, ed. F. N. Davey (2 ed.; Londres: Faber, 1957).

LAGRANGE, M.-J., *Évangile selon Saint Jean* (8 ed.; Paris: Gabalda, 1948).
LIGHTFOOT, R. H., *St. John's Gospel*, ed. C. F. Evans (Oxford: Clarendon, 1956).
LOISY, A., *Le Quatrième Évangile* (1 ed.; Paris: Picard, 1903-2 ed.; Paris: Nourry, 1921). References to 2 ed. unless otherwise indicated.
Macgregor, G. H. C., *The Gospel of John* (Moffatt Commentaries; Nova York: Doubleday, 1929).
MOLLAT, D., *Introduction in exegesim scriptorium sancti Joannis* (Roma: Gregorian, 1961).
RICHARDSON, A., *The Gospel According to Saint John* (Torch Commentaries; Londres: SCM, 1959).
SCHLATTER, A., *Der Evangelist Johannes* (3 ed.; Stuttgart: Calwer, 1960).
SCHÜRER, E., E., *A History of the Jewish People in the Jesus Christ*, 5 vols. (Edinburgh: Clark, 1890).
SMITH, D. M., *The Composition and Order of the Fourth Gospel* (Yale, 1965).
STRATHMANN, H., *Das Evangelium nach Johannes* (10 ed.; Göttingen: Vandenhoeck, 1963).
TAYLOR, V., *The Gospel According to St. Mark* (Londres: Macmillan, 1953).
THÜSING, W., *Die Erhöhung und Verherrlichung Jesu im Johannesevangelium* (Münster: Aschendorff, 1960).
VAN DEN BUSSCHE, H., *L'Evangile du Verbe*, 2 vols. (Brussels: Pensée Catholique, 1959 e 1961).
ESTCOTT, B. F., *The Gospel According to St. John*, reissued by A. Fox (Londres: Clarke, 1958 [original 1880]).
WIKENHAUSER, A. *Das Evangelium nach Johannes* (2 ed.; Reegensburg: Pustet,
WILES, M. F., *The Spiritual Gospel* (Cambridge, 1960).

I
PRÓLOGO

Um primitivo hino cristão, provavelmente oriundo dos círculos joaninos, o qual foi adaptado para servir como abertura à narrativa evangélica da carreira da Palavra encarnada.

1. HINO INTRODUTÓRIO
(1,1-18)

Primeira Estrofe

1 ¹No princípio era a Palavra,
A Palavra estava na presença de Deus,
E a Palavra era Deus.
²No princípio, ele estava presente com Deus.

Segunda Estrofe

³Todas as coisas vieram a existir através dele,
à parte dele, nada veio a existir.
⁴Aquilo que viera a existir nele era a vida,
e esta vida era a luz dos homens.
⁵A luz brilha sobre as trevas,
todavia as trevas não a venceram.

(⁶Houve um homem enviado por Deus cujo nome era João ⁷que veio como testemunha a testificar da luz para que, através dele, todos os homens viessem a crer – ⁸mas somente para testificar da luz, pois ele mesmo não era a luz. ⁹A verdadeira luz que ilumina a todo homem estava vindo ao mundo).

Terceira Estrofe

¹⁰Ele estava no mundo,
e o mundo foi feito por ele;
todavia, o mundo não o reconheceu.
¹¹Veio para o que era seu,
todavia os seus não o aceitaram.

> ¹²Mas a todos os que o aceitaram
> ele deu poder para se tornarem filhos de Deus.

Isto é, os que creem em seu nome – ¹³os que foram gerados, não por meio do sangue, nem por meio do desejo carnal, nem por meio do desejo do homem, mas por Deus.

> *Quarta Estrofe*
> ¹⁴E a Palavra se fez carne
> e fez sua habitação entre nós.
> E temos visto sua glória,
> a glória de um Filho único vindo do Pai,
> cheio de amor constante.

(¹⁵João testificou dele, proclamando: "Este é aquele de quem eu disse: Aquele que vem depois de mim vai adiante de mim, pois existia antes de mim").

> ¹⁶E de sua plenitude
> todos nós tivemos participação –
> amor por amor.

¹⁷Pois embora a Lei fosse um dom através de Moisés, este amor constante veio por intermédio de Jesus Cristo. ¹⁸Ninguém jamais viu a Deus; é Deus o Filho único, estando sempre ao lado do Pai, é quem O revelou.

15: *testificou*. No tempo presente histórico.

NOTAS

1.1. *No princípio*. Na Bíblia hebraica, o primeiro livro (Gênesis) é denominado por suas palavras iniciais: "No princípio portanto"; o paralelo entre o Prólogo e Gênesis seria facilmente visto. O paralelo continua nos versículos seguintes, onde os temas da criação e da luz e as trevas são uma lembrança do Gênesis. A tradução que João faz da frase de abertura de Gn 1,1, que é a mesma da LXX, reflete uma compreensão daquele versículo evidentemente muito difundido nos tempos neotestamentários;

isso não nos dá necessariamente o significado original tencionado pelo autor de Gênesis. E. A. Speiser (The Achor Bible, vol. 1) traduz assim: "Quando Deus determinou criar o céu e a terra"...

princípio. Este não é como em Gênesis, o princípio da criação, pois a criação vem no versículo 3. Ao contrário, o "princípio" se refere ao período anterior à criação e é uma designação, mais qualitativa do que temporal, da esfera de Deus. Note como o evangelho de Marcos se abre: "O princípio do evangelho de Jesus Cristo [o Filho de Deus]"...

era a Palavra. Desde os dias de Crisóstomo, comentaristas têm reconhecido que cada um dos três usos de "era", no v. 1, tem conotação diferente: existência, relação e predicação, respectivamente. "A Palavra existia" tem afinidade com as afirmações de Jesus do "Eu sou" no próprio evangelho (ver Apêndice IV, p. 841ss). Não cabe especulação sobre como a Palavra veio a existir, pois a Palavra simplesmente existia.

na presença de Deus. Aqui e no v. 2 tentamos uma tradução que capture a ambiguidade do grego *pros ton theon*. Duas traduções básicas têm sido propostas: (a) "com Deus" = em companhia. BDF, § 239[1], ressalta que, embora *pros* com o acusativo geralmente se aplique a movimento, algumas vezes é usado no sentido de em companhia, segundo a debilitação geral no grego helenista da distinção entre preposições de movimento e de localização, p. ex., entre *eis* e *en*. A ideia de em companhia na pré-criação aparece em Jo 17,5: "aquela glória que eu tive *contigo* [*para com*] antes que o mundo existisse". Ver a redação alternativa de 7,29. (b) "para com Deus" = relação. Em um artigo em Bib 43 (1962), 366-87, De la Potterie argumentou de modo contundente que o sentido dinâmico de *eis* e *pros* não se perdeu no grego de João. Ele insiste que, quando João usa *pros* e o acusativo, não significa em companhia. Ele aponta (p. 380ss.) para o v. 18, o qual forma uma inclusão com o v. 1, e a expressão encontrada ali, *eis ton kolpon* (literalmente, "no seio do Pai", ou, como nossa tradução, "estando sempre ao lado do Pai"). Todavia, o argumento que extrai do v. 18 para a interpretação dinâmica do *pros*, no v. 1, depende do uso dinâmico de *eis*, no v. 18, e isto é disputado. Também se extrai um argumento de 1Jo 1,2: "... esta vida eterna tal como estava na presença do Pai [*pros ton patera*]". Todavia, visto que o sujeito desta sentença é "vida", parece estar implícita comunhão mais que relação. Comparações entre João e 1 João com base no vocabulário apresentam dificuldade, pois as mesmas palavras aparecem nas duas obras com nuanças ligeiramente diferentes. Nosso ponto de vista pessoal é que há uma nuança de relação em Jo 1,1b, mas sem a precisão daquela relação entre a Palavra e Deus o Pai que alguns veriam, p. ex., filiação.

presença de Deus. Aqui, o artigo é usado com *theos*. Quando o Pai, Jesus e o Espírito Santo são envolvidos, *ho theos* é com frequência usado para Deus o Pai (2Cor 13,13). O v. 18, com a inclusão do v. 1, fala do Pai, como o paralelo recém-mencionado em 1Jo 1,2. A enfatizar a relação entre a Palavra e Deus o Pai, o vs. 1 ao mesmo tempo os distingue implicitamente.

era Deus. O v. 1c tem sido o tema de prolongada discussão, pois ele constitui um texto crucial pertinente à divindade de Jesus. Não há artigo antes de *theos* como houve no v. 1b. Alguns explicam isto com a simples regra gramatical de que substantivos predicativos geralmente são anarthrous [sem o artigo] (BDF, § 273). Entretanto, enquanto mui provavelmente *theos* seja o predicado, tal regra não vale necessariamente para uma afirmação de identidade como, por exemplo, na fórmula "Eu sou"... (Jo 11,25; 14,6 – com o artigo). Para preservar na tradução a diferente nuança de *theos* com e sem o artigo, alguns (MOFFATT) traduziriam: "A Palavra era divina". Mas isto parece frágil demais; e, além do mais, há no grego um adjetivo para "divino" (*theios*) que o autor não escolheu usar. HAENCHEN, p. 313[38], objeta a este último ponto porque pensa que tal objetivo tem laivos de grego literário, não no vocabulário joanino. A NEB parafraseia a linha: "O que Deus era, a Palavra era"; e isto é certamente melhor que "divino". No entanto, para um leitor cristão moderno, cujo pano de fundo trinitário o acostumou a pensar "Deus" como o conceito mais amplo do que "Deus o Pai", a tradução "a Palavra era Deus" é plenamente correta. Esta redação é reforçada quando se lembra que no evangelho como ora se encontra, a afirmação de 1,1 quase certamente se destina a formar uma inclusão com 20,28, onde no final do evangelho Tomé confessa Jesus como "meu Deus" (*ho theos mou*). Estas afirmações representam a resposta afirmativa joanina à acusação feita contra Jesus no evangelho que ele não tinha razão ao fazer-se igual a Deus (10,33; 5,18). Não obstante, devemos reconhecer que entre "a Palavra era Deus" do Prólogo e a confissão posterior da Igreja de que Jesus era Cristo "Deus verdadeiro do verdadeiro Deus" (Niceia), houve marcante desenvolvimento em termos de pensamento filosófico e uma diferente problemática. Ver comentário.

3. *Todas as coisas vieram a existir*. Desde o 2º século em diante, isto foi tomado como uma referência à criação. POLLARD, *art. cit.*, o vê como uma ampla referência a todas as ações eternas de Deus, inclusive a história da salvação, porque o Quarto Evangelho não está interessado em cosmologia. Entretanto, veremos que o Prólogo teve uma história independente do evangelho e não tem necessariamente a mesma teologia que o evangelho. Em qualquer caso, "todas as coisas" é um conceito mais amplo do que

"o mundo", a esfera do homem, cuja menção se fará nos vs. 9-10. O verbo "veio a existir" é *egeneto*, usado constantemente para descrever criação na LXX de Gn 1.

à parte dele. Boismard, p. 11, insiste que "sem ele" não é uma tradução adequada, pois está implícito não só causalidade, mas também presença.

3b-4. Estas linhas costumam ser divididas de outra maneira, assim: "³ᵇe à parte dele não veio à existência algo que não existia. / ⁴Nele estava a vida". Nessa divisão, a cláusula "que veio a existir" – em vez de começar v. 4 – completa o v. 3. Esta divisão alternativa se encontra na Vulgata Clementina; e de acordo com Mehlmann, *"De mente"*, foi a divisão do próprio Jerônimo (exceto em um caso). Mas De la Potterie, *"De interpretatione"*, insiste que Jerônimo só mudou para esta divisão c. 401 d.C. por razões apologéticas. Comentaristas mais modernos usam a divisão que temos escolhido em nossa tradução; Marrett e Haenchen constituem exceções. Numa tentativa para provar que nossa divisão é a mais antiga, Boismard, p. 14, dá uma impressionante lista de escritores patrísticos que a usam; e sugere que a tradução alternativa acima só foi introduzida no 4º século como apologética anti-ariana. Os arianos usaram nossa divisão: "Aquilo que veio a estar nele era a vida", para provar que o Filho passara por mudança e, portanto, realmente não era igual ao Pai. Para opor-se a isto, os Pais ortodoxos preferiram a tradução alternativa, a qual removeu a base da interpretação ariana. Não obstante, nem todos os estudiosos aceitam essa explicação da origem da divisão alternativa. Mehlmann, *"A Note"*, tenta mostrar que ela era pré-ariana; e Haenchen sugere que *nossa* pontuação teve origem entre os gnósticos. Seja como for, a poesia do Prólogo favorece nossa divisão, pois o paralelismo climático ou "escalonado" das linhas requer que o final de uma linha se contraponha com o início da próxima. Em nossa divisão, o "veio a existir", no final do v. 3, contrapõe-se a "veio a existir" no início do 4. Além do mais, há um interessante paralelo em Qumran para 3b que ajuda a confirmar nossa redação (1QS 11,11): "E por Seu conhecimento tudo veio a existir, e por Seu pensamento Ele dirige tudo o que existe, e *sem Ele nada é feito* [ou manufaturado]". Ver De la Potterie para uma exaustiva discussão de todo o problema.

4a. *Aquilo que veio a existir nele era a vida*. Há nesta linha cinco problemas muito difíceis: (a) "Aquilo que *viera a existir*". O Prólogo muda do aoristo *egeneto*, "veio a existir", que foi usado duas vezes no v. 3, para um *gegonen* perfeito "viera a existir". Alguns creem que isto constitui uma tentativa de dar uma ideia genérica de ser criado: "*tudo* aquilo que viera à existência". Entretanto, normalmente a ênfase no tempo perfeito está na duração: algo ocorreu no pretérito, mas ainda tem efeito no tempo de falar. (b) "Nele" [pessoa] ou "nele" [coisa]? Van Hoonacker em 1901 e Loisy em 1903 sugerem uma possibilidade que não fora reconhecida pelos comentaristas mais antigos; a saber, que esta frase deve ser traduzida "nele" [coisa] e considerada como sendo um *casus pendens* resumindo "aquilo que viera a existir". A tradução resultante, "Aquilo que viera a existir, nele [coisa] era a vida", oferece sérias dificuldades. Caso se pretendesse uma continuação, *en toutō* ("nisto") seria mais normal; também a palavra "vida" não tem artigo e seria um predicado, não um sujeito. Que "vida", em 4a, seria um predicado é também sugerido pelo paralelismo "escada", visto que o que então seria um predicado em 4a seria um sujeito em 4b. Há uma variante da tradução "nele" [coisa] que é optado por Mollat em SB: "Aquilo que viera a existir, nisso ele era a vida". Esta tradução evita algumas das dificuldades supramencionadas; porém introduz como sujeito o pronome implícito no verbo, e não há outro exemplo disto nos vs. 1-5. Veja Lacan, pp. 67-69. (c) Se aceitarmos a leitura "nele" [pessoa], a que grupo de palavras o associaremos? Há duas redações possíveis: "Aquilo-que-viera-a-existir era a vida nele" e "Aquilo-que-viera-a-existir-nele era a vida".

Muitos estudiosos modernos aceitam a primeira redação, "era a vida nele", e assim juntam Eusébio, Cirilo de Alexandria, Agostinho e a maioria dos Padres latinos. Esta tradução usualmente impõe que o sujeito, "aquilo-que-viera-a-existir", seja tomado no mesmo sentido que "todas as coisas" que entraram para a existência do v. 3; a saber, que se refere a toda a criação. Entretanto, 4b ("esta vida era a luz dos homens") parece indicar que não toda a criação, mas somente as criaturas vivas ou, mais provavelmente, os homens estão implícitos por "aquilo-que-viera-a-existir" em 4a. Uma dificuldade adicional nesta tradução é a estranheza do verbo, e muitos têm parafraseado: "encontraram vida" ou "estavam vivos". Mesmo o tempo do verbo é difícil já que esperaríamos um tempo presente: "está vivo nele". Por estas razões, as discussões recentes entre Lacan e Vawter acham esta tradução tão confusa. Se o autor do Prólogo quisesse expressar os mesmos sentimentos do hino em Cl 1,17, "nele todas as coisas subsistem", então escolheu um modo muito obscuro para fazê-lo.

Orígenes, Hilário, Ambrósio e os Padres gregos mais antigos aceitaram a segunda redação: "Aquilo-que-viera-a-existir nele era a vida". Esta seria a redação normalmente indicada pela posição da frase "nele" em grego. A cláusula "aquilo-que-viera-a-existir nele" não tinha nada a ver com uma mudança no seio da Palavra ou com a preexistência das ideias divinas no mundo. Ao contrário, seguindo o v. 3, a cláusula representa uma redução da criação; o v. 4 não se destina a falar sobre a totalidade da criação, mas uma criação especial na Palavra. (**d**) "era a vida" ou "é vida"? Há respeitável evidência textual para ler-se um tempo presente no v. 4a; contudo, ambos os papiros Bodmer endossam o imperfeito. Requer-se o mesmo tempo em ambas as linhas do v. 4, e a evidência em prol do imperfeito, em 4b, é esmagadora (ainda quando Boismard, p. 12, o corrigiria e leria o presente em ambas as linhas). Sugerimos que o imperfeito era o original em 4a, mas alguns copistas o mudaram para o presente, porque o adaptaram melhor com a redação supramencionada: "Aquilo-que-viera-a-existir é vida nele". (**e**) "vida" – isto significa vida natural ou vida eterna? Se o sujeito da linha 4a for tomado como sendo toda a criação, então vida eterna seria singularmente inapropriada. Mas se, como sugerimos, está implícito um aspecto especial da criação, i.e., criação na Palavra, então vida eterna é plenamente apropriada. A palavra para "vida" (*zōē* – ver Apêndice I:6, p. 794s) nunca significa vida natural em João ou nas Epístolas de João. A identificação desta vida com a luz dos *homens*, na próxima linha, nos faz pensar que está implícita a vida eterna. No Prólogo a 1 João (1,2), "vida" é especificada como "vida eterna".

4b. *esta vida era a luz*. Alguns inverteriam sujeito e predicado: "a luz dos homens era esta vida". Apontam para 8,12, "a luz da vida". (Ver discussão em Boismard, pp. 18-19). Uma vez mais, o paralelismo "escada" pressupõe que "luz" é o predicado, visto que ser o sujeito de 5a. O simbolismo de luz se relaciona com Gn 1.

5. *brilha sobre*. A sugestão de Bultmann, p. 26[4], de que este verbo originalmente era imperfeito, não conta com nenhum endosso textual.

não a venceram. Este aoristo se referiria a uma tentativa específica das trevas de vencer a luz? Ou é um aoristo composto sumariando uma série de tentativas (BDF, § 332)? Ou é um aoristo gnômico indicando que as trevas estão sempre tentando vencer a luz (BDF, § 333)? Se, como penso, isto é uma referência ao pecado em Gn 3, então o significado normal do aoristo, como uma única ação pretérita, é adequado.

venceram. O verbo grego *katalambanein* é de tradução difícil, e podemos distinguir quatro tendências entre os tradutores: (*a*) "apreender, compreender". Cirilo de Alexandria, a tradição latina, Lagrange, Braun estão entre os muitos que interpretam o verbo como uma referência à compreensão intelectual. Se "a luz" for uma referência à Palavra encarnada, este significado é bem inteligível; pois então o verso está dizendo que os homens não perceberam a luz trazida por Jesus durante seu ministério (3,19). O melhor argumento para esta tradução se encontra nos paralelos nos vs. 10 e 11: "todavia as trevas não a compreenderam... todavia o mundo

1 • Hino introdutório

não o reconheceu... todavia os seus não o aceitaram". Note que, se no v. 5b aceitarmos "compreender", o *kai* inicial deve ser traduzido como "todavia", e não como "pois". (**b**) "vencer, receber, aceitar, apreciar". DUPONT, BULTMANN e WIKENHAUSER estão entre os que preferem o significado que se ajusta ao significado de *paralambanein* ("aceitaram") no v. 11. Embora BLACK, p. 10, não considere "receber" como uma tradução adequada do grego, ele sugere que o original aramaico *la qabblēh qablâ*, "as trevas não a receberam". (O jogo aramaico entre *qablâ*, "trevas", e *qabblēh*, "recebê-la" é óbvio). Outros proponentes de um original aramaico para o Prólogo reconstroem o verbo original de outra maneira. BURNEY pensa em um *'aqbēl* original, "trevas", lê erroneamente como *'qabbēl*, "receber"; SCHAEDER abandona o jogo de palavras e sugere *'aḥad*, "vencer"; NAGEL, *art. cit.*, salienta que o radical *qbl* no aramaico tardio (siríaco) tem uma nota de oposição, e faz outras sugestões que podem significar, respectivamente, "apreender" e "vencer". A evidência aramaica dificilmente é conclusiva. (**c**) "suplantar, vencer [apreender num sentido hostil]". ORÍGENES, a maioria dos Padres gregos, SCHLATTER, WESTCOTT e BOISMARD estão entre os que aceitam este significado. *Katalambanein* tem este significado em seu único outro uso em João (12,35): "as trevas não vos apanhem". A oposição entre luz e trevas no pensamento dualístico joanino parece exigir esse verbo para descrever seu choque. Como veremos, o conceito da Palavra no Prólogo é similar à da Sabedoria personificada no AT. É digno de nota que Sb 7,29-30 compara a Sabedoria a uma luz que as trevas não podem *suplantar*, pois a perversidade não prevalecerá contra a Sabedoria. Outro paralelo está nas *Odes de Salomão* 18,6: "Para que a luz não seja vencida pelas trevas". Os *Atos de Tomé* 130 falam de uma "luz que não foi vencida". Estas razões e paralelos nos fazem aceitar "vencer" para o v. 5b, mas admitimos que a leitura 5b, como razão para 5a ("todavia as trevas não a venceram") destrói o paralelismo com 10c e 11b. (**d**) "dominar". Esta é a tentativa de MOFFATT de captar os dois significados de "entender" e "vencer". Outra tradução ambígua pode ser "absorver". Finalmente, devemos mencionar a possibilidade de que *katalambanein* tinha outro significado quando o versículo permaneceu como parte independente de um hino, e assumiu outro significado quando o hino se tornou o Prólogo do evangelho.

6. *Houve*. Isto não é o *ēn*, "era", usado no tocante à Palavra nos vs. 1-2, e sim o *egeneto* usado para a criação nos vs. 3-4. João Batista é uma criatura.

enviado por Deus. Em 1,33 João Batista falará de "aquele que me *enviou* a batizar"; em 3,28 ele diz: "Eu sou enviado diante dele".

7. *dos homens*. A relação foi deslocada de "todas as coisas" do v. 3 para a esfera dos homens. Há quem veja aqui uma visão do papel de João Batista que contradiz 1,31, onde lemos que João Batista veio para que Jesus fosse revelado *a* Israel. Mas a ideia é que, em última análise, a mensagem de João Batista atingisse todos os homens, precisamente como a mensagem de Jesus, comunicada a Israel, atingisse todos os homens. O Quarto Evangelho enfatiza mais o papel de João Batista como uma testemunha na qualidade de batizador.
8. *não era a luz*. Em 5,35 Jesus chama João Batista de lâmpada; mas Jesus mesmo é a luz (3,19; 8,12; 9,5).
9. Alguns tomariam este versículo como poesia continuando o v. 5, assim:

> Ele era a luz verdadeira
> que ilumina luz a todo homem;
> ele tem vindo ao mundo.

A linha 9a pode significar: "A luz verdadeira era", ou, se suprirmos um sujeito da forma verbal: "Ele era a luz verdadeira". O significado seria em parte determinado pelo que é feito com 9c onde a forma verbal é simplesmente um particípio ("vindo ao mundo"), provavelmente modificando "luz". Se lermos 9a como "Ele era a luz verdadeira", então o particípio separado em 9c é muito desajeitado; note como isso tem de ser artificialmente evitado acima suprindo outro "ele era" em 9c. Se lermos 9a como "A luz verdadeira era", então o particípio de 9c é a continuação perifrástica do verbo: "A luz verdadeira estava... vindo ao mundo". A circunlocução perifrástica é conhecida no grego clássico, mas sua frequência no NT pode estar sob a influência aramaica (BDF, § 353). O uso perifrástico de *einai* ("ser") mais um particípio presente como uma circunlocução para o imperfeito ocorre nove vezes em João. A dificuldade especial em 1,9 é que o verbo "era" é separado do particípio por cláusula, embora tenhamos exemplos de separação similar em 1,28; Mc 14,49; Lc 2,8 (ver ZHB, § 362). Talvez o motivo por detrás da separação no vs. 9 fosse terminar o versículo sobre o tema de "o mundo" que se resume no vs. 10. Além do mais, se com base em BDF, § 353[1] se quisesse enfatizar que em tais casos de perífrase separada há certa independência concedida ao verbo principal, então a ideia é que *havia* uma luz verdadeira e ela estava *vindo* ao mundo.

Juntamente com Bernard, Gächter, Käsemann, entre outros, pensamos que a evidência é fortemente para não considerar o v. 9 como parte da poesia do Prólogo. Ele não tem a partícula conjuntiva *kai* que é tão comum nas partes poéticas do Prólogo; ele usa a subordinação que estas não têm.

A "luz" é o sujeito do v. 9; e este sujeito não é apreendido no v. 10. Ao contrário, o pronome masculino no v. 10 ("luz" é neutro) indica que seu sujeito é a Palavra, o mesmo sujeito que é proeminente nas linhas iniciais de outras estrofes (vs. 1.3.14). A perífrase que temos postulado para o v. 9 seria estranha em poesia, e totalmente distinta o uso de "era" nos vs. 1-2. O v. 9 é um contraste com o v. 8 – a luz verdadeira é Jesus, não João Batista – e pertence ao mesmo nível da história literária do Prólogo como o v. 8, a saber, o nível da redação final. Muito curiosamente, SCHNACKENBURG considera somente 9c como sendo redacional.

luz verdadeira. "Verdadeira" reflete *alēthinos*; ver Apêndice I:2, p. 794ss.

dá luz. Há quem pense que isto não significa a luz da revelação, e sim o foco do juízo, a luz implacável e autorreveladora não deve ser evitada. Todavia, o v. 7 parece implicar uma luz que em que alguém crê.

a todo homem. Se o testemunho de João Batista fosse a todos os homens, a esfera da manifestação da luz verdadeira dificilmente pode ser menor.

vindo ao mundo. Há duas palavras possíveis para o particípio modificar: **(a)** "homem" = "A luz verdadeira que dá luz a todo homem vinda ao mundo". Esta é a interpretação das versões antigas (OL, Vulg., OS, Boh.), os Padres gregos (EUSÉBIO, CIRILO DE ALEXANDRIA, CRISÓSTOMO) e muitos estudiosos modernos (BURNEY, SCHLATTER, BULTMANN, WIKENHAUSER). Ela cria uma redundância, pois na literatura rabínica "os que entram no mundo" é uma expressão para homens. Sobre esta base, BULTMANN, p. 31⁶, pensa que devemos simplesmente suprimir "homem" no v. 9 como uma glosa. **(b)** "luz"="A luz verdadeira... estava vindo ao mundo". Esta interpretação é endossada pela Saídica, os Padres latinos (TERTULIANO e CIPRIANO) e a maioria dos comentaristas modernos (LAGRANGE, BRAUN, DUPONT, WESTCOTT, MACGREGOR, BERNARD, BOISMARD entre outros). Isso se ajusta melhor ao contexto, pois no v. 10 a ênfase está na Palavra (= a luz) como estando no mundo. Notamos também que "vindo ao mundo" não é usado em João para descrever homens, e sim para descrever Jesus, a luz; p. ex., 3,19: "A luz que, vinda ao mundo" (também 12,46). Finalmente, parece que o contraste do v. 9 com o v. 8 exige também esta interpretação: João Batista não era a luz; a luz verdadeira estava vindo ao mundo.

10. *Ele estava.* A Palavra, não a luz.

o mundo. Ver Apêndice I:7, p. 794ss. Isto é parte da criação do v. 3, mas somente aquela parte da criação que é capaz de resposta, o mundo dos homens. Isto é visto claramente em 3,19: "A luz tem vindo *ao mundo*, mas os *homens* têm preferido as trevas à luz".

foi feito. Ou, "veio a existir" – o *egeneto* da criação no v. 3.

não o reconheceu. Na questão de se este versículo atribui ao AT ou ao NT a presença da Palavra de Deus entre os homens, podemos trazer à mente que no AT o pecado fundamental é o fracasso de obedecer a Iahweh, enquanto que, para João, o pecado fundamental é o fracasso de conhecer e crer em Jesus. (Naturalmente, conhecer a Jesus também implicaria arrependimento e nova vida em seu serviço).

11. *Para o que*. A expressão é neutra; ela ocorre outra vez em 19,27, onde o discípulo leva Maria *ao seu* (para seu próprio lar, ao seu cuidado). No v. 11a, a ideia parece ser o que era peculiarmente seu em "o mundo", i.e., a herança de Israel, a Terra Prometida, Jerusalém.

os seus. Aqui a expressão é masculina. Os que pensam que este hino, originalmente, estava em aramaico, salientam que *dîlēh* ("seu" – sem diferenciação de gênero) deveria ter sido encontrado em ambos, 11a e 11b. São difíceis de explicar por que o tradutor grego preferiu dois gêneros diferentes para expressá-lo. A referência é claramente ao povo de Israel; segundo Ex 19,5, Iahweh disse a Israel: "Sereis *minha própria possessão entre todos os povos*". BULTMANN, p. 35, rejeita isto e vê uma referência cosmológica, em vez de uma referência à história da salvação. Sua interpretação emana de sua pressuposição de que o Prólogo, originalmente, era um hino gnóstico.

12. As linhas 12a-b pertencem ao hino original, ou são comentários em prosa? BERNARD, DE AUSEJO, GREEN, HAENCHEN, ROBINSON, SCHNACKENBURG *não* as aceitam como parte do hino. Em parte, a posição assumida dependerá se alguém considera ou não esta estrofe como uma referência à carreira histórica da Palavra encarnada. Em caso afirmativo, parece estranho terminar a estrofe na nota negativa do v. 11. Todavia, se o formato poético é o critério absoluto, então estes versos tem uma estrutura distinta dos versículos precedentes.

todos os que o aceitaram. Esta cláusula, no nominativo, é uma expansão do objeto indireto de "capacitar" (literalmente, "ele *os* capacitou") no v. 12b. Este é um exemplo da construção *casus pendens*, onde uma frase é removida de seu lugar normal na sentença e se coloca em primeiro lugar. A construção ocorre 27 vezes em João, comparada com 21 vezes nos três sinóticos. Não obstante, a frase assim removida é geralmente uma amplificação de um nominativo ou um acusativo, raramente de um dativo, como aqui. A construção é semítica, mas também se encontra no grego coloquial de origem não semítica.

deu poder. Literalmente, "dado poder" (*edōken exousian*), ou, se quisermos traduzir o grego *exousia* mais exatamente, "deu autoridade ou direito" – DODD, *Interpretation*, p. 270[1], caracteriza "poder" como uma tradução mais corrompida. Não obstante, fazer disto um pronunciamento semijurídico em que a Palavra deu aos homens o *direito* de se tornarem filhos de Deus é introduzir um elemento estranho ao pensamento de João: a filiação tem por base o gerar divino, não em uma reivindicação da parte do homem. BULTMANN, p. 36[1], e BOISMARD, pp. 42-43, provavelmente estejam certos em ver o grego como uma tentativa esdrúxula de verter a ideia por detrás da expressão semita, "ele lhes deu [*nathan*] de tornarem-se".

filhos de Deus. "Filhos"=*tekna* (também 11,52); *huios*, "filho", é usado em João somente para Jesus. Contraste Mt 5,9, o qual usa *huioi* para homens: os pacificadores serão chamados filhos de Deus; também Paulo em Gl 3,26. Todavia, enquanto João preserva uma diferença de vocabulário entre Jesus, como filho de Deus, e os cristãos como filhos de Deus, é em João que nosso *presente* estado como filhos de Deus sobre esta terra vem a lume mui claramente; 1Jo 3,2: "Amados, agora somos filhos de Deus".

isto é, aos que creem em seu nome. Esta cláusula também explica o objeto indireto de "deu poder", justamente como o v. 12a; somente enquanto 12a está no nominativo, 12c está no dativo. (Temos tentado captar a melhor concordância de 12c, introduzindo-o com "Isto é"). Que 12a e 12c realmente dizem a mesma coisa, tem deixado sua marca na transmissão do texto. Alguns dos Padres latinos, gregos e siríacos, e o *Diatessaron*, parecem omitir 12c, enquanto uns poucos Padres latinos, PHILOXENUS DE MABBUG e uma testemunha etíope omitem 12a. BOISMARD, RB 57 (1950), 401-8, argumenta que o presente texto de João é uma combinação de redações alternativas. Entretanto, o fato de que 12c está numa linguagem e padrão de pensamento joaninos típicos torna possível que 12c seja uma expansão redacional do hino. É possível que tenha sido anexado para acentuar que não só a aceitação original de Jesus (aoristo em 12a), mas também a fé contínua nele (presente em 12c), habilitaram os homens a se tornarem filhos de Deus.

creem em. Ver Apêndice I:9, p. 794ss sobre *pisteuein eis*, uma construção tipicamente joanina.

em seu nome. Isto é também tipicamente joanino (2,23; 3,18; 1Jo 5,13). Crer no nome de Jesus não é diferente de crer em Jesus, embora a primeira expressão realce claramente que, para crer em Jesus, tem de crer que ele porta o nome divino, dado a ele por Deus (17,11-12). Para a possibilidade de que este nome possa ser "EU SOU", ver Apêndice IV, p. 841ss.

13. Acaso o v. 13 é parte do hino poético original, ou parte do comentário redacional? BERNARD, GÄECHTER, GREEN, HAENCHEN, JEREMIAS, KÄSEMANN, ROBINSON, SCHNACKENBURG e WIKENHAUSER estão entre os que creem ser uma ampliação redacional. Certamente, o estilo é diferente das estrofes claramente poéticas do hino. O motivo apologético é forte em 13, e isto não ocorre no tocante aos versículos poéticos. Os vs. 1-4, 9-12 e 14

louvam as atividades da Palavra, enquanto o v. 13 fala daqueles que creem nele. De fato só há uma séria objeção em relação a ambos, 12c e 13 como adições redacionais: 12c é dativo, 13 é nominativo (como 12a – temos tentado expressar a diferença pelo travessão). Seria o caso de estarmos encontrando adições feitas por diferentes mãos? Entretanto, no nível das ideias, 12c e 13 podem ir juntos, pois no pensamento joanino os que creem e os gerados por Deus são equivalentes: "Todo aquele que crê ser Jesus o Messias é gerado por Deus" (1Jo 5,1).

os que foram gerados. A evidência textual para ler um plural é esmagadora, sem sequer um único manuscrito grego endossando o singular. O singular, "aquele que foi gerado", é lido por uma testemunha VL [Vetus Latina], talvez pelo VS^{cur} [Vetus Siríaco]; e esse texto é aplicado a Jesus por diversos Padres (JUSTINO?, IRINEU, TERTULIANO) e por alguns escritos antigos (*Liber Comicus Apostolorum*). Sobre esta evidência muito débil, o singular tem sido endossado por um considerável número de estudiosos: BOISMARD, BLASS, BRAUN, BURNEY, DUPONT, MOLLAT (SB), ZAHN, entre outros. A evidência patrística para o singular é difícil de avaliar, porque pode ser que o texto esteja simplesmente passando por uma adaptação para Jesus a fim de endossar o nascimento virginal. Pode-se imaginar um argumento *a fortiori*: se é verdade que os cristãos não são gerados por meio do sangue, por meio do desejo carnal etc., quanto mais verdadeiro era isto concernente a Jesus. A evidência latina também tem armadilhas, pois o latim *qui* é, respectivamente, singular e plural, e a diferença entre *qui natus est* e *qui nati sunt* é apenas no verbo. Três argumentos parecem favorecer conclusivamente o plural. *Primeiro*, ambos os antigos papiros Bodmer leem plural. *Segundo*, os textos no processo de transmissão tendem a tornar-se mais, não menos, cristológicos. É lógico pressupor que a tradição copista, numa escala tão grande, diluiria uma valiosa referência ao nascimento virginal de Jesus, se o singular fosse a redação original? *Terceiro*, João e 1 João nunca descrevem Jesus como tendo sido gerado por Deus (1Jo 5,18 é duvidoso); porém falam assim dos que seguem Jesus (3,8; 1Jo 3,9; 4,7; 5,1-4; 5,18a). Recentemente, J. SCHMID discutiu o problema exaustivamente, somente para optar pelo plural, como faz BARRETT, BULTMANN, LIGHTFOOT, WIKENHAUSER, entre outros.

O único argumento *contra* o plural é a relação do v. 13 com 12b. BOISMARD, p. 37, indaga como pode a Palavra capacitar os homens a *se tornarem* filhos de Deus, se já foram gerados por Deus. Mas isto equivale a impor uma lógica exata demais à sequência. O v. 13 explica o que está implícito por filhos de Deus; explica que os que aceitaram Jesus foram aqueles que foram concedidos a Jesus pelo Pai (6,37.65); não eram os gerados de baixo, e sim os gerados do alto (3,3).

1 • Hino introdutório

gerados. Embora este verbo possa significar "nascer" (como de um princípio feminino – ver nota sobre 3,3), a ideia de atividade implícita em "gerados" é claramente mais apropriada. Em 1Jo 3,9, menciona-se a semente de Deus.

não por meio do sangue. A palavra para "sangue" é plural. Isto é curioso contra um pano de fundo da mentalidade hebraica, pois ali o plural de "sangue" significa sangue derramado. BERNARD, I, p. 18, sugere um pano de fundo da filosofia grega, onde se pensava que o embrião fosse feito do sangue materno e da semente paterna. Nesta interpretação, as três negativas no versículo excluem mulher, desejo e homem. Tal interpretação elimina qualquer uso do texto para provar o nascimento virginal de Jesus. Outros sugerem que devemos pensar no "sangue" do v. 13b e da "carne" de 13c como uma unidade, o hebraico "carne e sangue" equivalente a "homem" (Mt 16,17; 1Cor 15,50). Esta explicação é excluída pelo fato de que "sangue" é plural, e pela ordem "sangue, carne"; além do mais 13c não fala da "carne", e sim do "desejo da carne". BOISMARD, p. 44, menciona a possibilidade de que "sangue" possa ser um modo dignificante de falar de semente. Tal eufemismo parece improvável, visto que nos escritos joaninos não há hesitação de falar sobre semente (1Jo 3,9).

nem por meio do desejo carnal. Literalmente, "o desejo da carne". A palavra "desejo" é omitida em alguns mss. etíopes e em alguns dos Padres, provavelmente com o fim de manter o texto em mais conformidade com a expressão idiomática "carne e sangue" supramencionada. *Thelēma*, "vontade, desejo", aparece com o significado de "concupiscência" em alguns dos papiros gregos deste período. Aqui, "carne" não é um princípio mau oposto a Deus. Antes, é a esfera do natural, a impotência, o superficial, oposto a "espírito", que a esfera do celestial e do real (3,6; 6,63; 8,15).

nem por meio do desejo do homem. O homem era visto como o principal agente na geração; alguns consideravam o papel da mulher não mais que um vaso para o embrião. Esta cláusula é omitida no Vaticanus, MS. 17, e alguns dos Padres. BOISMARD, RB 57 (1950), 401-8, sugere que a redundância nestas cláusulas, e a evidência para a omissão de um ou outro, ao fato de que temos uma combinação de redações alternativas.

14. O v. 14 pertence à seção do Prólogo? DE AUSEJO pensa que 14a-b formam por si mesmos uma estrofe ou estância de linha dupla; e põe 14c-e com 16 e 18 como outra estrofe. SCHNACKENBURG elimina 14c-d como uma adição e retém somente 14a-b, como uma poesia original. GREEN considera apenas 14e como uma adição. Para KÄSEMANN, todo o versículo é uma adição. Com base no formato poético, pode-se notar que o padrão *kai* aparece nas primeiras três linhas. A última linha não pode ser facilmente

separada da poesia, visto que ela se une tão estreitamente com 16. Parece preferível aceitar a totalidade do v. 14 como poesia, e este é o ponto de vista da maioria dos críticos.

se fez carne. "Carne" significa aqui o homem por inteiro. É interessante que mesmo na elementar terminologia cristológica do 1º século não se diz que a Palavra veio a ser *um* homem, mas equivalentemente que a Palavra veio a ser homem.

fez sua habitação. Skēnoun, relacionada a Skēnē, "tenda", literalmente é "fincar uma tenda". No NT, o termo se encontra somente aqui e no Apocalipse; ver comentário para o pano de fundo veterotestamentário.

entre nós. Literalmente, "em nós"; compare Ap 21,3: "Eis que a habitação de Deus está com os homens; ele habitará com eles". Aqui, a primeira pessoa faz sua aparição no Prólogo; "nós" se refere à humanidade.

nós. Este é um uso mais restringido da primeira pessoa, pois o "nós" não é a humanidade, e sim as testemunhas apostólicas, como no Prólogo de 1 João. É esta mudança de significado refletida em "nos" e "nós" que levam alguns a pensar no v. 14c-d como sendo uma adição.

visto. Para *theasthai*, ver Apêndice I:3, p. 794ss. Compare 1Jo 1,1: "... algo que temos visto [*hōran*] com nossos próprios olhos; algo que realmente visualizamos [*theasthai*], e sentimos com nossas próprias mãos". DE AUSEJO, pp. 406-7, pensa que esta é uma referência a ver o Cristo ressurreto, mas tal salto desde a encarnação é abrupta demais.

glória. Para *doxa*, ver Apêndice I:4, p. 794ss.

de um filho único. Literalmente, "como de um único Filho"; as versões (OS, Copt, Eth.) e TACIANO parecem ter lido o "como" antes na linha: "como a glória de um único Filho". KACUR, *art. cit.*, pensa que esta é a redação original. Não obstante, as versões não seriam precisas sobre um ponto como este; além do mais, pode ter sido teologicamente desejável evitar a redação "como de um único Filho", para que alguém não o interprete para significar "como se fosse um Filho único". O significado de "como" é, naturalmente, não "como se", mas "na qualidade de".

Filho único. Para um tratamento completo deste termo *monogenēs*, ver D. MOODY, JBL 72 (1953), 213-19. Literalmente, o grego significa "de um tipo [*genos*] singular [*monos*]". Embora *genos* se relacione distintamente com *gennan*, "gerar", há pouca justificativa grega para a tradução de *monogenēs* como "único gerado". A Vetus Latina o traduziu corretamente como *unicus*, "único", e assim fez JERÔNIMO onde não se aplicava a Jesus. Mas, para responder à alegação ariana de que Jesus não foi gerado, mas feito, JERÔNIMO o traduziu como *unigenitus*, "único gerado", em passagens como esta (também 1,18; 3,16.18). A influência da Vulgata sobre o KJ fez

1 • Hino introdutório

"único gerado", a redação inglesa padrão. (Realmente, como temos insistido, João não usa o termo "gerado" para Jesus). *Monogenēs* descreve uma qualidade de Jesus, sua unicidade, não o que é chamado na teologia trinitária sua "processão". Isto reflete o hebraico *yāhîd*, "único", precioso", que é usado em Gn 22,2.12.16, para Isaque, filho de Abraão, como *monogenēs* é usado para Isaque em Hb 11,17. Isaque era o filho singularmente precioso de Abraão, porém não seu único gerado.

vindo do Pai. "Vindo" não está no grego, mas é suprido pelo contexto. Qual palavra esta frase modifica: "Filho" (W. BAUER, BOISMARD, BULTMANN, WESTCOTT) ou "glória" (BRAUN, DUPONT, LAGRANGE)? No v. 44, Jesus ataca os judeus por não buscarem aquela glória que vem do Deus único. Assim, há um paralelo joanino para glória vinda do Pai, mas não exatamente no sentido implícito aqui. Ver também 17,22, onde lemos, implicitamente, que a Jesus foi dada glória pelo Pai. Há também paralelos joaninos para a aplicação da frase "de [*para*] o Pai" ao Filho (6,46; 7,29; 9,16; 16,27), e dois outros usos do "único Filho" (3,15-17; 1Jo 4,9) mencionam o envio que o Pai faz do Filho ao mundo. Não há diferença muito importante no significado, não importa que palavra a frase modifique. Se lermos "um único Filho vindo do Pai", a referência é à missão do Filho, não sua processão dentro da Trindade; o "temos visto" torna isto certo.

cheio de. O que este adjetivo modifica: a Palavra, a glória, ou o Filho? A forma nominativa masculina singular deve fazer da concordância com "a Palavra" do 14a a construção mais regular, e esta é a compreensão das traduções latinas. (Esta é outra razão por que alguns estudiosos consideram 14c-d como uma adição). Entretanto, como salienta BDF, § 137[1], este adjetivo é às vezes tratado como indeclinável; daí ele poder modificar "glória" (assim Codex Bezae, IRINEU, ATANÁSIO, CRISÓSTOMO) ou "único Filho". Isso não implicaria maior diferença de significado.

amor constante. Literalmente, dois substantivos, *charis* e *alētheia*; para BOISMARD, a construção do adjetivo, "completo" seguido por dois determinativos, é uma prova de que Lucas redigiu o Prólogo, pois há em Atos cinco exemplos de tal construção. *Charis*, "graça", só aparece em João aqui; ela se encontra 25 vezes em Lucas-Atos, e em Paulo é frequentemente comum para o dom de Deus da redenção. Para *alētheia*, "verdade", ver Apêndice I:2, p. 823s. Não obstante, estas duas palavras são usadas aqui de uma maneira única, refletindo o famoso par veterotestamentário *ḥesed* e *'emet*. A *ḥesed* de Deus é Sua bondade ou misericórdia em escolher Israel sem qualquer mérito da parte de Israel e Sua expressão deste amor para com Israel na aliança. Traduções sugeridas são: "amor pactual", "amor compassivo", "benignidade", "longanimidade". Para os essênios de Qumran, sua comunidade era uma aliança de *ḥesed*. A *'emet* de Deus é Sua fidelidade às promessas pactuais. Traduções sugeridas são: "fidelidade, constância, lealdade". Em Ex 34,6, ouvimos esta descrição de Iahweh como Aquele que faz uma aliança com Moisés no Sinai: "Oh! Senhor, Deus compassivo e gracioso, tardo em irar-te e rico [rab] em *ḥesed* e *'emet*". Ver também Sl 25,10; 41,7; 86,15; Pr 20,28. KUYPER, *art. cit.*, fornece uma abordagem profunda.

A objeção real de ver *charis* e *alētheia* no Prólogo como uma tradução de *ḥesed* e *'emet* é que *ḥesed* normalmente é traduzido na LXX por *eleos*, "misericórdia", não por *charis*. Não obstante, o uso que João faz da Escritura com frequência não fiel à LXX. J. A. MONGOMERY, "Hebrew Hesed and Greek Charis", HTR 32 (1939), 97-102, tem mostrado que *charis* é uma excelente tradução tanto de *ḥesed* como de *'emet* do AT e *charis* e *alētheia* de Jo 1,14 pelas mesmas palavras (*taibūtâ* e *qushtâ*). O dialeto cristão siro-palestino traduz *charis* por *ḥasdâ* (= *ḥesed*). Como para *alētheia*, numa passagem como Rm 15,8, representa claramente a fidelidade à aliança do AT. É interessante notar que a Palavra de Deus que desce do céu no Ap 19,11-13 é chamado "fiel e verdadeiro [pistis... alēthinos]", que provavelmente é outra reflexão do tema *ḥesed* e *'emet*.

15. João Batista faz esta afirmação de Jesus em 1,30. Hoje se concorda que este versículo é uma adição ao hino original, uma adição do mesmo tipo que os vs. 6-8(9), interrompendo bruscamente os vs. 14 e 16.

    testificou. Literalmente, presente histórico, embora HAENCHEN, p. 353, o trate como um presente real no sentido que João Batista está agora dando testemunho juntamente com a comunidade. O uso de um presente para um tempo aoristo em narrativa vívida é comum no NT. Alguns o consideram como um sinal de influência aramaica, porém se encontra também em escritores clássicos. BLACK, p. 94, diz que nada há de especialmente semítico sobre seu uso, embora seja excessivo em Marcos e João. Provavelmente deva ser considerado como um exemplo de escrito menos polido. Notaremos os presentes históricos nas notas textuais da tradução.

    proclamando. Literalmente, tempo perfeito: "e tem proclamado": aqui, o perfeito tem simplesmente o valor de um tempo presente (BDF, § 341). O presente do verbo *krazein* é raro, e o perfeito é usado em seu lugar (BDF, § 101). O testemunho de João Batista acerca de Jesus e a proclamação dele são vistos ainda em vigor frente as reivindicações dos sectários.

    eu disse. Mesmo em 1,30, a referência a uma afirmação prévia por João Batista é confusa; aqui é lógica e o sinal de edição, indubitável.

16. Uns poucos comentaristas (BERNARD, KÄSEMANN) excluiriam este versículo do hino original. Em contrapartida, o v. 16 está estreitamente ligado ao 14,

com 16a recobrando o tema de plenitude (entretanto, não totalmente na forma "escalonada"), e 16c recobrando o tema de amor. Talvez (ver abaixo) o *kai* introdutório esteja presente. Em contrapartida, a poesia de 16 não é da mesma qualidade que o restante do hino. Se 16 foi uma adição, então temos que aceitar dois estágios de edição, pois não faria sentido dizer que o mesmo redator, ao mesmo tempo, anexou ambos, 15 e 16 (16 expande 14; 15 é uma interrupção). Talvez seja preferível optar por simplicidade e aceitar 16 como parte do hino.

E. O v. 16 começa com *hoti* ("porque, já que") nos melhores testemunhos, incluindo o papiro Bodmer. Entretanto, há respeitável evidência grega para *kai* – também nas versões e nos Padres, mas não seria necessário ser precisas testemunhas numa instância como esta. O melhor argumento para *hoti* é a possibilidade de que *kai* foi introduzido em imitação à inicial *kai* encontrada em todo o poema. BOISMARD, pp. 59-60, e BULTMANN, p. 51[6], argumenta, em contrapartida, que *hoti* pode ser uma inserção refletindo a exegese alexandrina do tempo de ORÍGENES quando se pensava que João Batista ainda estava falando: "Ele existia antes de mim, *porque* de sua plenitude todos nós temos [inclusive eu] partilhado". A sugestão de que *hoti* representa um equívoco do relativo aramaico *d^e* (BURNEY, BLACK, p. 58) é exageradamente especulativo. Se *hoti* for original, então o v. 16 é uma prova de que a Palavra que se fez carne na verdade estava cheia de um amor duradouro, *pois* daquela plenitude todos nós fomos capazes de participar.

plenitude. *Plērōma*, ocorrendo somente aqui nos escritos de João, é um importante termo teológica paulino; aparece no hino de Cl 1,19: "E nele aprouve a Deus habitasse todo o *plērōma*". Sua conotação exata, no Prólogo, dependerá, até certo ponto, do que modifica "cheio de" no v. 14.

nós. Isto se refere ao gênero humano como fez o "nos" em 14b; ver nota sobre "nós" no v. 14c.

por. A preposição *anti* não ocorre outra vez nos escritos joaninos; talvez este seja um argumento contra considerar o v. 16 como redacional, pois esperaríamos que o editor usasse um vocabulário tipicamente joanino. Diversos significados são possíveis aqui: (**a**) "Amor no lugar de amor". Esta ideia de substituição, como mantida pelos Padres gregos (ORÍGENES, CIRILO DE ALEXANDRIA, CRISÓSTOMO), implica a ḥesed de uma Nova Aliança no lugar da ḥesed do Sinai. O v. 17 parece endossar isto. A objeção de que João não teria considerado a doação da Lei no Sinai como ḥesed por causa da oposição joanina a "os judeus" parece ignorar o fato de que João nunca nega o papel de Israel. Em 4,22, ouvimos: "A salvação é dos judeus [= Israel, dos lábios de um estrangeiro]". (**b**) "Graça sobre graça", ou "graça após graça": *acumulação*. Muitos comentaristas modernos (LAGRANGE, HOSKYNS, BULTMANN, BARRETT) endossam esta redação com base em um texto em FILO (*De Posteritate Caini* 145) onde *anti* tem claramente este significado. Normalmente, contudo, acumulação seria expresso por *epi*, enquanto *anti* implica oposição ou substituição. A tradução de *anti* como acumulação é fortemente endossada por SPICQ em *Dieu et l'homme* (Paris: Cerf, 196), pp. 30-31, citando o estudo especializado que W. HENDRIKSEN faz de *anti* no NT. (**c**) "graça por graça" ou "graça encontrando graça": *correspondência*. A ideia por detrás desta tradução é que a graça que constitui nossa participação corresponde à graça da Palavra. BERNARD, J. A. T. ROBINSON e LACAN endossam esta tradução que se confina a um significado reconhecido de *anti*, "em troca de". JOÜON compara *anti* com o hebraico k^eneged em Gn 2,18.20, "uma auxiliadora ao lado dele"; ver RSR 22 (1932), 206. A tradução de *charis* como refletindo *ḥesed* se harmoniza com a tradução (*a*) mais facilmente do que com as outras duas traduções, porém não é impossível nem com (*b*) e (*c*).

17. Que este versículo não pertence ao hino original é mantido por BERNARD, BULTMANN, DE AUSEJO, KÄSEMANN, SCHNACKENBURG, entre outros. Entre suas peculiaridades está a menção de figuras históricas (p. ex., Moisés), um aspecto não encontrado nos hinos paulinos; todavia, Hb 1,1 menciona os profetas. BULTMANN diz que o contraste neste versículo, entre lei e graça (*charis* = "amor") pertence mais à teologia paulina; no entanto, veja abaixo. Não há *kai* conectivo. Talvez seja melhor ver no v. 17 uma explicação redacional de 16c.

fosse um dom. "Dar uma lei" não é uma expressão grega, mas tipicamente semita.

este amor constante. Uma vez mais, isto representa os dois substantivos *charis* e *alētheia*. Os artigos antes dos substantivos indicam uma referência ao "amor constante" já mencionado no v. 14, daí nossa tradução como "este". Caso se aceite a tradução de 16c como "amor *em lugar de amor*", então esse entende o dom da Lei através de Moisés como um exemplo de *ḥesed* e *'emet*, uma compreensão que realmente reflete a perspectiva do AT. A teoria de que o v. 17 contrasta a ausência de amor duradouro na Lei com a presença do amor constante em Jesus Cristo, não parece fazer justiça à honorífica referência de João a Moisés (1,45; 3,14; 5,46). Ao contrário, o v. 17 contrasta o amor constante exibido na Lei com o supremo exemplo de amor constante exibido em Jesus. É verdade que no evangelho Jesus fala negativamente de "vossa lei"; contudo isto reflete oposição, não tanto à Lei como dada a Moisés, quanto à Lei interpretada e usada pelas autoridades judaicas contra Jesus e o Cristianismo.

1 • Hino introdutório

Em João não há sugestão de que, quando a Lei foi dada através de Moisés, esse não foi um ato magnificente do amor de Deus. Um contraste similar, em espírito, ao de Jo 1,17 se encontra em Hb 1,1: "Havendo Deus antigamente falado muitas vezes, e de muitas maneiras, aos pais, pelos profetas, a nós falou-nos nestes últimos dias pelo Filho". BOISMARD, pp. 62-64, argumenta que o amor duradouro não é tanto um atributo divino, e sim uma referência às qualidades inerentes no homem e plantadas ali por Jesus Cristo. A distinção é provavelmente demasiadamente sutil.

18. Alguns estudiosos que consideram o v. 17 como redacional aceitam o 18 como parte do poema original, p. ex., DE AUSEJO e BERNARD. Pode ser montado em quatro linhas em forma poética, assim:

> Ninguém jamais viu a Deus;
> é Deus o Filho único,
> sempre ao lado do Pai,
> que o revelou.

BERNARD, contudo, o monta em três linhas, combinando 18b-c em uma única linha. Em ambos os casos não há *kai*; a coordenação é pobre; e há *casus pendens* – indicações de que não estamos tratando de poética como hino. *Deus o Filho único*. Esta frase é por si só omitida em *casus pendens* e então resumida na última cláusula do v. 18 por *ekeinos* ("aquele único") como o sujeito de "revelado", assim: "Deus o único Filho... aquele que O tem revelado". As testemunhas textuais não estão concordes sobre a redação; há três possibilidades: (**a**) [*ho*] *monogenēs theos*, "Deus o único Filho". Isto é endossado pela evidência dos melhores manuscritos gregos, incluindo o papiro Bodmer, pela Siríaca, por IRINEU, CLEMENTE de Alexandria e ORÍGENES. Esta redação é suspeita de ser alta e teologicamente desenvolvida; todavia, não é polêmica anti-ariana, pois os arianos não se evadiram em dar este título a Jesus. Há quem objete sobre a estranheza da afirmação de que somente Deus pode revelar a Deus e a implicação de que somente Deus tem visto a Deus. (**b**) *monogenēs huios*, literalmente "o Filho, o único". Esta combinação aparece em três dos outros quatro usos de *monogenēs* nos escritos joaninos (3,16.18; 1Jo 4,9), e seu aparecimento aqui pode ter resultado de uma tendência escribal de conformar. Esta redação é atestada pelas versões (Latina, VS^{cur}), pelas últimas testemunhas gregas e por ATANÁSIO, CRISÓSTOMO e os Padres latinos. (**c**) *monogenēs*, "o único Filho". Enquanto esta é a redação simples, pode ter resultado de conformidade com o v. 14. Poderia-se explicar a redação (*b*) como uma expansão disto. Ela tem a atestação mais pobre das três redações: TACIANO,

ORÍGENES (uma vez), EPIFÂNIO, CIRILO DE ALEXANDRIA. BOISMARD a aceita, mas a completa falta de endosso textual grego a faz suspeita.

sempre ao lado do Pai. Literalmente, "aquele que está em [a=*eis*] o seio do Pai". Para *eis*, ver nota sobre "na presença de Deus", no v. 1; DE LA POTTERIE enfatizaria a força dinâmica da preposição como indicativo de uma relação ativa e vital. Seio implica afeição. O uso do particípio presente ("aquele que é") implica que o Jesus terreno, a Palavra-que-se-fez-carne, estava com o Pai ao mesmo tempo que estava na terra? THÜSING, p. 209, e WINDISCH, ZNW 30 (1931), 221ss., argumenta contra tal interpretação; HAENCHEN, p. 324[75], salienta que *einai* não tem particípio pretérito e mantém que o particípio presente, aqui, tem uma conotação pretérita, "aquele que estava". Todavia, caso se queira endossar simultaneamente na terra e no céu, então pode evocar 3,13, onde Jesus fala de si mesmo como "o Filho do Homem que está no céu", e 8,16, "porque não sou eu só, mas eu e o Pai que me enviou". Outros pensam que a referência ao Filho ao lado do Pai é uma referência à ascensão. Assim toda a carreira da Palavra está esboçada no Prólogo: a Palavra com Deus; a Palavra veio ao mundo e se fez carne; a Palavra regressou ao Pai. Este grande ciclo de descida e subida é proeminente no evangelho, p. ex., 16,28. Nenhuma decisão conclusiva sobre estas várias interpretações parece possível.

O revelou. O "O" não é expresso, mas é exigido, se traduzirmos o verbo como "revelar". O verbo *exēgeisthai* significa "levar a", mas não é atestado neste significado no NT ou na antiga literatura cristã (BAG, p. 275); ali significa "explicar, reportar", e especialmente "revelar [segredos divinos]". No artigo, ele se devotou a este versículo (também o *Prologue*, pp. 66-68), BOISMARD defende aqui o significado "levar", conectando o verbo com a frase "no seio do Pai", assim: embora ninguém jamais visse a Deus, o único Filho, que está com o Pai, tem levado os homens para o seio do Pai. E assim, a Palavra que estava com Deus se tornou homem e levou homens de volta a Deus. Esta sugestão funciona contra a outra tese de BOISMARD de que foi Lucas quem adaptou o hino ao evangelho de João como um prólogo, pois é precisamente nos escritos lucanos que o verbo não significa "levar a".

COMENTÁRIO: GERAL

Se João tem sido descrito como a pérola de grande valor entre os escritos do NT, então se pode dizer que o Prólogo é a pérola dentro deste evangelho. Em sua comparação da exegese que AGOSTINHO e CRISÓSTOMO fazem do Prólogo, M. A. Aucoin salienta que ambos mantinham que está além do poder do homem falar como João faz no Prólogo. A escolha da águia como o símbolo de João o evangelista foi grandemente determinado pelos arroubos celestiais das linhas iniciais do evangelho. O caráter sacro do Prólogo tem-se refletido num perene costume que a Igreja Ocidental tem de lê-lo como uma bênção sobre os enfermos e sobre as crianças recém-batizadas. Seu antigo lugar como a oração final da Missa Romana reflete seu uso como uma bênção. Deveras, ele assumiu um caráter mágico quando era usado em amuletos em torno do pescoço para proteger contra as enfermidades. Não obstante, todas estas atestações de sublimidade não removem o fato de que os dezoito versículos do Prólogo contêm para o exegeta um número de problemas textuais, críticos e interpretativos desconcertantes.

Problema da relação do prólogo com o evangelho

Na estima de alguns, o Prólogo tem pouco a ver com a substância do evangelho, porém representa uma formulação da mensagem cristã em termos helenistas para captar o interesse dos leitores gregos. Para outros, o Prólogo é um prefácio ao evangelho – uma abertura, um esboço ou sumário. Todavia, como a abertura de um evangelho, o Prólogo tem certa singularidade. Na literatura judaica e helenista, a abertura normal de um livro que narra uma história é um sumário lapidário de conteúdo (Lucas, Apocalipse) ou o tópico do primeiro capítulo (Marcos). Uma abertura poética como o Prólogo só pode ser igualada em epístolas como 1 João e Hebreus. Enquanto ao conteúdo, embora dois outros evangelhos, Mateus e Lucas, têm um prefácio antes que comecem o relato do ministério público de Jesus, estes prefácios fazem uma abordagem inteiramente diferente daquela do Prólogo. Eles retrocedem a história de Jesus à sua concepção, mas a abertura poética de João remonta ao tempo anterior à criação. O Prólogo não se preocupa com as origens terrenas de Jesus, e sim com a existência celestial da Palavra no princípio.

Se admitirmos que o conceito por detrás do Prólogo seja único, notamos relações entre ele e o corpo do evangelho. Os vs. 11 e 12 parecem ser um resumo das duas principais divisões de João. O v. 11 cobre o Livro dos Sinais (caps. 1-12), o qual conta como Jesus veio à sua própria terra através do ministério na Galileia e Jerusalém e, no entanto, seu próprio povo não o recebeu. O v. 12 cobre o Livro da Glória (caps. 13-20), o qual contém as palavras de Jesus aos que o receberam e informa como ele retornou ao seu Pai a fim de dar-lhes o dom da vida e fazê-los filhos de Deus. J. A. T. Robinson, p. 122, insiste sobre o número de temas partilhado pelo Prólogo e o restante do evangelho: preexistência (1,1=17,5); a luz dos homens e do mundo (1,4.9=8,12; 9,5); oposição entre luz e trevas (1,5=3,19); vendo sua glória (1,14=12,41); o único Filho (1,14.18=3,16); ninguém, salvo o Filho, tem visto a Deus (1,18=6,46). E, naturalmente, as duas interrupções sobre João Batista se relacionam com o que o evangelho dirá sobre ele (1,7 e retomado em 1,19; 1,15=1,30). Assim, ao menos em sua forma atual, não se pode dizer que o Prólogo seja totalmente estranho ao evangelho.

Não obstante, há algumas diferenças entre o Prólogo e o evangelho que têm de ser explicadas. Há no Prólogo linhas altamente poéticas, exibindo um paralelismo climático ou "escalonado", onde uma palavra proeminente em um verso (às vezes o predicado ou a última palavra) é elaborada no verso seguinte (às vezes como sujeito ou primeira palavra). Este paralelismo, enquanto encontrado tanto no AT (Sl 96,13) como em outro lugar em João (6,37; 8,32), nunca atinge a perfeição ilustrada nos vs. 1-5 do Prólogo. Em João, os discursos de Jesus têm uma solenidade e linguagem que vão além da prosa ordinária, mas nada há por extenso no evangelho que se iguale à estrutura poética do Prólogo. (Isso se dá porque, embora o v. 15 seja o mesmo que o v. 30, elaboramos o v. 15 como prova, pois ele não se iguala com o estilo poético do Prólogo; todavia, estruturamos o v. 30 no formado semi-poético dos pronunciamentos solenes).

Além de uma diferença de formato, há também conceitos e termos teológicos no Prólogo que não têm eco no evangelho. A figura central do Prólogo é a Palavra, um termo que não ocorre como um título cristológico no evangelho. Os importantes termos *charis*, "amor pactual", e *plēroma*, "plenitude", dos vs. 15 e 16 não ocorrem no evangelho; e *alētheia*, "fidelidade constante", tem um significado diferente ("verdade") no evangelho. O quadro de Jesus como o Tabernáculo ("habitar em tenda"), no v. 14, não ocorre no evangelho, onde Jesus é o templo (2,21).

A confusa combinação de similaridades e dissimilaridades entre o Prólogo e o evangelho tem sido interpretada de diferentes formas.

RUCKSTUHL está convencido pelas similaridades de que a mesma mão compôs a ambos, o Prólogo e o evangelho, enquanto J. A. T. ROBINSON crê que o mesmo autor escreveu o Prólogo depois de haver escrito o evangelho. SCHNACKENBURG, convencido pelas dissimilaridades de que o Prólogo não foi originalmente obra do evangelista, rejeita como adições secundárias alguns versos do Prólogo que levam as características joaninas. Hoje muitos autores são impelidos a propor um poema originalmente independente que foi adaptado ao evangelho. Isto poderia explicar os aspectos joaninos nas passagens não poéticas, mas não explica os aspectos joaninos no poema original. Se tomarmos alguma das muitas reconstruções críticas do poema original (ver abaixo), inclusive a de SCHNACKENBURG, onde tem havido uma tentativa sistemática de excluir os aspectos joaninos, mesmo assim nos depararemos com um poema que é mais próximo aos escritos joaninos do que qualquer outro no NT. Isto é facilmente visto comparando-o com o Prólogo 1 João e Ap 19,13, onde Jesus é chamado a Palavra de Deus. Portanto, enquanto é perfeitamente razoável reconhecer que a evidência aponta para a composição do Prólogo como independente da do evangelho, parece também razoável propor que o Prólogo foi composto em círculos joaninos. As similaridades entre a *poesia* do Prólogo e o evangelho são assim explicadas.

O estudo que DE AUSEJO faz dos hinos do NT sugere que a solução está em ver que o poema original que subjaz ao Prólogo era um hino da igreja joanina. Os hinos a Cristo são mencionados no NT em Ef 5,19 e, talvez, também em Cl 3,16. PLÍNIO, escrevendo a TRAJANO mais ou menos em 111 d.C. (*Epist.* 10, 96:7), descreve os cristãos de Bitínia, na Ásia Menor, como a cantar "um hino a Cristo como a um Deus". EUSÉBIO (*Hist.* 5, 28:5; GCS 9^1:500) cita um testemunho que fala de salmos e hinos que desde o princípio eram entoados a Cristo como a Palavra, divinizando-o. É interessante que estas referências a hinos tenham alguma conexão com a Ásia Menor; assim a conjectura de que o original do Prólogo era um hino da igreja joanina em Éfeso tem uma reivindicação à probabilidade. Para comprovar esta hipótese, primeiro compararemos o Prólogo com algum dos hinos neotestamentários conhecidos.

Se analisarmos Fl 2,6-11, descobrimos uma sequência não diferente da do Prólogo. Filipenses começa o hino com Cristo Jesus existindo na forma de Deus, como o Prólogo começa nos informando que a Palavra era Deus. Filipenses diz que Jesus se esvaziou e assumiu a forma de um servo, vindo a existir [ou nascer] na semelhança de homem; o Prólogo diz que a Palavra se fez carne. Filipenses diz que Deus exaltou a Jesus a tal ponto que toda língua proclame que Jesus é o Senhor, para a glória do Pai; o Prólogo termina com o tema de Deus, o único Filho, estando sempre ao lado do Pai, e o v. 14 fala da glória de um Filho único vindo da parte do Pai. Em ambos os casos, a exaltação ou glória é testificada pelos homens.

Uma análise de Cl 1,15-20 também mostra similaridades com o Prólogo (ver J. M. ROBINSON, JBL 76 [1957], 278-79). Em Colossenses, ouvimos que o Filho é a imagem do Deus invisível; no Prólogo, ele é a Palavra de Deus. Em Colossenses, todas as coisas são criadas em, através de e para o Filho; no Prólogo, todas as coisas são criadas através de, em e não à parte da Palavra. Em Colossenses, o Filho é o princípio; no Prólogo, "No princípio era a Palavra". Em Colossenses, toda a plenitude habita no Filho e todas as coisas são reconhecidas através dele; no Prólogo, todos nós temos participação na plenitude da Palavra-que-se-fez-carne.

Mesmo um breve hino como o de 1Tm 3,16 mostra paralelos ao Prólogo. Ali ouvimos: "Ele se manifestou na *carne*... ele foi elevado em *glória*". Os versículos iniciais de Hebreus formam um breve prólogo na forma de hino que lembra o Prólogo joanino. Hb 1,2-5, sem usar a expressão "a Palavra", diz que Deus "nos *falou* por meio do Filho... em quem também *criou o mundo*. Ele reflete a *glória* de Deus... sustentando o universo por sua palavra [*rēma*] de poder. Quando fez a purificação dos pecados, ele se assentou à mão direita da Majestade nas alturas". Por fim, Hb 4,12 fala de "a palavra de Deus", mas é dúbia a exegese que vê isto como uma referência pessoal a Jesus.

Um apoio para ver vestígios de um hino original no Prólogo se encontra na coleção do 2º século de hinos cristãos semi-gnósticos conhecidos como as *Odes de Salomão*. Veja BRAUN, *JeanThéol*, 1, pp. 224-51, para uma relação destas *Odes* com o *evangelho da Verdade* e os Rolos do Mar Morto. Estes hinos têm certa relação em estilo e vocabulário com o Prólogo, especialmente nos números VII, XII, XVI, XIX e XLI. A *Odes* 41,13-14 diz que o Filho do Altíssimo apareceu na perfeição de seu Pai: "Uma luz saiu da Palavra que nele desde o princípio... ele foi designado antes da criação do mundo". *Odes* 18,6 diz que a luz não foi vencida pelas trevas. Assim, temos temas joaninos preservados em estilo de hino. No entanto, podemos mencionar que a existência de tais hinos cristãos gnósticos realmente nada faz para provar a afirmação de BULTMANN de que o hino do Prólogo originalmente era parte da Fonte do Discurso Revelatório e originalmente um hino gnóstico escrito em louvor a João Batista. As poucas passagens citadas nas *Odes* possivelmente são dependentes de João. Na primitiva literatura gnóstica são escassos, caso haja, os bons paralelos *por extenso* para a estruutra que BULTMANN encontra no Prólogo. Mais especificamente, não há a mais leve evidência de que os adeptos do Batista sempre se reportaram a João Batista como a Palavra. Os fortes aspectos anti-gnósticos no Prólogo (vs. 3,14) também militam contra esta hipótese.

A formação do prólogo

Se aceitarmos a evidência de que a base do Prólogo consistiu de um hino composto na igreja joanina, quais versículos pertenceram a este hino e como foram anexados ao evangelho? Não há concordância sobre ambas as questões. Na última questão, há quem pense que houve dois estágios de redação do hino para adaptá-lo ao evangelho; há quem pense que houve um, e este foi feito pelo redator final. GÄECHTER sugere que a adaptação foi feita pelo tradutor que trabalhou com João e expressou seu pensamento em grego. BOISMARD pensa que Lucas redigiu este hino porque encontra expressões lucanas nos vs. 14 e 17; as similaridades com os hinos paulinos também explicariam a intervenção de Lucas.

Na primeira questão concernente ao que pertence ao hino original, há inclusive mais debate. Damos abaixo um quadro com a opinião dos críticos. Todos os citados consideram os vs. 6-8 e 15 como adições secundárias; e muitos anexariam os vs. 9,12-13,17-18. A única concordância geral é sobre os vs. 1-5, 10-11 e 14 como partes do poema original. O principal critério é a qualidade poética dos versos (extensão, número de acentos, coordenação etc.). Entretanto, como HAENCHEN tem salientado contra os adeptos extremados deste critério (GÄECHTER, BULTMANN, KÄSEMANN, SCHNACKENBURG), o tipo de regularidade que exigem não se encontra na maioria dos hinos paulinos. Além do mais, se o critério poético for posto como base de um original *aramaico* hipotético, nos situamos em uma postura exageradamente subjetiva. Outro critério em determinar os versos do original é o das ideias, por exemplo, a exclusão do poema das frases apologéticas escritas contra os seguidores do Batista. Não obstante, quando um estudioso mais arbitrário forma um conjunto de pressuposições sobre o teor original do poema (teoria gnóstica), e então procedem a eliminar as frases que não se harmonizam com sua hipótese, este critério se torna muito subjetivo.

Bernard	aceita		1-5,	10-11,	14,		18.
Bultmann	"		1-5,	9-12b,	14,	16.	
De Ausejo	"		1-5,	9-11,	14,	16,	18.
Gaechter	"		1-5,	10-12,	14,	16,	17.
Green	"	1,	3-5,	10-11,	14a-d,	18.	
Haenchen	"		1-5,	9-11,	14,	16,	17.
Käsemann	"	1,	3-5,	10-12.		(incerteza sobre 2)	
Schnackengurg	"	1,	3-4,	9-11,	14abe,	16.	

Uma vez tenham sido determinado os versos originais, há o problema em reparti-los em estanças ou estrofes. Pares extensos constituem um critério aqui, embora DE AUSEJO o ignore completamente. No entanto, não se deve exigir proporção matemática estrita, visto que não se encontra nos hinos paulinos. O desenvolvimento de pensamento pode também ser um importante critério, mas há muita discordância sobre o desenvolvimento no Prólogo.

Nas notas vamos expor as razões pró ou contra as várias teorias sobre linhas individuais. Com grande hesitação, sugerimos o seguinte esboço da formação do Prólogo, enfatizando sua natureza experimental. O hino original:

Primeira Estrofe:	vs.	1-2	A Palavra com Deus.
Segunda Estrofe:		3-5	A Palavra e a Criação.
Terceira Estrofe:		10-12b	A Palavra no Mundo
Quarta Estrofe:		14,16	A Participação da Comunidade na Palavra.

A este hino têm-se anexado dois pares de adições:

1. Amplificação explicativas das linhas do hino:
   vs. 12c-13, anexados no final da terceira estrofe para explicar como os homens se tornam filhos de Deus;
   vs. 17-18, anexados no final da quarta estrofe para explicar "o amor por amor".

2. O material pertinente a João Batista – talvez originalmente os versículos iniciais do evangelho, deslocados quando o redator final introduziu o hino como Prólogo:
   vs. 6-9, anexados no final da segunda estrofe, antes de discutir a Encarnação;
   vs. 15, anexado no meio da terceira estrofe.

Não vemos como podemos estar certos se estes dois pares de adições foram obra de um só homem e se foram introduzidas ao mesmo tempo.

Há diversas questões que formulamos sem atentar para a ordem. BURNEY, BLACK e BULTMANN argumentam fortemente em prol de um original aramaico para o hino; a evidência não é conclusiva. LUND e BOISMARD veem um padrão de quiástico na forma final do Prólogo (ver Introdução, Parte IX:D, p. 136). O arranjo de LUND, *art. cit.*, é bastante complicado. O de BOISMARD é mais simples, e é endossado por algumas observações válidas (o v. 18 final extrai o tema do v. 1 inicial; e o v. 15 forma parelha com os vs. 6-8). Não obstante, os paralelos que BOSMARD encontra entre vs. 3 e 7 e entre vs. 4-5 e 16 são altamente imaginativos. Permanecemos na dúvida sobre a aplicabilidade de um padrão quiástico ao Prólogo.

A questão de se o Prólogo começa falando da carreira encarnada da Palavra como Jesus Cristo será discutida mais adiante. Não obstante, devemos mencionar a história novelesca de DE AUSEJO de que todo o hino se refere à Palavra-que-se-fez-carne. Corretamente, ele insiste que os hinos paulinos tendem a reportar-se a Jesus Cristo exaustivamente. Filipenses, por exemplo, está falando de Jesus Cristo mesmo quando fala de seu ser na forma de Deus antes de esvaziar-se e assumir a forma de servo. Esta forma de linguagem é estranha à teologia cristã depois de Niceia; pois antes da Encarnação se fala da Segunda Pessoa da Trindade e insiste-se que Jesus Cristo veio à existência no momento da Encarnação. Mas o NT não fez uma distinção tão precisa em sua terminologia, e DE AUSEJO bem que pode estar certo. Ao menos se pode dizer que mesmo em seu versículo inicial o Prólogo não concebe uma Palavra que não será pronunciada aos homens.

COMENTÁRIO: DETALHADO

Primeira Estrofe: *A Palavra com Deus* (vs. 1-2)

Se é incomum abrir um evangelho com um hino, o louvor da Palavra não é abertura inadequada ao relato escrito do querigma apostólico. No v. 24 e em 15,3, Jesus caracteriza sua mensagem como uma "palavra"; o Prólogo mostra que o próprio mensageiro era a Palavra. Podemos ter uma indicação de tal contraste no próprio evangelho, em 10,33-36, onde parece haver um contraste entre a *palavra* de Deus, que é dirigida aos homens e os faz deuses, e o Filho de Deus, que é enviado ao mundo e é chamado Deus (= "A Palavra era Deus"). Visto que as primeiras palavras do Prólogo abriram também ao Gênesis, elas são peculiarmente adequadas para abrir o relato do que Deus disse e fez na nova dispensação.

A descrição da Palavra com Deus no céu antes da criação é notavelmente breve; não há a mais leve indicação de interesse em especulações metafísicas sobre as relações no seio de Deus ou no que a teologia posterior chamaria processões trinitárias. O Prólogo é uma descrição da história da salvação na forma de hino, em grande parte como o Sl 78 é uma descrição poética da história de Israel. Portanto, a ênfase está primariamente na relação de Deus com os homens, antes de estar na relação com Ele mesmo. O próprio título "Palavra" implica uma revelação – não tanto uma ideia divina, mas uma comunicação divina. As palavras "no princípio", embora se reportem à pré-criação, implicam que uma criação está em andamento, um começo. Se este poema se destinava a concentrar-se em Deus mesmo, não haveria princípio. O Prólogo diz que a Palavra era; não especula *como* a Palavra era, não visa às origens da Palavra, mas o importante é o que a Palavra faz. O Prólogo não segue na direção de seu paralelo em Qumran citado na nota sobre os vs. 3b-4. Ali, em boa forma helenista, enfatiza-se o conhecimento de Deus como um fator criativo; aqui, enfatiza-se a Palavra de Deus, ao estilo do AT. Discutiremos o pano de fundo do conceito de "a Palavra" no Apêndice II, p. 823s; aqui, porém, podemos enfatizar que toda a concepção do hino, como história salvífica, o leva para longe do mundo do pensamento helenista mais especulativo. Como salienta Dodd, *art. cit.*, p. 15, nenhum pensador helenista veria um clímax na Encarnação, precisamente como nenhum gnóstico proclamaria triunfantemente que a Palavra veio a ser carne.

1 • Hino introdutório

Como mencionado na nota sobre 1c, "A Palavra era Deus" do Prólogo oferece dificuldade porque não há artigo antes de *theos*. Isto implica que "Deus" significa menos quando predicado da Palavra do que quando usado como um nome para o Pai? Uma vez mais, o leitor deve despojar-se de um entendimento pós-niceno do vocabulário envolvido. Há que se fazer duas considerações:

O NT não aplica com frequência a Jesus o termo "Deus". V. Taylor, ET 73 (1961-62), 116-18, se pergunta se o NT sempre chama Jesus de Deus, visto que quase cada texto proposto tem suas dificuldades. Veja nosso artigo que trata de todos os textos pertinentes no TS 26 (1965), 545-73. A maioria das passagens sugeridas (Jo 1,1.18; 20,28; Rm 9,5; Hb 1,8; 2Pd 1,1) está em hinos ou doxologias – uma indicação de que o título "Deus" era aplicado a Jesus mais frequentemente na fórmula litúrgica do que em narrativa ou literatura epistolar. Lembremo-nos outra vez da descrição que Plínio faz dos cristãos entoando *hinos* a Cristo como Deus. A relutância de aplicar esta designação a Jesus é compreensível como parte da herança neotestamentária do judaísmo. Para os judeus, "Deus" subentendia o Pai celestial; e até que uma compreensão mais ampla do termo fosse alcançada, ele não podia ser aplicado a Jesus sem grande esforço. Isto é refletido em Mc 10,18, onde Jesus se recusa ser chamado bom uma vez que somente Deus é bom; em Jo 20,17, onde Jesus chama o Pai "meu Deus"; e em Ef 4,5-6, onde Jesus é mencionado como "um Senhor", mas o Pai é "o único Deus". (A forma como o NT abordava a questão da divindade de Jesus não era através do título "Deus", e sim descrevendo suas atividades nos mesmos termos que descrevia as atividades do Pai; veja Jo 5,17.21; 10,28-29). No v. 1c, o hino joanino está limitando o uso de "Deus" para o Filho; mas, ao omitir o artigo, ele evita qualquer sugestão de identificação pessoal da Palavra com o Pai. E, para os leitores gentílicos, se evitava também qualquer sugestão de que a Palavra fosse um segundo Deus em qualquer sentido helenista.

Entretanto, há uma consideração ulterior. Temos mencionado a sugestão feita pelo estudioso católico De Ausejo de que a Palavra, por todo o Prólogo, significa a Palavra-que-se-fez-carne e que todo o hino se reporta a Jesus Cristo. Se isto é assim, então talvez haja justificativa em ver no uso do *theos* sem artigo algo mais humilde do que o uso de *ho theos* para o Pai. É Jesus Cristo quem diz em Jo 14-28: "O Pai é maior do que eu", e que em 17,3 fala do Pai como "o único verdadeiro Deus".

O reconhecimento de uma humilde posição para Jesus Cristo em relação ao Pai não é estranho dos hinos cristãos, pois Fl 2,6-7 fala de Jesus como se esvaziando e não se apegando à forma de Deus.

Porque o v. 2 repete o v. 1, alguns estudiosos o atribuem à redação secundária do hino. Todavia, se considerarmos os vs. 1-2 como uma estrofe, então o v. 2 pode ser uma inclusão: a estrofe começa e termina no tema de "o princípio". LUND alega ser isso um exemplo de quiasmo, uma vez que as ideias do v. 2 constituem uma ordem inversa de 1a,b. BULTMANN, p. 17, provavelmente esteja certo quando insiste que a repetição está longe de ocioso. O grande perigo para qualquer comunidade helenista em ler que a Palavra era Deus seja politeísta, e o v. 2 insiste outra vez sobre a relação entre o Pai e a Palavra.

Segunda Estrofe: *A Palavra e a criação* (vs. 3-5)

Com o aparecimento de "vieram a existir" (*egeneto*), no v. 3, estamos na esfera da criação. Tudo o que é criado se relaciona intimamente com a Palavra, pois foi criado não só através dela, mas também para ela. Descobrimos a mesma ideia no hino de Cl 1,16: "Porque nele todas as coisas foram criadas... todas as coisas foram criadas por ele e nele". A mesma unidade que existe entre a Palavra e sua criação em Jo 15,5 se aplicará a Jesus e ao cristão: "Sem mim nada podeis fazer".

O fato de que a *Palavra* cria significa que a criação é um ato da revelação. Toda a criação porta o selo da Palavra de Deus, donde a insistência em Sb 13,1 e Rm 1,19-20, de que a partir de Suas criaturas Deus é reconhecível pelos homens. Além do mais, o papel da Palavra na criação significa que Jesus tem uma reivindicação sobre tudo; como o v. 10 insistirá pungentemente, o mundo rejeitou esta reivindicação. A expressão "todos" (*panta*), no v. 3, é uma fórmula quase litúrgica que capta a plenitude da criação de Deus. Note seu uso em Rm 11,36: "Porque dele e através dele e para ele são *todas as coisas*. A ele a glória para sempre. Amém". Veja também 1Cor 8,6 e o aparecimento de *panta* no hino de Cl 1,16.

BOISMARD, pp. 102-5, pergunta que tipo de causalidade a Palavra exerce na criação: eficiente ou exemplar? No Apêndice II, p. 823ss, salientaremos que a palavra criadora de Deus no AT parece ser a causa eficiente da criação. Todavia, a Sabedoria personificada e a Torá (que são também parte do pano de fundo do uso da Palavra no Prólogo) parecem exercer na criação a causalidade de um modelo ou exemplar. Portanto, pode haver elementos de ambos os tipos de causalidade na criação através de e na Palavra. BOISMARD declara: "Por isso é provável que para João também a Palavra de Deus exerça uma parte na criação, porque ela é o pronunciamento de uma ideia, e não porque seja dotada, como tal, com eficácia". Entretanto, nada há no Prólogo a enfatizar que a Palavra é o pronunciamento de uma ideia divina, e tal especulação pertence mais ao mundo grego e à teologia posterior.

Notemos finalmente que ao dizer que é através da Palavra que todas as coisas vieram à existência, o Prólogo está longe do pensamento gnóstico, no qual um demiurgo, e não Deus, foi o responsável pela criação material, a qual é má. Visto que a Palavra se relaciona com o Pai e a Palavra cria, pode-se dizer que o Pai cria através da Palavra. Assim, o mundo material foi criado por Deus e é bom.

A interpretação do v. 4 depende de como se resolve o difícil problema de sua tradução (ver nota). Na tradução aceita, ele marca uma progressão sobre o v. 3 de duas maneiras. Primeiro, o fato da criação (de que todas as coisas vieram à existência) já não está em pauta; tem-se mudado a ênfase para *o que* veio à existência. Segundo, o foco está sobre um aspecto especial do que veio à existência, a saber, o que veio a existir na Palavra – a criação especial do mundo. É verdade que para alguns estudiosos o Prólogo neste ponto passou da criação para a Encarnação (SPITTA, ZAHN, B. WEISS, VAWTER). Salientam que o dom da vida que é mencionado no v. 4 está associado no evangelho com a vinda de Jesus (3,16; 5,40; 10,10). Todavia, um salto da criação, no v. 3, para a vinda de Jesus, no v. 4, parece excessivamente abrupto, especialmente quando o "aquilo que veio a existir", no v. 4, é um elo para "vierem a existir", no v. 3. Se os vs. 4-5 se reportam à vinda de Jesus, então a referência mais clara à sua vinda em 9 e 10 parece tautológica. Também o redator do Prólogo inseriu uma referência a João Batista *depois* do v. 5, e dificilmente se pode imaginar que o redator introduziria João Batista depois de descrever o ministério de Jesus e seu efeito. Evidentemente, o redator pensou que as referências à vinda de Jesus começaram no v. 10; ele põe a vinda de João Batista no momento daquela vinda. Naturalmente, o redator poderia ter-se equivocado com o teor dos vs. 4,5, mas ele estava muito mais perto do hino original do que estamos. Esta objeção também milita contra a teoria de KÄSEMANN, que vê uma referência à vinda de Jesus, não no v. 4, e sim no v. 5, o qual ele junta ao 10, e contra a teoria de Bultmann, que começa a obra do revelador na História com o v. 5, o qual junta ao 9.

Sugerimos que o significado dos vs. 4-5 está muito mais próximo ao do v. 3. À luz das palavras iniciais do hino tem havido um paralelo deliberado aos primeiros capítulos de Gênesis. Isto levou ao v. 3 com seu uso de *egeneto* (ver nota); e agora ele leva aos 4-5 com a menção da luz e trevas, pois a luz foi a primeira na criação de Deus (Gn 1,3). "Vida" é também o tema do relato da criação em Gn 1,11 ("criaturas vivas" em 1,20.24 etc.). Naturalmente, em seu primeiro capítulo, Gênesis está falando de vida natural, enquanto o Prólogo está falando de vida eterna. Todavia, a vida eterna é também mencionada nos primeiros capítulos de Gênesis, pois 2,9 e 3,22 falam da árvore da vida cujo fruto, quanto comido, faria o homem viver para sempre. O homem foi excluído desta vida em virtude de seu pecado; mas, como vemos no Ap 22,2, a vida eterna do Jardim do Éden, prefigurava a vida que Jesus daria aos homens. Em Jo 6, Jesus falará do pão da vida que um homem pode comer e viver para sempre – um pão, portanto, que tem as mesmas qualidades que o fruto da árvore da vida no Paraíso. Jo 8,44 menciona a perda da oportunidade de viver eternamente sofrida pelo homem no Paraíso, quando descreve o diabo como homicida desde o princípio e o pai da mentira (a serpente mente a Eva). E assim sugerimos que no v. 4 o Prólogo está ainda falando no contexto da narrativa da criação de Gênesis. Aquilo que veio especialmente à existência na Palavra criadora de Deus era o dom da vida eterna. Esta vida era a luz dos homens porque a árvore da vida estava estreitamente associada com a árvore do conhecimento do bem e do mal. Se o homem sobrevivesse ao teste, então teria possuído a vida e a iluminação eternas.

O v. 5 pode também ser interpretado contra este pano de fundo. Houve uma tentativa das trevas de vencer a luz – a saber, a queda do homem. Note que o aoristo, "venceram", assim recebe seu significado normal como uma referência à ação pretérita singular. Mas a luz brilha em, pois embora o homem pecasse, foi-lhe dado um raio de esperança. Gn 3,15 diz que Deus pôs inimizade entre a serpente e a mulher, e que a serpente não estava destinada a vencer sua prole. Em particular, a semente da mulher, que para o NT era Jesus, seria vitoriosa sobre Satanás. (Enfatizamos que aqui estamos tratando com a compreensão cristã, talvez judaica tardia, de Gn 3,15, não da compreensão do autor original da passagem). Que os círculos joaninos puseram em relevo Gn 3,15, vemos no Ap 22, onde a vitória de Jesus sobre o diabo é retratado em termos da vitória do filho da mulher sobre a serpente.

Parêntese: *O testemunho que João Batista dá da luz* (vs. 6-9)

Se a segunda estrofe tratou da criação pela Palavra e seu dom da vida e luz inicial, e a tentativa das trevas de vencer a luz, a terceira estrofe tratará da própria vinda da Palavra ao mundo para derrotar as trevas. Entre as duas estrofes, um redator inseriu quatro versículos que tratam de João Batista e seu papel de preparar os homens para a vinda da Palavra e da luz.

BOISMARD, entre outros, tem feito uma interessante sugestão sobre a origem dos vs. 6-7: que eram a abertura original do evangelho que foram deslocados quando o Prólogo foi anexado. As primeiras palavras do v. 6, "Houve um homem enviado por Deus cujo nome era João", seriam uma abertura normal para uma narrativa histórica. Jz 13,2 abre as narrativas sobre Sansão com "E houve um homem de Zorá dos danitas" (também 19,1; 1Sm 1,1). Além do mais, se ao menos a substância de 6-7 viesse antes de 1,19, teria havia boa sequência: o v. 7 diz que João Batista veio como testemunha para testificar, e 19ss. apresenta seu testemunho e as circunstâncias sob as quais ele foi dado. Em tais circunstâncias, a estranha expressão "testificar da luz" faz mais sentido. Originalmente, a luz pode ser vista, e não há necessidade de alguém que testifique dela; mas em 19ss., a questão é de testificar diante dos que são hostis e que ainda não viram Jesus.

O v. 8 tem um motivo peculiar. Já mencionamos, na Introdução (Parte V:A) que uma das metas do Quarto Evangelho era a de refutar as exageradas reivindicações feitas pelos seguidores de João Batista. No v. 8, o Prólogo subordina João Batista a Jesus. Acaso a refutação é ainda mais específica? Acaso os seguidores pensavam que João Batista fosse a luz? Tem-se sugerido que o *Benedictus*, hino de Zacarias em Lc 1,68-79, fosse um hino a João Batista, subsequentemente adaptado ao uso cristão. Os vs. 78-79 conectam o ministério de João Batista com aquele momento em que do alto raiou o dia de dar luz aos que se assentam em trevas. Assim, é *possível* que os sectários reivindicassem para João Batista o título de luz.

Aparentemente, o v. 9 é a transição que o redator fez para adaptar os vs. 6-8 ao seu presente lugar no Prólogo. A ênfase sobre a luz real extraiu o tema do 8; a ênfase sobre a vinda ao mundo prepara para o 10. J. A. T. ROBINSON, p. 127, pensa que os quatro versículos (6-9), bem como o 15, foram parte da abertura original do evangelho; contudo, na verdade somente 6-7 leem bem antes do 19. A imagem da luz vinda ao mundo para iluminar os homens é tomada do AT, particularmente de Isaías. Na descrição do messiânico príncipe da paz, Is 9,2 anuncia: "O povo que caminhava em trevas viu grande luz; a luz brilhou sobre aqueles que habitavam na terra das trevas". Na segunda parte de Isaías (42,6), Iahweh proclama de Seu servo: "Eu te dou como uma aliança ao povo, uma luz às nações... para tirar da prisão os que se assentam em trevas". Na terceira parte de Isaías (60,1-2), ouvimos a trombeta convocar Jerusalém: "Levanta-te, resplandece, porque já vem a tua luz, e a glória do Senhor vai nascendo sobre ti. Porque eis que as trevas cobriram a terra, e a escuridão os povos; mas sobre ti o Senhor virá surgindo, e a sua glória se verá sobre ti". O Prólogo associa o testemunho de João Batista, a voz isaiana no deserto, com a proclamação profética da vinda da luz. O Quarto Evangelho não foi o único em adaptar a Jesus as profecias veterotestamentárias pertinentes à luz; Mt 4,16 aplica Is 9,2 ao ministério de Jesus.

Podemos mencionar de passagem que H. SAHLIN, *art. cit.*, tem tentado mostrar que os vs. 6-9 pertenceram à forma original do Prólogo e foram aplicados à Palavra. Por exemplo, ele lê: "Ele [a Palavra] se tornou homem, enviado por Deus. Ele veio para testificar da luz"... SAHLIN sugere que sob a influência dos paralelos sinóticos como Mc 1,4, os versículos foram equivocadamente aplicados a João Batista. Isto é engenhoso, mas completamente além da possibilidade de prova.

Terceira Estrofe: *A Palavra no mundo* (vs. 10-12b)

A terceira estrofe do hino original parece tratar da Palavra encarnada no ministério de Jesus. Entretanto, muitos estudiosos não partilham deste ponto de vista. WESTCOTT, BERNARD e BOISMARD sugerem que a referência à presença da Palavra no mundo, nos vs. 10,12, deva ser interpretada em termos da atividade da palavra divina

1 • Hino introdutório

no período veterotestamentário; e SCHNACKENBURG, p. 88, pensa na presença da Sabedoria no mundo e em Israel. Tem-se sugerido o período entre Adão e Moisés para o v. 10; a aliança sinaítica e a subsequente infidelidade de Israel para o 11; e o remanescente fiel de Israel para o 12.

Naturalmente, este ponto de vista implica que o redator do Prólogo entendeu mal o hino, inserindo a referência a João Batista antes do v. 10. Além do mais, vai contra o fato de que a maioria das frases encontradas em 10-12 aparece no evangelho como uma descrição do ministério de Jesus. Se a Palavra está no mundo (10a), Jesus diz que entrou no mundo (3,19; 12,46), que está no mundo (9,5); e amiúde estas afirmações estão em justaposição ao tema de ser ele a luz, justamente como 1,10 segue 1,5 com seu tema de luz. A presença da Palavra no mundo é rejeitada, pois o mundo não reconhece a Palavra (10c). De modo semelhante, a presença de Jesus no mundo encontra rejeição (3,19), pois os homens não reconhecem quem é Jesus (14,7; 16,3; 1Jo 3,1). A rejeição particularmente pungente da Palavra por seu próprio povo (11b) e também seu paralelo no ministério de Jesus quando é rejeitado na Galileia (4,44) e pelo povo judaico em geral (12,37). A frase "não aceitaram" (*paralambanein* em 11; *lambanein* em 12) é usada para Jesus em 3,11 e 5,43 (*lambanein*). Deveras, como já salientamos, os vs. 11 e 12 realmente são sumários breves das duas partes do evangelho: o Livro dos Sinais e o Livro da Glória. A linha inicial do Livro da Glória (13,2) anuncia: "Tendo amado *os seus* que estavam neste mundo, amou-os até o fim". Em outras palavras, em lugar do povo judeu que havia sido dele (1,11), agora formou em torno de si um novo "seu", os crentes cristãos (1,12).

O argumento conclusivo de que os vs. 10-12 se reportam ao ministério de Jesus, em minha opinião, se encontra no 12. SCHNACKENBURG não tem dificuldade com o v. 12, posto que rejeita aquele versículo do hino original; mas qualquer comentarista que aceite o v. 12 como parte do hino conta com a afirmação de que a carreira da Palavra no mundo capacitou homens a se tornarem filhos de Deus. Parece incrível que em um hino vindo de círculos joaninos se explique a possibilidade de se tornar filho de Deus de outra maneira e não em termos de ser gerado de cima pelo Espírito de Jesus (3,3.5; ver comentário sob 17 em The Anchor Bible; 1Jo 3,9 [no prêlo]). Se a revelação do AT capacitou homens a se tornarem filhos de Deus, toda a conversação com Nicodemos se torna ininteligível. DODD, *Interpretation*, p. 282, argumenta que antes da vinda de Jesus havia filhos de Deus e cita 11,52 acerca dos filhos dispersos de Deus. João, porém tem em mente que estas pessoas dispersas já são filhas de Deus sem ter ouvido de Jesus e ser geradas do alto? Ou João não queria dizer senão que estas são pessoas que foram chamadas por Deus a fim de se fazerem suas filhas e aceitarem Jesus como seu pastor?

Assim, concordamos com BÜCHSEL, BAUER, HARNACK, KÄSEMANN, entre outros, de que a terceira estrofe do hino se reporta ao ministério terreno de Jesus. Notamos que o hino de Fl 2,6-11 passa de Jesus na forma de Deus diretamente para Jesus na forma de servo, do céu para o ministério de Jesus, sem qualquer descrição da obra de Deus no período veterotestamentário. No hino em Cl 1,5-20, o pensamento passa do Filho como a imagem de Deus e o primogênito de toda a criação para a morte de Jesus.

Podem-se fazer umas poucas observações sobre os versículos individuais. Como salientaremos no Apêndice II, p. 823ss, a rejeição da Palavra pelos homens, no v. 10, é muito similar à rejeição da Sabedoria pelos homens em *1 Enoque* 42,2: "A Sabedoria veio para fazer sua habitação entre os filhos dos homens e não encontrou lugar de morada". Esta é a reflexão da teologia joanina de que Jesus é a Sabedoria personificada. O v. 11 não é sinônimo com o 10 (com a devida vênia a BULTMANN), porém que circunscreve a atividade da Palavra para com Israel. Ele representa o sentimento expresso em Mt 15,24 de que Jesus foi enviado somente às ovelhas perdidas da casa de Israel. Em Jo 12,20-23, quando os gentios vão a Jesus, este é o sinal de que o ministério está concluído e a hora já chegou. Para alguns, o contraste entre a não aceitação no v. 11 e a aceitação no v. 12 parece incisivo demais; não obstante, exatamente o mesmo contraste se encontra em 3,32-33: "Testifica de que tem visto e ouvido, mas ninguém aceita ser seu testemunho. Todos quantos aceitam seu testemunho tem testificado de que Deus é fiel". Esses contrastes incisivos são encontrados em antigos hinos cristãos, por exemplo, 1Tm 3,16: "Aquele que se manifestou na carne, justificado no Espírito".

Versículos 12c-13. A razão para a avaliação destes versículos como um comentário redacional sobre o v. 12 foi desenvolvida nas notas, onde achamos necessário explicar os versículos para justificar nossa tradução. O redator fez sua adição entre as estrofes.

1 • Hino introdutório

Quarta Estrofe: *A participação da comunidade na Palavra-que-se-fez-carne* (vs. 14 e 16).

A última estrofe do hino introduz a comunidade e dá expressão poética ao que a intervenção da Palavra significa na vida da comunidade. Em particular, o v. 14a,b resume e dá expressão mais vital ao que foi dito nos vs. 10-11; 14c-e e 16 amplificam a ideia de se tornar filhos de Deus do v. 12, mostrando como partilhamos da plenitude do único Filho de Deus. Esta é a última estrofe do hino e forma uma inclusão com a primeira estrofe. Os vs. 14 e 1 são os dois únicos versículos no hino que menciona especificamente "a Palavra".

V. 1. A Palavra era (ēn)	equivalente ao	v. 14. A Palavra se tornou
1. A Palavra na presença de Deus	equivalente a	(*egeneto*)
		14. A Palavra entre nós
1. A Palavra era *Deus*	equivalente a	14. A Palavra se fez *carne*

Assim, na eterna existência da Palavra, na estrofe inicial, se contrasta a Palavra se tornando temporal na última estrofe, a qual capta a atividade dos versículos precedentes do hino e os contrasta deliberadamente com o tema da terceira estrofe, e pode-se ver que não há contradição em sugerir que a terceira estrofe trata do ministério de Jesus e ainda o 14a é uma clara referência à Encarnação. O v. 14a,b oferece um resumo da atividade da Palavra para a admiração e louvor da comunidade, já que se espera a participação da comunidade em um hino. Quando o hino foi adaptado para servir de Prólogo para o evangelho, o resumo deste versículo poderia também indicar o curso da atividade de Jesus a seguir.

O v. 14a descreve a Encarnação em linguagem fortemente realística, enfatizando que a Palavra se fez *carne*. A palavra "carne" parece ter sido associada com a Encarnação dos primeiros dias da expressão teológica cristã. Rm 1,3 descreve o Filho de Deus que descendeu de Davi segundo a carne; e Rm 8,3 capta ainda melhor o elemento de escândalo nisto quando fala de "enviar Deus Seu próprio Filho na semelhança de carne pecaminosa". O hino em 1Tm 3,16 contrasta a manifestação na carne com a vindicação no Espírito. A menção de carne em Jo 1,14 representa um elemento quenótico comparável ao que achamos no hino de Fl 2,7: "Ele se esvaziou, assumindo a forma de servo, tornando-se na semelhança de homem"? De Ausejo, em seu artigo sobre "carne" em João (EstBib 17 [1958], 411-27) enfatiza isto.

Visto que, em sua opinião, todo o hino tem sido em louvor do Jesus encarnado, a afirmação no v. 14a de que a Palavra se fez carne teria uma ênfase especial de fraqueza e mortalidade. Todavia, KÄSEMANN, p. 93, insiste que o escândalo consiste na presença de Deus entre os homens e não em tornar-se carne – não o como, mas o fato. Para KÄSEMANN, 14a não diz mais que o 10a, "Ele estava no mundo". O paralelismo entre 14a e 14b parece apoiar a interpretação de KÄSEMANN.

Há uma intenção polêmica no v. 14a? Certamente, sua teologia não teria siso compatível com os liames do pensamento gnóstico ou docético. Nenhum outro verso no hino dá expressão mais incisiva à diferença entre o conceito da Palavra no Prólogo e o dos estoicos e do *Corpus Hermeticum*. Os gregos que admiravam o *logos* como recapitulação da ordem do mundo e aspiravam estar unido com Deus em Seu universo. A sugestão de que o encontro final com o *logos* de Deus fosse quando o *logos* se fizesse carne teria sido inimaginável. O Prólogo não diz que a Palavra entrou na carne ou habitou na carne, mas que a Palavra *se fez* carne. Portanto, em vez de oferecer a liberação do mundo material pelo qual a mente grega aspirava, a Palavra de Deus estava então inextricavelmente se vinculou à história humana. Todavia, embora 14a não fosse aceitável a alguns das escolas do pensamento filosófico ou teológico no mundo helenista, não podemos estar certos de que ele foi escrito contra tais pontos de vistas. As epístolas joaninas são mais claramente polêmicas, como em 1Jo 4,2-3: "Todo espírito que reconhece que Jesus Cristo *veio em carne* pertence a Deus, enquanto todo espírito que não confessa Jesus não pertence a Deus" (também 2Jo 7). É *possível* que haja no evangelho um elemento de polêmica sobre este ponto, em passagens como 6,51-59 e 19,34-35. Podemos notar finalmente que a ênfase do hino sobre a carne, no v. 14a, é um tanto diferente da atitude no comentário redacional sobre o hino em 13, onde se enfatiza que os filhos de Deus não foram gerados pelo desejo da carne.

Fixemo-nos agora à atitude para com a revelação implícita em "A Palavra se fez carne". O título, "a Palavra", foi apropriado no v. 1, porque o ser divino descrito ali se destinava a falar aos homens. Quando o título é usado pela segunda vez no v. 14, este ser divino assumiu a forma humana e, deste modo, achou a forma mais eficaz em que expressar-se aos homens. Assim, ao tornar-se carne, a Palavra não cessa de ser a Palavra, mas exerce sua função como a Palavra completamente. Ao comentar sobre este versículo, BULTMANN, p. 42, formula uma das teses que percorrem seu comentário no curso do seu sugestivo pensamento, a saber, que o contato com a Palavra-que-se-fez-carne é um contato com a autorevelação, pois Jesus não traz ensino e nem é um guia aos mistérios celestiais tais como encontrados na descrição gnóstica de mestres que desceram do céu. O contraste com a descrição gnóstica é válida: Jesus é a Sabedoria encarnada ou a autorevelação. BULTMANN, porém, em grande medida não faz o mesmo de um revelador sem revelação? Talvez isto seja típico de uma hiper-reação a um ponto de vista mais antigo em que se pensava que Jesus proclamasse a revelação numa série de proposições ordenadas. Primeiro, é verdade que por toda parte a ênfase de João seja sobre aceitar Jesus, e muitas vezes isto significa aceitar sua reivindicação de ser o enviado de Deus. Mas, como insiste KÄSEMANN, pp. 95-96, se o fato de que Jesus foi enviado é tão importante, isto em si mesmo é uma tremenda revelação de "a única coisa que é necessária". É uma revelação de que o Criador, aqui, está presente com suas criaturas; e o Criador não vem de mãos vazias, pois ele dá luz e vida e amor e ressurreição. Segundo, aí permanece uma considerável quantidade de ensino sobre o que Jesus diz. Por exemplo, há ensino sobre o amor salvífico de Deus para com os homens (3,16-17), sobre o Espírito Santo, o Paráclito, sobre a Lei e suas obrigações (5,16-17; 7,19-23), sobre os deveres do amor entre os cristãos (8,12-17.34), sobre o batismo (3,5) e sobre a eucaristia (6,51-58 – naturalmente, BULTMANN rejeita as passagens sacramentais como adições do Redator Eclesiástico). Muito do ensino que Mateus expressa no Sermão do Monte se encontra em João, às vezes espalhado e em várias formas, mas, não obstante, presente. Portanto, podemos dizer que, se a Palavra se fez carne, não foi apenas para ser encontrada, mas também para falar.

O v. 14b e as linhas sucessivas mostram que, se a Palavra se fez carne, ela não cessou de ser Deus. Em 14b, isto é dado expressão no verbo *skēnoun* ("fazer uma habitação; fincar uma tenda") que tem importantes associações no AT. O tema de "fincar" se encontra em Ex 25,8-9 onde se ordena que Israel faça uma tenda (o Tabernáculo – *skēnē*) para que Deus habitasse entre Seu povo; o Tabernáculo se tornou o local da presença de Deus na terra. Foi prometido que nos dias ideais por vir este fincar tenda entre os homens seria especialmente impressivo. Jl 3,17 diz: "E vós sabereis que eu sou o Senhor vosso Deus, que habito [*kataskēnoun*] em Sião". No tempo do regresso do exílio babilônico, Zc 2,10 proclama: "Exultai e alegra-te, ó filha de Sião, porque eis que venho, e farei minha habitação [*kataskēnoun*] no meio de ti, diz o Senhor". No templo ideal descrito por Ezequiel (18,7), Deus fará Sua habitação no meio de Seu povo para sempre, ou, como a LXX o tem: "*Meu nome* habitará no meio da casa de Israel para sempre". (Estas palavras são importantes tendo em vista o interesse joanino em *o nome*). Quando o Prólogo proclama que a Palavra fez sua habitação entre os homens, somos informados que a carne de Jesus Cristo é a nova localização da presença de Deus na terra, e que Jesus é a substituição do antigo Tabernáculo. O evangelho apresentará Jesus como a substituição do templo (2,19-22), que é uma variação do mesmo tema. No Ap 7,15, o verbo *skēnoun* é usado para a presença de Deus no céu, enquanto em 21,3 a grande visão da Jerusalém celestial ecoa a promessa dos profetas: "Ele habitará [*skēnoun*] com eles, e serão Seu povo". Assim, ao habitar entre os homens, a Palavra antecipa a divina presença que, segundo o Apocalipse, será visível aos homens nos últimos dias.

Como um passo intermediário entre o pentatêuco e profético de "fincar tenda" e o uso de "fincar tenda" no Prólogo, podemos chamar a atenção para passagens na literatura sapiencial onde se diz que a Sabedoria finca tenda ou faz sua habitação entre os homens (ver Apêndice II, p. 823s). No hino de Siraque 24, a Sabedoria canta: "O Criador de todos... escolhe o local para minha tenda, dizendo: Faze tua morada [*kataskēnoun*] em Jacó, em Israel tua herança". Assim, ao fazer sua habitação entre os homens, a Palavra está agindo como faz a Sabedoria.

Há outro aspecto da presença divina sugerido no v. 14b. Os radicais *skn* que sublinha o verbo grego "fazer tenda" se assemelham à raiz hebraica *škn*, que também significa "habitar" e da qual se deriva o substantivo *shekinah*. Na teologia rabínica, *shekinah* era um termo técnico para a presença de Deus habitando entre Seu povo. Por exemplo, em Ex 25,8, onde Deus diz "E me farão um santuário, e habitarei no meio deles". Como o uso de *memra* discutido no Apêndice II, p. 823s, o uso da *shekinah* como um substituto para Iahweh em Seus tratos com os homens era um modo de preservar a transcendência de Deus. O Targum de Dt 12,5 tem a *shekinah* de Deus morando no santuário em vez de Seu nome. A ameaça em Os 5,6 de que Iahweh se retirará de Israel se torna no Targum uma ameaça de que Ele fará Sua *shekinah* subir ao céu e se apartar dos homens.

1 • Hino introdutório

Mesmo a onipresença de Deus que nenhum santuário pode abarcar no Talmude é chamada Sua *shekinah*. Ainda que algumas dessas obras tenham sua origem num período após o 1º século d.C., a teologia da *shekinah* era conhecida naquele tempo; e é bem possível que no uso de *skēnoun* o Prólogo está refletindo a ideia de que Jesus é agora a *shekinah* de Deus, o *locus* de encontro entre o Pai e aqueles homens entre os quais ela será Seu deleite. Veja L. BOUYER, *"Le Schékinah, Dieu avec nous"*, BVC 20 (1957-58), 8-22.

O pensamento da presença divina em Jesus que agora serve como o Tabernáculo e, talvez, como a *shekinah* transborda no v. 14c: "Temos visto sua glória". No AT, a *glória* de Deus (heb. *kābôd*; gr. *doxa* – veja Apêndice I:4, p. 794ss) implica uma manifestação visível e poderosa de Deus aos homens. No Targum, "glória" também se tornou um substituto, como *memra* e *shekinah*, para a presença visível de Deus entre os homens, embora seu uso não fosse tão frequente como o dos outros substitutos. (Se em Ex 24,10 somos informados que Moisés e os anciãos viram o Deus de Israel, no Targum Onkelos ouvimos que "viram a glória [aram. y^eqar] do Deus de Israel"). Não obstante, no que primariamente estamos interessados é a constante conexão da glória de Deus com Sua presença no tabernáculo e no templo. Quando Moisés subiu ao Monte Sinai (Ex 24,15-16), somos informados que uma nuvem cobriu o monte e a glória de Deus pairou ali enquanto Deus falava com Moisés sobre a construção do tabernáculo. Quando o tabernáculo foi erigido, a nuvem o cobriu e a glória de Deus o encheu (Ex 40,34). O mesmo fenômeno é registrado quando o templo de Salomão foi dedicado (1Rs 8,10-11). Justamente antes da destruição do templo pelos babilônios, Ez 11,23 nos informa que a glória de Deus abandonou a cidade; mas na visão do templo restaurado Ezequiel viu a glória de Deus uma vez mais enchendo o edifício (44,4). Assim, é bem apropriado que, depois da descrição de como a Palavra edificou um tabernáculo entre os homens na carne de Jesus, o Prólogo mencionaria que sua *glória* se tornou visível.

Os versos 14c e d se referem a uma manifestação particular da glória da Palavra encarnada? Já mencionamos na nota que "temos visto" parece ser uma referência a testemunha apostólica, como o "nós" do Prólogo a 1 João. Portanto, muitos sugerem que o hino está se reportando ao momento em que Pedro, *João* e Tiago testemunharam a Transfiguração de Jesus, uma cena não registrada em João, porém encontrada nos sinóticos e 2Pd 1,16-18. Naquela ocasião, Lc 9,32 diz que viram sua *glória*. E justamente como o Prólogo fala da glória de um Filho único, assim na Transfiguração a voz celestial proclamou Jesus como "meu Filho amado" ("amado" tem a conotação de "único"). O relato da Transfiguração em 2 Pedro poderia mostrar alguma luz sobre o problema mencionado na nota, se no v. 14d a "vinda do Pai" modifica "glória" ou "Filho". Em 2Pd 1,16-17, o autor falando como Pedro diz: "... fomos testemunhas oculares de sua majestade. *Ele recebeu de Deus o Pai* honra e *glória*"... (Bo REICKE, The Anchor Bible, vol. 37); aqui, evidentemente, é a glória que vem do Pai. Uma referência à Transfiguração se adequaria bem com o tema do tabernáculo que vimos no v. 14b, pois a cena no monte da Transfiguração é descrita nos evangelhos sinóticos em termos evocativos da aparição de Deus a Moisés no Sinai, e a construção das tendas ou tabernáculos é especificamente mencionada (Mc 9,5). Assim, há muito a recomendar a sugestão de que 14c,d é um eco da Transfiguração. Não obstante, ela lembra não mais que uma possibilidade de que os escritores joaninos conheciam a cena da Transfiguração.

Vale a pena comparar a exegese que BULTMANN faz do v. 14 com a de KÄSEMANN. Enfatizando o aspecto quenótico de 14a, BULTMANN, p. 40, fala do escândalo implícito na concepção de que o revelador não é nada mais senão um homem. No tocante a "temos visto sua glória", esta não é uma visão sem limitações. Se pudéssemos ver de uma maneira transparente, a carne seria sem sentido; se não víssemos de modo algum, não haveria revelação. KÄSEMANN, polemizando contra BULTMANN, insiste no caráter glorioso da Palavra-que-se-fez-carne. A carne não é simplesmente uma incógnita através da qual os homens veriam; antes, a glória da Palavra mantém o caminho aberto à carne nas miraculosas obras para que sejam vistas. KÄSEMANN vincula os milagres do Jesus joanino e seus discursos revelatórios (e para em alguma medida destruir a dicotomia das fontes que BULTMANN tem proposto – ver Introdução, Parte II:B[2]). O miraculoso em João não é os restos deixado da fonte dos sinais, mas é a parte essencial da apresentação da Palavra encarnada. Em "a Palavra se fez carne", KÄSEMANN vê não tanto que o revelador seja apenas um homem, mas que Deus está presente na esfera humana.

O tema do amor pactual constante (*ḥesed* e *'emet* – ver nota) que aparece no v. 14e e é elaborado no v. 16 se adequa bem com as referências ao tabernáculo e à glória que temos discutido. A grande exibição do amor pactual constante de Deus no AT se dá no Sinai, o mesmo cenário onde o tabernáculo se tornou a habitação para a glória de Deus. Assim agora a suprema exibição do amor de Deus é a Palavra encarnada, Jesus Cristo, o novo Tabernáculo da glória divina. Se nossa interpretação de "amor por amor" for correta, o hino chega a um fim com a triunfante proclamação de uma nova aliança substituindo a aliança sinaítica.

Parêntese: *João Batista testifica da preexistência de Jesus* (v. 15)

O v. 14 tem declarado que a preexistente Palavra celestial se tornou carne. Aparentemente, o redator que anexou os vs. 6-9 também anexou o v. 15, tencionando confirmar o v. 14 com o testemunho de João Batista de que Jesus é preexistente. Há polêmica óbvia contra qualquer sugestão de que João Batista pudesse ser maior que Jesus, porque ele começou seu ministério primeiro. Ver comentário sobre 1,30. É difícil a sugestão de J. A. T. ROBINSON de que, como os vs. 6-7, o v. 15 eram parte da abertura original do evangelho, especialmente porque então não haveria razão aparente para a mesma afirmação no v. 30. Sugerimos que o redator final, vendo que poderia ser útil, aqui, enfatizar o tema da preexistência, introduziu no Prólogo copiando a frase do v. 30.

Versículos 17-18. Como já explicamos na nota, o v. 17 meramente explica o que foi dito no v. 16, mencionando as duas ocasiões da demonstração que Deus faz do amor pactual, a saber, na doação da Lei a Moisés no Sinai e em Jesus Cristo. O v. 17 sugere mais claramente do que o hino a superioridade do amor perpétuo expresso em Jesus Cristo, e o v. 18 explica essa superioridade. Naturalmente, a impossibilidade de Moisés ver a Deus está no fato de que o autor deseja contrastar com o contato íntimo entre Filho e Pai. Em Ex 33,18, Moisés pede para ver a glória de Deus, mas o Senhor diz: "Não podes ver minha face e viver". Isaías (6,5) exclama com terror: "Ai! Estou perdido... porque meus olhos viram o Rei, o Senhor dos Exércitos", onde nem mesmo existe uma indagação para ver a face de Deus. Contra este pano de fundo veterotestamentário, que nem mesmo os maiores representantes de Israel viram a Deus, João apresenta o exemplo do único Filho que não só tem visto o Pai, mas está sempre ao Seu lado. Podemos inclusive suspeitar que este tema foi parte da polêmica joanina contra a sinagoga, pois ele é repetido em 5,37 e 6,46. Não obstante, o tema de que somente o Filho viu o Pai também impressionaria o mundo helenista que tinha conhecimento do Deus invisível cuja substância não poderia ser apreendida pelos homens.

A amplificação redacional do hino, no v. 18, não é carente em habilidade; o redator trabalhou para incorporar nele diversas inclusões com o v. 1. Justamente como no v. 1, a Palavra era Deus, assim aqui o único Filho é chamado Deus. Justamente como no v. 1 a Palavra estava na presença de Deus, assim no 18 o único Filho está sempre ao lado do Pai. Esta é uma relação única do Filho com o Pai, tão única que João podia falar de "o Filho único é Deus", que faz com que sua revelação seja a suprema revelação.

BIBLIOGRAFIA

AUCOIN, Sister M. A., *"Augustine and John Chrysostom: Commentators on St. John's Prologue"*, ScEccl 15 (1963), 123-31.
BARCLAY, W., *"John i 1-14"*, ET 70 (1958-59), 78-82, 114-17.
BOISMARD, M.-E., St. John's Prologue (Westminster: Newman, 1957).
_____ *"Dans le sein du Père"*, RB 59 (1952), 23-39.
BRAUN, F.-M., *"Messie, Logos, et Fils de l'Homme"*, La Venue du Messie (Recherches Bibliques, VI; Louvain: Desclée de Brouwer, 1962), pp. 133-47. Também JeanThéol, II, pp. 137-50.
_____ *"Qui ex Deo natus est"*, Aux sources de la tradition chrétienne (Mélanges Goguel; Paris: Delachaux, 1950), pp. 16-31.
DE AUSEJO, Serafin, *"Es un himno a Cristo el prólogo de San Juan?"* EstBib 15 (1956), 223-77, 381-427.
DE LA POTTERIE, I., *"De interpunctione et interpretatione versuum Joh. i, 3,4"*, VD 33 (1955), 193-208.
DODD, C. H., *"The Prologue to the Fourth Gospel and Christian Worship"*, SFG, pp. 9-22.
DYER, J. A., *"The Unappreciated Light"*, JBL 79 (1960), 170-71.
ELTESTER, W., *"Der Logos und sein Prophet"*, Apophoreta (Haenchen Festschrift; Belin: Töpelmann, 1964), pp. 109-34.
GAECHTER, P., *"Strophen im Johannesevangelium"*, ZKT 60 (1936), especialmente pp. 99-111.
GREEN, H. C., *"The Composition of St. John's Prologue"*, ET 66 (1954-55), 291-94.

HAENCHEN, E., *"Probleme des johanneischen 'Prologs'*," ZTK 60 (1963), 305-34.

JEREMIAS, J., "The Revealing Word", in *The Central Message of the New Testament* (Londres: SCM, 1965), pp. 71-90.

JERVELL, J., *"'Er kam in sein Eigentum', Zum Joh. 1, 11"*, Studia Theologica 10 (1956), 14-27.

KAČUR, P., *"De textu Joh. 1, 14c"*, VD 29 (1951), 20-27.

KÄSEMANN, E., "Aufbau und Anliegen des johanneischen Prologs", *Libertas Christiana* (Delekat Festschrift; München: Kaiser, 1957), pp. 75-99.

KUYPER, L. J., *"Grace and Truth: an Old Testament Description of God and Its Use in the Johannine Gospel"*, Interp 18 (1964), 3-19.

LACAN, M.-F., *"L'oeuvre du Verbe Incarné, le Don de la vie (Jo. 1, 4)"*, RSR 45 (1957), 61-78.

LUND, N. W., *"The Influence of Chiasmus upon the Structure of the Gospels"*, ATR 13 (1931), especialmente pp. 41-46.

MEHLMANN, J., *"De mente S. Hieronymi circa divisionem veresuum Joh 1 3s"*, VD 33 (1955), 86-94.

_____ *"A Note on John i 3"*, ET 67 (1955-56), 340-41.

NAGEL, W., *"'Die Finsternis hat's nicht begriffen' (Joh i 5)"*, ZNW 50 (1959), 132-37.

POLLARD, T. E., *"Cosmology and the Prologue of the Fourth Gospel"*, VigChr 12 (1958), 147-53.

ROBINSON, J. A. T., *"The Relation of the Prologue to the Gospel of St. John"*, NTS 9 (1962-63), 120-29.

SAHLIN, H., *"Zwei Abschnitte aus Joh i rekonstruiert"*, ZNW 51 (1960), especialmente pp. 64-67.

SCHMID, J., *"Joh 1, 13"*, BZ 1 (1957), 118-25.

SCHNACKENBURG, R., *"Logos-Hymnus und johanneischer Prolog"*, BZ 1 (1957), 69-109.

SPICQ, C., "Le Siriacide et la structure littéraire du Prologue de saint Jean", *Mémorial Lagrange* (Paris: Gabalda, 1940), pp. 183-95.

VAWTER, B., *"What came to Be in Him Was Life (Jn 1, 3^b-4^a"*, CBQ 25 (1963), 401-6.

II
O LIVRO DOS SINAIS

O ministério público de Jesus no qual ele se manifesta com sinal e palavra ao seu próprio povo como a revelação de seu Pai, só para ser rejeitado.

> *"Veio para o que era seu,*
> *todavia os seus não o aceitaram".*

PRIMEIRA PARTE: Os dias iniciais da revelação de Jesus

ESBOÇO

PRIMEIRA PARTE: OS DIAS INICIAIS DA REVELAÇÃO DE JESUS
(1,19-51, seguido por 2,1-11)

A. 1,19-34: O TESTEMUNHO DE JOÃO BATISTA

(19-28) *Primeira Divisão* – Testemunho acerca de sua função em relação com aquele que vem. (§ 2)

    (a) 19-23: Primeiro interrogatório de João Batista:
        19-21: João Batista nega funções tradicionais.
        22-23: João Batista reivindica o papel da voz isaiana.
    (b) 24-28: Segundo interrogatório de João Batista:
        João Batista descreve seu próprio batismo como preliminar e exalta aquele que vem.

(29-34) *Segunda Divisão*: Testemunho acerca de Jesus. (§ 3)

    (a) 29-31: Jesus é:
        29: o cordeiro de Deus;
        30-31: o preexistente.
    (b) 32-34: Jesus é:
        32-33: Aquele sobre quem o Espírito desce e repousa;
        34: o escolhido.

B. 1,35-51: OS DISCÍPULOS DO BATISTA VÃO A JESUS QUANDO SE MANIFESTA

(35-42) *Primeira Divisão*: Os primeiros dois discípulos e Simão Pedro (§ 4)

    (a) 35-39: Dois discípulos – Jesus reconhecido como Rabi.
    (b) 40-42: Simão Pedro – Jesus como o Messias

(43-51) *Segunda Divisão*: Filipe e Natanael. (§ 5)

    (a) 43-44: Filipe – (Jesus como cumprimento da Lei e dos Profetas [v. 45]).
    (b) 45-50: Natanael – Jesus como Filho de Deus Rei de Israel.
        51: Um dito independente sobre o Filho do Homem.

Esta Parte tem sua conclusão em 2,1-11, a cena em Caná onde Jesus manifesta sua glória e seus discípulos creem nele. Esta cena em Caná também serve como a cena de abertura da Segunda Parte e será discutida ali.

2. O TESTEMUNHO DE JOÃO BATISTA: – ACERCA DE SUA FUNÇÃO
(1,19-28)

1 ¹⁹Ora, este é o testemunho que João deu quando os judeus enviaram sacerdotes e levitas de Jerusalém a perguntar-lhe quem ele era. ²⁰Ele declarou sem qualquer restrição, confessando: "Eu não sou o Messias".
²¹Eles o interrogaram mais: "Então, quem és tu? Elias?" "Eu não sou", respondeu.
"És o profeta?" Não!", respondeu.
²²Então, lhe disseram: "Então, quem és? – de modo que possamos dar alguma resposta àqueles que nos enviaram. O que dizes de ti mesmo?"
²³Ele disse, citando o profeta Isaías: "Eu sou –

    'uma voz no deserto clamando:
    Preparai o caminho ao Senhor!'"

²⁴Mas os emissários dos fariseus ²⁵o interrogaram-no mais: "Se não és o Messias, nem Elias, nem o Profeta, então que estás fazendo batizando?" ²⁶João lhes respondeu: "Eu estou apenas batizando com água; mas há um entre vós a quem não reconheceis – ²⁷aquele que há de vir após mim, e eu nem mesmo sou digno de desatar as correias de sua sandália". ²⁸Foi em Betânia que isto aconteceu, além do Jordão onde João costumava batizar.

21: *respondeu*: no tempo presente histórico.

NOTAS

1.19. *Ora*. Esta seção começa com um *kai*, como também serve de abertura em muitos dos livros da LXX (2Sm, 1 e 2Rs). Antes que o Prólogo fosse prefixado, é possível que este versículo servisse de abertura do evangelho, embora uma possibilidade mais provável seja que os vs. 6-7(8?) precedessem o v. 19 e constituíssem a abertura original.

este é o testemunho. Nos vs. 6-7 ou vimos que João Batista foi enviado a testificar da luz, e agora, aqui, é o testemunho acerca de si próprio. Esperamos um testemunho acerca de Jesus, mas esse só vem nos vs. 29-34 no dia seguinte. A sequência original provavelmente fosse confundida pela ação redacional; ver pp. 252-257 abaixo.

os judeus. Para o uso deste termo como uma referência às autoridades religiosas hostis a Jesus, particularmente as de Jerusalém, veja Introdução, Parte V:B.

enviaram. Muitas boas testemunhas anexam "a ele"; mas isto está perdido em ambos os papiros Bodmer e, provavelmente seja um esclarecimento redacional.

sacerdotes e levitas. Com o fim de indagar sobre sua função de batizar, enviam os especialistas em purificação ritual. Esta é uma interessante confrontação de João Batista e os sacerdotes em vista da tradição lucana de que João Batista era filho de sacerdote (Lc 1,5). Normalmente, "levitas" se referem a uma classe sacerdotal inferior, mas algumas vezes, nos documentos rabínicos, à guarda do templo. São raros no cenário do NT (somente em Lc 10,32; At 4,36).

Jerusalém. No grego de João, esta é sempre a *Hierosolyma* helenizada; no Apocalipse, sempre a *Hierousalēm* mais primitiva – certamente, uma indicação de diferentes escribas.

20. *declarou sem qualquer restrição, confessando*. Literalmente, "Confessou, e não negou, confessou" – tautológico mesmo para João. É bem provável que este seja um sinal de elaboração redacional, pois não há em João outro exemplo desta dupla combinação de positivo, negativo, positivo.

Eu não sou o Messias. Há quem sugira que o "Eu" é enfático: Eu não sou, mas outro é. No entanto, não há muita evidência de que João Batista identificou aquele que vem após ele como o Messias no sentido estrito, i.e., o ungido rei davídico. Jo 3,28 é a única referência específica a João Batista como a preparar o caminho para o Messias; pode estar implícito em Lc 3,15-16.

21. *Então*. *Oun* é a partícula conectiva favorita de João (195 vezes); nunca ocorre em 1 João – reiterando, uma interessante indicação de diferentes copistas nas obras joaninas.

quem és tu? Elias? Outras separações destas palavras são atestadas, mas esta é endossada pelos papiros Bodmer.

23. A forma comum no NT de citar Is 40,3 vem substancialmente da LXX, onde "no deserto" modifica a "voz", e não do TM, onde "no deserto" é parte do que é dito, assim:

    > Uma voz clamando,
    > "Preparai o caminho do Senhor no deserto;
    > Fazei reta uma vereda para o nosso Deus no ermo".

    O fato de que João Batista estava numa região desértica quando fez ecoar sua voz profética fez a leitura da LXX mais adequada aos propósitos do NT. O simbolismo de preparar um caminho para Iahweh provavelmente seja extraído das preparações para as procissões em honra das estátuas dos deuses ou em honra de potentados visitantes. GAROFALO, *art. cit.*, indica um bom paralelo em um papiro ptolemaico do 3º século a.C. que descreve preparações sendo feitas para a visita do capitão da guarda real. As instruções são que "se faça uma estrada" para sua chegada (GRENFELL HUNT, *Greek Papyri*, Series II [1897], p. 28, xivB).

    uma voz. AGOSTINHO (Sermons 293:3; PL 38:1328) observa poeticamente que João Batista foi uma voz por certo tempo (Jo 5,35), mas Cristo é a eterna Palavra desde o princípio.

24. *os emissários dos fariseus*. Esta é uma tradução um tanto ambígua que trata de captar as possibilidades oferecidas pelas duas diferentes redações gregas deste versículo e as várias interpretações que os estudiosos fazem delas: (**a**) "E os enviados eram da parte dos fariseus" – um artigo antes do particípio. Isto tem uma atestação mais fraca. Presumivelmente, "os enviados" seriam uma referência aos sacerdotes e levitas mencionados no v. 19, embora BERNARD veja nesta redação uma tentativa de introduzir um novo grupo. A dificuldade básica é que sacerdotes e levitas normalmente pertenceriam ao partido saduceu. LAGRANGE, p. 37, dá evidência para mostrar que alguns sacerdotes viviam de mãos dadas com os fariseus, mas dificilmente isto seja uma explicação satisfatória da presente passagem. Outros usam isto como prova de que o evangelista nada conhecia da Palestina. Entretanto, o evangelista nunca entra em detalhes sobre os vários grupos na Palestina (mesmo os coletores e os herodianos estão ausentes em João) porque, no tempo em que este evangelho foi escrito, estes grupos não mais eram tão significativos. O judaísmo que sobreviveu à destruição do templo era de uma forte matiz farisaica, e para um evangelho escrito com esta situação em mente, "fariseus" e

"judeus" seriam os títulos mais significativos para as autoridades judaicas. Assim, podemos ter aqui uma simplificação. Veremos também a possibilidade de que a menção dos fariseus seja o resultado de labor redacional. Podemos trazer à mente Mt 3,7, onde saduceus e fariseus se dirigiram a João Batista. (b) A redação grega sem o artigo antes do particípio, traduzido ou como "E alguns fariseus foram enviados" (DODD, *Tradition*, pp. 263-64) ou como "foram enviados da parte dos fariseus" (BERNARD). Esta redação é atestada por ambos os papiros Bodmer. A tradução de DODD evita a dificuldade de introduzir uma nova delegação; a segunda, a tradução mais difícil, tem a melhor chance de ser correta.

25. *interrogaram-no mais*. A mesma expressão, como no v. 21; talvez um sinal de duplicação redacional.

27. *aquele que a de vir*. Ou como um particípio (*ho erchomenos*) ou como um verbo infinitivo (*erchetai*), esta frase marca as expectativas de João Batista tanto nos evangelhos como em Atos. Em vista da discussão no comentário que talvez João Batista esperasse que Elias viesse, notamos que Ml 3,1, passagem frequentemente associada com Elias, diz: "Eis que ele está vindo [*erchetai*]", e Mt 11,14 fala de "Elias que está vindo". Assim, "aquele que a de vir" poderia ter sido um título para Elias.

digno. *Axios*; estranhamente, ambos os papiros Bodmer leem "apto" (*hikanos*), uma redação que é uma harmonização com os sinóticos – veja comentário.

desatar as correias. Tarefa de um escravo. BERNARD, I, p. 41, cita um princípio rabínico, que um discípulo pode oferecer para fazer qualquer serviço a seu mestre que um escravo fazia a seu senhor, exceto o de desatar suas sandálias.

28. *Betânia*. Esta não é a vila próxima a Jerusalém (11,18), e sim um lugar na Transjordânia do qual não resta nenhum vestígio. PARKER, *art. cit.*, tem tentado resolver o problema do desaparecimento da segunda Betânia através de uma tradução que a eliminasse totalmente: Isto aconteceu em Betânia, além do ponto no Jordão onde João estivera batizando. Assim, ele situa todo o incidente em Betânia vizinha de Jerusalém, oferecendo uma explicação de por que as autoridades judaicas estão ali. Outra solução foi oferecida por ORÍGENES (*Comm.* 6,40; GCS 10:149) que dizia que, embora *quase todos* os manuscritos leem Betânia, ele não conseguia achar tal vila na Transjordânia (c. 200 d.C.). Portanto, ele preferiu outra redação: "Betábara", uma vila cuja existência é também atestada no Talmude. ("Betábara" é lida no OS de João). Se Betábara, "o lugar de travessia", é a redação correta (e um crítico como BOISMARD segue ORÍGENES nisto), então João pode estar chamando a atenção para o paralelismo Josué-Jesus.

Justamente como Josué conduziu o povo *através* do Jordão à terra prometida, assim Jesus está *percorrendo* a terra prometida à frente de um novo povo. A tradição peregrina identifica o mesmo lugar junto ao Jordão para ambos: a travessia de Josué e o batismo de Jesus. No entanto, pode ser que este simbolismo bem plausível torne o nome parcamente atestado de Betábara ainda mais suspeito. Mesmo o nome de Betânia é aberto à interpretação simbólica; KRIEGER, *art. cit.*, sugere que ele se deriva de *bet-aniyyah*, "casa de resposta/testemunha/testemunho", uma derivação que faria o nome apropriado para o lugar onde João Batista dava testemunho de Jesus. Sobre esta base, KRIEGER e outros negam a realidade geográfica do local; mas onde há simbolismo em João, geralmente ele se origina de uma interpretação engenhosa do fato, em vez de criação meramente imaginativa. Os estudiosos têm se tornado mais cautelosos agora de que alguns nomes joaninos de lugares, uma vez considerados meramente simbólicos (p. ex., Betesda em 5,2), têm se revelado factuais.

COMENTÁRIO: GERAL

Este evangelho começa propriamente dito com o testemunho de João Batista dado em três dias (1,29.35), dias que têm implicação mais simbólica do que estritamente cronológica. No primeiro dia do testemunho de João Batista sobre seu próprio papel é grandemente negativo; no segundo, João Batista testifica positivamente quem Jesus é; no terceiro, João Batista envia seus próprios discípulos para que seguissem a Jesus. Como DODD, *Tradition*, p. 248, tem salientado, esta tríplice progressão é simplesmente indicativa do esquema definido em andamento em 1,6-8: primeiro, o próprio João Batista não era a luz; segundo, ele veio para testificar da luz (= Jesus); terceiro, através dele, todos os homens viessem a crer.

Nos sinóticos temos um grande julgamento de Jesus diante do Sinédrio durante a noite anterior à sua morte. Uma das técnicas de João é mostrar que os temas que ocorrem em um lugar, nos sinóticos, tinham uma realidade que abrange todo o ministério de Jesus, e isto é particularmente procedente à luz do tema de Jesus perante o tribunal. A Palavra agora passa a falar aos homens, e todo o ministério de Jesus aos homens buscará pôr a veracidade desta Palavra sob julgamento, buscando testemunhas em prol dela. Vocabulário jurídico como confissão, interrogação, testemunho se encontra ao longo de todo o

Evangelho de João; e em 5,31-40, em um momento culminante, Jesus apresenta toda uma série de testemunhas da veracidade da palavra de Deus: Deus mesmo, as Escrituras, Moisés e João Batista. Assim, ela se adequa ao propósito de João de que mesmo antes de Jesus se manifestar, o evangelho se inicia com um julgamento e João Batista sob interrogatório.

Como sabemos dos sinóticos e de JOSEFO (*Ant.* 18.5.2; 118), João Batista atraiu com seu ministério grandes multidões ao vale do Jordão. Ele havia descido do deserto da Judeia, aquelas colinas estéreis ao ocidente do Mar Morto, e com zelo apocalíptico passou a proclamar o dia do juízo. Ele ministra o batismo de água aos que aceitavam sua mensagem e reconheciam sua própria pecaminosidade. Pouco disto aparece em João; pois o evangelista não está interessado em João Batista como batizador ou como profeta, mas apenas no fato de que ele era um arauto de Jesus e a primeira testemunha no grande tribunal da Palavra. Jo 1,26 simplesmente pressupõe que o leitor sabe que João Batista era batizador.

Com o relato de João Batista, que aparentemente tem pouco em comum com a tradição sinótica, se harmoniza com os outros evangelhos? João nos dá informação confiável e independente sobre João Batista? Estas são questões que ocuparão nossa discussão depois.

COMENTÁRIO: DETALHADO

Há dois interrogatórios no primeiro dia: vs. 19-23 e 24-27. No primeiro, João Batista nega para si qualquer um dos papéis tradicionais escatológicos com negativas progressivamente mais contundentes: "Eu não sou o Messias... eu não sou... Não!" Ele reivindica para si apenas a função de arauto, assim focando toda a atenção sobre aquele que estava chegando. No segundo interrogatório, ele justifica sua função de batizar também em termos de preparação para aquele que havia de vir.

Primeiro Interrogatório, Primeira Fase: João Batista nega funções tradicionais (1,19-21)

Naquela época não havia uma expectativa judaica uniforme de figura escatológica singular. Uma maioria dentre os judeus esperava o Messias. Todavia, alguns dos livros apócrifos descrevem a intervenção de Deus sem nunca mencionar o rei davídico ungido; enquanto que em várias passagens de *1 Enoque* a figura do Filho do Homem, e não o Messias, incorpora as expectativas do autor. Os essênios de Qumran parecem ter esperado três figuras escatológicas: um profeta, um messias sacerdotal e um messias régio. Passagens como Jo 1,21; Mc 6,15; Mt 16,14 testificam da variedade de expectativas escatológicas populares. Embora João seja nossa única testemunha deste interrogatório feito a João Batista quanto a que figuras escatológicas mais populares com as quais ele se identificou, nada há de plausível sobre isso. Ao batizar, João Batista estava realizando uma ação escatológica; sua mensagem era a de intervenção divina; as multidões estavam começando a segui-lo; ele estava operando numa área não longe do centro essênio no Mar Morto (e as autoridades de Jerusalém tinham suspeitas sobre essênios). As autoridades bem que poderiam ter indagado sobre quem ele pensava ser. Mt 3,7-10 menciona os fariseus e saduceus como vindo para ouvir João Batista e descreve sua hostilidade para com eles; Mc 11,30-32 e Mt 11,18; 21,32 mostram que as autoridades não criam em João Batista.

(1) João Batista não era o Messias. É difícil estar certo se há alguma hierarquia entre as três funções sobre as quais versa o interrogatório de João Batista, mas a expectativa do Messias parece ter sido a expectativa nacionalista mais radical. É digno de nota que, embora Jesus não reivindicasse para si o título de Messias e aceitasse a designação só com relutância e reservas, os primeiros cristãos assumiram o "Messias" como seu título por excelência e em sua forma grega, "Cristo", se tornou parte de seu próprio nome.

Seria a ênfase de João de que João Batista não era o Messias mais do que uma reminiscência histórica? Acaso esta é parte da apologética de João contra as reivindicações dos seguidores do Batista? Não podemos estar certos de que no 1º século seus seguidores proclamaram João Batista como sendo o Messias; mas parece que o fizeram tarde demais, caso dependamos da evidência do *Recognitions* Pseudo-Clementino (ver Introdução, Parte V:A, e SCHNACKENBURG, "Die Johannesjünger", pp. 24-25). No latim do *Recognitions* I 54 (PG 1:1238) e I 60 (PG 1:1240) encontramos os adeptos de João enfatizando que seu mestre, não Jesus, era o Messias. É possível que João esteja refutando uma forma primitiva desta reivindicação, especialmente em vista da evidência em Lc 3,15 de que o povo pensava que João Batista fosse o Messias.

(2) João Batista não era Elias. Segundo uma tradição popular (2Rs 2,11), Elias foi levado para o céu numa carruagem; e a ideia de que ele ainda estivesse vivo e ativo foi fomentada pelo estranho aparecimento de uma carta dele algum tempo depois de haver sido levado (2Cr 21,12). Nas expectativas pós-exílio, Elias havia de voltar antes do dia do Senhor (não necessariamente antes do Messias). Em Ml 3,1 (c. 450 a.C.) há uma referência ao anjo que prepararia o caminho do Senhor e uma adição (ligeiramente posterior?) ao livro (4,5 [3,23H]) identifica este mensageiro com sendo Elias. No 2º século a.C. ou mais cedo, *1 Enoque* 90,31 e 89,52, em sua elaborada alegoria animal dos quadros da história, o retorno de Elias antes do julgamento e antes do aparecimento do grande cordeiro apocalíptico. A última referência é interessante quando nos lembramos de que o Batista estava proclamando o cordeiro de Deus. Ainda outra referência do 2º século se encontra em Siraque 48,10: "Está escrito que estás destinado, numa época por vir, a pôr fim à ira antes do dia do Senhor". A expectativa de Elias evidentemente era muito estendida na Palestina nos dias de Jesus (Mc 8,28; 9,11) e continuou no judaísmo da era pós-cristã. Durante o 2º século d.C., era afirmado que Elias ungiria o Messias – veja J. KLAUSNER, *The Messianic Idea in Israel* (Londres: Allen and Unwin, 1956), pp. 451-56; G. MOLIN, *"Elijahu der Propher und sein Weiterleben in den Hoffnungen der Judenturms und Christenheit", Judaica* 8 (1952), 65-94.

Os interrogadores teriam tido boa razão para saber de João Batista se ele alegava ser Elias. Ele usava vestes como as de Elias (compare Mc 1,6 com 2Rs 1,8, embora o manto de pelo fosse a vestimenta profética padrão, como Zc 8,4 indica). Todos os evangelhos conectam João Batista com Is 40,3, a voz no deserto. MOLIN, p. 80, dá evidência de que Is 40,3 mais tarde foi combinado com Ml 4,5 e reinterpretado para referir-se a Elias (veja Mc 1,2, combinando Isaías e Malaquias).

Temos que perguntar uma vez mais, se a ênfase de João é que João Batista não era Elias, seria parte da polêmica contra os adeptos do Batista? RICHTER, *art. cit.*, pensa que os sectários identificavam João Batista com Elias em razão de Elias ser uma figura messiânica (messiânica em um sentido mais amplo do que uma referência ao rei davídico). Mais tarde se pensou em Elias como um messias sacerdotal lado a lado com o Messias davídico; por exemplo, veja N. WIEDER, *"The Doctrine of Two Messiahs among the Karaites", JJS* 6 (1955), 14-25. Mas, como veremos adiante, não há evidência suficiente para pensar que Elias fosse uma figura messiânica no tempo em que João foi escrito, embora Elias, como precursor do Senhor, pudesse ter substituído o Messias davídico em certas expectativas escatológicas. A objeção real à teoria de RICHTER é que não há evidência clara de que os adeptos pensassem em João Batista como Elias. Todavia, na forma siríaca do *Recognitions* Pseudo-Clementino I 54, os adeptos retratam João Batista como estando oculto em reclusão, presumivelmente para voltar; esta não é uma descrição improvável de Elias. Igualmente, *se* o material da narrativa lucana da infância acerca do Batista veio dos adeptos do Batista, Lc 1,17 descreve João Batista como Elias. A questão das polêmicas anti-sectárias permanece incerta, e a questão sobre Elias apontando para João Batista pode ser simplesmente uma reminiscência histórica.

A forma em que João Batista rejeita a possibilidade de ser Elias, em João, apresenta um quadro diferente daquele de Marcos e Mateus. Mc 1,2 aplica Ml 3,1 a João Batista, com isso identificando-o como Elias. Mt 11,14 se reporta as estas palavras de Jesus concernentes a João Batista: "E se quereis dar crédito, é este o Elias que havia de vir". Finalmente, ambos, Mc 9,13 e Mt 17,12, mostram Jesus afirmando que Elias já veio, presumivelmente em João Batista. Lucas parece manter uma posição intermediária, pois fora da referência na narrativa da infância, o próprio evangelho de Lucas nunca identifica João Batista como Elias. De fato, Lucas parece omitir deliberadamente passagens em Marcos que induziriam tal identificação. Para Lucas, Jesus é o Elias figuradamente (cf. 4,24-26; 7,11-17 com 1Rs 17,18-24; o "subir" de 9,61 com 2Rs 2,11; 12,49 com 1Rs 18,38).

Como resolvermos pontos de vista tão diversos acerca da relação de João Batista com a expectativa acerca de Elias? SAHLIN, *art. cit.*, busca remover a dificuldade em João mediante uma reconstrução que faz João Batista afirmar que ele é Elias. Não há absolutamente nenhuma evidência para esta reorganização dos versículos, e sua solução não levaria a evidência lucana em consideração. Uma explicação mais conservadora, que busca harmonizar os evangelhos remonta aos dias patrísticos: Elias (João) não estava na pessoa de João Batista, mas exercia para com Jesus a função de Elias, preparando seu caminho (Marcos, Mateus) – assim, GREGÓRIO o Grande PL 76:1100. Entretanto, esta solução evita a verdadeira dificuldade, pois a questão relativa a João Batista diz respeito precisamente à função que ele está exercendo, e João nega que está exercendo a função de Elias.

Uma solução muito mais provável foi proposta por J. A. T. ROBINSON, *art. cit.*, o qual pensa que João está preservando uma reminiscência historicamente correta de que João Batista não pensava em si mesmo como a exercer o papel de Elias. Há nos sinóticos passagens claras (Mc 6,14-15; 7,28) indicando que o povo e Herodes faziam distinção entre João Batista e Elias; e em Mt 17,10-13, os discípulos de Jesus, entre os quais estavam os primeiros discípulos de João Batista (Pedro?), expressam que nunca pensaram em João Batista como Elias. No tocante às passagens supracitadas, que identificam João Batista com Elias, este não é a concepção do próprio João Batista, e sim a concepção da teologia cristã primitiva, a qual via no papel de Elias a melhor maneira de interpretar a relação de João Batista com Jesus; a saber, João Batista estava para a vinda de Jesus o que Elias teria estado para a vinda do Senhor.

(3) João Batista não era o Profeta – um eco de Dt 18,15-18. A legislação deuteronômica estava preocupada com vários funcionários no governo e sociedade de Israel: juízes (16,18), o rei (17,14), sacerdotes (18,1) e profetas. Entretanto, a legislação geral concernente ao profeta, em virtude de sua formulação ("O Senhor, vosso Deus, suscitará um profeta semelhante a mim [Moisés]"), veio a ser interpretada como a predição da vinda de uma figura particular que seria o Profeta-como-Moisés. Veja H. M. TEEPLE, *The Mosaic Eschatological Prophet* (JBL Monograph, x, 1957). Encontramos em 1Mc 4,41-50; 14,4, a expectativa da vinda de um profeta que poderia resolver os problemas legais da mesma forma que Moisés. Somos informados que em Qumran os essênios aderiram à Torá e às antigas leis da comunidade até que viesse um profeta – presumivelmente o Profeta-como-Moisés (L. H. SILBERMAN, VT 5 [1955], 79-81; R. E. BROWN, CBQ 19 [1957], 59-61). À alusão bíblica para este Profeta recebe atenção proeminente numa coleção de passagens de Qumran que trata os inimigos com triunfo escatológico (4Q *Testimonia*, ca. 100 a.C. – erroneamente chamada uma antologia messiânica; veja P. SKEHAN, CBQ 25 [1963], 121-22). At 3,22 identifica Jesus como sendo o Profeta-como-Moisés. As expectativas do povo concernentes à vinda deste Profeta são vistas em Jo 6,14 e 7,40 em contextos onde se faz referência a Moisés (veja também 7,52). Para consulta detalhada, R. SCHNACKENBURG, *"Die Erwartung des Prophetens nach dem Neuen Testament und den Qumran-Texten"*, StEv, I, pp. 622-39.

É interessante que em suas perguntas dirigidas a João Batista os sacerdotes põem lado a lado Elias e o Profeta-como-Moisés. Outro escrito joanino, Ap 11, descreve duas testemunhas escatológicas em termos que evocam Moisés e Elias. Estas duas figuras aparecem juntas na cena sinótica da Transfiguração (Mc 9,4). O fato de que Elias, à semelhança de Moisés, estava associado com o Monte Sinai ou Horebe (1Rs 19,8), provavelmente associando-se no pensamento popular, e este pano de fundo do deserto poderia ter sugerido que tinham algo em comum com João Batista. Veja GLASSON, *Moses*, pp. 27-32. Uma vez mais, RICHTER, *art. cit.*, pensa que a ênfase de João de que João Batista não era o Profeta-como-Moisés está radicada nas apologéticas joaninas contra os adeptos do Batista. Não há evidência de que os adeptos considerassem João Batista como sendo este profeta, embora Mc 11,32 afirma que todo o povo considerava João Batista como *um* profeta, e o próprio Jesus disse que João Batista era mais que um profeta (Mt 11,9).

Recentemente, A. S. VAN DER WOUDE, em *La secte de Qumran* (*Recherches Bibliques*, IV; Louvain: 1959), pp. 121-34, tem sugerido que os três papéis escatológicos propostos pelos sacerdotes a João Batista devem estar associados às três figuras esperadas pelos sectários de Qumran. Há muitos elos, geográficos e ideológicos, que conectam João Batista a estes essênios; e sem ter sido necessariamente um essênio, João Batista bem que poderia ter sido influenciado pelo contato com eles. Se VAN DER WOUDE está certo, os sacerdotes estavam propondo essa conexão em suas seleções das diversas possibilidades escatológicas. Em 1QS ix 11 temos a frase: "... até a vinda do profeta e do messias de Arão e Israel". Para a evidência que identifica estas três figuras como o Profeta-como-Moisés, um messias sacerdotal e um messias régio, ver nosso artigo em CBQ 19 (1957), 53-82. Duas das figuras esperadas por Qumran eram as mesmas que as duas das possibilidades sugeridas a João Batista: o Messias e o Profeta. A dificuldade real é se Elias era o messias sacerdotal, como mantém VAN DER WOUDE. Havia uma tradição de que Elias era um sacerdote, e JEREMIAS, TWNTE, II, p. 932, sugere que esta tradição pode recuar aos tempos pré-cristãos. Todavia, os essênios de Qumran insistiam em um sacerdócio de linhagem zadoquita pura (i.e., descendia de Zadoque, sacerdote em Jerusalém na época de Davi), e não há evidência de que Elias era sacerdote zadoquita. Para argumentos ulteriores contra identificar

Elias e o messias sacerdotal, ver J. GIBLET em *L'attente du Messie* (Recherches Bibliques, I; Louvain: Desclée de Brouwer, 1954), p. 112ss. Em nossa opinião, a sugestão de VAN DER WOUDE é possível, porém não provada. Para outros, como BROWNLEE e STAUFFER, têm-se feito tentativas menos felizes de interpretar as perguntas em Jo 1,20-21 contra o pano de fundo dos Rolos do Mar Morto. Veja H. BRAUN, ThR 28 (1962), 198-95.

Primeiro Interrogatório: Segunda Fase: João Batista reivindica o papel da voz isaiana (1,22-23)

Havendo negado os papéis escatológicos tradicionais, agora João Batista se identifica nos mesmos termos humildes pelos quais os sinóticos o identificam, a saber, como a voz preparatória de Is 40,3. A passagem de Isaías se referia originalmente ao papel dos anjos na preparação do caminho pelo deserto pelo qual Israel pudesse regressar do cativeiro babilônico à terra da Palestina. Como uma máquina de terraplenagem moderna, os anjos tinham que nivelar as colinas e aterrar os vales e, assim, preparar uma grande estrada. João Batista, porém, tem de preparar uma estrada, não para o povo de Deus regressar à terra prometida, e sim para Deus vir ao seu povo. Sua função de batizar e proclamar no deserto visava abrir os corações dos homens, nivelando seu orgulho, preenchendo sua vacuidade, e assim prepará-los para a intervenção de Deus.

A referência de João a Is 40,3 difere em dois aspectos daquela dos evangelhos sinóticos. *Primeiro*, os próprios evangelistas sinóticos aplicam o texto a João Batista, enquanto que em João, é João Batista que o aplica a si mesmo. Em geral, isto tem sido interpretado como o método de João de deixar a João Batista dar ele mesmo testemunho. Entretanto, agora sabemos que é perfeitamente plausível que João Batista usasse o texto em referência a ele mesmo. Os essênios de Qumran usavam precisamente este texto para explicar por que decidiram viver no deserto: estavam preparando o caminho para o Senhor, estudando e observando a Lei (1QS 8, 13-16). O uso do texto isaiano poderia ser outro ponto de contato entre João Batista e Qumran. *Segundo*, João se reporta à citação numa forma ligeiramente diferente daquela dos sinóticos. Enquanto ambos seguem a tradição geral da LXX (ver nota), os sinóticos variam da LXX em apenas uma frase:

Uma voz no deserto clamando:
"Preparai o caminho do Senhor;
fazei reta sua [LXX: de Deus] vereda".

João, em contrapartida, tem apenas uma linha de mensagem: "Endireitar o caminho do Senhor"; e isto contém elementos de ambas as linhas da mensagem sinótica da LXX. Pode-se sugerir que João simplesmente reduziu a forma tradicional; mas, como insiste DODD, *Tradition*, p. 252, João é altamente independente ao citar a Escritura.

Segundo Interrogatório: João Batista descreve seu próprio batismo como preliminar e exalta aquele que vem (1,24-28)

Os emissários receberam uma resposta às suas perguntas concernentes ao papel do Batista; agora querem uma justificativa para sua função de batizar. Aqueles estudiosos que creem que há dois grupos de emissários envolvidos em 1,19 e 24 (veja nota), pensam que a segunda pergunta é mais teórica e digna dos fariseus com sua propensão teológica. Entretanto, o questionamento adicional feito pelos emissários *poderia* simplesmente ser o resultado de reduplicação literária; veja pp. 252-257 abaixo. A pergunta no v. 25 não é perceptivelmente uma progressão à pergunta no v. 19, já que a primeira pergunta foi certamente provocada pelo fato de João estar batizando.

A objeção proposta pelos fariseus tem sua lógica: se João Batista não reivindica nenhum papel reconhecidamente escatológico, por que ele está realizando uma ação escatológica, como batizar? Há alguns aspectos interessantes na resposta de João Batista. Ele professa estar batizando apenas com água; e em 1,33 ouviremos que Jesus se põe a batizar com um Espírito santo. Esta distinção de dois tipos de batismo é comum nos quatro evangelhos e parece ser uma peculariedade cristã, pois no pensamento hebreu batismo ou purificação com água e com um espírito santo vêm juntos. Em Ez 36,25-26, Deus promete: "Aspergirei água pura sobre vós, e sereis limpos de todas as vossas impurezas... Eu vos darei um coração novo, e porei dentro de vós um *espírito novo*". Zc 13,1-3 proclama: "Naquele dia haverá uma *fonte aberta* para a casa de Davi, e para os habitantes de Jerusalém *contra o pecado*, e contra a impureza... *farei sair* da terra também os profetas e o *espírito de impureza*". Em sua regra de vida, os essênios de

Qumran ensinavam (1QS 4,20-21): "Deus... purificará o homem por meio de um espírito santo, e aspergirá sobre ele *um espírito de verdade como água purificadora*". O pensamento cristão tem dividido estes dois aspectos de batismo e purificação, e assim prosseguiu explicando a relação do batismo de João Batista com o batismo cristão. Esta nota ainda persiste em At 19,1-6, onde os discípulos que batizavam com o batismo de João são distintos, porque não haviam recebido o Espírito.

Podemos comparar Jo 1,26-27 e 33 com o que os sinóticos têm a dizer sobre os dois batismos e aquele que vem depois de João Batista:

Mc 1,7-8: Há vindo após mim (*opisō mou*) um que é mais poderoso do que eu;
Eu nem mesmo sou apto (*hikanos*) de abaixar e desatar as correias de suas sandálias.
Eu vos tenho batizado com água (*hydati*),
mas ele vos batizará com um Espírito santo.

Lc 3,16: Eu vos batizo com água (*hydati*);
mas há vindo um que é mais poderoso do que eu
para quem eu nem mesmo sou apto para desatar as correias de suas sandálias.
Ele vos batizará com um Espírito santo e fogo.

Mt 3,11: Eu vos batizo com água (*en hydati*) para arrependimento;
mas um que está vindo após mim (*opisō mou*) é mais poderoso do que eu,
para quem eu não sou nem mesmo apto para levar suas sandálias.
Ele vos batizará com um Espírito santo e fogo.

At 13,25: Mas eis há vindo após mim (*met'eme*) um para quem não sou digno (*axios*) de desatar a sandália de seus pés.

Uma vez que parte do relato que João dá sobre João Batista tem paralelos sinóticos, alguns têm sugerido que temos uma adição redacional emprestada da tradição sinótica. Na Introdução (Parte III:B) temos mantido que a maior parte da tradição joanina é independente da tradição sinótica. Comprovemos aqui, vendo se o relato de João pode ser explicado como um empréstimo de algum evangelho sinótico.

Primeiro, João tem aspectos em comum com Atos como oposto aos outros evangelhos, a saber, o uso de "sandália" no singular, o uso de "digno" (*axios*) em vez de "apto" (*hikanos*), e não em descrever aquele que vem como sendo "mais poderoso do que eu". Todavia, ao usar *opisō mou* para "após mim", João concorda com Marcos e Mateus contra Atos com seu *met'eme*. Ao falar de desatar as correias da sandália, João se aproxima mais de Lucas, pois todos os outros têm variações (Mc: "abaixar"; Mt: "levar as sandálias"; At: "desatar a sandália"). Ao não mencionar um batismo com fogo, João se aproxima mais de Marcos, contra Mateus e Lucas. Ao usar a frase *en hydati*, João se aproxima mais de Mateus, contra Marcos e Lucas (*hydati*). Marcos põe os dois tipos de batismo em paralelismo imediatamente antitético ou contrastante, enquanto Mateus e Lucas separam os dois batismos ao intercalar um verso entre as duas menções; João avança ainda mais, separando-as por meio de um número de versículos. À luz desta evidência, ficaria bem evidente quão difícil e complicado é buscar uma explicação para a forma de João se expressar como um empréstimo dos evangelhos sinóticos. Como observa Dodd, *Tradition*, p. 256, "A hipótese mais simples, e seguramente a mais provável, é que esta parte da pregação do Batista, que evidentemente era considerada na Igreja primitiva como de crucial importância, fosse preservada em diversos ramos da tradição, e que as variações surgiram no processo de transmissão oral".

Em lugar de "alguém é mais poderoso do que eu", João Batista, de acordo com João, fala de "a um entre vós a quem não reconheceis". Esta descrição não está implícita como uma censura ao auditório por sua cegueira, pois João Batista admite espontaneamente (v. 33) que ele mesmo não podia reconhecer Jesus sem o auxílio de Deus. Antes, nesta descrição podemos ter um eco de uma teoria popular sobre o Messias, isto é, a teoria do Messias oculto. Segundo as expectativas messiânicas "normais", o Messias seria conhecido porque faria sua aparição em Belém (Jo 7,42; Mt 2,5). Mas também parece ter havido uma tensão apocalíptica da expectativa messiânica onde a presença do Messias na terra seria secreta até que, de repente, ele se mostrasse ao seu povo. Temos um eco disto em Jo 7,27 (veja ali). A teologia do Messias oculto é enunciada pelo judeu Tifo em seu argumento com Justino no 2º século: "O Messias, ainda quando nasça e concretamente exista em algum lugar, é um desconhecido" (*Dialogue* 8,4; 60,1). Tifo mantém que o Messias aguardaria até que Elias viesse para ungi-lo e fazê-lo conhecido. (É interessante que, justamente como Elias está apontando para o Messias, João Batista aponta para Jesus). Este tipo de messianismo se aproxima muito mais das expectativas do Filho-do-Homem-oculto de *1 Enoque* do que das expectativas davídicas associadas a Mq 2, e realmente pode representar uma combinação das duas tensões. Nos sinóticos, se encontramos as expectativas davídicas padrão nas narrativas da infância, o tema do Messias oculto parece vir a lume na confissão petrina (Mc 8,27-30 e par.), onde Pedro reconhece Jesus como o Messias, cuja verdadeira identidade tem estado oculta dos homens reconhecida somente de Deus. Para uma discussão mais completa do Messias oculto, veja S. MOWINCKEL, *He that Cometh* (Nashville: Abingdon, 1954), pp. 304-8; E. STAUFFER, "Agonstos Christos", BNTE, pp. 281-99.

Somente João nos informa que João Batista partilhava destas expectativas apocalípticas de alguém oculto que viria, e isto é perfeitamente plausível. Esta referência é também parte da apologética contra os adeptos do Batista? Na forma siríaca do *Recognitions* Pseudo-Clementino, I 54, os adeptos sustentavam que, após sua morte, João Batista realmente vivia em isolamento secreto e, segundo se supunha, estava para voltar. Esta possibilidade é uma indicação de que os sectários olhavam para João Batista como o Messias oculto? STAUFFER, p. 292, entre outros, pensa assim. Neste caso, a polêmica contra as reivindicações dos sectários levaram João a registrar as reminiscências de que, para João Batista, havia de vir Um que seria desconhecido.

Há outro ponto que devem nos referir antes que deixemos 1,26-27. CULLMANN, ECW, p. 60ss., é um dos que veem nestes versículos uma forte referência ao sacramento cristão do batismo. Em 1,26, CULLMANN crê que João está contrastando o batismo do Batista com água e a pessoa do próprio Jesus. Ele afirma que o contraste em João não é como é nos sinóticos:

Eu estou batizando com água *vs.* Ele batizará com um Espírito santo;
mas, Eu estou batizando com água *vs.* Há um entre vós a quem não reconheceis.

Não obstante, como temos salientado, é somente Marcos que faz um contraste *imediato* entre os dois tipos de batismo. Além do mais, o contraste real em João não é entre batismo com água e a pessoa de Jesus, e sim entre João Batista e o Desconhecido que virá. Em TS [*Theological Studies*] 23 (1962), 197-99, já discutimos as referências propostas ao batismo cristão nesta passagem e descobrimos que não foram muito convincentes. Naturalmente, o batismo de Jesus, por João Batista, teve uma importante influência sobre a teoria e prática do batismo cristão – Tomás de Aquino o considerava como a ocasião da instituição do batismo cristão (veja F.-M. Braun, *"Le baptême d'après le quatrième évangile"*, RThom 48 [1948], 358-62). Mas a questão em pauta é se o relato que João faz disto tem algum teor sacramental *especial*, e não encontramos tal evidência.

Este primeiro dia termina com uma referência ao local onde João Batista dava testemunho. Encerrar uma seção com uma referência geográfica é comum em João (6,59; 8,20; 11,54). Este local dalém do Jordão será mencionado outra vez à moda de inclusão em 10,40, que num primeiro estágio do evangelho pode ter marcado o fim do ministério público. João tem outra informação geográfica sobre João Batista não encontrada nos sinóticos, por exemplo, concernente ao ministério de João Batista em Enon, nas proximidades de Salim (3,23). Como insiste Dodd, *Tradition*, pp. 249-50, estes detalhes geográficos emprestam matiz à teoria de que o Quarto Evangelho preserva tradição independente sobre João Batista.

[A Bibliografia para esta seção está inclusa na Bibliografia no final do § 3.]

3. O TESTEMUNHO DE JOÃO BATISTA: – ACERCA DE JESUS
(1,29-34)

1 ²⁹No dia seguinte, quando ele avistou Jesus vindo em sua direção, exclamou:

> "Eis o Cordeiro de Deus
> que tira o pecado do mundo.

³⁰É sobre quem eu disse:

> 'Após mim vem um homem
> que me precedeu,
> pois antes de mim ele existia.'

³¹"Eu mesmo não o conhecia, mas o motivo de eu vir e batizar com água, foi para que ele se revelasse a Israel".

³²João deu também este testemunho:

> "Eu tenho visto o Espírito descendo
> como pomba vinda do céu,
> e veio repousar sobre ele.

³³"E eu não o conhecia; mas Aquele que me enviou a batizar com água me disse: 'Quando vires o Espírito descer e repousar sobre alguém,

---

29: *viu*; *exclamou*. No tempo presente histórico.

esse é aquele que vem batizar com um Espírito santo.' ³⁴Ora, eu mesmo tenho visto e tenho testificado: 'Este é o escolhido de Deus'".

NOTAS

1.29. *No dia seguinte*. Aparentemente (à luz do v. 32), a cena joanina ocorre após o batismo de Jesus, não mencionado por João. Entre os sinóticos, somente Mt 3,14 subentende um conhecimento de Jesus da parte de João Batista antes do batismo. Lucas não, ainda quando, segundo a narrativa lucana da infância, João Batista e Jesus sejam aparentados.

o Cordeiro de Deus. O significado do genitivo dependerá da interpretação de "o cordeiro" (veja comentário). Se o Cordeiro é o Servo, então a frase de João segue o padrão do Servo *de Iahweh*. Se o Cordeiro é o cordeiro pascal, então o genitivo pode ter o sentido de "dado por Deus".

tira o pecado. Aqui, o presente pode ter função de futuro (ZGB, § 283): "removerá". Este verbo *airein* ocorre na LXX de 1Sm 15,25; 25,28, no sentido de perdoar pecado ou remover culpa. 1Jo 3,5 tem "remove pecados [plural]". O plural se refere a atos pecaminosos, enquanto o singular se refere a uma condição pecaminosa. Visto que a cláusula "que remove o pecado do mundo" se encontra somente em Jo 1,29, e não com a outra menção do Cordeiro em 1,36, há quem o considere como sendo a adição do evangelista a uma tradição mais original na qual João Batista disse simplesmente "Eis o Cordeiro de Deus".

30. *sobre quem*. A redação *peri*, que evidentemente significa "sobre", agora, com a evidência adicional de P⁶⁶,⁷⁵, resultaria em *hyper*, que oferece dois possíveis significados. BERNARD, I, p. 47, opta por "em cujo meio"; mas BDF, § 231¹, e ZGB, § 96, sugere *hyper* = *peri* neste caso.

Eu disse. O v. 30 é quase idêntico ao v. 15; o "eu disse" pode ser uma tentativa redacional de fazer admissão pela introdução do v. 15 no hino do Prólogo. Na verdade, João Batista *não* disse isto numa ocasião anterior no evangelho. Encontramos um caso similar de auto-citação sem um antecedente exato em 3,28.

Após mim vem um homem. O v. 15 fala de "aquele que vem [*ho erchomenos*] após mim"; aqui, temos *erchetai* – veja nota sobre o v. 27. DODD, *Tradition*, pp. 273-74, sugere que isto não precisa ser uma nota de tempo, mas pode referir-se ao seguinte como um discípulo; assim também BOISMARD, "Les traditions", pp. 28-29. No entanto, os paralelos sinóticos que vimos no comentário sobre o v. 27 se referem ao tempo, e que, provavelmente, seja o que está implícito em João.

antes de mim ele existia. Literalmente, "antes de mim ele era [*einai*] "; quando a existência de Jesus está envolvida, João prefere o verbo "ser", em vez do verbo "tornar-se" (*ginesthai* – mesmo contraste em 8,58). Aparentemente, a palavra para "antes", o adjetivo *prōtos* ("primeiro"), usada como um comparativo, tem significação temporal, mas essa tradução anularia o contraste:

está para vir	[*erchesthai*]	após	[*opisō*]	= tempo
há de vir	[*ginesthai*]	adiante de	[*emprosthen*]	= posição
era	[*einai*]	antes de	[*prōtos*]	= tempo

A razão real para os comentaristas evitarem a referência temporal, na terceira cláusula, é que ela põe o tema da preexistência de Jesus nos lábios de João Batista (veja comentário). A tentativa de Dodd de evitar isto é primorosa (*Tradition*, p. 274): "Há um homem em meus passos que assumiu a precedência sobre mim, porque ele é e sempre foi essencialmente meu superior". Outros atribuem a João Batista somente as duas primeiras linhas, e a última ao evangelista. Isto deixaria João Batista com um contraste entre seguir no tempo e preceder em posição; a última linha que diz respeito à precedência no tempo parece essencial.

31. *e batizar.* Literalmente, "batizando"; veja ZGB, § 283-84, para o possível tempo futuro: "Eu vim para batizar".

com água. Em vista da fraca evidência patrística, Boismard, *"Les traditions"*, p. 10, omite isto como uma glosa.

revelou. Phaneroun é frequente em João (9 vezes quando contrastado com uma vez nos sinóticos, Mc 5,22), particularmente para a saída de Jesus da obscuridade e ser visto pelos homens.

Israel. Em geral, este termo, no uso joanino, tem uma boa conotação (como oposto a "os judeus"), e se refere ao povo de Deus.

32. *tenho visto.* O tempo perfeito indica que a ação, que presumivelmente ocorreu no batismo de Jesus, ainda está tendo seu efeito, a saber, o Espírito ainda está com Jesus. Para o verbo *theasthai*, veja Apêndice I:3, p. 794ss; na referência paralela no v. 33 para ver o Espírito, usa-se *horan* (*eidein*).

como pomba. Esta frase é omitida em OS; e há menos hesitação em sua sequência nos mss. gregos. Para alguns, isto é evidência de que ela foi interpolada dos sinóticos. No entanto, pode ser que a confusão foi causada pela ausência da frase no v. 33; a hesitação sobre a sequência pode refletir a influência de diferentes sequências sinóticas nos copistas do ms.

Por que uma pomba seria o símbolo do Espírito, não é totalmente claro. Talvez o pairar do espírito sobre as águas primevas, em Gn 1,2, tenha sugerido o pairar de uma ave (como em Dt 32,11); esta observação aparece na tradição judaica (BERNARD, I, p. 49). A. FEUILLET, RSR 46 (1958), 524-44, dá um tratamento completo da questão e sugere que o símbolo da pomba é uma alusão ao povo do novo Israel como o fruto do Espírito.

veio repousar sobre ele. Esta frase também se encontra na descrição do batismo no *evangelho segundo os Hebreus* (JERÔNIMO *In Isaia* 20, 2; PL 34:145). Se apoia o Evangelho segundo aos Hebreus na tradição joanina? Sabemos dos paralelos relativamente poucos entre duas obras, e é mais provável que ambos, João e esse escrito, estão extraindo da tradição não sinótica.

33. *Aquele que me enviou*. Veja nota sobre 1,6.

com água. BOISMARD trata como uma glosa; veja nota sobre v. 31.

me disse. João Batista é aquele a quem a palavra de Deus veio (Lc 3,2).

aquele que vem batizar com um Espírito santo. BOISMARD trata isto também como uma glosa. Não obstante, a sugestão de que foi interpolado dos sinóticos se depara com a objeção de que a forma joanina não é a mesma que quaisquer das formas sinóticas da cláusula. Em particular, Mateus e Lucas mencionam o batismo "com um Espírito santo *e fogo*". Estas são realmente alternativas, pois o batismo com um Espírito santo é um purificação benéfica, enquanto o batismo com fogo é uma purgação destrutiva (Is 4,4) – P. VAN IMSCHOOT, "*Baptême d'eau et baptême d'esprit saint*", ETL 13 (1936), 653-66. O "e fogo" poderia ter sido parte do logion original, pois a omissão cristã da frase é mais fácil de explicar do que a adição.

34. *tenho visto... tenho testificado*. Tempos perfeitos; a ação continua.

o escolhido de Deus. Esta leitura se encontra na escritura original do Codex Sinaiticus, OL, OS e em alguns Pais, e pode ter o apoio do Papyrus Oxyrhynchus 208 (3º século). A vasta maioria das testemunhas gregas lê "o Filho de Deus", como fazem comentaristas como BERNARD, BRAUN, BULTMANN, entre outros. No entanto, com base nas tendências teológicas, é difícil imaginar que escribas cristãos mudassem "o Filho de Deus" para "o escolhido de Deus", enquanto uma mudança na direção oposta seria totalmente plausível. A harmonização com os relatos sinóticos do batismo ("Tu és [Este é] meu *Filho* amado") também explicaria a introdução de "o Filho de Deus" em João; o mesmo fenômeno ocorre em 6,69. Portanto, a despeito da evidência textual mais fraca, parece preferível – com LAGRANGE, BARRETT, BOISMARD, entre outros – aceitar "o escolhido de Deus" como original. Para um interessante paralelo para as duas redações, contraste Lc 18,35 com Mt 27,40. Em um texto aramaico de Qumran, uma figura que parece ter um papel especial no plano providencial de Deus (o Messias?) é chamado "o escolhido de Deus" (*bḥyr 'lh'*). Veja J. Starchy, "*Un texte messianique araméen de la grotte 4 de Qumran*", *Mémorial du cinquantenaire de l'Ecole des langues orientales de l'Institut Catholique de Paris* (Paris: Bloud et Gay, 1964), pp. 51-66. Pode ser que Starchy estivesse confiante demais na identificação como Messias, como salientado por J. Fitzmyer, CBQ 27 (1965), 348-72.

COMENTÁRIO

João Batista, que foi tão reservado acerca de seu próprio papel, agora se torna enérgico em dar testemunho acerca de Jesus. Numa série de testemunhos profundos, João Batista identifica Jesus como o cordeiro de Deus (v. 29), como o preexistente (30) e como o portador do Espírito (32-34). Assim, aqui João expande para nós, nos lábios de João Batista, toda uma cristologia. Aqueles familiarizados com o perfil de João Batista encontrado na tradição sinótica terão dificuldade de imaginar que o Batista conhecesse a preexistência de Jesus ou seu sofrimento e morte. Para alguns críticos, isto não é problema, já que para eles o Batista simplesmente se tornou o arauto da teologia do evangelista, e as palavras atribuídas ao Batista são criação teológica mais que reminiscência histórica. No entanto, pode ser que a solução não seja tão simples. Veremos abaixo que as afirmações atribuídas ao Batista podem ter tido para ele um sentido em perfeita consonância com a perspectiva escatológica do AT. Neste caso, a obra do evangelista não era criar os testemunhos de 1,29-34, e sim tomar material tradicional sobre o Batista e fazer dele o veículo de uma percepção cristã mais profunda para o mistério de Jesus. Temos exposto este ponto de vista por extenso em um artigo citado na Bibliografia.

Como se dá com a seção anterior, esta seção pode ser dividida em duas partes: 29-31: Jesus como *o Cordeiro de Deus e o preexistente*; e 32-34: Jesus como *"portador" do Espírito e o escolhido de Deus*. Cada parte menciona que o Batista estava batizando com água, que ele viu Jesus, que ele testifica a seu respeito e que ele não o reconheceu previamente.

Jesus como o Cordeiro de Deus (1,29)

Neste versículo, encontramos pela primeira vez uma fórmula de revelação que João usa em diversas ocasiões. M. de Goedt, NTS 8

(1961-62), 142-50, tem analisado a fórmula assim: um mensageiro de Deus *vê* uma pessoa e *diz*: "Eis!" Isto é seguido de uma descrição em que o vidente revela o mistério da missão da pessoa. Outros exemplos do padrão se encontram em 1,35-37.47-51; 19,24-27. Esta fórmula tem suas raízes no AT, por exemplo, em 1Sm 9,17: "Quando Samuel *viu* Saul, o Senhor lhe *disse*: 'Eis aqui está o homem... que governará sobre o meu povo'". Entretanto, seu uso no NT é peculiarmente joanino, de modo que sabemos que todo o material tradicional que se encontra em 1,29 tem sido refundido em um molde joanino.

Retornemos agora ao símbolo de "o Cordeiro [*amnos*] de Deus", um símbolo sobre cujo significado há uma grande quantidade de discussão. Um sumário conveniente da literatura entre 1950-60 pode ser encontrado em VIRGULIN, *art. cit*. Sem pretendermos ser exaustivos, discutiremos três sugestões principais.

(1) O Cordeiro como o cordeiro apocalíptico. DODD, *Interpretation*, pp. 230-38, aceita este como o significado tencionado pelo evangelista. Não obstante, juntamente com BARRETT, *art. cit.*, cremos que esta interpretação do Cordeiro poder mais bem entendida como o significado tencionado por João Batista.

No contexto do juízo final aparece aí, na apocalíptica judaica, a figura de um cordeiro vitorioso que destruirá o mal no mundo. O *Testamento de José*, 19,8, fala de um cordeiro (*amnos*) que vence as bestas malvadas e as esmaga sob a planta dos pés. Há nesta passagem dos *Testamentos dos Doze Patriarcas* interpolações cristãs, mas CHARLES, APCh, II, p. 353, mantém que a figura principal não é uma interpolação. (O valor desta passagem dependerá, em alguma extensão, daquela teoria da composição do *Testamento dos Doze Patriarcas*, i.e., se é basicamente uma obra judaica ou cristã). Em *1 Enoque* 90,38, que é parte da grande alegoria animal da história, ali chega no final um touro que se converte em um cordeiro com chifres nas costas. (Infelizmente, a língua etíope lê "palavra" em vez de "cordeiro", e assim nossa redação representa uma conjetura, mas provavelmente incorreta". No contexto do juízo final, somos informados que o Senhor das ovelhas se regozijou sobre o cordeiro. No NT, a figura do cordeiro vencedor aparece no Apocalipse: em 7,17, o Cordeiro é o líder dos povos; em 17,14, o Cordeiro esmaga os poderes maus da terra.

A imagem do cordeiro apocalíptico e destruidor se adequa muito bem ao que sabemos da pregação escatológica do Batista. João Batista chamou a atenção para a ira vindoura (Lc 3,7), que o machado já estava posto na raiz da árvore e que Deus já derrubara e lançara ao fogo a própria árvore que não produz fruto (Lc 3,9). Ambos, Mt 3,12 e Lc 3,17, refletem a ferocidade gráfica da expectativa do juízo que o Batista nutria por aquele que vem: "Em sua mão tem a pá, e limpará sua eira, e recolherá no celeiro seu trigo, e queimará a palha com fogo que nunca se apagará". Não é absolutamente destituído de plausibilidade que o Batista pudesse ter descrito aquele que vem como o cordeiro apocalíptico de Deus.

Há duas objeções a esta interpretação de "o Cordeiro de Deus". Primeira, há um vocabulário diferente nestas referências ao "cordeiro": em Jo 1,29 a palavra é *amnos*, enquanto no Apocalipse o cordeiro apocalíptico é *arnion*. Não obstante, enquanto João e o Apocalipse são obras da escola joanina, amiúde refletem diferenças de vocabulário – sinal de que foram escritos por mãos diferentes. Além do mais, o vocabulário do escrito apocalíptico tende a ser formalizado, e o Apocalipse pode estar simplesmente usando um termo apocalíptico padrão para "cordeiro". *1 Enoque*, no que está preservado dele em grego, parece usar *anēn*, de que *arnion* é um diminutivo. Finalmente, o *Testamento de José* usa *amnos* para o cordeiro vencedor. A própria escolha que João faz de *amnos* pode ser determinada pelas interessantes possibilidades teológicas da palavra, como veremos abaixo.

Uma segunda objeção tem por base a cláusula que descreve o Cordeiro de Deus: ele remove o pecado do mundo. Entendido contra o pano de fundo das ações salvíficas de Jesus, tal descrição raramente parece adequar-se ao quadro sinótico da pregação do Batista, onde aquele que vem visa a destruir o malfeitor. Não obstante, pode ser que nos lábios do Batista a frase possa ser interpretada como uma referência à destruição do pecado do mundo. É interessante estudar o paralelismo entre *airein* ("remover") e *luein* ("destruir"), em 1 João:

3,5: "E bem sabeis que ele se manifestou para *remover nossos pecados*".
3,8: "Para isto o Filho de Deus se manifestou: para *destruir as obras do diabo*".

E assim sugerimos que o Batista exaltou Jesus como o cordeiro da expectativa apocalíptica judaica que havia de ser levantado por Deus para destruir o mal no mundo, um quadro não tão longe daquele do Ap 17,14.

DODD, *Interpretation*, p. 236, insiste sobre o aspecto messiânico deste cordeiro apocalíptico. Não obstante, como veremos abaixo, não é certo que o Batista esperasse um Messias davídico régio.

(2) O Cordeiro como o Servo Sofredor. O Servo de Iahweh é o tema de quatro cânticos em Deuteroisaías: 42,1-4 (ou 7, ou 9); 49,1-6 (ou 9, ou 13); 50,4-9 (ou 11); 52,13-53. Há uma grande controvérsia se este Servo é um indivíduo (Jeremias, Moisés), ou uma coletividade (Israel), ou uma personalidade corporativa. Naturalmente, os autores neotestamentários não teriam pensado nestes cânticos como um corpo isolado de literatura como fazemos, mas poderiam ter visto que um tema comum do Servo de Deus se encontraria em Isaías. Realmente, é bem provável que conectassem o notável perfil do sofrimento deste Servo em Is 53 com outras descrições de sofredores inocentes no AT, por exemplo, Sl 22. MORNA HOOKER, *Jesus and the Servant* (Londres: SPCK, 1959), tem criticado, talvez generalizando demais, o abuso do tema neotestamentário do Servo pelos exegetas que parecem pensar que os evangelistas anteciparam o ato de DUHM de isolar os cânticos do Servo em 1892. Seja como for, estamos simplesmente indagando aqui se o uso de "Cordeiro de Deus", em Jo 1,29, foi matizado pelo uso de cordeiro como uma referência ao Servo Sofredor de Iahweh em Is 53.

Na realidade, isto envolve duas questões: primeiro, é possível que o Batista chegasse a ter tal compreensão do Cordeiro de Deus? Segundo, ou o evangelista teria entendido do mesmo modo? J. JEREMIAS, CULLMANN e BOISMARD respondem a primeira pergunta afirmativamente; e o argumento em prol deste ponto de vista acha uma boa exposição em DE LA POTTERIE, *art. cit.* Entretanto, buscamos em vão nos sinóticos por qualquer indicação de que o Batista pensasse que aquele que vem após ele sofresse e morresse. Aliás, não há evidência clara de que antes dos tempos cristãos o Servo Sofredor fosse isolado e entrasse para a galeria das figuras escatológicas esperadas, ou que o Messias fosse identificado com o Servo Sofredor. A despeito das alegações de DUPONT-SOMMER e ALLEGRO, simplesmente não há prova de que os essênios de Qumran tivessem uma teologia de um Messias sofredor; veja J. CARMIGNAC, *Christ and the Teacher of Righteousness* (Baltimore: Helicon, 1962), pp. 48-56. Há referências em Qumran às passagens do Servo de Isaías; mas, em vez de aplicar estes textos a uma figura messiânica ou escatológica, os essênios parecem ter olhado para sua comunidade como justamente sofredora por outros (assim H. RINGGREN, *The Faith of Qumran* [Filadélfia: Fortress, 1963], pp. 196-98). Assim, enquanto não podemos negar que seja possível que João Batista pensasse em Jesus como o Servo Sofredor, não existe prova real de que o tenha feito.

Que o evangelista interpretou o Cordeiro de Deus contra o pano de fundo da descrição do Servo em Isaías pode-se sustentar pelo uso de vários argumentos. (*a*) Is 53,7 descreve o Servo assim: "Ele não abriu sua boca, como ovelha que é levada para o matadouro, e como um cordeiro [*amnos*] diante de seus tosquiadores". Este texto é aplicado a Jesus em At 8,32, e assim a comparação era conhecida dos cristãos (também Mt 8,17 = Is 53,4; Hb 9,28 = Is 53,12). No final do 1º século, CLEMENTE de Roma (I 16) aplicou Is 53 literalmente a Jesus. (*b*) Todos os cânticos que se reportam ao Servo se encontram na segunda parte de Isaías (40-55). O NT associa esta parte de Isaías a João Batista, pois "a voz que clama no deserto" dos vs. de abertura (Is 40,3). (*c*) Há dois traços na descrição que o Batista faz de Jesus, em 1,32-34, que podem relacionar-se com o tema do Servo. No v. 32, o Batista diz que viu o Espírito descer sobre Jesus e pairar sobre ele; em 34, o Batista identifica Jesus como o escolhido de Deus. Em Is 42,1 (uma passagem que os sinóticos também vinculam com o batismo de Jesus feito pelo Batista) ouvimos: "Eis aqui o meu Servo, a quem sustenho; *o meu Eleito*, em quem se compraz a minha alma" [veja Mc 1,11], pus o meu *espírito sobre ele*". Veja também Is 61,1: "O espírito do Senhor Deus está sobre mim". Este argumento pressupõe que o evangelista fez uma conexão entre o Servo de Is 42 e o Servo de Is 53. (*d*) Jesus é descrito em termos do Servo Sofredor em outra parte em João (12,38 = Is 53,1). Estes argumentos são apenas um resumo da evidência (veja STANKS, *op. cit.*).

Há dois pontos especiais que devem ser considerados. Lemos que o Cordeiro de Deus remove (*airein*) o pecado do mundo. Esta *não* é a mesma imagem encontrada em Is 53,4.12, onde lemos que o Servo leva sobre ou carrega (*pherein/anapherein*) os pecados de muitos. Todavia, esta diferença não é da maior importância, pois os primeiros cristãos dificilmente extrairiam uma distinção precisa se em sua morte Jesus tiraria pecado ou o levaria sobre si. A LXX usa ambas, *airein* e *pherein*, para traduzir o hebraico *naśā'*. Não obstante, a referência a levar pecados, em Is 53,12, não pode ser usada para provar que o Cordeiro é o Servo Sofredor, como se costuma fazer. O segundo ponto é a sugestão de que "cordeiro" em João é uma tradução equivocada do aramaico *ṭalyâ*, que pode significar ambos, "servo" e "cordeiro"; e assim o que realmente o Batista disse foi: "Eis aqui está o Servo de Deus" (assim BALL, BURNEY, JEREMIAS, CULLMANN, BOISMARD, DE LA POTTERIE). A refutação que DODD faz disto em *Interpretation*, pp. 235-36, nos parece conclusiva. O Servo de Isaías é conhecido como o ʽ*ebed* YHWH (aramaico ʽ*abdâ*); não há absolutamente nenhuma evidência de *ṭalyâ* (heb. *ṭāleh*) sendo usada para o Servo. Tampouco, pode-se acrescentar, *ṭāleh* é sempre traduzida por *amnos* na LXX. Todavia, mesmo sem estes dois pontos dúbios, parece haver no evangelho bastante indicações para conectar o Cordeiro de Deus e o Servo Sofredor.

(3) O Cordeiro como o cordeiro pascal. Muitos dos Padres ocidentais favoreceram esta interpretação (enquanto os Padres orientais favoreceram o Servo Sofredor), e tem encontrado em BARRETT um eloquente defensor. Há vários argumentos como suporte. (*a*) O cordeiro pascal é um cordeiro real, enquanto na interpretação do Servo Sofredor, o "cordeiro" é apenas um elemento isolado e incidental na descrição da morte do Servo. (*b*) O simbolismo da Páscoa é frequente no Quarto Evangelho, especialmente em relação à morte de Jesus; e isto é importante porque, no pensamento cristão, o Cordeiro, por meio de sua morte, remove o pecado do mundo. Jo 19,14 diz que Jesus foi condenado à morte ao meio dia no dia anterior à Páscoa, e este era o momento exato em que os sacerdotes começavam a matar os cordeiros pascais no templo. Enquanto Jesus estava na cruz, uma esponja embebida em vinho lhe foi erguida com hissopo (19,29); e foi com hissopo encharcado com o sangue do cordeiro pascal que as ombreiras das portas dos israelitas eram marcadas (Ex 12,22). Jo 19,36 vê cumprimento da Escritura no fato de que nenhum dos ossos de Jesus foi quebrado, e isto parece reportar-se a Ex 12,46, onde lemos que nenhum osso do cordeiro pascal seria quebrado. (Veja também Jo 19,31). (*c*) Jesus é descrito como o Cordeiro em outra obra joanina, o Apocalipse; e o tema da Páscoa aparece ali. O Cordeiro de Ap 5,6 é um cordeiro morto. Em Ap 15,3, o Cântico de Moisés é o cântico do Cordeiro. Em Ap 7,17 e 22,1, o Cordeiro é visto como a fonte de água viva, e isto pode ser outra conexão com Moisés que faz sair água da rocha. Ap 5,9 menciona o sangue redentor do Cordeiro, uma referência particularmente apropriada ao tema pascal onde a marca do sangue do cordeiro poupou a casa dos israelitas.

Uma objeção proposta contra interpretar o Cordeiro de Deus como o cordeiro pascal é que no pensamento judaico o cordeiro pascal não era um sacrifício. Isto procede, embora na época de Jesus o aspecto sacrificial tinha começado a infiltrar no conceito do cordeiro pascal, porque os sacerdotes arrogaram para si a matança dos cordeiros. Em qualquer caso, a diferença entre o sangue do cordeiro oferecido em sacrifício pelo livramento não é muito grande. Uma vez que os cristãos passaram a comparar Jesus com o cordeiro pascal, não hesitaram em usar linguagem sacrificial: "Cristo, nossa Páscoa, foi *sacrificado*" (1Cor 5,7). Em tal intensificação do conceito cristão do cordeiro pascal, a função de remover o pecado do mundo poderia facilmente adequar-se.

Uma objeção mais importante é que o Pentateuco grego normalmente fala do cordeiro pascal como *probaton*, não como *amnos*. Que as duas palavras não são muito diferentes vê-se, curiosamente, em Is 53,7, a passagem do Servo Sofredor, onde *probaton* ("ovelha") e *amnos* aparecem em paralelismo. Mas pode haver também evidência de que *amnos* era usada por cristãos para o cordeiro pascal. 1Pd 1,18-19 assegura aos cristãos que já foram emancipados com precioso sangue, como de um cordeiro (*amnos*) imaculado e incontaminado, a saber, o sangue de Cristo. Embora não possamos formular argumentos aqui, indicamos a possibilidade de que 1 Pedro fosse interpretada contra o pano de fundo de uma cerimônia cristã batismal *pascal*. A descrição do *amnos* como imaculado evoca Ex 12,5, onde um cordeiro sem imperfeição é especificado para a Páscoa. Assim, a diferença de vocabulário não é decisiva.

Com esses bons argumentos em favor dos que afirmam que o evangelista apontava para o Cordeiro de Deus como referência ao Servo Sofredor e ao cordeiro pascal, não vemos séria dificuldade em manter que João visava a ambas as referências. Ambas se ajustam bem à cristologia de João e são bem atestadas no Cristianismo do 1º século. Aliás, uma dupla referência similar provavelmente possa ser encontrada em 1 Pedro, onde, embora o tema pascal seja proeminente, também aparece o tema do Servo Sofredor (2,22-25 = Is 53,5-12). A homília de Melito de Sardes sobre a Páscoa, do final do 2º século, entrelaça os dois temas; pois enquanto Melito diz que Jesus veio em lugar do cordeiro pascal, ele descreve a morte de Jesus em termos de Is 53,7: "... levado como um cordeiro, sacrificado como uma ovelha, sepultado como um homem". Não é impossível que, além destes dois temas, João poderia também ter trazido alguns ecos da referência original do Batista ao cordeiro apocalíptico no evangelho (somente no Apocalipse).

Já demos as sugestões mais importantes para o significado de "o Cordeiro de Deus". Outros estudiosos trazem à mente Jr 11,19: "E eu era como um manso cordeiro, que levam à matança". Visto que Jeremias poderia ter sido o padrão sobre o qual o Deuteroisaías formou a imagem do Servo Sofredor, esta sugestão pode ser incorporada na interpretação do Cordeiro como o Servo. Outra teoria é que o Cordeiro de Deus é uma referência ao cordeiro (*amnos*: Ex 29,38-46) oferecido como uma oferta pelo pecado. Enquanto o segundo é atraente, porque explicaria a ideia do Cordeiro removendo o pecado do mundo, deve-se notar que o novilho e o bode eram oferendas pelo pecado mais comuns. Em qualquer caso, não há outra evidência de que tais sacrifícios formavam o pano de fundo para a cristologia joanina. GLASSON, *Moses*, p. 96, nos lembra que no Targum hierosolimitano sobre Ex 1,15, Moisés é comparado a um cordeiro, e que no relato de Isaque (Gn 22,8) ouvimos a frase: "Deus proverá o cordeiro [*probaton*]". Tanto o simbolismo Jesus/Moisés (*passim*) como o simbolismo Jesus/Isaque (talvez Jo 3,16 = Gn 22,2; Jo 19,17 = Gn 22,6) são conhecidos no Quarto Evangelho.

Jesus como o Preexistente (1,30-31)

O tema da preexistência de Jesus se encontra no Prólogo, em 8,58 e 17,5; portanto, como indicado na nota, julgamos aqui inaceitáveis as tentativas de evitar uma implicação da preexistência. O verdadeiro problema, naturalmente, diz respeito à probabilidade de encontramos tal testemunho da preexistência nos lábios do Batista. Deve-se notar que o v. 30, com sua variante no v. 15, em alguma extensão corresponde com o v. 27 (justamente como o 31 corresponde com 26 no tema de Jesus não reconhecido):

PRIMEIRA CLÁUSULA
    v. 15: aquele que vem depois de mim
    v. 30: após mim vem um homem
    v. 27: aquele que há de vir após mim

SEGUNDA CLÁUSULA
vs. 15, 30: tem precedência sobre mim
v. 27: nem mesmo sou digno de desatar as correias de sua sandália

Ora, vimos no comentário sobre o v. 27 que ambas as ideias e vocabulário daquele versículo tem paralelos na tradição sinótica das palavras do Batista. Portanto, nada há nas primeiras duas cláusulas do v. 30 que não se harmonize com o quadro geral do Batista no evangelho; nosso problema se centra na terceira cláusula: "... pois ele existia antes de mim".

A ênfase sobre a preexistência de Jesus pode ser considerada parte da polêmica contra os adeptos do Batista, como CULLMANN, *art. cit.*, tem indicado. Os adeptos reivindicavam superioridade para o Batista sobre Jesus, em virtude de seu senhor ter vindo primeiro, e a prioridade no tempo envolvia prioridade em dignidade. Note como Gn 48,20 enfatiza que Jacó põe Efraim antes (*emprosthen*) de Manassés. Uma resposta ao argumento dos adeptos (uma resposta que ajuda a estabelecer que havia esse argumento sectário) se encontra na *Pseudo-Clementina*, onde se mantém que prioridade não significa superioridade, e sim inferioridade, pois o mal vem antes do bem, Caim veio antes de Abel etc. (*Homilies* II 16, 23; PG 2:86, 91). João apresenta uma resposta diferente: prioridade indica superioridade, mas, a despeito das aparências, Jesus realmente era anterior ao Batista, porque Jesus preexistia.

Enquanto faz esta afirmação como resposta apologética, o evangelista ainda poderia estar apoiando-se em um dito tradicional do Batista. J. A. T. ROBINSON, *art. cit.*, tem dado um exemplo muito convincente em prol da tese de que o Batista pensava estar preparando o caminho para Elias. Já mencionamos na nota sobre 1,27 que "aquele que a de vir" poderia ter sido um título para Elias com base em Ml 3,1. João Batista antecipou que aquele que vem purificaria com fogo (Mt 3,12); a obra de Elias é comparada a um fogo purificador em Ml 3,2; 4,1; Siraque 48,1. Se o Batista esperava que Elias viesse, então se torna óbvio por que os discípulos esperavam que Jesus agisse como Elias (Lc 9,52-56), e por que Lucas apresenta Jesus como Elias (veja acima, p. 226s). Pode ser que a tese de ROBINSON possa ser usada para explicar como Jo 1,30 podia representar as palavras do Batista. Se o Batista pensava naquele que vem como preexistente a ele, a preexistência do Filho de Deus não tinha qualquer sentido cristão, nem a preexistência da Palavra no sentido joanino, mas em termos da preexistência como Elias. Este existira nove séculos antes de João Batista, e, no entanto, sua volta era esperada como mensageiro antes do último juízo de Deus. Dele o Batista podia dizer: "Ele exerce precedência sobre mim, porque existia antes de mim".

Por esta ótica, é importante notar que J. JEREMIAS, *The Servant of God* (SBT No. 20), p. 57, pensa que, possivelmente, Elias era tido como o verdadeiro Servo de Deus. Siraque 48,10 fala que Elias viria restabelecer as tribos de Israel, aparentemente uma referência à mensagem do Servo em Is 49,6. Ambos, Mc 9,13 e Ap 11,3ss., parecem retratar Elias como sofredor. Se esta tênue evidência deve ser confirmada, então podemos combinar a referência a Elias como o preexistente com a referência ao Cordeiro de Deus = o Servo Sofredor = Elias.

No v. 31, o tema do Messias desconhecido ou oculto reaparece desde o v. 26. O caráter apocalíptico desta expectativa, de que tratávamos pode harmonizar-se com a expectativa da vinda de Elias. Próximo ao 2º século, é Elias que está para revelar o Messias oculto; mas no período antes da destruição do templo, quando as expectativas escatológicas eram mais variadas, se poderia pensar no próprio Elias como sendo o Messias oculto.

O v. 31 também exerce um papel na polêmica contra os adeptos do Batista. Os cristãos não acharam fácil explicar por que Jesus permitiu ser batizado com o batismo de arrependimento do Batista. No *evangelho segundo os Hebreus* (JERÔNIMO, *Contra Pelágio* III 2; PL 23:570-71), esta dificuldade é resolvida pelo protesto de Jesus: "Eu tenho pecado para que eu vá e seja batizado por ele [João Batista]?" Outro eco desta dificuldade é ouvido em Mt 3,14-15, onde o Batista protesta diante de Jesus que seus papéis estavam sendo invertidos. Sugerimos que o mesmo problema é refletido em Jo 1,31. Para João não há problema de Jesus receber um batismo de arrependimento, pois todo o propósito do batismo do Batista consistia em revelar a Israel aquele que vem. A remissão de pecados não é associada ao Batista, e sua pregação a um batismo de arrependimento como em Mc 1,4, mas antes ao Cordeiro de Deus que tira o pecado do mundo. Assim João removeu do relato que ele faz do incidente quaisquer aspectos do batismo em que os sectários pudessem se gloriar.

A afirmação de que até o batismo do Batista não reconheceu Jesus como o que vem implica que o Batista não estava tão familiarizado com Jesus, embora alguns aleguem que ele conhecesse Jesus, porém não como o preexistente (BERNARD, I, p. 48). Não fica claro se isto pode ser conciliado com a relação entre as duas narrativas da infância propostas por Lucas. Entretanto, Lc 1,80 pressupõe que o Batista cresceu como solitário no deserto da Judeia, fora de quaisquer contatos familiares.

Jesus como aquele sobre quem o Espírito desce e repousa (1,32-33)

O fato de que João se reporta ao batismo de Jesus apenas indiretamente como o momento em que o Espírito desceu sobre ele pode também refletir o desejo do evangelista de não propiciar aos sectários nenhum apoio. Podemos comparar o relato de João da descida do Espírito com o dos sinóticos:

Mc 1,10:   O Espírito descendo como pomba sobre [*eis*] ele
Mt 3,16:   O Espírito de Deus descendo como pomba, vindo sobre [*epi*] ele
Lc 3,22:   O Espírito Santo desce em forma corpórea como pomba sobre [*epi*] ele
Jo 1,32:   O Espírito descendo do céu como pomba sobre [*epi*] ele

Ao usar "o Espírito" sem outra qualificação, João se aproxima mais de Marcos, mas ao descrever a descida, João se aproxima mais de Mateus. João difere de todos os sinóticos em dois elementos: João não descreve o próprio batismo e, ao descrever a descida do Espírito, João usa a frase "do céu [*ex ouranou*]". Os sinóticos mencionam *a voz do céu* (Lucas: *ex ouranou*; Marcos-Mateus: *ek tōn ouranōn*), e na expressão grega, Lucas tem o mesmo que João. O ecleticismo das similaridades é mais uma vez um argumento contra o empréstimo joanino; tampouco, na presunção de empréstimo, há qualquer motivo discernível no que João omite (a abertura dos céus, a voz e sua mensagem).

Portanto, se a descrição joanina da descida do Espírito parece representar uma tradição independente, ligeiramente variante da(s) tradição(s) sinótica(s), veio a ser, em sua presente forma, um veículo da teologia joanina. João diz que o Espírito veio repousar (*menein* – palavra joanina favorita; veja Apêndice I:8, p. 794ss) sobre Jesus; e visto que Jesus possui permanentemente o Espírito, ele dispensará este Espírito a outros no Batismo. O tema da dispensação do Espírito após a morte e ressurreição de Jesus é recorrente em todo o evangelho (3,5.34; 7,38-39; as passagens acerca do Paráclito em 14-16; 20,22).

Outro detalhe que se harmoniza com a teologia joanina é que o testemunho de Deus acerca de Jesus não é expresso diretamente, mas através do Batista (v. 33). No capítulo 5 somos informados que o testemunho de Deus acerca de Jesus vem através de diversos canais, dos quais o primeiro mencionado é João Batista (5,33-35).

Não obstante, os relatos sinóticos da teofania no batismo têm também tem sido objeto de considerável elaboração; e do ponto de vista do caráter mais ou menos primitivo, o relato de João é bem escasso. Em Marcos-Mateus é Jesus quem vê o Espírito descendo, enquanto Lucas parece pressupor um auditório mais numeroso ao declarar que o Espírito desceu em *uma forma corpórea*. A alegação de João de que somente o Batista viu o Espírito é relativamente modesta. Marcos e Lucas registram uma voz celestial que se dirige a Jesus, e desta vez é Mateus que parece pressupor um auditório mais numeroso que recebe a mensagem da voz na terceira pessoa ("Este é o meu Filho amado"). Embora João não se oponha em dirigir o testemunho divino a partir do céu (12,28), aqui a narrativa apenas alega que Deus falou previamente ao Batista.

Mesmo sem o testemunho externo descrito nos relatos sinóticos, João entende claramente o impacto da descida do Espírito sobre Jesus em boa medida da mesma maneira como os outros evangelhos, a saber, que ela lhe assinala como único instrumento de Deus e, em particular, como o Messias e o Servo do Senhor. Em Is 11,2, somos informados que o espírito de Iahweh repousará (LXX *anapauein*, não *menein*) sobre o renovo da estirpe de Jessé que é o rei davídico. Nos *Testamentos dos Doze Patriarcas*, o espírito aparece ao Messias davídico (*O Testamento de Judá* 24,1-3) e sobre o messias sacerdotal (*O Testamento de Levi* 18,7 – onde ele repousou: *katapauein*). E já mencionamos que Is 42,1 diz que Iahweh pôs seu espírito sobre o Servo.

Jesus como o escolhido (1,34)

Se esta redação é correta (veja nota), então o tema do Servo prossegue neste título que ecoa Is 42,1. BRAUN, *JeanThéol*, II, pp. 71-72, objeta que Deus *escolheu* muitas figuras no AT e que o "escolhido" não é necessariamente uma referência ao Servo isaiano. Mas isto deixa de explicar o fato de que Is 42,1 é também parte do relato sinótico do batismo ("Este é o meu Filho amado *em quem tenho todo prazer*"), e que, desse modo, é o lugar mais natural para explicar a referência a "o escolhido". Acima, mencionamos outros ecos do tema do Servo nesta seção.

O v. 34 termina esta cena dupla do testemunho do Batista nos vs. 19-28 e 29-34. Como se dá com frequência, João indica isto por meio de uma inclusão: o v. 19 começou: "Este é o testemunho que João deu"... Quando nos retrocedemos para a riqueza e profundidade do material contido entre os versículos, apreciamos a genialidade de João em incorporar toda a cristologia em uma só cena sucinta.

• • •

Crítica literária

Em nosso comentário, temos analisado 1,19-34 como agora se encontra no evangelho sobre o princípio geral de que, não importa qual teria sido sua pré-história literária, a seção, em sua forma atual, faz sentido ao menos para o redator final do evangelho. Em nossa Introdução, Segunda Parte, discutimos as teorias da composição do evangelho, especialmente as teorias das fontes e das várias redações. Enquanto não for possível mostrar como estas teorias são aplicadas pelos diversos comentaristas a todo o evangelho, tomaremos esta única cena e mostraremos como as teorias são aplicadas aqui. A partir desta ilustração, esperamos demonstrar a engenhosidade, as contribuições e as insuficiências das reconstruções literárias do Quarto Evangelho.

Há certas indicações em 1,19-34 que revelam uma re-elaboração do material. (*a*) Há passagens com claros paralelos sinóticos (vs. 23,26 ["Eu estou batizando com água"], 27,32,33 ["batizará com o Espírito santo"]), e outras passagens que não têm paralelos sinóticos – um efeito que *pode* ser explicado pela combinação de duas tradições. (*b*) Há uma certa falta de sequência na narrativa. O v. 19 começa com um anúncio do testemunho do Batista; mas o testemunho acerca de Jesus não começa imediatamente, e toda a cena se reparte entre dois dias. O v. 21 seria seguido mais logicamente pelo 25 do que pelo 22.

Os vs. 26 e 31 parecem como se fossem em sequência direta. (c) Há toda uma série de duplicatas: dois pares de emissários (19,24); "E perguntaram-lhe" ocorre duas vezes (21,25); "Eis aqui o Cordeiro de Deus" ocorre duas vezes (29,36); "E eu não o conhecia" ocorre duas vezes (32,33); a descida do Espírito é descrita duas vezes (32,33). E podemos acrescentar que o v. 30 reitera o 15.

Vejamos agora como estas dificuldades podem ser resolvidas, primeiramente, por uma teoria das fontes como ilustrada na reconstrução de BULTMANN, e então por uma teoria das várias redações como ilustrada na reconstrução de BOISMARD.

Segundo sua hipótese geral (veja p. 206ss), BULTMANN mantém que uma narrativa basicamente simples composta pelo evangelista foi retocada pelo Redator Eclesiástico que introduziu paralelos à tradição sinótica e assim causou tanto a falta de sequência como as duplicatas. Desfazendo a obra do Redator Eclesiástico, BULTMANN, p. 58, faz sua reconstrução do relato original do evangelista. Apresentamos isto abaixo, adaptado a nossa tradução; o leitor notará como sua sequência suave evita a maioria das dificuldades supramencionadas. (O sinal /// indica onde BULTMANN omite as adições do Redator; note também a reorganização dos versículos no final).

[19]Ora, este é o testemunho que João deu quando os judeus lhe enviaram de Jerusalém sacerdotes e levitas a perguntar-lhe quem ele era. [20]Ele declarou sem qualquer restrição, confessando: "Eu não sou o Messias". [21]Perguntaram-lhe mais: "Então, quem és tu? Elias?" "Não sou", respondeu. "És tu o Profeta?" "Não!", replicou. ///[25]Mas lhe perguntaram ainda: "Se não és o Messias, nem Elias, nem o Profeta, então o que estás fazendo batizando?" [26]João lhes respondeu: "///Há um entre vós a quem não reconheceis. ///[31]Eu mesmo nunca o conheci, ainda que a própria razão de eu vir e batizar foi para que ele fosse revelado a Israel. ///[33]Mas aquele que me enviou a batizar me disse: 'Quando vires o Espírito descer e repousar sobre alguém, ele é esse///.' [34]Agora eu mesmo tenho visto e tenho testificado: 'Este é o Filho de Deus'". [28]Foi em Betânia que isso aconteceu, dalém do Jordão, onde João costumava batizar.

Então seguem 29-30,35ss.

VAN IERSEL, estudioso católico, aceitou a reconstrução básica de BULTMANN e a levou ainda mais longe. Ele faz mais uso dos conectivos de João do que faz BULTMANN, por exemplo, vs. 22a,24. Ele evita a duplicata que envolve o Cordeiro de Deus (29,36) que BULTMANN mantém, omitindo a maior parte do v. 29.

A teoria das diversas redações faz outra abordagem de 1,19-34, como ilustrado em BOISMARD, *"Les traditions"*. Seguindo WELLHAUSEN, BOISMARD pensa em termos de narrativas paralelas reescritas. Os passos em sua reconstrução do relato joanino podem ser catalogados como segue: (a) O evangelho propriamente dito começou originalmente com o material ora encontrado em Jo 3,22-30, a saber, que Jesus veio à Judeia enquanto o Batista estava batizando e este testificou que Jesus cresceria enquanto ele mesmo diminuiria. (Referências aos encontros pretéritos entre o Batista e Jesus em 3,24.26 são redacionais). BOISMARD substancia isto salientando paralelos entre Jo 3,22-30 e Mc 1,4-5. Ele pensa que, originalmente, o material sobre o Batista foi seguido pelo incidente em Caná, de modo que o tema noivos/casamento estaria presente em ambas as passagens. (b) Posteriormente, o próprio evangelista substituiu esta narrativa da relação do Batista e Jesus (3,22-30) com outra narrativa, inteiramente diferente desta relação. (Aqui, BOISMARD difere de WELLHAUSEN que pensava simplesmente em um relato variante da mesma cena). O tema da nova narrativa era o batismo de Jesus pelo Batista como uma manifestação do Messias até então oculto. João Batista dá seu testemunho diante dos fariseus que injustificavelmente se recusam a crer. Esta narrativa do batismo, que assim reflete certa polêmica contra os judeus, BOISMARD chama Versão X. (c) No entanto, mais tarde o próprio evangelista retocou a Versão X para fazê-la mais clara e mais próxima da tradição sinótica. Ele faz alusões ao AT mais específicas e enfatizou o tema da preexistência. Nesse tempo, a polêmica extraída da passagem foi dirigida contra os semi-cristãos que negavam a divindade de Jesus, e quem sabe também contra os sectários do Batista. Esta narrativa é a Versão Y.

Aí resta um quarto passo, mas por um momento nos deteremos para ver como BOISMARD põe as Versões X e Y juntamente com a introdução que partilham em comum. (A tradução de João tem sido adaptada à nossa tradução).

VERSÃO X	VERSÃO Y

⁶Ora, houve um homem enviado por Deus cujo nome era João ⁷que veio como testemunha para testificar da luz para que, através dele, todos os homens viessem a crer. ⁸Mas somente para testificar da luz, pois ele mesmo não era a luz. ¹⁹Ora, este é o testemunho que João deu quando os fariseus [judeus no texto Y] enviaram de Jerusalém sacerdotes e levitas a perguntar-lhe quem ele era: ²⁰ele declarou sem qualquer restrição, confessando: "Eu não sou o Messias". ²¹Eles o interrogaram mais: "Então, quem és tu? Elias?" "Eu não sou", ele respondeu. "És tu o profeta?" "Não!", replicou.

²⁵Tornaram a perguntar-lhe: "Se não és o Messias, nem Elias, nem o profeta, então o que estás fazendo batizando?"	²²Então lhe disseram: "Quem és tu precisamente – para que possamos dar alguma resposta aos que nos enviaram. O que tens a dizer de ti mesmo?"
²⁶ªJoão lhes respondeu	²³Ele disse, citando o profeta Isaías: "Eu sou 'uma voz no deserto que clama: Preparai o caminho ao Senhor!'
²⁶ᶜHá um entre vós a quem não reconheceis;	³⁰ᵇApós mim vem um homem que tem precedência sobre mim, pois já existia antes de mim.
³¹Eu mesmo nunca o conheci, muito embora a própria razão por que eu vim e batizava foi para que ele fosse revelado a Israel".	³³E eu mesmo não o conhecia, mas Aquele que me enviou a batizar me disse:
³²João deu também este testemunho: "Eu vi o Espírito descendo como pomba do céu e veio repousar sobre ele".	'Quando vires o Espírito descer e repousar sobre alguém, esse é ele.' ///³⁴Ora, eu mesmo tenho visto e tenho testificado: Este é o escolhido de Deus'".

²⁸Foi em Betânia que isto aconteceu, dalém do Jordão, onde João costumava batizar.

³⁵No dia seguinte, João foi para lá com seus discípulos, 36 e observava Jesus passando, e disse: "Eis aqui está o Cordeiro de Deus	²⁹No dia seguinte, quando teve a visão de Jesus vindo para ele, disse: "Eis aqui o Cordeiro de Deus

que remove o pecado do mundo".

(**d**) Um redator, diferente do evangelista (para Boismard, o redator é Lucas), decidiu que todas estas antigas introduções seriam incorporadas no evangelho final. Ele tomou (*a*) e o pôs depois do relato de Nicodemos, dando assim um padrão geográfico nos capítulos 3-4 de Jerusalém, Judeia, Samaria e Galileia (dos gentios – veja a ordem lucana em At 1,8). O redator tomou X e Y e os combinou em uma só narrativa que foi deixada no início do evangelho.

Comparemos agora as duas teorias representadas por Bultmann e Boismard. São realmente diferentes? A de Bultmann é muito mais simples, e muitos acharão a teoria de Boismard implausível, a saber, que o evangelista compôs três diferentes aberturas para seu evangelho. Na verdade, a reconstrução de Bultmann não é tão diferente da Versão X de Boismard, visto que cada uma foi isolada mediante a remoção de material que tem paralelos sinóticos. A maior diferença é que para Bultmann o material com paralelos sinóticos foi adicionado pelo Redator Eclesiástico, enquanto Boismard pensa no material como pertencente à Versão Y, obra do próprio evangelista.

O fator crucial, pois, parece ser o material com paralelos sinóticos; e se Bultmann está certo, seríamos capazes de detectar neste material um elemento que, ou corrigiria o relato original, ou o faria mais ortodoxo, pois esses foram os motivos que guiaram a mão do Redator Eclesiástico. Todavia, se alguém quisesse corrigir o original como propõe Bultmann, a primeira coisa que ele faria é remediar sua omissão mais evidente, a saber, o relato do batismo de Jesus. O material acrescido não menciona o batismo de Jesus, nem mesmo a voz celesial. Van Iersel, p. 266, está perfeitamente certo em afirmar que neste caso, se houve uma redação, foi com o propósito de suplementar mais que corrigir.

Além do mais, qualquer sugestão de que o material adicional foi tomado dos sinóticos se depara contra as discrepâncias mencionadas em nosso comentário. Recentemente, Dodd (*Tradition*), Buse e Van Iersel têm estudado esmeradamente esta seção e concluído que há dificuldades sérias contra a teoria de empréstimo direto. No material joanino em 1,19-34 que tem paralelos com a tradição sinótica, há trinta e oito *palavras* que João e Marcos partilham, quarenta que João e Mateus partilham e trinta e sete que João e Lucas partilham – obviamente, não há dependência clara de um sinótico mais que do outros. Quanto à *fraseologia*, há duas expressões que somente João e Marcos usam, três que somente João e Mateus usam, uma que somente João e Lucas usam. Independentemente, relatos paralelos do mesmo material parecem ser indicados por tais estatísticas.

Deve-se fazer outra observação ao estimar a capacidade daquele que deu a forma atual a 1,19-34. O delicado equilíbrio entre os dois dias de testemunho revela considerável talento: eles contêm mais ou menos a mesma quantidade de material; cada um tem seu tema; cada um é quase subdividido em duas partes; uma inclusão mantém o todo unido. A despeito dos leves traços de irregularidade no produto final, isso não levaria alguém a admitir que o resultado é consideravelmente mais rico do que o original hipotético de BULTMANN?

A teoria de BOISMARD, apesar de complicada e fastidiosa como é, explica melhor as duplicatas e o fato de que todo o material da seção tenha uma tonalidade harmoniosa. (Abstraímos, como sempre, de sua identificação do redator final como sendo Lucas, identificação essa que, em nossa opinião, vai além da evidência). Seu primeiro passo é teórico demais e desafia as provas, mas os passos dois e três fazem o próprio evangelista responsável por todo o material contido em 1,19-34. Que em alguma época na história da composição do evangelho dois relatos joaninos do testemunho do Batista em prol de Jesus foram unidos no que agora temos é perfeitamente plausível, embora não possamos estar certos de que tal junção fosse a obra do redator final. Pessoalmente, somos mais inclinados a ver a mão do redator final na redação do Prólogo e no consequente deslocamento de 1,6-7(8?) e atribuir a combinação dos relatos a um dos diversos estágios de formação do corpo do evangelho (ver acima, pp. 21-22 – Terceiro e Quarto Estágios).

BIBLIOGRAFIA

BARRETT, C. K., "The Lamb of God", NTS 1 (1954-55), 210-18.
BARROSSE, T., "The Seven Days of the New Creation in St. John's Gospel", CBQ 21 (1959), 507-16.
BOISMARD, M.-E., Du Baptême à Cana (Jean 1.19-2.11) (Paris: Cerf, 1956).
_____ "Les traditions johanniques concernant le Baptiste", RB 70 (1963), 5-42. Sumário inglês em TD 13 (1965), 39-44.
BROWN, R. E., "Three Quotations from John the Baptist in the Gospel of John", CBQ 22 (1960), 292-98. Também em NTE, Ch. viii.

BUSE, I, *"St. John and 'The First Synoptic Pericope',"* NovT 3 (1959), 57-61.

CULLMANN, O., *"Ho opisō mou erchomenos"*, Coniectanea Neotestamentica 11 (1947: Fridrichen Festschrift), 26-32. Também em *The Early Church* (Londres: SCM, 1956), pp. 177-84.

DE LA POTTERIE, I., *"Ecco l'Agnello di Dio"*, BibOr 1 (1959), 161-69.

FAROFALO, S., *"Preparare la strada al Signore"*, RibBib 6 (1958), 131-34.

GIBLET, J., *"Jena 1.29-34: Pour redre témoignage à la lumière"*, BVC 16 (1956-57), 80-86.

XRIEGER, N., *"Fiktive Orte der Johannestaufe"*, ZNW 45 (1954), 121-23.

LEAL, J., *"Exegesis catholica de Agno Dei in ultimis viginti et quinque annis"*, VD 28 (1950), 98-109.

PARKER, P., *"Bethany beyond Jordan"*, JBL 74 (1955), 257-61.

RICHTER, G., *"Bist du Elias? (Joh 1, 21)"*, BZ 6 (1962), 79-92, 238-56; 7 (1963), 63-80.

ROBINSON, J. A. T., *"Elijah, John, and Jesus: an Essay in Detection"*, NTS 4 (1957-58), 263-81. Também em TNTS, pp. 28-52.

SAHLIN, H., *"Zwei Abschnitte aus Joh i. rekonstruiert"*, ZNW 51 (1960), especialmente pp. 67-69.

SCHNACKENBURG, R., "Das vierte Evangelium um die Johannesjünger", *Historisches Jahrburch* 77 (1958), 21-38.

STANKS, Thomas, *The Servant of God in John 1 29, 36* (Louvain Dissertation, 1963).

VAN IERESEL, B. M. F., *"Tradition und Redaktion in Joh. i 19-36"*, NovT 5 (1962), 245-67.

VIRGULIN, S., "Recent Discussion of the Title, 'Lamb of God'," *Scripture* 13 (1961), 74-80.

4. OS DISCÍPULOS DO BATISTA VÃO A JESUS: – OS PRIMEIROS DOIS DISCÍPULOS E SIMÃO PEDRO
(1,35-42)

1 ³⁵No dia seguinte, estava ali João outra vez com dois discípulos; ³⁶e observando Jesus passar, exclamou: "Eis aqui o Cordeiro de Deus". ³⁷Os dois discípulos ouviram o que ele disse e seguiram a Jesus. ³⁸Quando Jesus olhou ao redor e os notou seguindo-o, lhes perguntou: "o que buscai?" Eles lhe disseram: "Rabi, onde estás morando?" ("Rabi" que significa "Mestre"). ³⁹"Vinde e vede", respondeu ele. Então foram ver onde ele morava e ficaram com ele aquele dia (era cerca de quatro da tarde).
⁴⁰Um dos dois que o seguiram, depois de ouvir João, era André, irmão de Simão Pedro. ⁴¹A primeira coisa que ele fez foi encontrar seu irmão Simão, e disse-lhe: "Encontramos o Messias!" (Traduzido, "Messias" significa "Ungido"). ⁴²Ele o levou a Jesus que olhou para ele e disse: "Tu és Simão, filho de João; teu nome será Cefas" (que quer dizer "Pedro").

36: *exclamou*; 38: *perguntou*; 39: *respondeu*; 41: *foi encontrar e disse*. No tempo presente histórico.

NOTAS

1.35. *estava ali*. Literalmente, "estava em pé"; Bernard, I, p. 53, toma-o no sentido de que o Batista estava em pé, aguardando Jesus. Mais provavelmente, o verbo simplesmente implica que ele estava presente; veja BAG, p. 383 (II 2ᵇ).

dois discípulos. Um deles era André (v. 40); o outro não tem seu nome expresso. Deveria ser identificado com o "outro discípulo" = "o discípulo a quem Jesus amava" (tradicionalmente identificado com João, filho de Zebedeu; veja acima p. 98)? O escriba que foi o responsável pelo capítulo 21 poderia ter pensado assim, pois ele descreve o Discípulo Amado em uma situação muito semelhante à que temos aqui (21,20). Todas as listas dos Doze trazem Simão, André, Tiago e João como os quatro primeiros; os sinóticos mencionam estes mesmos quatro (Lucas omite André) como os primeiros discípulos chamados enquanto pescavam no Mar da Galileia (Mc 1,16-20 e par.). *A priori,* pois, pode haver certa probabilidade de que o discípulo não mencionado nominalmente fosse um dos quatro, especialmente visto que o Quarto Evangelho cita nominalmente André e Pedro como dois dos primeiros três chamados. Assim, há alguma base para a identificação do discípulo não nomeado desta passagem como sendo João. BOISMARD, *Du Baptême,* pp. 72-73, argumenta que Filipe é o discípulo sem menção nominal, ressaltando que Filipe e André estão sempre juntos neste evangelho (6,5-9; 12,21-22) e procedem da mesma vila (1,44). Pode-se também salientar que André e Filipe estão juntos na lista dos Doze em Mc 3,18 (os dois nomes são adjacentes em At 1,13, porém não unidos por uma conjunção como um par). Não obstante, a lista em Mateus e Lucas separam seus nomes. A verdadeira dificuldade para BOISMARD é que 1,43 parece introduzir Filipe pela primeira vez e torna difícil de crer que ele já fosse mencionado. Alguns têm sugerido que esta cena em João constitui numa adaptação da cena sinótica onde o Batista envia seus discípulos a fazer perguntas a Jesus (Mt 11,2; Lc 7,19). Há bem poucas similaridades entre as duas cenas.

discípulos. Todos os evangelhos concordam que o Batista tinha discípulos. Aparentemente, por seu batismo, formam um grupo separado, com suas próprias regras de jejum (Mc 2,18 e par.; Lc 7,29-33) e inclusive suas próprias orações (Lc 5,33; 11,1). Jo 3,25 e 4,1 sugerem certa rivalidade entre os discípulos do Batista após a morte deste.

36. *observando.* O verbo *emblepein* (duas vezes em João, aqui e v. 42) significa fixar o olhar em alguém e, assim, olhar com penetração e discernimento. Esse significado é mais apropriado para o v. 42 do que aqui.
37. *Os dois discípulos.* Os mss. gregos leem "seus dois discípulos"; mas a posição de "seus" varia tanto que provavelmente se deva considerar uma clarificação posterior.
38. *notou.* Para *theasthai,* veja Apêndice I:3, p. 794ss. Aqui, o verbo não tem significado especial; a descrição paralela mais próxima em 21,20 usa o *blepein* simples.

buscai. Em seu esforço por estabelecer o substrato aramaico de João, Bois-MARD, *Du Baptême*, p. 73, insiste que o verbo aramaico $b^{e\,\cdot}\hat{a}$ significa tanto "buscar ou procurar por" como "esperar", e que ambos os significados estão envolvidos aqui. Ele vê um significado superficial de "O que quereis?" e um significado mais profundo de "O que estais procurando?" Não obstante, ambas estas nuanças de significado podem ser encontradas no grego *zētein* sem recorrer ao aramaico. A redação variante, "A quem procurais?", reflete uma compreensão da cena como se nela propicia uma teologia do discipulado. Veja também 20,15.

"Rabi". Literalmente, "meu grande [=senhor, mestre]"; a tradução de João como "mestre" não é literal, mas reflete perfeitamente o uso daquele título. (Está implícito em Mt 23,8). Tem-se suscitado a questão se o aparecimento de "rabi" como uma forma de discurso nos evangelhos seria anacrônico. Não há evidência judaica para a prefixação de "rabi" ao nome de algum dos sábios no período anterior a 70. *A Epístola de Sherira Gaon* (10º século d.C.) diz que a primeira pessoa a portar o título "rabban" foi Gamaliel (c. da metade do 1º século), uma data que concorda com a evidência de que somente com a escola em Jâmnia "rabi" veio a ter um uso regular como título para estudiosos "ordenados". Entretanto, E. L. Sukenik, *Jüdische Gräber Jerusalems um Christi Geburt* (Jerusalém: 1931) descobriu um ossário no Monte das Oliveiras onde *didaskalos*, palavra usada em João para "mestre", é usada como título (Pl. 3 in *Tarbiz* 1 [1930]; Frey, *Corpus Inscriptionum Judicarum*, 1266). Sukenik data este ossário em diversas gerações antes da destruição do templo. Se *didaskalos* representa rabi (também representava *mōreh* nesta época), o ossário pode indicar que o uso neotestamentário de rabi além de tudo não é anacrônico. Veja H. Shanks, JQR 53 (1963), 337-45 (com um aviso de que sua hipótese de que Gamaliel o Ancião viveu além de setenta não é usual).

Somente João faz uso frequente do termo "rabi". Lucas não usou; em Mateus, somente Judas fala a Jesus assim. Em João, a frequência dos termos "rabi" e "mestre", usados pelos discípulos ao se dirigirem a Jesus, parece seguir um plano deliberado: estes termos aparecem quase exclusivamente no Livro dos Sinais, enquanto no Livro da Glória os discípulos se dirigem a Jesus como "*kyrios* [senhor]". Nestas formas de discurso, João poderia estar tentando captar o aumento da compreensão da parte dos discípulos.

morando. Para o verbo *menein*, o qual ocorre três vezes nos vs. 38-39, veja Apêndice I:8, p. 794ss. No nível da conversação normal, *menein* pode significar "alojar-se" (Mc 6,10; Lc 19,5), aqui, porém, o termo tem matizes teológicos – veja comentário. O tema de onde Jesus vive é suscitado em Mt 8,18-22 (Lc 9,57-60): certo escrita diz "Mestre, eu te seguirei aonde fores";

mas Jesus diz que o Filho do Homem não tem onde reclinar sua cabeça. Isto é seguido por outro incidente, onde Jesus diz a um discípulo: "Segue-me". Note os paralelos nestas cenas sinóticas ao relato de João.

39. *quatro da tarde*. Literalmente, "a hora décima"; presumivelmente, João está computando as horas a partir do amanhecer, às 6 da manhã. N. WALKER, "The Reckoning of Hours in the Fourth Gospel", NovT 4 (1960), 69-73, tem revivido a sugestão de BELSER e WESTCOTT de que, diferente dos evangelhos sinóticos, João computa as horas a partir do meio dia, segundo o costume dos sacerdotes romanos, dos egípcios etc. Ele alega que 10 da manhã faria melhor sentido no presente contexto. Não obstante, é bem claro no relato joanino da morte de Jesus que o dia seguinte, a Páscoa, começaria no início da noite, e não ao meio dia; este detalhe favorece uma computação das horas vespertinas a partir das 6 da tarde, e as horas matutinas a partir das 6 da manhã.

A indicação de tempo tem alguma importância? Algumas vezes, as anotações joaninas sobre o tempo parecem ter importância especial, p. ex., "meio dia" em 19,14; outras vezes, não, p. ex., "meio dia" [hora sexta] em 4,6. O fato de que dez é um número significativo no AT e um número perfeito para os pitagóricos e FILO tem levado BULTMANN, p. 70, a sugerir que João menciona a hora décima como a hora do cumprimento. Uma sugestão mais importante é que aquele dia era uma sexta-feira, daí a véspera do sábado; assim, os discípulos ficaram com Jesus desde as 4 da tarde de sexta-feira até a noite de sábado, quando o sábado já havia expirado, pois não podiam se mover a alguma distância, uma vez que o sábado começava na noite de sexta-feira. Veja nota sobre 2,1.

40. *irmão de Simão Pedro*. Presumivelmente, Pedro seria bem conhecido do leitor. João mostra uma marcante preferência pelo nome combinado, Simão Pedro. Como o restante do NT, exceto 2Pd 1,1 (e talvez At 15,14), João usa para Pedro "Simão", e não "Simeão". ("Simão" era um genuíno nome grego; "Simeão" seria uma transliteração preferível para o nome hebraico *Šim'ōn*). Mt 10,2 e Lc 6,14 concordam que André e Pedro eram irmãos.

41. *A primeira coisa que ele fez foi*. Há diversas redações e traduções possíveis: (a) *prōton*. O uso adverbial do neutro do adjetivo (= André *primeiro* encontrou seu irmão antes de fazer alguma outra coisa) é a redação mais bem atestada, apoiada por P[66,75]; é adotada aqui. ABBOTT, JG, § 1901[b], interpreta *prōton* como acusativo modificando Simão e indicando que Pedro tem o primeiro lugar; assim também CULLMANN, *Peter* (2 ed., 1962), p. 30; (b) *prōtos*. O adjetivo masculino nominativo modificando "André" é encontrado em mss. sináiticos e gregos posteriores. Esta redação (André foi o primeiro a encontrar seu irmão Simão Pedro) tem sido tomada por

muitos para subentender que, subsequentemente, o outro discípulo não mencionado nominalmente (João?) foi encontrar seu irmão (Tiago). Alguns veem esta implicação também na redação *prōton*, p. ex., ABBOTT, JG, 1985. (**c**) *prōi*. Este advérbio, significando "no início da manhã seguinte", tem o endosso do OL e do OS^cur; é adotada por BERNARD e BOISMARD, porque ela favorece a hipótese dos sete dias (p. 300 abaixo). Não obstante, outro dia parece estar implícito por 1,39 mesmo sem esta tradução, embora a redação *prōi* enfatize a hora matutina vá de encontro à hipótese do sábado mencionada em relação ao v. 39. O advérbio é uma "leitura fácil" e pode ser uma tentativa escribal de clarificar o obscuro *prōton*. (**d**) A palavra é omitida totalmente por TACIANO, OS^cur, e alguns dos Padres.

seu irmão. O grego tem *idios* que pode ser traduzido "seu próprio irmão" em favor da teoria de dois grupos de irmãos supramencionados sob (*b*). BDF, § 286¹, contudo, insiste que ele não é enfático.

Messias. A transliteração grega do aramaico $m^e \check{s}\bar{\imath}\d{h}\hat{a}$ (= heb. $m\bar{a}\check{s}\bar{\imath}\d{h}$) ocorre no NT somente aqui e em 4,25.

"*Ungido*". Literalmente, *Christos*; por analogia em 1,38, este não deve ser transliterado como "Cristo", e sim traduzido com este significado.

42. *olhou para*. Veja nota sobre "observando" no v. 36.

filho de João. As testemunhas textuais mais recentes leem "filho de Jonas", pela assimilação de Bar Jonah em Mt 16,17. Não fica claro se "Jonas" e "João" com o equivalente grego de "Jonah", mas isto pode representar confusão.

Cefas. Somente João, entre os evangelhos, dá a transliteração grega do nome aramaico de Pedro, *Kēphâ*, ou, talvez, no aramaico galileu *Qēphâ*, visto que *kappa* grego geralmente traduz o *qoph* semítico (BDF, § 39²); um intercâmbio de *qoph* e *kaph* é atestado pelo aramaico galileu. Mt 16,18 endossa o substrato aramaico, porém não o expressa (o jogo de palavras em "Pedro" e "rocha" não é bom em grego, onde a primeira é *Petros* e a segunda é *petra*; é perfeito em aramaico, onde ambas são *qēphâ*). Nem *Petros* em grego nem *Kēphâ* em aramaico é o nome próprio normal; antes, é uma alcunha (como o português "Rocha") que teria de ser explicado por algo no caráter ou na carreira de Simão.

COMENTÁRIO: GERAL

O capítulo 1,35-50 está associado ao testemunho do Batista em 1,19-34 pelo simples recurso de repetir o testemunho do Batista acerca de Jesus como o Cordeiro. O testemunho reiterado em 1,36, contudo, já não tem em si mesmo valor revelatório; seu propósito é iniciar a cadeia de relação que trará os discípulos do Batista a Jesus e os fará discípulos do próprio Jesus. Como 1,7 prometeu, através do Batista os homens já começaram a crer.

O mesmo plano de divisão que encontramos nos vs. 19-34 se encontra aqui. O material está separado ao longo de dois dias, mencionado especificamente em 35 e 43 (outro dia bem que pode estar implícito em 39, mas o evangelista não o grafou com maiúscula). Dentro de cada dia há um padrão de subdivisão, como pode ser visto claramente no Esboço (p. 218).

Nos vs. 35-50, João menciona cinco discípulos: André, um discípulo não mencionado nominalmente, Pedro, Filipe e Natanael; em outro lugar, este evangelho menciona Judas Iscariotes, outro Judas e Tomé (os "filhos de Zebedeu", em 21,2, podem ser uma glosa). Embora João mencione "os Doze" (6,67; 20,24), não há uma lista joanina dos Doze.

O relato joanino do chamado dos primeiros discípulos é bem diferente do relato sinótico, muito embora ao menos dois dos mesmos personagens (Pedro e André) estejam envolvidos. Segundo João, o chamado parece ter ocorrido em Betânia, na Transjordânia, e os primeiros discípulos fossem anteriormente discípulos do Batista. Segundo os sinóticos, o chamado ocorreu na praia do Mar da Galileia, onde Pedro, André, Tiago e João estavam pescando. A harmonização padrão é que Jesus primeiro chamou os discípulos como João narra, mas que, subsequentemente, voltaram à sua vida normal na Galileia até que Jesus foi lá para chamá-los de novo ao ministério, como narram os sinóticos. Pode haver alguma verdade básica nesta reconstrução, porém vai consideravelmente além da evidência dos próprios evangelhos. Em João, uma vez que os discípulos são chamados, permanecem discípulos de Jesus sem a mais leve sugestão de voltarem outra vez à vida normal. Nem no relato sinótico do chamado na Galileia há qualquer indicação de que estes homens tivessem visto previamente a Jesus. De fato, Lucas parece embaraçado diante do fato de que estes homens seguissem a Jesus no primeiro contato, e muda a ordem marcana do material a fim de fazer a cena mais razoável. (Em 4,38-5,11, Lucas põe a cura da sogra de Pedro antes do chamado de Pedro para fornecer o motivo de um milagre para explicar por que Pedro segue a Jesus). Tal procedimento dificilmente teria sido necessário se fosse pressuposto que Pedro e André conhecessem Jesus e ouvissem o testemunho do Batista.

Não obstante, a informação de João é bem plausível, como a própria discrepância do relato sinótico poderia indicar. Há em At 2,21-22 um eco de que os primeiros discípulos realmente se juntaram a Jesus no momento de seu batismo; pois Pedro insiste que aquele que assumisse o lugar de Judas fosse um dos homens "que nos acompanharam durante todo o tempo em que o Senhor entrava e saía entre nós, *começando do batismo de João*". Visto que esta observação não se harmoniza com o próprio relato no evangelho de Lucas, há boa razão para levá-lo a sério.

Entretanto, mesmo que a informação histórica sublinhe o relato de João, ele foi reorganizado conforme a uma certa orientação teológica. Em 1,35-51 e 2,1-11, João apresenta um paradigma da vocação cristã. Em cada dia há um aprofundamento gradual na compreensão mais profunda acerca daquele a quem os discípulos estão seguindo. Isto chega a um clímax em 2,11, onde Jesus revelou sua glória e os discípulos creram nele. Também, precisamente como o evangelista usou o testemunho do Batista para apresentar ao leitor uma rica cristologia, assim em 1,35-52 ele extrai dos discípulos um testemunho acerca de Jesus que constitui uma cristologia ainda mais rica. Nos sinóticos e em Atos descobrimos que antes e depois da ressurreição os discípulos aplicaram a Jesus títulos extraídos do AT através dos quais deram expressão à sua compreensão de sua missão. De fato, algumas das abordagens modernas da cristologia neotestamentária consistem de um estudo de tais títulos. O que João fez foi reunir estes títulos na cena da vocação dos primeiros discípulos. Nos vs. 35-42, Jesus é referido como rabi (mestre) e Messias; em 43-50, como aquele descrito na Lei mosaica e nos profetas, como Filho de Deus e Rei de Israel; finalmente, em 51, Jesus refere a si mesmo com o título Filho do Homem.

Que os discípulos não atingiram tal percepção em dois ou três dias, o próprio início do ministério é bastante óbvio a partir da evidência dos sinóticos. Por exemplo, somente no meio do relato de Marcos (8,29) é que Pedro proclama Jesus como Messias, e isto é apresentado como um clímax. Tal cena seria absolutamente ininteligível se, como narrada em João, Pedro soubesse que Jesus é o Messias antes de havê-lo encontrado. O próprio Quarto Evangelho, subsequentemente, insiste sobre o gradual desenvolvimento da fé dos discípulos (6,66-71; 14,9); e, deveras, João é o mais insistente de todos os evangelhos de que a plena compreensão do papel de Jesus só veio depois da ressurreição (2,22; 12,16; 13,7). Assim, não podemos tratar Jo 1,35-51 simplesmente como uma narrativa histórica. É bem provável que João esteja correto em preservar a memória, perdida nos sinóticos, de que os primeiros discípulos foram antes discípulos do Batista e foram chamados no vale do Jordão justamente depois do batismo de Jesus. João, porém, colocou em seus lábios, neste momento, um esquema do gradual aumento de compreensão que ocorreu por todo o ministério de Jesus e depois da ressurreição. João usou a ocasião do chamado dos discípulos para resumir o que significa a condição do discipulado em todo o seu desenvolvimento.

COMENTÁRIO: DETALHADO

Dois discípulos seguem a Jesus como Rabi (1,35-39)

Neste tempo, a proclamação que o Batista faz de Jesus como o Cordeiro de Deus acha um auditório quando dois discípulos *seguem* a Jesus. O tema de "seguir" Jesus aparece nos vs. 37, 38, 40, 43. Isto significa mais do que andar na mesma direção, pois "seguir" é o termo por excelência para a dedicação do discipulado. Ouvimos de seguir como um discípulo em 8,12; 10,4.27; 12,26; 13,36; 21,19.22; e em Mc 1,18 e paralelo (os discípulos junto ao Mar da Galileia). O imperativo "segue-me" aparece nos relatos sinóticos do chamado dos discípulos (Mc 2,14: chamado de Levi; Mt 8,22: chamado de um discípulo sem nome; Mt 19,21: chamado do jovem rico). Assim, desde as primeiras palavras, João insinua que os discípulos do Batista estão para se tornar discípulos de Jesus. Por causa disto, o Batista agora pode desaparecer da cena e permitir que seus discípulos assumam a tarefa de dar testemunho acerca de Jesus. "Que ele [Jesus] cresça e eu diminua" (3,30).

Note que no início do processo do discipulado é Jesus quem toma a iniciativa, voltando-se e dirigindo-lhe a palavra. Como Jo 15,16 enunciará, "não fostes vós que me escolhestes. Não, eu vos escolhi". As primeiras palavras de Jesus no Quarto Evangelho constituem uma pergunta que ele dirige a cada um que o seguir: "A quem buscais?" Com isto João implica mais do uma indagação banal sobre a razão deles para andarem após ele. Esta questão toca a necessidade básica do homem que o faz voltar-se para Deus, e a resposta dos discípulos deve ser interpretada no mesmo nível teológico. O homem deseja ficar (*menein*: "habitar, permanecer") com Deus; ele está constantemente buscando superar a temporalidade, mudança e morte, buscando encontrar algo que seja permanente. Jesus responde com o desafio todo-abrangente dirigido à fé: "Venha e veja". Por toda parte, o tema de João de "ir" a Jesus será usado para descrever a fé (3,21; 5,40; 6,35.37.45; 7,37 etc.). De modo semelhante, "ver" Jesus com percepção é outra descrição joanina da fé. É interessante que em 5,40; 6,40.47, promete-se vida eterna respectivamente aos que vão a Jesus, aos que olham para ele e aos que creem nele – três diferentes maneiras de descrever a mesma ação. Se a preparação dos discípulos começa quando *vão* a Jesus para *ver* onde ele está morando e *ficar* com ele, ela será completada quando *virem* sua glória e *crerem* nele (2,11). Esta cena é a antecipação do que ouviremos em 12,26: "Se alguém me serve, então me siga; e onde eu estiver, aí também estará o meu servo".

Devemos notar que algo da linguagem desta seção se origina do tema de Jesus como a Sabedoria divina (veja Introdução, Parte VIII:D), como salienta Boismard em *Du Baptême*, pp. 78-80. De Sb 6, por exemplo, pode-se extrair os seguintes paralelos:

6,12: A Sabedoria se deixa *ver* facilmente por aqueles que a amam e é *encontrada* por aqueles que a *buscam*.
6,13: "Ela antecipa os que a desejam, primeiramente fazendo-se conhecida deles", justamente como Jesus toma a iniciativa.
6,16: "Ela vai em busca dos que são dignos dela e graciosamente se manifesta a eles quando se põem em seu caminho" – veja Jo 1,43.

Em Pr 1,20-28, a Sabedoria clama em voz alta nas ruas, convidando o povo a ir a ela; os que recusam este chamado buscam-na e não a encontram. Aquele que acha a Sabedoria acha a vida (8,35). Assim também nos versículos subsequentes de João os discípulos sairão triunfantemente anunciando a outros o que já encontraram (1,41.45).

André encontra Simão e o leva a Jesus o Messias (1,40-42)

Mesmo quando isto pode ter acontecido em outro dia (veja nota sobre v. 39), João não menciona outro dia para que não se perdesse a conexão com a cena precedente. Os discípulos começariam a agir como apóstolos e levariam outros a Jesus.

No momento em que André acha Pedro, ele sabe que Jesus é o Messias. Dodd, *Tradition*, p. 290, relaciona esta identificação com a proclamação que o Batista faz de Jesus como o Cordeiro de Deus (para Dodd, título equivalente a Messias). Não obstante, depois que André e seu companheiro ouviram esta proclamação acerca do Cordeiro, falaram a Jesus meramente como rabi. É o interesse deles de ficarem com Jesus que, segundo a teologia joanina, lhes deu um conhecimento mais profundo sobre quem é ele.

Enquanto no Quarto Evangelho André confessa Jesus como Messias, esse privilégio na tradição sinótica recai em Simão (Mc 8,29 e par.). É interessante que João conecta a confissão messiânica com o chamado de Simão e, como faz Mt 16,16-18, com a mudança de nome, de Simão para Pedro. Todos os evangelistas sabem que Simão recebeu o nome de Pedro, mas somente Mateus e João mencionam a ocasião em que ele a recebe (Mc 3,16 simplesmente menciona o fato da mudança sem necessariamente implicar que já havia acontecido quando Jesus chamou os Doze). Em João, a mudança de nome ocorre no início do ministério; em Mateus ela ocorre já havia passado mais da metade do ministério. Como se sabe à luz do AT, o ato de dar um novo nome tem uma relação direta com o papel que o homem exercerá na história da salvação (Gn 17,5; 22,28). Neste ponto, o relato de Mateus é mais polido do que o de João, pois Mateus explica a relação do novo nome ("rocha") com o papel de Pedro como a pedra fundamental da Igreja. João ressalta apenas que o nome veio do discernimento de Jesus em relação a Pedro ("Jesus olhou para ele"). O uso que João faz da forma aramaica do nome é outro fator em abono da antiguidade da forma joanina da tradição.

Bultmann, p. 71², tenta harmonizar João e Mateus, insistindo no tempo futuro em Jo 1,42: "Tu *serás* chamado Cefas". Ele crê que o relato de João deve ser tratado como profecia de uma cena futura como Mt 16,18, a qual João não narra porque era extremamente conhecida. Não obstante, a interpretação que Bultmann faz do tempo futuro certamente é duvidosa, pois o tempo futuro é parte do estilo literário da mudança de nome, mesmo quando o nome é mudado no mesmo instante. O futuro é usado na LXX de Gn 17,5 e 15, ainda quando o autor consistentemente use o novo nome daquele momento em diante. Aparentemente, pois, o relato de João significa que o nome de Simão foi mudado para Pedro em seu primeiro encontro com Jesus. Para mais sobre a interpretação das cenas petrinas em João e Mateus, veja comentário sobre 6,69.

Orígenes (*Catena Frag.* XXII; GCS 10:502) nos dá o primeiro exemplo de uma importante interpretação de Jo 1,42. Ele vê aqui um indício de que Simão tomará o lugar de Jesus, já que Jesus, *que é a rocha*, chama Simão de "rocha", ainda quando Jesus, que é o pastor (10,11.14), faz de Simão um pastor (21,15-17). É verdade que João faz essa alusão na imagem de Jesus como a rocha ferida por Moisés no deserto (7,38), mas este evangelho nunca chama Jesus especificamente a rocha (como faz 1Cor 10,4), nem fala de Jesus como a pedra angular (At 4,11; Rm 9,33; Mt 21,42). Consequentemente, a interpretação de Orígenes parece ser mais um caso de teologização da evidência neotestamentária geral do que uma exegese de João. Veja abaixo, p. 283.

[A bibliografia para esta seção está inclusa na Bibliografia no final do § 5.]

5. OS DISCÍPULOS DO BATISTA VÃO A JESUS: – FILIPE E NATANAEL

(1,43-51)

1 ⁴³No dia seguinte, ele queria ir para a Galileia, então encontrou Filipe. "Segue-me", disse-lhe Jesus. ⁴⁴Ora, Filipe era de Betsaida, a mesma vila de André e Pedro. ⁴⁵Filipe encontrou Natanael e lhe disse: "Encontramos aquele descrito na Lei mosaica e nos profetas – Jesus, filho de José, de Narazé". ⁴⁶Mas Natanael retrucou: "Nazaré! Pode vir algo bom dali?" Então Filipe lhe disse: "Vem e vê por ti mesmo". ⁴⁷Quando Jesus viu a Natanael vindo para ele, exclamou: "Eis aqui um genuíno israelita; nele não existe dolo". ⁴⁸"Como me conheces?", perguntou Natanael. "Antes que Filipe ter te chamado", respondeu Jesus, "eu te vi debaixo da figueira". ⁴⁹Natanael replicou: "Rabi, tu és o Filho de Deus; tu és o Rei de Israel". ⁵⁰Jesus respondeu: "Tu crês, só porque eu te disse que te vi debaixo da figueira? Verás coisas muito maiores do isso".

⁵¹E ele lhe disse: "Verdadeiramente, eu asseguro a todos vós, vereis o céu aberto e os anjos de Deus subindo e descendo sobre o Filho do Homem".

43: *encontrou, disse*; 45: *encontrou, disse*; 46: *disse*; 47: *exclamou*; 48: *perguntou*; 51: *disse*. No tempo presente histórico.

NOTAS

1.43. *ele queria... encontrou*. A identidade do sujeito não é clara. Pedro foi mencionado por último e então gramaticalmente seria a melhor escolha

5 • Os discípulos do batista vão a Jesus: Filipe e Natanael

para o sujeito. Entretanto, enquanto João poderia nos dizer que Pedro encontrou Filipe, dificilmente ele se deteria para nos dizer que Pedro queria ir para a Galileia. Na presente sequência, provavelmente Jesus está implícito como o sujeito, embora em um estágio anterior da narrativa André poderia ter sido o sujeito (veja comentário).

ir. Aparentemente, Jesus ainda está na região de Betânia, a uma distância de dois dias da Galileia (2,1).

encontrou. Os que pensam que Filipe era um dos dois discípulos mencionados em 1,35ss., interpretam isto no sentido de "encontrou outra vez". Apontam para o uso de "encontrar" em 5,14 e 9,35, onde Jesus sai em busca de um homem que estivera com ele há pouco tempo antes. Não obstante, nesses casos a conotação peculiar de "encontrar outra vez" é clarificada pelo contexto. O v. 43 parece não ser diferente do v. 41, onde "encontrar" é usado para introduzir um personagem.

Filipe. Ele é o terceiro discípulo a ser mencionado nominalmente em João, depois de André e Simão Pedro; a mesma ordem se encontra na lista que PAPIAS faz dos anciãos a quem ele consultou (acima, pp. 94-95). Embora Filipe seja mencionado nominalmente em todas as listas dos Doze, somente João lhe dá algum papel na narrativa do evangelho (6,5-7; 12,21-22; 14,8-9). A memória de Filipe foi honrada em Hierápolis, a sé de PAPIAS, e ali se menciona a presença das filhas de Filipe (EUSÉBIO *Hist*. 3, 31:3; GCS 9¹: 264). É bem provável que o último detalhe aponta para uma confusão acerca de Filipe, um dos sete líderes helenistas (At 6,5), que viveu em Cesareia com quatro filhas (21,8-9).

44. *Ora*. Ou, talvez, "pois", se o fato de que Filipe era da Galileia foi a razão por que Jesus o chamou antes de sair para a Galileia.

Betsaida. João pensa em Betsaida como estando na Galileia (explicitamente, em 12,21); na verdade, era em Gaulanitis, território de Filipe além da fronteira da Galileia de Herodes. A localização de João pode refletir o costume popular: ela aparece também na *Geografia* de Ptolomeu (5, 16:4); JOSEFO, *Ant*. 18.1.1; 4, fala de Judas, o revolucionário, como de Gaulanitis, mas em 1.6; 23 o chama de galileu. Também a informação de João pode refletir as divisões políticas de um período posterior (BERNARD, II, p. 431, sugere que em torno de 80 a extensão da Galileia incluía Betsaida).

a mesma vila de André e Pedro. O território de Filipe era densamente gentílico, um fato que pode explicar por que judeus como André e Filipe tivessem nomes gregos (veja também nota sobre Simão/Simeão, 1,40). Que o lar de André e Pedro fosse em Betsaida não se harmoniza com Mc 1,21.29, que parece localizar seu lar em Cafarnaum. Seguindo ORÍGENES, BOISMARD, *Du Baptême*, p. 90, sugere que Betsaida foi introduzida no relato de João em razão de significar "local de caça [pesca]", e assim temos uma referência simbólica ao tema de Mt 4,19: "Segui-me, e eu vos farei pescadores de homens". Abbott, JG, § 2289, harmoniza sobre a base de uma distinção entre a preposição *ek* e *apo*; ele sugere que Filipe (e igualmente Pedro e André) era de Betsaida no sentido de que nascera ali, mas seu lar atual era em Cafarnaum. A base gramatical é fraca; mas, caso se faça necessário uma harmonização, esta é uma solução possível.

45. *Natanael*. Este discípulo, conhecido somente de João, não aparece em nenhuma lista dos Doze. Visto ser natural de Caná, a tradição grega o identifica com Simão o cananeu (Mc 3,18; Mt 10,4) – uma etimologia equivocada. No 9º século, Ish'odad de Merv o identificou com Bartolomeu, porque, justamente como Natanael vem depois de Filipe em João, assim o nome de Bartolomeu segue o de Filipe em todas as listas dos Doze, exceto a de At 1,13. O nome Natanael significa "Deus tem dado", e isto tem levado alguns a identificarem-no com Mateus, cujo nome significa "dom de Iahweh". Todas estas identificações são forçadas e implicam que o discípulo tinha dois nomes hebraicos. É preferível aceitar as antigas sugestões patrísticas de que ele não era um dos Doze; veja a cuidadosa discussão documentada por U. Holzmeister, Bib 21 (1940), 28-39. Embora João tivesse em mente que Natanael veio a ser um símbolo de Israel indo a Deus, não há evidência de que Natanael seja uma figura meramente simbólica.

Jesus, filho de José. Esta é a forma normal de distinguir este Jesus particular dos outros do mesmo nome em Nazaré (também 6,42; Lc 4,22). Outra designação, "filho de Maria" (Mc 6,3), é estranha e pode ser um indício de ilegitimidade – veja E. Stauffer, *Jesus and His Story* (Londres: SCM, 1960), pp. 23-25.

46. *"Nazaré! Pode vir algo bom dali?"* O dito pode ser um provérbio local refletindo ciúme entre a vila de Natanael, Caná, e a vizinha, Nazaré. Boismard, *Du Baptême*, p. 93, aponta para a dúvida expressa em 7,52 de que o Messias pudesse vir da Galileia; todavia, Filipe não disse especificamente a Natanael que Jesus era o Messias. Outra sugestão de Boismard de que Natanael está evocando a teoria do Messias oculto (veja acima, p. 234s.) parece ir além da evidência. Se Galileia, em vez de Nazaré, é o foco real da objeção, então se pode notar que "profetas" galileus já tinham causado problema, p. ex., Judas o galileu, de At 5,37 (Josefo *Ant*. XX.V.2; 102).

47. *um genuíno israelita*. Literalmente, "verdadeiramente um israelita"; o advérbio *alēthōs* nessa posição pode servir como o equivalente de um adjetivo (*alēthinos*). Veja Apêndice I:2, p. 794ss. Bultmann, p. 73[6], diz que ele significa "alguém digno do nome de Israel".

nele não existe dolo. Não fica claro o que há sobre Natanael para provocar esta observação. Teria sido sua prontidão em crer quando indicado?

48. *Como me conheces?* Literalmente, "De onde me conheces?"; Jesus responderá quanto ao *onde* ele o viu. Para paralelos semíticos e clássicos para o intercâmbio de palavras interrogativas como "donde" e "como", veja BARRETT, p. 154.

    debaixo da figueira. João sublinha a habilidade de Jesus conhecer coisas além da condição humana normal. Todavia, a impressão de que a afirmação de Jesus causa em Natanael tem levado comentaristas a especular sobre o que Natanael estaria fazendo debaixo da figueira. Algumas vezes os rabis ensinavam ou estudavam debaixo de uma figueira (Midrásh Rabbah sobre Eclesiastes v. 11) e inclusive comparavam a Lei à figueira (TalBab *Erubin* 54a); e assim surge aí uma tradição de que Natanael era um escriba ou rabi. A menção da Lei, no v. 45, tem sido usada para endossar isto; e é com base nisso, de que Natanael era erudito, que levou AGOSTINHO a excluí-lo dos Doze! JEREMIAS, *art. cit.*, pensa no simbolismo da árvore do conhecimento no Paraíso. Ele sugere que provavelmente Natanael estivesse confessando seus pecados a Deus debaixo da árvore e que Jesus lhe está assegurando que seus pecados foram perdoados por Deus (veja Sl 32,5). C. F. D. MOULE, *art. cit.*, recorda o relato de Suzana (deuterocanônico Dn 13), onde as testemunhas são testadas com perguntas concernentes à árvore debaixo da qual ocorreu o adultério. Ele cita evidência talmúdica para a fórmula: "Debaixo de qual árvore?", como uma prova de evidência; e pensa ser possível que Jesus estivesse mostrando que ele tem conhecimento acurado de Natanael. Por causa da referência a Natanael como um israelita (Israel = Jacó), ainda outros sugerem que ele estava lendo os relatos de Gênesis sobre Jacó. Outros nos lembram que em Mq 4,4 e Zc 3,10, "assentar debaixo da figueira" é um símbolo de paz e abundância messiânicas. Estamos longe de exaurir as sugestões, todas elas frutos de mera especulação.

49. *Rabi.* Os discípulos continuam a chamar Jesus de "Mestre", ainda quando lhe aplicassem títulos muito mais significativos. Este é um elemento de reminiscência histórica dentro do tema teológico de conhecimento intensificado.

50. Compare este versículo com 11,40: "Eu não te disse que, se creres, verás a glória de Deus?" A promessa de *ver* em 1,50 se cumpre em 2,11 com a manifestação da glória de Jesus em Caná, onde os discípulos *creram*.

51. *Verdadeiramente, eu asseguro a todos vós.* Usaremos esta expressão e variantes como: "Que eu vos assegure firmemente"; "solenemente vos asseguro" para a tradução de "Amém, amém". Os sinóticos usam ou "Eu vos digo"

ou "Amém, eu vos digo"; um amém sozinho ocorre 31 vezes em Mateus, 13 vezes em Marcos, 6 vezes em Lucas. Somente João usa o "amém" duplicado (veja Mt 5,37 para "sim, sim"), e isto ocorre 25 vezes. Os judeus usavam "amém" (duplicado em Nm 5,22) em corroboração e resposta, particularmente na oração, mais ou menos como as congregações respondem aos pregadores evangélicos. O uso que Jesus faz do "amém" como prefácio a uma afirmação é peculiar e indubitavelmente uma autêntica reminiscência. (Veja D. Daube, JTS 45 [1944], 27-31 para dois exemplos judaicos os quais ele crê serem semelhantes ao costume de Jesus. J. Naveh, IEJ 10 [1960], 129-39, publicou uma carta hebraica do 7º século a.C. na qual ʾmn é usado como uma afirmação de que a declaração ou juramento é verdadeiro). Jesus tem ouvido do Pai tudo o que ele diz (8,26.28), e o "amém" com o qual introduz o que diz nos assegura que Deus garante a veracidade de suas afirmações. Ele é a Palavra de Deus; é o Amém (Ap 3,14; 2Cor 1,19). A raiz hebraica envolvida (ʾmn) significa "confirmar, tornar certo, endossar"; no passivo "ser endossado" significa "ser verdadeiro". Em nossa tradução, temos tentado captar estas conotações.

vereis. O "doravante" anexado, aparecendo nos manuscritos posteriores, é uma glosa escribal de Mt 26,64: "doravante vereis o Filho do Homem assentado à mão direita do Poder, e vindo sobre as nuvens do céu".

Filho do Homem. Este título tem suas raízes em Ezequiel, Dn 7,13 (= símbolo humano do vitorioso povo de Deus), e *1 Enoque* (= salvador preexistente). Todos os evangelhos concordam que Jesus usava este como uma auto-designação, e aparentemente mais frequente do que qualquer dos outros títulos associados com ele. Nos sinóticos há três grupos de afirmações Filho do Homem: (1) as que se referem à atividade terrena do Filho do Homem (comendo, morando, salvando o perdido); (2) as que se referem ao sofrimento do Filho do Homem; (3) as que se referem à glória e parousia futuras do Filho do Homem em juízo. Há em João doze passagens que mencionam o Filho do Homem, todas no Livro dos Sinais, exceto 13,31. Embora Jesus fale amiúde de seu retorno no último discurso (13-17), ele não usa "o Filho do Homem" em tais referências. Três das passagens sobre o Filho do Homem dizem respeito à sua "ascensão" (3,14; 8,28; 12,34), uma expressão que se refere tanto à crucifixão quanto ao retorno à presença do Pai no céu – portanto, passagens que tocam os grupos sinóticos 2 e 3. A maioria das passagens joaninas sobre o Filho do Homem diz respeito à glória futura; o juízo final é mencionado em 5,27. O grupo sinótico 1 não é apresentado nas passagens joaninas sobre o Filho do Homem. Veja R. Schnackenburg, *"Der Menschensohn im Johannes -evangelium",* NTS 11 (1964-65), 123-37.

5 • Os discípulos do batista vão a Jesus: Filipe e Natanael

COMENTÁRIO: GERAL

As duas divisões da narrativa que descrevem a vinda dos primeiros discípulos a Jesus (1,35-42 e 43-50) têm um equilíbrio ainda mais estrito das partes do que as duas divisões da narrativa do testemunho do Batista (1,19-28 e 29-34). Note os seguintes paralelos:

§ 4 (35-42)	§ 5 (43-50)
35-39	*43-44*
Jesus encontra dois discípulos	Jesus (?) encontra Filipe
Eles o seguem	"Segue-me"
"Vinde e vede"	
40-42	*45-50*
Um dos dois, André, encontra Simão	Filipe encontra Natanael
André: "Encontramos o Messias"	Filipe: "Encontramos aquele descrito"...
	"Vem e vê"
Jesus olha para Simão	Jesus vê Natanael vindo
Jesus saúda Simão como Cefas	Jesus saúda Natanael como um genuíno israelita

O equilíbrio não é perfeito. Em § 4 o diálogo longo, na primeira parte; em § 5 ele está na segunda parte. O mesmo se pode dizer de "Vem e vê". A divisão entre as duas partes de § 4, como indicada pela conotação de tempo do v. 39, é mais nítida, visto que se pode inferir que a segunda parte ocorre em outro dia. Não há tal interrupção em § 5, cuja tradução temos impressa como um parágrafo. (BOISMARD, *Du Baptême*, p. 95, divide § 5 entre vs. 46-47 e, sem a mais leve justificativa no texto, supõe que a última parte da cena ocorreu em outro dia. Sua divisão negligencia a óbvia similaridade entre 45 e 40-41, um paralelismo que obriga a estabelecer a divisão antes de 45 do mesmo modo como se estabelece antes de 40).

Vimos (pp. 255-258) que a delicada divisão e equilíbrio das partes em "O Testemunho de João Batista" (1,19-28 e 29-34, § 2 e § 3) foi o resultado de redigir e combinar relatos distintos. As imperfeições que revelam o processo redacional pode também ser visível aqui, especialmente na obscuridade encontrada na abertura de § 5 (v. 43 – nota). BULTMANN,

p. 68, faz uma interessante observação quando afirma que a passagem faria mais sentido se André fosse aquele que encontrou Filipe. André e Filipe são não só amigos íntimos no evangelho, mas também isto explica o enigmático v. 41: André *primeiro* encontrou seu irmão Simão; então encontrou Filipe. Mas no processo redacional, a introdução do tema da ida de Jesus para a Galileia fez agora de Jesus o sujeito que encontra Filipe, e assim o equilíbrio foi criado com a abertura de § 4 onde Jesus toma a iniciativa. Tal mudança é, naturalmente, de pouca importância.

COMENTÁRIO: DETALHADO

Filipe segue a Jesus (1,43-44)

Aceitando o atual estado da narrativa em que Jesus é aquele que encontra Filipe, nos deparamos com a sugestão de que a decisão de Jesus de deixar o vale do Jordão, indo para a Galileia, se relaciona com o chamado de Filipe. Talvez, antes de deixar a região, se possa imaginar Jesus como a esperar concluir o chamado de todos os discípulos do Batista para que o seguissem. Há quem sugira que Jesus esperava particularmente Filipe, porque, sendo de Betsaida da Galileia, ele poderia agir como guia para a viagem. Isto faria sentido se Jesus estivesse indo imediatamente do vale do Jordão para o Mar da Galileia (como nos sinóticos: Mc 1,14-16; Mt 4,12-13), região familiar a Filipe. Mas em João Jesus voltará à sua própria região, as partes montanhosas de Nazaré e Caná. Pode ser que o fato de Filipe chamar Natanael, que era de Caná, local do próximo relato, seja a chave para o raciocínio do evangelista.

Temos presumido que o chamado de Filipe ocorreu no vale do Jordão. Outros interpretam o v. 43 no sentido de que Jesus realmente saíra para a Galileia e encontrara Filipe de caminho, talvez nas proximidades do Mar da Galileia. Então, seguindo isso, Filipe encontrou Natanael na Galileia. No entanto, a indicação em 2,1 é que a viagem se deu após o chamado de Filipe e Natanael.

Natanael vai a Jesus, o Filho de Deus e Rei de Israel (1,45-50)

O chamado de Filipe não envolveu a atribuição de algum novo título a Jesus, e aparentemente não desenvolve o tema de conhecimento progressivo. No entanto, como mostram as palavras de Filipe a Natanael, tem havido, respectivamente, dois novos títulos e há um conhecimento mais profundo. A identificação de Jesus como "aquele descrito na Lei mosaica e nos profetas", provavelmente seja uma afirmação geral de que Jesus é o cumprimento de todo o AT. Lc 24,27 indica que, após a ressurreição, os discípulos vieram a ter uma compreensão mais plena de Jesus, pois Jesus explicou aos dois discípulos na estrada de Emaús como todas as coisas na Escritura se referiam a ele mesmo: "começando por Moisés e todos os profetas". (A tradição tem conectado as cenas joaninas e lucanas, identificando Natanael como um dos dois: EPIFÂNIO *Adv. Haer*. 23,6; PG 41:305). Em Jo 5,39, somos informados que as Escrituras testificam em favor de Jesus; em 5,46, que Moisés escreveu sobre ele; em 6,45, que o que está escrito nos profetas é representado em seu ministério.

Acaso se pretende algo mais específico na descrição de Filipe? A frase "aquele descrito na Lei de Moisés" poderia muito bem identificar Jesus como o Profeta-como-Moisés de Dt 18,15-18. O "aquele descrito pelos profetas" é mais difícil de identificar: poderia ser o Messias, o Filho do Homem (Daniel) ou inclusive Elias (Malaquias). A última possibilidade é sugestiva, pois então Filipe estaria identificando Jesus como o Profeta-como-Moisés e Elias – os dois grandes representantes da Lei e dos profetas. Adicionando isto à identificação de Jesus como o Messias, no v. 41, teríamos então os discípulos do Batista reconhecendo Jesus sob os mesmos três títulos que o Batista havia negado – mas pode ser que isto seja ir longe demais.

Natanael reage às notícias de Filipe sobre Jesus com dúvida aviltante, uma reação que Jesus encontrará com muita frequência entre os que creem na Lei e nos profetas (p. ex., 7,15.27.41). Mas quando Filipe insiste, Natanael se dispõe a ir e ver; portanto, ele não é como "os judeus" do capítulo 9 que alegam aceitar Moisés (9,29), porém rejeitam o desafio de Jesus de ver e, por isso, caem na cegueira (9,41). Em razão da disposição de Natanael de vir à luz, Jesus o enaltece como um genuíno representante de Israel. Aqui João pode estar perto da distinção que Paulo faz em Rm 9,6: "Nem todos os que descendem de Israel [Jacó] pertencem a Israel"; o verdadeiro israelita crê em Jesus.

A proclamação de Natanael como genuíno israelita sem dolo é outro exemplo da fórmula revelatória isolada por M. DE GOEDT (veja p. 240 acima). Qual é o ponto exato desta designação de Natanael?

Parece estar implícita uma comparação com Jacó; porque, embora Jacó fosse o primeiro a levar o nome de Israel (Gn 32,28-30), seus tratos com Labão e com Esaú o caracterizaram como um homem fraudulento (Gn 27,35). Outros estudiosos introduzem neste quadro o tema do Servo Sofredor "em cuja boca não havia fraude" (Is 53,9). BOISMARD, *Du Baptême*, pp. 96-97, pensa no tema do Servo especialmente como se encontra em Is 44. Em Is 4,3-5, Deus garante a seu servo Jacó que *derramará Seu espírito* sobre os descendentes de Jacó que portarem nomes simbólicos, inclusive o nome *"Israel"*. Os vs. 6-7 ressaltam que somente o Senhor, *o Rei de Israel*, é Deus. Assim, nos dias messiânicos, o verdadeiro portador do nome de Israel será aquele que é fiel a Iahweh e não serve a outros deuses. Nesta interpretação, "dolo" teria o significado que algumas vezes tem no AT de fidelidade religiosa a Iahweh (Zc 3,13). A natureza tênue destes paralelos com o tema do Servo é óbvia.

BOISMARD, *ibid.*, pp. 98-103, tem popularizado ainda outra interpretação de "um genuíno israelita": este emana das antigas etimologias populares (errôneas) do nome "Israel" em termos de "vendo a Deus". Natanael seria digno do nome de "Israel" porque veria a Deus, justamente como Jacó viu a Deus face a face no tempo em que seu nome foi mudado para Israel (Gn 32,27-30). Isto poderia ser unido à promessa de Jesus feita a Natanael no v. 50: *"Verás* coisas muito maiores", e talvez ajude a explicar a visão prometida em 1,51. Uma sugestão final digna de nota é que Natanael é o último dos discípulos a serem chamados, e nele se cumpre o propósito para o qual o Batista veio: "Mas o motivo de eu vir e batizar com água foi para que ele [Jesus] se revelasse *a Israel*" (1,31).

Na nota sobre o v. 48, já mencionamos quão difícil é explicar por que o fato de Jesus ter visto a Natanael debaixo da figueira produz tal impressão. Certamente, parece ir além do espantoso conhecimento sobrenatural, porém nenhuma explicação é totalmente satisfatória. Natanael, conduzido a um profundo conhecimento que Jesus revela sobre ele, proclama Jesus como o Filho de Deus e Rei de Israel. O segundo destes títulos é uma referência ao rei messiânico, mas esta confissão está num plano mais elevado do que o do Messias no v. 41. No final do ministério público, quando Jesus entrar em Jerusalém, ele será aclamado como rei (12,12-19), porém mostrará que não é um rei em um sentido nacionalista. Seu reino não pertence a este mundo (18,36); e seus súditos não são judeus, e sim crentes. É Natanael, o israelita genuíno, que o glorifica; e por isso "o Rei de Israel" deve ser entendido como o rei daqueles que creem como Natanael. Neste sentido, este título é a culminação na série de títulos que temos visto.

O primeiro dos dois títulos, "o Filho de Deus', provavelmente fosse um título messiânico, muito embora MOWINCKEL, *He that Cometh*, pp. 293-94, entre outros, questione isto. Na fórmula de coroação no AT, o rei davídico, o messias, foi chamado por Iahweh de "filho" (2Sm 7,14; Sl 89,27); em particular, o Sl 2,6-7 seria excelente pano de fundo para fundir os títulos "Filho de Deus" e "Rei de Israel". Entretanto, é bem provável que João tencione dar a "Filho de Deus" um significado mais profundo. Na progressão teológica indicada pelos títulos do capítulo 1, a qual envolve o gradual crescimento dos discípulos num conhecimento abrangente de todo o ministério de Jesus, é bem provável que João quisesse incluir em "Filho de Deus" uma confissão da divindade de Jesus. O próprio evangelho se encerrará em 20,28 com a confissão dos discípulos de Jesus como Senhor e Deus; e lembramos também que uma explicação da designação de Natanael como israelita foi que ele veria a Deus. Certamente, os leitores do evangelho, no final do 1º século, teriam se acostumado com um significado mais profundo de "Filho de Deus". Em qualquer caso, este capítulo, tratando-se do Batista e de seus discípulos, chega a uma culminação com a mesma nota em que a cena batismal termina na tradição sinótica: a proclamação de Jesus como o Filho de Deus (Mc 1,11 com base no Sl 2,7).

Muito embora João tenha esboçado o desenvolvimento da compreensão dos discípulos, este relato não é completo quando creem porque Jesus houvesse falado; também veriam suas obras, isto é, os sinais que manifestam sua glória. E assim, no v. 50, Jesus informa Natanael que ainda veria coisas muito maiores, assim preparando o palco para o milagre em Caná, o primeiro dos sinais de Jesus que levarão os discípulos a verem sua glória e crerem nele (2,11). Uma vez mais, João resume um processo mais longo: os discípulos verão a glória de Jesus por completo somente quando tiverem visto a "grande coisa" final, a obra suprema da morte, ressurreição e ascensão, e somente então é que crerão plenamente. (Veja 5,20-21 e 14,12, os quais vincula a ressurreição-ascensão com o tema de "coisas maiores".

Um dito independente sobre o Filho do Homem (1,51)

No final exato desta parte sobre o chamado dos discípulos no vale do Jordão, surge um versículo que tem causado tanto problema para os comentaristas como qualquer outro versículo isolado no Quarto Evangelho. Nossa primeira indagação seria se 1,51 sempre foi associado ao contexto no qual ora se encontra. Há certas indicações ao contrário. *Primeiro*, em 1,50, Jesus foi andando para Natanael; se 1,51 meramente dá sequência ao diálogo, por que não obtemos uma nova rubrica: "E ele [Jesus] lhe disse [a Natanael]"? Um relance em 11,11 mostra que João frequentemente indica uma continuação mais suave ao diálogo. *Segundo*, embora a sentença fosse dirigida a Natanael, o "vos" em 51 é plural, como tentamos indicar traduzindo-o como "todos vós". O v. 51 foi uma vez dirigido a um grupo, ou, em seu atual contexto, poderíamos imaginar como se fosse dirigido a todos os discípulos chamados no capítulo 1, ou ao menos a Filipe e Natanael? *Terceiro*, já indicamos que o relato de Caná seria uma boa sequência de 50, ilustrando as "coisas maiores" que Natanael veria. O v. 51 não parece melhorar a sequência; até certo ponto, é repetitivo em sua promessa de ver. *Quarto*, no que segue o v. 51 não há nada a indicar que sua promessa já se cumprisse, se a visão prometida devesse ser tomada literalmente. *Quinto*, como já indicamos na nota do versículo, mesmo os antigos escribas viram a similaridade entre o dito em 51 e o que Jesus diz em seu julgamento diante de Caifás, em Mt 26,64. Se o dito joanino tem algo a ver com a exaltação de Jesus, o cenário do dito similar em Mateus pouco antes da morte, ressurreição e ascensão de Jesus é mais apropriado. Outro dito sinótico interessante é o de Mt 16,27-28: "*O Filho do Homem* virá na glória de seu Pai *com seus anjos... Eu vos asseguro* que alguns dos que aqui estão não provarão a morte até que *vejam o Filho do Homem* vindo em seu reino". Mateus coloca este dito logo depois da confissão de Simão acerca de Jesus como o Messias e a mudança do nome de Simão, justamente como Jo 1,51 segue logo depois 1,41-42. Assim, paralelos em Mateus nos provê com uma base objetiva para suspeitar que um dito primitivo concernente a uma visão futura do Filho do Homem, preservado no v. 51, em sua forma joanina, foi uma vez encontrado em outra sequência além daquela em que ora se encontra.

Podemos ainda suspeitar que o significado original do dito foi uma referência à ressurreição ou à parousia, onde seria apropriada a presença dos anjos sobre o glorificado Filho do Homem. Não há angelofanias no relato joanino do ministério público; mas os anjos, em todos os relatos do evangelho, estão associados com o túmulo vazio e amiúde com o juízo final. WINDISCH, em seu segundo artigo, insiste especialmente sobre o relato da ressurreição no *evangelho de Pedro*, 36-40, e também sobre o Codex Bobiensis de Mc 16,4, onde se narra que anjos *desceram* do céu e *subiram* com Jesus. Que o dito joanino era uma referência a este relato particular é, não obstante, muito óbvio, especialmente já que o v. 51 menciona subir antes de descer.

Não importa quão plausível pode ser uma reconstituição do que originalmente o dito significava, nos deparamos com o problema do que ele significa em sua atual sequência; pois se fosse colocado em sua presente sequência durante o processo redacional ou no final do evangelho, faria sentido do que onde ora se encontra. Mesmo que o dito originalmente se referisse à ressurreição ou parousia, não há razão para se pensar que faz sentido onde ora se encontra, pois a visão do v. 51 não é uma promessa mais remota do que a visão mencionada em 50. Para dar sentido ao 51, em sua presente sequência, devemos buscar um significado figurativo que possa cumprir-se no futuro imediato do ministério, justamente como o v. 50 se cumpriu em Caná.

Desde o tempo de AGOSTINHO (mas não antes – BERNARD, I, pp. 70-71), os exegetas têm visto uma conexão entre o v. 51 e Gn 28,12, onde em sonho Jacó vê uma escada estendida da terra ao céu: "... e os anjos de Deus estavam subindo e descendo por ela". MICHAELIS tem posto em dúvida esta conexão entre João e o Gênesis, mas parece convicto sobre a base da clara menção de anjos subindo e descendo, especialmente se evocarmos a referência anterior a Jacó-Israel na cena de Natanael. Todavia, ainda que Gênesis supra a imagem para o dito joanino sobre o Filho do Homem, qual é a interpretação do dito? São os discípulos que ajudarão a formar o novo Israel, e de quem Natanael é um exemplo, prometeram um conhecimento espiritual comparável à visão de Jacó? Quando os estudiosos tentam ser mais precisos, suas diferentes respostas são engenhosas. Exemplifiquemos um pouco as mais importante.

Notar-se-á que no v. 51 os anjos estão subindo e descendo sobre o Filho do Homem, enquanto Gênesis menciona subir e descer "sobre ela", presumivelmente, a escada (assim a LXX). Entretanto, alguns rabinos leem "sobre ele", isto é, sobre Jacó (*Midrásh Rabbah* LXIX 3 sobre Gn 28,13). Alguns estudiosos pensam que a última redação jaz por detrás da forma que João dá ao dito. Isto faria o Filho do Homem (uma figura coletiva em Dn 7) um substituto de Jacó (= Israel, e em alguma extensão uma figura coletiva). Toda a teoria é duvidosa. É possível, porém não certo, que o Filho do Homem em João seja uma figura coletiva; 12,32-34 distingue entre o Filho do Homem e todos os que creem nele. Segundo, em João, é Natanael que é o equivalente de Israel, não Jesus, o Filho do Homem.

Outra variante sobre o relato de Jacó é também trazida à discussão. Na *Midrásh Rabbah* 58,12 sobre Gn 28,12, descobrimos que a verdadeira aparência de Jacó está no céu enquanto seu corpo jaz na terra, e os anjos estão se movimentando para trás e para frente entre eles. Aplicando isto a João, alguns sugerem que Jesus realmente está com o Pai como Filho do Homem, e, no entanto, ao mesmo tempo está na terra; e os anjos constituem a comunicação entre o Jesus celestial e o terreno. Uma variante mais plausível seria que Jesus mesmo é a conexão entre realidade celestial e a terrena. Com variações, uma teoria como esta é proposta por ODEBERG, BULTMANN, LIGHTFOOT, entre outros. Deve-se salientar que a fonte rabínica para a teoria não é mais antiga que o 3º século d.C., embora a interpretação de Gênesis seja mais antiga.

Ainda em outra variação, os Targuns (Onkelos e Jerusalém) têm a *shekinah* de Deus (veja p. 210 acima) sobre a escada. JUSTINO *Trypho* 86,2 (PG 6:680) reflete a antiga crença cristã de que Cristo estava na escada. Tendo assim os anjos subindo e descendo sobre o Filho do Homem, em vez de sobre a escada, João poderia estar continuando o tema do Prólogo, a saber, que Jesus é a localização da *shekinah*. (Ver comentário sobre Jo 12,41). QUISPEL, *art. cit.*, leva esta sugestão ao exagero, associando o v. 51 com o místico *merkabah* no judaísmo, baseado em especulação sobre a carruagem divina vista por Ezequiel (1,4ss.) QUISPEL pensa nos anjos subindo ao Filho do Homem acima no céu e descendo abaixo a Natanael (ainda quando João diga descendo *sobre o Filho do Homem*). Outra variação concentra-se no lugar onde Jacó teve sua visão, a saber, Betel, a "casa de Deus... porta do céu". A ideia é que, posto que os anjos sobem e descem sobre o Filho do Homem, Jesus está assumindo o lugar de Betel como a casa de Deus – um exemplo do tema do Prólogo de Jesus como o Tabernáculo e o tema dos evangelhos de Jesus como o Templo. Esta interpretação é defendida

5 • Os discípulos do batista vão a Jesus: Filipe e Natanael

detalhadamente por FRITSCH, *art. cit*. JEREMIAS enfatiza a rocha em Betel sobre a qual Jacó dormiu e a qual se tornou ali uma coluna cerimonial (Gn 28,18). Na literatura judaica, a qual JEREMIAS cita, se desenvolveu uma corrente mística em torno dessa pedra como a primeira pedra criada por Deus e aquela que Ele fez crescer para formar o mundo. A aplicação a João seria que no v. 51 Jesus substituiu a pedra de Betel, e isto seria um exemplo do tema de Jesus que converte Simão em pedra (1,41-42).

Nenhuma destas variantes é particularmente convincente. Entretanto, no tema que têm em comum provavelmente estejam certas; se é como a escada, a *shekinah*, a *merkabah*, Betel ou a rocha, a visão significa que Jesus como o Filho do Homem veio a ser o foco da glória divina, o ponto de contato entre céu e terra. Aos discípulos se promete, figuradamente, que chegarão a ver isto; e, deveras, em Caná eles efetivamente veem sua glória.

Devemos chamar a atenção para uns poucos detalhes específicos. O v. 51 promete: "Vereis *o céu aberto*". Assim, embora João omitisse a referência à abertura do céu ao descrever a descida do Espírito sobre Jesus no batismo, a referência aparece aqui, justamente como o v. 49 o equivalente da proclamação batismal de Jesus como o Filho de Deus. A expressão de Jo 1,51 é mais estreita com Lc 3,21: ambas têm o singular de *ouranos* ("céu" – Marcos e Mateus têm o plural) em ambas usam *anoigein* ("abrir" – Marcos usa outro verbo). Se o v. 51 esteve uma vez em outra sequência, a possível relação da abertura do céu com o tema batismal poderia ter sido um fator, juntamente com a referência a Jacó, atraindo-o à sua atual localização. MICHAELIS, *art. cit.*, também conectaria a menção dos anjos com a presença dos anjos na cena das tentações de Jesus (Mt 4,11), a qual na tradição sinótica segue imediatamente após o batismo.

Já falamos da sequência de títulos no capítulo 1. O v. 51 introduz "o Filho do Homem" (o que não se encontra no pano de fundo de Gênesis sobre o sonho de Jacó). Este é o único título, no capítulo, que Jesus usa para si mesmo, um fato que pode refletir uma reminiscência histórica de que Jesus fez uso deste título, como distinto dos títulos dados a ele pelos discípulos após a ressurreição, p. ex., Filho de Deus. Se, em sua atual sequência, o v. 51 significa que os discípulos verão a glória do Filho do Homem durante seu ministério, este é o único exemplo deste tipo de passagem sobre o Filho do Homem em João (ver nota). Natanael glorificou a Jesus como o Rei de Israel (aparentemente, igualando-se a "Messias"); Jesus lhe responde, prometendo uma visão de si mesmo como o Filho do Homem. Em Mt 26,64 – a passagem que salientamos como um notável paralelo de Jo 1,51 –, quando o sumo sacerdote lhe pergunta se ele é o Messias, Jesus lhe responde, prometendo uma visão do Filho do Homem.

BIBLIOGRAFIA

Veja BARROSSE e BOISMARD na Bibliografia sobre o § 3.
ENCISO VIANA, J., *"La vocación de Natanael y el Salmo 24"*, EstBib 19 (1960), 229-36.
FRITSCH, I., *"'... videbitis... angelos Dei ascendentes et descendentes super Filium hominis' (Io. 1, 51)"*, VD 37 (1959), 3-11.
JEREMIAS, J., *"Die Berufung des Nathanael"*, *Angelos* 3 (1928), 2-5.
MICHAELIS, W., *"Joh 1, 51, Gen 28, 12 und das Menschensohn-Problem"*, TLZ 85 (1960), 561-78.
MOULE, C. F. D., *"A Note on 'under the fig tree' in John 1 48, 50"*, JTS N.S. 5 (1954), 210-11.
QUISPEL, G., *"Nathanael und der Menschensohn (Joh 1, 51)"*, ZNW 47 (1956), 281-83.
SCHULZ, S., *Menschensohn*, pp. 97-103 on 1.51.
WINDISCH, H., *"Angelophanien um den Menschenohn auf Erden"*, ZNW 30 (1931), 215-33.
_____ *"Joh i 51 und die Auferstehung Jesu"*, ZNW 31 (1932), 199-204.

O LIVRO DOS SINAIS

Segunda Parte: De Caná a Caná

ESBOÇO

SEGUNDA PARTE: DE CANÁ A CANÁ
(Várias respostas ao ministério de Jesus nas diferentes regiões da Palestina)
(caps. 2-4)

A. 2,1-11: O PRIMEIRO SINAL EM CANÁ DA GALILEIA (§ 6)
Jesus transforma água em vinho e seus discípulos passam a crer nele.

    2,12: TRANSIÇÃO – Jesus vai para Cafarnaum (§ 7)

B. 2,13-22: A PURIFICAÇÃO DO TEMPLO EM JERUSALÉM (§ 8)
Jesus é desafiado pelas autoridades judaicas.
(13-17) A purificação dos recintos do templo.
(18-22) O dito sobre a destruição do templo.

    2,23-25: TRANSIÇÃO – Reação a Jesus em Jerusalém (§ 9)

C. 3,1-21: DIÁLOGO COM NICODEMOS EM JERUSALÉM (§ 10)
Jesus fala de geração do alto, e não é compreendido.
(2-8) *Primeira Divisão* – Gerando do alto através do Espírito.
(9-21) Segunda *Divisão* – Isto se torna possível através da fé quando o Filho houver ascendido.
    (a) 11-15: O Filho deve subir ao Pai.
    (b) 16-21: Fé em Jesus é indispensável para beneficiar-se deste dom.

3,22-30: O TESTEMUNHO FINAL DO BATISTA EM PROL DE JESUS (§ 11)

3,31-36: DISCURSO COMPLETANDO AS DUAS CENAS ANTERIORES DESTE CAPÍTULO (§ 12)

    4,1-3: TRANSIÇÃO – Jesus deixa a Judeia (§ 13)

D. 4,4-42: DIÁLOGO COM A MULHER SAMARITANA JUNTO AO POÇO DE JACÓ (§ 14)
Jesus oferece o dom da água viva e é saudado pelos samaritanos como o Salvador do mundo.
(4-6) Introdução e cenário.
(6-26) *Primeira Cena*: O diálogo com a Mulher Samaritana:
    (a) 6-15: Diálogo sobre a água viva.
    (b) 16-26: Diálogo sobre o verdadeiro culto.
(27-38) *Segunda Cena*: Diálogo com os discípulos:
    27-30: Conexão entre as duas cenas.
    (a) 31-34: Diálogo sobre alimento para Jesus.
    (b) 35-38: Provérbios parabólicos da ceifa:
        35-36: Negação do provérbio sobre um intervalo entre semear e colher.
        37-38: Afirmação do provérbio sobre uma semeadura e outra colheita.
(39-42) Conclusão: A conversão da população.

4,43-45: TRANSIÇÃO – Jesus entra na Galileia (§ 15)

E. 4,46-54: O SEGUNDO SINAL EM CANÁ DA GALILEIA (§ 16)
Jesus cura o filho do oficial régio e a família do oficial se converte.

6. O PRIMEIRO SINAL EM CANÁ DA GALILEIA – TRANSFORMAÇÃO DA ÁGUA EM VINHO
(2,1-11)

2 ¹Ora, no terceiro dia houve um casamento em Caná da Galileia. A mãe de Jesus estava lá, ²e o próprio Jesus e seus discípulos também foram convidados para a celebração. ³Quando o vinho ficou escasso, a mãe de Jesus lhe falou: "Eles não têm vinho". ⁴Mas Jesus respondeu-lhe: "Mulher, o que isto tem a ver contigo e comigo? Minha hora ainda não chegou". ⁵Sua mãe instruiu os serventes: "Fazei tudo o que ele vos disser". ⁶Como prescrito para as purificações judaicas, havia à disposição seis talhas de pedra com água, cada uma contendo de 90 à 100 litros. ⁷"Enchei essas talhas com água", ordenou Jesus, e as encheram até a borda. ⁸"Agora", disse-lhes, "tirai alguma e levai-a ao mestre-sala". E fizeram assim. ⁹Mas tão logo o mestre-sala provou a água transformada em vinho (na verdade ele não tinha ideia de onde ela veio; somente os serventes sabiam, visto que haviam tirado a água), o mestre-sala chamou o noivo, ¹⁰e lhe salientou: "Primeiro, todos servem o vinho seleto; então, quando os convidados já tenham bebido à saciedade, o vinho inferior. Tu, porém, guardaste o vinho seleto até agora". ¹¹O que Jesus fez em Caná da Galileia marcou o princípio de seus sinais; assim ele revelou sua glória e seus discípulos creram nele.

3: *falou; respondeu*; 5: *instruiu*; 7: *ordenou*; 8: *disse*; 9: *chamou*; 10: *salientou*. No tempo presente histórico.

NOTAS

2.1. *no terceiro dia*. TEODORO de Mopsuéstia (*In Joanne* [Syr.] – CSCO 116-39) conta este dia como o terceiro dia após a cena batismal de 1,29-34, com o primeiro dia mencionado em 1,35, e o segundo em 1,43. Embora isto certamente seja exegese possível, muitos exegetas agora contam do dia do chamado de Natanael e Filipe, sugerindo que aquele dia e o seguinte (ou talvez dois dias intervenientes) foram gastos na viagem do vale do Jordão à Galileia. Visto que o segundo milagre de Caná também ocorre "depois de dois dias" (4,43), alguns sugerem que há aqui uma referência meramente simbólica à ressurreição.

um casamento. As festividades usuais consistiam de uma procissão em que os amigos do noivo traziam a noiva à casa do noivo, e então uma ceia nupcial; aparentemente, as festividades duravam sete dias (Jz 14,12; Tb 11,19). A Mishnah (*Kethuboth* 1) ordenava que o casamento de uma virgem ocorresse na quarta-feira. Isto concordaria com a conjetura de que 1,39 precedeu imediatamente o sábado; a ação de 1,40-42 teria ocorrido no sábado até a tarde de domingo; a de 143-50, de domingo até a tarde de segunda-feira; de segunda-feira até a tarde de terça-feira teria sido o segundo dia da jornada; e Jesus teria chegado em Caná na terça-feira à tarde ou na manhã de quarta-feira.

Caná. No NT, esta vila é mencionada somente por João (também 21,2); JOSEFO a menciona em seu *Life* 16 (# 86). O local indicado aos peregrinos desde a Idade Média, Kefr Kenna, 4,5 kms a nordeste de Nazaré, provavelmente seja errôneo (etimologicamente, do grego, esperaríamos que fosse preservado o nome semítico como Qana, não Kenna). Khirbet Qânâ, 15 kilômetros ao norte de Nazaré, etimologicamente é preferível e parece adequar-se à localização de JOSEFO. Somente João e Lucas (4,14-16) conhecem a atividade de Jesus na Galileia, região montanhosa nas proximidades de Nazaré, imediatamente após o batismo; Marcos-Mateus começa o ministério junto ao Mar da Galileia.

A mãe de Jesus. Entre os árabes de hoje, a "mãe de X" é um título honroso para uma mulher que tem sido bastante afortunada em gerar um filho. João nunca a denomina de Maria.

estava lá. Há uma tradição apócrifa de que Maria era a tia do noivo, a quem um antigo prefácio latino do 3º século identifica como sendo João, filho de Zebedeu. Isto deve ser associado à tradição de que Salomé, esposa de Zebedeu e mãe de João, foi irmã de Maria, um parentesco que faz de João primo de Jesus (ver nota sobre 19,25 – volume II). A presença de Jesus não torna implausível de que um parentesco estava envolvido no casamento, a menos que o convite viesse através de Natanael, que era de Caná.

2. *seus discípulos.* Presumivelmente, os que foram chamados no capítulo 1 agora se tornaram seguidores regulares de Jesus. Abandonaram as formas ascéticas do Batista pelas práticas menos abstêmias de Jesus (Lc 7,33-34). Ao referir-se consistentemente a estes homens durante o ministério como "discípulos", e ao evitar o título "apóstolo", João mostra um sentido histórico, pois "apóstolo" é um termo que pertence ao período pós-ressurreição – veja J. Dupont, *"Le nom d'Apôtres, a-t-il été donné aux Douze par Jésus?" L'Orient Syrien* 1 (1956), 267-90, 425-44.

3. *Quando o vinho ficou escasso.* Muitos comentaristas (Lagrange, Braun, Bultmann, Boismard) preferem a redação mais longa da mão original do Sinaiticus e da OL: "Ora, não tinham vinho, pois o vinho fornecido para a festa já tinha esgotado". Todavia, ambos os papiros Bodmer endossam a redação mais breve.

A mãe de Jesus lhe falou. Por que Maria está especialmente preocupada, e por que ela se dirige a Jesus? Muitos têm imaginado que ela estava pedindo um milagre. Entretanto, não há evidência de quaisquer milagres prévios realizados por Jesus, e nada há na imagem que o AT faz do Messias que teria levado os judeus a esperarem que ele operasse milagres em favor de indivíduos (todavia, veja 7,31). Uma expectativa de milagres é mais compreensível se Jesus fosse tido como o Profeta-como-Moisés ou como Elias que voltou à vida, pois o AT atribuía milagres tanto a Moisés como a Elias. A maioria dos comentaristas, incluindo católicos como Gaechter, Braun, Van den Bussche, Boismard, Charlier, não vê evidência na solicitação de Maria a expectativa de um milagre. Van den Bussche, I, pp. 38-39 (também Zahn, Boismard), não crê que Maria estivesse inclusive rogando que Jesus fizesse algo, mas está simplesmente informando a desesperadora situação. A resposta de Jesus, contudo, em que se recusa a envolver-se, parece indicar que algo se esperava dele.

"Eles não têm vinho". Na multiplicação dos pães para 4.000, Mc 8,2 (Mt 15,32) diz: "Eles nada têm para comer".

4. *Mulher.* Isto não constitui uma repreensão, nem um termo descortês, nem uma indicação de ausência de afeto (em 19,26, o Jesus moribundo o usa para Maria). Para Jesus, era normal o uso de uma forma polida de falar às mulheres (Mt 15,28; Lc 13,12; Jo 4,21; 8,10; 20,13); da mesma forma também se atesta na escrita grega. O peculiar é o uso de "Mulher" isolado (sem um título acompanhante, ou um adjetivo qualificativo) por um *filho* falando à sua *mãe* – não há precedente para isto em hebraico nem, até onde vai nosso conhecimento, em grego. Certamente, isso não demonstra

uma tentativa de rejeitar ou desvalorizar a relação mãe-filho, pois Maria é denominada a "mãe de Jesus" quatro vezes nos vs. 1-12 (duas após Jesus haver-lhe chamado "Mulher"). Tudo isso nos leva a suspeitar que haja no título um alcance simbólico, "Mulher". Traduzi-lo por "Mãe" obscureceria esta possibilidade, e também ocultaria a peculiaridade da expressão. Veja abaixo, nota sobre 4,21.

o que isto tem a ver contigo e comigo? Literalmente, "o que a mim e a ti?" – um semitismo. (Em João, semitismos aparecem mais frequentemente no diálogo do que em narrativa na terceira pessoa; veja BONSIRVEN, *"Les aramaismes de Saint Jean l'Evangéliste?"* Bib 30 [1949], 432). No AT, a expressão hebraica tem duas nuanças de significado: (a) quando uma parte está injustamente aborrecendo outra, a parte injuriada pode dizer: "O que a mim e a você?", i.e., O que tenho feito a você para que me faça isto? Que razão de discordância há entre nós? (Jz 11,12; 2Cr 35,21; 1Rs 17,18); (b) quando se solicita que alguém se envolva em uma questão que sente não ser um negócio propriamente seu, pode dizer ao parceiro: "O que a mim e a você?", i.e., isso é problema seu; como vou envolver-me? (2Rs 3,13; Os 14,8). Assim, há sempre alguma recusa de envolvimento inoportuno e uma divergência entre os pontos de vista das duas pessoas preocupadas; todavia (a) implica hostilidade, enquanto (b) implica simples desencargo. Ambas as nuanças de significado aparecem no uso neotestamentário: (a) aparece quando os demônios replicam a Jesus (Mc 1,24; 5,7); aparentemente (b) aparece aqui. No entanto, é interessante que alguns dos Padres gregos interpretam Jo 2,4 no sentido (a) e pensam em uma censura a Maria. Para exegese patrística, veja REUSS e BRESOLIN; para um estudo completo da frase, veja MICHAUD, pp. 247-53. Podemos mencionar que tem havido aí uma tentativa de introduzir uma variante de (b) na interpretação de João. Em 2Sm 16,10, "O que a mim e a ti?", parece significar: "Isto não é problema *nosso*"; portanto, alguns sugerem que Jesus está dizendo a Maria que este não é um problema dele nem *dela*. Todavia, o fato de que ele se refira em seguida "minha hora", pareceria indicar que ele está negando somente seu envolvimento.

Minha hora ainda não chegou. A antiga tradução disto como uma afirmativa interrogativa ("Acaso minha hora chegou agora?"), endossado por GREGÓRIO de Nissa e TEODORO de Mopsuéstia, foi revivido por BOISMARD, *Du Baptême*, p. 156ss. e MICHEL, *art. cit.* Com certeza, esta é uma construção grega possível, quando a palavra *oupō* começa uma cláusula, p. ex., Mc 8,17. Contudo, a palavra *oupō* ocorre doze vezes em João, e todos os demais usos são negativos. A comparação com as construções mui similares em 7,30 e 8,20 serviria para convencer que aqui a frase é negativa, correspondendo à negativa implícita em "O que isto tem a ver contigo e comigo?"

hora. Para este termo técnico joanino, se reportando ao período da paixão, morte, ressurreição e ascensão, veja Apêndice I:11, p. 794ss. A tentativa de entender "hora", neste versículo, como o momento da abertura do ministério ou da glorificação inicial de Jesus mediante seu primeiro milagre, é compreensível em vista do contexto; todavia, vai contra o restante do uso joanino do termo e é refutado pela reiteração em 6,6.8.30; 8,20, que o tempo ou hora de Jesus não havia chegado. Especialmente, deve-se rejeitar a sugestão de que a hora dos milagres era antecipada por Jesus à solicitação de Maria, pois no pensamento joanino a hora não está sob o controle de Jesus, e sim sob o do Pai (12,27; também Mc 14,35 – para as limitações de Jesus neste respeito, veja HAIBLE, *art. cit.*). BRESOLIN mostra que a compreensão da "hora" como a hora da paixão anterior a AGOSTINHO; os Pais gregos, segundo REUSS, creem mais na hora do primeiro milagre.

5. "*Fazei tudo o que ele vos disser*". As instruções de Maria ecoam as de Faraó em Gn 41,55: "Ide a José, e fazei tudo o que ele vos disser". P. GÄCHTER, *Maria im Erdenleben* (Innsbruck: 1953), p. 192, mantém que devemos entender isto neste sentido: "Se ele vos disser algo, não importa o que seja, fazei-o". Isto é atraente, mas, na verdade, não justificado pelo grego. Tudo indica que Maria não tinha dúvida de que Jesus interviria, e só é incerto quanto ao modo da intervenção.

6. *seis talhas de pedra com água*. Na busca de simbolismo, tem-se dado atenção ao número seis (um menos de sete – um símbolo judaico da imperfeição) e à menção das *talhas de pedra* (Ex 7,19, onde Moisés transforma em sangue a água nas talhas de pedra egípcias – um sinal em conformidade com 7,9). Ambas as tentativas no simbolismo são forçadas. O uso de talhas de pedra provavelmente fosse o ponto de partida das leis levíticas de impureza ritual (Lv 11,29-38): enquanto as talhas de cerâmica podiam tornar-se ritualmente contaminadas e ser quebradas, as jarras de pedra não podiam adquirir impureza (veja Mishnah *Betsah* 2:3). Para as purificações judaicas, consulte Mc 7,3-4.

de 90 à 100 litros. As talhas contêm duas ou três medidas; uma medida é cerca de 30 litros.

8. *tirai alguma*. Este verbo é normalmente usado em referência a um poço, e WESTCOTT sugere que um poço, e não as talhas, é a fonte da água. Esta sugestão parece ir contra o contexto óbvio; pois é improvável que, tendo feito os servos encher as talhas com cerca de 450 litros de água, Jesus agora os faça tirar mais água do poço. O problema é que muitos sentem dificuldade com a implicação de Jesus transformar 450 litros de água

em vinho. Outra tentativa de evitar isto é a sugestão de DACQUINO (VD 39 [1961], 92-96) de que somente a água tirada das talhas se converteu em vinho. Isto é possível, mas não é o significado óbvio do relato.

mestre-sala. A palavra *architriklinos* tem como sua referência primária (BAG, p. 112) o escravo que era responsável pela administração de um banquete; daí, "chefe dos serventes ou mordomo". Na verdade, a literatura judaica não nos oferece paralelo para o suposto funcionário em João; e pode muito bem ser que na sequência do relato o funcionário assumisse algum dos aspectos do *arbiter bibendi*, bem conhecido no mundo gentílico. Alguns querem ver um paralelo com aquele que preside o jantar em Siraque 32,1; neste caso, aquele que preside não é um servo, nem o melhor homem, mas um conviva escolhido no transcorrer da azáfama, porque ele mantém relações familiares com o noivo.

10. *Primeiro, todos servem o vinho seleto*. Não temos na literatura contemporânea atestação para este costume, mas é o tipo de prática perspicaz que é comum à natureza humana. A sugestão de que o costume é uma criação *ad hoc* é hiper-crítica.

11. *ele revelou sua glória*. Compare 12,23; 17,24; para João, a verdadeira glória de Jesus só é revelada em "a hora". Visto que 7,39 afirma claramente que durante o ministério Jesus ainda não fora glorificado, temos que pensar que o v. 11 ou é uma referência a uma manifestação parcial da glória, ou como sendo parte da condensação do treinamento dos discípulos onde se prefigura toda sua carreira, inclusive sua visão da glória do Jesus ressurreto.

COMENTÁRIO

Reconstruindo o relato básico

Temas e alusão teológicos de tal modo dominam a narrativa de Caná que é muito difícil reconstruir um quadro convincente do que se imagina ter acontecido e as motivações dos personagens dramático. Alguns comentaristas nos aliviariam deste fardo negando que haja algum relato tradicional básico de Jesus por detrás do relato, e considerando tudo como uma criação meramente teológica. Naturalmente, para os que negam a possibilidade do miraculoso, todos os relatos de milagre concernentes a Jesus são suspeitos. Mas, por que o relato de Caná seria mais suspeito do que os outros?

Dos sete sinais miraculosos narrados por João (veja Apêndice III, p. 841ss), três são relatos variantes de incidentes narrados nos sinóticos, e três são milagres de um tipo encontrado nos sinóticos. Somente o milagre de Caná não tem paralelo na tradição sinótica. Assim, Bultmann, entre outros, sugere forte influência pagã na formação do relato, especialmente a influência do culto de Dionísio, o deus da vindima. A festa de Dionísio era celebrada no 6º dia de janeiro, enquanto o registro de Caná se tornou parte da epifania litúrgica celebrada na mesma data. Durante a festa, as fontes dos templos pagãos sobre o Andros emanavam vinho em vez de água.

Embora esta evidência seja interessante, dificilmente é conclusiva para as origens da narrativa joanina. Devemos ter em mente que tanto as datas como os motivos das festas cristãs eram com frequência deliberadamente selecionadas para substituir as festas pagãs. Além do mais, pode-se indagar legitimamente se o evangelista, que mostrou que se move dentro da estrutura geral dos milagres tradicionais de Jesus em seis de suas sete narrativas, seria plausível introduzir uma sétima narrativa de uma tradição estranha? Quanto à singularidade do milagre, acaso transformar água em vinho é tão diferente da multiplicação dos pães? Ambos têm eco na tradição Elias-Eliseu que fornece o pano de fundo para os milagres de Jesus, provavelmente porque somente neste ciclo de relatos o AT narra numerosos milagres realizados em favor de indivíduos. A multiplicação dos pães é antecipada em 2Rs 4,42-44, e talvez a transformação de água em vinho para suprir a festa de casamento possa ser comparada ao miraculoso ato de Elias fornecendo carne e azeite em 1Rs 17,1-16, e o ato de Eliseu suprindo azeite em 2Rs 4,1-7. Todos estes são milagres que atendem a uma inesperada necessidade física que nas circunstâncias particulares não poderiam satisfazer por meios naturais. Outro obstáculo à tese de que o relato de Caná foi emprestado das lendas helenistas de milagre para a narrativa – tão atípicas da atmosfera dos prodígios helenistas. João não nos conta como ou quando a água se converteu em vinho, mas revela o milagre quase de passagem. P.-H. Menoud, RHPR 28-29 (1948-49), 182, ressalta o quanto Caná difere de uma metamorfose pagã.

Assim, parece que não podemos escapar tão facilmente do problema da tentativa de reconstruir uma narrativa básica subjazendo aos temas teológicos. Podemos começar com o escassez de vinho que alguns sugerem foi causado pela inesperada presença de Jesus e seus discípulos (ainda quando não precisamos discutir as interpretações ridículas centradas na pesada bebedeira de Jesus e nas tentativas de Maria de fazê-lo ir para casa). DERRETT, que é um perito em direito oriental, fez um cuidadoso estudo dos costumes nupciais judaicos, e descobriu que o suprimento de vinho dependia, em alguma extensão, dos presentes dos convivas. Ele pensa que Jesus e seus discípulos, em virtude de sua pobreza, falharam neste dever e assim foram a causa da escassez.

O diálogo entre Maria e seu filho, e o que acontece depois, são mais difíceis de entender. Evidentemente, Maria chamou a atenção de Jesus para a desesperadora situação (veja nota). Em outras cenas joaninas (5,5-7; 6,5.9; 11,21) há apresentações similares de situações humanas insolúveis sem qualquer expectativa de ou esperança da intervenção de Jesus. Entretanto, Maria parece esperar alguma resposta ou ação da parte de Jesus. A natureza exata da expectativa não fica clara à luz da narrativa, e nenhuma das muitas conjeturas dos comentaristas é convincente. Se a tese de DERRETT é correta, Maria poderia ter lembrado a Jesus dos resultados de sua falha em observar o costume de um presente nupcial. A resposta negativa de Jesus a Maria está em harmonia com as passagens sinóticas que tratam de Maria em relação à missão de Jesus (Lc 2,49; Mc 3,33-35; Lc 11,27-28): Jesus sempre insiste que o parentesco humano, seja o de Maria, ou o de seus parentes incrédulos (Jo 7,1-10), não pode afetar em nada o desenvolvimento de seu ministério, pois ele tem que realizar a obra de seu Pai. Como afirma SCHNACKENBURG, p. 30, o mistério de Jesus é tal que, embora realmente humano, ele não pode ser obrigado pelos reclamos da carne e sangue. Ele é o primeiro daqueles cuja geração não procede do sangue, nem do desejo carnal, nem do desejo do homem, mas de Deus (1,13). A recusa é cortês; não há indicação de que Maria está sendo censurada por estar fora de ordem, não mais que em Lc 2,49. Tampouco, como afirmamos na respectiva nota, há uma rejeição dela como mãe – o que está sendo negado é uma função, não uma pessoa. Jesus está se colocando além das relações familiares naturais, mesmo quando ele a exigir de seus discípulos (Mt 19,29).

A persistência de Maria em face da recusa constitui uma dificuldade, não para ser atenuada pela suposição de que, através de sinais, ou através da polidez de seu modo, Jesus indicava a Maria que ele realmente não estava recusando seu pedido. A dificuldade pode ao menos ser iluminada pelos exemplos de persistência similar em face da recusa de Jesus exibida por personagens em Mt 15,25-27 (também 8,6-8, se o v. 7 for lido como uma pergunta negativa) e em Jo 4,47-50 (o outro milagre em Caná). Tal persistência sempre parece convencer Jesus de agir. E de tal modo se dá que, a despeito da recusa de Jesus em atender à intervenção solicitada por Maria, isso propicia a ocasião dos primeiros sinais de Jesus. Escritores sobre Mariologia têm se empenhado em grande medida em prol deste fato, e, no entanto, deve-se notar honestamente que o evangelista nada salienta sobre o poder da intercessão de Maria em Caná. Se o milagre é uma resposta à sua fé persistente, este ponto não é explícito, como é nos exemplos sinóticos. Mesmo as palavras finais de Maria, "Fazei tudo o que ele vos disser", enfatizam a soberania de Jesus e não a intercessão de Maria; e, de fato, parece ser precisamente a espontaneidade de confiar na soberania de Jesus que prepara o caminho para o milagre. SCHNACKENBURG (pp. 37-38), um católico, pensa que a decisão de Jesus de operar o milagre é, na mente do evangelista, para ser relatada não tanto com a solicitação de sua mãe, quanto com uma diretriz do Pai não mencionada – uma observação que pode ser procedente, mas que vai além da evidência.

Esta sequência dos eventos em Caná é obviamente incompleta: o que parece ser um pedido meramente natural da parte de Maria vai seguida de uma recusa da parte de Deus, como se o pedido afetasse de algum modo a substância de seu ministério. Veremos adiante que este diálogo faz sentido no nível da teologia joanina, mas não fica claro se estaria implícito no nível da tradição histórica. Alguns autores católicos recentes se impressionam tanto pelas aparentes inconsistências da narrativa que, enquanto aceitam a ação básica em Caná como histórica, caracterizam o diálogo entre Jesus e Maria como a criação do evangelista inserida para propósitos teológicos (assim M. BOURKE, CBQ 24 [1962], 212-13, e seu aluno, R. DILLON, pp. 288-90). Outros exegetas preferirão a sugestão de que o diálogo era também parte da tradição primitiva, mas que o evangelista nos deu somente aqueles fragmentos do diálogo que serviam ao seu propósito teológico, deixando-nos assim com um relato incompleto e inadequado quando tentamos entrever algo mais que um mero nível teológico.

Motivos teológicos na narrativa

Aqui, nosso problema não é com a pobreza de detalhe, e sim com o embaraço diante das riquezas. Como descobriremos com frequência no uso joanino de símbolos, o evangelista mostra muitas diferentes facetas de sua teologia através de uma só narrativa. Felizmente, o principal teor do relato está expresso para nós no v. 11. Aí somos informados que Caná foi o início dos sinais de Jesus. Assim, a despeito de todas as tentativas da erudição de enfatizar a singularidade deste milagre e sua afinidade com mistérios dionísicos, João o relaciona especificamente com os outros milagres de Jesus e com um lugar concreto no ministério de Jesus. Então João nos informa qual o sinal realizado: através dele Jesus revelou sua glória e seus discípulos creram nele. Assim, o primeiro sinal teve o mesmo propósito que todos os sinais subsequentes terão, a saber, *revelação da pessoa de Jesus*. Ao contrário, para as interpretações dos estudiosos, João não pôs ênfase *primária* sobre a substituição da água para as purificações judaicas, nem sobre a ação de transformar água em vinho (que não foi descrita com detalhe), nem mesmo sobre o vinho resultante. João não põe a ênfase primária sobre Maria ou sua intercessão, nem sobre por que ela insistiu em sua solicitação, nem sobre a reação do chefe dos serventes ou noivo. O foco primário está, como em todos os relatos de João, em Jesus como aquele enviado pelo Pai a trazer salvação ao mundo. O que resplandece é *sua glória*, e a única reação que se enfatiza é a *fé* dos discípulos.

Mais que a maioria dos comentaristas, SCHNACKENBURG trouxe a lume claramente a centralidade da cristologia na narrativa de Caná, segundo as claras diretrizes do evangelista. Mas temos de formular perguntas adicionais. De que modo a transformação da água em vinho faz a glória de Jesus reluziu sobre seus discípulos? E para os leitores do evangelho a quem o evangelista dá este relato numa sequência fixa, como a narrativa de Caná se relaciona com o que precede e o que segue? Voltemos a responder estes pontos um após o outro.

(1) Como Caná revelou a glória de Jesus? – substituição e abundância messiânicas. Podemos responder a esta questão primeiro em relação ao leitor do evangelho que tem toda a sequência do ministério diante dele, e então podemos voltar ao significado do relato de Caná para os discípulos que viram o milagre. João informa o leitor que este foi o início dos sinais e com isso indica claramente que Caná deve ser conectada com o que segue no Livro dos Sinais. Como já ressaltamos ao discutir o esboço do Livro (p. 161), um dos temas da Parte II (caps. 2-4) é a substituição das instituições e dos pontos de vista religiosos judaicos; e Parte III (caps. 5-10) é dominada pelas ações e discursos de

Jesus por ocasião das festas judaicas, com reiterada frequência à moda de substituir o motivo das festas. Jesus é o verdadeiro templo; o Espírito que ele dá substituirá a necessidade de cultuar em Jerusalém; sua doutrina e sua carne e sangue darão vida de uma maneira que o maná associado com o êxodo do Egito não fez; na festa dos tabernáculos, não a cerimônia de pedir chuvas, mas Jesus mesmo supre a água viva; não a iluminação do átrio do templo, mas Jesus mesmo é a verdadeira luz; na festa da Dedicação, não o altar no templo, mas Jesus mesmo é consagrado por Deus. Em vista deste tema consistente de substituição, parece óbvio que, ao introduzir Caná como o primeiro de uma série de sinais a seguir, a intenção do evangelista é chamar a atenção para a substituição da água prescrita para a purificação judaica pelo mais seleto dos vinhos. Esta substituição é um sinal de quem é Jesus, a saber, o enviado pelo Pai que agora é o único caminho para o Pai. Todas as substituições, costumes e festas religiosas anteriores em sua presença perderam o significado.

Deixando agora o ponto de vista do leitor do evangelho para a dos discípulos a quem João apresenta como testemunhas do milagre, e *trataremos de trabalhar com o cenário histórico tencionado pelo evangelista*, vemos que os discípulos são imaginados como tendo visto a glória de Jesus na própria cena de Caná, sem a vantagem de prever o tema de substituição elaborado em todo o ministério. Como? Podemos introduzir nossa resposta, observando que alguns dos símbolos em Caná são familiares e significativos símbolos bíblicos que teriam sido claramente conhecidos dos discípulos. A ação dramática é posta no contexto de um casamento; no AT (Is 54,4-8; Lc 4-5), isto é usado para simbolizar os dias messiânicos, e ambos, o casamento e o banquete, são símbolos que Jesus usou (Mt 8,11; 22,1-4; Lc 22,16-18). O casamento aparece como um símbolo do cumprimento messiânico em outra obra joanina, Ap 19,9. Outro símbolo em Caná é a substituição da água pelo vinho seleto, melhor que o vinho que os convivas já tinham bebido. Na tradição sinótica, aparentemente no contexto de uma festa nupcial (Mc 2,19), encontramos Jesus usando o simbolismo de um vinho novo em odres velhos a fim de comparar seu novo ensino com os costumes dos fariseus. (Note que este incidente ocorre no início do relato sinótico do ministério justamente como Caná está no início do relato joanino). Assim, a declaração do mestre-sala no final da cena, "Guardaste o vinho seleto até agora", pode ser entendida como a proclamação da chegada dos dias messiânicos. À luz deste tema, a declaração de Maria, "Eles não têm vinho", se torna uma pungente reflexão sobre a esterilidade das purificações judaicas, tão do estilo de Mc 7,1-24.

A abundância de vinho (450 litros – ver nota sobre o v. 8) agora se torna inteligível. Uma das figuras consistentes do AT para a alegria dos dias finais é a abundância de vinho (Am 9,13-14; Os 14,7; Jr 31,12). *1 Enoque* 10,19 prediz que a videira produziria vinho com abundância; e em *2 Baruque* 29,5 (um apócrifo judaico quase contemporâneo do Quarto Evangelho) encontramos uma descrição exuberantemente fantástica desta abundância: a terra produzirá seu fruto dez mil vezes mais; cada videira terá 1.000 ramos; cada ramo 1.000 cachos; cada cacho 1.000 uvas; e cada uva cerca de 450 litros de vinho. (IRINEU *Contra Heresia* 5, 33:3-4; PG 7:1213-14, atribui esta passagem a PAPIAS de Hierápolis, o qual está intimamente associado com as antigas tradições sobre João).

Através desse simbolismo, o milagre de Caná pôde ser entendido pelos discípulos como um sinal dos tempos messiânicos e a nova dispensação, em grande medida da mesma maneira que teriam entendido a declaração de Jesus sobre o novo vinho na tradição sinótica. A referência no v. 11 ao ato de Jesus revelar sua glória se adequa a este tema, pois a revelação da glória divina havia de ser a marca dos últimos tempos. Em Sl 17,32 ouvimos que o Messias fará com que a glória do Senhor seja vista por todos sobre a terra. O 49,2 fala da glória do Escolhido (Jo 1,34), o Filho do Homem; e o 102,6 promete que o Senhor aparecerá em Sua glória (também o Sl 97,6; Is 60,1-2 etc.).

(2) *Como Caná completou o chamado dos discípulos?* O evangelista não só indica que o milagre de Caná deve ser conectado aos sinais que seguem; também (v. 1) o relaciona com o que precede, datando-o em referência ao chamado dos discípulos. Ao enfatizar a relação de fé da parte dos discípulos, o evangelista mostra que não se esqueceu do tema da evolução do discipulado que foi elaborado no capítulo 1. Seguir a Jesus é um processo, que começou em 1,37 que culmina na fé; o que veem agora em Caná cumpre a promessa de 1,50 (e 51). Veja nota sobre o v. 11.

Alguns estudiosos propõem uma conexão ainda mais elaborada de Caná com o capítulo 1. BERNARD, BOISMARD, STRATHMANN, entre outros, creem que em sua frequente menção de dias, em 1 e 2,1, o Quarto Evangelho deseja representar uma semana de sete dias para a abertura do ministério – uma semana começando a nova criação precisamente como Gn 1-2,3 estrutura a obra da primeira criação dentro de uma semana de sete dias. Apresentamos abaixo uma esquematização disto:

Quarta-Feira	Primeiro Dia: 1,19-28 –	O testemunho de João Batista acerca do seu próprio papel
Quinta-Feira	Segundo Dia: 1,29-34 –	O testemunho de João Batista acerca de Jesus
Sexta-Feira	Terceiro Dia: 1-35-39 –	Os primeiros dois discípulos seguem a Jesus
Sábado a domingo à noite	Quarto Dia: 1,40-42 –	Simão Pedro vai a Jesus
Segunda-Feira	Quinto Dia: 1,43-50 –	Filipe e Natanael; início da viagem para Galileia
Terça-Feira	Sexto Dia:	um dos dois dias implícitos em 2,1 para a viagem para Galileia
Terça-Feira a quarta-feira à noite	Sétimo Dia: 2,1-11 –	Jesus na festa nupcial de Caná

Temos que fazer algumas precisões na avaliação deste esquema. Se deixarmos de lado a identificação dos dias semanais (quarta a quarta), a simples diferenciação de dias tem a seu favor o fato de que cada dia que ela pressupõe é indicado em João – somente o Dia 4 é um tanto especulativo. Preferimos este cálculo ao de BOISMARD que, sem evidência, introduz um dia entre 1,46 e 47 (veja acima, pp. 274-275). Entretanto, o esquema se torna bem especulativo, se identificarmos os dias semanais – veja nota sobre 1,39 e 2,1 para a sua justificação. Todavia, é importante o fato de que a semana, assim reconstruída, começa na quarta-feira, como salientado por P. SKEHAN, CBQ 20 (1958), 197-98; pois no antigo calendário solar (seguido nos *Jubileus* e em Qumran), a semana sempre começava na quarta-feira. Como observa SKEHAN, Caná marca, respectivamente, o fim da primeira semana do ministério (sétimo dia) e, como uma quarta-feira, o início da semana seguinte (oitavo dia). A mística do oitavo dia, o grupo de oito, é bem atestado no Cristianismo primitivo do 2º século (*Barnabé* 15,8-9; JUSTINO *Trifo* XLI 4; PG 6:565). Para aplicação a Caná, veja M. BALAGUÉ, *Cultura Biblica* 19 (# 187, 1962), 365ss. Esta mesma reconstrução especulativa confirmaria nosso ponto de vista de que Caná tanto completa a sequência no capítulo 1 como introduz a sequência em 2-4.

A aplicação da teoria de *sete* dias a Jo 1,19-2,11 é muito atraente, mas como é possível estarmos certos de que não estamos lendo no evangelho algo que nunca nem mesmo foi imaginado pelo evangelista ou pelo redator? Há um perigo real de que aqui temos mais um exemplo do desejo de encontrar *setes* no Quarto Evangelho (veja acima, p. 161). O evangelho em si conta a festa em Caná como ocorrendo no *terceiro* dia, enquanto que o dia correspondente em 1,40-42 só é indicado indiretamente. Que a referência a sete dias se adequa bem com os claros paralelos com Gênesis no Prólogo (e com o tema da "mulher" de Caná, como visto abaixo) não existe dúvida, mas isto não contribui senão para fazer a teoria de sete dias uma interpretação *possível*.

Outro tema que relaciona Caná ao capítulo 1 é a presença do tema de Sabedoria que vimos no chamado dos discípulos (veja acima, p. 267). Isto foi bem desenvolvido em DILLON, *art. cit.* Pr 9,5 descreve como a Sabedoria prepara um banquete para os homens, convidando-os a comerem de seu pão e *beberem de seu vinho*. Em Is 55,1-3 e Siraque 15,3 e 24,19.21, temos homens recebendo à comida e bebida da Sabedoria. O ato de jantar à mesa da Sabedoria e beber seu vinho é um símbolo da aceitação de sua mensagem. O tema da Sabedoria será claro no capítulo 5, onde Jesus é o pão da vida que alimenta os homens com doutrina – uma cena posta na Galileia precisamente antes da Páscoa (6,4). Aqui, em Caná da Galileia, precisamente antes da Páscoa (2,13), temos Jesus dando aos homens vinho com abundância para beberem, e isto leva seus discípulos a crerem nele. Sobre uma base comparativa, parece que o tema da Sabedoria está em foco em Caná. Isto pode também associar-se ao tema da substituição, pois, na Sabedoria de Siraque, ela é de muitas maneiras equivalente à Lei. Não é o pão e o vinho da Lei que alimentam os homens, mas Jesus mesmo, a encarnação da Sabedoria divina.

O tema da Sabedoria ecoa no v. 9 onde somos informados que o mestre-sala não sabe de onde veio o vinho? A ignorância de onde vem a Sabedoria ecoa poeticamente em Jó 28,12-20. Baruque 3,14-15 desafia o homem a aprender onde está a Sabedoria em seus vários aspectos. Quando encontramos em João a questão de onde Jesus vem, associaremos isto com o tema de onde vem a Sabedoria; SCHNACKENBURG, pp. 28-29, aplica esta abordagem ao vinho de Caná. Talvez a alusão seja um tanto sutil.

(3) *O simbolismo da Mãe de Jesus, a "mulher", em Caná.* Se Caná diz respeito primariamente ao tema cristológico da manifestação da glória de Jesus, também tem, como muitos dos relatos joaninos, temas teológicos subordinados. A presente discussão se centra em torno do teor simbólico do diálogo entre Jesus e sua mãe. Talvez em nenhum lugar em João a diferença de predisposição teológica entre católico e protestante seja mais dolorosamente evidente que na exegese de 2,4. Há uma enorme quantidade de literatura católica sobre este versículo, muito dela não se elevando acima do nível de eisegese pia; no entanto, a maioria dos comentaristas protestantes passa por sobre o versículo como se fosse impensável que Maria exercesse um papel na teologia joanina. Que estamos vendo a aurora de dias melhores é testemunhado na abordagem mais sóbria à mariologia da cena encontrada em SCHNACKENBURG, BRAUN, entre outros, e mediante referências mesmo que rápidas nos círculos protestantes à importância de Maria na cena joanina, por exemplo, BULTMANN, p. 81, o qual pensa que o relato pode ter vindo dos círculos favoráveis a Maria. O estudo de THURIAN é não só a melhor avaliação protestante da questão mariológica, mas muito melhor que muitos dos estudos católicos.

Devemos começar a análise do simbolismo de Maria em Caná, recorrendo a Ap 12; isto, uma vez mais, presume que Apocalipse pode ser usado como um testemunha a algum dos padrões e interesses do pensamento da escola joanina. (Para substanciar o que segue, veja A. FEUILLET, *"Le Messie et as Mère d'après le Chapitre xii de l'Apocalypse"*, RB 66 [1959], 55-86; em inglês em JohSt, pp. 257-92). Em Ap 12 há uma misteriosa e simbólica figura de "uma mulher" que é uma figura chave no drama da salvação. Não pode haver dúvida de que o Apocalipse está dando uma atualização cristã do drama prefigurado em Gn 3,15, onde se põe inimizade entre a serpente e *a mulher*, entre a semente da serpente e sua semente, em que a semente da mulher se põe em conflito a serpente. No Apocalipse, a mulher com dores de parto dá à luz um menino que é o Messias (12,5//Sl 2,9) e é arrebatado para o céu. O grande dragão, especificamente identificado como a antiga serpente de Gênesis por meio do

Ap 12,9, frustrado pela ascensão da criança, se volta contra a mulher e o resto de sua descendência (12,17).

Em geral se concorda que a mulher do Apocalipse é um símbolo do povo de Deus. Amiúde Israel é descrito no AT como uma mulher. O próprio Apocalipse (19,7) descreve a Igreja como uma noiva. O drama da mulher, o povo de Deus, se estende aos dois Testamentos: como Israel, ela dá à luz ao Messias que não pode ser derrotado pela serpente; como a Igreja, ela continua sobre a terra após a ascensão, perseguida, porém protegendo seus filhos.

Não obstante, amiúde na Bíblia figuras coletivas são baseadas em personagens históricos. Assim, o fato de que a mulher representa o povo de Deus não exclui absolutamente uma referência a uma mulher individual que é a base do simbolismo. Visto que a mulher é descrita como a mãe do Messias, muitos comentaristas sugerem que Maria está em pauta. A figura de Eva, em Gn 3,15, é o pano de fundo para a descrição da mulher em Ap 12; e é importante que desde os primeiros dias do Cristianismo Maria foi vista tanto como um símbolo da Igreja quanto a Nova Eva (JUSTINO, *Trypho* 100,5; PG 6:712; e IRINEU *Contra Heresia* 3, 22:4; PG 7:959). Para uma lista completa de referências, veja H. DE LUBAC, *The Splendour of the Church* (Nova York: Sheed and Ward, 1956), Ch. IX. Para uma exaustiva discussão sobre a mulher do Ap 12, tanto como o povo de Deus como Maria, veja B. LEFROIS, *The Woman Clothed with the Sun* (Roma: "Orbis Catholicus", 1954).

Retornando a João, descobrimos que a mãe de Jesus aparece em Caná e em um outro incidente, a saber, quando ela se põe aos pés da cruz e recebe o Discípulo Amado como seu filho (19,25-27) – veja comentário no volume II). Um número de importantes paralelos é partilhado por Ap 12 e estas cenas em João. (**a**) A figura em Ap 12 é descrita como "uma mulher"; em ambas as cenas joaninas, Jesus se dirige à sua mãe como "Mulher", o que, como vimos na respectiva nota, é uma forma peculiar de falar que carece de explicação. O termo seria inteligível em todos estes casos se a intenção de João é apresentar Maria como Eva, a "mulher" de Gn 3,15. (**b**) Ap 12 é inquestionavelmente posto contra o pano de fundo de Gn 3; já vimos quantos ecos há dos primeiros capítulos de Gênesis em Jo 1-2. Um pano de fundo em Gênesis para Jo 19,25-27 é mais difícil de discernir, mas certamente a morte de Jesus está na estrutura da grande luta com Satanás predita em Gn 3, ao menos como aquela passagem foi interpretada pela teologia cristã (veja Jo 13,1.3; 14,30). As dores de parto mencionadas em Gn 3,16 e Ap 12,2 podem ser associadas com a morte de Jesus, como salientamos no comentário sobre Jo 16,21-22 (no volume II). (c) Ap 12,17 menciona o restante da descendência da mulher contra quem o dragão faz guerra; assim, a semente da mulher (Gn 3,15) é não só o Messias, mas inclui um grupo mais amplo, os cristãos. Em ambos os seus aparecimentos em João, Maria está associada aos discípulos de Jesus. Em Caná, sua ação está no contexto do término do chamado dos discípulos. (Alguns exegetas têm traçado o paralelo entre seu pedido como a ocasião da primeira manifestação gloriosa de Jesus aos seus discípulos e o pedido de Eva como a ocasião do primeiro pecado. Esta probabilidade põe mais ênfase sobre a causalidade do pedido de Maria do que a intenção do discípulo). Aos pés da cruz, Maria vem a ser a mãe do Discípulo Amado, o cristão modelo, e assim lhe dada uma progênie a proteger.

Tendo visto a relação das três cenas no *corpus* joanino em que a mulher (Maria, a mãe do Messias, como símbolo da Igreja) aparece, podemos agora interpretar o diálogo em Caná. Em um nível teológico, pode-se ver o pedido de Maria que, por sua intervenção ou não, levaria a Jesus realizar um sinal. Antes de realizar este sinal, Jesus deixaria claro sua recusa da intervenção de Maria; ela não pode exercer qualquer papel em seu ministério; seus sinais refletiriam a soberania de seu Pai, e não de qualquer instância humana ou familiar. Mas, se Maria não deve ter nenhum papel durante seu ministério, ela haverá de receber um papel quando chegar *a hora* de sua glorificação, a hora da paixão, morte, ressurreição e ascensão. João vê Maria contra o pano de fundo de Gn 3: ela é a mãe do Messias; seu papel está na luta contra a serpente satânica, e essa luta atinge seu clímax na hora de Jesus. Então ela aparecerá aos pés da cruz a receber a incumbência da progênie a quem deve proteger na contínua luta entre Satanás e os seguidores do Messias. Maria é a Nova Eva, o símbolo da Igreja; a Igreja não exerce papel durante o ministério de Jesus, mas somente após a hora de sua ressurreição e ascensão.

A plausibilidade destas sugestões sobre o simbolismo joanino que cerca Maria tem sido defendida por protestantes como Hoskyns (p. 530) e Thurian, e por católicos como Braun e Feuillet. Será notado que esta interpretação seria mantida claramente distinta desde uma mariologia tardia que granjeará importância para a própria pessoa de Maria; cremos que a ênfase joanina está sobre Maria como um símbolo da Igreja. Tanto em Lucas como em João, a mariologia é incipiente e é expressa em termos de personalidade coletiva.

(4) *O vinho seleto em Caná e a eucaristia*. Possivelmente, outro tema teológico subordinado na cena joanina é o sacramental; nossas advertências gerais sobre a sacramentalidade joanina (veja Introdução, Parte VIII:B) deve levar-nos, todavia, a insistir que, se há simbolismo eucarístico, ele é incidental e não deve ser exagerado. Quanto a outro sacramentalismo, em Theological Studies 23 (1962), 199-200, argumentamos contra a tentativa da parte de alguns escritores católicos (Vawter, Stanley, J.-P. Charlier, Galot) de ver na narrativa de Caná uma referência ao matrimônio como sacramento. Sugerir que a festa nupcial de Caná é uma prefiguração das núpcias do Cordeiro (Ap 19,9), no sentido que Maria simboliza a Igreja como a esposa de Cristo é não só confundir simbolismo (Maria e Jesus não estão se casando em Caná), mas também dar ênfase exagerada a um episódio incidental. Da mesma forma, rejeitamos a tentativa (p. ex., Niewalda, p. 166) de ver em Caná simbolismo batismal. Ainda que a água para as purificações judaicas seja substituída, não é substituída pelas águas do batismo cristão, e sim pelo vinho.

A sugestão (Clemente de Alexandria, Cirilo de Jerusalém, Cipriano) de que o "vinho seleto" do relato de Caná possa ter tido o propósito de lembrar aos leitores do evangelho o vinho eucarístico merece consideração mais séria. Tal simbolismo seria secundário, pois o significado primário do vinho é claramente o dom da salvação procedente de Jesus, do qual a luz, água e alimento são outros símbolos joaninos. Quais são os critérios externos e internos usados para estabelecer a possibilidade desta interpretação? *Externamente*, um afresco do 2º ou 3º século em uma catacumba alexandrina une Caná e a multiplicação dos pães, portanto pão e vinho (Niewalda, p. 137); e em João a multiplicação dos pães tem inegáveis matizes eucarísticos. Irineu (*Contra Heresia* 3, 16:7), falando de Caná, menciona que Maria queria participar antes do tempo de "o cálice da recapitulação"; e isto parecer ser uma referência ao cálice eucarístico (Sagnard, SC 34: 295-97). *Internamente*, o próprio evangelho traça uma conexão entre a cena de Caná e a hora que está para começar formalmente na última ceia (13,1). Igualmente, a datação da cena de

Caná (2,13), da multiplicação dos pães (6,4) e da última ceia no período antes da Páscoa parece ligar as três cenas e ajuda a associar o vinho de Caná com o pão da multiplicação como uma antecipação simbólica do pão e vinho eucarísticos. Outros associam a presença de Maria em Caná e sua presença aos pés da cruz, quando *sangue* fluiu do lado de Cristo (KILMARTIN, *art. cit.*). O fato de que vinho é o sangue da uva (Gn 49,11; Dt 32,14; Siraque 50,15) também tem sido evocado. E é verdade que "vinho seleto" em lugar de águas para a purificação judaica poderia estar para o verdadeiro agente purificador da dispensação cristã – "o sangue de Jesus, Seu filho, nos purifica de todo pecado" (1Jo 1,7). Entretanto, muitas destas indicações internas de intenção sacramental são em grande medida alusões poéticas que não fazem mais do que tornar *possível* uma interpretação eucarística.

BIBLIOGRAFIA

BOISMARD, M.-E., *Du Baptême à Cana* (Paris: Cerf, 1956), especialmente pp. 133-59.
BRAUN, F.-M., *La Mère des fidèles* (2 ed.; Paris: Casterman, 1954). Johannine Mariology.
BRESOLIN, A., "L'esegesi di Giov. 2,4 nei Padri Latini", *Revue des Etudes Augustiniennes* 8 (1962), 243-73.
CHARLIER, J.-P., *Le Signe de Cana* (Bruxelles: Pensée Catholique, 1959).
DERRETT, J. D. M., "Water into Wine", BZ 7 (1963), 80-97.
DILLON, R. J., "Wisdom Tradition and Sacramental Retrospect in the Cana Account (jn 2, 1-11)", CBQ 24 (1962), 268-96.
FEUILLET, A., "L'heure de Jésus et le signe de Cana", ETL 36 (1960), 5-22. (In Eng. In *JohSt*, pp. 17-37).
GÄCHTER, P., "Maria in Kana", ZDT 55 (1931), 351-402.
HAIBLE, E., "Das Gotesbild der Hochziet von Kana", *Münchener Theologische Zeitschrift* 10 (1959), 189-99.
KILMARTIN, E. J., "The Mother of Jesus Was There", ScEccl 15 (1963), 213-26.
MICHAUD, J.-P., "Le signe de Cana dans son contexte johannique", *Laval Théologique et Philosophique* 18 (1962), 239-85; 19 (1963), 257-83.
MICHL, J., "*Bemerkungen zu Joh. 2,4*", Bib 36 (1955), 492-509.

REUSS, J., *"Joh 2,3-4 in Johannes-Kommentaren der griechischen Kirche"*, NTAuf, pp. 207-13.
SCHNACKENBURG, R., *Das erste Wunder Jesu* (Freiburg: Herder, 1951).
THURIAN, M., *Mary Mother of All Christians* (N.Y.: Herder and Herder, 1964), especialmente pp. 117ss.

7. JESUS VAI PARA CAFARNAUM
(2,12)

Uma passagem de transição

2 ¹²Depois disto ele desceu a Cafarnaum, juntamente com sua mãe e irmãos [e seus discípulos], e eles permaneceram ali somente uns poucos dias.

NOTAS

2.12. *Depois disto*. Isto não é a vaga expressão *meta tauta*, e sim a mais precisa *meta touto*. BERNARD, I, p. 83, e LAGRANGE, p. 63, tomam o segundo termo para significar sequência cronológica real; BULTMANN, p. 85⁶, e BARRETT, p. 162, afirmam que não há diferença entre as duas expressões, e que ambas são vagas.

irmãos. Os manuscritos recentes trazem "seus"; os papiros Bodmer favorecem a omissão do possessivo. A tradição sinótica dá nomes (Tiago, José ou Joses, Simão, Judas – Mt 13,55; Mc 6,3) a um grupo de irmãos de Jesus, João, porém, não dá nomes. São estes *adelphai*, irmãos de sangue de Jesus? O grego *adelphos* normalmente se refere a um irmão real. O hebraico 'aḥ cobre parentes masculinos de graus variados (irmão, meio irmão, primo, cunhado), e a LXX usa *adelphos* para traduzir todas essas nuanças de significado – veja BAG, p. 15; J. J. COLLINS, TS 5 (1944), 484-94. Os cristãos que aceitam a antiga tradição de que Maria permaneceu virgem consideram estes *adelphoi* como sendo supostos meio irmãos (filhos de José por um casamento anterior – teoria de EPIFÂNIO) ou primos (filhos do irmão de José – ou da irmã de Maria: teoria de JERÔNIMO). O anglicano BERNARD, I, p. 85, comenta: "É difícil entender como a doutrina da virgindade de Maria poderia ter se desenvolvido já no 2º século, se seus quatro reconhecidos filhos eram cristãos preeminentes, e um deles bispo de Jerusalém". Veja nota sobre 19,25, no volume II.

[*e seus discípulos*]. Esta frase é omitida no Codex Sinaiticus e nas versões antigas. Alguns têm sugerido que os "irmãos" originalmente se referiam aos discípulos (como em 20,17), e que algum copista, interpretando-o mal como uma referência aos parentes de Jesus, anexaram os discípulos como um terceiro partido. Como endosso a isto, é curioso encontrar os "irmãos" de Jesus seguindo-o juntamente com sua mãe e seus discípulos que criam nele. Os "irmãos" aparecem como incrédulos (7,5) na tradição evangélica do ministério.

eles permaneceram. Um mss. antigo trás "ele permaneceu". Talvez o original "eles" pareceu a um copista como subentendendo que mais tarde todos estes seguidores foram para Jerusalém, e assim ele o mudou para "ele" com o intuito de adaptar a sentença ao que segue em 2,13, onde *Jesus* sobe para Jerusalém.

uns poucos dias. BULTMANN, p. 85[5], trata isto como uma harmonização com 2,13.

COMENTÁRIO

O número de variantes textuais, neste versículo, indica sua confusão de sua redação. Para uma discussão completa, veja nossas observações em CBQ 24 (1962), 11-13, ou NTE, pp. 156-58. Dentro da tradição joanina não há atividade prolongada de Jesus junto ao Mar da Galileia (só o cap. 6), enquanto para os sinóticos Cafarnaum é o quartel general de Jesus e seu lar durante o ministério inicial. É difícil tratar este versículo como um conectivo real entre Caná e a cena seguinte em Jerusalém, pois uma viagem para Cafarnaum exigiria um longo desvio do trajeto desde a estrada para Jerusalém.

Este versículo tem ecos na tradição sinótica. Lc 4,31 menciona a descida de Jesus para Cafarnaum após seu fracasso inicial em Nazaré (veja também Mt 4,13). Todos os sinóticos (Mc 3,31 e par.) sabem que a mãe de Jesus e seus irmãos desceram (de Nazaré) para ver o que ele estava fazendo em Cafarnaum, quem sabe por causa das notícias hostis sobre suas atividades (Mc 3,21). Tem-se sugerido que o redator de João tomou a informação no v. 12 de uma miscelânea dessa informação sinótica a fim de harmonizar João com os sinóticos. Entretanto, o vocabulário no v. 12 não é o mesmo que nos vários paralelos sinóticos. E assim, enquanto o versículo pode bem ser a adição do redator, é possível que tenha formado o versículo de tradição independente, talvez até mesmo de antiga tradição joanina que até então não tinha sido incorporada na narrativa (veja DODD, *Tradition*, pp. 355-56).

Em qualquer caso, se o versículo resultou de uma tentativa de harmonizar as cronologias joaninas e sinóticas, isso não foi bem sucedido. Tudo o que acontece em Cafarnaum, nos sinóticos, ocorre depois da prisão do Batista (Mc 1,14; Mt 4,12). Em João, este versículo precede a prisão do Batista, que está ativo em 3,23 e 4,1.

8. A PURIFICAÇÃO DO TEMPLO EM JERUSALÉM
(2,13-22)

2 ¹³Visto que a Páscoa dos judeus estava próxima, Jesus subiu para Jerusalém. ¹⁴Nos recintos do templo, ele encontrou pessoas encumbidas a vender bois, ovelhas e pombas, e outras assentadas, trocando moedas. ¹⁵Então ele fez um [tipo de] chicote de cordas e lançou fora da área do templo toda a súcia deles com suas ovelhas e bois, e derrubou as mesas dos cambistas, derramando suas moedas. ¹⁶Ele disse aos que estavam vendendo pombas: "Tirai-os daqui! Parai de converter a casa de meu Pai em um mercado!" ¹⁷Seus discípulos se lembraram das palavras da Escritura: "O zelo por tua casa me consumirá".

¹⁸Nisto os judeus responderam: "Que sinal podes mostrar-nos, que te autorize a fazer estas coisas?" ¹⁹Jesus lhe respondeu: "Destruí este templo", "e em três dias eu o levantarei". ²⁰Então os judeus retrucaram: "A construção deste templo tem levado quarenta e seis anos, e pretendes erguê-lo em três dias?" ²¹Na verdade, ele estava falando sobre o templo de seu corpo. ²²Ora, depois de sua ressurreição dentre os mortos seus discípulos se lembraram de que dissera isto, e então creram na Escritura e na palavra que ele havia dito.

NOTAS

2.13. *"dos judeus"*; esta expressão modifica Páscoa em 6,4 e 11,55, e Tabernáculos em 7,2. Pode indicar hostilidade para com estas festas que haviam de ser substituídas por Jesus. Para a possibilidade de uma Páscoa cristã, veja capítulo 6.

Páscoa. Esta é a primeira das três Páscoas mencionadas em João (6,4; 11,55). Alguns estudiosos as consideram como tendo mero valor simbólico; outros as aceitam como indicações de tempo e propõem que Jesus exerceu um ministério que durou ao menos dois anos. A localização sinótica desta cena antes da última Páscoa da vida de Jesus seria correta, e a presente posição da cena em João seria o resultado de transposição redacional; todavia, é possível que a tradição joanina preservasse a memória de uma viagem de Jesus a Jerusalém em uma primeira Páscoa em seu ministério, e que originalmente este foi o cenário para o capítulo 3.

Jesus. O nome pessoal aparece em diferente sequência nas várias testemunhas. Talvez, antes que o v. 12 fosse anexado, o sujeito original fosse simplesmente "ele", um sujeito que não fosse ambíguo depois do v. 11. A inserção do v. 12 poderia ter levado copistas a inserirem o nome, motivados pela clareza.

subiu. Este é o verbo normal para uma viagem à cidade santa situada sobre um monte.

14. *recintos do templo*. O *hieron* significa o átrio externo do templo, o Átrio dos Gentios. O templo propriamente dito, o edifício ou santuário. (*naos*), é mencionado nos vs. 19-21.

   bois, ovelhas e pombas. Os animais eram vendidos para serem sacrificados; as pombas ou pombos eram os sacrifícios dos pobres (Lv 5,7), e isto poderia explicar o tratamento mais brando aos vendedores de pombas. Somente João menciona os animais maiores.

   trocando moedas. Por causa das imagens imperiais ou pagãs que elas portavam, o uso dos denários romanos e das dracmas áticas não era permitido em pagamento do imposto do templo de meio estáter (Mt 17,27; meio estáter era igual a dois denários ou uma dracma). Os cambistas trocavam estas moedas pela moeda legal tíria e na transação tiravam um pequeno proveito.

15. *[tipo de]*. Os papiros Bodmer endossam a evidência de versões antigas em prol desta redação.

   chicote de cordas. Nem bastões nem armas eram permitidos nos recintos do templo. É possível que Jesus tenha fabricado seu chicote de fibras de plantas usadas como leito para os animais. Somente João menciona isto.

   lançou fora toda a súcia deles. Aparentemente, Jesus usou o chicote nos mercadores.

   com suas ovelhas e bois. BULTMANN, p. 86[10], considera esta frase como uma adição secundária; ele sugere que o resto deste versículo, bem como o início do 16, foi emprestado de Mc 11,15 ou Mt 21,12. O conectivo *te*, incomum em João, ocorre nesta frase.

derramando. As testemunhas textuais variam entre diversos verbos gregos, provavelmente refletindo uma harmonização com os sinóticos.

16. *a casa de meu Pai*. Com frequência, o templo é descrito no AT como "a casa de Deus"; assim também Mc 2,26. Em Lc 2,49, temos a mesma ideia que em João.

    mercado. Literalmente, "uma casa de mercado"; note o jogo de palavras com "casa".

17. *se lembraram*. Neste momento, ou após a ressurreição, como no v. 22? HAENCHEN, *art. cit.*, pensa que este versículo é uma adição redacional.

    consumirá. O futuro é a leitura correta, embora alguns manuscritos e versões antigas a conformem com o "tem consumido" do TM e da LXX (?) do Sl 69,9.

18. *os judeus*. Este é um bom exemplo de uso joanino, pois o paralelo sinótico (Mc 11,27 e par.) fala de principais sacerdotes, escribas e os anciãos do povo.

    sinal. Para o uso joanino usual de sinal, veja Apêndice III, p. 831ss; todavia, aqui significa uma prova miraculosa apologética para os incrédulos, como nas solicitações sinóticas de sinais formuladas pelos escribas, fariseus, saduceus e Herodes (Mt 12,38-39; 16,1-4; Lc 23,8). É provável que este uso venha do uso ocasional do AT de "sinal", como uma prova divina como credencial. Jesus nunca cede a tal solicitação.

    que te autorize a fazer estas coisas. Compare Mc 11,28 e par. (após a purificação do templo): "Por qual autoridade fazes estas coisas?"

19. *Destruí*. DODD, *Interpretation*, p. 302[1], nota que o uso de um imperativo para uma condição (se destróis) é um semitismo que poderia significar que a forma de João deste dito é bem antiga. Mas, como BULTMANN, p. 88, insiste, este imperativo expressa algo mais que uma simples condição; é o imperativo irônico encontrado nos profetas (Am 4,4; Is 8,9); significa: "Vá em frente, faça isto e veja o que acontece".

    templo. Naos; veja nota sobre o v. 14.

20. *quarenta e seis anos*. JOSEFO, *Ant*. 15.11.1; 380, diz que a reconstrução do templo começou no décimo oitavo ano de Herodes o Grande (20/19 a.C. – esta data é mais confiável do que o décimo quinto ano de Herodes dado em *War* 1.21.1; 401). Computando a partir disto, chegamos a uma data de 27/28 a.C., ou mais exatamente, a Páscoa de 28. Os riscos de estabelecer uma cronologia exata para o ministério de Jesus são bem notórios, mas esta data concorda com a de Lc 3,1, que fixa o ministério do Batista no décimo quinto ano de Tibério (27 a 28 de outubro, segundo o calendário sírio). Em João, obviamente o número se refere ao templo; todavia, porque João diz que o templo é o corpo de Jesus,

e por causa de 8,57 ("Ainda não tens cinquenta anos"), LOISY e outros aceitam 46 como a idade de Jesus, sugerindo que ele morreu no Jubileu de 50. O fato de que as letras gregas no nome de Adão têm o valor de 46, serviu de base para a interpretação de muitos Padres, especialmente AGOSTINHO, que via este número como uma referência à natureza humana de Jesus; veja VOGELS. Embora não consideremos "quarenta e seis anos" como uma referência à idade de Jesus, de modo algum excluímos a possibilidade de que Jesus fosse consideravelmente mais velho do que a aproximação de Lucas, de "cerca de trinta anos de idade" (3,23), poderia indicar.

tem levado. Literalmente, aoristo "levou". O templo não foi completado até 63 d.C. sob o Procurador Albinus (JOSEFO, *Ant.* 20.9.7; 219). Alguns veriam aqui um chocante erro do evangelista retratando a construção como estando completada em 28 a.D. Temos tomado o aoristo como complexo, resumindo todo o processo de construção que ainda não estava completada. Um paralelo perfeito se encontra na LXX em Esd 5,16: "... desde aquele tempo até agora [o templo] esteve em construção [aoristo; mesmo verbo] e ainda não terminou". Veja também Jo 4,3 (nota), 20 ("adorado").

21. *estava falando.* O imperfeito pode ser modal: "queria referir-se".

o templo de seu. Há alguma evidência patrística para a omissão destas palavras, propiciando assim a redação: "ele estava falando sobre o corpo" (assim TATIANO, IRINEU, TERTULIANO, ORÍGENES).

22. *depois de sua ressurreição.* Literalmente, "quando ele foi ressuscitado [i.e., pelo Pai]" ou "quando tiver ressuscitado". *Egerthē* é passivo na forma, mas pode ser ou passivo ou intransitivo no significado (ZGB, § 231; C. F. D. MOULE, *Idiom Book of New Testament Greek* [2 ed.; Cambridge, 1963], p. 26). Nos evangelhos mais antigos, provavelmente o passivo deva ser preferido, em consonância com as dezenove vezes que o NT diz que Deus o Pai ressuscitou Jesus dentre os mortos. Mas no Quarto Evangelho se fez claro que o poder do Pai é também o poder de Jesus (veja comentário sobre 10,30), e João insiste que Jesus ressuscitou por seu próprio poder (10,17-18).

na Escritura. Não fica claro se isto é uma referência ao AT, em geral, ou a uma passagem particular, p. ex., Sl 16,10, ou, talvez, ao Sl 69,9, citado no v. 17. Na pregação, os apóstolos encontraram bem depressa testemunhos veterotestamentários à ressurreição (1Cor 15,4: "... ele ressuscitou ao terceiro dia de conformidade com as Escrituras").

COMENTÁRIO

Comparação dos relatos joaninos e sinóticos

A cena que João narra tem paralelos em três narrativas sinóticas distintas. (1) Os sinóticos descrevem uma purificação similar dos recintos do templo somente durante o ministério de Jesus em Jerusalém, precisamente antes de sua morte. Em Mt 21,10-17 e Lc 19,45-46, Jesus faz isto no dia em que ele entra triunfantemente em Jerusalém; em Mc 11,15-19, ele faz isto no dia após sua entrada triunfante em Jerusalém. (2) Por ocasião da purificação, a ação de Jesus não é desafiada; mas algum tempo depois os principais sacerdotes, escribas e anciãos indagaram: "Por qual autoridade fazes estas coisas?" (Mc 11,27-28 e par.). Jesus se recusa a responder, a menos que eles se definissem com respeito a João Batista. (3) No julgamento de Jesus perante o Sinédrio, falsas testemunhas se reportaram dizendo que Jesus ameaçou destruir o templo e reconstruí-lo em três dias (Mc 14,58; Mt 26,61). Ouvimos outros ecos desta ameaça atribuída a Jesus pelos transeuntes ao pé da cruz (Mc 15,29; Mt 27,40). Reaparece no julgamento de Estêvão em At 6,14 (única referência lucana).

Os relatos sinóticos, ainda que não em perfeita harmonia entre si, apresentam algumas marcantes diferenças de João. Podemos discutir estas diferenças sob os tópicos da cronologia e da probabilidade de João conter tradição independente e confiável.

Cronologia: no início ou no final do ministério? Posteriormente discutiremos a questão de se a ação atribuída a Jesus é uma probabilidade histórica. Supondo, por um momento, que seja, que localização cronológica é a mais plausível? Que não podemos harmonizar João e os sinóticos, propondo duas purificações dos recintos do templo, parece óbvio. As duas tradições descrevem basicamente não só as mesmas ações, mas também não é provável que tão séria afronta pública ao templo fosse permitida duas vezes. Visualizemos os argumentos que favoreçam a datação de João e aqueles que favoreçam a datação sinótica.

Muitos estudiosos (J. Weiss, Lagrange, McNeile, Brooke, J. A. T. Robinson, V. Taylor) pensam que a datação joanina é a mais plausível. Salientam que na tradição sinótica há somente uma viagem a Jerusalém, a viagem que precede a morte de Jesus; e, visto que o templo está em Jerusalém, os três primeiros evangelistas não tiveram opção sobre onde colocar a cena. O esquema joanino, que inclui várias viagens a Jerusalém, foi mais livre em colocar a cena justamente onde realmente aconteceu. Argumenta-se também que os próprios sinóticos revelam alguns traços de um cenário muito mais antigo para a cena. Por exemplo, vimos que, em resposta ao desafio sobre seu direito de fazer estas coisas, Jesus suscita a questão do Batista. Acaso isto não indica que o ministério do Batista fosse uma memória recente, uma indicação de que a localização de João se adequa melhor? Reiterando, no julgamento de Jesus, sua afirmação sobre o templo é com dificuldade evocada pelas testemunhas como se fosse pronunciada muito antes; na cronologia de João, ela teria sido pronunciada ao menos dois anos antes.

Outros estudiosos (BERNARD, HOSKYNS, DODD, BARRETT, LIGHTFOOT) argumentam em prol da cronologia sinótica. Afirmam que uma tão séria afronta ao culto do templo teria forçado os sacerdotes a tomarem ação imediata contra Jesus. Na cronologia sinótica, entregaram-no imediatamente à morte; mas em João lhe é permitido a função ao menos dois anos depois do evento e visitar o templo em diversas ocasiões subsequentes. Argumenta-se também que ao estar numa posição de purificar os recintos do templo, Jesus tinha de ter *status* público como profeta e um numeroso séquito. Tal *status* e séquito se ajustam à sequência sinótica, onde Jesus entrou triunfalmente em Jerusalém no final de seu ministério, e não a sequência de João onde Jesus está apenas começando a agir em público.

Talvez se possa oferecer uma solução que responda aos argumentos mais decisivos de cada ponto de vista. Se João oferece paralelos às várias cenas sinóticas, não é possível que João esteja dando a sequência correta de uma dessas cenas, mas não das outras? Os melhores argumentos para a sequência joanina é a sentença sobre a destruição do templo; os melhores argumentos para a sequência sinótica são os que se ocupam da purificação vigente dos recintos do templo. Sugerimos como uma hipótese plausível que em sua primeira viagem a Jerusalém e ao templo, no início de seu ministério, Jesus pronunciou uma advertência profética sobre a destruição do santuário. Os sinóticos dão evidência de que posteriormente esta advertência foi lembrada e usada contra Jesus, embora nunca nos digam em que momento preciso a advertência foi originalmente enunciada. Em contrapartida, parece provável que a ação de Jesus, de purificar os recintos do templo, ocorreu nos últimos dias de sua vida.

Por que a purificação aparece no início do relato de João? Sugerimos que o labor redacional do evangelho levou à transposição da cena da sequência original que a relacionou com os últimos dias antes da prisão de Jesus. Veremos que o relato de Lázaro, que provavelmente seja uma adição posterior à sequência de João, veio a ser em João o principal motivo para a prisão de Jesus, deslocando todos os outros fatores que contribuíram para a tragédia. Se a inserção da narrativa de Lázaro causou um deslocamento da cena de purificação, o que há de mais natural do que juntá-la a uma afirmação anti-templo que foi encontrada no início da narrativa joanina? O fato de que a primeira viagem de Jesus a Jerusalém ocorreu na Páscoa pode ter sido outro fator a propiciar a nova localização de uma cena que, originalmente, estava associada com a última Páscoa da vida de Jesus. A nova sequência teve ainda uma atratividade teológica. O Batista, proeminente no primeiro capítulo de João, cumpriu a primeira cláusula de Ml 3,1: "Envio o meu mensageiro para preparar o caminho diante de mim". A segunda cláusula é: "O Senhor a quem buscais de repente virá ao seu templo", uma cláusula que acha cumprimento na presente sequência em João. Tudo isso é hipotético, porém faz sentido.

Independência e confiabilidade do relato Joanino. Como ressaltamos, os relatos sinóticos das várias cenas diferem entre si em detalhes. Qual deles é mais confiável? Na opinião de BRAUN, é Mateus; na de HAENCHEN, é Marcos; na de MENDNER, é Lucas. Enfrentamos uma discordância similar quando indagamos se o relato de João é uma adaptação de um ou outro relato sinótico (assim MENDNER), ou uma tradição independente similar ao relato sinótico (HAENCHEN, DODD), ou extraído de um relato pré-canônico usado também pelos sinóticos (BUSE). Devemos examinar isto detalhadamente.

(1) A purificação dos recintos do templo (2,13-17). Há diversos aspectos peculiares a João: a presença dos bois e ovelhas, a confecção do chicote, as palavras atribuídas a Jesus. MENDNER, p. 104, pensa que a presença de bois e ovelhas nos recintos do templo não é histórica, já que as fontes judaicas não mencionam tal prática. O Tratado Mishnah, *Shekalim* 7:2, realmente não é claro sobre onde ficavam as baias do gado comercializado; mas EPSTEIN, *art. cit.*, ressalta que a presença de quaisquer animais nos recintos do templo era extraordinária, porque,

se ficassem soltos, poderiam encontrar sua via ao santuário e o violar. Ele sugere que o lugar normal para as feiras de animais era no vale Cedron ou nos declives do Monte das Oliveiras (o Ḥanûth ou mercado). Ele salienta que no ano 30 o Sinédrio mudou seu lugar de reuniões da área do templo para o mercado. Epstein sugere que esta era um reflexo de uma luta entre o sumo sacerdote Caifás e o Sinédrio, e que, para se vingarem dos mercadores do Ḥanûth por oferecerem hospitalidade aos seus inimigos, Caifás permitiu que os mercadores rivais estabelecessem as baias dos animais nos limites do templo. Essa teoria remove a objeção à falta de exatidão de João.

Para o chicote, veja nota sobre v. 15. Quanto à citação no v. 17, do Sl 69,9, este Salmo é um dos que mais frequentemente usados nos testemunhos em prol de Jesus e a referência pode muito bem ter sido dada por João como uma interpretação da cena. A afirmação no v. 16 é, como veremos, uma alusão implícita a Zc 14,21, justamente como as palavras de Jesus nos sinóticos são uma alusão ainda mais clara a Is 56,7 e Jr 7,11. Tudo o que se pode demonstrar disto é que as duas tradições se apoiam em uma diferente combinação de testemunhos, um fato que argumenta em prol da formação independente (assim Dodd, *Tradition*, p. 160).

Em contrapartida, os aspectos que João partilha com os relatos sinóticos são muitos: *recintos do templo*; *expulsão dos vendedores de pombos*; *tombamento das mesas dos cambistas*; *referência ao templo como uma casa*. Há também muitas das mesmas palavras gregas propondo similaridades acidentais das duas tradições. Se considerarmos que os detalhes peculiares a João podem ser autênticos, então a solução lógica é que os distintos relatos se inspiraram em uma fonte comum que foi adaptada e expandida com informação adicional em cada tradição.

(2) O desafio das autoridades judaicas (2,18). A sugestão acima é apoiada quando nos volvemos ao v. 18 em João. Como salientamos, a interpelação dirigia a Jesus, nos sinóticos (Mc 11,27-28) e a da purificação é separada do próprio ato de purificação (Mc 11,15-17); contudo, a interpelação parece referir-se à purificação da área do templo. Como Buse e Dodd sugerem, é bem possível que o material proveniente em Marcos tenha separado o que originalmente era uma única cena. Se isto é assim, a presente sequência de João é bem parecida com a suposta sequência pré-marcana.

(3) A predição da destruição do templo (2,19). Neste ponto nos achamos em desvantagens ao compararmos este dito como ocorre em

8 • A purificação do templo em Jerusalém

João e nos sinóticos, porque, nestes, ele está sempre nos lábios dos inimigos de Jesus, e ao menos em um caso há *falsas* testemunhas. Algumas das diferenças da forma que João dá ao dito poderiam ser atribuíveis a falsificação. Vejamos as várias formas do dito:

Falsas testemunhas no julgamento:
Mc 14,58: "Nós ouvimos-lhe dizer: Eu derribarei este templo, construído por mãos de homens, e em três dias edificarei outro, não feito por mãos de homens".
Mt 26,61: "E disseram: Este disse: Eu posso derribar o templo de Deus, e reedificá-lo em três dias".
Os transeuntes na crucifixão (Mc 15,29; Mt 27,40):
"E dizendo: Tu, que destróis o templo, e em três dias o reedificas".
Falsas testemunhas atribuem a Estêvão o seguinte (At 6,14):
"Este Jesus de Nazaré destruirá este lugar".
O próprio Jesus (Jo 2,19):
"Destruí este templo, e em três dias eu o levantarei".

Para "destruir", todas as referências não joaninas usam *katalyein*, enquanto João usa *lyein*. Para "em três dias", a cena do julgamento usa *dia triōn hēmerōn*; a cena da crucifixão e João usam *en trisin hēmerais*, uma expressão menos elegante. (Nenhuma expressão é excessivamente influenciada pelos relatos da ressurreição, pois a expressão usualmente conectada com a ressurreição é "ao terceiro dia" ou "após três dias").

Uma importante diferença nas formas do dito é que João usa *egeirein*, "levantar", enquanto os sinóticos usam *oikodomein*, "reconstruir". Este último verbo é aplicável somente a um edifício; o primeiro é um termo próprio para construção, mas pode também referir-se à ressurreição de um corpo. A escolha que João faz da palavra se adequa à interpretação teológica que o evangelista faz do dito. Outra diferença é o uso de João do imperativo, "Destruí", o qual põe o fardo da destruição do templo sobre as autoridades judaicas. Todos os outros relatos têm o próprio Jesus destruindo o templo, e esta, indubitavelmente, foi a maneira como os inimigos de Jesus entenderam suas palavras.

Todos os evangelistas têm de enfrentar a dificuldade de que Jesus não cumpriu literalmente a promessa envolvida neste dito. Em relação às formas não joaninas do dito, Jesus não destruiu o templo;

em relação a todas as formas do dito, Jesus não reconstruiu o templo. Talvez esta seja a razão por que Lucas omite inteiramente o dito. A solução de Mateus se encontra no verbo matizado, "Eu sou capaz"... Marcos e João buscam um significado figurativo na promessa. Marcos introduz uma distinção entre um templo construído por mãos e outro não construído por mãos; João reinterpreta a afirmação para se referir a morte e ressurreição de Jesus. Assim, enquanto Marcos fala de dois templos diferentes, João parece sugerir que está implícito o mesmo templo em ambas as cláusulas. DODD, *Tradition*, pp. 90-91, está certo quando diz que não há evidência real de que a forma joanina do dito depende da forma sinótica.

O teor geral destas observações é que o material em Jo 2,13-22 não é tomado dos evangelhos sinóticos, mas representa uma tradição independente correndo paralelamente à tradição sinótica. Cada tradição tem seus próprios desenvolvimentos teológicos; e algumas das similaridades estreitas entre as duas podem ser mais bem explicadas se ambas são dependentes da forma mais antiga do relato.

Interpretação joanina da cena

O evangelista foi muito cuidadoso em advertir-nos no v. 22 (e talvez 17) de que sua compreensão teológica da cena excede muito ao que foi entendido quando a cena ocorreu. Assim, devemos investigar o que a cena significava àqueles que a viram e o que a cena significava na teologia neotestamentária posterior.

O alcance original da Cena. A ação de Jesus em purificar os recintos do templo parece significar a mesma coisa para os sinóticos e para João, a saber, um protesto como aquele dos profetas de outrora contra a profanação da casa de Deus e um sinal de que a purificação messiânica do templo era iminente. Em João, isto se adequa com os temas já vistos em Caná: substituição das instituições judaicas e uma abundância de vinho proclamando os tempos messiânicos. Nos sinóticos, a purificação é posta entre um conjunto de cenas que chama a atenção para a rejeição de Israel; por exemplo, Lc 19,41-44, que precede imediatamente a purificação, prediz a destruição de Jerusalém; em Mt 21,18-22, a purificação é seguida da maldição sobre a figueira e a parábola dos arrendatários perversos (21,33-41).

8 • A purificação do templo em Jerusalém

Acaso os que viram a purificação poderiam ter apreendido este significado? Se a ação de Jesus foi vista como a remoção de um abuso, teriam tido o exemplo dos profetas veterotestamentários para interpretar o que Jesus estava fazendo. Mas havia abuso envolvido? Já mencionamos a tese de Epstein de que a presença dos animais nos recintos do templo era uma inovação de Caifás. Não é tão fácil ver a troca de moedas como um abuso, a menos que os cambistas estivessem exercendo uma comissão injusta ou subornando os sacerdotes. A corrupção da casa sacerdotal de Anás era notória, mas qualquer sugestão de suborno vai além dos relatos evangélicos. Os evangelistas parecem tomar por admitido que a ação de Jesus foi requerida sem explicar justamente o que a motivou.

Se a tradição é correta, então a ação de Jesus teve precedentes no AT. Um profeta como Jeremias, a quem Jesus se assemelhava de diversas maneiras (Mt 16,14), advertiu os sacerdotes de seu tempo que o templo se convertera em covil de ladrões (Jr 7,11 – o mesmo texto que Marcos e Mateus registram para explicar a ação de Jesus). Ele profetizou que Deus destruiria o santuário de Jerusalém exatamente como destruiu o de Silo. A segunda parte de Zacarias (14,21), escrita contra o pano de fundo do templo pré-exílico, prometeu que no dia do Senhor todos seriam santos em Jerusalém e *nenhum mercador* seria encontrado no templo, e este parece ser o texto do AT implícito no relato de João (2,16). Em Ml 3,1, o qual, como vimos, pode também entrar no relato de João, a intervenção do Senhor no templo segue um forte castigo dos abusos no culto levítico. Is 56,7 citado em Marcos e Mateus, sustenta o ideal profético de que o templo se tornaria uma perfeita casa de oração sobre o santo monte, atraindo todas as nações do mundo. Assim, uma ação da parte de Jesus purificando a área do templo, corrigindo abusos, teria sido perfeitamente compreensível à luz da reivindicação de que ele era profeta e inclusive o Messias. (Para outros textos, veja Ag 2,7-9; Mq 3,12; Sr 36,13-14). Alguns anos depois (62 d.C.), outro Jesus, Jesus bar Ananias, atacaria publicamente o templo e advertiria para sua destruição (Josefo, *War* 6.5.3; 300ss.). Há uma tradição rabínica (TalBab *Gittin*, 56a; *Midrásh Rabbah* em Lam 1,5, 31) de que o Rabi Zadoc começou a jejuar cerca do ano 30 para antecipar a destruição de Jerusalém; isto significaria que no tempo de Jesus havia temores sobre a destruição do templo.

Alguns têm sugerido que o relato que João faz da purificação com sua impetuosa violência mostra oposição ainda mais fundamental ao templo da parte de Jesus, uma oposição que tende a abolir o templo em vez de reformá-lo. Por exemplo, ao expulsar os animais, estaria Jesus apenas protegendo contra sua presença em um lugar sacro, ou está ele rejeitando totalmente o sacrifício de animal? Em Mateus (9,13; 12,7) há passagens que têm implicações da segunda atitude; no entanto, provavelmente isto seja uma percepção cristã posterior, visto que os primeiros cristãos não viam dificuldade em oferecer sacrifício no templo. Que João poderia ter aprofundado a oposição ao templo, anunciando a purificação é perfeitamente possível, pois João pertence àquele ramo dos escritos neotestamentários (também Hebreus; o discurso de Estêvão em At 7,47-48) que era fortemente anti-templo. CULLMANN, *art. cit.*, relaciona isto com o movimento helenista (At 6) e aponta para sentimentos similares entre outros grupos em Israel como os essênios de Qumran e os samaritanos. Ao indagar-se se podemos retroceder a Jesus alguma desta oposição fundamental ao templo, podemos notar que ele foi chamado de samaritano (Jo 8,48).

A segunda parte da cena de João diz respeito à afirmação de Jesus sobre destruir e levantar o templo (vs. 18-22); isto poderia ter sido entendido pelos ouvintes em termos da *reconstrução* messiânica do templo. Temos sugerido que o dito sobre a reconstrução do templo e a ação de purificar os recintos do templo uma vez foram separados; portanto, historicamente não poderia ter havido justaposição do tema de purificar o templo e a de reconstruí-lo completamente. Todavia, mesmo sem esta crítica literária, a cena joanina não é auto-contraditória. O ato de Jesus purificar a área do templo é só um passo na direção certa, e os sacerdotes teriam que fazer muito mais se quiserem desviar a ira de Deus. Como vimos na nota sobre o v. 19, Jesus está insistindo que estão destruindo o templo, justamente como a desobediência de seus ancestrais provocou a destruição do tabernáculo em Silo e do templo de Salomão. Se destroem o templo, Jesus alega que ele o substituirá em breve com o templo messiânico de natureza não especificada. Assim como o AT ofereceu um pano de fundo para a purificação do templo, assim também ele fala de reconstruir o templo. Ez 40-46 descreve com detalhe a reconstrução do templo; Tb 13,10(12) e 14,5(7) fala da reconstrução do tabernáculo ou casa de Deus; a comunidade de Qumran tinha cópias de uma Descrição Aramaica da Nova

8 • A purificação do templo em Jerusalém

Jerusalém (5Q15), baseada em Ezequiel, a qual descreve um templo ideal. Como SIMON, *art. cit.*, salienta, a esperança de um novo templo sobreviveu à destruição do templo de Herodes, pois a décima quarta das *Dezoito Bençãos* (veja p. 72ss) une a expectativa da reconstrução do templo e a vinda do Messias.

Em nossa visão, pois, o v. 19, originalmente, era uma proclamação escatológica referindo-se ao templo de Jerusalém e teria sido compreensível como tal àqueles que conheciam o pano de fundo do AT. A ideia que se referiu ao corpo de Jesus era uma interpretação pós-ressurreição. Alguns estudiosos, tomando o v. 21 literalmente ("ele estava falando sobre o templo de seu corpo"), têm pensado que Jesus não estava se reportando ao templo de Jerusalém, e sim ao seu corpo e que ele indicou isto, talvez apontando para si mesmo quando disse "este templo". DUBARLE, *art. cit.*, pensa que a primeira metade do v. 19 referia ao templo de Jerusalém, e a segunda metade ao corpo de Jesus. LÉON-DUFOUR, *art. cit.*, está perfeitamente certo quando insiste que a chave para o problema não está nas duas metades da afirmação, e sim em dois níveis do significado. Os que introduzem a ressurreição do corpo de Jesus ao significado básico do dito têm insistido sobre a menção de "três dias" como uma expressão acrescentada pelo evangelista para facilitar a interpretação pós-ressurreição da passagem. Entretanto, não devemos esquecer que ela aparece nas várias formas sinóticas do dito onde não há tentativa clara de interpretar as palavras de Jesus como uma referência à ressurreição. Talvez a melhor solução esteja em reconhecer que "três dias" era uma expressão que significava um tempo curto, porém indefinido. É assim usado em Ex 19,11; Os 6,2; Lc 13,32 – veja BLACK, pp. 151-52. Ao prometer que o templo messiânico seria reconstruído em tempo tão curto, Jesus poderia estar insinuando sobre sua natureza miraculosa.

Que "os judeus" entenderam que Jesus estava se referindo ao templo de Jerusalém fica claro em João à luz de sua resposta. Que entenderam suas alegações sobre a reconstrução do templo como uma referência a uma reconstrução messiânica parece ser evidente no relato sinótico do julgamento. Quando as falsas testemunhas evocaram a declaração de Jesus sobre a reconstrução do templo, o sumo sacerdote lhe perguntou: "És tu o Messias?" (Mc 16,61).

Assim, como o temos interpretado, a purificação dos recintos do templo e a declaração sobre a destruição e reconstrução do templo que João junta à purificação são inteligíveis no nível histórico da compreensão prevalecente durante o ministério de Jesus. Vejamos agora como o tema se tornou um veículo da teologia joanina.

A Teologia Joanina da cena. No v. 17, João usa as palavras da Escritura para interpretar a purificação do templo; provavelmente, ele tem em vista que os discípulos vieram a entender a purificação em termos do Sl 69,9 após a ressurreição. A interpretação das ações de Jesus em termos do cumprimento veterotestamentário provavelmente começou com o próprio Jesus; mas os escritos do NT concordam que só foi após a ressurreição que os discípulos viram no AT a chave para entender Jesus (Lc 24,27). É importante citar ambos os vs. 8 e 9 do Salmo:

> ⁸Tenho-me tornado como um estranho para com meus irmãos,
> um desconhecido para com os filhos de minha mãe.
> ⁹Pois o zelo de tua casa me devora,
> e as afrontas dos que te afrontam caíram sobre mim.

João cita somente 9a, mas o Salmo era conhecido dos primeiros cristãos e é possível que o contexto do versículo estivesse claramente em pauta. A separação dos irmãos em 8 pode ser significativa em relação a Jo 2,12; Jesus deixou seus irmãos para ir a Jerusalém, e teriam se separado dele movidos pela incredulidade durante o ministério. O v. 9b do Salmo é também apropriado, posto que em João a purificação do templo vai unida com a interpelação de "os judeus".

Ao citar o v. 9a, João o adapta à ação de Jesus, traduzindo-o como futuro (veja nota sobre v. 17) e, assim, fazendo dele uma profecia. Ser "consumido" já não é uma simples referência à intensidade do ardor do zelo; João interpreta o Salmo no sentido de que o zelo pelo templo destruirá Jesus e acarretará sua morte. Assim, mesmo que João não coloque a purificação dos recintos do templo imediatamente antes da morte de Jesus como fazem os sinóticos, seu relato ainda preserva a memória que a ação acarretou sua morte. Na presente sequência, a interpretação da purificação em referência à morte de Jesus prepara para a interpretação do dito sobre o templo em referência à sua ressurreição.

Retornando agora ao v. 21, descobrimos que João assumiu uma interpretação ligeiramente diferente do dito de Jesus sobre a reconstrução do templo daquela encontrada em Mc 14,58. Ao buscar explicar o que Jesus tinha em mente por um templo reconstruído,

Marcos agrega "não feito por mãos" (certamente um vocabulário teológico cristão mais recente, como em Hb 9,11) – uma indicação de que o templo é de caráter espiritual. No NT, em adição à interpretação joanina do templo como o corpo de Jesus, encontramos ao menos três diferentes fios do pensamento cristão sobre o templo espiritual: (a) O templo ou casa de Deus é a *Igreja* – Ef 2,19-21; 1Pd 2,5; 4,17. (b) O templo é *o cristão individual* – 1Cor 3,16; 6,19; veja Inácio *Phila* 7,2; *II Clem* 4,3. Uma passagem como 2Cor 6,16 paira entre (a) e (b). (c) O templo está *no céu* – esta é a tradição das palavras apocalípticas (II Bar 4.5), onde o templo terreno e Jerusalém são apenas cópias do celestial. Ap 11,19 e Hb 9,11-12 têm esta interpretação. Hb 9,11-12 é importante para interpretar Marcos: "Através do maior e mais perfeito tabernáculo (não feito por mãos, isto é, não desta criação) entrou uma vez para sempre no Santo Lugar". Se o tabernáculo é a humanidade de Cristo (Agostinho, Calvino, Westcott), então a mesma frase que é usada em Marcos para descrever o novo templo é usada em Hebreus para descrever o corpo de Cristo. Entretanto, note bem que, para Hebreus, Jesus não é o Santo Lugar, pois aquele está no céu.

Qual dessas concepções do templo original Marcos mantém não fica claro; mas, depois de tudo, são apenas aspectos ligeiramente diferentes da mesma realidade. A ênfase sobre o Jesus ressurreto como o templo é mais clara nas obras joaninas; à presente passagem podemos acrescentar Ap 22 (e também Jo 1,14, onde Jesus é o Tabernáculo). Todavia, se Marcos entendeu o templo como sendo a Igreja, e João o entende como sendo o corpo de Jesus, ainda estas concepções não estão muito separadas uma vez que compreendamos que a mesma comunidade efesina que é tida como sendo o auditório de João ouvira que a Igreja é o corpo de Cristo (Ef 1,23; Cl 1,18). Como uma indicação de que a interpretação que João faz de Jesus como o novo templo não é estranha na estrutura da teologia do evangelho, podemos evocar o dito atribuído a Jesus em Mt 12,6: "Eis aqui quem é maior que o templo".

Além do mais, tem-se sugerido uma ênfase teológica para Jo 2,13-22. Van den Bussche, *art. cit.*, tem destacado o contraste entre a cena em Caná, onde os discípulos reagem com fé e a cena em Jerusalém, onde "os judeus" reagem a Jesus com incompreensão e hostilidade. Dubarle e Cullmann, ECW, p. 74, sugerem um simbolismo eucarístico, sacramental, no "corpo" de Jesus após a referência ao vinho (= sangue) de Jesus em Caná. Não obstante, a combinação eucarística em João é carne/sangue (6,51ss.), não corpo/sangue; e não vemos absolutamente nada no relato joanino da cena do templo que endosse uma referência eucarística. DUBARLE e CULLMANN também conectaria 2,21, onde o corpo de Jesus é o templo, com 1,51, onde Jesus substitui Betel, a "casa de Deus". Esta sugestão gira em torno da interpretação muito disputada de 1,51. Finalmente, Jo 2,18-22 oferece um interessante paralelo a Mt 12,38-40. Em ambos os casos, as autoridades judaicas pediram um sinal; em Mateus, Jesus lhes responde, reportando-se a Jonas; em João, ele responde em termos da destruição e reconstrução do templo. Cada evangelista interpreta a resposta de Jesus em termos da ressurreição ao terceiro dia (cf. Mt 12,40 com 16,4 e Lc 11,29-30).

BIBLIOGRAFIA

BRAUN, F.-M., "L'expulsion des vendeurs du Temple", RB 38 (1929), 178-200.
_____ "In Spiritu et Veritate, I", RThom 52 (1952), especialmente pp. 249-54.
BUSE, I., "The Cleansing of the Temple in the Synoptics and in John", ET 70 (1958-59), 22-24.
CULLMANN, O., "L'opposition contre le Temple de Jerusalem", NTS 5 (1958-59), 157-73. Eng. tr. In ET 71 (1959-60), 8-12, 39-43.
DUBARLE, A. M., "Le signe du Temple", RB 48 (1939), 21-44.
EPSTEIN, V., "TRhe Historicity of the Gospel Account of the Cleansing of the Temple", ZNW 55 (1964), 42-58.
HAENCHEN, E., "Johanneische Probleme", ZTK 56 (1959), especialmente pp. 34-46.
LÉON-DUFOUR, X., "Le signe du Temple selon saint Jean", RSR 39 (1951), 155-75.
MENDNER, S., "Die Tempelreinigung", ZNW 47 (1956), 93-112.
SIMON, M., "Retour du Christ et reconstruction du Temple dans la pensée chrétienne primitive", Aux Sources de la Tradition Chrétienne (Goguel Festschrift; Paris: Delachaux, 1950), pp. 247-57.
VAN DEN BUSSCHE, H., "Le signe du Temple", BVC 20 (1957), 92-100.
VOGELS, H., "Die Tempelreinigung und Golgotha (Joh 2:19-22)", BZ 6 (1962), 102-7.

9. REAÇÃO A JESUS EM JERUSALÉM

Transição e introdução à cena de Nicodemos

2 ²³Enquanto estava em Jerusalém durante a festa da Páscoa, muitos creram em seu nome, pois podiam ver os sinais que ele estava realizando. ²⁴De sua parte, Jesus não confiava neles, porque conhecia todos eles. ²⁵Ele não carecia de ninguém para testificar sobre a natureza humana, pois estava bem ciente do que era o coração do homem.

NOTAS

2.23. *durante a festa da Páscoa*. Literalmente, "na Páscoa na festa". Barrett, p. 168, interpreta a última expressão como uma referência à multidão congregada para a festa, citando 7,14, o que ele interpreta da mesma maneira. Historicamente, a festa da peregrinação tem sido a do Pão Ázimo, mas a Páscoa lhe era combinada para formar uma só festa. João não fala da Festa do Pão Ázimo como fazem os sinóticos; Lc 22,1 toma os dois nomes como equivalentes.

creram em seu nome. Esta expressão em 1,12 descreve uma fé que é adequada; aqui, aparentemente, não faz isso.

ver. *Theōrein* (veja Apêndice I:3, p. 794ss); a tradução "notar", sugerida por Bernard, I, p. 99, parece casual demais.

sinais. Nunca somos informados em que estes consistiam, mas, obviamente, eram miraculosos. Em 4,45 ouviremos outra vez sobre tudo o que Jesus fizera em Jerusalém durante a festa; todavia, 4,54 parece ignorar estes sinais quando conta da cura do filho do oficial régio como sendo o segundo sinal que Jesus fizera.

24. *confiava*. Este é o mesmo verbo, *pisteuein* (Apêndice I:9, p. 794ss), que significa "creram" no versículo anterior; ao *pisteuein* deles Jesus não responde com *pisteuein*.

25. *sobre a natureza humana... no coração do homem*. Literalmente, "sobre o homem... no homem".

COMENTÁRIO

Estes versículos preparam o caminho para a conversa com Nicodemos, que será apresentado como um dos muitos em Jerusalém que se tornaram crentes em Jesus. Dodd, *Tradition*, p. 235, diz que esta passagem não é transicional no sentido que 2,12, por exemplo, é transicional; pois esta passagem parece ser, em grande parte, mais a formulação do próprio evangelista do que extraída de material tradicional. O que fica claro é que a passagem contém boa parte do vocabulário joanino, um fato que, todavia, deixa em aberto a possibilidade de que a essência do que é narrado seja de caráter tradicional.

Os vs. 24-25 nos mostram que a fé produzida pelos sinais de Jesus, no v. 23, não é satisfatória. Como veremos no Apêndice III, p. 831ss, a reação descrita aqui é intermediária. É melhor que a cegueira hostil de "os judeus" na cena do templo, mas não é igual à fé dos discípulos em Caná, em 2,11, os quais são levados, através do sinal, a ver a glória de Jesus. Aqui em Jerusalém há uma disposição de ver o sinal e se deixar convencer por ele, mas tudo o que se chega a conhecer através do sinal é que Jesus é capaz de realizar milagres.

A razão que João evoca para a recusa de Jesus de aceitar tal fé é que "ele conhecia todos eles" e que "estava ciente do que estava no coração do homem". Bernard, I, p. 99, não está certo de que João quer que entendamos que o conhecimento especial de Jesus era diferente daquele de outros grandes homens. Bultmann, p. 71[4], pensa que no conhecimento extraordinário reivindicado pelos "homens divinos" do mundo helenista, por exemplo, Apollonius de Tyana, que conhecia o pensamento do povo. Ocasionalmente, os rabis possuíam este poder e era atribuído ao espírito santo de Deus operando em seu interior. Embora estes paralelos sejam interessantes, realmente não se pode duvidar que para João a razão de Jesus possuir este poder não era porque ele lhe fosse dado, mas em virtude de quem ele é. Ele veio de Deus; permanece unido a Deus; e por isso tem o poder de Deus de conhecer os pensamentos íntimos do homem (Jr 17,10).

A conotação exata de Jesus não confiar nos habitantes de Jerusalém que criam nele é mais difícil. Crisóstomo sugeriu que Jesus não lhes confiava o segredo de sua pessoa ou doutrina, mas João dá pouca ênfase às revelações secretas de Jesus durante o ministério. Para João a falha de crer plenamente deve remontar à indisposição dos ouvintes, não a quaisquer segredos da parte de Jesus. É possível que se trate aqui apenas de não ter confiança no entusiasmo deles nesta passagem. Entretanto, E. STAUFFER quer ver na expressão algo a mais no v. 24; pois em *"Agnostos Christos, Joh. ii 24 und die Eschatologie des vierten Evangeliums"*, BNTE, p. 292, ele vê aqui um eco do tema do Messias oculto. Este Messias, mesmo depois de operar sinais e atrair seguidores, permanece um *incognitus* – um aspecto que persistirá até o fim do seu ministério (14,9; 16,12ss.).

10. DIÁLOGO COM NICODEMOS EM JERUSALÉM
(3,1-21)

3 ¹Ora, havia um fariseu chamado Nicodemos, membro do Sinédrio judeu, ²que veio a ele de noite. "Rabi", disse ele a Jesus, "sabemos que és mestre e que vieste de Deus; porque, a menos que Deus esteja com ele, ninguém pode realizar os sinais que realizas". ³Jesus lhe respondeu:

> "Solenemente eu te asseguro,
> ninguém pode ver o reino de Deus
> se não for gerado de cima".

⁴"Como pode um homem nascer outra vez sendo já velho?", retrucou Nicodemos. "Pode ele entrar no ventre de sua mãe e nascer outra vez?" ⁵Replicou Jesus:

> "Solenemente te asseguro,
> ninguém pode entrar no reino de Deus
> se não for gerado da água e do Espírito.
> ⁶A carne gera carne,
> e o Espírito gera espírito.
> ⁷Não te surpreendas de eu te dizer:
> tens de ser gerado de cima.
> ⁸O vento sopra onde quer;
> ouves o som que ele faz,
> mas não sabes aonde vai e donde vem.
> Assim se dá com todos os gerados do Espírito".

4: *retrucou:* no tempo presente histórico.

⁹Nicodemos replicou: "Como podem estas coisas acontecer?" ¹⁰Jesus respondeu: "Tu exerces o ofício de mestre de Israel, e ainda não sabes entender estas coisas?
¹¹Eu solenemente te asseguro,
   falamos do que sabemos,
   e estamos testificando do que temos visto;
   mas vós não aceitas nosso testemunho.
¹²Se não crês
   quando eu te falo de coisas terrenas,
   como poderás crer
   quando eu te falar de coisas celestiais?
¹³Ora, ninguém tem subido ao céu,
   exceto aquele que desceu do céu –
   o Filho do Homem [que está no céu].
¹⁴E assim como Moisés levantou a serpente no deserto,
   Assim o Filho do Homem deve ser levantado,
¹⁵para que todo o que nele crê
   tenha nele a vida eterna.
¹⁶Sim, Deus amou o mundo tanto, que deu seu único Filho,
   para que todo aquele que nele crê não pereça,
   mas tenha a vida eterna.
¹⁷Porque Deus não enviou o Filho ao mundo
   para condenar o mundo,
   mas que o mundo seja salvo através dele.
¹⁸Mas quem crê nele não é julgado;
   Todo aquele que nele não crê já será condenado
   quem se recusa a crer já está julgado, por não haver crido no nome do único Filho de Deus.
¹⁹Ora, o julgamento é este:
   a luz veio ao mundo,
   mas os homens preferiram as trevas à luz,
   porque seus feitos eram maus.
²⁰Pois todo aquele que pratica a perversidade
   odeia a luz, e não se aproxima da luz,
   pois teme que suas ações sejam expostas.
²¹Mas aquele que age em verdade
   vem para a luz,
   a fim de que se conheça
   que seus atos são feitos em Deus".

NOTAS

3.1. *Ora*. Isto parece ligar o início do capítulo 3 a 2,23-25.

um fariseu. Literalmente, "um homem dos fariseus"; é possível que este uso de "homem" se destine a evocar o final do último versículo (2,25), onde ouvimos que Jesus tinha ciência do que estava no coração do homem. Note aqui como Jesus conhecia o que está no coração de Nicodemos.

Nicodemos. Mencionado somente em João (também em 7,50 e 19,39), ele representa um grupo entre os líderes judaicos que hesitantemente veio a crer em Jesus (veja 12,42). Não há razão para considerá-lo como meramente simbólico. "Nicodemos" era um nome grego que não era comum entre os judeus como "Naqdimon". TalBab *Taanith* 20a menciona Naqdimos ben Gurion (ou Bunai), que era um homem rico e generoso em Jerusalém, nos anos anteriores a 70; provavelmente ele não seja o Nicodemos de João.

membro do Sinédrio judaico. Literalmente, "um líder". Nicodemos quase certamente pertenceu ao corpo governante mais elevado do povo judeu composto de sacerdotes (saduceus), escribas (fariseus) e anciãos leigos da aristocracia. Seus setenta membros eram presididos pelo sumo sacerdote.

2. *de noite*. João lembra consistentemente deste detalhe (19,39) em razão de sua importância simbólica. Trevas e noite simbolizam a esfera do mal, a mentira e ignorância (veja 9,4; 11,10). Em 13,30, Judas abandona a luz para adentrar a noite de Satanás; Nicodemos, em contrapartida, sai das trevas para a luz (vs. 19-21). Em um nível meramente natural, a visita noturna pode ter sido um expediente solerte "por medo dos judeus" (19,38); ou pode refletir o costume rabínico de aproveitar a noite para estudar a Lei (StB, II, p. 420).

sabemos. Há outro exemplo do uso do plural em discurso coletivo pelos fariseus (9,24; Mc 12,14). Dodd, *Tradition*, p. 329, ressalta que a abertura do diálogo de Nicodemos tem algumas características; ele sugere ser possível termos aqui um escasso remanescente de um diálogo da forma sinótica elaborada em João para introduzir o corpo do discurso que consiste de material joanino. Entretanto, se alguém reconhece um substrato histórico no corpo do diálogo com Nicodemos, então tal introdução tradicional poderia ter sido sempre parte da narrativa.

3. *ninguém pode*. Jesus, no versículo 2, pega a expressão de Nicodemos; o verbo *dynasthai*, "poder", aparece seis vezes nos vs. 2-10.

ver. Isto significa "experimentar, encontrar, participar de", como, p. ex., em "ver a morte" (8,51), "ver a vida" (3,36). Note a expressão paralela sinônima "entrar" no v. 5; talvez "ver" realce mais claramente a relação do reino com a revelação trazida por Jesus, revelação que tem de ser vista, percebida, crida.

o reino de Deus. Esta expressão, tão frequente nos sinóticos, aparece em João somente aqui nos vs. 3, 5 (sinal de que há material tradicional no diálogo com Nicodemos?). Veja pp. 339-340.

gerado. O passivo do verbo *gennan* pode significar ou "nascer", como de um particípio feminino, ou "ser gerado", como de um particípio masculino; os dois significados são possíveis para a raiz hebraica *yld*. As versões antigas tomaram *gennan*, aqui, no sentido de "ser nascido", e, mais precisamente, no AT, "ser renascido" (*renasci=anagennan* – há vestígios desta interpretação também na OS^{sin}, na Vulgata, nos Padres gregos). A despeito do fato de que o Espírito, mencionado no v. 5 como o agente deste nascimento ou geração, no hebraico é feminino (em grego, neutro), tudo indica que o significado primário é "gerado". Nos evangelhos não há nenhuma atribuição ao Espírito de característicos femininos; e há paralelos joaninos que se referem claramente ao ser gerado, em vez de ser nascido (1,12; 1Jo 3,9). Não é impossível que o significado "ser [re]nascido" seja a intenção de João em um nível secundário e sacramental – veja comentário.

de cima. O grego *anōthen* significa tanto "outra vez" como "de cima", e o significado duplo é usado aqui como parte de mal-entendido técnico. Embora no v. 4 Nicodemos tome Jesus como a dizer "outra vez", o significado primário de Jesus, no v. 3, era "de cima". Isto é indicado do paralelo em 3,31, também dos outros dois usos joaninos de *anōthen* (19,11.23). Tal mal-entendido só é possível em grego; não conhecemos nenhuma palavra hebraica ou aramaica de significado similar que teria esta ambiguidade espacial e temporal. Uma vez mais, não é impossível que o significado "outra vez" seja a intenção de João em nível secundário e sacramental.

5. *reino de Deus*. O Codex Bezae e algumas outras testemunhas trazem "reino do céu", e Lagange aceita isto com base em que "Deus" é uma harmonização com o v. 3. Bultmann, p. 98^1, todavia, sugere que "céu" foi introduzido no modelo de Mt 18,3, "a não ser que vos converteis e vos torneis como crianças, não entrareis no reino do céu".

da água e do Espírito. Os dois substantivos são governados pela mesma preposição. Para um paralelo de ser gerado do Espírito temos Mt 1,20, em relação a Jesus: "O que é gerado nela [Maria] é de um Espírito santo".

6. *Carne gera carne*. Literalmente, "O que é gerado de carne é carne". O AT e o OS [siríaco antigo] agregam cláusulas explicativas: "O que é gerado

de carne é carne porque é gerado da carne". Para João, "carne" enfatiza a fraqueza e mortalidade da criatura (não a pecaminosidade como em Paulo); Espírito, como oposto a carne, é o princípio do poder e vida divina operando na esfera humana.

7. *Não te surpreendas.* Este é o uso rabínico característico (BULTMANN, p. 101²).

tu. O pronome em "eu te" é singular; o de "todos têm de ser gerados" é plural. Nicodemos veio falando como "nós"; assim, através dele, Jesus fala a um auditório mais amplo.

8. *vento.* O grego *pneuma*, bem como sua contraparte hebraica *rûaḥ*, significa ambos, "vento" e "espírito"; e há um perspicaz jogo de palavras em ambos os significados aqui, um jogo de palavras que não pode ser reproduzido. "Vento" parece ser o significado primário na comparação, embora as versões latinas o traduzam por *"Spiritus"*.

mas não sabes. Para os antigos sem um profundo conhecimento de metereologia, o movimento invisível do vento tinha uma qualidade divina e misteriosa. No pensamento primitivo, o vento era descrito como o fôlego de Deus. Na apocalíptica judaica tardia, entre os mistérios revelados ao vidente, em sua inspirada trajetória dos céus estava o lugar de habitação dos ventos (1 *Enoque* 41,3; 60,12; 2 *Baruque* 48,3-4). INÁCIO *Phila* 7.7.1 parece evocar este versículo de João: "O Espírito [pessoal ou impessoal?] não se engana; sendo de Deus, ele sabe de onde vem e para onde vai".

gerado do Espírito. Note o artigo ausente no v. 5. O codex sinaiticus, OL [Latim antigo] e OS [Siríaco antigo] inserem "da água e" em imitação do v. 5.

9. *Nicodemos.* Esta é a última vez que ouvimos sua menção na cena.

10. *Tu exerces o ofício.* LAGRANGE, entre outros, sugere um contraste implícito: Tu te presumes ser mestre, não eu. Isto é incerto, mas parece haver aqui uma alusão ao título "mestre" no v. 2.

ainda não sabes. Evidentemente, um conhecimento do AT teria capacitado Nicodemos a entender. BULTMANN, p. 103, rejeita esta interpretação em favor de uma ênfase geral sobre a incapacidade do erudito rabínico de dar a resposta verdadeira. No entanto, o v. 12 faz distinção entre o que teria sido entendido e o que é demasiadamente profundo.

11. *Eu solenemente te asseguro.* Este "te" é singular; nos vs. 11d e 12 é plural.

falamos. Em João, esta é a primeira vez que o verbo *lalein* aparece nos lábios de Jesus. É a palavra do grego koinē "falar"; no grego clássico, tem o significado de "palavrório", porém é infrequente; não obstante, foi usada na LXX para a transmissão da palavra revelada pelos profetas. Em Atos, é muito frequente para a transmissão do evangelho, enquanto em João é o verbo *por excelência* para a revelação que Jesus faz da verdade de Deus.

falamos do que sabemos. Para a mesma ideia expressa na primeira pessoa singular, veja 8,38 e 12,50. Há muitas tentativas para explicar o uso que Jesus faz do plural aqui: um plural de majestade; uma associação do testemunho do Pai com o do Filho; uma referência a Jesus e seus discípulos [estão presentes?]. Não obstante, qualquer sugestão de que Jesus está associando outros, fracassa em pôr a ênfase na unicidade de Jesus no v. 13. Há quem pense que no v. 11 João está introduzindo um diálogo entre a Igreja ("nós") e a sinagoga (plural "vós"). Certamente, algum pensamento de João é dirigido, apologeticamente, à sinagoga; contudo, deve-se lembrar que o evangelista volta ao "eu", no v. 12, muito embora ele mantenha o plural "vós"; e, assim, se a Igreja está falando, ela faz isso somente neste versículo. Talvez a resposta mais satisfatória esteja no v. 11 como a continuação da réplica de Nicodemos em suas palavras iniciadas em 10. Precisamente como no v. 10 Jesus retoma o tema do "mestre" proveniente das palavras de Nicodemos no v. 2, assim no v. 11 Jesus retoma o "sabemos" proveniente do v. 2 e o dirige contra Nicodemos. Assim, o uso de "nós" é uma paródia da insinuação de Nicodemos de ignorância.

12. *coisas terrenas... coisas celestiais*. O dualismo joanino tende a ser espacial em suas imagens; veja D. Mollat, "*Remarques sur le vocabulaire spatial du quatrième évangile*", StEv, I, pp. 510-15. É difícil determinar a que estes dois temas se referem. A explicação mais simples é que o que Jesus já havia dito pertence a "terreno", e o que ainda dirá pertence a "celestial". Neste caso, o dualismo não é como carne/Espírito, pois o que Jesus já disse inclui um tema majestoso como gerar de cima pelo Espírito; e, portanto, "terreno" não é depreciativo. Antes, o contraste é entre dois tipos de ação divina, um mais celestial e misterioso do que o outro. Por que as coisas expressas nos vs. 3-8 são designadas como "terrenas"? Talvez seja porque foram ilustradas por analogias terrenas como nascimento e vento; talvez seja porque ocorreram na terra, enquanto o que vem a seguir diz respeito a subir ao céu ou ser elevado. Os outros exemplos neotestamentários do contraste terreno/celestial (1Cor 15,40; 2Cor 5,1; Fl 2,10; 3,19-20; Tg 3,15) são de pouca utilidade aqui. Um interessante paralelo a João se encontra em uma declaração do Rabi Gamaliel ao imperador (TalBab *Sanhedrin* 39a): "Se não conheces o que jaz sobre a terra, como conhecerás o que jaz no céu?" Thüsing, p. 255ss., argumenta energicamente em prol de uma interpretação bem diferente da que acaba de ser apresentada: as "coisas terrenas" abrange todo o ministério de Jesus na terra; as "coisas celestiais" não se reportam ao conteúdo dos vs. 13-15, mas às palavras de Jesus pós-ascensão ditas através do Paráclito. Há pouco na presente passagem em apoio de seu ponto de vista.

13. *tem subido*. O uso do tempo perfeito traz uma dificuldade, pois parece implicar que o Filho do Homem já subiu ao céu. Pois os estudiosos que creem que quem está falando aqui é o evangelista, e não Jesus, afirmam que o evangelista está simplesmente retrocedendo à ascensão de Jesus. Outros, como LAGRANGE e BERNARD, pensam que o pretérito está implícito somente para negar que até aquele tempo ninguém nunca subira ao céu para conhecer as coisas celestiais, e que o que especialmente se refere ao Filho do Homem é a descida, e não a subida. É possível que este fosse o significado original, mas que no curso da pregação pós-ressurreição a cláusula veio a ser entendida como uma referência à ascensão. Nas referências joaninas a Jesus há uma estranha descontinuidade ou indiferença à sequência do tempo normal que deve ser considerada (4,38).

Filho do Homem. E. M. SIDEBOTTOM, *"The Ascent and Descent of the Son of Man in the Gospel of St. John"*, ATR 39 (1957), 115-22, ressalta que somente em João o Filho do Homem é retratado como descendo. *1 Enoque* (p. ex., 48.2-6) retrata o Filho do Homem como preexistente no céu (e isto parece estar implícito em João), porém não fala de sua descida. SIDEBOTTOM descobre a falta de paralelos supostamente helenistas e gnósticos. Ef 4,9 faz referência à descida e subida de Jesus, mas aparentemente em referência à sua descida às regiões inferiores após a morte. Todo o propósito do v. 13 em João é enfatizar a origem celestial do Filho do Homem.

[*que está no céu*]. Esta frase se encontra em uns poucos manuscritos gregos, latinos e em algumas versões siríacas. A evidência textual não é forte, mas a frase é tão difícil que é bem provável ter sido omitida na maioria dos manuscritos para evitar dificuldade. LAGRANGE, BOISMARD e WIKENHAUSER estão entre os que a aceitam. O Filho, em João, permanece junto ao Pai mesmo quando esteja na terra (1,18).

14. *Moisés levantou a serpente*. Tanto no TM como na LXX de Nm 21,9ss. ouvimos que Moisés *colocou* a serpente em uma haste bem visível; mas os Targuns (Neof. I; Pseudo-Jonathan) dizem que ele "colocou a serpente sobre um lugar elevado" ou que a "suspendeu". BOISMARD, RB 66 (1959), 378, ressalta ser possível que Jesus esteja citando o Targum (veja também 7,38). Em ambos, TM e LXX, a palavra para "haste", literalmente, é a palavra para "sinal". (Este poderia ter sido um dos fatores que levaram ao uso joanino de "sinal" para os milagres de Jesus?) Mt 24,30 menciona o *"sinal do Filho do Homem"* como a parousia. Em Sb 16,6-7, temos uma *midrásh* (i.e, uma explicação popular para propósitos didáticos) do relato da serpente: "Tinham um símbolo de salvação como memorial do preceito de vossa lei. Pois aquele que se volvia para ela era salvo,

não pelo que via, mas por ti, o Salvador de todos". Isto se adequa bem ao pensamento joanino de que o Jesus levantado veio a ser a fonte de salvação para todos (12,32), e todo aquele que vê Jesus vê o Pai (14,9). O Targum também interpreta o significado de olhar para a serpente: significa volver o coração para a *memra* de Deus (veja Apêndice II, p. 823ss). O Targum Pseudo-Jonathan menciona *o nome* da *memra*, justamente como Jo 3,18 menciona *o nome* do Unigênito de Deus. A *Epístola de Barnabé* 12,5-6 usa a tipologia da serpente, talvez em dependência de João – veja Braun, *JeanThéol*, I, pp. 83-85; também Glasson, pp. 33-39.

15. *crê/tenha a vida eterna*. Compare Número 21,8: "aquele que olhar para ela [a serpente] viverá".

vida eterna. Este é o primeiro uso da expressão em João; veja Apêndice I:6, p. 794ss.

nele. Esta palavra pode ser posta com "crê"; contudo, a melhor leitura é *en autō* (P^{75}; Vaticanus), não *eis auton*, que é comum na frase "crer nele". Para a ideia de ter vida em Jesus, veja 20,31; 16,33 [Vol. 2].

16. *amou*. O aoristo implica um *ato* supremo de amor. Cf. 1Jo 4,9: "desta maneira foi o amor de Deus revelado em nosso meio: Deus enviou Seu Filho unigênito ao mundo para que tivéssemos vida através dele". Note que em 1 João o amor é direcionado para os cristãos ("nós"), enquanto em Jo 3,16 Deus ama o mundo. Em todos os demais casos em João, o amor de Deus é dirigido aos discípulos, pois em seu dualismo João não menciona o amor de Deus para com os injustos, como faz Mt 5,45. Veja Barrosse, *art. cit.* Aqui, o verbo é *agapan*; e se Spicq está certo (veja Apêndice I:1, p. 794ss), temos um exemplo perfeito de *agapan* se expressando em ação, pois o v. 16 se reporta ao amor de Deus que se expressa na Encarnação e na morte do Filho.

tanto/que. A cláusula, na sequência seguinte, está no indicativo – o único tempo em João. O uso clássico desta construção tem o propósito de enfatizar a realidade do resultado: "que ele deu *realmente* o Filho unigênito".

deu. Aqui, o verbo *didonai* se reporta não só à Encarnação (Deus enviou o Filho ao mundo; v. 17), mas também à crucifixão (entregou à morte – a ideia encontrada em ser "levantado" nos vs. 14-15). É similar ao uso de *paradidonai* em Rm 8,32; Gl 2,20; e *didonai* em Gl 1,4. O pano de fundo pode ser o do Servo Sofredor de Is 53,12 (LXX): "ele foi entregue [*paradidonai*] pelos pecados deles".

o Filho unigênito. Esta é a leitura mais bem atestada, embora posteriormente copistas, provocados pela estranheza da frase, a mudaram para "Seu Filho unigênito". Veja nota sobre "único Filho" em 1,14; também Moody, *art. cit.*

pereça. As alternativas são ou perecer ou ter vida eterna; o mesmo contraste está em 10,28 (veja 17,12 – Vol. 2). *Apollynai* é um termo caracteristicamente joanino, ocorrendo dez vezes; intransitivamente, tem dois significados: (*a*) estar perdido; (*b*) perecer, ser destruído.

Encontramos Jesus falando também sobre não *perder* nenhum daqueles a quem o Pai lhe deu (6,39; 18,9).

17. *enviou*. Este é paralelo a "deu" no v. 16; encontramos o mesmo par, "enviar" e "dar" usado para o Paráclito em 14,16 e 26. "Enviar" com referência à missão de Jesus é expresso em João por dois verbos sem qualquer aparente distinção de significado: *pempein* (26 vezes) e *apostellein* (18 vezes). Os sinóticos usam *apostellein* para a missão de Jesus (exceto Lc 20,13); Paulo usa *pempein*. Para João, Jesus é enviado ao mundo; para os sinóticos, Jesus é enviado a Israel (Mt 15,24; Lc 4,43).

    o Filho. O uso absoluto de "o Filho", como contrastado com "o Pai", aparece somente em dois ditos sinóticos (em Mc 13,32 e no "logion joanino" de Mt 11,27 e Lc 10,22). O uso absoluto é frequente em João, a maioria com uso paralelo a "Filho do Homem" na tradição sinótica. Provavelmente, João grafou com maiúscula um uso antigo porém ocasional atribuído a Jesus.

    condenar. A raiz grega envolvida em *krinein* e *krisis* significa tanto "julgar" como "condenar"; teremos que escolher de forma alternativa entre estes dois significados de acordo com o contexto. No comentário sobre 8,15, daremos um estudo da relação de Jesus com julgamento, segundo João.

    para que o mundo seja salvo. Uma comparação com o v. 16 mostra que "ser salvo" significa receber vida eterna. Cf. 1Jo 4,14: "O Pai enviou o Filho como Salvador do mundo"; também Jo 12,47 (veja comentário). Alguns manuscritos de Lc 9,56 dizem: "O Filho do Homem não veio para destruir as almas dos homens, e sim para salvá-las.

18. *mas*. Embora isto seja omitido em testemunhas importantes, as redações dos papiros Bodmer agregadas à evidência o favorecem.

    quem se recusa a crer. Literalmente, "porque ele não tem crido"; o perfeito indica uma incredulidade contínua.

19. *o julgamento é este*. Esta não é uma referência à sentença, mas ao que a ação judicial consiste.

    preferiram. Literalmente, "amaram mais do que"; o hebraico não traz a palavra que expressa a nuança de significado em "preferir", e assim "amar" e "odiar" são amiúde contrastados para comunicar a ideia. Veja nota sobre 12,25; também Mt 6,24; Lc 14,26.

20. *pratica a perversidade*. O uso de um verbo "fazer, praticar" com o "bem" ou a "verdade" ou o "mal" (aqui *phaula prassein*; no v. 21 "agir em verdade" literalmente é "fazer a verdade" – *tēn alētheian poiein*) é um semitismo.

O emprego no NT é peculiar a João (veja 5,29); Ap 22,15 tem "agir com falsidade" – *poiein pseudos*. Veja abaixo para paralelos em Qumran.

expostas. O grego *elenkein* significa "expor, convencer, repreender" e, assim, é muito difícil de captar numa versão inglesa [igualmente em português]. Sua contraparte positiva, no v. 21, é *phaneroun*, "mostrar". Vemos linguagem similar nos Rolos do Mar Morto, pois CDC 20, 2-4 fala das obras do perverso sendo expostas a luz e objeto de reprovação.

21. *age em verdade*. Literalmente, "faz a verdade"; veja nota sobre v. 20. No AT, "fazer a verdade" (*'aśāh 'emet*) significa "manter a fé". Todavia, nos Rolos do Mar Morto, os adeptos são instados a praticar a verdade; e isto tem uma conotação muito parecida com o emprego de João, a saber, o de perpetração da vida (1QS 1,5; 5,3; 8,9). Notemos que a expressão grega ocorre na LXX também nesta forma (Is 26,10; Tb 4,6; 13,6). Veja ZERWICK, *art. cit.*; também Apêndice I:2, p. 794ss sobre a "verdade".

COMENTÁRIO: GERAL

A cena de Nicodemos é nossa primeira introdução ao discurso joanino. É a primeira exposição oral em João da revelação trazida por Jesus, e nos dá de uma forma sintética os principais temas dessa revelação.

Historicidade

Quando tentamos imaginar esta cena ocorrendo no ministério de Jesus, há muitos problemas que devem ser encarados, por menores que sejam. A afirmação inicial de Nicodemos no v. 2 implica que Jesus operou muitos milagres em Jerusalém, e esta é também a ideia de 2,23 e 4,45. Todavia, o fato de que João não ter narrado nenhum milagre feito em Jerusalém tem levado muitos a sugerir que a história de Nicodemos surgiu posteriormente no evangelho depois que os milagres em Jerusalém foram descritos. MENDNER, *art. cit.*, sugere que o cenário autêntico para a história de Nicodemos está em 7,51. MENDNER presume que, depois que Nicodemos falou em favor de Jesus, ele foi investigá-lo. Em seu *Diatessaron* (Codex Fuldensis), uma harmonia dos evangelhos do 2º século, TACIANO colocou a cena de Nicodemos na Semana Santa, um arranjo que LAGRANGE acha tentador. Uma predição da morte, tal como a encontrada no v. 14, estaria em mais harmonia com a Semana Santa. GOURBILLON, *art. cit.*, recolocaria 3,14-21 entre 12,31 e 32, pondo assim parte da cena de Nicodemos em um cenário já no final da vida de Jesus. Tais exercícios da engenhosidade são sempre interessantes, mas no final resulta desencorajadora pela falta de prova.

Obviamente, a intenção de João é ilustrar que uma fé parcial de Nicodemos em Jesus tem por base os sinais e preparou o caminho para isto com 2,23-25. Logicamente, tal ilustração vem depois de exemplos de fé mais satisfatórios (os discípulos em Caná) e de completa falta de fé ("os judeus" no templo). Assim, a sequência é pelo menos lógica. Buscar em João sequência cronológica perfeita é um esforço fútil, pois o próprio evangelista nos advertiu que esse não era seu interesse (20,30).

A questão do valor histórico afeta não só o lugar da cena, mas também o seu conteúdo. Nas respectivas notas, já salientamos as numerosas dificuldades: nos vs. 3-4, um possível jogo de palavras percebido somente em grego; no v. 11, Jesus fala no plural como se a Igreja estivesse falando; no v. 13, é como se o Filho do Homem já houvesse subido. Estes problemas levam alguns a considerarem toda a cena como uma criação joanina, ou ainda a considerarem somente a introdução como a exibir sinais da origem de tradição mais antiga (veja nota sobre v. 2). Muitos estudiosos sugerem que ao menos alguma parte dos vs. 12-21 é uma homília de autoria do próprio evangelista, e não palavras de Jesus. A referência ao batismo, no v. 5, tem levado até mesmo um estudioso conservador, como Lagrange, p. 72, a observar que toda esta exposição pareceria mais natural nos lábios de um catequista cristão muito depois da fundação da Igreja do que nos lábios de Jesus como suas palavras no início de seu ministério.

Como observamos na Introdução, a relação dos diálogos joaninos com a tradição primitiva sobre Jesus de Nazaré e seus ditos não é uma questão que se presta a soluções fáceis. Certamente houve reestruturação do material pelo evangelista nos vs. 1-21, uma mudança de perspectiva, um desenvolvimento de temas mais recentes. Mas há nestes versículos paralelos sinóticos para muitas das afirmações isoladas atribuídas a Jesus, e parece provável que um sólido núcleo de material tradicional foi elaborado ao estilo homilético para a presente forma do diálogo. A tentativa de atribuir certo número de versículos a Jesus e certo número ao evangelista é, em nossa opinião, impossível. Não há diferenças estilísticas nos vs. 12-21 a indicar-nos onde tal divisão deve ser marcada. Ao contrário, todos os elos da tradição e do desenvolvimento homilético estão de tal modo entretecidos, que impedem qualquer separação precisa.

A estrutura do diálogo

Como os vs. 1-21 devem ser subdivididos? Com base na forma, notamos que Nicodemos faz três afirmações em 2, 4 e 9; as duas últimas são perguntas explícitas, a primeira é tratada como uma pergunta implícita. Às três Jesus dá uma resposta que começa "Solenemente eu te asseguro" (3, 5, 11 – a última é precedida por uma observação *ad hominem*). As três respostas de Jesus são progressivamente mais longas em seu desenvolvimento. Assim, com base no ponto de vista exclusivamente da forma, a seção não é tão heterogênea como algumas das tentativas de reorganização poderiam indicar.

Há também um desenvolvimento em pensamento. ROUSTANG salienta uma referência aos três agentes divinos que podem, ao menos, formar um tema secundário: as palavras de Jesus nos vs. 3-8 dizem respeito ao papel de *o Espírito*; aquelas em 11-15 dizem respeito a *o Filho do Homem*; aquelas em 16-21 dizem respeito a Deus *o Pai*. Talvez o padrão de uma combinação de forma e pensamento nos dê a melhor divisão (veja ROUSTANG, p. 341; DE LA POTTERIE, pp. 430-31). Após o primeiro versículo introdutório que segue 2,23-25 e situa a cena com mais precisão, temos:

1. Vs. 2-8. A geração do alto, através do Espírito, é necessária para ter acesso ao reino de Deus; o nascimento natural é insuficiente.
   (a) 2-3: Primeira pergunta e resposta: o fato da geração partir de cima.
   (b) 4-8: Segunda pergunta e resposta: o como da geração – através do Espírito.
2. Vs. 9-21. Tudo isto se torna possível unicamente quando o Filho houver subido para o Pai, e só é oferecido aos que creem em Jesus.
       9-10: A terceira pergunta e resposta introduz toda esta seção.
   (a) 11-15: O Filho tem de subir ao Pai (a fim de dar o Espírito).
   (b) 16-21: A fé em Jesus é necessária para beneficiar-se deste dom.

Cremos que o evangelista deixou alguns sinais de que este era aproximadamente o plano que ele seguiu na organização do discurso. A Divisão 1 começa com a certeza de Nicodemos: "Sabemos que tu és mestre"; isto se contrapõe no início da Divisão 2 pela afirmação de Jesus: "Tu exerces o ofício de *mestre* de Israel... estamos falando do que *sabemos*". Além do padrão similar nas duas divisões, todo o discurso parece ser unificado por uma inclusão. A cena começa com Nicodemos vindo para Jesus de noite; ele termina no tema de que os homens têm de deixar as trevas e vir para a luz. Nicodemos abre o diálogo elogiando Jesus como um *mestre* que *veio de Deus*; a última parte do diálogo mostra que Jesus é o Unigênito de Deus (v. 16) a quem Deus enviou ao mundo (17) como a luz para o mundo (19). Se considerarmos 2,23-25 como a introdução à cena de Nicodemos, ainda há outra inclusão: em 2,23 ouvimos dos que "creem em seu nome", mas sua fé era insatisfatória, porque não vieram para ver quem ele era; em 3,18 encontramos uma insistência de que a salvação só pode vir aos que "creem no nome do Unigênito de Deus".

COMENTÁRIO: DETALHADO

Divisão 1. O significado básico de 3,2-8

Nosso primeiro interesse será o significado básico da conversa que o evangelista informa como tendo ocorrido entre Jesus e Nicodemos, isto é, o significado que Nicodemos teria sido apto a compreender na cena tal *como* é retratada. Então, numa discussão separada discutiremos a orientação batismal da cena tal como poderia ter sido secundariamente reinterpretada na pregação litúrgica joanina.

Nicodemos é um dos mencionados em 2,23-25 que creem em Jesus em razão dos sinais que viram; seu "nós" quase faz dele seu porta-voz. Em 2,24-25, Jesus reagiu desfavoravelmente para com a fé deles, e esta mesma reação acolhe a saudação de Nicodemos. Tudo o que os sinais ensinaram a Nicodemos é que Jesus é um rabino distinto, um dentre os muitos rabinos para quem os milagres são atribuídos nos escritos judaicos. Alguns estudiosos interpretariam "um mestre que veio de Deus" como uma referência ao Profeta-semelhante-a-Moisés de Dt 18,18. Entretanto, seria difícil explicar a reação desfavorável de

Jesus se a fé de Nicodemos fosse mais profunda; além do mais, o artigo indefinido antes de "mestre" parece excluir uma referência tão precisa.

Portanto, em nossa interpretação, a abordagem de Nicodemos a Jesus é bem intencionada, porém teologicamente inadequada. De um lado podemos notar que, nos tempos antigos, a visita de Nicodemos seria vista como parte do esquema farisaico para enredar Jesus. Discutiremos o Papiro Egerton 2 abaixo (p. 458); esta obra combina Jo 3,2 (+ 10,25) com a capciosa questão sobre o tributo a César (Mt 22,15-22):

> Chegando-se a ele, tentaram-no com uma astuciosa pergunta, dizendo: "Mestre Jesus, sabemos que vieste de Deus, pois o que estais fazendo dá testemunho acima de todos os profetas. Então, dize-nos, é lícito ou não pagar aos reis o que pertence ao seu governo?"

A resposta de Jesus em 3,3 parece acolher a saudação de Nicodemos como uma exigência implícita sobre o acesso ao reino de Deus. Isso nos recorda o caso de outro membro do Sinédrio (Lc 18,18) que veio e se dirigiu a Jesus como "Mestre" e lhe perguntou o que se deve fazer para herdar a vida eterna. No final do diálogo Jesus observou quão difícil é que os homens ricos "entrem no reino de Deus" (veja Jo 3,5). Não há razão particular para identificar as cenas lucanas e joaninas, mas o paralelo é útil para mostrar que a cena de João não é tão estranha como pode parecer à primeira vista. Em ambos os casos, a aproximação a Jesus, como fé, é explicada como o desejo de entrar no reino que Jesus estava proclamando.

A resposta de Jesus se destina a mostrar a Nicodemos que Jesus não veio de Deus no sentido em que Nicodemos pensava (um homem aprovado por Deus), mas no sentido único de haver descido da presença de Deus para elevar aos homens até Deus. Os comentaristas têm notado que Jesus não responde à indagação de Nicodemos diretamente. Não obstante, a tática do discurso joanino é sempre que a resposta transponha o tema a um nível mais elevado; o questionador fica no nível do sensível, mas deve elevar-se ao nível do espiritual. Uma apreciação da diferença radical entre a carne e o Espírito é a verdadeira resposta a Nicodemos.

Nas respectivas notas, temos ressaltado que há diversos mal-entendidos envolvidos na reação de Nicodemos às palavras de Jesus. Estes mal-entendidos – um estratagema frequente no discurso joanino –

levam Jesus a explicar mais plenamente. Ao interpretarmos o que Jesus diz a Nicodemos, estaremos equivocados se deixarmos de reconhecer a simplicidade básica das ideias envolvidas. Um homem se reveste de carne e penetra a esfera do mundo porque seu pai o gera; um homem só pode entrar no reino de Deus quando for gerado pelo Pai celestial. A vida só pode vir a um homem através de seu pai; a vida eterna vem do Pai celestial através do Filho a quem ele capacitou para dar vida (5,21). O rude realismo da geração da vida eterna é sempre mais brutal em 1Jo 3,9, onde lemos que aquele que é gerado por Deus possui a *semente* de Deus permanente nele. A imagem de gerar, regeneração e semente divina aparecem em outras obras joaninas, 1Pd 1,23 e Tt 3,5. Outra imagem usada pelos primeiros cristãos para explicar como se tornaram filhos de Deus foi a adoção realizada por Deus e que aparece nas principais obras paulinas (Gl 4,5; Rm 8,23).

Nicodemos não entende o que Jesus disse sobre um gerar do alto e pensa que significa sair do ventre outra vez. Não havia nada no pensamento judaico que o preparasse para entender o tema de Jesus, da necessidade de se tornarem filhos de Deus através de ser gerado pelo Pai? Nos primeiros estágios da teologia do AT, todo o Israel foi tratado como filho primogênito de Deus (Ex 4,22; Dt 32,6; Os 11,1). Entretanto, não podemos dizer que a filiação seja um tema de suma importância na redação entre Israel e Iahweh; além do mais, onde se menciona filiação, esse é o resultado de escolha pactual – não há ideia clara de geração por Deus. Com o estabelecimento da monarquia davídica, o rei ungido (messias) do povo de Deus foi saudado como o filho de Deus (2Sm 7,14; Sl 2,7; 89,27). Embora a imagem possivelmente tivesse suas raízes nos paralelos pagãos (egípcios) onde se pensava que um deus gerasse sexualmente um rei de uma mulher humana, o conceito israelita específico associava a filiação com a unção que tornava um homem rei. É importante que o termo "gerar" aparece no Sl 2 para descrever a unção. (Compare 1Jo 2,20.27, que fala do cristão sendo ungido por Deus e sendo gerado pela semente de Deus).

Somente no estágio pós-exílico do pensamento israelita é que encontramos piedosos israelitas individuais sendo designados filhos de Deus. Em determinadas passagens, isto é claramente considerado como uma recompensa futura, isto é, nos últimos tempos o homem justo será contado como filho de Deus (Sb 5,5; Sl de Salomão 17,30). Outras passagens consideram o homem justo em sua vida atual como filho do Altíssimo que é concebido como Pai (Siraque 4,10; 23,1.4; Sb 2,13.16.18). O mesmo fenômeno de aspirações da filiação atual e futura, vicejando lado a lado, se encontra no NT. Os sinóticos parecem considerar a filiação como uma promessa a ser concretizada somente após a morte (Lc 20,36; e 6,35, comparado com Mt 5,44-45). Para João, a filiação se concretiza nesta vida assim que Jesus ressurreto dá o Espírito (veja comentário sobre 20,17.22, no volume II). A teologia cristã tem conciliado estes pontos de vista, reconhecendo que a vida futura na presença de Deus é diferente na maneira e intensidade da vida que ora possuímos, porém não diferente em gênero. Somos filhos de Deus agora, muito embora após a morte sejamos filhos de uma maneira muito mais perfeita. É preciso notar bem outra diferença entre a perspectiva sinótica e a de João: para os sinóticos, os atos bons fazem alguém semelhante a Deus e, assim, membro de Sua família; João fala de geração realizada por Deus.

E assim houve, ao menos, uma limitado pano de fundo veterotestamentário que teria capacitado Nicodemos a entender que Jesus estava proclamando a chegada dos tempos escatológicos, quando os homens seriam filhos de Deus. Este conceito era conhecido do Judaísmo ainda que o tema da geração divina até então não tivesse recebido muita ênfase. É precisamente no tema da geração que Nicodemos tropeça; e sua incompreensão leva Jesus a estender sua explicação nos vs. 5ss. Já vimos que 1 João usa a metáfora da semente de Deus para explicar como Deus gera filhos; João, ao contrário, recorre ao conceito do Espírito. Há um bom número de estudos sobre a noção hebraica de espírito ou fôlego da vida (as palavras são intercambiáveis) nos artigos de P. van Imschoot, RB 44 (1935), 481-501, e J. Goitia, EstBib 15 (1956), 147-85, 341-80; 16 (1957), 115-59. Hoje, um dos testes mais simples da vida é ver se uma pessoa ainda está respirando; assim também para o antigo hebreu o fôlego ou espírito era o princípio de vida. O homem é, respectivamente, carne e espírito, mas seu espírito é perecível; e ele é o catalizador do espírito de Deus que mantém o homem vivo. Deus deu vida ao homem quando na criação soprou nele o fôlego de vida (Gn 2,7); a morte ocorre quando Deus retira Seu espírito ou fôlego (Gn 6,3; Jó 34,15; Ec 12,7).

Se a vida natural é atribuída ao ato de Deus dar espírito aos homens, assim a vida eterna começa quando Deus dá aos homens seu Espírito Santo. A geração através do Espírito de que fala o v. 5 parece ser uma referência ao derramar do Espírito através de Jesus quando ele foi elevado na crucifixão e ressurreição (veja comentário sobre 7,39; 19,30.34-35). O Jesus ressurreto se refere aos discípulos como seus irmãos e lhes diz que seu Pai é agora o Pai deles, porque ele sopra sobre eles e são recriados pelo Espírito Santo que recebem (veja comentário sobre 20,17.22, no volume II).

O dom do Espírito de Deus parece ser a ideia principal no v. 5; contudo, há uma antiga interpretação patrística de "geração do espírito" em termos de aceitar a revelação de Jesus pela fé e viver a vida espiritual – assim, não tanto o Espírito de Deus, mas um novo espírito no interior do indivíduo. DE LA POTTERIE, pp. 420-22, cita o *Pastor de Hermas*, JUSTINO, IRINEU e AGOSTINHO para este ponto de vista, e sugere que esta é a referência primária no v. 5. Não aceitamos esta referência como primária, mas nada há nesta interpretação do v. 5 que porventura contradiga nosso ponto de vista. À doação do Espírito de Deus corresponde uma aceitação da parte do crente pela fé e uma nova forma de vida. Mas o dom do Espírito de Deus é primário, pois ele é aquele Espírito, o Espírito da verdade, que capacita os homens a conhecer e a crer na revelação de Jesus (14,26; 16,14-15).

Acaso Nicodemos poderia ter entendido este gerar do Espírito? O derramamento do espírito de Deus era um importante aspecto na imagem veterotestamentária dos últimos dias. Para Is 22,15, a vinda daqueles tempos é descrita como quando "o espírito for derramado do alto sobre nós". Em Jl 2,28-29, ouvimos a promessa de que naqueles dias "derramarei meu espírito sobre toda a carne". Em várias passagens, os temas de água e espírito são associados como em Jo 3,5; por exemplo, em Ez 36,25-26, disse Iahweh: "Aspergirei água pura sobre vós... dar-vos-ei um coração novo e um espírito novo porei dentro de vós... porei o meu espírito dentro de vós" (também Is 44,3). A conexão entre o dom do espírito e tornar-se filhos de Deus se encontra em *Jubileus* 1,23-25 do 2º século a.C.: "Eu criarei neles um espírito santo e os purificarei... serei seu Pai e eles serão meus filhos". No próprio tempo de Nicodemos, todos os que entrassem na comunidade essênia de Qumran ouviam esta descrição do dia da visitação divina, quando Deus erradicasse do homem o espírito de falsidade: "Ele o purificará de todos os atos perversos por meio de um espírito santo; como águas purificadoras, Ele espargirá sobre ele o espírito da verdade" (1QS 4,19-21). Assim, enquanto não se podia esperar que

Nicodemos entendesse o aspecto particular do Espírito que é próprio ao ensino de Jesus, ao menos as palavras de Jesus teriam sentido para quem o derramamento escatológico do Espírito era iminente, preparando o homem para a entrada no reino de Deus.

Continuando com João, o v. 6 fornece outro aspecto do dualismo joanino. Contrastam-se carne e espírito, justamente como se contrastava gerar em um sentido terreno com o gerar de cima. O contraste entre carne e Espírito não tem nada a ver com o contraste entre corpo e alma oriundo do dualismo antropológico grego; tampouco tem algo a ver com um contraste entre material e espiritual, pois em João não há desconfiança gnóstica acerca da matéria como tal. "Carne" se refere ao homem como é nascido neste mundo; e neste estado ele tem algo tanto do material quanto do espiritual, como insiste Gn 2,7. O contraste entre carne e Espírito é aquele entre homem mortal (na expressão hebraica, "um filho de homem") e um filho de Deus, entre homem como é e homem como Jesus pode transformá-lo, dando-lhe o Espírito Santo.

Os vs. 7-8 admitem que existe algo misterioso sobre este gerar de cima através do Espírito. Não há nada de estranho nisso, pois tudo o que vêm de Deus têm um elemento de mistério. Fornece-se um símile, não para explicar o caráter preciso do mistério, mas para mostrar que o fato do mistério de modo algum remove a realidade da ação do Espírito. Não surpreende que ser gerado através do *pneuma* (Espírito) é misterioso; pois, embora possamos ver os efeitos do *pneuma* (vento – veja nota sobre v. 8) sobre todos nós, ninguém pode realmente ver o *pneuma* (vento) que causa tais efeitos. Assim também é possível ver os que são gerados de cima através do *pneuma* (Espírito), os que têm aceitado Jesus, sem ver precisamente quando ou como este *pneuma* (Espírito) os gera, e sem saber por que um homem aceita Jesus e outro, não. Podemos acrescer que a incapacidade dos homens de saberem donde o *pneuma* vem ou para onde ele vai não é diferente da ignorância dos homens sobre donde Jesus vem e para onde ele está indo (p. ex., 7,35). O Espírito é o Espírito de Jesus; o Espírito e Jesus, respectivamente, são de cima, e por isso são misteriosos para os homens de baixo.

O símile do vento não é original em João. Encontramos algo similar em Ecl 11,5: "Assim como tu não sabes qual o caminho do vento, nem como se formam os ossos no ventre da que está grávida, assim também não sabes as obras de Deus, que faz todas as coisas".

Não está claro se em Eclesiastes significa "espírito" ou "vento", mas não é diferente da ambiguidade de Jo 3,8. DODD, *Tradition*, pp. 364-65, compara o símile no v. 8 com uma frase na pequena parábola de Mc 4,26-29: "a semente brotasse e crescesse, não sabendo ele como". Ambos são ditos parabólicos baseados no reconhecimento da espontaneidade e inescrutabilidade do processo natural. Esta é outra indicação de que o diálogo com Nicodemos tem versículos que parecem refletir tradição primitiva.

Adendo à Primeira Divisão. A interpretação batismal do v. 5

Até aqui, interpretamos o discurso de Jesus a Nicodemos em um nível que o próprio Nicodemos pudesse ter entendido contra um pano de fundo veterotestamentário das ideias sobre filiação, espírito etc. Entretanto, pode haver certa dúvida de que os leitores cristãos de João teriam interpretado o v. 5, "ser gerado da água e do Espírito", como uma referência ao batismo cristão; e assim temos um nível secundário de referência sacramental. Desnecessário dizer, se pensarmos em Jo 3 como baseado em uma cena histórica, Nicodemos não poderia ter entendido nada do batismo cristão ou da teologia do renascimento associada a ele. Quando muito, se fosse bem notório que Jesus era batizador como João Batista (3,26), Nicodemos poderia ter entendido a referência à água em termos deste tipo de batismo. Ou poderia ter vindo à sua mente o batismo judaico de prosélito, costume no qual o prosélito batizado era comparado a uma criança renascida (o costume do batismo de prosélito parece ter tido ingresso no Judaísmo em algum momento do 1º século d.C.). Mas nenhum destes batismos se equipara ao batismo cristão, daí termos de investigar um nível de compreensão que vai além da cena histórica visualizada na narrativa.

Visto que a alusão ao batismo gira em torno da frase "da água", no v. 5, surge a questão se devemos considerar esta frase como pertinente à tradição mais antiga da cena ou como uma adição posterior. Alguns indagam se foi dito por Jesus ou adicionado pelo evangelista. Outros (amiúde os que tomam por admitido que todo o discurso é uma mera composição joanina e que nada nele foi dito pelo Jesus de Nazaré) indagam se a frase era parte da obra do evangelista ou foi adicionada pelo redator. Para BULTMANN, por exemplo, a frase é a contribuição do Redator Eclesiástico que estava tentando introduzir sacramentalismo no evangelho. Entre os que a consideram como uma adição posterior numa forma ou noutra estão K. LAKE, WELLHAUSEN, LOHSE e um crescente número de católicos, por exemplo, BRAUN, LÉON-DUFOUR, VAN DEN BUSSCHE, FEUILLET, LEAL, DE LA POTERIE, que propõem a teoria da adição com graus diversos de probabilidade.

Visto que não há nenhuma evidência textual contra toda a autenticidade da frase "da água", o que leva os estudiosos a pensar que esta é uma adição posterior à tradição joanina? *Primeiro*, a frase não parece adequar-se às ideias e palavras no contexto. Esta é a única referência a água em todo o discurso. Se omitirmos esta expressão, então o v. 5 lê "sem ser gerado do Espírito"; e este é um paralelo melhor em extensão e forma ao v. 3, "sem ser gerado de cima", do que a redação atual do v. 5. As ideias do v. 5 são desenvolvidas nos vs. 6-8, mas naqueles versículos só há menção do Espírito, e não da água. Aliás, o v. 8 quase repete o v. 5 quando fala de "todo o que é gerado do Espírito", e não menciona água. Há de se admitir-se que estas objeções possuem peso.

Um *segundo* argumento usado contra a autenticidade da expressão "da água" é teológico. É fraca a objeção de que Nicodemos não poderia ter entendido a frase e que, portanto, ela não era parte da tradição original. Já mostramos acima que muitas das passagens veterotestamentárias que mencionam o derramamento do espírito também mencionam água; assim água e espírito vão juntos. Além do mais, diversas outras passagens nas obras joaninas unem água e Espírito (7,38-39; 1Jo 5,8), e assim o v. 5 não é um caso isolado. Se a expressão "da água" era parte da forma original do discurso, então teria sido entendida por Nicodemos contra o pano de fundo veterotestamentário, ainda que não em termos do batismo cristão.

O *terceiro* argumento se baseia no pressuposto anti-sacramentalismo do evangelista; isto significa que todas as referências aos sacramentos têm de ser atribuídas ao Redator Eclesiástico. Na Introdução já rejeitamos este ponto de vista, e aqui não o achamos particularmente convincente. A expressão "da água" não é a única referência ao batismo nesta cena, e assim sua presença não pode ser explicada como um ato isolado da censura. O diálogo com Nicodemos é seguido imediatamente por um relato em que se enfatiza, respectivamente, que o Batista e Jesus estavam *batizando*. Veremos que este relato não é uma sequência cronológica real ao discurso de Nicodemos, e uma das razões mais plausíveis para ser colocado onde ora está é precisamente porque seu tema batismal faz paralelo ao da cena de Nicodemos.

Outra sugestão de uma referência ao batismo se encontra no verbo "ser gerado" nos vs. 3 e 5; como vimos na respectiva nota, este verbo poderia também ter sido entendido pelos primeiros cristãos no sentido de "ser nascido". (BULTMANN, p. 96, inclusive sugere que este era o significado pretendido pelo evangelista). O tema de "ser nascido [outra vez]" é de caráter batismal em 1Pd 1,23 (cf. "renascer" em Tt 3,5). O fato de que as versões antigas traduzirem Jo 3,3 e 5 em termos de ser nascido outra vez significa que, desde os dias mais antigos, esta passagem foi considerada em um contexto batismal. Para o antigo uso batismal de 3,5 na arte e inscrições nas catacumbas, veja F.-M. BRAUN, RThom 56 (1956), 647-48.

Quando todos estes argumentos são avaliados, não chegamos a nenhuma certeza conclusiva. O tema batismal que se acha entretecido no texto de toda a cena é secundário; a expressão "da água", na qual o tema batismal se expressa com toda clareza pode ter sido sempre parte da cena, embora originalmente não tivesse uma referência específica ao batismo cristão; ou pode ser que a frase tenha sido adicionada à tradição tardia a fim de pôr em relevo o tema batismal.

Em favor da alternativa anterior, podemos agregar o exemplo de um dito sinótico de Jesus que parece ter sido reinterpretado como uma referência ao batismo. Falamos de Mt 18,3 (Mc 10,15; Lc 18,17): "se não vos converterdes e não vos fizerdes como meninos, de modo algum entrareis no reino dos céus". Este versículo está tão unido ao que temos em Jo 3,3 e 5 (tornar-se filhos = ser gerado; em ambos os versículos, este é o requisito para entrar no reino do céu), que BERNARD e J. JEREMIAS pensam que são variantes do mesmo dito de Jesus. DODD, *Tradition*, pp. 358-59, é inclinado a concordar; e pensa que a forma do dito de João vem de uma forma de tradição mais antiga e independente, e não de alguma adaptação de Mateus. J. DUPONT, *Les Béatitudes* (Louvain: Nauwelaerts, 1954), pp. 150-58, argumenta que o significado original do dito mateano foi uma exigência para tornar-se um dos *anawim*, isto é, os humildes que são dependentes de Deus, o remanescente que haviam se preparado para a intervenção messiânica de Deus e que são representados no NT pelos pobres, os proscritos, os doentes e os pequeninos. A disposição de dependência de Deus, simbolizada por tornar-se pequeninos, predispostos a aceitar Jesus e assim entrar no reino. Entretanto, o dito mateano foi reinterpretado em termos de batismo, de modo que "tornar-se pequeninos" significa ser batizados; para provas, veja J. JEREMIAS, *Infant Baptism in the First*

Four Centuries (Londres: SCM, 1960), pp. 48-52. É interessante notar que Justino *Apologia* I 61 (PG 6:420) parece citar uma forma combinada dos ditos mateanos e joaninos: "A menos que vos renasceis, não entrareis no reino do céu". *As Constituições Apostólicas* do 4º século adaptam João livremente: "A menos que um homem seja batizado da água e do Espírito, não entrará no reino do céu" (VI 3:15).

Mais um problema tem de ser discutido. No nível da interpretação batismal, que relação Jo 3,5 faz entre água e Espírito? A geração do Espírito se concretiza através da geração da água? Ou as duas constituem a mesma ação (o grego tem apenas uma preposição)? Ou as duas são gerações separadas e iguais? Em suma, há diversas possibilidades: identificação, subordinação, coordenação. Para uma história completa da interpretação, veja De la Potterie, pp. 418-25. Uma complicação anexa tem entrado na discussão do uso deste texto nas disputas entre protestantes e católicos sobre a necessidade que a salvação tem do batismo por meio de água. Por exemplo, Calvino mantinha que a água real necessariamente não estava envolvida, senão que "água" indica a ação purificadora do Espírito. Este ponto de vista, combatido pelo anglicano Westcott em seu comentário (p. 49), foi condenado pela Sessão VII do Concílio de Trento (DB, § 858).

Felizmente para nossos propósitos aqui, tais disputas teológicas sobre a necessidade universal do batismo por meio de água e a existência correspondente do limbo para os infantes não batizados, vão além do escopo direto do texto, o qual é o que interessa ao exegeta. Aceitando a "água" em seu valor externo, não cremos que haja bastante evidência no próprio evangelho para determinar a relação entre gerar da água e gerar do Espírito no nível da interpretação sacramental. Gerar do Espírito, enquanto inclui aceitar Jesus pela fé, primariamente é a comunicação do Espírito Santo. Se tomarmos o v. 5 como uma referência ao batismo e a doação do Espírito (note que João menciona o Espírito depois de água), então João poderia estar pensando na comunicação do Espírito através do batismo.

Segunda Divisão (a). O Filho deve ascender ao Pai (3,9-15)

Até aqui, Nicodemos tem ouvido que o acesso ao reino de Deus requer o derramamento escatológico do Espírito e é algo que o homem não pode cumprir por si próprio. No v. 9 ele faz outra pergunta; desta vez sua pergunta não diz respeito ao papel do homem como fez o v. 4, mas a ação de Deus de cima e através do Espírito. Que haja um elemento de incredulidade na pergunta pode explicar a ponta de sarcasmo na resposta de Jesus no v. 10 (veja notas). Com esta pergunta, Nicodemos exerceu seu papel na cena; como tantos outros personagens nos discursos joaninos, ele serviu de antagonista cuja incompreensão ou falha em entender faz com que Jesus exponha sua revelação detalhadamente. Como Jesus prossegue na longa exposição dos vs. 11-21, Nicodemos desaparece nas trevas donde veio. O diálogo se converte em monólogo; e Jesus, sozinho, mantém-se no palco, sua luz resplandece nas trevas e atrai os homens a irem a ele e a se tornarem filhos de Deus (vs. 19-21).

Na menção do testemunho no v. 11, o elemento jurídico de que falamos acima (p. 223) reaparece. A incredulidade de Nicodemos se apresenta como um exemplo de uma rejeição mais ampla em aceitar o testemunho de Jesus. Jesus falara da geração do alto; ora, ele está numa posição de conhecer isto, porquanto vem de cima. A despeito da falha de Nicodemos de compreender o que sucederia a um homem, a fim de capacitá-lo a entrar no reino de Deus ("coisas terrenas"; veja nota sobre v. 12), Jesus responderá à pergunta de Nicodemos acerca de como tais coisas ocorrem, falando das origens celestiais desta geração através do Espírito. E Jesus insiste que ele é o único que pode fazer isso, já que nenhum outro jamais subiu ao céu.

Como ressaltamos na respectiva nota, há várias interpretações do v. 13, mas significa ao menos que Jesus é o único que sempre esteve no céu, porque ele desceu do céu. O que dizer das lendas concernentes aos vários videntes apocalípticos que supostamente eram arrebatados ao céu em visão (Daniel, Enoque, Baruque)? Podemos lembrarnos também de que Moisés era considerado como tendo visto coisas celestiais no Monte Sinai e ter sido admitido ao céu após sua morte. Evidentemente, Jesus se recusa ser posto no mesmo plano com estes peregrinos celestiais; sua associação com o céu é muito mais profunda do que a que dada por meio de visão. Alguns textos do AT são interessantes neste respeito. Em Pr 30,3-4 o autor nega que possuísse conhecimento divino: "Nem aprendi a sabedoria, nem tenho o conhecimento do Santo. Quem subiu ao céu e desceu? quem encerrou os ventos em seus punhos?" (Note a colocação do segredo do vento e a ascensão ao céu). Sb 9,16-18 contém uma ideia similar: "Dificilmente podemos sondar as coisas sobre a terra... mas quando as coisas estão no céu, quem pode perscrutá-las... a não ser que dês sabedoria e envies teu santo espírito das alturas?" *Baruque* 3,29 indaga: "Quem subiu ao céu e lhe deu [Sabedoria] e a fez descer das nuvens?" (Também Dt 30,12). Assim fica bem claro que o privilégio que Jesus está reivindicando no v. 13 vai além da capacidade dos homens. Este versículo é outro modo de afirmar o que se acha em outro lugar em João, a saber, que somente Jesus tem visto a Deus (1,18; 5,37; 6,46; 14,7-9). Veja 6,62, onde Jesus responde outra objeção ao mistério de seu ensino, falando da ascensão do Filho do Homem ao céu.

Nos vs. 14-15, Jesus continua a responder à pergunta atual de Nicodemos: "Como podem estas coisas acontecer?" Gerar através do Espírito só pode suceder como resultado da crucifixão, ressurreição e ascensão de Jesus. O v. 14 é a primeira de três afirmações em João se referindo a Jesus como que "subindo" (8,28; 12,32-34). A frase "ser levantado" se refere à morte de Jesus na cruz. Isto é óbvio não só à luz da comparação com a serpente numa haste, no v. 14, mas também da explicação em 12,33. BERNARD, I, p. 114, argumenta que este é o único significado da frase. Não obstante, o verbo *hypsoun*, "ser levantado", é usado em Atos (2,33; 5,31) para referências à ascensão de Jesus. Em hebraico há um duplo uso de *naśāh* ("levantar") que pode cobrir ambos os significados de morte e glorificação, como em Gn 11,13 e 19; o aramaico z^eqap significa ambos, "crucificar, pender" e "levantar". Assim, em João "ser levantado" se refere a uma ação contínua de subir: Jesus começa sua volta a seu Pai quando se aproxima da morte (13,1) e só a completa com sua ascensão (20,17). É o balanço para cima do grande pêndulo da Encarnação correspondendo à descida da Palavra que se fez carne. O primeiro passo na subida é quando Jesus se eleva à cruz; o segundo passo é quando ele ressurge da morte; o passo final é quando ele é elevado ao céu. Esta compreensão mais ampla de "ser levantado" explica a afirmação de 8,28: "Quando levantardes o Filho do homem, então compreendereis que EU SOU". A justiça da reivindicação de Jesus ao nome divino, "EU SOU" (veja Apêndice IV, p. 841ss) dificilmente se tornaria evidente na crucifixão; ela só foi reconhecida após a ressurreição e ascensão (20,28). Tampouco a reivindicação em 12,32 foi verificada somente na crucifixão: "Quando eu for levantado da terra, atrairei todos os homens a mim".

Já mencionamos que em João há três afirmações concernentes ao "levantar-se" do Filho do Homem. Tem havido uma forte tendência entre os estudiosos de supor que estas afirmações, com seu fraseado peculiarmente joanino, são as criações do evangelista. Entretanto, estas afirmações constituem os equivalentes joaninos das três predições da paixão, morte e ressurreição encontradas em todos os sinóticos (Mc 8,31; 9,31; 10,33-34 e par.). A menção do Filho do Homem é comum a ambos os grupos de ditos. Se compararmos Mc 8,31 e Jo 3,14, descobriremos em ambos o "deve" que implica a vontade divina: "Assim o Filho do Homem *seria* levantado"; "o Filho do Homem deve *sofrer* muito... ser morto e depois de três dias ressuscitaria". A similaridade destes grupos de ditos é outra razão para insistir que "ser levantado", em João, inclui mais do que a crucifixão. Não há razão para pensar que o quarto evangelista é dependente dos sinóticos para sua forma dos ditos; aliás, sobre uma base comparativa, os ditos joaninos são muito menos detalhados e poderiam ser mais antigos. A principal influência que aparece nos ditos joaninos parece ser o tema do Servo Sofredor (Is 52,13): "Eis que o meu servo operará com prudência; será engrandecido, e elevado [*hypsoun*], e mui sublime". A afirmação de que o Filho do Homem *seria* levantado reflete o tema de que seu levantar foi predito na Escritura (especialmente Is 52-53) e, assim, era parte da vontade de Deus.

O v. 15 mostra por que Jesus introduziu no discurso o tema de ser levantado, a saber, que o ato de ser levantado guiará ao dom da vida eterna a todos os que creem em Jesus. Esta vida eterna é a vida dos filhos de Deus, a vida gerada de cima, a vida gerada do Espírito. Quando Jesus for levantado em crucifixão e ascensão, sua comunicação do Espírito continuaria a fluir da fonte da vida aos que creem nele (7,37-39).

Segunda Divisão (b). A necessidade de fé em Jesus, ou de chegar-se à luz (3,16-21)

O v. 16 demarca uma subdivisão na segunda parte do discurso; e, como ROUSTANG ressalta, o papel de Deus, o Pai, agora se torna proeminente. Todavia, não devemos exagerar nesta mudança. O tema da morte de Jesus, introduzido em 14-15, aparece outra vez em 16 (veja a respectiva nota). Justamente como essa morte foi retratada sob o símbolo veterotestamentário da serpente em 14-15, assim podemos detectar uma referência implícita ao AT na linguagem de 16. A Abraão se ordena que tomasse seu filho "único", Isaque, a quem ele *amava*, e o oferecesse ao Senhor (Gn 22,2.12); muitos estudiosos (Westcott, Bernard, Barrett, Glasson) pensam que isto jaz por trás: "Deus *amou* o mundo de tal maneira que deu seu Filho *unigênito*". Inclusive a menção de "o mundo" se adequa bem a este pano de fundo, pois a disposição de Abraão em sacrificar seu unigênito visava a ser benéfica a todas as nações do mundo (Gn 22,18; *Siraque* 44,21; *Jubileus* 18,15). Veja 19,17 para a possibilidade de mais tipologia de Isaque.

Mas o v. 16 não só faz paralelos com 14-15, também conduz ao 17. Se o v. 16 nos assegura que o propósito do Pai em dar o Filho em encarnação e morte era a vida eterna para o crente, o v. 17 parafraseia isto em termos de salvação para o mundo. Começando com o v. 17, entramos no domínio teológico joanino da escatologia realizada (veja Introdução, Parte VIII:C). A própria presença de Jesus no mundo é um julgamento no sentido de que ela obriga os homens a julgar a si mesmos, decidindo ou por Jesus ou contra ele.

Boismard, *"L'évolution"*, fez uma comparação muito interessante do tema escatológico como se encontra em 3,16-19 e em 12,46-48. Como proporemos na discussão de 12,44-50, essa passagem constitui um fragmento independente, deslocado do discurso joanino, material que, por razões de conveniência, foi inserido (veja supra, p. 23ss.) em seu atual lugar, no final do ministério público. Ao menos em parte, ele parece ser uma forma variante do que temos no capítulo 3.

12	3
46. Eu vim ao mundo como luz para que, aquele que crê em mim não permaneça nas trevas.	19. A luz veio ao mundo 15. para que todo o que nele crê tenha nele a vida eterna. 16. para que todo aquele que nele crê não pereça.
47. Eu não vim para condenar o mundo mas para salvar o mundo.	17. Deus não enviou o Filho para condenar o mundo, mas para que o mundo seja salvo através dele.
48. Todo aquele que me rejeita, e não aceita minhas palavras, já tem seu juiz (*krinein*).	18. Quem se recusa a crer já está julgado (*krinein*).

Há diferenças estilísticas notáveis (12 está na primeira pessoa); e BOISMARD pensa que 3 se aproxima mais do estilo de 1 João (veja nota sobre v. 16). Assim, a mesma tradição básica das palavras de Jesus foi preservada por diferentes discípulos na escola joanina. Porém, a mais importante diferença é teológica. Ao menos em parte, a escatologia em 12 é escatologia *final*; 12,48 diz do homem que rejeita Jesus: "Quem me rejeitar a mim, e não receber minhas palavras, já tem quem o julgue; a palavra que tenho pregado, essa o há de julgar *no último dia*". E assim, em dois relatos joaninos das palavras de Jesus, um no cap. 3, ressalta o aspecto realizado de sua escatologia; um no cap. 12, o aspecto final. Encontraremos o mesmo fenômeno em 5,19-25 e 26-30.

Podemos estudar 3,18 junto com as mesmas linhas: "Quem crê nele não é condenado, mas quem não crê já está julgado". DODD, *Tradition*, pp. 357-58, ressalta que esta é uma forma variante do dito que temos no final mais longo de Marcos (16,16): "Quem crer (e for batizado) será salvo; mas quem não crer será condenado". Em Marcos, é uma afirmação se referindo ao juízo futuro; em João, está no contexto da escatologia realizada. Reiterando, temos um dito tradicional de Jesus interpretado de duas maneiras. (Podemos adicionar que 1Jo 5,10, o qual se assemelha a Jo 3,18 em vários detalhes, parece ser também baseado neste dito). É interessante que o tema do batismo aparece na forma marcana do dito, enquanto, como temos insistido, um tema batismal permeia todo o cap. 3 de João.

Deve-se notar que o vocabulário dualístico dos vs. 19-21 (luz/trevas; praticar a perversidade/realizar a verdade) tem notáveis semelhanças nos Rolos do Mar Morto, especialmente 1QS 3,4. Temos comparado o dualismo joanino e o qumraniano em CBQ 17 (1955), 405-18, 559-61 (agora NTE, pp. 105-23), e remetemos o leitor para lá para mais detalhes. Aqui, citamos somente a bem conhecida divisão qumraniana entre os filhos da luz e os filhos das trevas, e igualmente o texto de 1QS 4,24: "À mesma medida que a herança do homem está na verdade e justiça, assim ele odeia o mal; mas, na medida em que sua herança está na porção da perversidade, assim ele abomina a verdade". Ao comparar isto com o pensamento muito similar em Jo 3,20-21, é digno de nota que esta passagem qumraniana ocorre somente umas poucas linhas após a passagem sobre o papel da água e espírito que citamos acima (p. 345ss.) em referência a Jo 3,5.

Se há em João uma dupla reação diante de Jesus, devemos enfatizar que a reação é bastante dependente da própria escolha do homem, escolha que é influenciada por seu modo de vida, ou se suas obras são más, ou são feitas em Deus (vs. 20-21). Há certa consistência nos dois extremos do dualismo: os malfeitores são incrédulos, enquanto que as boas obras e a fé vão juntas. Assim, em João não há determinismo como parece haver em algumas passagens dos rolos qumranianos. BULTMANN, p. 114, ressalta que as frases finais, que terminam em 20 e 21, não devem ser entendidas como a dar a razão subjetiva pela qual os homens vêm ou não vêm para a luz, isto é, um homem realmente não vem para Jesus a fim de se confirmar que seus atos são bons. Ao contrário, a ideia é que Jesus põe em relevo o que um homem realmente é e a verdadeira natureza de sua vida. Jesus é uma luz penetrante que provoca juízo, tornando evidente o que um homem é. Aquele que se desvia não é um pecador ocasional, e sim alguém que *"pratica* a perversidade"; não significa que ele não possa ver a luz, e sim que ele odeia a luz. Como S. LYONNET insiste em seu artigo sobre o pecado em João (VD 35 [1957], 271-78): é uma questão de mal radical.

Adendo à Segunda Divisão. A identidade do que fala

Já mencionamos o ponto de vista de muitos estudiosos de que somente alguns versículos desta divisão do capítulo 3 pertencem ao diálogo de Jesus com Nicodemos, e o restante é um comentário adicionado pelo evangelista. Aqui daremos em detalhe nossas razões para rejeitarmos tal ponto de vista. Os dois principais lugares sugeridos dentro destes versículos para a mudança da pessoa que fala são o v. 13 (TILLMANN, BELSER, SCHNACKENBURG) e o v. 16 (WESTCOTT, LAGRANGE, BERNARD, VAN DEN BUSSCHE, BRAUN, LIGHTFOOT).

SCHNACKENBURG argumenta energicamente que o v. 12 é o último versículo do verdadeiro diálogo. Ele tem o último "vós" nesta seção; o 13 trata da ascensão como pretérita (veja a respectiva nota). Entretanto, este ponto de vista enfrenta muitas dificuldades. O v. 13 começa com um conectivo (*kai*), como se fosse relacionado com o que precedeu; não há a mais leve indicação de uma mudança da pessoa que fala. Caso se argumente com base no tempo em 13, dizendo que a ascensão já ocorreu, o que dizer da referência obviamente futura à morte, ressurreição e ascensão em 14? O v. 14 é uma das três afirmações joaninas sobre o levantar do Filho do Homem; devemos atribuir esta ao evangelista e as duas seguintes a Jesus? É verdade que nos vs. 13ss. há uma mudança para a terceira pessoa, mas isto não é incomum em João; nos demais lugares onde isso ocorre não há a mais leve evidência de que Jesus parou de falar. Na investigação sobre o AT se descarta a mudança de pessoa e número como um critério para determinar a mudança do redator; os exegetas de João deveriam observar uma prudência semelhante.

Não encontramos no v. 16 argumentos mais convincente em prol de uma mudança de orador do que os apresentados em prol da mudança de uma pessoa que fala no v. 13. O pretérito de "deu" constitui uma dificuldade, caso se refira à crucifixão; mas é provável que nos lábios de Jesus se destinasse apenas a indicar a Encarnação, e é o evangelista que incluiu toda a carreira de Jesus (veja a respectiva nota). Já vimos que o v. 16 não deve ser completamente dissociado dos 14-15 em tema; e uma vez mais o v. 16 começa com um conectivo (*gar*) que se opõe contra qualquer teoria de uma nova pessoa que fala. As últimas cláusulas do 15 e 16 são as mesmas, e não parece arbitrário atribuí-las a diferentes pessoas.

Estes argumentos detalhados endossam nossas observações gerais (pp. 341-342) de homogeneidade de estilo e de inclusões que mantêm toda a passagem unida. Naturalmente, o evangelista esteve em ação neste discurso, mas seu trabalho não é do tipo que começa em um versículo particular. Todas as palavras de Jesus nos vêm através dos canais da compreensão e do repensar do evangelista, mas o evangelho apresenta Jesus falando, e não o evangelista.

[A Bibliografia para esta seção está inclusa na Bibliografia no final do § 12.]

11. O TESTEMUNHO FINAL DO BATISTA
(3,22-30)

3 ²²Depois disto foi Jesus com seus discípulos para o território da Judeia, e passou algum tempo ali com eles, batizando. ²³Ora, João também estava batizando em Enon, junto a Salim, onde a água era abundante; e o povo continuava vindo para ser batizado. (²⁴Pois João ainda não fora lançado na prisão). ²⁵Isto levou a uma controvérsia acerca da purificação entre os discípulos de João e certo judeu. ²⁶Então vieram a João, dizendo: "Rabi, o homem que estava contigo dalém do Jordão – aquele sobre quem tens testificado –, pois agora ele está batizando, e todos vão ter com ele". ²⁷João respondeu:

"Ninguém pode receber algo,
a menos que do céu lhe seja dado.

²⁸Vós mesmos sois minhas testemunhas do que eu disse: 'Eu não sou o Messias, mas sou enviado adiante dele.'

²⁹O noivo é quem tem a noiva.
  Mas o melhor homem do noivo,
  que o assiste e o ouve,
  se regozija assim que ouve a voz do noivo.
  Eis minha alegria, e ela é completa.
³⁰É necessário que
  Ele cresça,
  enquanto eu diminua".

NOTAS

3.22. *Depois disto*. Um conectivo vago sem qualquer precisão cronológica real. Todo este versículo é uma fórmula itinerária como aquelas que Marcos usa para elaborar uma narrativa. DODD, *Tradition*, p. 279, sugere que ele tem por base uma tradição pré-canônica.

território da Judeia. Jesus já estava na Judeia, em Jerusalém. BULTMANN, p. 123[8], argumenta que a inferência real é que Jesus saiu da cidade rumo a distritos rurais da Judeia; e cremos que este poderia ser o significado adaptado no presente contexto. Entretanto, é bem provável que *gē* signifique, originalmente, "território", e não "distrito rural", traduzindo o hebraico *'ereṣ*; em 4,3, que só pode referir-se à Judeia como um território, a tradição ocidental adicionou *gē*. O lugar não é dado, porém muitos pensam que seja o vale do Jordão.

passou algum tempo. Este não é o *menein* joanino usual, e sim *diatribein*. Que esta é a única ocorrência do verbo em João, pode ser endossado pela teoria pré-canônica formulada por DODD.

batizando. Os verbos são imperfeitos, fato que indica ação reiterada. Embora este versículo diz que Jesus batizava, 4,2 agrega, à moda de modificação, que ele mesmo não batizava. A tentativa usual em harmonização mantém que a afirmação de que Jesus batizava era no sentido de que os discípulos batizavam em seu nome. Naturalmente, João não dá a entender isto. Provavelmente, não se deve imaginar que este batismo fosse o batismo cristão que no NT recebe sua eficácia da crucifixão e ressurreição; este é semelhante ao batismo do Batista.

23. *Enon*. O nome provém do plural aramaico da palavra para "nascente", enquanto "Salim" reflete a raiz semítica para "paz". Há três importantes tradições para a localização destes sítios. (*a*) Na Pereia, a Transjordânia. Sabemos que o Batista era atuante nesta região (1,28), e a referência à Judeia, no v. 22, poderia implicar que ele ficava nas proximidades (Pereia é justamente dalém do rio). O mapa mosaico Madeba do 6º século (BA 21 [1958], No. 3) traz um Enon justamente a nordeste do Mar Morto, oposto a Bethabara (veja nota sobre 1,28); há indicações de peregrinos contemporâneos para o mesmo sentido. (*b*) Ao norte do vale do Jordão, à margem ocidental, a uns 13 km ao sul de Scythopolis (Bethshan). No 4º século, EUSÉBIO (*Onomasticon*, em GCS 11[1], p. 40:1-4; p. 153:6-7) tem esta tradição, como a peregrina Aetheria. O mapa Medeba tem outro Enon nesta vizinhança. EUSÉBIO fala de Salim em referência a Salumias, e há na área um nome árabe moderno de Tell Sheikh Salim. Não há remanescente do nome Enon na área. Uma objeção a ambos estes locais no vale

do Jordão é que, com o rio Jordão nas proximidades, a menção que João faz da disponibilidade de água parece supérflua. (*c*) Em Samaria. Uns 7 km a leste-sudeste de Siquém há uma cidade de Sâlim conhecida desde os tempos antigos; a 13 km a nordeste de Sâlim fica a moderna '*Ainûn* (1:100,000 mapa: 187190). Na vizinhança geral há muitas nascentes, embora a '*Ainûn* moderna não tenha água. W. F. ALBRIGHT defende esta localização em HTR 17 (1924), 193-94. Ela concordaria muito bem com os fortes laços tradicionais que conectam o Batista com Samaria.

Aqui se faz a tentativa usual de descartar a informação geográfica peculiarmente joanina como mero simbolismo. KRIEGER, ZNW 45 (1954), 122, fala de nascentes fictícias (Enon) junto à salvação (Salim). É bem possível que se pergunte por que João teria associado o batismo do Batista, e não o de Jesus, com o local simbólico da salvação. Se somos informados que o Batista estava *junto* à salvação, isto é, junto a Jesus, então podemos indagar por que Jesus não é posto em Salim, em vez da Judeia. BULTMANN, p. 124⁵, crê que os nomes são reais, mas que possivelmente teve um significado simbólico para o evangelista.

25. *controvérsia acerca da purificação*. A relação dessa controvérsia com o que segue no v. 26 não é clara. Devemos pensar sobre o valor relativo dos batismos do Batista e de Jesus? Ou, visto que a palavra "purificação" nos lembra a água "prescrita para as purificações judaicas" em 2,6, talvez devamos pensar numa disputa sobre o valor relativo do batismo do Batista e das lavagens-padrão judaicas de purificação? Estaria este judeu propondo questões acerca do batismo do Batista como aquelas apresentadas pelos fariseus em 1,25? Ou havia uma controvérsia geral sobre o valor de todos os tipos de purificação por meio de água (os vários batismos; as lavagens dos fariseus; as purificações essênias)?

certo judeu. Há boa evidência, inclusive P⁶⁶, para a leitura "os judeus"; mas as melhores testemunhas, inclusive P⁷⁵, leem o singular que é a leitura mais difícil. O plural poderia introduzir-se por analogia com Mc 2,13 e par. que associa os *fariseus* e os discípulos do Batista sobre a questão legal do jejum. (BOISMARD, contudo, aceita o plural, sugerindo que o singular *Ioudaiou* é por analogia com *Iōanou*). Se lermos o singular, a conexão do versículo com o que segue não é totalmente clara. LOISY, p. 171, juntamente com outros (BAUER, GOGUEL), pensa que o texto originalmente trás "Jesus", mas que piedosas razões levaram copistas a expurgar uma referência a uma disputa entre os discípulos do Batista e Jesus. Não há endosso textual para essa leitura, mas daria excelente sentido.

26. *Rabi*. João reflete a memória de que o Batista era visto como mestre, e igualmente como profeta (Lc 11,1).

sobre quem. Aqui e em 28 *martyrein* assume o dativo de pessoa, uma sintaxe encontrada em Lucas; outras dezenove vezes em João o verbo assume *peri*. No comentário, salientaremos que estas cláusulas em 26 e 28 são redacionais.

e todos vão ter com ele. Os sinóticos nos dão um quadro deste sucesso durante o ministério galileu (Mc 1,45; 3,7). A universalidade do apelo de Jesus se encontra em outras partes de João, p. ex., 11,48: "todos crerão nele".

27. *a menos que do céu lhe seja dado*. Compare com as palavras ditas a Pilatos em 19,11: "Não terias sobre mim nenhum poder, se não te fosse dado do alto... aquele que me entregou a ti tem maior culpa de pecado".

28. *mas sou enviado adiante dele*. Esta não é uma citação exata do que o Batista disse. Em 1,20 ele disse: "Eu não sou o Messias"; porém não disse: "Eu sou enviado [*apostellein*] adiante dele [o Messias]". Em 1,6, ouvimos: "Houve um homem enviado [*apostellein*] por Deus chamado João"; e em 1,33, ouvimos que Deus enviou [*pempein*] João Batista para batizar. Quanto à frase "adiante de mim", disse o Batista: "Aquele que *vem após mim* tem ascendência sobre mim". Assim, enquanto a segunda cláusula na citação do v. 28 está no espírito do Batista, realmente ela é apenas um composto do que ele disse. Identifica aquele que vem após o Batista como sendo o Messias, algo que o Batista jamais faz em outro lugar. Dodd, *Tradition*, p. 271, sugere que "eu sou enviado adiante dele" é um eco Ml 3,1: "Eu enviei meu anjo adiante de minha face" (veja Mt 11,10; Lc 7,27). Se isto fosse verdade, originalmente era simplesmente uma designação do próprio papel do Batista, sem realmente implicar muito sobre a natureza daquele que lhe havia de seguir.

29. *melhor homem*. Literalmente, "o amigo do noivo"; veja Van Selms, *art. cit*. Isto é o *shoshben* do costume judaico, o amigo mais íntimo do noivo que cuida do arranjo para as núpcias. Paulo reivindica este papel em 2Cor 11,2; e a Moisés foi dado este papel pelos rabinos no casamento entre Deus e Israel. Por causa desta confiança especial, qualquer impropriedade entre o melhor homem e a noiva era considerada particularmente hedionda (donde a ira de Sansão ante a injustiça em Jz 14,20). Assim o Batista, como o melhor homem, nunca poderia casar a noiva; sua única função era prepará-la para Jesus.

ouve a voz do noivo. Não está claro o que quer dar a entender. Há quem pense no melhor homem como estando na casa da noiva, mantendo guarda e esperando ouvir a ruído da procissão do noivo quando vem para apanhar a noiva. Outros retratam o melhor homem como estando na casa do noivo após a noiva ser levada para lá; ele se regozija ao ouvir o noivo falando com a noiva.

Nesta pequena parábola e no aforismo que a segue BLACK, p. 109, encontrou vestígios de um número de jogos de palavras aramaicas que indica um original semítico, p. ex., "noiva" é $kall^e tâ$; "voz" é $qâlâ$; "ser completo" é $k^e lal$; "decrescer" é $q^e lal$.

30. *é necessário*. O tema imperativo divino que vimos em 3,14.

cresça... diminua. Este versículo tem exercido um importante papel na tradição concernente ao Batista. Justamente como o aniversário de Jesus foi fixado em 25 de dezembro, o tempo do solstício de inverno após o qual os dias *se tornam mais longos* (a luz tem penetrado o mundo; ela deve crescer), assim o aniversário do Batista foi fixado em 24 de junho, o tempo do solstício de verão após o qual os dias *se tornam mais curtos* (ele não era a luz; então deve decrescer). Os dois verbos gregos no v. 30 são também usados para a intensidade e ofuscação da luz dos corpos celestes.

diminua. O verbo grego *elattoun* se relaciona com *elassōn*, o adjetivo "inferior" usado para descrever o vinho comum em Caná (2,10). Portanto, há três paralelos entre 3,22-30 e a cena de Caná: (*a*) "purificação" em 25; (*b*) o tema de casamento; e (*c*) a semelhança de vocabulário. Entretanto, parece arriscado considerar estes paralelos mais incidentais como teologicamente significativos. No entanto, são interessantes em vista da possibilidade (que será mencionado no comentário) de que o material em 3,22-30 em outro tempo precedeu imediatamente a cena de Caná.

COMENTÁRIO: GERAL

Esta é uma cena difícil, porque, externamente, sua sequência é deficiente e, internamente, a lógica do relato não é clara (veja nota sobre v. 25). Consideremos aqui os problemas de sequência causados pelo contexto. Jesus tem estado em Jerusalém da Judeia segundo o capítulo 2; todavia, agora ele entra na Judeia. O v. 24 menciona que o Batista ainda não fora preso; e o versículo é uma adição do redator inserida para evitar objeções baseadas em uma cronologia como aquela dos sinóticos. De acordo com Mc 1,14 (Mt 4,12), Jesus só foi para Galileia a fim de começar seu ministério depois que o Batista foi preso; em João, porém, Jesus já foi para a Galileia e para Jerusalém e o Batista ainda não foi preso. É verdade que os sinóticos não nos narram exatamente quando o Batista foi preso, de modo que tudo o que João tem narrado poderia ter ocorrido antes da abertura oficial do ministério galileu (João não descreve plenamente um ministério galileu).

Não obstante, a impressão que se obtém dos sinóticos é que o ministério galileu teve início imediatamente após o batismo de Jesus, e que a prisão do Batista também estava estreitamente associada ao batismo (especialmente Lc 3,19-20). Uma dificuldade sobre a sequência ainda maior é suscitada pelo v. 26. Os discípulos do Batista ouviram seu mestre testificando eloquentemente de Jesus no capítulo 1: Jesus é o Cordeiro de Deus; todo o propósito do Batista em batizar era que Jesus fosse revelado a Israel. Todavia, agora não podem entender por que o povo se dirige a Jesus e se ressentem. Note-se que isto não pode ser atenuado simplesmente dizendo que estes são outros discípulos além daqueles do capítulo 1, pois o v. 28 os identifica especificamente como os discípulos que tinham ouvido a mensagem do Batista sobre Jesus.

Alguns estudiosos, como WELLHAUSEN e GOGUEL, têm pensado que 3,22-30 é uma duplicação da cena no capítulo 1, onde o Batista identificou Jesus como aquele que vem após ele. Certamente os temas em boa medida são os mesmos.

(a) 1,19-21: João Batista não é o Messias, nem Elias, nem o profeta
    3,28: João Batista não é o Messias
(b) 1,30: João Batista prepara o caminho para aquele que vem após ele
    3,28: João Batista é enviado adiante dele
(c) 1,30: Aquele que vem após o Batista tem ascendência sobre o Batista
    3,30: Ele deve crescer, enquanto o Batista deve diminuir
(d) 1,31: Ao Batista foi dado o papel de revelá-lo a Israel
    3,29: O Batista é o melhor homem [amigo] para preparar o casamento da noiva e o noivo

Não obstante, conquanto os temas sejam os mesmos, o diálogo é realmente muito diferente. Em vez de variantes da mesma cena, é como se tivéssemos aqui fragmentos de uma tradição joanina maior acerca do Batista, tradição que se decompõe nas cenas nos capítulos 1 e 3. BOISMARD, "Les traditions, pensa que esta cena no v. 3 era o princípio original do evangelho antes de ser deslocada pela presente abertura (veja supra, p. 253ss.). Esta teoria precisa mais do que a evidência permite; mas BOISMARD parece estar na trilha certa quando afirma que 3,22-30 pertence às relações *iniciais* entre o Batista e Jesus, e não na sequência em que a cena agora aparece.

Vejamos agora como se soluciona as dificuldades de sequência ao colocar 3,22-30 no mesmo cenário do capítulo 1 que já mencionamos.

(Segundo esta teoria a frase começada no v. 26 "aquele sobre quem tens testificado" e a totalidade do v. 28 deve ser tida como adições feitas pelo redator para adaptar a cena ao cenário final no qual ele a colocou – veja respectivas notas). Jesus vai para o território da Judeia (v. 22), não depois de ter estado em Jerusalém com Nicodemos, mas em direção ao início da narrativa do evangelho. Ouvimos afirmações similares na tradição sinótica em relação ao tempo do batismo de Jesus: "Então veio Jesus da Galileia, junto do Jordão" (Mt 3,13); "E toda a província da Judeia e os de Jerusalém iam ter com ele [João Batista]" (Mc 1,5). A embaraçosa hostilidade dos discípulos do Batista para com Jesus pode ser entendida se Jesus acaba de entrar em cena e o Batista ainda não dera a todos os discípulos o testemunho em prol de Jesus do qual já ouvimos no capítulo 1. Os vs. 27, 29-30 pertencem ao mesmo tipo geral de testemunho inicial em prol de Jesus que aparece em 1,29-34.

Se formos levados a reconstruir ainda mais as relações entre 1,19-34 e 3,22-30, podemos sugerir que a cena em 3,22-30, originalmente, seguiu logo depois a de 1,19-34. O Batista já não está em Betânia dalém do Jordão, e sim em Enon perto de Salim. Jesus, que foi batizado pelo Batista, está agora no vale do Jordão conduzindo seu próprio ministério de batismo e seguido pelos discípulos (3,22) os quais o Batista lhe enviara. Em 3,22-30 temos o testemunho do Batista em Enon a outro grupo de seus discípulos. Tudo isto ocorre no ministério de Jesus na Galileia, onde abandonará o ministério de batizador e começará a concentrar-se no ensino. É precisamente essa mudança de atuação por parte de Jesus (uma mudança que ocorreu após o Batista ser preso) que levou o Batista a enviar da prisão a pergunta se, depois de tudo, Jesus realmente era aquele que havia de vir (Lc 7,20). Assim, cremos que 3,22-30, se entendido com propriedade, nos dá informação mui confiável sobre os primeiros dias de Jesus, material não preservado nos sinóticos, mas que DODD, *Tradition*, pp. 279-87, classifica corretamente como muito antigo. Não há razão teológica plausível por que alguém teria inventado a tradição de que Jesus e seus discípulos batizaram. Certamente que a prática do batismo cristão não carecia de tal apoio; e, como questão de fato, a informação de que Jesus uma vez imitou o Batista em batizar teria sido uma perigosa arma nas mãos dos adeptos do Batista (e daí provavelmente a modificação em 4,2).

Por que esta cena tem sido transferida do início do evangelho para seu presente lugar e adaptada (nos vs. 26 e 28) para melhor adequar-se?

Pode ser que a reelaboração do capítulo 1 para que a formação teológica do treinamento dos discípulos numa série de dias resultasse no deslocamento do que ora temos em 3,22-30. Mas também é bem provável que a presente localização reflita o desejo de realçar o tema batismal do diálogo com Nicodemos. Acharemos outro exemplo em 6,51-59 de como o desejo de sublinhar o tema sacramental de uma cena (já presente, porém apenas sutilmente) levou à colocar em um ponto determinado outro fragmento deslocado da tradição joanina.

COMENTÁRIO: DETALHADO

A mensagem básica da cena se encontra no que o Batista diz de Jesus nos vs. 27, 29-30 (que devem ser lidos como uma unidade sem o v. 28). O v. 27 é um aforismo mais enigmático justificando o maior êxito de Jesus. Nossa primeira pergunta concernente ao v. 27 é se o povo é representado como indo ao Batista ou a Jesus. O v. 27 significa que, se apenas umas poucas pessoas vão ao Batista, isso é tudo o que Deus lhe deu? Ou significa que, se muitas pessoas vão a Jesus, isso se deve ao fato de Deus ordená-lo assim? A diferença não é muito significativa, mas a segunda [alternativa] parece mais provável. Todavia, mesmo que o v. 27 se refira em geral à ida do povo a Jesus, ainda há duas variações, como salienta BOISMARD, *"L'ami"*, p. 290: (**a**) o beneficiário que se alude em 27 é o crente; o "benefício" é o privilégio de ir a Jesus. Ninguém pode ir a Jesus, a menos que Deus o conduza. Fé ou ir a Jesus é o dom de Deus ao crente. Isto lembra 6,65: "Ninguém pode vir a mim, se não lhe for concedido pelo Pai". (**b**) o "beneficiário" de 27 é Jesus; o "lhe" é o crente. Ninguém pode ir a Jesus, a menos que Deus o dê a Jesus. O crente é dom de Deus a Jesus. Isto lembra 6,37: "Todo o que o Pai me dá virá a mim" (note: o neutro se refere aos crentes). O tema de que o Pai tem dado crentes a Jesus é frequente em João (3,35; 6,39; 10,29; 17,2.9.11.24).

Posto que o v. 27 visa a contrastar os diferentes papéis do Batista e de Jesus, uma referência direta a Jesus, (b) parece mais plausível, como sustenta BOISMARD.

O fato de que Deus tem dado a Jesus todos estes crentes leva o Batista a estimar seu próprio papel no v. 29 por meio de um dito parabólico (DODD, *Tradition*, pp. 282-83). O uso de linguagem figurativa é atribuído ao Batista também nos sinóticos (Mt 3,10.12) e deveras se esperaria de uma figura profética. Achamos este mesmo tema parabólico do noivo nos próprios lábios de Jesus na primitiva tradição sinótica (bem como nas parábolas de Mt 22,1; 25,1). Quando indagado por que os discípulos do Batista jejuam enquanto que os seus, não, Jesus responde: "Podem os convidados para as bodas jejuar enquanto o noivo está com eles?" (Mc 2,18-19 e par.). Ambas estas referências parabólicas ao noivo poderiam ter sido ditos sapienciais tradicionais antes que fossem usados no contexto do evangelho (veja nota sobre v. 29 para aramaísmos). Ambas as parábolas, como aparecem nos evangelhos, comparam a situação de Jesus e a do noivo; e ambas parecem refletir o bem conhecido tema veterotestamentário do casamento entre Deus e Israel (Os 1-2; Jr 2,2; Is 61,10; Cantares de Salomão). Como TAYLOR, p. 210, reconheceu em seu estudo sobre Marcos, Jesus é o noivo messiânico de Israel. Este tema se torna explícito em outra obra da escola joanina (Ap 19,7; 21,2) sob a imagem das bodas do Cordeiro, mas já está antecipado em Jo 3,29. Agora que o Batista já preparou a noiva para a vinda de Jesus (1,31), então vai desaparecendo do contexto.

Que a obra do Batista está no fim e seu destino é decrescer constitui uma nota que não encontramos no capítulo 1, e sim em 3,30 (e já no parênteses do v. 24), é muito evidente. A última linha do v. 29 nos informa que o Batista aceitou com alegria seu papel e destino, a mesma alegria que Ap 19,7 associa com as núpcias do Cordeiro. As palavras do v. 30, como as últimas palavras ditas pelo Batista neste evangelho, são muito apropriadas. Não é improvável que sua preservação fosse à maneira de resposta aos adeptos do Batista. O v. 30, com seu contraste entre diminuir e crescer, não está tão afastado do relato sinótico da estima que Jesus nutria pelo relativo mérito do Batista (Mt 11,11; Lc 7,28): "Entre os nascidos de mulheres, nenhum é maior que João; todavia, o menor no reino do céu é maior que João".

É AGOSTINHO, com seu belo epigramático (*In Jo.* 8,12; PL 35:1498), que melhor captou o contraste joanino entre o Batista e Jesus:

> Eu ouço; é ele quem fala;   (3,29)
> Eu sou iluminado; ele é a luz;   (1,6-9)
> Eu sou o ouvinte; ele é a Palavra.   (3,29)

[A Bibliografia para esta seção está inclusa na Bibliografia no final do § 12.]

12. A CONCLUSÃO DO DIÁLOGO
(3,31-36)

3 ³¹"Aquele que vem de cima está acima de todos;
aquele que é da terra é terreno,
e fala em um plano terreno.
Aquele que vem do céu [(que) está acima de todos]
³²testifica do que tem visto e ouvido,
mas ninguém aceita seu testemunho.
³³Todos quantos aceitam seu testemunho
tem certificado de que Deus é fiel.
³⁴Pois aquele a quem Deus enviou
fala as palavras de Deus;
verdadeiramente sem limite é seu dom do Espírito.
³⁵O Pai ama o Filho
e lhe entregou todas as coisas.
³⁶Quem crê no Filho
tem a vida eterna.
Quem desobedece ao Filho
não vê a vida,
mas deve suportar a ira de Deus".

NOTAS

3.31. *Aquele que vem*. João Batista usa isto como título para aquele a quem ele está esperando; veja nota sobre 1,30. Também Mt 11,3; Lc 7,19: "És tu aquele que havia de vir?"

de cima. Aqui, *anōthen* (veja nota sobre 3,3) obviamente significa "de cima", visto formar paralelo com "do céu" no mesmo versículo.

está acima de todos. Rm 9,5 fala de "Cristo [que é?] Deus *sobre todos*, bendito para sempre". É difícil decidir se o "todos" em João é masculino (acima de todos os mestres) ou neutro (acima de todas as coisas). Provavelmente, João quer dizer "acima de toda esfera humana".

da terra. "Terra", em João, usualmente não tem sentido pejorativo que implica o termo "mundo" (veja Apêndice I:7, p. 794ss). Refere-se ao nível natural da existência do homem (Deus criou o homem do pó *da terra* – LXX de Gn 2,7) como contrastado com o sobrenatural ou celestial. O "mundo" tem em si a ideia de hostilidade satânica (1Jo 5,19). Para ilustrar a diferença (que nem sempre é preservada), podemos contrastar "aquele que é *da terra*", em nossa passagem atual, com os falsos profetas e anticristos de 1Jo 4,5, que são "do mundo e falam em um plano mundano". Como paralelo a Jo 3,31, podemos citar *4 Esdras* 4,21: "Os que habitam na terra podem compreender somente o que está sobre a terra, enquanto os que estão acima dos céus podem compreender o que está acima das alturas celestiais".

em um plano terreno. Literalmente, "da terra".

[*(que) está acima de todos*]. Há duas leituras possíveis para o final do v. 31 e início do 32: (**a**) "Aquele que vem do céu está acima de todos; o que ele tem visto e ouvido, é disto que ele testifica". (**b**) "Aquele que vem do céu testifica do que tem visto e ouvido". As testemunhas em prol das duas leituras estão uniformemente divididas, como os papiros Bodmer (com P^{75}, bastante curiosamente, do lado das testemunhas ocidentais). Há bons argumentos lógicos em prol de ambas as redações.

32. *visto e ouvido*. "Visto" é de tempo perfeito, enquanto "ouvido" é aoristo; BDF, § 342^2, diz que tal combinação de tempos põe a ênfase em "ver". Temos um interessante paralelo em 1Jo 1,3, "O que temos visto e ouvido por nossa vez vos proclamamos", onde ambos os tempos são perfeitos. Em 1 João estão envolvidas testemunhas humanas, e "ver" e "ouvir" estão em um mesmo plano.

33. *certificado*. Literalmente, "selado"; a metáfora é a de pôr um selo indicando aprovação em um documento legal. Veja 6,27, onde "posto um selo" significa creditar. Este uso de "selo" pode ser mais semítico (*ḥātam*) do que grego.

34. *sem limite*. Literalmente, "não por medida"; embora *ek metrou* não se encontre em outro lugar nos escritos gregos, a expressão equivalente, "por medida", não é incomum na literatura rabínica. Na *Midrásh Rabbah* sobre Lv 15,2, o rabino Aha diz: "O Espírito Santo repousava sobre os profetas por medida". Se uma ideia similar jaz por detrás da afirmação em João, então Jesus está sendo contrastado com os profetas (como em Hb 1,1). Entretanto, a afirmação pode simplesmente significar que com Jesus temos o transbordamento escatológico definitivo do Espírito.

seu dom. Literalmente, "concede [tempo presente] não por medida". Alguns manuscritos posteriores identificam o sujeito da concessão: "Deus dá"; mas é bem provável que isto seja uma tentativa de um copista para dar clareza. No comentário discutiremos o problema de se o "sujeito" é o Pai ou o Filho. Entretanto, podemos notar que os dons do Pai e do Filho normalmente são expressos em João pelo perfeito (17 vezes) ou pelo aoristo (8 vezes), e somente uma vez pelo tempo presente (6,37). Assim, aqui o uso do tempo presente sugere que o Filho é o doador. Para um estudo do verbo "dar" (*didonai*), em João, veja C.-J. PINTO DE OLIVEIRA, RSPT 49 (1965), 81-104.

do Espírito. Esta frase é omitida no original do Codex Vaticanus e no OS[sin]; BULTMANN, p. 119[1], pensa que a omissão pode ser original.

35. *ama*. O verbo é *agapan*, enquanto em 5,20 é *philein*.

entregou-lhe todas as coisas. Literalmente, "deu em sua mão"; também em 13,3 com o plural, "mãos".

36. *desobedece*. A tradição latina traz "descrê" na analogia de 3,18 e porque isto dá um melhor contraste com "crê" na primeira linha do v. 36. "Desobedece", a redação mais difícil, ocorre somente aqui em João; sua introdução por copistas não é facilmente explicado, e assim provavelmente seja o original.

vê a vida. Em 3,3 ouvimos de "ver" o reino de Deus; para João, vida eterna e reino de Deus são estreitamente conceitos aliados.

deve suportar a ira de Deus. Literalmente, "a ira de Deus permanece sobre ele"; o tempo presente indica que a punição já começou e durará. Os sinóticos usam a frase "a ira por vir" na predição do Batista do que acontecerá quando vem aquele para quem ele está preparando. Para João, este tema escatológico é realizado aqui e agora.

COMENTÁRIO: GERAL

O problema mais importante, nestes versículos, diz respeito a quem fala. Visto que o Batista foi o último que falou (vs. 27-30) e não se indica nenhuma mudança de quem fala, alguns estudiosos (BAUER, BARRETT) creem que ele ainda está falando. Segundo esta interpretação, o Batista está se contrastando com Jesus no v. 31; e a referência ao "dom do Espírito", em 34, provavelmente descreve Jesus batizando do que ouvimos em 22 (veja também o contraste entre o batismo do Batista e o de Jesus implícito em 1,26 e 33). BLACK, p. 109, salienta que há traços aramaicos em 31ss., precisamente como houve em 29-30 (veja nota sobre v. 29); isto pode implicar uma continuidade entre as duas passagens. Todavia, os aramaísmos que ele encontra em 31ss. não são marcantes e dependem de emendas gregas (veja BARRETT, p. 188).

Um argumento ainda mais forte pode ser evocado em prol de Jesus como o que fala (SCHNACKENBURG, *art. cit*.). Alguns dos que aceitam Jesus como o que fala transpõem 3,31-36 para que se torne parte do diálogo com Nicodemos e vem antes de 3,22-30 (assim BERNARD e BULTMANN). No entanto, como DODD, *Interpretation*, p. 309, salienta, ainda quando os vs. 31-36 sejam colocados depois de 1-21, a conexão entre 21 e 31 permanece confusa; o tema de 31-36 é mais afim ao de 11-15 do que o de 21. GOURBILLON, *art. cit.*, pensa que 31-36 originalmente seguia 3,13, e que foi deslocado quando 14-21 foi introduzido e anexado ao 13.

LAGRANGE, p. 96, entende que o evangelista é o que fala em 31-36; pensa que precisamente como 16-21 foi o comentário do evangelista na cena de Nicodemos, assim 31-36 é o comentário do evangelista na cena concernente ao Batista (22-30).

Em meio a estas teorias, deve-se observar com clareza que o discurso em 31-36 se assemelha bem de perto ao estilo de linguagem atribuída a Jesus no evangelho, e em particular tem estreitos paralelos nas palavras de Jesus a Nicodemos:

- "de cima", em 3,7 e 31.
- "aquele que vem [veio] do céu", em 13 e 31.
- contrastes dualísticos como carne/Espírito, em 6 (terreno/celestial, em 12), e "de cima/da terra", em 31.
- testificando do que tem sido visto, em 11 e 32.
- fracasso em aceitar este testemunho, em 11 e 32.
- "aquele [Filho] a quem Deus enviou", em 17 e 34.
- o tema do Espírito, em 5-8 e 34.
- "todo o que crê no Filho tem a vida eterna", em 15,16 e 36.
- dualismo entre "os que creem" e "todo o que não crê [desobedece]", em 18 e 36.

Nenhum desses estreitos paralelos pode ser colocado entre os vs. 31-36 e as palavras do Batista. Sugerimos que em 31-36 podemos muito bem ter ainda uma terceira variante do discurso de Jesus encontrado em 11-21 e também em 12,44-50 (veja supra, p. 355).

Se os vs. 31-36 representam um discurso de Jesus, por que um redator o teria inserido onde agora se encontra, após palavras ditas pelo Batista e sem uma introdução? Que um discurso de Jesus pode ser anexado sem uma introdução extensa se pode ver claramente no caso de 12,44-50; contudo, ali Jesus ao menos é identificado como o orador. Alguns têm sugerido que um redator viu a estreita relação de 31-36 com a cena de Nicodemos e desejou colocar isso por perto; mesmo assim, o caso não explica por que ele foi anexado após 3,30, e não após 3,21. A melhor solução parece ser a de Dodd, a saber, que o redator desejou usar 31-36 para recapitular a totalidade de 3,1-30 e sumariar ambas as cenas, de Nicodemos e a do Batista. Se o redator considerou as palavras como também pertinentes à cena do Batista, então sua falha em indicar uma interrupção entre os vs. 30 e 31 poderia ser um tanto mais inteligível.

Assim, cremos que o que uma vez era um discurso isolado de Jesus (tratando em boa medida os mesmos temas como em 3,11-21 e 12,44-50), foi anexado às cenas do capítulo 3 como uma interpretação daquelas cenas. Muitos problemas sobre a interpretação de versículos individuais em 31-36 podem ser resolvidos, se reconhecermos dois níveis de significado correspondentes aos dois estágios em que se divide a história deste discurso.

COMENTÁRIO: DETALHADO

O paralelo real para o dualismo do v. 31 é o contraste entre carne e espírito no v. 6, pois o v. 31 é outra referência à incapacidade radical do natural elevar-se. O único auxílio provém daquele que vem de cima, isto é, Jesus. Entretanto, se o v. 31 era originalmente um contraste geral entre terreno e celestial, teria assumido um significado adicional e mais preciso em seu presente contexto? Há uma antiga disputa quanto a se "aquele que vem de cima" e "aquele que é da terra" se destinavam a contrastar Jesus e o Batista. Orígenes diz (*In Jo. Frag.* 49; GCS 10:523-24) que os hereges criam que o Batista era "aquele que é da terra"; ao mesmo tempo, Crisóstomo não hesitava em fazer essa mesma identificação (*In Jo. Hom.* 30; PG 59:171). Schanckenburg dúvida que no pensamento joanino o Batista seria designado como "da terra", posto que ele era um homem enviado por Deus (1,6).

12 • A conclusão do diálogo

Não obstante, como salientamos na respectiva nota, não há nada de hostil sobre "da terra". Esta comparação não seria mais desfavorável ao Batista do que algumas das outras que já vimos (*precursor daquele que vem; indigno de desatar as correias de sua sandália; batizando com água em contraste com batizando com um Espírito santo; o melhor homem [amigo] do noivo; destinado a crescer enquanto ele diminui*).

Seria totalmente consistente tanto com a concepção de João sobre o Batista quanto com a polêmica contra os adeptos do Batista, insistindo que o Batista e seu batismo eram radicalmente impotentes em dar vida eterna. Eis por que 1Jo 5,6 insiste que Jesus não veio somente por água; o poder de gerar de cima só pode vir através da água *e do Espírito* (Jo 3,5), e o Espírito é o dom daquele de cima. João Batista, como os profetas de outrora, pode ter sido enviado por Deus; mas ele não é "de cima", pois esse termo se aplica exclusivamente a Jesus (3,13). Assim, não há objeção real à sugestão de que, ao colocar os vs. 31-36 onde ora estão, o redator pretendia contrastar Jesus e o Batista e seus respectivos batismos.

O tema do v. 32 é o mesmo que o do 11: o fracasso dos ouvintes de Jesus em aceitar seu testemunho, ainda quando viesse de cima e soubesse do que fala. O "ninguém" não é categórico, como o próximo versículo (33) mostra. O v. 33 adquire significação extra contra o pano de fundo de 26, o qual relatou que todos quantos são arrebanhados a Jesus devem ser batizados. Se a cena de Nicodemos justificasse o pessimismo de 32, então o êxito relatado na cena do Batista justifica o caráter afirmativo de 33. O v. 33 também salienta a relação que delimita a identidade entre o testemunho de Jesus e a verdade do Pai. 1Jo 5,9-10 afirmará que o próprio Deus tem testificado de Seu Filho, e todos os que não creem fazem *Deus* mentiroso. Eis por que Jesus pode dizer, em 14,6, "eu sou a verdade", e pode insistir que é através dele que o Pai é conhecido pelos homens (14,91). Este tema prossegue no v. 34.

A última parte do v. 34 introduz o tema do Espírito. Isto deve ser subentendido tanto contra o pano de fundo da geração através do Espírito, no v. 5, como no batizar de Deus em 22. (Uma vez mais, enfatizamos que tal referência relaciona o batismo de Jesus com a doação do Espírito oriunda do contexto no qual os vs. 31-36 foram colocados; não implica absolutamente que no pensamento joanino o ministério inicial de Jesus, de batizar, realmente comunicava o Espírito – veja 7,39). A presente posição da perícope, se referindo ao Espírito, capacita o redator a sublinhar uma vez mais, contra os adeptos do Batista, a singular distinção entre o batismo cristão e o batismo de seu mestre (At 19,2-6).

No v. 34, quem é o doador do Espírito? Muitos comentaristas modernos (BERNARD, BULTMANN, CULLMANN, BARRETT) concordam com os antigos escribas (veja a respectiva nota) de que Deus é aquele que dá o Espírito; outros, como LAGRANGE e THÜSING, pensam que o sujeito é "aquele a quem Deus enviou", isto é, Jesus. De um lado, se 34c for tido como paralelo a 35, então o dom do Pai, o Espírito, ao Filho é parte do entregar-lhe todas as coisas. Do outro, como salienta THÜSING, pp. 154-55, 6,63 ("As palavras que eu vos tenho dito são Espírito e vida") é um bom paralelo ao v. 34, e ali é Jesus quem fala as palavras e assim dá o Espírito. Indaga-se se é crucial decidir se João quer dizer quem dá o Espírito, o Pai ou Jesus; as duas ideias se encontram em João (14,26; 15,26). No presente contexto, o Espírito que gera e o Espírito que é comunicado no batismo vêm de cima ou do Pai, mas somente através de Jesus.

O tema do v. 35 – que o Pai entregou ao Filho todas as coisas – é um dos favoritos em João. Entre as coisas que João menciona como tendo sido dadas pelo Pai ao Filho estão: julgamento (5,22.27); ter vida em si mesmo (5,26); poder sobre toda carne (17,2); os seguidores (6,37; 17,6); o que falar (7,49; 17,8); o nome divino (17,11.12); e glória (17,22). O paralelo sinótico mais próximo do v. 34 está na passagem assim chamada joanina (Mt 11,27; Lc 10,22): "Todas as coisas foram entregues a mim por meu Pai". Tais afirmações finalmente levam os teólogos cristãos a reconhecerem que o Filho faz o que o Pai faz, e por isso agem com o mesmo poder e possuem uma só natureza.

O discurso termina no v. 36 sob o tema da dupla reação perante Jesus, o mesmo tema que concluiu o discurso a Nicodemos nos vs. 18-21. Note os tempos presentes, "crê", "desobedece"; João não está pensando em um único ato, e sim em padrão de vida. Note ainda que o contraste ao crer é desobedecer; em 18-21 vimos a forte conexão entre a maneira como um homem vive, age e guarda os mandamentos e sua confiança em Jesus. Os atos maus e a desobediência aos mandamentos de Deus se expressam na recusa a crer em Jesus; e visto que os mandamentos de Deus significam vida eterna (12,50 – o último versículo da outra variante deste discurso), "todos quantos desobedecem ao Filho *não verão a vida*". Desobediência se faz merecedora e agora da eterna ira de Deus, justamente como o v. 18 enfatizou que o homem que se recusa a crer *já está julgado*. O lado positivo desta escatologia realizada é visto na afirmação de que todo aquele que crê no Filho tem a vida eterna.

BIBLIOGRAFIA

BARROSSE, T., *"The Relationship of Love to Faith in St. John"*, TS 18 (1957), especialmente pp. 543-47 sobre 3,14-21.

BOISMARD, M.-E., *"L'évolution du theme eschatologisque dans les traditions johanniques"*, RB 68 (1961), especialmente pp. 507-14 sobre 3,16-19.

_____ *"Les traditions joahnniques concernant le Baptiste"*, RB 70 (1963), especialmente pp. 35-30 sobre 3,22-30.

_____ *"L'ami de l'époux (Jo. iii 39)"*, A la recontre de Dieu (Gelin vol.; Le Puy: Mappus, 1961), pp. 289-95.

BRAUN, F.-M., *"La vie d'en haut (Jn iii, 1-15)"*, RSPT 40 (1956), 3-24.

DE LA POTERIE, I., *"Naître de l'eau et naître de l'Sprit"*, ScEccl 14 (1962), 351-74 – bibliografia excelente.

GOURBILLON, J.-G., *"La parabole du serpent d'airain"*, RB 51 (1942), 213-26.

MENDNER, S., *"Nikodemus"*, JBL 77 (1958), 293-323.

MOODY, D., *"'God's Only Son": the Translation of John iii 16 in the RSV"*, JBL 72 (1953), 213-19.

ROUSTANG, F., *"L'entretien avec Nicodème"*, NRT 78 (1956), 337-58.

SCHNACKENBURG, R., *"Die 'situationgelösten' Redestücke in Joh 3"*, ZNW 49 (1958), 88-99.

SPICQ, C., *"Notes d'exégèse johannique"*, RB 65 (1958), especialmente pp. 358-60 sobre 3,14.

VAN DEN BUSSCHE, H., *"Les paroles de Dieu. Jean 3, 22-36"*, BVC 55 (1964), 23-28.

VAN SELMS, A., *"The Best Man and the Bride – from Sumer to St. John"*, JNES 9 (1950), 65-75.

ZERWICK, M., *"Veritatem facere (Joh. 3, 21; I Joh. 1, 6)"*, VD 18 (1938), 338-42, 373-77.

13. JESUS DEIXA A JUDEIA
(4,1-3)

Uma passagem de transição

4 ¹Ora, quando Jesus entendeu que os fariseus ouviram que ele estava conquistando e batizando mais discípulos do que João (²entretanto, na verdade não era o próprio Jesus quem batizava, e sim seus discípulos), ³ele deixou a Judeia e uma vez mais partiu de volta à Galileia.

NOTAS

4 1. *Jesus*. Importantes manuscritos do Egito trazem "Quando o *Senhor* entendeu que os fariseus ouviram que Jesus estava"...; importantes testemunhas ocidentais dizem "Quando *Jesus* entendeu que os fariseus ouviram que *Jesus* estava"... Provavelmente, o original "Quando *ele* entendeu"; e as redações supra representam tentativas de copistas de clarificar o sujeito pronominal. Temos transferido o sujeito "Jesus" da cláusula subordinada para a cláusula principal com o intuito de suavizar a leitura.
2. *não era o próprio Jesus*. Obviamente, esta é uma tentativa de modificar 3,22, onde lemos que Jesus batizava, e quase serve como indiscutível evidência da presença de várias mãos na composição de João. Talvez o redator final temesse que os adeptos do Batista usassem o batizar de Jesus como um argumento de que ele era apenas um imitador do Batista. A palavra incomum para "entretanto" (*kaitoi ge*) pode ser outra indicação de uma mão distinta.
3. *Judeia*. Há alguma evidência para ler-se "território da Judeia", a mesma expressão encontrada em 3,22 (veja a respectiva nota).

partiu de volta à. Literalmente, "voltou para"; um aoristo complexo para toda a ação ainda não completada, como em 2,20 (veja a respectiva nota). Há quem sugira, sobre a força deste tempo, que 4,43-45 fosse uma vez unido a 1-3, e que o incidente em Samaria fosse mais tarde interpolado no conjunto.

COMENTÁRIO

A estranheza desta passagem de transição salientadas nas respectivas notas torna provável que um fragmento do material itinerário joanino foi usado para fazer um enquadramento para o incidente em Samaria. Isto não significa necessariamente que o incidente em Samaria não ocorreu de caminho da Judeia para a Galileia, justamente como João o descreve, mas simplesmente que a descrição da jornada ora encontrada em 1-3 nem sempre foi parte da narrativa sobre Samaria.

Como a narrativa ora se encontra, não é clara a razão para a súbita partida de Jesus da Judeia. Havia fariseus também na Galileia, e assim sua mudança de atividades na Galileia não poria fim à sua oposição. O fato de que os fariseus agora volvem sua atenção do Batista (1,24) para Jesus significa que o Batista fora preso por Herodes (3,24 – veja p. 363). Se esse é o caso e Jesus deseja evitar ser preso, seus movimentos ainda não são explicados, pois a Galileia ficava tanto no território de Herodes como na Pereia (a Transjordânia), onde o Batista esteve a princípio batizando (1,28). Talvez a centralização da atenção sobre Jesus deva ser explicada simplesmente pelo fato de que o Batista já se vira forçado a sair da Judeia rumo ao Enon, e agora os fariseus estavam tentando fazer Jesus partir também. Em qualquer caso, a partida de Jesus da Judeia parece significar o fim de seu ministério de batizar; doravante, seu ministério será o da palavra e sinal.

[A Bibliografia para esta seção está inclusa na Bibliografia no final do § 15.]

14. DIÁLOGO COM A MULHER SAMARITANA JUNTO AO POÇO DE JACÓ
(4,4-42)

Introdução

4 ⁴E ele tinha que passar por Samaria; ⁵e foi assim que ele chegou a uma cidade samaritana chamada Siquém, junto da porção de terra que Jacó dera a seu filho José. ⁶Este era o local do poço de Jacó; e então Jesus, cansado da viagem, assentou-se junto ao poço.

Cena 1

Era quase meio dia; ⁷e quando uma mulher samaritana veio tirar água, Jesus lhe disse: "Dá-me de beber". (⁸Seus discípulos haviam ido à cidade comprar suprimentos). ⁹Mas a mulher samaritana lhe disse: "Tu és judeu – como podes pedir-me, uma mulher samaritana, de beber?" (porque os judeus nada usam em comum com os samaritanos). ¹⁰Jesus replicou:

> "Se conhecesses o dom de Deus
> e quem é que te pede de beber,
> por tua vez lhe pedirias
> e ele te daria água viva".

¹¹"Senhor", ela lhe falou, "nem mesmo tens uma vasilha, e este poço é fundo. Onde, pois, estás indo obter esta água corrente? ¹²Seguramente,

---

5: trouxe; 7: veio, disse: 9: disse; 11: se dirigiu. No tempo presente histórico.

não pretendes ser maior que nosso ancestral Jacó que nos deu este poço e bebeu dele com seus filhos e rebanhos!" ¹³Jesus replicou:

> "Todo aquele que beber desta água
> terá sede outra vez.
> ¹⁴Mas todo aquele que beber da água que eu lhe der
> nunca mais terá sede.
> Ao contrário, a água que eu lhe der
> se tornará nele uma fonte de água
> que salte para a vida eterna".

¹⁵A mulher lhe disse: "Dá-me desta água, senhor, para que eu não mais tenha sede e não tenha que continuar vindo aqui para tirar água".

¹⁶Ele lhe falou: "Vai, chama teu marido e volta aqui". ¹⁷"Eu não tenho marido", replicou a mulher. Jesus exclamou: "Estás certa em dizeres que não tens marido. ¹⁸De fato, já tiveste cinco maridos, e o homem que agora tens não é teu marido. Nisso disseste a verdade!"

¹⁹"Senhor", respondeu a mulher, "Vejo que tu és profeta. ²⁰Nossos ancestrais adoraram neste monte, mas teu povo alega que o lugar onde os homens devem adorar a Deus é em Jerusalém". ²¹Jesus lhe disse:

> "Creias-me, mulher,
> está vindo a hora
> quando adorarás o Pai
> não neste monte
> nem em Jerusalém.
> ²²Vós adorais o que não conheceis;
> enquanto que nós adoramos o que conhecemos;
> além do mais, a salvação é dos judeus.
> ²³Todavia, é vindo a hora e agora está aqui
> quando os verdadeiros adoradores
> adorarão o Pai em Espírito e verdade.
> E deveras é justamente tais adoradores
> que o Pai busca.

15: disse; 16: falou; 17: exclamou; 19: respondeu; 21: falou; 25: disse; 26: declarou; 28: disse. No tempo presente histórico.

²⁴Deus é Espírito,
   e os que O adoram
   devem adorar em Espírito e verdade".

²⁵A mulher lhe disse: "Eu sei que há de vir o Messias. Quando ele vier, nos explicará todas estas coisas". (Este termo "Messias" significa "Ungido"). ²⁶Jesus lhe declarou: "Sou eu, o que fala contigo – eu sou ele".

Cena 2

²⁷Ora, justamente então seus discípulos chegaram juntos. Ficaram chocados vendo que ele conversava com uma mulher; contudo, ninguém perguntava: "O que desejas?", ou "Por que estás falando com ela?" ²⁸Então, deixando sua vasilha d'água, a mulher correu para a cidade. Ela disse ao povo: ²⁹"Vinde e vede alguém que me disse tudo que eu tenho feito! É possível que este seja o Messias?" ³⁰[Então] saíram da cidade a encontrar-se com ele.

³¹Entrementes, os discípulos passaram a insistir com ele: "Rabi, come alguma coisa". ³²Mas ele lhes disse:

"Eu tenho uma comida para comer
da qual nada conheceis".

³³Nisto, os discípulos diziam uns aos outros: "Não imaginais que alguém lhe trouxesse algo para comer?" ³⁴Jesus lhes explicou:

"Fazer a vontade daquele que me enviou
e levar Sua obra à conclusão –
eis meu alimento.
³⁵Vós não tendes um dito:
'[mais] quatro meses
e a ceifa estará aqui'?
Eis que eu vos digo:
Abri vossos olhos
e vede os campos;
já estão maduros para a ceifa!

34: *explicou*. No tempo presente histórico.

³⁶O ceifeiro já está recolhendo seus salários
e ajuntando o fruto para a vida eterna,
de modo que o semeador e o ceifeiro podem regozijar-se juntos.
³⁷Pois aqui temos o dito verificado:
'Um homem semeia; o outro ceifa.'
³⁸Eis que eu vos enviei a cegar
algo pelo qual não trabalhastes.
Outros fizeram o trabalho duro,
e vós viestes para [colher] o fruto do trabalho deles".

Conclusão

³⁹Ora, muitos samaritanos daquela cidade creram nele pelo impulso das palavras da mulher. "Ele me disse tudo que tinha feito", testificou ela. ⁴⁰Consequentemente, quando estes samaritanos vieram a ele, rogaram-lhe que ficasse com eles. E assim ele ficou ali dois dias, ⁴¹e através de sua própria palavra muitos outros vieram à fé. ⁴²Como disseram à mulher: "Nossa fé já não depende do que disseste. Pois nós mesmos temos ouvido, e sabemos que este é realmente o Salvador do mundo".

NOTAS

4.4. *tinha que passar*. Esta não é uma necessidade geográfica; porque, embora a rota principal da Judeia para a Galileia fosse através de Samaria (JOSEFO, *Ant*. 20.6.1; 118), se Jesus estava no vale do Jordão (3,22), poderia facilmente ter ido rumo ao norte através do vale e então subir para a Galileia através da garganta de Bethshan, evitando Samaria. Em outro lugar do evangelho (3,14), a expressão de necessidade significa que estava envolvida a vontade ou o plano de Deus.

5. *Siquém*. Quase todos os manuscritos trazem "Sychar"; uma testemunha siríaca traz Siquém, e JERÔNIMO identificou Sychar com Siquém. É plausível um equívoco que pode ter corrompido o grego *Sychem* (= Shechem) em *Sychar*, talvez sob a influência do som *ar* em Sam*ar*ia. A leitura "Sychar" cria um problema; porque, embora haja alguns vestígios nas antigas notícias da existência de uma Sychar, nenhum vestígio de tal cidade foi encontrado na correspondente área de Samaria. A identificação de Sychar com a moderna 'Askar, cerca de 1,5 km a nordeste do poço de Jacó,

provavelmente seja errônea em vários cálculos: (*a*) o local é um povoado medieval; (*b*) a duvidosa similaridade de nomes não serve pra nada, visto que o nome árabe 'Askar não reflete uma designação antiga do local, mas simplesmente que o lugar tem servido como acampamento militar; (*c*) 'Askar tem um bom poço de sua propriedade, fato que torna inexplicável a longa viagem da mulher até o poço de Jacó. Em contrapartida, se realmente se prefeir a leitura Siquém, tudo se encaixa, pois o poço de Jacó fica apenas a 100 metros de Siquém. Provavelmente, na época Siquém não passava de um povoado bem pequeno.

Jacó. Para as referências a Jacó e Siquém, veja Gn 33,18 e 48,22; Js 24,32.

6. *poço de Jacó*. Um poço de cerca de 31 metros de profundidade é mencionado pela primeira vez nesta área nas fontes de peregrinos cristãos do 4º século; o poço de Jacó, no sopé do monte Garizim, pode ser aceito com confiança. As descrições do capítulo 4 mostram um bom conhecimento do cenário da palestina.

assentou-se. No melhor manuscrito grego, o verbo é seguido do advérbio *houtōs*, "assim, então", o qual não temos traduzido explicitamente. É bem provável que ele modifique o verbo, p. ex., "ele assentou-se *direto*" ou "ele assentou-se sem barulho". Mas poderia modificar o adjetivo "cansado", p. ex., "de tão cansado que estava".

junto ao poço. Literalmente, "sobre o poço"; o poço era vertical e tampado por uma pedra. P^{66} diz "no chão", leitura que Boismard, RB 64 (1957), 397, pensa que pode ser original.

meio dia. Literalmente, "a hora sexta". A escolha do tempo que a mulher escolheu para dirigir-se ao poço não é natural; essa escolha tinha de ser de manhã e à tardinha. Há pouca probabilidade na sugestão (Lightfoot, p. 122) de que a cena visa deliberadamente relacionar-se com a crucifixão, onde meio dia é também a hora (19,14) e Jesus é levado outra vez a expressar sua sede (19,28). Entretanto, o grande hino medieval o *Dies Iræ* parece ter feito esta conexão: "Quærens me sedisti lassus; redemisti crucem passus". A sugestão de que as horas seriam contadas a partir da meia noite, e não das 6 da manhã (veja nota sobre 1,39) mudaria a contagem do tempo, neste versículo, para as seis da manhã. Esse horário se adequaria à cena junto ao poço, mas não se adequaria a "as seis horas" de 19,14.

7. *veio tirar água*. Para cenas similares junto a poços no AT, veja Gn 24,11; 29,2; Ex 2,15.

9. *judeus... samaritanos*. Os samaritanos são os descendentes de dois grupos: (*a*) o remanescente dos israelitas nativos que não foram deportados na queda do reino do norte em 722 a.C.; (*b*) colonos estrangeiros trazidos de Babilônia e da Média pelos conquistadores assírios de Samaria

(2Rs 17,24ss. dá um relato anti-samaritano disto). Havia oposição teológica entre estes "nortistas" e os judeus do sul, em virtude da recusa samaritana ao culto em Jerusalém. Isto foi agravado pelo fato de que, depois do exílio babilônico, os samaritanos puseram obstáculos no caminho da restauração judaica de Jerusalém, e que no 2º século a.C. os samaritanos ajudaram os monarcas sírios em suas guerras contra os judeus. Em 128 a.C., o sumo sacerdote judeu queimou o templo samaritano sobre o Garizim.

nada usam em comum. D. DAUBE, JBL 69 (1950), 137-47, aponta para este significado e sugere que o pano de fundo é a pretensão geral de que os samaritanos eram ritualmente impuros. Uma regulamentação judaica de 65-66 d.C. advertia que jamais poderia ser incluída na pureza ritual as mulheres samaritanas, visto que já menstruavam desde o berço! – veja Levíticos 15,19. Provavelmente, esta regulamentação visava simplesmente a canonizar uma atitude muito antiga para com as mulheres samaritanas. Há respeitável evidência ocidental para a omissão de toda esta cláusula no v. 9, um ponto de vista partilhado por BDF, § 193[5].

10. *dom de Deus*. Alguns comentaristas (OSTY, VAN DEN BUSSCHE) entendem o dom como sendo o próprio Jesus (3,16); outros, mais plausivelmente, pensam em algo que Jesus daria aos homens (sua revelação, o Espírito – veja comentário).

te pede de beber. Literalmente, "dizendo a ti, 'Dá-me de beber'".

10-11. *água viva... água corrente*. Temos aqui um perfeito exemplo mal-entendido joanino. Jesus está falando da água da vida; a mulher está pensando em água corrente, tanto mais desejável do que a água parada das cisternas. A palavra para "poço", em 11-12, é *phrear*, enquanto nos versículos anteriores foi *pēgē*. No uso da LXX, há pouca diferença entre os dois termos; mas *phrear* (heb. *be'ēr*) chega bem perto de "cisterna", enquanto *pēgē* (heb. *'ayin*) chega bem perto de "fonte". A ideia pode ser que no diálogo anterior que versava sobre a água natural do poço de Jacó fosse a fonte (*pēgē*) com água fresca e corrente; mas quando o diálogo muda para o tema da água viva de Jesus, agora ele é a fonte (*pēgē*, no v. 14), e o poço de Jacó se torna uma mera cisterna (*phrear*).

11. *Senhor*. O grego *kyrie* significa ambos, "senhor" e "Senhor"; mui provavelmente há uma progressão de um para o outro significado quando a mulher o usa com crescente respeito nos vs. 11, 15 e 19.

ela lhe falou. A maioria das testemunhas tem "a mulher" como o sujeito do verbo. Seguimos P[75], Vaticanus, Cópta, OS[sin].

12. *maior que... Jacó*. Este é um perfeito exemplo de ironia joanina (veja Introdução, p. 154), pois a mulher, inconscientemente, está dizendo a verdade.

ancestral. Literalmente, "pai".

que nos deu este poço. Embora não haja no AT referência a este evento, talvez tenhamos aqui um eco do relato de Jacó e o poço de Harã. J. Ramón Díaz, *"Palestinian Targum and the New Testament"*, NovT 6 (1963), 76-77, cita o Targum Palestinense de Gn 28,10 concernente ao poço de Harã: "Depois que *nosso ancestral Jacó* levantou a pedra da boca do poço, elevou sua superfície e transbordou, e esteve *transbordante* vinte anos". Note que em João Jesus fornece água viva (corrente) que é eterna.

14. *que salte.* O verbo *hallesthai* é usado para movimento rápido por seres vivos, como saltadores; este é o único caso de sua aplicação na ação da água, embora sua contraparte latina, *salire*, tenha ambos os usos. Na LXX, *hallesthai* é usado para o "espírito de Deus", como ocorre em Sansão, Saul e Davi, que é o pano de fundo para a tese de que em João a "água viva" é o Espírito. Inácio, *Romanos* 7,2, parece evocar este versículo em João: "... água viva e falando em mim e dizendo-me em meu interior: 'Vinde ao Pai'"; também Justino, *Trifo* 69,6 (PG 6:637): "Como uma fonte de água viva procedente de Deus... nosso Cristo a tem jorrado".

16. *chama teu marido.* Seria inútil indagar o que teria acontecido se ela voltasse com seu companheiro.

18. *cinco maridos.* Aos judeus se permitia somente três casamentos (StB, II, p. 437); se o mesmo padrão era aplicável entre os samaritanos, então a vida da mulher fora marcantemente imoral. Não há razão particular por que a conversação entre Jesus e a mulher, sobre sua vida, tenha mais de uma implicação óbvia. Entretanto, desde os tempos mais remotos, muitos têm visto um simbolismo nos maridos. Orígenes (*In Jo.* 13,8; GCS 10:232) viu uma referência ao fato de que os samaritanos mantinham como canônicos somente os cinco livros de Moisés. Hoje, outros pensam em 2Rs 17,24ss., onde lemos que os colonizadores estrangeiros introduzidos pelos conquistadores assírios vieram de cinco cidades e trouxeram consigo seus cultos pagãos. (Na verdade, 17,30-31 menciona sete deuses que eles cultuavam, mas Josefo, *Ant.* 9.14.3; 288 subentende uma simplificação para cinco deuses). Visto que a palavra hebraica para "esposo" (*baʻal*, "mestre, senhor") era também usada como um nome para uma divindade pagã, a passagem em João é interpretada como um jogo de palavras: a mulher representando Samaria teve cinco *beʻālim* (os cinco deuses previamente cultuados), e o *baʻal* (Iahweh) que ela agora tem na realidade não é seu *baʻal* (porque o javismo dos samaritanos era impuro – v. 22). Essa tentativa alegórica é possível; porém João não fornece evidência de que essa fosse sua intenção, e não estamos certos de que tal alegoria era um fato bem conhecido na época, a qual teria sido reconhecida sem explicação. Bligh, pp. 335-36, tem uma interpretação curiosa. Ele crê que, ao alegar que não tinha nenhum

marido, a mulher estava mentindo para Jesus porque ela tinha intenções matrimoniais sobre ele; ele salienta que nas cenas paralelas no AT, de homens e mulheres junto ao poço (veja nota sobre v. 7) há uma situação matrimonial, e que Jesus foi descrito como um noivo em 3,29.

19. *Senhor*. Veja nota sobre "senhor" no v. 11.

   profeta. Esta identificação de Jesus se origina do conhecimento especial que ele exibia, mas pode também referir-se ao desejo óbvio da mulher de transformar sua vida. Os samaritanos não aceitavam os livros proféticos do AT, então a imagem do profeta provavelmente tenha sua origem em Dt 18,18 (veja supra, p. 228s.), uma passagem que no Pentateuco Samaritano, bem como no material de Qumran, vem após Ex 20,21b. Este profeta-semelhante-a-Moisés teria sido esperado para estabelecer questões legais, donde a lógica da questão implícita no v. 20. Também BOWMAN, *"Eschatology"*, p. 63, diz que os samaritanos esperavam que o Taheb (veja nota sobre o v. 25) restaurasse o culto legítimo.

20. *neste monte*. No Pentateuco Samaritano lemos em Dt 27,4 a instrução ministrada a Josué para erigir um santuário sobre o Garizim, o monte sagrado dos samaritanos. É bem provável que esta leitura seja correta, pois a leitura "Ebal" no TM bem que pode ser uma correção anti-samaritana. Os samaritanos incluíam também no Decálogo a obrigação de cultuar sobre o Garizim. Em contrastar cf. 2Cr 4,6.

   o lugar. O Codex Sinaiticus omite isto. Ele se refere ao tempo (11,48).

21. *mulher*. Normalmente, Jesus usa esta forma de falar ao se dirigir as mulheres (ver nota sobre 2,4). "Mulher" não é uma tradução inteiramente feliz e é um tanto arcaica. Todavia, na linguagem moderna é deficiente como um título cortês ao dirigir-se a uma mulher que já não é uma "senhorita". Tanto "senhora" como "madame" têm assumido um tom desprazeroso quando usado como uma abordagem sem um nome próprio o acompanhe.

   a hora. No original vai sem o artigo ou um possessivo, em João "hora" não é necessariamente a hora da glória (ver Apêndice I:11, p. 794ss); contudo, é bem provável que aqui tenha esse significado.

22. *não conheceis*. Neste versículo, a antítese é expressa na forma semítica tipicamente forte, sem nenhum significado entre ignorância e conhecimento.

   conhecemos. BULTMANN, p. 139[6], toma o "nós" implícito como sendo os cristãos em oposição tanto a samaritanos quanto a judeus; naturalmente, esse tipo de exegese não toma seriamente o cenário histórico dado ao episódio.

   além do mais. Literalmente, "porque".

   a salvação é dos judeus. Cf. Sl 76,1: "Em Judá Deus é conhecido". BULTMANN reduziria isto a uma glosa, visto que não se adequa à hostilidade que João aplica a "os judeus". Entretanto, os judeus contra quem Jesus, em outro lugar, fala asperamente se refere àquele setor do povo judeu que é hostil a Jesus, e especialmente aos seus líderes. Aqui, falando a uma estrangeira, Jesus dá aos judeus uma significação diferente, e o termo se refere a todo o povo judeu. Este verso é uma clara indicação de que a atitude joanina para com os judeus não implica um antissemitismo ao estilo moderno nem um ponto de vista que rejeita a herança espiritual do judaísmo.

23. *é vindo a hora e agora está aqui*. Quando contrastamos isto com o v. 21, descobrimos em João a mesma tensão escatológica que se percebe nas referências sinóticas ao reino – é futuro, e todavia é eminente. A ideia parece ser que está presente aquele que, na hora da glorificação, tornará possível a adoração em Espírito por seu dom do Espírito.

em Espírito e verdade. Ambos os substantivos são sem artigo, e há uma só preposição.

24. *Deus é Espírito*. Esta não é uma definição essencial de Deus, e sim uma descrição do trato de Deus com os homens; significa que Deus é Espírito para com os homens, porque Ele dá o Espírito (14,16) que os gera de novo. Há outras duas descrições como esta nos escritos joaninos: "Deus é luz" (1Jo 1,5), e "Deus é amor" (1Jo 4,8). Estes também se referem ao Deus que age; Deus dá ao mundo Seu Filho, a *luz* do mundo (3,19; 8,12; 9,5) como sinal de Seu *amor* (3,16).

25. *o Messias*. Ver nota sobre 1,41. Os samaritanos não esperavam um Messias no sentido de um rei ungido da casa davídica. Esperavam um Taheb (*Ta'eb*=verbo hebraico *šûb*=aquele que retorna), aparentemente o profeta semelhante a Moisés. Esta crença era o quinto artigo no credo samaritano. Bowman, "*Studies*", p. 299, mostra que a conversação em Jo 4,19-25 se adequa ao conceito samaritano do Taheb como um mestre da Lei (ver nota sobre "profeta" no v. 19), ainda quando a designação judaica mais familiar do Messias é posto nos lábios da mulher.

explicará. OS^{sin} e Taciano leem "dá". Black, p. 183, e Boismard, *EvJean*, p. 46, sugerem a possibilidade de um aramaico original com confusão entre as raízes *tn'*, "anunciar", e *ntn*, "dar".

26. *Sou eu*. Para *egō eimi*, ver Apêndice IV, p. 841ss; não é impossível que este uso seja proposital com ressonância de divindade. É interessante que Jesus, que não aceita sem matizações ao título de Messias, quando lhe é dado pelos judeus, aceita-o de uma samaritana. Talvez a resposta esteja nas conotações nacionalistas régias, que tivesse o termo no judaísmo, enquanto o Taheb samaritano (embora não destituído de matizes nacionalistas) tivesse mais o aspecto de um mestre e legislador. J. Macdonald, *The Theology of the Samaritans* (Londres: SCM, 1964), p. 362, diz que os samaritanos não esperavam que o Taheb fosse um rei.

27. *ficaram chocados*. Tempo imperfeito, indicando mais que surpresa momentânea. Siraque 9,1-9 descreve o cuidado de alguém não se deixar enredar por uma mulher; e documentos rabínicos (*Pirqe Aboth* I 5; TalBab *'Erubin* 53b) adverte que não se deve falar com mulheres em público.

ninguém perguntava. Para uma hesitação similar à pergunta de Jesus, ver 16,5.

O que desejas? Isto foi dirigido à mulher (assim BERNARD, I, p. 152)? Algumas testemunhas antigas veem isto desta forma: como variantes, indica, p. ex., "o que ela queria?". Todavia, estas variantes poderiam vir de TACIANO que, como um encratista, fizesse igualmente parecer que Jesus não tomou a iniciativa de conversar com uma mulher. Quase certamente, como sugerido em v. 34, a questão diz respeito a Jesus, com a implicação de que, talvez, lhe pedisse alimento depois de já ter obtido algum. É curioso, como BULTMANN salienta, que eles se sentissem mais chocados em razão de Jesus estar falando com uma mulher do que se estivesse falando com uma samaritana.

28. *deixando sua vasilha*. Não devemos buscar uma razão prática para isto (p. ex., que ela a deixou para Jesus beber; que ela se apressou em voltar à cidade). Este detalhe parece ser o modo de João enfatizar que aquela vasilha seria inútil para o tipo de água viva que Jesus tinha interesse que ela bebesse.

povo. Literalmente, "homens"; todavia, qualquer sugestão maliciosa de que os *homens* estavam interessados em descobrir a vida pregressa da mulher está fora de questão.

29. *É possível que este seja o Messias?* Literalmente, "o Ungido", como no v. 25. A pergunta em grego, com *mēti*, implica uma improbabilidade (BDF, § 427²); portanto, a fé da mulher não parece estar completa. Todavia, ela expressa uma nuança de esperança. BULTMANN, p. 142, sugere que a pergunta está formulada a partir do ponto de vista do povo.

30. [*Então*] Isto tem boa atestação, incluindo P⁶⁶; e BERNARD, I, p. 153, mostra como poderia ter-se perdido na transmissão do texto. Outros preferem a leitura mais bem atestada e mais abrupta sem um conectivo, com base no princípio de que a redação mais difícil usualmente é a mais original.

32. *comida*. Aparentemente, há pouca distinção entre o *brōsis* do v. 32 e o *brōma* do 34, embora SPICQ, *Dieu et l'homme*, p. 97³, alegue que o último tem uma conotação especial de nutrição. É possível que o uso de *brōma*, no v. 34 deva ser explicado simplesmente por um desejo de assonância com *thelēma*, "vontade", no mesmo versículo. *Brōma* nunca é usado outra vez em João, enquanto *brōsis* aparece em 6,27.55.

34. *fazer a vontade daquele que me enviou*. Tanto esta frase (como "realizar as obras") (cf. 5,30; 6,38) e "levar Sua obra à conclusão" (cf. 5,36; 9,4; 17,4) são descrições joaninas da natureza do ministério de Jesus. Nos sinóticos,

"fazer a vontade de Deus" tem uma conotação mais geral (Mc 3,35; Mt 7,21). O tema do v. 34 não é muito diferente do de Dt 8,3: "O homem não vive somente de pão, mas de toda a palavra de Deus" – uma citação atribuída a Jesus em Mt 4,4.

35. *Não tendes um dito*. Literalmente, "não dizeis vós"; para um exemplo de tal expressão usada para introduzir tal provérbio, veja Mt 16,2. Tem-se observado que o provérbio, em João, é um trimétrico iâmbico (para exame atento, veja DODD, *Tradition*, p. 394), e assim há quem pense que Jesus está citando um provérbio grego. Isto não é impossível, porém é mais provável que devamos atribuir um provérbio grego ao evangelista. Todavia, a maioria dos comentaristas crê que a métrica iâmbica é acidental; pois, como salienta BLIGH, p. 343, a métrica iâmbica se aproxima mais dos padrões ordinários do discurso. Pode-se descobrir no NT uma série de trimétricos iâmbicos acidentais e abruptos (Mc 4,24; At 23,5).

[*Mais*] *quatro meses e a ceifa estará aqui*. Temos considerado o dito em João como um provérbio, e sua brevidade e construção favorecem este ponto de vista. Nessa interpretação os quatro meses é simplesmente um período de tempo convencional. O calendário Gezer do 10º século a.C. põe exatamente quatro meses entre a semeadura e a ceifa; e há contagens rabínicas antigas no mesmo sentido (BARRETT, p. 202). Não obstante, alguns estudiosos têm tomado o v. 35 não como um provérbio, mas como uma observação atual feita pelos discípulos; neste caso, teríamos uma referência cronológica datando a cena em Samaria como ocorrendo quatro meses antes da ceifa. A ceifa na planície de Mahneh, oriente de Siquém, transcorreria de meado de março (cevada) a meado de junho (trigo) e, consequentemente, a cena junto ao poço deve ser datada em janeiro ou princípio de fevereiro. Com essa contagem, a festa sem nome no capítulo seguinte (5,1) provavelmente seria a Páscoa, ocorrendo no final de março ou princípio de abril. BERNARD, I, p. 155, objeta com base no fato de que janeiro e fevereiro transcorrem na estação chuvosa, quando Jesus poderia ter encontrado água ao longo do caminho em vez de esperar só encontrá-la no poço.

[*mais*]. Isto é omitido pelos manuscritos ocidentais OS^{cur} e P^{75} – uma combinação forte. Todavia, a omissão poderia ter sido por *homoioteleuton*, i.e., o erro de escrever *eti* ("mais") depois de *hoti*.

abri vossos olhos. Literalmente, "levanta vossos olhos"; sugere olhar fixo deliberado.

vede. Theasthai; ver Apêndice I:3, p. 794ss.

campos... maduros para a ceifa. Esta pode ser meramente uma ceifa simbólica como em Mt 9,37. Todavia, se há alguma indicação real de tempo na cena samaritana, isto seria muito mais provável do que os quatro meses mencionados acima. A ceifa se refere primariamente aos cidadãos que estão vindo a Jesus, mas a metáfora pode ter sido sugerida à vista das lavouras maduras nas proximidades de Siquém. Então o tempo seria maio ou junho. Se a sequência das narrativas em João for cronológica, então o interlúdio samaritano também não se deu muito tempo depois da Páscoa (março ou abril) mencionado no capítulo 2; certamente, 4,43-45 tenta criar esse efeito.

36. *já*. Alguns colocam esta palavra com a última cláusula do v. 35: "já estão maduros para a ceifa". Comparar 1Jo 4,3.

recolhendo seus salários. O grego *misthos* significa tanto "salário" quanto "galardão".

colhendo fruto para a vida eterna. Tosephta *Peah* 4,18, citado por DODD, *Interpretation*, p. 146, é um paralelo interessante: "Meus pais colheram tesouros nesta era; eu tenho garantido tesouros na era futura".

semeador e ceifeiro. THÜSING, p. 54, conectando isto de volta ao v. 34, sugere que o Pai é o semeador e Jesus é o ceifeiro. Isto significaria, porém, que as identificações do semeador e o ceifeiro, no v. 36, são diferentes daquelas em 37-38, pois em 38 os ceifeiros obviamente são os discípulos.

38. *Eu vos enviei*. O "Eu" é expresso e talvez enfático: "fui eu quem os enviei".

vós. Na tradição primitiva das parábolas do evangelho amiúde há uma aplicação da parábola a um auditório e situação particulares.

o fruto de seu trabalho. Literalmente, "seu trabalho"; mas o contexto deixa claro que a intenção é o produto do trabalho.

39. *das palavras da mulher*. Há um contraste entre esta fé com base na palavra da mulher e a fé com base na palavra de Jesus (v. 41) – seria isto um esboço do conceito de *logos* que aparece no Prólogo?

40. *ficasse*. *Menein*; ver Apêndice I:8, p. 794ss.

42. *disseste*. Aqui, a palavra grega é *lalia*, não o logos dos vs. 39, 41.

Salvador. No AT (Sl 24,5; Is 12,2; também Lc 1,47), Iahweh é a salvação de Israel e do israelita individual. O rei Messias não é chamado salvador (ver, porém, Zc 9,9, onde a LXX traz "salvando" para "vitorioso". *1 Enoque* 48,7 fala do Filho do Homem que salva os homens. Qual seria o significado do título nos lábios dos samaritanos? Talvez para a Samaria helenizada buscaríamos o significado do termo no mundo grego onde era aplicado aos deuses, imperadores (Adriano era chamado "Salvador do mundo") e heróis. O termo "Salvador" era um título comum pós-ressurreição para Jesus, particularmente nas obras lucanas e paulinas, mas este é o único caso nos evangelhos de sua aplicação a Jesus durante o ministério público.

COMENTÁRIO: GERAL

Podemos começar com a questão da plausibilidade histórica da cena. Somente em João se menciona um ministério de Jesus em Samaria. O discurso missionário em Mt 10,5 proíbe os discípulos de entrar em cidade samaritana. Dos sinóticos, Lucas mostra o maior interesse nos samaritanos: em 10,29-37 temos a parábola do Bom Samaritano; em 17,11-19, aquele leproso que rende graças é um samaritano. Todavia, mesmo Lucas, em 9,52-53, reflete certa hostilidade entre os samaritanos e Jesus, em razão de Jesus insistir em ir a Jerusalém. Depois do ministério de Jesus, At 8,1-25 relata que, quando os cristãos helenistas foram dispersos de Jerusalém após a morte de Estêvão, Filipe, um dos sete líderes helenistas, proclamava Cristo em uma cidade de Samaria, onde encontrou Simão Mago. O ministério de Filipe levou ao batismo de muitos samaritanos, e Pedro e *João* desceram de Jerusalém para imporem as mãos sobre os novos conversos a fim de receberem o Espírito Santo.

A história da difusão do cristianismo em Samaria, alguns anos depois do ministério de Jesus, talvez nos ajude a explicar alguns detalhes no relato de João; todavia, devemos notar que Atos não dá indício de que Jesus já tivesse seguidores em Samaria após a chegada de Filipe ali, como o Quarto Evangelho indicaria. A dificuldade pode ser solucionada, insistindo que Jo 4,39-42 significa simplesmente que uma pequena vila veio a crer em Jesus. Não obstante, o relato joanino continua sem suporte ou corroboração do restante do NT.

Mas não devemos descartar os indícios de credibilidade interna. O *mise en scène* é um dos mais detalhados em João e o evangelista manifesta certo conhecimento do colorido e das crenças samaritanas, o que impressiona muito. Podemos mencionar: o poço no sopé de Garizim; a questão da pureza legal no v. 9; a defesa apaixonada do poço patriarcal no v. 12; a crença samaritana no Garizim e o profeta semelhante a Moisés. E se analisarmos a cena junto ao poço, descobriremos a caracterização do amor à vida da mulher como afetado e furtivo, com certo teor de graça (Lagrange, p. 101). Ainda que personagens como Nicodemos, esta mulher, o paralítico do capítulo 5 e o cego do capítulo 10 são – até certo ponto – contrastes usados pelo evangelista que permitem a Jesus manifestar sua revelação, todavia cada um tem suas ideias ou suas características pessoais no diálogo.

Ou estamos tratando com um mestre de ficção, ou inclusive estas histórias têm um fundamento real. BLIGH, p. 332, se inclina para a segunda direção, ao menos em parte do relato. Ele sugere que os vs. 1-8 poderiam ter sido um pronunciamento do relato pré-joanino (um relato relembrado em razão de ter sido o cenário de um solene pronunciamento de Jesus). A frase em questão poderia ter tido o intuito de assegurar o caráter universal do plano de Deus na salvação, incluindo samaritanos e judeus, tema não distinto daquele dos vs. 19-26.

O solene discurso de Jesus parece ser o principal obstáculo à plausibilidade histórica. Admitindo que este diálogo tenha sido moldado pela técnica joanina de paradoxo, jogos de palavras etc., todavia podemos perguntar se é possível esperar que uma mulher samaritana entendesse mesmo as ideias mais básicas do diálogo. A resposta a esta questão é impedida por nosso limitado conhecimento do pensamento samaritano do 1º século. No judaísmo, duas das expressões usadas por Jesus, "o dom de Deus" e "água viva", eram usadas para descrever a Torá. Se o uso samaritano era o mesmo, a mulher poderia ter entendido que Jesus estava representando a si e à sua doutrina como a substituição da Torá em que os samaritanos criam. Como salientamos nas notas sobre os vs. 19 e 25, a mulher parece entender a afirmação de Jesus contra o pano de fundo da expectativa samaritana do Taheb. Portanto, não é absolutamente impossível que mesmo no diálogo temos ecos de uma tradição histórica de um incidente no ministério de Jesus. Veremos que o diálogo com os discípulos tem paralelos sinóticos.

Se, como suspeito, há um substrato de material tradicional, o evangelista o tomou e com seu habilidoso senso de drama e as várias técnicas de montar o palco, o formou para um cenário teológico esplêndido. Paradoxo (v. 11), ironia (12), a rápida mudança de ante de um tema embaraçoso (19), os primeiros e segundos planos (29), o efeito do coro grego dos habitantes da vila (39-42) – todos estes toques dramáticos foram habilmente aplicados para fazer disto uma das mais vívidas cenas do evangelho e ministrar a magnífica doutrina da água viva em um cenário perfeito. Muito mais que na cena de Nicodemos, o discurso de Jesus é elaborado em um diálogo e um pano de fundo para que lhe desse todo o seu significado.

COMENTÁRIO: DETALHADO

Cena I: O diálogo com a mulher samaritana (4,4-26)

É muito importante entender a análise literária das duas subdivisões da cena, pois tal análise ilumina as principais ideias e seu desenvolvimento. Aqui, seguimos ROUSTANG bem de perto.

Cena 1a: A água viva (vs. 6-15). Isto consiste em dois diálogos curtos, cada um com três jogos de pergunta e resposta:

Primeiro, vs. 7-10:
v. 7. *Jesus* pede água à samaritana, violando os costumes sociais de seu tempo.
   9. A *mulher* zomba de Jesus por estar tão necessitado, que nem mesmo observa os decoros.
  10. *Jesus* mostra que o verdadeiro motivo para sua ação não provém de sua inferioridade ou necessidade, e sim seu status superior.
      Ele lança um *desafio em duas partes*:
      i. Se ela reconhecesse quem lhe está pedindo,
      ii. ela lhe pediria água viva.
Portanto, o desafio e as perguntas e respostas neste primeiro diálogo serve para introduzir o tema da água viva e a reivindicação de Jesus.

Segundo, vs. 11-15:
vs. 11-12. A *mulher* confunde a água em um nível material e terreno; daí confundir Jesus como menor que Jacó.
  13-14. *Jesus* esclarece que ele está falando da água celestial da vida eterna.
     15. A *mulher*, intrigada, *pede essa água*, assim cumprindo uma parte do desafio de Jesus mencionado no v. 10.
Entretanto, resta a resposta à outra parte do desafio, pois a mulher ainda não reconheceu quem é Jesus. Ela entende que ele está falando de um tipo incomum de água, mas suas aspirações ainda estão no nível terreno.

Cena 1b: O verdadeiro culto ao Pai (vs. 16-26). Isto também consiste de dois diálogos curtos, cada um com três jogos de pergunta e resposta:

Primeiro, vs. 16-18:
- v. 16. *Jesus* toma a iniciativa, levando a mulher a reconhecer quem ele é, reportando-se à sua vida pessoal.
- 17. A *mulher* dá uma resposta ambígua e desdenhosa, em reação instintiva diante do teste moral que é submetida.
- 18. *Jesus* se serve daquela resposta para desvendar seus atos nocivos.

Em 3,19-21, se diz que aqueles cujas obras são más não se aproximam da luz a fim de que suas obras não sejam expostas. O diálogo em 16-18 constitui o momento crucial do julgamento: ela voltará suas costas à luz?

Segundo, vs. 19-26:
- vs. 19-20. A *mulher* olha para a luz, ainda que desejaria desviar os raios para algo menos pessoal. Ao abordar o tema do culto, ela está começando, com hesitação, a pensar em um nível espiritual e celestial, embora ainda haja muito de terreno em seus conceitos.
- 21-24. *Jesus* explica que o verdadeiro culto só pode vir daqueles que foram gerados pelo Espírito da verdade. Somente através do Espírito é que o Pai gera verdadeiros adoradores.
- 25-26. A *mulher*, finalmente, *reconhece quem é jesus* (o quanto lhe é possível) e Jesus assim o afirma.

A outra parte do desafio, feita no v. 10, foi agora respondida. A segunda parte da Cena 1a levou a mulher a pedir a água; a segunda parte da Cena 1b levou a mulher a reconhecer quem é aquele que lhe pediu de beber – a saber, *egō eimi* (ver nota sobre v. 26).

Nesta cena, João nos tem dado o drama de uma alma que luta para erguer-se das coisas deste mundo à fé em Jesus. Não só a mulher samaritana, mas cada homem deve chegar ao reconhecimento de quem é que fala, quando Jesus fala, e deve rogar pela água viva.

Passando da análise literária do desenvolvimento da cena para seu conteúdo, encontramos dois temas que devem ser analisados:

na Cena 1a, o tema da água viva, e na Cena 1b, o tema do culto em Espírito e verdade.

a. *"Água Vida* (4,10-14). A que Jesus se referia quando falou de dar à mulher "água viva"? Evidentemente, a água viva não é Jesus mesmo, e sim algo espiritual que ele oferece ao crente que pode reconhecer o dom de Deus. A água viva não é a vida eterna, porém leva a ela (v. 14). O próprio uso do símbolo da água mostra com quanto realismo João pensava na vida eterna: a água é à vida natural o que a água viva é à vida eterna.

McCool, *art. cit.*, chama a atenção para muitas sugestões que os exegetas têm apresentado à tentativa de interpretar "água viva". Por exemplo, desde os tempos medievais, tem sido popular entre os teólogos sistemáticos tratar a "água viva" como um símbolo da graça santificante. Dentro do escopo da teologia joanina realmente há duas possibilidades: água viva significa a revelação que Jesus dá aos homens, ou significa o Espírito que Jesus dá aos homens. Como salienta Wiles, pp. 46-47, ambas estas interpretações recuam ao 2º século; e acharemos argumentos convincentes para ambas.

(1) "Água viva" é a revelação ou ensino de Jesus. O AT usa o simbolismo da água para a sabedoria de Deus que outorga vida. Pr 13,14 diz: "O ensino do sábio é uma fonte de vida para que o homem evite os laços da morte"; também 18,4: "As palavras da boca de um homem são água profunda; a fonte de sabedoria é um ribeiro corrente". Em Is 55,1, em um contexto onde Iahweh convida os homens a ouvirem para que suas almas vivam (v. 3), Iahweh diz: "Todos quantos têm sede, venham à água". O melhor paralelo veterotestamentário para Jo 4,14 (e 6,35) parece ser Siraque 24,21, onde a Sabedoria canta seus próprios louvores: "Aquele que comer de mim ainda terá fome; aquele que beber de mim terá mais sede ainda". Em João, Jesus diz: "Aquele que beber da água que eu lhe der jamais terá sede".

Visto que no círculo dos escribas a Sabedoria era identificada com a Torá, não surpreende que Siraque 24,23-29 nos informa que a Torá enche os homens com sabedoria como os rios transbordam sobre suas ribanceiras. Os rabinos faziam frequente uso da água em referência à Lei, embora só raramente alegorizassem a "água *viva*". Entretanto, agora temos clara evidência de Qumran para o uso de "água viva" para descrever a Lei (CDC 19,34; ver também 3,16 e 6,4-11). Podemos mencionar ainda que a expressão "dom de Deus", que aparece em Jo 4,10, era usado no judaísmo rabínico para descrever a Lei (BARRETT, p. 195).

É perfeitamente plausível a referência que Jesus faz à sua própria revelação como "água viva" tendo este pano de fundo em mente, pois em João é apresentada como a sabedoria divina e como a substituição da Lei. O vislumbre de compreensão que a mulher recebe desta água viva parecer estar nesta direção, pois em seguida lhe vem à mente o Profeta-como-Moisés que anunciaria todas as coisas (ver notas sobre vs. 19 e 25). O uso de "água viva" para a revelação de Jesus faria paralelo em outro lugar em João pelo uso dos símbolos da luz e do pão da vida para a revelação de Jesus.

(2) "Água viva" é o Espírito comunicado por Jesus. Como vimos na discussão de 3,5 (p. 346ss.), a conexão entre água e espírito é frequente no AT. Especialmente aqui, podemos evocar 1QS 4,21: "Como águas purificadoras, aspergirá sobre ele o espírito da verdade". Além do mais, para a identificação da "água viva", como sendo o Espírito, temos a evidência específica de Jo 7,37-39. Em 4,10-14 há muitas indicações corroborantes para esta interpretação. Se a água salta para a vida eterna (14), em outro lugar (6,63) ouvimos que ela é o Espírito que dá vida. Ver também nota sobre "que salta" no v. 14. A expressão "dom (de Deus" no v. 10 era um termo cristão muito antigo para o Espírito Santo, não só em Atos (2,38); 8,20; 10,45; 11,17), mas também em Hebreus (6,4), uma obra que tem muitas afinidades com João. A segunda parte da cena com a mulher samaritana introduz explicitamente o tema do Espírito (vs. 23-24). O dom do Espírito era uma marca dos dias messiânicos, e o diálogo com Jesus leva a mulher samaritana a falar do Messias (v. 25). Podemos acrescentar, finalmente, que a compreensão da "água viva" como sendo o Espírito que levou os teólogos medievais a pensar nela como sendo a graça; a observação de TOMÁS DE AQUINO, em seu comentário sobre João, é digna de nota: "A graça do Espírito Santo é dada ao homem, conquanto o próprio manancial da graça é dado, isto é, o Espírito Santo".

Não vemos razão para ter que escolher entre estas duas interpretações da "água viva", e McCOOL, *art. cit.*, argumentou convincentemente que ambos os significados estão em pauta. O simbolismo joanino costuma ser ambivalente, especialmente onde estão envolvidos dois conceitos tão estreitamente relacionados como revelação e Espírito. Em última instância, o Espírito da verdade é o agente que interpreta a revelação ou o ensino de Jesus aos homens (14,26; 16,13). Encontraremos uma dificuldade similar de ter certeza se em 1Jo 2,27 está envolvido o Espírito ou a palavra de Deus, então há boa razão para crer que a intenção do evangelista era não criar uma ruptura entre eles. É interessante que na passagem citada de Tomás de Aquino, ele também insiste que a doutrina de Jesus é a água viva.

Haveria nesta passagem uma referência sacramental secundária ao batismo, tanto quanto havia na menção de água e Espírito em 3,5 (também 1,33)? Aqui, o simbolismo é diferente: não um nascimento através da água, e sim o *beber* da água viva. Não obstante, uma vez suprimida qualquer equivalência direta (água viva é a água do batismo), temos a questão mais ampla de se a intenção do autor era ou não lembrar e ensinar aos leitores cristãos aquela passagem sobre o batismo e se os efeitos do batismo era a doação do Espírito. Notamos que este discurso e aquele a Nicodemos são postos quase juntos, separados pelo incidente de batizar de 3,22-30. Por outro lado, a transição ao incidente samaritano em 4,1-3 também oferece uma alusão ao ministério batismal de Jesus. Estes indícios favoreceriam fortemente uma resposta afirmativa à questão proposta. O fato de que a água tem de ser bebida não é o principal obstáculo se evocarmos 1Cor 12,13: "Porque, por um só Espírito, todos nós fomos batizados em um só corpo, ... e a todos foi dado *beber* de um só Espírito". Um dos símbolos cristãos primitivos associados ao batismo é o ato do cervo bebendo água corrente (viva) (Sl 42); e, deveras, a cena com a samaritana junto ao poço aparece na arte de antiga catacumba como símbolo do batismo (Niewalda, p. 126). Assim, há uma boa *possibilidade* de que um tema batismal estava aludido neste discurso.

b. *Adoração "em Espírito e verdade"* (4,23-24). No v. 23, o ponto particular em questão muda do lugar de culto (20-21) para a forma de culto. Hoje, a maioria dos exegetas concorda que, ao proclamar o culto em Espírito e verdade, Jesus não está contrastando o culto externo com o interno. Sua afirmação nada tem a ver com cultuar a Deus nos recessos íntimos do próprio espírito de alguém; pois o Espírito é o Espírito de Deus, não o espírito do homem, como o v. 24 deixa bem claro. De fato, quase se poderia considerar "Espírito e verdade" como uma hendíadis (veja nota sobre v. 23) equivalente a "Espírito da verdade". Um culto ideal de pureza interior se adequa mal no contexto neotestamentário com seus ajuntamentos eucarísticos, entoação de hinos, batismo em água etc. (a menos que se assuma que a teologia de João é marcantemente diferente daquela da Igreja em geral).

O contraste entre culto em Jerusalém ou sobre o Garizim e o culto em Espírito e verdade faz parte do frequente dualismo joanino entre terreno e celestial, "de baixo" e "de cima", carne e Espírito. Jesus está falando da substituição escatológica de instituições temporais como o templo, resumindo o tema de 2,13-22. Em 2,21 foi Jesus mesmo que estava assumindo o lugar do templo, e aqui é o Espírito dado por Jesus que está para animar o culto que substitui o culto do templo. Note que esta é uma questão de cultuar *o Pai* em Espírito. Deus só pode ser adorado como Pai por aqueles que possuem o Espírito que os faz filhos de Deus (ver Rm 8,15-16), o Espírito pelo qual Deus os gera de cima (Jo 3,5). Este Espírito eleva os homens acima do nível terreno, o nível da carne, e os capacita a cultuar a Deus como convém.

O v. 24 une Espírito e verdade. Em 17,17-19, ouviremos que a verdade é um agente de consagração e santificação, e assim a verdade também capacita o homem a cultuar a Deus como convém. Os temas joaninos estão estreitamente entrelaçados: Jesus é a verdade (14,6) no sentido de que ele revela a verdade de Deus aos homens (8,45; 18,37); o Espírito é o Espírito de Jesus e é o Espírito da verdade (14,17; 15,26), que vai guiar os homens na verdade. Assim, seria pouco sensato perguntar qual a contribuição do Espírito no culto como distinto do que a verdade contribui. "Espírito da verdade" explicitam simplesmente o que já vimos ao discutirmos a "água viva" como revelação e Espírito. Não apenas no nível literário, mas também em seus temas teológicos, o diálogo com a mulher samaritana é um todo perfeitamente entrelaçado.

SCHNACKENBURG, "Anbetung", tem mostrado como a estreita conexão entre espírito e verdade, nos escritos de Qumran, oferece alguns interessantes paralelos com o pensamento de João. Em Qumran, em um contexto escatológico, Deus derrama seu espírito sobre os adeptos e assim os purifica para seu serviço. Este espírito é o espírito da verdade no sentido de que ele instrui os adeptos no conhecimento divino, isto é, a observância da Lei que tanto se insistia em Qumran (1QS 4,19-22). A pureza assim obtida converte a comunidade no templo de Deus, "uma casa de santidade para Israel, e assembleia do Espírito de Santidade para Arão" (8,5-6; 9,3-5). É bem provável termos aqui o pano de fundo que torna inteligíveis as observações de Jesus sobre o culto em Espírito e verdade que substitui o culto no templo. Entretanto, o culto no sentido joanino não envolve pureza ritual, e a verdade não diz respeito a uma interpretação da Lei; e assim aí permanecem diferenças óbvias entre João e Qumran.

Antes de encerrarmos a discussão do diálogo com a mulher samaritana, é preciso enfatizar que nesta cena João reviveu e expandiu temas tratados anteriormente no evangelho (templo de 2,13-22; água e Espírito no discurso a Nicodemos). Este método de voltar sobre um determinado tema após um intervalo será encontrado outra vez em João.

Segunda Cena: O diálogo com os discípulos (4,27-38)

Esta cena é construída com o máximo de cuidado. A primeira cena nos informou como Jesus se aproximou da mulher e a levou à fé; mas a breve introdução à Segunda Cena, nos vs. 27-30, concluída nos bastidores da vila, indica que esta cena se ocupará da vinda dos homens a Jesus. E assim, enquanto Jesus abria o diálogo na Primeira Cena, os discípulos abrem o diálogo na Segunda Cena.

O mal-entendido sobre alimento nas primeiras linhas (vs. 31-33) do diálogo se assemelha ao mal-entendido sobre água nos vs. 7-11. Em cada caso Jesus está falando em um nível espiritual, enquanto que seus interlocutores estão falando em um nível material. (BLIGH, p. 334, sugere que assim como o tema de água, na Primeira Cena, conecta-se aos episódios de Nicodemos e do Batista no capítulo 3, assim o tema de alimento da Segunda Cena aponta para o simbolismo de pão/comida do capítulo 6). Em cada caso, o mal-entendido leva Jesus a esclarecer o que ele tem em mente. A explicação de que o alimento de Jesus é sua missão (v. 34) leva mais naturalmente à extensão da metáfora em termos de ceifa (v. 35), isto é, o fruto de sua missão é representado pelos samaritanos que estão vindo a ele.

A imagem da ceifa exposta nos vs. 35-48 tem claros paralelos na tradição sinótica das parábolas relacionada a agricultura, especialmente em vocabulário como "semear", "ceifar", "fruto", "trabalho", "salários". DODD salienta que o vocabulário teológico que é a marca registrada do Quarto Evangelho não é muito frequente nestes versículos (somente "vida eterna" no v. 36; "verificado" no 37); ele infere (*Tradition*, pp. 391-99) que a espinha dorsal deste breve discurso constitui um grupo de ditos tradicionais independentes de Jesus que têm sido unidos. Como agora estão, estes versículos incorporam o tema da escatologia realizada. Se nas parábolas da ceifa de Mt 13 a imagem descreve um ceifar de homens no fim dos tempos, em João a ceifa já está em andamento no ministério de Jesus (e da Igreja).

A substância dos vs. 35-38 consiste de dois ditos proverbiais: Jesus nega o primeiro e afirma o segundo. Que Jesus citou provérbios populares, vemos na tradição sinótica. Em Lc 4,23 Jesus contradiz um provérbio justamente como ele faz em nosso primeiro caso em João. O provérbio em Mt 16,2-3 tem por base os processos da natureza, outra vez como em Jo 4,35. Consideremos detalhadamente os dois provérbios em João e a exposição que Jesus faz deles.

(1) *O primeiro provérbio* e seu comentário se encontram nos vs. 35-36; diz respeito ao intervalo que a natureza estabeleceu entre a semeadura e a ceifa. Jesus anuncia que na ordem escatológica que ele tem introduzido o princípio proverbial já não é válido, pois já não existe tal intervalo. Essa ideia havia sido preparada já no AT. Lv 26,5 prometeu, à maneira de galardão ideal, àqueles que guardassem os mandamentos: "e a debulha se vos chegará à vindima e a vindima se chegará à sementeira" – em outras palavras, a abundância das colheitas seria tão grande que os intervalos de descanso entre as estações agrícolas desapareceriam. Os sonhos que Amós teve dos dias messiânicos retratavam o arador sobrepujando a cega (9,13). Assim agora na pregação de Jesus a ceifa está madura no mesmo dia em que a semente for lançada, pois os samaritanos já estão abandonando a vila e vindo a Jesus.

O melhor paralelo sinótico para a segunda parte do v. 35 se encontra em Mt 9,37-38 (Lc 10,1-2), onde, quando Jesus vê as multidões vindo em sua direção, diz: "A seara é realmente grande, mas poucos os ceifeiros. Rogai ao Senhor da seara que mande ceifeiros para sua seara".

O v. 36 comenta sobre o tema da ceifa e desenvolve a imagem: a seara não só está madura, mas o ceifeiro já está em ação. (É possível que o v. 36 fosse um dito independente antes de ser incorporado no presente contexto). O tema se move da rapidez com que tem chegado o momento da ceifa se passa a alegria de colher a safra. Convém lembrar o Sl 126,5-6: "Que os que semeiam com lágrimas colham com gritos de júbilo". Há também a parábola do reino em Mc 4,26-29, onde tem que deixar que a semente cresça por si mesma e então, quando o grão está maduro, o agricultor passa a foice "porque a colheita chegou". Para João, o ceifeiro já está recolhendo seus salários.

(2) *O segundo provérbio* e seu comentário se encontram nos vs. 37-38. A distinção entre o semeador e o ceifeiro tem muitos antecedentes no AT (Dt 20,6; 28,30; Jó 31,8); mas a referência ali é pessimista, a saber, que uma catástrofe intervém a impedir o homem de colher o que havia semeado. Mq 6,15 é um exemplo: "Semearás, porém não colherás". Portanto, é bem provável que o provérbio que Jesus cita, "um semeia, o outro colhe", originalmente fosse uma reflexão pessimista sobre a injustiça da vida. (Barrett, p. 203, cita paralelos gregos que em sua estima são muito semelhantes à forma joanina do provérbio; todavia, é bem provável que esse aforismo fosse a reflexão comum de muitos povos antigos). É interessante notar que um contraste entre semear e colher aparece em Mt 25,24: "És um homem severo; ceifas onde não semeaste".

No v. 38, Jesus aplica o provérbio em um sentido otimista. Que os discípulos são enviados a ceifar onde não semearam é outra reflexão de abundância escatológica. Há diversas dificuldades neste versículo. Jesus diz aos discípulos: "Eu vos enviei [aoristo] a ceifar"; quando ele fez isso? Pouco consistente a sugestão de Bligh de que esta é uma alusão ao fato de que foram enviados à cidade a buscar alimento. O texto não só diz que foram enviados a *ceifar*, mas também não há nada na descrição de sua ida à cidade (v. 8) que diz que *foram enviados*. Ao contrário, a missão mencionada no v. 38 parece ser de caráter religioso.

Há duas prováveis possibilidades. *Primeira*, há quem sugira que devemos colocar-nos na perspectiva pós-ressurreição do evangelista. O envio é a grande missão pós-ressurreição de 20,21 que converteu os discípulos em apóstolos, isto é, os enviados (ver nota sobre 2,2). Parece que, por antecipação, esta missão se reporta a 17,18 também no pretérito: "Eu os enviei ao mundo". *Segunda*, há a possibilidade de que 4,38 seja uma referência a uma missão dos discípulos durante o ministério de Jesus, uma missão que não foi narrada. A tradição sinótica relata essas missões dos discípulos nas cidades adjacentes a pregar e a curar (Lc 9,2; 10,1). Naturalmente, é sempre um risco explicar João mediante algo proveniente da tradição sinótica; contudo, o fato de que o v. 38 pode ter sido uma vez um dito independente, ao menos torna esta interpretação possível. Citamos anteriormente um paralelo lucano (Lc 10,1-2) com Jo 4,35 sobre ceifa abundante e a escassez dos trabalhadores; notemos que o versículo seguinte em Lucas tem estas palavras: "Eis que eu vos envio"... É possível que João nos esteja dando um dito similar transferido ao passado? DODD, *Tradition*, p. 398, cita um grupo de ditos sinóticos que são similares, no formato, a Jo 4,38.

A última parte do versículo 38 é muito difícil. Quem são os "outros" que têm feito o trabalho difícil? No contexto atual do relato podemos pensar em Jesus como havendo semeado a semente da fé na mulher samaritana e, assim havendo feito o trabalho; os discípulos estão sendo agora solicitados a ajudá-lo a colher o fruto daquela semente como representada pela gente do povo dela. Mas então por que um plural ("outros")? É meramente uma generalização? Ou Jesus estaria associando o Pai consigo no trabalho (v. 34)? Outra sugestão é que os "outros" não se referem a Jesus, e sim aos que prepararam os samaritanos para receberem a mensagem de Jesus. Têm-se mencionado figuras do AT, mas esta interpretação fica limitada pelo fato de que os samaritanos aceitavam somente o Pentateuco. J. A. T. ROBINSON, *art. cit.*, tem proposto que os "outros" constituem uma referência ao Batista e seus discípulos que haviam pregado em Samaria, em Enon, próximo a Salim (ver nota sobre 3,23). Não obstante, os discípulos do Batista seriam apresentados por João como havendo preparado o caminho para Jesus? Talvez a obra combinada do Batista e de Jesus seriam uma variante preferível desta teoria.

Independente de qual seja o significado de "outros", neste contexto atual, no qual o relato é colocado, toda a passagem assume novo significado quando pensamos ser ela narrada nos círculos joaninos familiarizados com a história da conversão de Samaria como notificada em At 8. CULLMANN, *art. cit.*, tem salientado que havia uma distinção entre semeadores e ceifeiros na cristianização de Samaria: o semeador da fé cristã foi Filipe, um helenista como Estêvão e, presumivelmente, um oponente do culto no templo de Jerusalém; mas os ceifeiros foram Pedro e *João* que desceram a conferir o Espírito. Esta diferença de função pode bem ter levado a alguma rivalidade, como se deu em Corinto – ver 1Cor 3,6, onde Paulo recorre a um símbolo agrícola: "Eu plantei; Apolo regou; mas Deus deu o crescimento". O que há de mais natural do que comentar sobre tal situação, evocando o dito de Jesus que dava certeza de que tal diferença entre semeador e ceifeiro era prevista na ceifa escatológica.

De fato, essa teoria lança luz adicional sobre todo o capítulo 4. A afirmação sobre a caducidade do culto em Jerusalém pode ter sido preservada como um argumento contra aqueles na igreja em Jerusalém que reprovaram a atitude dos helenistas contra o templo e inclusive poderiam ter pretendido que os conversos samaritanos mudassem seu compromisso para Jerusalém como parte da prática cristã (ver At 2,46 sobre a prática cristã no culto diário no templo). O v. 21 mostraria que tal atitude e aquelas disputas não ocorreram na nova era que Jesus começara. A rica ceifa do v. 35 refletiria o êxito da missão de Filipe em Samaria, e o "eu enviei" de 38 referiria a uma faceta particular da comissão pós-ressurreição, a saber, que ao guiar o destino da Igreja Jesus usara a perseguição para enviar seus discípulos na missão samaritana. A ênfase sobre a importância do Espírito (nos vs. 23-24 e sob a imagem da "água viva" em 10-14) assumiria novo significado à luz da vinda de Pedro e João para outorgar o Espírito a Samaria e a controversa com Simão Mago, que queria para si poder para dar o Espírito. Se o contexto da conversão de Samaria explica muito da cena que estivemos estudando em Jo 4, não se pode fazer justiça aos elementos de autenticidade que temos visto a sugerir que todo o relato é puramente imaginativa e composição fictícia *ad hoc*. A solução adequada parece ser que o material tradicional com uma base histórica tem sido repensado e formulado para uma síntese dramática com propósito teológico.

Conclusão: A conversão da população (vs. 39-42)

João é um dramaturgo bom demais para deixar a história sem uma conclusão em que se fundiram os temas das duas cenas. A mulher que foi tão importante na Cena I é evocada em razão de que foi por sua palavra que a população creu. Mas a conclusão da obra do Pai (v. 34), a ceifa dos samaritanos, tem de ter maior durabilidade; pois a população veio a crer na própria palavra de Jesus de que ele é o Salvador do mundo. Se nosso relato no capítulo 4, particularmente a cena I, tem retratado os passos pelos quais a alma vem a crer em Jesus, também retrata a história do apostolado, pois a ceifa vem de fora da Judeia, entre estrangeiros. Dificilmente é possível crermos que o evangelista não pretendesse contrastar a fé insatisfatória dos judeus em 2,23-25 baseada numa admiração superficial de milagres com a fé mais profunda dos samaritanos baseada na palavra de Jesus. Nicodemos, o rabino de Jerusalém, não pôde entender a mensagem de Jesus de que Deus enviou o Filho ao mundo para que o mundo fosse salvo por ele (3,17); todavia, os homens de Samaria prontamente vieram a conhecer que Jesus realmente é o Salvador do mundo.

[A Bibliografia desta seção está inclusa na Bibliografia encontrada no final do § 15.]

15. JESUS ENTRA NA GALILEIA
(4,43-45)

Uma passagem de transição

4 ⁴³Passado aqueles dois dias, ele partiu dali para a Galileia. (⁴⁴Pois o próprio Jesus tinha testificado que um profeta não tem honra em sua própria pátria). ⁴⁵E quando chegou na Galileia, os galileus o receberam porque, tendo eles mesmos ido à festa, viram tudo o que ele fizera em Jerusalém naquela ocasião.

NOTAS

4.43. *partiu*. Em grego, a construção é um tanto áspera, e algumas testemunhas têm adotado outro verbo para abrandar a construção: "ele partiu e saiu de lá para a Galileia".
44. *tinha testificado*. O mais-que-perfeito indica que se trata de uma observação a modo de parênteses.
45. *receberam*. O verbo *dechesthai* ocorre somente aqui nas obras de João.
    tudo o que ele fizera em Jerusalém. Presumivelmente, isto se refere aos sinais mencionados em 2,23.

COMENTÁRIO

Estes três versículos constituem uma cruz para os comentaristas do Quarto Evangelho. No início do 3º século, Orígenes (*In Jo*. XIII 53; GCS 10:283) disse do v. 44: "Este dito parece romper completamente a sequência". No início do século 20, Lagrange, p. 124, confessou que não havia meios suficientes de explicar esta passagem de acordo com as regras da lógica estrita.

Como o v. 43 ora está, faz melhor sentido como uma transição do interlúdio samaritano. Entretanto, ele lembra bem 4,3b ("partiu dali para a Galileia"), e já mencionamos a teoria de que o que uma vez era uma viagem contínua da Judeia para a Galileia foi interrompido pela inserção do incidente samaritano. Entretanto, se o v. 43 continua o 40 ou 1-3, ainda se relaciona com o que precedeu.

O v. 45, em contrapartida, introduz o que segue. DODD, *Tradition*, p. 238, observa que ele serve de apresentação a nada novo, mas isto não parece procedente. A menção da recepção dada a Jesus pelos que tinham visto o que ele fizera em Jerusalém sugere por que o oficial régio (vs. 46ss.) se dirigiu a ele esperando um milagre.

O problema se centra no vs. 44, uma interrupção que parece contradizer o 45. Em 44, Jesus compara sua situação à de um profeta que não tem honra em seu próprio país; todavia, em 45 sua Galileia nativa lhe dá entusiásticas boas-vindas. Para solucionar isto, há quem sugira que "seu próprio país", no v. 44, é uma alusão, não a Galileia, mas a Judeia. Este é um ponto de vista que remonta ao menos a ORÍGENES (*In Jo*. XIII 54; GCS 10:284). A ideia, pois, é que, não havendo recebido nenhuma honra na Judeia, como exemplificado por sua rejeição no templo, Jesus vai para a Galileia, onde é bem recebido. Essa interpretação relacionaria 4,43-45 com 1-3; pois como os versículos ora estão, Jesus está deixando Samaria, não a Judeia. Entretanto, mesmo que consideremos todo o incidente samaritano como uma inserção, a sugestão de que a terra de Jesus é a Judeia enfrenta objeções. João está constantemente a enfatizar as origens galileias de Jesus (1,46; 2,1; 7,42.52; 19,19); este evangelho nem mesmo nos informa que Jesus nasceu na Judeia. É verdade que em João Jesus gasta muito tempo na Judeia, mas isto dificilmente faz da Judeia sua própria terra. Além do mais, há uma implicação nesta explicação de que Jesus ficou desapontado com a recepção que recebera na Judeia, e regressara à Galileia com o fim de receber a honra que lhe fora negada na Judeia. Essa busca de louvor humano está em plena contradição aos ideais do Quarto Evangelho (2,24-25; 5,41-44).

A melhor solução para o problema gerado pelo v. 44 é considerá-lo como uma adição pelo redator, exatamente com base no mesmo padrão como 2,12. A partir de uma tradição afim àquela dos evangelhos sinóticos, o redator tinha um dito no sentido de que Jesus era propriamente pouco estimado na Galileia. Ele anexou este dito ao evangelho justamente antes de um relato que ilustraria a fé insatisfatória dos galileus, uma fé baseada unicamente na dependência de sinais e prodígios (v. 48). Em sua avaliação, a recepção dada a Jesus na Galileia (v. 45) é não menos frívola que a reação com que Jesus foi saudado em Jerusalém (2,23-25). Portanto, a inserção do v. 44 não contradiz o 45, uma vez compreendamos que uma recepção superficial baseada no entusiasmo por milagres não é nenhuma *honra* real.

Como se deu com 2,12, os paralelos com a tradição sinótica são muito estreitos. Primeiro, podemos notar que toda a cena sinótica (Mc 6,1-6; Mt 13,53-58; Lc 5,22ss.) que envolve a afirmação paralela a Jo 4,44 tem ecos em João. Marcos e João oferecem os pontos mais interessantes de comparação:

Marcos 4,2: *muitos ficam atônitos ante o conhecimento que Jesus possui*, Jo 7,15

3: *Jesus é uma figura local cujos parentes são conhecidos*, Jo 6,42

6: *Jesus se aborrece pela falta de fé*, Jo 4,48

Comparemos agora as diferentes formas do dito sobre o profeta:

Marcos 6,4: Um profeta só é desprezado em sua própria pátria.

Lucas 4,24: Nenhum profeta é bem recebido em sua pátria.

João 4,44: Um profeta não tem honra em sua própria pátria.

João parece com Lucas na formulação negativa da sentença, mas parece mais a Marcos em vocabulário (embora o "bem recebido" lucano se encontra no versículo seguinte em João – ver a respectiva nota). Parece preferível classificar o dito de João como uma forma variante de uma afirmação tradicional, e não como um empréstimo seletivo de Marcos e Lucas. O redator não adaptou o dito ao estilo joanino do restante do evangelho. A palavra "honra" (*timē*) é empregada em vez da mais usual, "glória" (*doxa*). O artigo é também omitido antes do nome próprio, "Jesus" – segundo BERNARD, I, pp. 42-43, tal omissão não é característico de João, mas R. C. NEVIUS, NTS 12 (1965-66), 81-85, argumenta que o uso sem artigo, como testificado no Codex Vaticanus de João, é o verdadeiro estilo joanino.

A cena sinótica onde encontramos estes paralelos é a da rejeição de Jesus em Nazaré, uma cena que Lucas situa no começo do ministério galileu, e Marcos-Mateus, no final do ministério na Galileia propriamente dita. As semelhanças encontradas em Jo 4,44-45 com esta cena nos ajudam a estabelecer uma sincronização cronológica entre os relatos joaninos e sinóticos? Em particular, é a segunda entrada, em João, de Jesus na Galileia que deve ser comparada com Lc 4,16ss., onde Jesus foi rejeitado em Nazaré quando voltou à Galileia depois de seu batismo pelo Batista e a prisão do Batista (Lc 3,19-20)? Discutimos acima as dificuldades encontradas em qualquer sincronização baseada na ocasião da entrada de Jesus na Galileia (ver p. 363) e, neste caso, as diferenças dentro da tradição sinótica acerca do tempo da rejeição em Nazaré. Podemos notar que, enquanto em João a afirmação sobre o profeta que não recebe honra em sua própria pátria é seguida imediatamente pelo relato da cura do menino em Cafarnaum, tanto Mateus como Lucas têm esta cura separada por vários capítulos da afirmação sobre o profeta mal recebido.

Já vimos que em sua entusiasta avaliação baseada em milagres, 4,44-45 e 2,23-25 têm muito em comum. Estas duas passagens têm também uma função similar no esquema de João. Depois da descrição em 2,23-25 dos que em Jerusalém creram em Jesus por causa de seus sinais, um desses "crentes", Nicodemos, procurou Jesus com sua inadequada compreensão dos poderes de Jesus. Este teve que explicar a Nicodemos que na realidade ele era aquele que veio de cima para dar a vida eterna. Assim também, após a descrição em 4,44-45 dos galileus que receberam a Jesus por causa de suas obras, um oficial régio da Galileia vem a Jesus com uma inadequada compreensão de seu poder. Jesus levará o homem a uma compreensão mais profunda de sua função como o doador da vida.

BIBLIOGRAFIA

BLIGH, J., "Jesus in Samaria", *Heythrop Journal* 3 (1962), 329-46.
BOWMAN, J., *"Early Samaritan Eschatology"*, JJS 6 (1955), 63-72.
_____ *"Samaritan Studies"*, BJRL 40 (1957-58), 298-329.

BROWN, R. E., "*The Problem of Historicity in John*", CBQ 24 (1962), especialmente pp. 13-14 sobre 4,43-45. Também em NTE, pp. 158-60.

CULLMANN, O., "*Samaria and the Origins of the Christian Mission*", *The Early Church* (Londres: SCM, 1956), pp. 185-92.

MCCOOL, F. J., "*Living Water in John*", BCCT, pp. 226-33.

ROBINSON, John, A. T., "*The 'Others' of John 4.38*", StEv, I, pp. 510-15. Também em TNTS, pp. 61-66.

ROUSTANG, F., "*Les moments de l'acte de foi et ses conditions de possibilité.*
_____ *Essai d'interprétation du dialogue avec la Samaritaine*", RSR 46 (1958), 344-78.

SCHNACKENBURG, R., "*Die 'Anbetung in Geist und Wahrheit' (Joh 4, 23) im Lichte Von Qumran-Texten*", BZ 3 (1959), 88-94.

WILLEMSE, J., "*La Patrie de Jésus selon saint Jean iv. 44*", NTES 11 (1964-65), 349-64.

16. O SEGUNDO SINAL EM CANÁ DA GALILEIA – A CURA DO FILHO DO OFICIAL

(4,46-54)

4   ⁴⁶E então ele chegou outra vez em Caná da Galileia onde transformara a água em vinho. Ora, em Cafarnaum havia um oficial do régio cujo filho estava doente. ⁴⁷Quando ele ouviu que Jesus voltara da Judeia para a Galileia, foi a ele e lhe rogou que descesse e restaurasse a saúde de seu filho que estava morrendo. ⁴⁸Jesus replicou: "Se não virdes sinais e prodígios, jamais crereis". ⁴⁹"Senhor", rogou-lhe o oficial régio, "desce antes que meu menino morra". ⁵⁰Jesus lhe disse: "Volta para casa, teu filho vive". O homem creu na palavra que Jesus lhe falara e partiu para casa.

⁵¹E, enquanto estava caminho abaixo, seus servos o encontraram com notícias de que seu filho vivia. ⁵²Quando [lhes] perguntou a que tempo ele mostrara melhora, lhe disseram: "A febre o deixou ontem à tarde cerca da uma". ⁵³Ora, o pai compreendeu que foi exatamente naquela hora que Jesus lhe dissera: "Teu filho vive". E ele, e toda sua casa, se tornaram crentes. ⁵⁴Este foi o segundo sinal que Jesus realizou em seu retorno da Judeia para a Galileia.

49: *pleiteou*. No tempo presente histórico.

NOTAS

4.46. *Ora, em Cafarnaum*. BOISMARD pensa que isto foi a abertura original do relato, como em 3,1; ele considera a primeira sentença do v. 46 como obra de um redator, ponto de vista partilhado por muitos outros estudiosos.

oficial régio. A palavra *basilikos* pode designar uma pessoa de sangue real (Codex Bezae e a tradição latina o tomam como sendo um rei insignificante) ou um servo do rei. A segunda alternativa está implícita aqui; o rei a quem ele serve é Herodes, o tetrarca da Galileia, a quem o NT regularmente denomina de rei (Mc 6,14.22; Mt 14,9). Não é impossível que fosse um soldado (os sinóticos falam de um centurião [romano]), pois JOSEFO usa *basilikos* em referência às tropas herodianas (*Life* 72; 400). Entretanto, Cafarnaum era uma cidade fronteiriça, e provavelmente havia ali muitos tipos de oficiais administrativos régios.

48. *se não virdes*. O oficial é considerado como representando os galileus dos vs. 44-45. No relato sinótico (Mc 7,27) da cura da filha de uma siro-fenícia, um relato de muitas maneiras paralela à narrativa de João aqui (ver comentário), Jesus, ao repelir a mulher, trata-a como representante de um grupo nacional.

    sinais e prodígios. Em João, este é o único uso de "prodígios [maravilhas]"; obviamente, consentido desfavorável, pois no pensamento joanino uma ênfase excessiva sobre o assombroso cega os olhos à capacidade de um milagre revelar quem é Jesus (ver Apêndice III, p. 831ss). Um interessante paralelo a este versículo é Ex 7,3-4, onde Deus diz a Moisés: "Ainda que eu multiplique meus sinais e maravilhas na terra do Egito, Faraó não te ouvirá".

49. *Senhor*. *Kyrios* significa tanto "senhor" como "Senhor"; talvez o segundo esteja implícito aqui. No relato da mulher siro-fenícia (Mc 7,28), a resposta da mulher à censura de Jesus emprega *kyrios*.

    menino. *Paidion*, um diminutivo de *pais* (ver v. 51); em outro lugar, João usa *huios*, "filho".

50. *vive*. O semítico não tem palavra exata para "recobrar"; "viver" cobre tanto a recuperação da enfermidade (2Rs 8,9: "eu viverei desta doença") como voltar à vida após a morte (1Rs 17,23: "Teu filho vive" a uma mulher cujo filho estava morto). O duplo significado é conveniente para os propósitos teológicos de João.

    creu. *Pisteuein* com o dativo; isto não é um compromisso religioso tão firme como *pisteuein eis* (ver Apêndice I:9, p. 794ss).

    na palavra. No relato sinótico do centurião: "Dize apenas a *palavra* e meu menino será restaurado à saúde".

51. *caminho abaixo*. Esta descrição concorda implicitamente com o v. 46a. Em sua ida a Cafarnaum, desde Caná, alguém tem de atravessar as colinas orientais da Galileia e então *descer* ao Mar da Galileia. A viagem de 30 km não era realizada em um dia, então foi no dia seguinte que os servos encontraram o oficial que já começara a descer. Estas indicações sugerem que o autor tinha bom conhecimento da Palestina.

servos. Ou "escravos" (*douloi*); estes também aparecem no relato sinótico do centurião, pois ele tem *douloi* às suas ordens (Mt 8,9).

que seu filho vivia. Alguns bons manuscritos, inclusive P[66], apresentam um discurso direto.

menino. Ver nota sobre v. 49. Esta é a única ocorrência de *pais* em João, e mesmo aqui alguns textos importantes trazem *huios*. KIRKPATRICK, *art. cit.*, aceita *huios* sobre as bases de que *pais* é uma harmonização de copistas com os sinóticos. Não obstante, a inserção de *huios* em vez de *pais* pode ser explicada como uma tentativa de copista para tornar o uso uniforme no relato.

52. *perguntou*. O verbo *pynthanesthai* ocorre somente aqui em João. É mais frequentemente lucano no NT, e BOISMARD o usa como uma indicação de que Lucas redigiu esta cena em João.

[*lhes*]. A palavra é omitida no Vaticanus e P[75]; os muitos textos que o trazem variam quanto à posição; é bem provável que seja um esclarecimento de copista.

tempo. Literalmente, "hora", como no v. 53.

A febre o deixou. Para a mesma expressão, ver Mc 1,31; Mt 8,15.

ontem à tarde cerca da uma. Literalmente, "ontem, à hora sétima". Alguns objetam que, se o oficial deixou Caná à 1:00 da tarde, no dia seguinte estaria em casa e não ainda de caminho. Mas há muitos fatores desconhecidos. Ele saiu imediatamente? Como o dia seguinte é computado? Segundo uma forma da computação judaica, o dia seguinte começou naquela tarde, e assim ele poderia ter viajado apenas umas poucas horas. Ver nota sobre 1,39.

53. *se tornaram crentes*. Literalmente, "creram" = *pisteuein*, usado absolutamente.

54. *segundo... Galileia*. Literalmente, "Outra vez, este segundo sinal Jesus realizou ao vir da Judeia para a Galileia". Ainda quando mudarmos "outra vez" para mais perto do verbo, a expressão de João é pleonástica. Ela se encontra em 21,16; mas, com a devida vênia a RUCKSTUHL, *Die literarische Einheit*, p. 201, dificilmente é indicador do estilo joanino, pois uma expressão similar é usada em Mt 26,42; At 10,15. Tal pleonasmo é atestado no grego secular (BAG, p. 611).

COMENTÁRIO

Relação com os sinóticos

O relato da cura do menino do centurião. Visto que na época de IRINEU (*Contra Heresia*, II 22:3; PG 7:783), os estudiosos sugeriram que o relato que João faz do filho do oficial é uma terceira variante do relato do criado ou servo do centurião do qual com formas variantes menores aparecem em Mt 8,5-13 e Lc 7,1-10. Comparemos os detalhes: (**a**) O nome Cafarnaum aparece nos três. Em João, Jesus está em Caná, e o oficial régio de Cafarnaum vem para Caná. Em Mateus, o centurião encontra Jesus na entrada de Cafarnaum. Em Lucas, o centurião está em sua casa em Cafarnaum e envia a Jesus duas delegações. Muitos estudiosos creem que, originalmente, o relato joanino foi localizado em Cafarnaum, e seu desejo era chamar a atenção para o paralelismo entre esta cura e o (primeiro) milagre em Caná que levou a uma transferência da cena (ver nota sobre v. 46). SCHNACKENBURG, pp. 63-64, se mostra favorável à sugestão frequentemente feita de que este milagre originalmente era a sequência de 2,12, na qual Jesus foi a Cafarnaum. Entretanto, como ele nota, a teoria de que a cura foi tirada de um cenário em Cafarnaum postularia o caráter secundário de todas as indicações de localidade nos vs. 47 e 51 ("de caminho"), 52 ("ontem") e 54 – não meramente 46. (**b**) Uma pessoa de posição roga um favor a Jesus. Em ambos, João e Lucas (7,3), esta pessoa *ouvira* falar de Jesus; ambos usam o verbo *erōtan*, "pedir". Em Mateus e Lucas, a pessoa é um centurião, definitivamente um gentio, e provavelmente romano. Em João, ele está a serviço de Herodes, e nada é dito que indique que ele não é um judeu. Aqui, a tradição sinótica é a mais teologicamente desenvolvida, pois o relato está conectado a um dito sobre a fé fora de Israel. Mateus desenvolveu o ponto ainda mais do que Lucas, adicionando os vs. 11-12 acerca da salvação de muitos desde o oriente ao ocidente (= Lc 13,28-30). Entretanto, mesmo que o relato de João nada tenha a ver de específico com a salvação dos gentios, veremos que este tema pode estar representado por alusões sutis. (**c**) O favor solicitado se refere a um menino na casa deste homem. Em Mateus, é o *pais* do centurião, palavra que significa "menino", seja no sentido de "filho" ou no sentido de "servo menino, escravo". Lucas também fala de um *pais* (7,7), porém mais amiúde de um *doulos* (7,2.3.10), que claramente significa "servo menino". João fala do *huios* do oficial que significa "filho", ainda quando *paidion* apareça no v. 49, e talvez *pais* em 51 (ver as respectivas notas). Tem-se sugerido que um *pais* original estava subentendido de uma maneira em João (como "filho") e de outra maneira em Lucas ("servo menino"). Tal sugestão pressupõe dependência joanina de uma forma grega da tradição sinótica. Mais provavelmente, o relato original tivesse "filho", o qual na forma do relato usado por Mateus foi vertida em grego como *pais*, e na forma do relato usado por João, como *huios*. Foi Lucas ou um precursor lucano que, no estágio grego da tradição, entendeu *pais* como menino servo e começou a falar de um *doulos*. Que o uso que Lucas faz de *doulos* é secundário é sugerido pelo fato de que ele aparece naqueles versículos (2, 3, 10), onde o relato lucano difere daquele de Mateus. (**d**) O menino está doente. Em Mateus, o *pais* jaz paralisado em terrível sofrimento. Em Lucas, o *doulos* está doente à beira da morte. Em João, o *huios* está mal e à beira da morte com febre. Aqui, o relato de João é perfeitamente plausível, já que a febre explicaria a crise mais facilmente do que a paralisia de Mateus. Como salienta SCHNACKENBURG, p. 74, Mateus tem uma tendência para enfermidade específica. (**e**) A resposta de Jesus. Em Lucas, Jesus nada diz, porém segue a delegação. Em João, Jesus está insatisfeito com o desejo geral pelo miraculoso, e aparentemente recusa o pedido. Em Mateus, o significado de 8,7 é incerto: a resposta de Jesus pode ser afirmativa, "eu irei e o curarei"; ou pode ser uma pergunta sarcástica, "Tenho eu a obrigação de ir e curá-lo?" Se é a segunda [hipótese], Mateus não está tão longe de João quanto à ideia. (**f**) A réplica de Jesus. Em João, o oficial reitera sua súplica com mais veemência, pedindo que Jesus desça à sua casa. Em Mateus, ele reitera sua súplica, porém sente que é indigno de ter Jesus debaixo de seu teto. Em Lucas, ele envia uma segunda delegação informando a Jesus de sua indignidade. Ver nota sobre "palavra" no v. 50. (**g**) O menino é curado à distância. Isto é absolutamente claro em João, onde o oficial ouve de seus servos sobre a cura (ver nota sobre v. 51), enquanto está de caminho para casa. Em Mateus, ainda que não se mencione a volta do centurião à casa, o menino é curado enquanto o centurião está falando com Jesus. Em Lucas, a delegação encontra o escravo bem, quando voltam à casa do centurião. (**h**) Ambos, João e Mateus, mencionam que o menino foi curado "naquele exato naquela hora".

Quando analisamos estes pontos, descobrimos, respectivamente, diferenças e similaridades. Entretanto, a maior parte das diferenças é suscetível de explicação lógica, seja em termos das variantes de tradições independentes, ou como um reflexo das peculiaridades dos evangelistas individuais. As similaridades parecem indicar que o mesmo incidente jaz por detrás dos três relatos. Em detalhes (*a*, *c*, *h*) e talvez (*e*), João se aproxima mais de Mateus do que de Lucas;

em (b) e (d), João se aproxima mais de Lucas; ainda em outros detalhes, João não se aproxima de nenhum. Isto nos levaria a concordar com HAENCHEN e DODD (*Tradition*, pp. 194-95) de que o relato de João é independente dos dois relatos sinóticos. Onde os vários relatos diferem, nem sempre é possível determinar qual é a tradição mais antiga.

Relação c om o relato da cura da filha da mulher siro-fenícia. DODD tem ressaltado que há muitos paralelos entre o relato de João e o relato encontrado em Mc 7,24-30 e Mt 15,21-28 (os paralelos com a segunda forma são menos notáveis). Estes paralelos afetam particularmente os elementos no relato de João que não foram combinados no relato do filho do centurião. Podemos salientar os seguintes detalhes relevantes no relato da mulher siro-fenícia (ver também notas sobre vs. 48, 49):

- A mulher ouve falar de Jesus quando ele entra em seu território e sai ao seu encontro.
- Sua filha jaz deitada em casa (possessa de demônio).
- Seu pedido por socorro encontra uma resposta aviltante da parte de Jesus, ela porém insiste.
- Jesus lhe fala: "Anda, vai, que o demônio já deixou tua filha".
- Ela volta à casa e descobre que o demônio já deixou a menina.

Os paralelos não são bastante estreitos para fazer-nos crer que João tomou do relato sinótico da mulher siro-fenícia os detalhes acrescidos no relato do filho do oficial régio; mas ao mesmo tempo, apresenta algumas semelhanças fazer-nos pensar sobre a pressuposição de que o quarto evangelista inventou os detalhes acrescidos.

Antes de terminarmos esta discussão dos paralelos, devemos mencionar o relato em TalBab *Berakoth* 34b, que registra como Gamaliel enviou ao Rabi Hanina ben Dosa a pedir socorro pelo filho de Gamaliel que estava doente com febre. O Rabi Hanina disse aos emissários: "Ide, a febre já o deixou"; e o menino foi curado naquele exato momento.

Similaridade com o primeiro milagre em Caná

Algumas das peculiaridades no relato de João da cura do filho do oficial régio podem ter surgido do fato de que este relato do milagre segue muito de perto o esquema do relato em 2,1-11. O evangelista chama nossa atenção para a similaridade, lembrando-nos duas vezes do primeiro milagre em Caná (vs. 46, 54), tanto no começo como no final deste segundo relato em Caná. O esquema geral dos dois milagres é o mesmo: Jesus acabara de voltar à Galileia; alguém aparece com um pedido; indiretamente, Jesus parece recusar o pedido; o indagador persiste; Jesus atende ao pedido; isto leva a outro grupo de pessoas (os discípulos; os domésticos) a crer nele. Em nenhum relato somos informados como exatamente o milagre foi realizado. Há similaridades até mesmo no contexto; pois, como TEMPLE, p. 170, salienta, os dois milagres de Caná são os únicos dois sinais joaninos que não causam um discurso imediato. Depois de cada milagre em Caná, Jesus sobe para Jerusalém e entra no templo.

Tais similaridades têm levado os estudiosos a sugerir que os dois relatos de Caná se originam de uma única tradição. 4,54 fornece um suporte para isto, o qual caracteriza a cura do filho do oficial como o segundo sinal que Jesus realizou. Talvez tudo o que esta afirmação significa é que este é o segundo sinal realizado sob a condição peculiar de vir da Judeia para a Galileia. Mas se a afirmação for tomada absolutamente, parece ignorar os sinais operados em Jerusalém e mencionados em 2,23 e 4,45. (O único conhecimento dos milagres na Galileia parece estar implícito também em 7,3; ver também 6,2). Esta observação é a espinha dorsal da teoria de uma coleção de sinais como uma das fontes para João (ver Introdução, p. 13ss). Em tal fonte, o segundo milagre em Caná teria seguido imediatamente ao primeiro, independentemente se 2,12 intermediaria ou não e Cafarnaum foi o local original da cura. SPITTA, BULTMANN, SCHWEIZER, WILKENS, BOISMARD, TEMPLE e SCHNACKENBURG são os únicos que aceitam tal solução.

Essa teoria certamente é possível. Não aceitamos uma teoria da fonte da composição de João, ao menos no sentido bultmaniano. Todavia, é razoável supor que houvesse coleções de milagres no *corpus* do material joanino que foi redigido para propiciar-nos o evangelho. Em um dos estágios redacionais, dois milagres estreitamente relacionados poderiam ter-se separado para formar o início e o fim da Segunda Parte do Livro dos Sinais, "De Caná a Caná", no evangelho (ver Esboço, p. 162-163). Tal processo poderia ter sido motivado também por razões teológicas; pois o primeiro milagre em Caná tem um grande significado em sua atual posição como a culminação do treinamento dos discípulos, e veremos abaixo que o segundo milagre em Caná adicionou significação à luz de sua atual posição seguindo as atividades de Jesus na Judeia e Samaria. O presente arranjo destes dois milagres pode estar relacionado com o relato de 3,22-30. Se, como temos sugerido, esta cena final pertencente ao Batista foi em outra ocasião estreitamente associada com o material do capítulo 1, então provavelmente perdeu aquela associação quando a primeira cena em Caná foi introduzida para completar o chamado dos discípulos e introduziu a Segunda Parte. Naturalmente, tudo isto é hipotético, e não deve desviar-nos de buscar o significado na atual sequência do evangelho.

O processo redacional de 4,46-54

Os vs. 48-49 oferecem diversas dificuldades. Eles não se encontram no relato sinótico do filho do centurião (não obstante, ver Mt 8,7 em *e*, e o relato da mulher siro-fenícia). A reação de Jesus ao pedido por socorro parece indevidamente abrupta e não se harmoniza com seu tratamento de outros casos de doença; aliás, em 5,6 e 9,6 Jesus toma a iniciativa na operação de um sinal. Além do mais, não fica muito claro por que Jesus tomou a dianteira e operou o milagre após esta aparente recusa. Uma explicação é que Jesus queria elevar o homem de uma fé baseada em sinais visíveis para uma fé baseada na palavra de Jesus, e a última parte do versículo 50 é citada em apoio disto. Entretanto, o oficial não chegou a consolidar sua fé na força da palavra de Jesus, mas somente depois que descobriu que o sinal realmente foi concretizado (v. 53). Portanto, para ser preciso, a pedagogia não visava a conduzir o oficial a partir de uma fé baseada em sinais; ao contrário, visava a guiá-lo a uma fé que não tivesse por base o aspecto prodigioso do sinal, e sim o que o sinal lhe revelava sobre Jesus. O homem foi guiado, através do sinal, à fé em Jesus como o doador da vida (Apêndice III, p. 831ss).

Assim, os vs. 48-49 têm um lugar na teologia joanina da cena e se harmoniza com 44-45 em expressar a desvalorização de uma fé que tem por base a superficialidade do miraculoso. Não obstante, precisamente porque estes versículos refletem a teologia joanina, tem-se formulado a questão se pertencem ou não ao conteúdo original da cena. SCHWEIZER, HAENCHEN e SCHNACKENBURG concordam em avaliar os vs. 48-49 como uma adição feita pelo evangelista a um relato mais

16 • O segundo sinal em Caná da Galileia: A cura do filho do oficial

genérico, a qual, sem estes versículos, seria totalmente similar ao relato sinótico do menino do centurião. Certamente, se 50 seguiu 47, a narrativa fluiria muito suavemente e nunca perderia 48-49. Entretanto, o fato de termos um paralelo à rejeição de um pedido (48) na narrativa sinótica da [mulher] siro-fenícia nos acautela a ir com menos pressa.

BOISMARD tem outra abordagem para estes versículos. Ele crê que os vs. 48-49 e 51-53 representam a redação lucana do relato joanino original. Este é outro exemplo de sua teoria: que Lucas foi o redator final de João, uma teoria que não achamos convincente quando aplicada em outro lugar. Um de seus argumentos é que 48 é o único exemplo em João da combinação "sinais e prodígios", enquanto ocorre nove vezes em Atos. Não obstante, esse argumento volta-se contra si, porque todos os casos em Atos empregam a combinação favoravelmente, enquanto João o emprega desfavoravelmente. BOISMARD também usa o argumento de que em João Jesus raramente chama seus milagres de "sinais", como faz no v. 48 (Jesus mesmo fala de "obras"). Entretanto, tanto aqui como em 6,26, as palavras de Jesus refletem não suas próprias ideias, mas a mentalidade de seu auditório. Em referência aos vs. 51-53, BOISMARD encontra o ato de fé (53) tautológico, visto que o oficial já creu no v. 50; mas, como já explicamos acima, isto não procede, pois a fé no v. 53 é progressiva – agora o oficial chegou, através do sinal, a crer em Jesus como o doador da vida. Além do mais, atribuir 51-53 a Lucas é negligenciar o fato de que em 53 ("etamente naquela hora") João concorda mais com a forma mateana do que com a lucana no relato do centurião.

Vale a pena considerar a tese que BOISMARD elabora, a saber, que a confissão de fé no v. 53 seria mais natural em um estágio posterior do Cristianismo do que no contexto visualizado na narrativa do evangelho. Quase se poderia traduzi-lo "Ele e toda sua casa se converteram ao Cristianismo". Os melhores paralelos se encontram em Atos, onde temos uma série de indivíduos que se tornam crentes juntamente com (todas) suas casas (10,2; 11,14; 16,15.31.34, especialmente 18,8). Todos estes indivíduos são gentios, e discutiremos abaixo a importância teológica disto. Não obstante, dificilmente isto seria bastante para provar que Lucas redigiu a cena em João; de fato, há uma pequena, porém significativa, diferença entre João e Atos, mesmo aqui, pois João usa *oikia* para "casa [família]", enquanto Atos usa *oikos*. BOISMARD diz que, ao usar *oikia*, Lucas está adaptando sua redação ao estilo joanino, mas tal explicação não é válida, já que ambos, *oikos* e *oikia*, aparecem em João e mais ou menos com a mesma frequência.

A implicação teológica da Cena

O segundo milagre em Caná tem uma dupla significação: primeiro, enfatiza a fé, e assim é uma culminação das cenas precedentes na Segunda Parte do Livro dos Sinais; segundo, enfatiza o poder de Jesus em dar vida e assim introduz um dos mais importantes temas da Terceira Parte.

O tema da *Fé*. Na p. 164s., salientamos que o tema maior nos capítulos 2-4 foi a reação de indivíduos a Jesus em termos de fé. Um relance no esboço que demos ali mostra os diferentes tipos de fé exibidos pelos principais personagens destes relatos. Ao discutirmos a conversão dos samaritanos, vimos que, enquanto Jesus encontrou em Jerusalém descrença ou fé inadequada, ao descer para Samaria, os samaritanos creem na força de sua palavra. Na Galileia, tanto no primeiro quanto no segundo relato em Caná, uma compreensão dos sinais de Jesus conduz à fé os discípulos e a casa do oficial. É difícil traçar através destes capítulos uma progressão linear na perfeição da fé. Já expressamos dúvidas de que a intenção de João era uma progressão na fé dos judeus, de 2-3, através dos samaritanos (meio judeus) aos gentios em Caná.

BOISMARD, com seus interesses lucanos, vê nestes capítulos uma progressão geográfica, uma condensação do esquema da difusão do Cristianismo de At 1,8 ("Vós sereis minhas testemunhas em Jerusalém e em toda a Judeia e Samaria e até os confins da terra"). Vimos que a cena samaritana em João teve ecos da conversão dos samaritanos em At 8; e não é impossível que a frase "ele e toda sua casa se tornaram crentes" seja uma alusão ao triunfo do Cristianismo nos dias posteriores, especialmente entre os gentios. Se João condensou o desenvolvimento dos discípulos na Primeira Parte do Livro dos Sinais, não há objeção *a priori* à condensação simbólica da história da missão cristã na Segunda Parte. Todavia, pode-se admitir que as alusões sobre em que esta interpretação se baseia são sutis e incertas.

O tema da *Vida*. Na Segunda Parte há também referências que podem ser uma preparação para o tema da vida encontrado no segundo milagre em Caná. No discurso com Nicodemos, Jesus disse que Deus deu o Filho único para que todo o que nele crê tenha a vida eterna (3,16.36); no diálogo com a mulher samaritana Jesus fala da água que dá vida. Finalmente, na presente cena, Jesus realiza um sinal que dá vida. O evangelista enfatiza isto, salientando a palavra "vive" nos vs. 50, 51 e 53. Naturalmente, no pensamento joanino a vida (i.e., restauração à saúde – ver nota sobre v. 50) dada ao menino permanece no nível de um sinal da vida eterna que Jesus dará depois de sua ressurreição. Há quem pense que está insinuado na narrativa pela indicação de tempo em 4,43, "passado aqueles dois dias". O primeiro milagre em Caná foi datado "ao terceiro dia", uma indicação que alguns, com excesso de imaginação, tomam como uma alusão à ressurreição ao terceiro dia; com um pouco mais de justificativa, salienta-se que no segundo milagre em Caná a "vida" é restaurada ao terceiro dia. Entretanto, suspeitamos que este é um exemplo onde o intérprete se mostra mais engenhoso do que o evangelista; pois, para ser preciso, "passado aqueles dois dias" é dado pelo evangelista como a indicação da partida de Samaria, e não primariamente como a data da cura do menino.

Se na Segunda Parte houve alguma preparação para o tema vida do segundo milagre em Caná, a principal tensão daquele tema não é como uma culminação do que precedeu, mas como uma preparação do que está por vir. FEUILLET, *art. cit.*, tem apresentado argumentos fortes para fazer 4,46-54 a introdução à Terceira Parte no Livro. Ele salienta que a Segunda Parte, aberta no capítulo 2 com duas ações, uma em Caná, a segunda em Jerusalém, a qual formou o tema e propiciou assuntos para os discursos que seguiram nos capítulos 3-4,42. Assim, no início da Terceira Parte, FEUILLET junta o segundo milagre em Caná à cura do paralítico em Jerusalém para formar outro par Caná-Jerusalém que forma o tema do discurso no restante do capítulo 5. Ele nota que o tema da vida em 4,50.51.53 é retomado no discurso em 5,21ss. Além do mais, cada milagre em Caná que atinge um clímax na fé (3,11; 4,53) oferece um dramático contraste por parte dos judeus (2,18; 5,16).

A parte positiva da argumentação de FEUILLET é convincente. Bom pedagogo que ele é, o evangelista introduziu neste segundo milagre em Caná o tema da vida, não só porque ele será o tema do capítulo 5, mas também porque aparecerá nos capítulos subsequentes da Parte Três (*o pão da vida*, em 6; *a água viva*, em 7,37-39; *a luz da vida*, em 8,12; também 8,51; 10,10.28). Todavia, cremos que, estruturalmente, o evangelista pretendia que 4,46-54 servisse primariamente como a conclusão à Terceira Parte. A forte ênfase de que este é o segundo milagre em Caná e as similaridades que ele tem com o primeiro milagre em Caná faz dele uma inclusão óbvia com 2,1-11, e inclusão é o método joanino de delimitar as distintas seções. Já explanamos como a mesma cena pode servir como a conclusão de uma parte e a introdução da seguinte (ver p. 164s.).

BIBLIOGRAFIA

BOISMARD, M.-E., *"Saint Luc et la rédaction du quatrème évangile (Jn. IV, 46-54)"*, RB 69 (1962), 185-211.
FEUILLET, A., *"La signification Théologique du second miracle de Cana (Jo. IV, 46-54)"*, RSR 48 (1960), 62-75. Agora em inglês em JohSt, pp. 39-51.
HAENCHEN, E., *"Johanneische Probleme"*, ZTK 56 (1959), especialmente pp. 23-31.
KILPATRICK, G. D., *"John iv. 51 PAIS or YIOS?"* JTS 14 (1963), 393.
SCHNACKENBURG, R., *"Zur Traditionsgeschichte von Joh 4, 46-54"*, BZ 8 (1964), 58-88.
SCHWEIZER, E., *"Die Heilung des Königlichen, Joh. 4, 46-54"*, EvTh 11 (1951-52), 64-71. Também em *Neotestamentica* (Zurich: Zwingli, 1963), pp. 407-15.
TEMPLE, S., *"The Two Signs in the Fourth Gospel"*, JBL 81 (1962), 169-74.

O LIVRO DOS SINAIS

Terceira Parte: **Jesus e as principais festas dos judeus**

ESBOÇO

TERCEIRA PARTE: JESUS E AS PRINCIPAIS FESTAS DOS JUDEUS
(caps. 5-10, introduzidos por 4,46-54)

(4,46-54: Jesus dá *vida* ao filho do oficial em Caná)

A. 5: JESUS E O SÁBADO
    Jesus realiza obras que somente Deus pode fazer no Sábado.

    (1-15) O dom da *vida* [cura] ao homem no tanque de Betesda (§ 17)
    (16-47) Discurso explicando os dois sinais precedentes que deram vida:

    16-18: Introdução – direito de Jesus de trabalhar no sábado. (§ 18)
    19-25: *Primeira Divisão* – O trabalho duplo de Jesus no sábado, a saber, dar vida e julgar – escatologia realizada (§ 18)
    26-30: Duplicata da Primeira Divisão – escatologia final (§ 18)
    31-47: *Segunda Divisão* – Jesus defende sua reivindicação diante dos judeus (§ 19):
       (a) 31-40: Lista de testemunhas em prol da reivindicação de Jesus.
       (b) 41-47: Ataque à raiz da incredulidade judaica e apelo a Moisés.

B. 6: JESUS NA FESTA DA PÁSCOA
    Jesus dá um pão que substitui o maná do Êxodo.

    (1-15) A multiplicação dos pães. (§ 20)
    (16-21) Caminhando sobre o Mar da Galileia. (§ 21)
    (22-24) Transição para o Discurso do Pão da Vida – A multidão vai a Jesus. (§ 22)
    (25-71) Discurso sobre o Pão da Vida, explicando a multiplicação:
       25-34: Prefácio – Pedido por pão/maná. (§ 23)

35-50: Corpo do Discurso – O Pão da Vida é primariamente revelação de Jesus; secundariamente, insinuações eucarísticas. (§ 24)
51-58: Duplicata do Discurso – O Pão da Vida é a Eucaristia. (§ 25)
59: Nota geográfica sobre o cenário do Discurso. (§ 25)
60-71: Epílogo – Reações ao Discurso. (§ 26)

C. 7-8: JESUS NA FESTA DOS TABERNÁCULOS
Figurativamente, Jesus substitui as cerimônias da água e da luz na festa;
disputas entre Jesus e os judeus.

7 (1-13) Introdução – Jesus subirá à festa? (§ 27)

(14-36) *Cena I* – Discurso enunciado durante a festa (§ 28):
14-24: Direito de Jesus ensinar:
retomada da questão sabática.
25-36: Origens de Jesus;
seu retorno ao Pai.

(37-52) *Cena II* – Jesus no último dia da festa (§ 29):
37-39: Jesus se proclama a fonte de *água*.
40-52: Reações da multidão e do Sinédrio.

[7.53-8.11: A Mulher Adúltera – uma interpolação joanina. (§ 30)]

8 (12-59) *Cena III* – Miscelâneas de discursos:

(a) 12-20: Um discurso junto a sala do tesouro do templo: Jesus a *luz* do mundo e o testemunho que ele dá de si mesmo. (§ 31)

(b) 21-30: Ataque à incredulidade dos judeus e a questão de quem é Jesus. (§ 32)

(c) 31-59: Jesus e Abraão (§ 33):
31-41a: Abraão e os judeus.
41b-47: O verdadeiro pai dos judeus.
48-59: As reivindicações de Jesus; comparação com Abraão.

9-10 21: CLÍMAX NA FESTA DOS TABERNÁCULOS

9 (1-41) Como um sinal de que ele é a luz, Jesus dá vista a um cego de nascença. (§ 34)

    1-5: Cenário.
    6-7: Cura milagrosa.
    8-34: Interrogatórios ao cego:
        8-12: Interrogando vizinhos e familiares.
        13-17: Interrogatório preliminar da parte dos fariseus.
        18-23: Parentes do homem interrogados pelos judeus.
        24-34: Segundo interrogatório ao homem pelos judeus.
    35-41: Jesus leva o cego àquela visão espiritual que é a fé; os fariseus estão empedernidos em sua cegueira.

10 (1-21) Jesus como a porta das ovelhas e o pastor – um ataque figurativo aos fariseus. (§ 35)

    1-5: Parábolas extraídas da vida pastoril:
        1-3a: Parábola do correto acesso às ovelhas.
        3b-5: Parábola da intimidade de pastor e ovelhas.
    6: Reação às parábolas.
    7-18: Explicação das parábolas:
        (a) 7-10: Jesus é a porta:
        7-8: a porta pela qual o pastor se aproxima das ovelhas.
        9-10: a porta pela qual as ovelhas saem à pastagem.
        (b) 11-18: Jesus é o bom pastor:
        11-13: o pastor que dá sua vida pelas ovelhas.
        14-16: o pastor que conhece intimamente suas ovelhas.
        17-18: o tema da doação de sua vida.
    19-21: Reação às explicações.

D. 10,22-39: JESUS NA FESTA DA DEDICAÇÃO (§ 36)
    Jesus como o Messias e Filho de Deus;
    Jesus é consagrado no lugar do altar do templo.

    (22-31) Jesus como o Messias:
          22-24: Cenário; a pergunta: "Jesus é o Messias?"
          25-30: A resposta de Jesus.
            31: Reação – tentativa de apedrejar Jesus.

    (32-39) Jesus como o Filho de Deus:
          32-33: Transição; a pergunta se Jesus está se fazendo Deus.
          34-48: A resposta de Jesus.
            39: Reação – tentativa de prender Jesus.

APARENTE CONCLUSÃO DO MINISTÉRIO PÚBLICO DE JESUS (§ 37)

        10,40-42: Jesus se retira ao outro lado do Jordão onde seu ministério começou.

17. JESUS E O SÁBADO:
– A CURA EM BETESDA
(5,1-15)

O dom da vida [cura] ao homem no tanque

5 ¹Mais tarde, por ocasião de uma festa dos judeus, Jesus subiu a Jerusalém. ²Ora, em Jerusalém, junto ao Tanque das Ovelhas, há um lugar em hebraico chamado Betesda. Seus cinco alpendres ³estavam apinhados de pessoas doentes que estavam deitadas ali, cegos, coxos e inválidos [esperando pelo movimento das águas]. [4] ⁵Encontrava-se um homem que ali viveu doente há trinta e oito anos. ⁶Jesus sabia que ele vivera enfermo por longo tempo; assim, quando o viu deitado ali, lhe disse: "Tu queres ser curado?" ⁷"Senhor", respondeu o homem enfermo, "não tenho ninguém que me faça mergulhar no tanque, quando a água é agitada. Mas, enquanto eu vou, desce outro antes de mim". ⁸Jesus lhe disse: "Levanta-te, toma teu leito e anda". ⁹O homem foi curado imediatamente, e tomou seu leito e passou a andar.

Ora, aquele dia era sábado. ¹⁰Portanto, os judeus passaram a indagar do homem que havia sido curado: "É sábado, e não te é permitido carregar esse leito por aí". ¹¹Ele explicou: "Foi o homem que me curou que me disse: 'Toma teu leito e anda'". ¹²"Esta pessoa que te disse que a tomasse e andasse," perguntaram, "quem é ela?" ¹³Mas o homem cuja saúde fora restaurada não tinha ideia de quem era, pois, graças à multidão daquele lugar, Jesus se retirou.

6, 8: *disse*; 14: *encontrou*. No tempo presente histórico.

¹⁴Mais tarde, Jesus o encontrou nos recintos do templo e lhe disse: "Lembra-te agora que foste curado. Não peques mais, mas temas que algo pior te suceda". ¹⁵O homem se foi e informou aos judeus que foi Jesus quem o curou.

NOTAS

5.1. *uma festa dos judeus*. O Codex Sinaiticus diz "*a festa*", o que provavelmente era uma referência ou à festa dos Tabernáculos (BERNARD) ou à Páscoa (LAGRANGE); mas a evidência para a omissão do artigo é esmagadora. Uma tradição antiga na igreja grega identifica esta festa sem nome como sendo o Pentecoste, um ponto de vista aceito por alguns estudiosos modernos (ver F.-M. BRAUN, RThom 52 [1952], 263-65). Isso explicaria as referências a Moisés no discurso (5,46-47); pois, naquele processo que conectava as festas originalmente agrícolas a eventos na história de Israel, a Festa das Semanas (Pentecoste) era identificada com a celebração da entrega da Lei a Moisés no Monte Sinai. Não estamos certos quão antiga é esta identificação; para uma discussão completa que favorece uma data antiga, ver B. NOACK, "*The Day of Pentecost in Jubilees, Qumran, and Acts*", *Annual of the Swedish Theological Institute* 1 (1962), 72-95. Não obstante, a única identificação dada em João é que a festa foi num sábado (5,9); outras identificações já não são de interesse senão secundário.

a Jerusalém. Os judeus eram obrigados a ir a Jerusalém para as três principais festas: a Páscoa, Pentecoste e Tabernáculos, daí as sugestões acima. Jesus esteve a última vez em Jerusalém para a Páscoa (2,13); e *se* ele voltou em maio para Galileia através de Samaria (ver nota sobre 4,35: "campos... maduros"), identificar esta festa como Pentecoste implicaria uma estada muito curta em Galileia. Naturalmente, esta é uma questão aberta: a de averiguar até que ponto a sequência cronológica foi preservada nestas narrativas.

2. *junto ao Tanque das Ovelhas*. A evidência manuscrita é muito confusa; os melhores manuscritos trazem estas palavras, mas com duas possíveis interpretações: (**a**) Em Jerusalém, junto a Ovelhas, há um tanque com o nome hebreu... (**b**) Em Jerusalém, junto ao Tanque das Ovelhas, há um tanque que se chama "em hebreu"... Cada redação parece exigir que supramos a palavra que foi deixada subentendida. Nós optamos pela segunda, suprindo o substantivo geral "lugar". Os que optam pela primeira interpretação costumeiramente suprem "porta", pois temos conhecimento de uma Porta das Ovelhas junto ao templo. Haveria menos violência

ao grego em ambas as interpretações suprir "tanque", indicando assim dois tanques: o Tanque das Ovelhas e o Tanque de Betesda. Em qualquer caso, João está falando da área a nordeste do templo, por onde as ovelhas eram conduzidas a Jerusalém para o sacrifício; e o nome desta região e/ ou seu tanque era Betesda.

chamado. No original, "em hebraico". Os escritos joaninos frequentemente mencionam os nomes semíticos de lugares (inclusive em Ap 9,11; 16,16). "Hebreu" é usado livremente, às vezes para nomes que são aramaicos.

Betesda. Na tradição manuscrita, o nome aparece em várias formas: (a) "Betesda" tem a atestação mais forte, mas isto pode ser uma confusão de copista com a cidade de Betsaida junto ao Mar da Galileia. (b) "Be(t) zatha" se encontra nos Códices Sinaiticus e Bezae. JOSEFO (*War* 2.15.5; 328) fala de uma quadra da cidade Bezetha, junto à esquina nordeste da área do templo. Igualmente EUSÉBIO *Onomasticon* (GCS 11[1], p. 58:21-26 – "Bezatha). (c) "Bethesda", encontrada no Codex Alexandrinus, tem a atestação mais fraca. O fato de que ela pode ter o significado simbólico de "casa da misericórdia" tem levado a suspeitar como uma conjetura de copista. Adicionamos agora a evidência do rolo de cobre encontrado em Qumran (3Q15 11,12-13; 57) e publicado por J. T. MILIK em *Discoveries in the Judean Desert*, III (1962), p. 271. Segundo a tradução de MILIK, na área geral do templo, sobre a colina oriental de Jerusalém, um tesouro (imaginário) foi enterrado "em *Bet 'Ešdatayin*, no tanque à entrada para sua bacia menor". O nome da região ou tanque parece então ter sido "*Bet 'Ešdâ*" ("casa da corrente" – raiz '*šd*); aparece no dual no rolo por haver duas nascentes. "Bethesda" parece ser uma versão grega acurada da forma singular do nome, enquanto MILIK sugere que "Bezatha" é a versão do plural aramaico enfático do nome ("*Bet 'Ešdătâ*"). Tudo isto é plausível, mas, infelizmente, a leitura não é inteiramente certa (ver CBQ 26 [1964], 254).

Neste século, o tanque descrito em João foi descoberto e escavado em Jerusalém na propriedade dos White Fathers perto da Igreja de Santa Ana (ver JEREMIAS, BAGATTI). O tanque era de forma trapezoidal, 50-70 metros de largura por 96 metros longitudinal, dividido por uma partição central. Havia colunas dos quatro lados e na partição – assim, as "cinco partições" de João. Escadas nos cantos permitiam descer para os tanques. Nesta área íngreme, a água de drenagem do subsolo; um pouco dela, provavelmente, de nascentes intermitentes.

3. *inválidos*. Isto é, com membros atrofiados. O fato de que as pessoas jazem deitadas do lado de fora dos pórticos indica que esta não é uma cena que tinha lugar no inverno.

[*esperando... águas*]. Esta cláusula se encontra na tradição ocidental (Bezae, Koridethi, OS, Vulgata), e poderia ser original. BERNARD sugere que sua adição foi propiciada pelo v. 7, mas isso parece improvável.

[4]. O Codex Alexandrinus e o manuscrito grego posterior têm um versículo omitido por todas as primeiras testemunhas, inclusive as que têm a cláusula adicional no v. 3. Ele diz: "Porque [de tempo em tempo] um anjo do Senhor costumava descer no tanque, e a água era agitada. Por conseguinte, o primeiro que entrasse [após a agitação da água] era curado de toda e qualquer enfermidade que tivesse". No ocidente, TERTULIANO (c. de 200 d.C.) e CRISÓSTOMO (cf. de 400) são os primeiros dos escritores gregos, que dão indícios de haver conhecido esse versículo. Que é uma glosa, indica-se não só pela pobre atestação textual, mas também pela presença de sete palavras não joaninas em uma só sentença. Esta antiga glosa, contudo, pode refletir com bastante exatidão uma tradição popular sobre o tanque. O borbulho da água (v. 7), talvez causado por uma corrente intermitente, supunha-se que tivesse poder curador; e é bem provável que isto foi atribuído, na imaginação popular, a poderes sobrenaturais. Os maometanos da Palestina, nos tempos modernos, têm tradições acerca dos jinni [entidade maléfica] de uma determinada fonte.

5. *doente há trinta e oito anos*. Não se diz que ele estivesse no tanque todo esse tempo. A sugestão de que o número é simbólico, p. ex., os 38 anos de peregrinação em Dt 2,14, é desnecessária. Que uma doença não era temporária é amiúde indicado nos milagres neotestamentários: a mulher de Lc 13,11 permaneceu doente por 18 anos (também At 4,22; 9,33); era uma das maneiras de sublinhar o desespero do caso.

6. *Jesus sabia*. O conhecimento extraordinário que Jesus tinha dos homens é um tema joanino (2,25).

    o viu. Os sinóticos também usam a descrição de Jesus vendo alguém (e explícita ou implicitamente se apiedando dele) como um meio de introduzir um milagre (Lc 7,13; 13,12).

7. *agitada*. Talvez pelo fluir de uma corrente intermitente.

8. *Levanta-te... anda*. A ordem de Jesus é a mesma que aquela dada ao paralítico descido através do teto em Mc 2,11.

    leito. Tanto João como Marcos (na cena do paralítico) usam *krabbatos*, a palavra do *koinê* vulgar para estrado ou colchão usado pelos pobres como leito; na mesma cena sinótica, Mateus e Lucas usam *klinē* ou *klinidion*.

9. *imediatamente*. Ênfase sobre o efeito imediato do poder de Jesus não é incomum na tradição sinótica; é explícita em Lc 13,13, implícita em Lc 7,15.

10. *os judeus*. Um caso óbvio onde este termo (ver Introdução, p. 75s.) não significa o povo judeu, visto que o (ex) paralítico certamente era ele mesmo um judeu.

carregar esse leito. Carregar coisas de um lugar para outro é a última das 39 obras proibidas no tratado da Mishnah sobre o *Sábado* 7:2; carregar leitos vazios é implicitamente proibido em 10:5.

12. *te disse que a tomasse*. A cura maravilhosa foi perdida de vista; para as autoridades, só é importante a violação do sábado.

13. *Jesus se retirou*. Especialmente em Marcos, é característico de Jesus evitar chamar a atenção pública para seus milagres (7,33; 8,23).

14. *recintos do templo*. O tanque ficava justamente na parte noroeste da área do templo – outra indicação do conhecimento que o evangelista tinha de Jerusalém nos dias anteriores à destruição romana.

Não peques mais. Em outro lugar, Jesus não aceita a ideia de que, só porque um homem estava enfermo ou sofrendo, era um sinal de que havia cometido pecado (Jo 9,3; Lc 13,1-5). Não obstante, num nível mais geral, ele indica uma conexão entre pecado e sofrimento. (Mais tarde a teologia diria que o sofrimento é uma consequência do pecado original e que alguns sofrimentos são a pena do pecado concreto e pessoal). Os milagres de cura de Jesus nos evangelhos sinóticos eram parte de seu ataque ao reino pecaminoso de Satanás (ver nosso artigo *"The Gospel Miracles"*, BCCT, pp. 184-201). No relato sinótico do paralítico baixado pelo teto, o poder de perdoar pecados é o ponto primordial da narrativa.

COMENTÁRIO

Ver p. 422 para a divisão do capítulo 5. Embora sinal e discurso tenham aqui como tema unificador o Sábado, a unidade não é tão rigorosa a ponto de garantir que sinal e discurso estivessem sempre unidos.

Avaliação da tradição

Exegeticamente, a questão da possibilidade do miraculoso não nos concerne aqui. Indagamos apenas se o relato joanino é ou não uma variante de uma narrativa sinótica; e se não é, se leva a marca da tradição primitiva.

Como já indicamos nas notas sobre os vs. 8 e 14, o relato joanino tem alguns paralelos verbais com o relato sinótico da cura do paralítico em Cafarnaum, especialmente como se encontra em Mc 2,1-12. Não obstante, aparte o fato básico de que a pessoa enferma é um homem que não pode caminhar e que Jesus lhe manda que se levante, pegue seu leito e ande (uma ordem não inesperada para um paralítico curado), os dois relatos são bem diferentes:

- em cenário: Cafarnaum vs. Jerusalém;
- em detalhes locais: um homem levado a uma casa por seus amigos e abaixado pelo teto vs. Um homem deitado ao lado de um tanque;
- em ênfase: um milagre ilustrativo do poder de Jesus de curar o pecado vs. uma cura com apenas uma referência incidental ao pecado (14).

É verdade que em Mateus a cura do paralítico (9,1-8) segue logo após a cura do menino do centurião (8,5-13), justamente como a cura em Betesda, em João, segue o incidente do filho do oficial régio; mas isto realmente não é significativo, uma vez que Marcos e Lucas têm uma ordem para estes relatos bem diferente da de Mateus. Portanto, o estudo minucioso do problema, de HAENCHEN, provavelmente esteja certo em sustentar que o relato joanino não se refere ao mesmo incidente que o relato sinótico.

O relato que João faz da cura é plausível como tradição primitiva sobre Jesus? O cenário nos vs. 1-3 é um pouquinho mais elaborado do que o usual para relatos de cura; todavia, os sinóticos, como em Mc 2,1-2, não hesitam dar introduções mais elaboradas quando se faz necessário para o desenvolvimento da narrativa. Realmente, a introdução joanina é de importância para a trama, como vemos na referência ao tanque no v. 7. Os detalhes factuais encontrados na introdução, como já salientamos nas notas, são muito exatos. Revelam um conhecimento de Jerusalém que milita contra uma origem tardia não palestina do relato.

A forma em que se produz a cura, nos vs. 5-9, lembra a narrativa sinótica ordinária de cura (para detalhe, ver DODD, *Tradition*, p. 175 – nossas notas sobre vs. 5, 6, 9); e há também paralelos sinóticos nos vs. 13 e 14. Discutiremos abaixo o problema proposto por 9b-13; mas em geral nada há que nos persuada de que a narrativa básica que subjaz os vs. 1-15 seja uma criação do evangelista. O relato da cura parece originar-se da tradição primitiva sobre Jesus.

É verdade que o homem aleijado ou paralítico se apresenta como uma pessoa mais destacada que o costumeiro nas narrativas sinóticas. Todavia, dificilmente se pode falar de um estereótipo joanino; em sua obtusidade, este homem é, por exemplo, muito diferente do cego perspicaz a quem Jesus cura no capítulo 9. Os traços de personalidade que ele revela não servem a propósitos teológicos particulares e são tão verossímeis que poderiam também ter sido parte da tradição primitiva. Se a doença do paralítico não fosse tão trágica, poderia quase divertir-se ante a falta de imaginação do homem em aproximar-se das águas curativas. Seu amuado resmungo sobre os "espertalhões" que o precediam à água trai uma crônica incapacidade de assenhorear-se da oportunidade, uma peculiaridade refletida outra vez em sua resposta indireta à oferta de cura dada por Jesus. O fato de que deixara seu benfeitor escapar sem nem mesmo perguntar seu nome é outro exemplo de obtusidade. No v. 14, é Jesus quem toma a iniciativa de encontrar o homem, e não vice-versa. Finalmente, ele paga seu benfeitor notificando-o a "os judeus". Isto não é um exemplo de traição (como TEODORO de Mopsuéstia sugeriu: *In Jo.* [Siríaco]; CSCO 116:73) senão de traço de ingenuidade a toda a prova. Um caráter tal como este poderia ter sido inventado, porém se esperaria ver motivação mais clara de tal criação.

A questão do tema do sábado

Que a violação do sábado é o principal tema do milagre como se acha registrado agora é óbvio tanto à luz do discurso que segue quanto do lugar do capítulo 5 na Terceira Parte do Livro dos Sinais, parte que trata das festas judaicas. Indaguemos se este tema do sábado pertenceu à narrativa original da cura, ou se foi posto aí mais tarde para fazer a narrativa da cura uma introdução apropriada ao discurso.

Não se chega a uma resposta fácil para a questão. Que Jesus violou as regras dos escribas sobre a observância do sábado, é um dos mais certos de todos os fatos históricos sobre seu ministério. À luz da evidência sinótica pareceria que ele operou milagres deliberadamente no sábado como os casos comprovam fornecendo-lhe uma oportunidade de proclamar sua relação com a Lei. Portanto, não há dificuldade *a priori* sobre a presença do tema sabático na forma original da narrativa de João sobre a cura. Mas há uma dificuldade na maneira como o relato em João é contada. Os vs. 1-9a contêm todo o relato do milagre; então, no final do v. 9, o tema sabático é introduzido quase como uma reflexão posterior. (Nos milagres sinóticos no sábado, o fato de o sábado ser mencionado no começo da narrativa – Mc 3,2; Lc 13,10; 14,1). Pode ser que este seja um caso de técnica joanina peculiar, pois o mesmo procedimento é seguido em 9,14, onde somos informados que é sábado somente mais tarde no relato.

Não obstante, HAENCHEN discute que todo o parágrafo dos vs. 9b-13 constitui uma adição secundária à narrativa da cura. É verdade que a primeira parte do v. 9 se vincula uniformemente com o v. 14, e a história seria bem completa sem os vs. 9b-13. Entretanto, que significado esta narrativa de cura teria sem os vs. 9b-13, e por que a passagem seria preservada na tradição? Narrativas sinóticas similares que não têm tema sabático geralmente ilustram a fé do homem enfermo ou dos espectadores, uma fé que suscita o poder miraculoso de Jesus. Mas não há tal fé exibida no relato de João. Ele poderia servir apenas como uma manifestação da piedade de Jesus, talvez lembrando a ressurreição do filho da viúva em Lc 7,11-17; mas, geralmente, neste tipo de relato, a compaixão de Jesus é mais explicitamente expressa. Diríamos quase que o tema sabático é necessário para dar significação a este relato.

A estreita analogia deste relato joanino com a narrativa lucana da cura da mulher paralítica (Lc 13,10-17) também sugere que o tema sabático era parte do relato original. Em Lucas, Jesus cura uma mulher que estivera enferma durante dezoito anos, sem qualquer expressão de fé de sua parte. Após a cura, o chefe da sinagoga ficou indignado só porque Jesus violara o sábado. Isto leva a uma sentença de Jesus sobre o sábado, justamente como o relato de João leva a um discurso sobre o sábado. Não obstante, mesmo que estas razões nos levem a crer no caráter original do tema sabático, HAENCHEN pode estar em parte correto em que os vs. 9b-13 poderiam ser uma *expansão* posterior do tema sabático.

A possibilidade de uma referência batismal

Desde a patrística (TERTULIANO, CRISÓSTOMO), tem-se sugerido um tema batismal para este relato: este homem, a quem as águas do judaísmo não puderam curar, foi curado por Cristo. Juntamente com o relato de Nicodemos no capítulo 3 e do homem cego no 9, esta foi uma das três grandes leituras joaninas usadas na preparação dos catecúmenos para o batismo na Igreja primitiva. Estudiosos modernos como Cullmann e Niewalda propõem uma interpretação similar. Bligh, p. 122, sugere que o tanque (agitado por um anjo) é símbolo da lei dada por um anjo; há quem veja em seus cinco pórticos um símbolo do Pentateuco. "Betesda" veio a ser uma verdadeira "casa de misericórdia", uma verdadeira "casa da graça". Balagué, p. 108, vê na pergunta formulada por Jesus no v. 6, "Tu queres ser curado?", um exemplo da pergunta e resposta técnicas usada no batismo primitivo.

Certamente, algo deste simbolismo é possível; todavia, é extremamente difícil determinar que isso fosse tencionado pelo evangelista e não se trata simplesmente de uma eisegesis. O principal argumento contra a interpretação batismal é a falta de indicação interna (ver nosso critério, p. 124s.). O tema da água é incidental ao relato; nada tem a ver com a cura; a ênfase primária está mais no cenário sabático do que na cura como tal. A tentativa de Tertuliano (*De Bap.* V 5-6; SC 35:74) de achar significação batismal no fato de que o anjo agitava as águas e, assim, lhes dava poder curador, é estranha à interpretação de João. Não só as águas não curam o homem, mas também o v. 4 provavelmente não fosse parte do texto de João. Assim, como já afirmamos com mais detalhes em TS 23 (1962), 195-97, a base para uma interpretação batismal de 5,1-15 parece frágil demais para tal passagem.

[A Bibliografia para esta seção está inclusa na Bibliografia para o capítulo 5, no final do § 19.]

18. JESUS E O SÁBADO:
– DISCURSO SOBRE SUA ATUAÇÃO NO SÁBADO
(5,16-30)

Introdução e Primeira Divisão

Introdução

5 ¹⁶E assim, porque fazia este tipo de coisa no sábado, os judeus começaram a persegui-lo. ¹⁷Mas ele lhes respondeu:

"Meu Pai segue trabalhando até agora,
e assim eu também estou trabalhando".

¹⁸Por esta razão, os judeus buscavam ainda mais matá-lo – não só estava quebrando o sábado; pior ainda, estava falando de Deus como seu próprio Pai, fazendo-se assim, igual a Deus.

Primeira Divisão: A dupla atuação de Jesus no Sábado

¹⁹Então Jesus retomando a palavra lhes disse:
"Solenemente vos asseguro,
o Filho não pode fazer nada
por si mesmo –
somente o que vê o Pai fazendo.
Pois tudo o que Ele faz,
o Filho igualmente faz.

²⁰Pois o Pai ama o Filho,
  e tudo o que faz Ele lhe mostra.
  Sim, se vós admirais,
  Ele lhe mostrará obras ainda maiores que estas.
²¹Deveras, assim como o Pai ressuscita os mortos e concede vida,
    assim também o Filho concede vida àqueles a quem quer.
²²De fato, não é o Pai que julga alguém;
  não, Ele entregou ao Filho todo julgamento,
²³para que todos honrem o Filho
  assim como honram ao Pai.
  Aquele que se recusa a honrar o Filho,
  se recusa a honrar o Pai que o enviou.
²⁴Solenemente eu vos asseguro,
  o homem que ouve a minha palavra
  e tem fé naquele que me enviou
  possui vida eterna.
  Esse não sofre condenação;
  não, esse já passou da morte para a vida.
²⁵Solenemente em vos asseguro,
  vem a hora, e já está aqui,
  quando os mortos ouvirão a voz do Filho de Deus,
  e os que a ouvirem viverão.

²⁶Deveras, assim como o Pai possui vida em Si mesmo,
  Assim concedeu que o Filho também possua vida em si mesmo.
²⁷E Ele lhe deu poder de ministrar juízo,
  porque ele é o Filho do Homem –
²⁸não há necessidade de que vos admireis nisto
  porque a hora está chegando
  quando todos os que se acham nos túmulos ouvirão sua voz
²⁹e sairão.
  Os que tiverem feito o que é justo ressuscitarão para a vida;
  os que tiverem praticado o que é mau ressuscitarão para ser
    condenados.
³⁰De mim mesmo não posso fazer nada.
  Julgo como ouço;
  e meu julgamento é justo,
  porque eu não estou buscando minha própria vontade,
  e sim a vontade daquele que me enviou.

NOTAS

5.16-18. Consideramos estes versículos como uma Introdução ao discurso, posto que haja um dito lapidário no v. 17 que apresenta o tema para o que segue. Outros conectariam estes versículos ao que precede.

este tipo de coisa. Evidentemente, devemos pensar nas outras curas sabáticas de que não temos informação (ver 20,30); todavia, 7,21 fala de Jesus como tendo realizado apenas uma obra. A cura no capítulo 9 também se dará no sábado.

persegui-lo. Esta é a primeira hostilidade ativa contra Jesus notificada em João; em 4,1, ela está apenas implícita.

17. *respondeu*. Aqui e no v. 19 são as únicas vezes, em João, que este verbo grego aparece na voz média, quando comparado a uns 50 usos do passivo. ABBOTT, JG, § 2537, sugere que a voz média implica uma resposta mais formal.

18. *fazendo-se assim, igual a Deus*. "Os judeus" acusam à Jesus de rebelião e orgulho semelhantes ao intento pecaminoso de Adão de ser igual a Deus (Gn 3,5-6). Talvez, como BLIGH, p. 125, sugere, sua acusação não fosse baseada simplesmente em chamar ele a Deus de "meu Pai", mas também por fazer assim em um contexto no qual ele reivindica estar acima da lei sabática. O que o evangelista deseja que seu leitor pense sobre a acusação – que Jesus é igual a Deus e os judeus recusam admiti-lo, ou que a acusação não passa de um mal-entendido de Jesus? O evangelista apresentaria Jesus como igual a Deus? Os cristãos que aceitam o credo "atanasiano" do 5º século creem que o Filho "é igual ao Pai segundo a divindade, menos que o Pai segundo a humanidade". Entretanto, o ponto de vista neotestamentário da relação é primariamente pela ótica da humanidade do Filho (ver supra, pp. 199-200). Paulo diz (Fl 2,6) que Jesus não considerou "ser igual a Deus" como algo que devesse apegar-se. Jo 14,28 registra as palavras: "O Pai é maior que eu".

19. *o Filho... o Pai*. Se isto foi originalmente um dito parabólico (ver comentário), os artigos refletem as referências genéricas encontradas no estilo parabólico, p. ex., "*o semeador*", em Mc 4,3. Ver, porém, nota sobre 3,17, "o Filho".

o Filho não pode fazer nada por si mesmo. Este versículo não é diferente de Nm 16,28: "O Senhor me enviou a fazer todas estas obras, e nada fiz de mim mesmo". Estaria Jesus lançando de volta as palavras de Moisés contra os legalistas? INÁCIO *Magnesians* 7,1 parece revelar conhecimento desta passagem de João: "Como, pois, o Senhor estava unido ao Pai e nada fazia sem Ele"... (ver BRAUN, *JeanThéol*, 1, p. 275).

vê o Pai fazendo. Há alusão a uma visão (preexistente?) do Pai em 6,46 e 8,38. Jesus é o único que sempre viu o Pai.

20. *ama. Philein;* embora os dois verbos "amar", *agapan* e *philein*, sejam quase intercambiáveis em João (ver Apêndice I:1, p. 794ss), esta é a única vez, em João, que *philein* é usado para o amor entre Pai e Filho. (*Agapan* é usado seis vezes para isto). GÄCHTER, *art. cit.*, aponta para este uso incomum como uma prova em prol de uma parábola pré-joanina.

se vós admirais. Literalmente, "para que vos sintais admirados"; o "vos" é enfático e talvez depreciativo ("pessoas como vós"). Isto é evocado em 7,21: "Eu realizei uma obra, e todos vós admirais".

obras ainda maiores. A cura física ("vida") é meramente um sinal do poder de dar vida eterna.

21. *assim como.* João usa *hōsper* somente aqui e no v. 26; evidentemente, os versículos são paralelos.

22. *Ele entregou ao Filho todo julgamento.* Ver comentário sobre 8,15 para o quadro completo de Jesus e o juízo em João. Se a festa anônima de 5,1 é o Pentecostes, então o tema do juízo se deveria à relação existente entre esta festa e a entrega da lei no Sinai.

23. *para que todos honrem o Filho.* BLIGH, p. 128, insiste que ambos os versículos, 20 e 21, formam a base desta cláusula: a honra flui tanto do poder de dar vida quanto do poder de juízo. Isto é certo, mas cremos que sua crítica da versão NEB é injustiçada. "Julgamento", no v. 22, é julgamento salvífico que inclui o poder de dar vida; e assim, gramaticalmente, a cláusula final em discussão pode ser deixada dependente somente do v. 22 e ainda que reflete as duas ideias.

Aquele que se recusa. Esta sentença é uma variante do dito encontrado em Lc 10,16 (cf. Mt 10,40): "Aquele que me rejeita, rejeita aquele que me enviou". Em Jo 15,23, temos "Aquele que me odeia, odeia também a meu Pai"; ver 1Jo 2,23. Talvez estes ditos joaninos sejam parte de uma apologética contra alguns cristãos da época do evangelista que recusavam dar a devida honra ao Filho.

24. *Solenemente eu vos asseguro.* Que ambos os versículos, 24 e 25, começam assim é um sinal de que ditos isolados foram reunidos. Há uma inclusão com o v. 19.

que ouve... e tem fé... possui vida eterna. A mesma promessa é dada a todos os que creem no Filho, em 3,16.36.

não sofre condenação. O tema do livrar-se da condenação se encontra em 3,18. Isto não é só um tema joanino, pois Rm 8,1 diz: "Agora já nenhuma condenação há para os que estão em Cristo Jesus".

passou da morte para a vida. 1Jo 3,14: "Sabemos que já passamos da morte para a vida".

25. *vem a hora, e já está aqui.* Ver nota sobre 4,23; também Apêndice I:11, p. 794ss.

    mortos. A referência é primariamente aos espiritualmente mortos (Ef 2,1: "Ele vos deu vida, quando estáveis mortos através de delitos e pecados".) Entretanto, os vs. 26-30 mostram que os fisicamente mortos não são esquecidos.

    ouvirão... ouvirem. O mesmo verbo grego com duas conotações, como também em Mt 13,13.

26. *possui vida.* A posse comum da vida, por meio do Pai e do Filho, era usada nos tempos patrísticos como um argumento anti-ariano. Entretanto, "vida", aqui, não se refere primariamente à vida eterna da Trindade, mas a um poder criativo de dar vida, exercido para com os homens. Sl 36,9: "Contigo está a fonte da vida; em tua luz vemos a luz". Quanto ao Filho possuindo vida, Ap 1,18 chama Jesus Cristo "aquele que vive".

27. *porque ele é o Filho do Homem.* A expressão "Filho do Homem" é sem artigo; é a única vez, nos evangelhos, que não há artigo antes de qualquer substantivo. Há quem sugira que a expressão, aqui, significa simplesmente "homem", assim: "passar juízo que [*ho ti* por *hoti*] homem é". Em nossa opinião, o contexto torna isto improvável. Não há artigo no grego de Dn 7,13 (ver comentário). No quadro sinótico do juízo final e da separação dos bons e dos maus, o Filho do Homem exerce um importante papel (Mc 13,26; Mt 13,41; 25,31; Lc 21,36).

28. *não há necessidade de que vos admireis nisto.* Isto poderia ser uma questão negativa: "Não estais surpresos nisto, estais?" (BDF, § 427²), mas o imperativo fica bem.

    nisto. Crisóstomo (*In Jo.* 39,3; PG 59:223) entendeu a surpresa como se referindo ao que precede (ele é o Filho do Homem); a maioria dos estudiosos modernos o tomam como uma referência ao que segue (seu papel na ressurreição dentre os mortos). Ao encerrar a sentença assim, tentamos preservar a ambiguidade, pois o evangelista pode ter visto a surpresa como uma referência a todo o complexo de ideias.

    porque. A palavra poderia ser traduzida "que", e toda a sentença se converteria em uma explanação aposicional "disto" na linha precedente.

29. *para a vida... ser condenados.* Que os homens serão recompensados ou punidos de acordo com seus feitos é comum em João, Paulo (Rm 2,6-8) e nos sinóticos (Mt 25,31-46); isto é complementar à recompensa ou punição de acordo com a fé (Mc 16,16).

    praticado o que é mau. Ver p. 357s. e nota sobre 3,20.

30 *como ouço*. A saber, do Pai, na analogia do v. 19 (vendo o que o Pai faz).
   justo. Dikaios; cf. 7,16: "Ainda que eu julgue, meu julgamento é verdadeiro (*alēthēs*)".
   Eu não estou buscando minha própria vontade. Também 6,38: "... não fazer minha própria vontade, e sim a vontade daquele que me enviou". Se compararmos isto com o dito em Mc 14,36; Mt 26,39; Lc 22,42, é a forma mais próxima de Lucas: "Não faças minha vontade, e sim a tua".

COMENTÁRIO

O discurso que segue a cura é um dos mais exaltados em João. Realmente, aqui Jesus é retratado como que fazendo reivindicações distintas daquelas de qualquer homem mortal, reivindicações equivalentes à divindade. A tendência crítica é avaliar tal discurso como o produto da teologia cristã posterior ao 1º século, com pouco ou nenhum fundamento na tradição primitiva das palavras de Jesus. Não obstante, o discurso evidencia certo conhecimento da teologia e regras dos escribas concernentes ao sábado, bem como das leis do testemunho e dos escritos mosaicos. Estes temas são tão entretecidos no discurso, que é muito difícil compreendê-lo sem esse pano de fundo rabínico. Além do mais, incorporados no discurso estão ditos que, com muita razão, são tidos como genuínos ditos tradicionais de Jesus. Portanto, não é absolutamente impossível que partes deste discurso tenham fundamentos sólidos nas controvérsias com os fariseus que foram parte do ministério de Jesus, mesmo que o evangelista tenha dado no produto final uma organização e profundidade teológica que refletem uma perspectiva final e mais madura. Ver BLIGH, p. 131.

A Primeira Divisão do discurso comenta temas que têm sido focalizados nos últimos dois milagres (assim como os discursos nos capítulos 3-4 comentados nas primeiras duas cenas da Segunda Parte). No segundo milagre em Caná houve ênfase sobre o tema da vida (4,50.51.53) e houve um exemplo de fé na palavra de Jesus (4,49); este discurso enfatiza o poder de Jesus em conceder vida (5,21.26) e a importância de ouvir sua palavra e crer (24, 28). O tema sabático foi dominante na cura em Jerusalém; e no discurso ele assume o primeiro plano, não só explicitamente no v. 17, mas implicitamente na referência ao poder de dar vida e julgar, nos vs. 19-25.

18 • Jesus e o Sábado: Discurso sobre sua atuação no Sábado

Introdução. Jesus defende sua atuação no sábado (5,16-18)

Quando Jesus é acusado de violar o sábado, a tradição sinótica registra duas formas em que ele se defende: (**a**) sobre bases humanitárias. Jesus argumenta que no sábado um homem pode dar água a um animal ou levá-lo para fora de seu aprisco; portanto, por que ele não pode fazer um bem maior, curando um homem (Lc 13,15; 14,5)? Algo aproximado, a este argumento pode ser encontrado em Jo 7,23: se um homem pode ser circuncidado no sábado, por que no sábado não se pode fazer bem a um homem integral? (**b**) sobre bases teológicas. Na tradição sinótica, Jesus argumenta que no AT aos sacerdotes do templo se permitia realizar trabalho no sábado; todavia, agora está presente algo maior que o templo (Mt 12,5-6). "O Filho do Homem é Senhor do sábado" (12,8). Este tipo de argumento leva a reivindicação majestática da parte de Jesus, e nossa presente passagem em João é muito similar.

O v. 17 deve ser posto contra o pano de fundo da relação de Deus com o descanso sabático. No mandamento concernente ao sábado (Ex 20,11, mas compare Dt 5,15) temos esta sentença explicativa: "Em seis dias o Senhor fez os céus e a terra... mas no sétimo descansou. Eis por que o Senhor abençoou o sábado e o santificou". Entretanto, os teólogos de Israel compreenderam que Deus realmente não cessou de trabalhar durante o sábado. Há toda uma série de afirmações rabínicas (BERNARD, I, p. 236; BARRETT, p. 213; DODD, *Interpretation*, pp. 321-22) ao propósito de que a Providência divina permaneceu ativa durante o sábado, pois de outro modo, entenderam os rabinos, toda a natureza e vida cessariam de existir.

Em particular, no que diz respeito aos homens, a atividade divina era visível de duas maneiras: homens nasciam e homens morriam no sábado. Já que somente Deus podia lidar com o destino dos mortos em juízo, isto significa que Deus era ativo no sábado. Como o Rabino Johanan (TalBab *Taanith* 2a) o expressa, Deus tem mantido em Sua mão três chaves que Ele não confia a nenhum agente: a chave da chuva, a chave do nascimento (Gn 30,22) e a chave da ressurreição dos mortos (Ez 36,13). E para os rabinos era óbvio que Deus usava estas chaves mesmo durante o sábado.

Em 5,17, Jesus justifica sua obra de cura durante o sábado, chamando a atenção de "os judeus" para o fato de que admitiam que Deus trabalhava no sábado. Que as implicações deste argumento eram imediatamente captadas, é testificado pela violência da reação.

Para os judeus, o privilégio sabático era peculiar a Deus, e ninguém era igual a Deus (Ex 15,11; Is 46,5; Sl 89,8). Ao reivindicar o direito de trabalhar assim como seu Pai trabalhava, Jesus estava reivindicando uma prerrogativa divina.

Antes de voltarmos à resposta de Jesus a "os judeus", no v. 19, podemos salientar outra faceta da teologia que implica a afirmação de Jesus, no v. 17. Na afirmação de que o Pai continua em ação, CULLMANN, *art. cit.*, vê um reflexo de um pensamento que aparece amiúde entre os Padres da Igreja: Deus não descansou após a criação, mas somente após a morte de Jesus. Jesus trabalhou durante o ministério (9,4), porém, após sua morte, veio o descanso sabático prometido ao povo de Deus (Hb 4,9-10). Esta teoria atualmente recebe interessante suporte no tratado gnóstico do 2º século, o *evangelho da Verdade*. Ali (32,18ss.), ouvimos que mesmo no sábado Jesus *trabalhou*, pois ele mantinha vivas as ovelhas que caíram na cova. Como MÉNARD, *L'Évangile de Vérité* (Paris: Letouzey, 1962), tem reconhecido, o *evangelho da Verdade*, aqui, combina o tema mateano da ovelha que cai em um cova (12,11) com Jo 5. A ideia de que Jesus trabalhou é tomada de 5,17 (a mesma palavra cóptica encontrada em todas as versões cópticas deste versículo é usada no *evangelho da Verdade*); a ideia de que Jesus manteve a ovelha viva é tomada do v. 21, onde lemos que Jesus pode conceder vida (outra vez, o cóptico do *evangelho da Verdade* e do Evangelho de João é o mesmo). À luz disto, é interessante ler o que segue no *evangelho da Verdade*: Jesus fez isto "para que entendais... o que o sábado significa, a saber, que nele não é adequado que a salvação seja ociosa". Assim, a salvação deve ser operada inclusive no sábado. Finalmente, o *evangelho da Verdade* fala daquele dia perfeito em cuja altura não há noite, com a implicação de que este é o verdadeiro sábado da eternidade.

Primeira Divisão. A dupla obra de Jesus no sábado, a saber, dar vida e julgar – escatologia realizada (5,19-25)

No v. 19, Jesus fala às autoridades judaicas que nada há de arrogante no que ele disse. Ele não é um filho rebelde se pondo como um rival ao Pai; antes, ele é completamente dependente do Pai e nada reivindica para si próprio. Que Jesus não faz nenhuma de suas obras visando a seus próprios interesses, reflete um tema favorito em João (também, 9,4). João também nos fala que nada do que Jesus diz provém de si próprio (3,34; 8,26; 12,49), e que o Filho não veio por sua própria iniciativa (7,28; 8,42). Tudo isto é resumido em 10,30: "O Pai e eu somos um". Como salienta GIBLET, "Trinité", uma passagem joanina como o v. 19 finalmente levou os teólogos cristãos a uma compreensão de que o Pai e o Filho possuem uma só natureza, um só princípio de operação. Portanto, certamente o vs. 19-20a portam todas as marcas da perspectiva teológica joanina; todavia, ninguém seria tentado a avaliar estes versículos como meras formulações do evangelista. Independentemente, DODD e GÄCHTER fizeram a valiosa sugestão de que estes versículos uma vez eram uma parábola no seguinte formato:

> *Negação*: Um filho não pode fazer nada de si mesmo – somente o que ele vê seu pai fazer.
> *Afirmação*: Tudo o que o pai faz, o filho igualmente faz.
> *Explicação*: Pois o pai [ama a seu filho e] mostra a seu filho tudo o que ele está fazendo.

DODD, *art. cit.*, indica que este mesmo formato se encontra em uma parábola como Mt 5,15. A parábola que DODD encontra em João poderia ser posto em uma oficina de aprendizes, onde um jovem está aprendendo uma profissão. Ele cita uma série de referências do papiro Oxyrhynchus (do Egito dos tempos do NT), onde se insiste que o aprendiz deve fazer o que o mestre faz; e tudo o que ele faz o aprendiz igualmente faz. Em uma sociedade simples como a da Palestina, uma profissão seria ensinada no seio de uma família, e o *filho* teria que imitar o trabalho do *pai*. Jesus era conhecido como filho do carpinteiro (Mt 13,55) e como carpinteiro (Mc 6,3). Inclusive o amor do pai pelo filho mencionado no v. 20a se adequaria a tal parábola, pois Siraque 30,1 tem uma frase para este propósito numa passagem que trata da educação dos filhos.

Assim, pode bem ser que Jesus evocasse um provérbio para explicar a relação de seu trabalho com o do Pai celestial. Então, no restante do versículo 20 ele começa expondo a natureza das obras que ele tem visto o Pai fazer e as quais ele está a imitar. São as mesmas obras que, segundo a teologia judaica, eram lícitas ao Pai fazer no sábado. No v. 21, menciona-se a *primeira* destas obras: Jesus concede vida. Ora, entendemos que a vida que Jesus concedeu ao filho do oficial régio era apenas um sinal da vida do alto que ele realmente pode dar, porquanto o Pai o capacitou a fazer isso. A conexão entre a cura do paralítico em Betesda e a ordem de não continuar pecando (v. 14) se torna mais clara. Aos que estão na esfera daquela morte que é pecado, o Filho tem o poder de conceder vida, e a única ameaça à vida que ele concede é continuar pecando.

Nos vs. 22-23, menciona-se a *segunda* dessas obras: Jesus é o juiz, pois o Pai passou ao Filho o poder do julgamento. Este "julgamento" deve ser tomado no sentido veterotestamentário comum de vindicar o bem (Dt 32,36; Sl 43,1) e isto é complementar à doação da vida. Este julgamento salvífico que no AT é prerrogativa de Iahweh leva os homens a honrarem o Filho e a reconhecerem sua relação com o Pai. Todavia, como em 3,19-21, o julgamento em favor dos que creem tem também seu lado negativo; ao mesmo tempo, é uma condenação dos que rejeitam o Filho enviado pelo Pai. Uma vez mais, a escatologia realizada deste evangelho passa ao primeiro plano: julgamento, condenação, passar da morte para a vida (v. 24) são parte desta hora que já está aqui. Assim como o oficial régio ouviu a palavra de Jesus e creu nela, recebendo assim a vida de seu filho (4,50), assim também os que se põem diante de Jesus e ouvem suas palavras no discurso do capítulo 5 têm a oportunidade de receber vida. Estas palavras são a fonte de vida para os que estavam espiritualmente mortos (v. 25).

Duplicata da Primeira Divisão. Os mesmos temas em termos de escatologia final (5,26-30)

De acordo com a teoria proposta na Introdução (p. 24), temos nos vs. 26-30 outra versão do discurso registrado em 19-25, vindo de um estágio diferente da tradição joanina. Cataloguemos as similaridades de palavra e pensamento entre as duas formas do discurso:

vs. 26-30		vs. 19-25
26	*O poder de vida partilhado pelo Pai e o Filho* (ver nota sobre *hōsper* no v. 21)	21
27	*O poder de julgamento partilhado pelo Pai e o Filho*	22
28	*Reação de surpresa*	20
	Está chegando a hora (e já está aqui) *quando os mortos ouvirão a voz do Filho*	25
29	*Os que tiverem agido certo* (ter ouvido) *viverão*	25
30	*De si mesmo, o Filho nada faz*	19
	O Filho vê ou ouve o que deve fazer	19

Notar-se-á que a sequência das ideias principais é aproximadamente as mesmas em ambas as formas do discurso, sendo a única exceção o paralelismo entre 30 e 19. Esta exceção pode ser explicada como uma tentativa redacional de produzir uma inclusão que unifique a passagem como um todo. LÉON-DUFOUR, *art. cit.*, vê um padrão ligeiramente diferente daquele que temos sugerido. Ele faz do v. 24 o versículo médio em um quiasma (ver supra, p. 153s.); todavia, seus paralelos não resultam convincentes, e se depara com a dificuldade de ter os vs. 25 e 28 do mesmo lado da divisão.

Se as palavras e pensamentos das duas formas do discurso são notavelmente as mesmas, a ênfase teológica difere marcantemente. Nos vs. 26-30, exceto o v. 26, não encontramos a terminologia peculiar Filho-Pai que é tão característica de João. Antes, encontramos o "Filho do Homem", título bem notório na tradição sinótica, mas não tão frequente em João (ver nota sobre 1,51). Como o título aparece no v. 27, parece ecoar o *locus classicus* do AT, Dn 7,13, onde a figura de "um filho de homem" aparece no contexto do juízo divino final. E tudo indica que é o juízo *final* que está na mente de Jo 5,26-30. No v. 28 ouvimos que "a hora está chegando", mas o "e já está aqui" do v. 25 se perdeu. Reiterando, em 28, quando ouvimos de ressurreição, não é uma questão dos espiritualmente mortos como em 25, mas dos que já acham no túmulo. Esta é a ressurreição dos fisicamente mortos, e sua saída do túmulo à voz de Jesus é uma cena apocalíptica da visão de Ezequiel da vivificação dos ossos mortos (37,4: "Oh! ossos secos, ouvi a palavra do Senhor"). Os resultados do juízo, no v. 29, é um eco claro de Dn 12,2, a primeira passagem veterotestamentária a proclamar claramente uma ressurreição para o pós-vida: "Muitos dos que dormem no pó da terra se despertarão: alguns para a vida eterna; outros, para a vergonha e desgraça eternas". Em nosso comentário sobre o capítulo 11, salientaremos que o relato de Lázaro, em que um homem morto concretamente sai do túmulo à palavra de Jesus, ecoa muito das palavras e ideias dos vs. 26-30.

Portanto, o contraste entre a escatologia final dos vs. 26-30 e a escatologia realizada de 19-25 é muito marcante. Para BULTMANN, o Redator Eclesiástico se ocupou de 26-30, especificamente do 28-29, tentando conformar a escatologia realizada de João à escatologia oficial da Igreja. Entretanto, como temos insistido (p. 129ss.), tal dicotomia entre as duas escatologias não tem base consistente; e BOISMARD, *art. cit.*, argumenta convincentemente, considerando os vs. 26-30 como sendo a forma mais antiga do discurso em que a perspectiva escatológica se assemelha àquela da maioria das passagens joaninas. Se este é o caso, 19-25 representaria uma reelaboração dos mesmos ditos de Jesus num momento posterior, quando a escatologia realizada havia passado ao primeiro plano como resposta à demora na segunda vinda. BOISMARD salienta os paralelos entre 19-25 e 1 João (ver notas sobre vs. 23, 24) como um sinal do atraso, e ressalta que as relações entre o Pai e o Filho são mais desenvolvidas em 19-25 do que em 26-30.

Tudo isto tem sido uma análise dos vs. 19-30 como ora se encontram. Entretanto, GÄCHTER tem ressaltado que provavelmente a pré-história da passagem seja ainda mais complexa. É bem provável que tenhamos aqui uma coleção do que em princípio foram ditos isolados (ver nota sobre v. 24). É interessante notar o uso dos pronomes pessoais. Fora das afirmações introdutórias "Eu solenemente vos asseguro" (19, 24, 25) e da referência a "vós admirais/vos admireis nisto" (20, 28), praticamente, todo o discurso está na terceira pessoa. (Em 24, há um "me"; 30 está na primeira pessoa). GÄCHTER faz esta distinção de pronomes pessoais um critério excessivo aos diversos extratos do discurso; além do mais, a terceira pessoa é amiúde associada com o Filho do Homem também na tradição sinótica (cf. Lc 12,8 com Mt 10,32). Não obstante, a mudança de pessoas pode indicar até certo ponto diferente procedência dos ditos.

GÄCHTER pensa que 19 e 30 foram os versículos originais da passagem. O v. 19(20a) era uma parábola, como já explicamos; e o v. 30, que seguiu imediatamente o 19, era a aplicação da parábola. Certamente o v. 30 está estreitamente relacionado com o v. 19, como já vimos em nossa análise dos paralelos anteriormente; e se o v. 30 foi a explicação pessoal da parábola, o surgimento da primeira pessoa no v. 30 seria justificado. Então, proporíamos que outros ditos independentes foram anexados à parábola à maneira de aplicação ulterior (boa medida como Lc 15,9-13 se desenvolveu), um processo que deu origem a um pequeno discurso. Realmente, a tradição joanina preservou duas formas do discurso em 21-25 e 26-29. A fase final na história da passagem seria quando um redator juntou as formas duplicadas do discurso, e então fragmentou a unidade original dos vs. 19(20a) e o v. 30, inserindo o discurso combinado entre eles.

Mudando o v. 30 para o final, não só propiciou uma inclusão, mas também permitiu que o v. 30 fosse como uma espécie de resumo dos vários temas do discurso. E assim o redator realizou uma exposição completa da obra que o Pai deu a Jesus para fazer, tanto em seu ministério como no futuro, obra que excedeu a importância do descanso sabático.

[A Bibliografia para esta seção está inclusa na Bibliografia para o capítulo 5, no final do § 19.]

19. JESUS E O SÁBADO:
– DISCURSO SOBRE SUA ATUAÇÃO
NO SÁBADO (*Continuação*)
(5,31-47)

Segunda Divisão

a. Testemunhos em favor de Jesus

5   ³¹"Se eu sou minha própria testemunha,
   meu testemunho não pode ser válido.
   ³²Mas há Outro que está testificando em meu favor,
   e o testemunho que ele dá de mim
   sei que pode ser averiguado.

   ³³Vós enviaste a João,
   e ele testificou da verdade.
   (³⁴Não que eu mesmo aceito tal testemunho humano –
   simplesmente menciono estas coisas para vossa salvação).
   ³⁵Ele era a lâmpada que ardia e alumiava,
   e por algum tempo vós mesmos de bom grado exultastes em sua luz.

   ³⁶Todavia, eu tenho um testemunho ainda maior do que o de João,
   a saber, as obras que o Pai me deu para realizar.
   Estas mesmas obras que eu tenho feito
   testificam em meu favor
   de que o Pai me enviou.

³⁷E o Pai que me enviou
  Ele mesmo tem dado testemunho em meu favor.
  Nunca ouvistes Sua voz;
  tampouco tendes visto que aparência Ele tem;
³⁸e sua palavra não tem permanência em vossos corações,
  porque não credes
  naquele que Ele enviou.

³⁹Vós examinais as Escrituras
  na qual credes ter a vida eterna –
  elas também testificam em meu favor.
⁴⁰Contudo, não quereis vir a mim
  para terdes essa vida.

b. Ataque à Incredulidade Judaica

⁴¹Não que eu aceito o louvor humano –
⁴²Entretanto eu sei que vós, povo
  e em vossos corações não tendes vós o amor de Deus.
⁴³Eu vim no nome de meu Pai;
  todavia, não me aceitais.
  Mas que algum outro venha em seu próprio nome,
  e o aceitareis.
⁴⁴Como pode crer pessoas como vós,
  quando aceitais louvor uns dos outros,
  porém não buscais aquela glória que procede do Único [Deus]?
⁴⁵Não penseis que eu serei vosso acusador diante do Pai;
  o que vos acusa é Moisés
  em quem depositastes vossas esperanças.
⁴⁶Pois se crêsseis em Moisés,
  creríeis em mim,
  visto que é a meu respeito que ele escreveu.
⁴⁷Mas, se não credes no que ele escreveu,
  como podeis crer no que eu digo?"

NOTAS

5.31. *minha própria testemunha*. A mesma máxima se encontra em 8,17, onde se afirma que ela se está na Lei. O princípio legal tem sua origem em Dt 19,15, onde se declara que um homem não pode ser condenado de um crime sobre o testemunho de uma só testemunha. Dt 17,6 e Nm 35,30 exigem diversas testemunhas para um consenso no caso de crime capital. Provavelmente em razão de Jesus haver evocado o princípio, ele era amplamente citado na Igreja primitiva. Mt 18,16 especifica que deve haver diversas testemunhas para confirmar uma advertência dada a um cristão recalcitrante antes de ser expulso da Igreja (ver também 2Cor 13,1; 1 Tm 5,19; Hb 10,28). Não obstante, todos estes outros exemplos no AT e no NT são diferentes do uso que João faz do princípio, como J.-P. CHARLIER já observou, *"L'exégèse johannique d'un précepte legal: Jean 8,17"*, RB 67 (1960), 503-15. João não está tratando de testemunhas necessárias para se condenar um homem, e sim das testemunhas para confirmar o testemunho de alguém. Encontramos uma ampliação similar do princípio legal nos documentos rabínicos; no tratado mishnaico *Kethuboth* 2:9, cita-se como um princípio de que ninguém pode dar testemunho em favor de si mesmo.

não pode ser válido. Há uma contradição formal deste versículo em 8,14: "Ainda que eu fosse minha própria testemunha, meu testemunho pode ser válido". Como veremos, não há contradição real; mas é possível ter dúvida se o mesmo redator escreveu ambas as frases.

32. *Outro*. Como reconhecido desde o tempo de CIPRIANO (*Epist*. 46[2], 2; CSEL 3²:727), este é o Pai. CRISÓSTOMO (*In Jo*. 40,1; PG 59:230) cria que estava implícito o Batista; mas isto parece ser excluído pelo contraste entre o v. 32, onde aparentemente Jesus aceita este testemunho dado por outro, e o v. 34, onde ele não aceita testemunho humano. Que o Pai está envolvido, é confirmado por 8,17-18.

33. *enviaste a João*. Uma referência à missão de 1,19.

ele testificou. O tempo perfeito aparece aqui como em 1,32-34 e 3,26; o testemunho ainda tem valor.

da verdade. Por causa da possível relação do Batista com os essênios de Qumran, é digno de nota que em 1QS 8,6 os essênios se qualificam como sendo "testemunhas da verdade no julgamento".

34. *Não... aceito tal testemunho humano*. 1Jo 5,9: "Se aceitamos testemunho humano, o testemunho de Deus é muito maior".

35. *a lâmpada que ardia*. Isto pode ser um eco da descrição de Elias em Siraque 48,1, onde lemos que sua palavra "ardia como uma tocha". Ao falar dos

dois *castiçais*, Ap 11 usa claramente imagem extraída da vida de Elias. Assim, isto poderia representar a forma joanina do testemunho de Jesus ao Batista como Elias (ver Mt 17,12-13 comparado com Mc 9,13). Na cena sinótica, Jesus ressalta que o povo realmente não compreendeu o Batista e o que ele era. F. Neugebauer, ZNW 52 (1961), 130, relaciona esta maneira de designar o Batista com o Sl 132,17: "Eu preparei uma lâmpada para o meu ungido", no sentido de que ele era uma lâmpada diante do Messias (mas que não foi o significado original do Salmo).

exultastes em sua luz. Josefo (*Ant.* 18.5.2; 118) diz que os homens ficaram muitíssimo eufóricos com a luz do Batista, e é a esse entusiasmo passageiro que o nosso versículo se refere. Boismard, *EvJean*, pp. 56-57, vê na expressão joanina o reflexo de um original aramaico. Em vez de "exultar, regozijar-se", a tradição siríaca diz "gloriar-se, recebeu glória"; e o único verbo aramaico (raiz *bhr*), em suas diferentes conjugações, tem os dois significados. Ele pensa que o "em" de "em sua luz" reflete a preposição semítica b^e, significando "em, por".

36. *maior do que o de João*. Presumivelmente, isto significa "maior que o testemunho que João *deu*", em vez de "maior que o testemunho que João *tinha*", ainda quando o segundo seja preferível sintaticamente. Há outra redação mais bem atestada (Vaticanus, P^{66}) na qual "maior" está no nominativo: "Eu que sou maior que João, tenho um testemunho". Esta antítese não se adequa à sequência de ideias.

obras que o Pai me deu para realizar. Há outra forma em que isto poderia ser traduzido: "obras que o Pai me capacitou para realizar". Vanhoye, *art. cit.*, deu prova exaustiva que favorece a tradução que escolhemos, ver, porém, o versículo associado a 17,4. Como insistiremos no Apêndice III, p. 831ss, a própria designação de Jesus para seus milagres é "obras", não "sinais". Em 4,34, Jesus fala de levar a *obra* (singular) do Pai à conclusão. As obras (milagres) são parte daquela obra que é a economia da salvação confiada pelo Pai a Jesus.

obras que... testificam em meu favor. Reiterado em 10,25: "As obras que estou fazendo no nome de meu Pai dão testemunho a meu respeito"; também 14,10-11.

37. *O Pai que me enviou/Ele mesmo tem dado testemunho*. Reiterado em 8,18 no tempo presente: "O Pai que me enviou *dá* testemunho a meu respeito".

Nunca ouvistes Sua voz. Tudo isto pode ser uma referência implícita à cena no sopé do Sinai, onde (Ex 19,9) Deus falou a Moisés: "Eu estou vindo a ti numa nuvem espessa para que o povo ouça quando eu falar a ti". O povo ouviu os trovões (literalmente, "as vozes") quando Deus veio sobre o monte.

tampouco tendes visto que aparência Ele tem. Uma vez mais, o pano de fundo pode ser o Sinai. Ex 19,11 prometeu: "Ao terceiro dia, o Senhor descerá sobre o Monte Sinai à vista de todo o povo"; e a *Midrásh Mekilta* comenta sobre isto: "Ensina que naquele momento viram o que Isaías e Ezequiel nunca viram". Assim, parece ter havido uma tradição popular sobre ouvir e ver a Deus no Monte Sinai, e João apresenta Jesus como a argumentar contra isto. (A apresentação de João parece mais em harmonia com Dt 4,12.15, onde se afirma que o povo não viu a Deus, embora ouvissem Sua voz; o que se nega esse privilégio em Dt 5,23-27). O argumento seria particularmente adequado se a festa não especificada de 5,1 fosse o Pentecostes, quando a doação da Lei no Sinai havia de ser celebrada. Para o tema de que ninguém (exceto Jesus) realmente jamais viu a Deus, ver 1,18; 6,46; 1Jo 4,12).

38. *e sua palavra não tem permanência em vossos corações*. É possível que as duas últimas linhas do v. 37 sejam um parêntese, e que esta primeira linha do v. 38 começasse com um "todavia" e continue a linha dois do v. 37: "O Pai... Ele mesmo deu testemunho em meu favor; todavia não tendes a Sua palavra permanente em vossos corações". Neste versículo, a implicação é que o *crente* tem a palavra de Deus permanente em seu coração; o mesmo se diz da palavra de Jesus em 15,7.

39. *Vós*. Isto é dirigido a "os judeus" (v. 18). No Papirus Egerton 2 (ver abaixo, p. 458) é dirigido a "os líderes do povo" – uma interessante confirmação do que João tem em mente quando fala de "os judeus".

Vós examinais. Orígenes, Tertuliano, Irineu e a Vulgata tomam o verbo como um imperativo, desafiando os judeus a examinarem as Escrituras. Entretanto, o indicativo se ajusta melhor a linha de argumento, e a maioria dos comentaristas modernos o prefere. M.-E. Boismard dedicou um artigo a este versículo em RB 55 (1948), 5-34, remontando a duas tradições textuais, ambas oriundas do mesmo suposto original aramaico: (*a*) "Vós examinais as Escrituras porque pensais ter a vida eterna"; (*b*) "Examinais as Escrituras nas quais credes ter vida". Em sua opinião, o presente texto é uma combinação de ambas. O verbo "examinar" representa o verbo hebraico técnico *dāraš* usado para o estudo da Escritura.

Escrituras/nas quais credes ter a vida eterna. No pensamento hebraico, a Lei era por excelência a fonte de vida. No tratado *Pirqe Aboth* 2,8 diz: "Aquele que tem adquirido as palavras da Lei tem adquirido para si a vida do mundo por vir"; 6,7: "Grande é a Lei para dar aos que a praticam vida neste mundo e no mundo por vir". Em Gl 3,21; Rm 7,10, Paulo argumenta contra tal concepção. Uma vez mais, este versículo de João teria significado especial se a festa em que o discurso é enunciado for tida como o Pentecostes, a festa da Lei.

eterna. Isto é omitido em algumas versões (OL, OS, Armênia) e no Papirus Egerton 2.

40. *não quereis*. A recusa é deliberada. Comparar Mt 23,37, onde o julgamento se dirige contra Jerusalém incrédula: "Como eu gostaria de reunir vossos filhos; todavia, não o quisestes".

41. *louvor*. A mesma palavra grega, *doxa*, abarca o "louvor" dos homens e a "glória" que se recebe de Deus; ver o contraste no v. 44. A inutilidade do louvor e vanglória humanos são reafirmados em 7,18; 8,50; 12,43. BARROSSE descreve este amor em TS 18 (1957), 549, assim: "Amor pela glória dos homens é amor de um homem por uma (falsa) grandeza, grandeza desfrutada à parte de Deus. ... Este amor de algo independentemente de Deus impede a oferta que Deus faz de si mesmo em Cristo".

42. *eu sei que vós, povo/e em vossos corações...* Isto tem sido traduzido um tanto literalmente para preservar a palavra grega que equilibra as duas linhas. A sintaxe reflete uma frequente construção aramaica na qual o sujeito da sentença subordinada é atraída para a principal sentença como um predicado: "Eu sei que vós, povo, em vossos corações não possuís o amor de Deus".

amor de Deus. O genitivo pode ser possessivo, significando amor de Deus pelos homens (WIKENHAUSER, SB), ou objetivo, significando o amor do homem por Deus (LAGRANGE, BERNARD, LIGHTFOOT, BARRETT, BULTMANN). O primeiro significado é o encontrado no restante do evangelho; ele parece mais provável com base na analogia do v. 38, i.e., o amor de Deus como a palavra de Deus deve permear alguém, caso reconheça e aceite Jesus. Todavia, pode-se formular a tese em prol do último significado com base na analogia de 3,19, i.e., a falha do homem em amar a Deus é um traço de ele preferir as trevas. Alguns sugeririam que o evangelista deixou a frase ambígua para abarcar ambos os significados. O amor de Deus era a essência da Lei (Lc 10,27); quando Jesus fala de "os judeus" que não a possuíam, ele está conduzindo ao tema de que eles têm traído Moisés (vs. 45-47; também 7,19).

43. *que algum outro venha em seu próprio nome*. Provavelmente, esta é uma observação geral similar às predições sinóticas de "os falsos messias" que haviam de vir em o *nome* de Jesus (Mc 13,6.22). P. W. SCHMIEDEL em *Encyclopedia Biblica* (1902), 2551, tomou isto como uma referência a Simon Barkochba (ben Kosiba), o líder da Segunda Revolta Judaica (d.C. 132-135), e assim usou este versículo para datar o evangelho em meados do 2º século. Os Padres da Igreja costumavam tomar o versículo como uma referência específica ao Anticristo.

44. *quando aceitais louvor uns dos outros*. A mesma razão é fomentada pela incredulidade do Sinédrio em 12,43. É característico da literatura rabínica de dar a maior deferência a rabinos famosos.

não buscais aquela glória... É provável que aqui também Jesus esteja implicitamente apresentando-lhes o exemplo de Moisés, pois este buscava a glória de Deus e recebia a glória de Deus (Ex 34,29).

[*Deus*]. Isto é omitido pelas testemunhas mais importantes, inclusive no Vaticanus e ambos os papiros Bodmer. Não obstante, Bernard, I, p. 256, mostra como isso poderia ter sido facilmente perdido por omissão de algum copista.

45. *o que vos acusa.* Literalmente, um particípio presente: "alguém vos acusando". Não é impossível que o evangelista pensasse em Moisés como já havendo começado sua acusação; entretanto, BDF, § 339^{2b}, salienta que tal particípio tem a mesma função futura como o verbo anterior: "Eu serei vosso acusador".

Moisés. No final de Deuteronômio (31,19.22), lemos que Moisés escreveu um cântico que serviria como testemunha contra os israelitas se violassem a aliança; e deveras todo o Livro Mosaico da Lei visava a servir de testemunha (31,26).

46. *a meu respeito que ele escreveu.* Isto poderia ser uma referência a uma passagem específica como Dt 18,18; ou poderia ser uma referência mais geral ao cumprimento de Jesus de toda a Lei.

COMENTÁRIO

Segunda Divisão(a). Jesus enumera as testemunhas que endossam sua reivindicação (5,31-40)

Após Jesus fazer sua reivindicação de atuar no sábado e explicar esta dupla atuação, podemos supor uma tácita objeção da parte de "os judeus", objeção como aquela que se torna expressa em 8,13: "Vós sois vossa própria testemunha, e vosso testemunho não pode ser verificado". Quem pode dar testemunho da reivindicação de Jesus de que sua obra de dar vida e de julgar é apenas o que ele viu o Pai fazer? Jesus responde a esta dificuldade legal com um argumento que reconhece as prescrições da Lei (ver nota sobre v. 31). Ele tem o testemunho de várias testemunhas como exigido pela Lei, e enumera estas testemunhas em quatro "estrofes" discutidas abaixo. É importante enfatizar que as quatro testemunhas são, na mente de Jesus, apenas quatro diferentes aspectos do testemunho de "Outro", isto é, o Pai, em seu favor.

(1) Vs. 33-35. O primeiro a apresentar o testemunho é João Batista, que reflete o testemunho do Pai porque ele é "um homem

enviado por Deus" (1,6). Que Jesus usou o Batista em seus argumentos com as autoridades de Jerusalém é visto em Mc 11,27-33. Para o conteúdo do testemunho do Batista, o leitor tem apenas que refletir a riqueza de sua doutrina sobre aquele que vem em 1,19-34 e 3,27-30.

(2) V. 36. A seguir, os milagres que realiza Jesus são apresentados como testemunho. Estes também representam o testemunho do Pai, pois foram dados ao Filho pelo Pai. O apelo às obras de Jesus também tem um paralelo na tradição sinótica, e, é ainda mais interessante, em conexão com o Batista. O Batista na prisão ouviu de *as obras* de Jesus (Mt 11,2), e então ele envia seus discípulos a inquirir se Jesus é aquele que vem. Jesus lhe responde, apelando para os milagres que ele tem realizado (11,5).

(3) Vs. 37-38. Terceiro, Jesus menciona que o próprio Pai tem dado testemunho. Não está claro se Jesus está pensando em uma ocasião particular. Há quem sugira a cena batismal; mas recordamos que em João, diferente dos sinóticos, nenhuma voz falou desde o céu. Se uma teofania está implícita, é mais provável uma cena veterotestamentária (ver 12,41); aliás, como se indicou na respectiva nota, muito do que é dito no v. 37 se adequa à cena do Sinai. É possível que a ideia seja que no Sinai Deus deu testemunho acerca de Jesus no sentido de que Ele deu a Lei, e esta Lei mosaica testifica acerca de Jesus (ver v. 46). Mas a Lei já não permanece viva nos corações de "os judeus" e por isso eles não crêem. Todas estas observações são baseadas na possibilidade de que está implícita uma ocasião particular do testemunho do Pai, uma teofania externa. Mas é ainda mais provável que temos aqui uma referência mais geral ao testemunho interno do Pai no interior dos corações dos homens (v. 38). O testemunho de Deus, pois, consistiria na qualidade auto-autenticadora de Sua verdade, uma verdade imediatamente reconhecível aos chamados a crer. Com certeza, esta é a ideia em 1Jo 5,9-10: "Este é o testemunho que Deus tem dado sobre Seu Filho. Aquele que crê no Filho de Deus tem este testemunho em seu íntimo" (ver também 1Jo 2,14). A maioria dos comentaristas mode nos (BERNARD, BARRETT, DODD) se inclina para tal interpretação. BLIGH, p. 132, une nossa terceira e quarta testemunhas como um só, pondo a primeira parte do v. 37 com o 36 e a última parte do v. 37 mais 38 com o 39.

(4) V. 39. A quarta testemunha são as Escrituras (em particular, provavelmente a Lei) que evidentemente procedem de Deus e assim constituem outro aspecto do testemunho do Pai. Que Jesus usou as

Escrituras para desafiar as autoridades e provar sua reivindicação por certo que é evidente na tradição sinótica (Mc 12,10.35-37). A Igreja primitiva logo reuniu uma coleção de testemunhos, ou passagens veterotestamentárias cumpridas por Jesus, como um reflexo da perspectiva cristã de que as Escrituras veterotestamentárias têm o dom da vida, porquanto apontam para Jesus.

Estas são as testemunhas que apresentam Jesus; e, todavia, o doloroso resultado da prova (v. 40) é que "os judeus" não estão dispostos a crerem em Jesus. Temos salientado acima que as testemunhas evocadas em João têm paralelos nos argumentos que Jesus apresenta contra as autoridades judaicas na tradição sinótica. Portanto, é plausível que as raízes deste discurso joanino possam ser encontradas na tradição primitiva das palavras de Jesus. Mas é óbvio que em nenhum lugar dos evangelhos sinóticos encontramos uma apologética lógica e completamente desenvolvida em prol das reivindicações de Jesus. Portanto, podemos supor que o que temos em João é o produto da apologética baseada nos próprios argumentos de Jesus, porém agora sistematizados. A totalidade do capítulo 5 se adequa muito bem com o propósito do evangelho para persuadir os judeus-cristãos a deixarem a sinagoga e professarem abertamente sua fé em Jesus.

Segunda Divisão(b). Jesus ataca diretamente a incredulidade de "os judeus" (5,41-47)

A incredulidade em face destas testemunhas seria motivada pelo orgulho; é uma incredulidade deliberada. Jesus é agora retratado como a atacar as raízes desta incredulidade com vigor. Se ela era um problema intelectual, poderia ser combatida por meio de explicação; mas realmente é um problema da orientação moral da vida e do amor de Deus, e assim ela é combatida por acusação profética. O que "os judeus" estão rejeitando não é um enviado de Deus – aceitam de bom grado os messias auto-proclamados (v. 43). Na verdade estão rejeitando a doação ou dedicação da vida de alguém a Deus ("o amor de Deus" em 42; buscando a glória de Deus em 44) que é a exigência implícita da mensagem de Jesus. A negação de aceitar Jesus é realmente obrar por orgulho.

Se Jesus reage energicamente contra "os judeus" por não irem a ele, é porque ele vê isto como uma rejeição à Deus, não porque esteja interessado em seu próprio louvor (v. 41). Jesus não está interessado em qualquer glória pessoal que não seja como a glória do Pai (44). Assim, por inclusão, o fim do discurso retoma o tema com que começou. No v. 18, os judeus protestaram que Jesus incorria em arrogância ao fazer-se igual a Deus; mas a reivindicação de Jesus só é um reflexo da glória do Pai. Sua glória é a glória do Unigênito do Pai (1,14); é o Pai (17,1.5) quem glorifica o Filho. O v. 43 expressa esta mesma ideia de outra maneira: Jesus não veio em seu próprio nome, e sim no nome de seu Pai, o nome que o Pai lhe deu (17,11.12) e o qual ele manifesta aos homens (17,6.26).

Os últimos versículos do discurso (45-47) atacam "os judeus" em seu ponto mais sensível. Justificam sua recusa de crer em Jesus em nome de sua lealdade a Moisés (9,29), e, no entanto, Moisés os condenará por seu fracasso em crer. No pensamento judaico (StB, II, p. 561), a função de Moisés foi o de intercessor diante de Deus pelos judeus; agora ele se tornará o acusador deles.

O ataque de Jesus a "os judeus" é forte, mas não mais forte do que os ataques de Jesus aos fariseus na tradição sinótica. Se o discurso em João é uma condenação do tradicionalismo dos escribas e a honra prestada aos grandes mestres judeus (ver nota sobre v. 44 – a situação rabínica é posterior ao tempo de Jesus, mas é herdeira do pensamento dos escribas e fariseus), encontramos condenações similares da tradição estéril e a busca de louvor em Mt 23. Não é acidental que a condenação mais violenta das autoridades judaicas apareça nos dois evangelhos, João e Mateus, associada mais estreitamente com a questão judaico-cristã. A hostilidade aos cristãos que se tornaram política aberta da sinagoga depois da destruição do templo levou estes dois evangelistas a enfatizar esta tensão nas palavras de Jesus e aplicá-la aos seus próprios tempos.

Não obstante, BULTMANN, p. 204, indica que esta passagem em João é passível de uma aplicação mais ampla. A busca por louvor humano é um tema universal, pois granjear a estima dos semelhantes é um meio de garantir segurança em si mesmo. Mas o desafio apresentado por Jesus sempre abala a segurança. Somente quando a segurança pessoal de um homem é abalada, ele se prontifica a fazer um ato de fé que expresse sua dependência de Deus. A rebelião de "os judeus" contra isto é uma rebelião comum a todo o mundo.

Desejamos notar que, por razões que discutiremos ao tratarmos do capítulo 7, muitos estudiosos juntam uma parte do diálogo em

7 a 5,47. BERNARD, BULTMANN, SCHNACKENBURG uniriam 7,15-24 aqui; BLIGH vincularia 7,19-24 ao anterior.

Adendo: Papyrus Egerton 2

Em 1935, dois estudiosos britânicos, H. I. BELL e T. C. SKEAT, publicaram alguns *Fragmentos de um evangelho desconhecido* de um papiro do Museu Britânico que é datado de meado do 2º século A.D. BRAUN, *JeanThéol*, 1, pp. 404-6, apresenta o texto grego, e, nas pp. 87-94, uma discussão exaustiva da relação deste "evangelho desconhecido" com João. Têm-se considerado três possibilidades: (**a**) O evangelho neste papyrus Egerton é uma das fontes de João. Deve-se lembrar que a data assinalada cima é para a cópia do papiro, não para a composição original da obra. (**b**) Tanto este evangelho como João extraíram de uma fonte comum. (**c**) Este evangelho extrai os versículos de João que combinam com os versículos dos sinóticos e outro material. É o último ponto de vista que tem os maiores seguidores hoje (LAGRANGE, JEREMIAS, DODD, BRAUN). Pode-se debater se o autor do evangelho desconhecido usa Egerton 2 como uma importante testemunha primitiva do texto de João. Aqui está um excerto do Fragmento 1, verso, linhas 5-19:

	E voltando aos líderes do povo, ele falou esta palavra: "Examinais as Escrituras
Jo 5,39	nas quais credes ter vida – elas testificam a meu respeito. Não penseis que eu vim para ser vosso acusador diante de meu Pai;
Jo 5,45	um que vos acusa é Moisés em quem tendes depositado vossas esperanças".
Jo 9,29	Mas então disseram: "Bem, sabemos que Deus falou a Moisés, mas nem mesmo sabemos de onde tu vens". Jesus lhes respondeu: "Agora vossa incredulidade vos acusa"...

Notar-se-á que há somente diferenças mínimas de João, com exceção da última linha, que pode ser um resumo de 5,46-47. Demos outra porção do Papyrus Egerton 2 acima, na p. 343, em relação com 3,2.

BIBLIOGRAFIA

BAGATTI, B., *"Il lento disseppellimento della piscina probatica a Gerusalemme"*, BibOr 1 (1959), 12-14.

BALAGUÉ, M., *"El Bautismo como ressurrección del pecado"*, Cultura Biblica 18 (1961), 103-10 sobre 5,1-18.

BLIGH, J., "Jesus in Jerusalem", *Heythrop Journal* 4 (1963), 115-34.

BOISMARD, M.-E., *"L'évolution du thème eschatologique dans les traditions johanniques"*, RB 68 (1961), especialmente pp. 514-18 sobre 5,19-29.

CULLMANN, O., *"Sabbat und Sonntag nach dem Johannesevangelium (Joh. 5.17)"*, IMEL, pp. 127-31.

DODD, C. H., *"A Hidden Parable in the Fourth Gospel"*, More New Testament Studies (Grand Rapids: Eerdmans, 1968), pp. 30-40.

GÄCHTER, P., *"Zur Form von Joh 5, 19-30"*, NTAuf, pp. 65-68.

GIBLET, J., *"Le témoignage du Père (Jn. 5, 31-47)"*, BVC 12 (1955), 49-59.

_____ *"La Sainte Trinité selon l'Évangile de saint Jean"*, LumVie 29 (1956), especialmente pp. 98-106 sobre 5,17-30.

HAENCHEN, E., *"Johanneische Probleme"*, ZTK 56 (1959), especialmente pp. 46-50 sobre 5,1-15.

JEREMIAS, J., *The Rediscovery of Bethesda* (Louisville: Southern Baptist Seminary, 1966).

LÉON-DUFOUR, X., *"Trois chiasmes johanniques"*, NTS 7 (1960-61), especialmente pp. 253-55 sobre 5,19-30.

VANHOYE, A., *"L'œuvre du Christ, don du Père (Jn 5, 36 et 17, 4)"*, RSR 48 (1960), 377-419.

20. JESUS NA PÁSCOA:
– A MULTIPLICAÇÃO DOS PÃES
(6,1-15)

6 ¹Depois disto Jesus atravessou o Mar da Galileia [para a margem] de Tiberíades, ²mas uma grande multidão continuou seguindo-o porque viram os sinais que ele estava realizando sobre os doentes. ³Assim Jesus subiu ao monte e assentou-se ali com seus discípulos. ⁴Estava próxima a Páscoa, a festa dos judeus.

⁵Quando Jesus levantou os olhos, ele avistou uma grande multidão vindo para ele; então disse a Filipe: "Onde compraremos pão para todas estas pessoas comerem?" (⁶Naturalmente, na verdade ele estava plenamente cônscio do que estava para fazer, todavia fez esta pergunta para testar a reação de Filipe). ⁷Ele replicou: "Nem mesmo com os salários de duzentos dias poderíamos comprar pães suficientes para dar a cada um deles um bocado".

⁸Um dos discípulos de Jesus, André, irmão de Simão Pedro, disse-lhe: ⁹"Há aqui um moço que tem cinco pães de cevada e um par de peixes secos, mas o que é isso para tantos?" ¹⁰Disse Jesus: "Dizei ao povo que se assentem". Ora, o número de homens era cerca de cinco mil, mas havia ali abundância de grama para que encontrassem assento. ¹¹Jesus então tomou os pedaços de pão, deu graças e passou-os ao redor, aos que estavam assentados ali; e fez o mesmo com o peixe seco – tanto o quanto queriam. ¹²Quando ficaram satisfeitos, ele disse aos discípulos: "Ajuntai os pedaços que sobraram para que nada pereça". ¹³E assim reuniram doze cestos cheios de pedaços deixados pelos que haviam se alimentado com os cinco pães de cevada.

5: *disse*; 8: *observou*; 12: *falou*. No tempo presente histórico.

¹⁴Ora, quando o povo viu o[s] sinal[s] que ele realizara, começaram a dizer: "Este, sem dúvida, é o Profeta que havia de vir ao mundo". ¹⁵À vista disso, Jesus compreendeu que viriam e o arrebatariam para fazê-lo rei, então retirou-se ao monte sozinho.

NOTAS

6.1. *Depois disto*. Uma vaga referência sequencial (*meta tauta* – ver nota sobre 2,12). Não se explica como Jesus regressou à Galileia.

[para a margem]. Esta frase, encontrada no Códices Bezae e Koridethi, Crisóstomo e a versão Eth, pode ser original (ver Boismard, RB 64 [1957], 369). O problema sobre o lugar onde a multiplicação ocorreu será discutido abaixo sobre o v. 23. Se o relato joanino originalmente situou a multiplicação nas proximidades do Tiberíades na praia sudeste do lago, a omissão da frase indicando esta localização pode representar uma tentativa do copista de conformar João com Lc 9,10, que situa a localização em Betsaida, no litoral nordeste. Marcos não partilha da tradição de Lucas, pois em Mc 6,45 só depois da multiplicação que os discípulos atravessam o lago para Betsaida. A invenção de uma segunda Betsaida se harmoniza com Marcos e Lucas, de modo que a multiplicação poderia ter ocorrido em Betsaida e os discípulos poderiam subsequentemente remar para o outro lado, é documentado em C. McCown, JPOS 10 (1930), 32-58. Antigas fontes peregrinas, começando com Aetheria, associam a multiplicação com Heptapegon ("Sete Fontes") ou a moderna et-Tabgha no litoral noroeste (ver H. Senès, *Estudios Eclesiásticos* 34 [1960], 873-81).

de Tiberíades. Sem a frase entre colchetes temos dois genitivos em sequência, dando ambos o nome do lago. Marcos e Mateus falam de "o Mar da Galileia"; Lc 5,1 fala de "o Lago de Genesaré (do nome hebraico Chinnereth; Josefo e 1 Macabeus falam de "o Lago [ou água] de Gennesar"); no NT, somente João (também 21,1) lhe dá o nome de Tiberíades. Visto que Herodes acabara de completar a construção da cidade de Tiberíades nos anos 20, provavelmente só foi depois do tempo de Jesus que o nome "Tiberíades" veio a ser comum para o lago. O nome se encontra na literatura judaica do 1º século (Josefo; *Oráculos Sibilinos*).

2. *viram os sinais*. O imperfeito do verbo *theōrein* parece ser a melhor redação; este verbo foi usado em 2,23, onde a visão dos milagres de Jesus produziu um entusiasmo que não mereceu a aprovação de Jesus. Na verdade, somente um sinal realizado sobre o enfermo foi registrado como

ocorrendo na Galileia (4,46-54). Os estudiosos que favorecem uma Fonte de Sinal para João considerariam este versículo como oriundo daquela fonte e indicando uma coleção maior de sinais dos quais o evangelista apenas selecionou alguns.

3. *ao monte*. Este "monte" na Galileia, sempre com o artigo definido, aparece amiúde na tradição sinótica e é associado a importantes eventos teológicos (Sermão do Monte, Mt 5,1; chamado dos Doze, Mc 3,13; aparição pós-ressurreição, Mt 28,16). Não há como localizá-lo, embora a tradição o associe ao litoral noroeste do lago e a uma colina chamada "o Monte das Beatitudes". Os evangelhos poderiam ter simplificado diversas localidades em uma que, como "o monte", pensava-se ser um Sinai cristão. Jo 6 tem o mesmo tema que o Sermão de Mateus sobre o Monte, a saber, um contraste entre Jesus e Moisés.

assentou-se ali. Jesus, como os rabinos, usualmente assentava-se para ensinar (Mc 4,1; 9,35; Mt 5,1; Lc 4,20). Nesta cena, contudo, João não menciona ensino, como faz Mc 6,34.

com seus discípulos. Estes foram os últimos admitidos em Samaria, em 4,33. No relato sinótico da multiplicação para 5.000 estão envolvidos os Doze (Mc 6,30 – "os apóstolos" que são os Doze de 6,7). Os Doze são os "discípulos" de João? Ver nota sobre v. 60 abaixo.

4. *Páscoa*. Na presente sequência, parece ter transcorrido tempo considerável desde a festa de 5,1, se for Pentecostes, dos Tabernáculos, ou a Páscoa precedente. Esta é a segunda Páscoa mencionada em João (ver #5 no gráfico, p. 472ss do comentário).

5. *levantou os olhos... avistou*. Mesmos verbos que em 4,35.

uma grande multidão. A falta de um artigo é estranha, especialmente se esta for a mesma multidão mencionada no v. 2. Em #2 do gráfico (ver p. 472ss) vemos que a tradição sinótica não é harmoniosa em ambas as multiplicações, pois há referência tanto a uma multidão que o está seguindo com ele ou como a uma multidão que vem a ele. Provavelmente, estas não devem ter sido as multidões dos peregrinos pascais, visto que o lago não era a rota dos peregrinos da Galileia para Jerusalém; além do mais, os peregrinos estariam portando alimento.

vindo para ele. Nos vs. 2-3, a multidão parece já estar com ele. Isto pode ser um reflexo do tema teológico de ir a Jesus (ver p. 267).

Filipe. Ver nota sobre 1,43. Aqui, ele é estreitamente associado com André (v. 8), como também em 12,21-22. Se a cena se dá em Betsaida, como em Lucas, uma abordagem a Filipe é lógica, uma vez que ele era de Betsaida.

Onde compraremos pão para todas estas pessoas comerem? Uma pergunta similar se encontra no relato mateano da multiplicação para 4.000 (ver gráfico, #7a,

p. 472ss). Ele é reminiscente de Nm 11,13 e da pergunta feita por Moisés a Iahweh (Mateus é mais próximo): "Onde vou obter comida para dar a todas estas pessoas?" Outros paralelos entre Jo 6 e Nm 11 incluem:

Nm 11,1: pessoas murmurando (Jo 6,41-43);

Nm 11,7-9: descrição do maná (Jo 6,41);

Nm 11,13: "Dá-nos carne para comermos" (Jo 6,51ss. – mas na LXX Números não usa *sarx* como faz João);

Nm 11,22: "ajuntar-se-ão [*synagein*] para eles todos os peixes [*opsos*] do mar, que lhes bastem?" (Jo 6,9 usa *opsarion*; o 12 usa *synagein*).

6. *testar a reação de Filipe*. Em outro lugar nos evangelhos, este verbo *peirazein* tem um sentido pejorativo de tentação, provação, trapaça. Este versículo é um parênteses que constitui uma tentativa redacional de antecipar qualquer implicação de ignorância da parte de Jesus.

7. *salários de duzentos dias*. Literalmente, "duzentos denários"; em Mt 20,2, um denário vale o salário de um dia.

9. *moço*. *Paidarion* é um diminutivo duplo de *pais*, do qual *paidion* é diminutivo normal (4,49). Em 2 Reis, *paidarion* é usado para designar Geazi, o servo de Eliseu (4,12.14.25; 5,20).

pães de cevada. Pão de trigo era mais comum; pães de cevada eram mais baratos e serviam para os pobres. Lc 11,5 parece indicar que os três pães eram considerados como a refeição de uma pessoa. Literalmente, "bolos" é "pães".

peixes secos. *Opsarion* é um diminutivo duplo de *opson* (alimento cozido comido com pão); o significado se tornou mais especificamente "peixe", especialmente "peixe seco ou em conserva". Ver o uso de *opsos* citado sob o v. 5 acima.

10. *se assentem*. Literalmente, "se deitem, reclinem".

homens. Em todos os relatos das multiplicações (ver gráfico, #9, p. 472ss), só os homens são numerados, como Mateus especifica.

11. Para variantes menores neste versículo, ver Boismard, RB 64 (1957), 367-69.

deu graças. Em ambos, o grego clássico e o *koinê* secular, *eucharistein* tem este significado; é distinguido de *eulogein*, "abençoar" (o verbo da multiplicação sinótica para 5.000; ver gráfico, #11c, p. 472ss). É óbvia a relação com o pensamento de que a eucaristia é um ato de ação de graças. Entretanto, J.-P. Audet, RB 65 (1958), 371-99, ressalta que o uso de *eucharistein-eucharistia* no NT reflete o uso judaico de *bārak-b^{e}rākāh*, "bendizer, abençoar". Ele mantém que só foi no 2º século d.C. que o tema "ação de graças" começou a dominar os círculos cristãos quando as antigas raízes foram esquecidas. Portanto, embora por conveniência tenhamos traduzido *eucharistein* e *eulogein* diferentemente, não enfatizamos diferença no significado no que diz respeito à ação de Jesus na multiplicação. Podemos ver que ambos termos são intercambiáveis em Mc 8,6-7. O tratamento que Dodd dá a *eucharistein* em *Tradition*, p. 205, é prejudicado por não ter em conta a contribuição de Audet. Em geral, João prefere *eucharistein* mesmo onde não haja nuanças sacramentais, p. ex., 11,41. Jesus poderia ter falado em dar graças ou abençoar; era uma benção judaica típica sobre o pão: "Abençoado és tu, ó Senhor, rei do universo, que faz brotar o pão da terra".

passou-os ao redor. Jesus mesmo distribui os pães justamente como ele faz na última ceia (Gráfico, #11e); o número da multidão, contudo, sugere que isto é uma simplificação e que os sinóticos são corretos em envolver os discípulos na ação.

12. *ficaram satisfeitos*. Este é o único uso de *empimplasthai* em João (ver Dodd, *Tradition*, p. 204[2]). Tanto ela como a palavra sinótica *chortazesthai* ("ficar satisfeito, cheio" – gráfico, #12, p. 472ss) são usadas na LXX para traduzir o hebraico *śbʻ*. O termo sinótico tem uma matiz que lembra mais claramente as promessas divinas de abundância no AT (S 37,19; 81,16; 132,15). *Chortazesthai* aparece pejorativamente em Jo 6,26: "Estais olhando para mim... porque comestes dos pães e vos saciastes".

Ajuntai. Synagein, que nos relatos da multiplicação é usada somente em João (gráfico, #13, p. 472ss), aparece no relato veterotestamentário para colher o maná (Ex 16,16ss.). Uma palavra da mesma raiz, *synaxis*, serviu como o nome da primeira parte da reunião eucarística cristã.

pedaços. A palavra grega *klasma* é usada na *Didaquê* (9,3.4) para o pão eucarístico.

sobraram. Léon-Dufour, p. 492[29], adverte a não confundir isto com "o remanescente" do pensamento veterotestamentário, pois a raiz grega *periss/* nunca traduz a raiz hebraica *šʼr* que é usada para "remanescente". Temos aqui uma questão não de remanescente, e sim de excedente.

13. *doze*. Há quem sugira que havia um cesto para cada um dos Doze, mas esta seria a primeira vez que os discípulos, em João, se identificariam com os Doze. Ver nota sobre v. 67, § 26.

*alimentado com os cinco p*ães *de cevada*. João presta pouca atenção ao peixe, diferentemente de Marcos (gráfico, #13, p. 472ss), porque somente o pão será o sujeito do discurso. O verbo "alimentar-se" (*bibrōskein*) é usado para preparar o caminho para a discussão de "alimento" (*brōsis*) em 6,27.55.

14. *sinal[s]*. Há forte evidência, inclusive no Vaticanus e P[75], para se ler um plural. Entende-se que o plural poderia ter sido mudado em singular para tornar clara a referência à multiplicação; enquanto que o oposto é difícil de explicar. Todavia, o plural poderia ser um eco do v. 2.

o Profeta que havia de vir ao mundo. Mais provavelmente, esta é uma referência à expectativa do Profeta-como-Moisés (ver p. 228s.), pois no v. 31

estas pessoas estabeleciam uma conexão entre o alimento suprido por Jesus e o maná dado por Moisés. Entretanto, se os vs. 14-15 foram em algum momento independentes da narrativa da multiplicação, uma referência mais geral a um profeta é possível. Em 9,17, milagres se associam a um profeta; também Lc 7,16; 24,19. Ainda se sugere outra possibilidade pela qualificação "que havia de vir ao mundo". Como temos ressaltado (na nota sobre 1,27), "aquele que há de vir" é uma descrição do profeta Elias; aqui, Jesus multiplicou pão de cevada como fez Eliseu seguidor de Elias (2Rs 4,42-44). Em 1Rs 19, um claro paralelo foi traçado entre Elias e Moisés, e a expectativa popular, neste versículo de João, pode representar um amálgama dos dois personagens.

15. *viriam*. Isto pode refletir o uso pleonástico semita de "vir"; ver ZGB, § 363.

o arrebatariam. Esta é uma palavra violenta com conotações de força.

para fazê-lo rei. Em certos setores do judaísmo, esperava-se que o Messias ou o ungido rei davídico viesse na Páscoa. A aparente identificação do Profeta e o rei (messiânico) é difícil, pois 1,21 e 7,40-41 distingue entre o Profeta (-como-Moisés) e o Messias. Em Qumran, a vinda de um profeta precedia a do Messias (ver p. 228s.). LAGRANGE, p. 166, e GLASSON, p. 29, ressaltam que as passagens que distinguem Profeta e Messias são localizadas na Judeia e contra o pano de fundo do ensino dos fariseus, que teriam ideias mais precisas do que os galileus ignorantes. GLASSON, p. 31, menciona que FILO (*Life of Moses* I 158) se refere a Moisés como rei.

retirou-se. A maioria das testemunhas lê "voltou para cima", talvez numa tentativa do copista de suavizar uma fuga embaraçosa por Jesus. "Retirou-se" é atestado no Codex Sinaiticus, o latino, e os Padres latinos. BLIGH, p. 16, vê na "subida" de Jesus ao monte uma prefiguração de sua exaltação, mas o verbo usado não dá evidente apoio a isto.

ao monte. Tinha ele afastado do monte mencionado no v. 37? Ou devemos imaginar sua posterior subida ao monte, enquanto seus discípulos desceram? Ver a sugestão no comentário de que os vs. 14-15 originalmente não pertenciam à cena da multiplicação.

COMENTÁRIO

A ordem dos capítulos

Em parte alguma a teoria da reordenação dos capítulos em João (ver Introdução p. 8s.) teve mais seguidores do que na inversão dos capítulos 5 e 6. Não só os que acreditam na redistribuição numa grande escala (BERNARD, BULTMANN), mas inclusive os que fazem com maior moderação a reordenação em geral (WIKENHAUSER, SCHNACKENBURG) muda a ordem desses capítulos. As razões para a reordenação são patentes. No capítulo 5, Jesus esteve em Jerusalém; mas no início do 6 ele está na Galileia e nunca somos informados como ele chegou ali. No entanto, se invertêssemos 5 e 6 teremos uma melhor sequência geográfica:

final do 4: Jesus está em Caná da Galileia
      6: Jesus está no litoral do Mar da Galileia
      5: Jesus sobe a Jerusalém
      7: Jesus já não pode transitar pela Judeia, então percorre Galileia

Todavia, a sequência não é perfeita, mesmo com a redistribuição. Não há transição entre a cena em Caná e a cena no Mar da Galileia, tal como vimos em 2,12.

Outros argumentos são apresentados em prol da reordenação. A referência aos "sinais" em 6,2 não é clara (ver a respectiva nota). Há quem mantenha que tal referência faria melhor sentido se seguiu uma cura na Galileia, a saber, aquela em Caná no capítulo 4; todavia, lembramos que aquela cura foi operada à distância e não vista por uma multidão. A referência em 6,2 provavelmente deva ser explicada como uma observação geral como a descrição do entusiasmo dos galileus em 4,45. Outro argumento apresentado para pôr 6 antes de 5 é que a Páscoa, que está próxima em 6,4, poderia então ser uma festa anônima que ocasiona a viagem de Jesus a Jerusalém em 5,1. Todavia, isto não se adequa bem com a indicação do tempo de 4 (ver notas sobre 4,35) que aparentemente ocorreu pouco *depois* da Páscoa; se for seguido por 6, então transcorreu quase um ano e não pode haver muita sequência entre a cura em 4 e o entusiasmo em 6.

Outros argumentam em prol da inversão dos capítulos com base na proximidade entre 5 e 7. O capítulo 5 trata de uma cura no sábado em Jerusalém, e, na cena de Jerusalém de 7,21, Jesus se refere a isto como se fosse algo recente. Por outro lado, 5,18 se refere ao desejo dos judeus de matar Jesus, e este tema começa o 7. Não obstante, em contrapartida, pode-se argumentar que 7,3 implica que no passado recente Jesus não esteve em Jerusalém operando milagres, e esta implicação é estranha, se 7 segue imediatamente após 5.

A reordenação proposta é atraente em alguns aspectos, porém não convincente ao todo. Não há evidência de manuscrito para ela, e não devemos esquecer que há outras indicações que favorecem a ordem atual. Por exemplo, em nosso comentário sobre 7,37-39, indicaremos que a sequência do maná em 6 e o tema da água em 7 parece ser uma referência deliberada a passagens veterotestamentárias com a mesma sequência. Nenhuma reordenação pode resolver todos os problemas geográficos e cronológicos em João, e reordenar com base na geografia e cronologia é dar ênfase indevida a algo que não parece ter sido de maior importância para o evangelista.

Relação com os sinóticos

A multiplicação dos pães é o único milagre do ministério público de Jesus que é narrado nos quatro evangelhos. Os relatos são marcantemente similares, e nos deparamos uma vez mais com o problema se o relato de João é ou não dependente dos relatos sinóticos. Alguns, como MENDNER, proclamam com insistência que a dependência é óbvia; outros, como DODD e E. D. JOHNSTON, negam a dependência. HAENCHEN pensa que a tradição independente é bem posterior e veio ao evangelista numa forma que evoluiu consideravelmente e a qual ele retocou ligeiramente; BULTMANN vê a mão do evangelista somente nos vs. 4, 6, 14, 15; WILKENS insiste que a obra do evangelista pode ser vista em quase cada versículo e que é impossível separar uma tradição original completa da re-elaboração do evangelista. WILKENS pensa que o ponto de vista do evangelista é inteiramente querigmático e não histórico. A questão é bastante importante para autorizar um tratamento completo, pois realmente o problema da dependência e do valor da tradição de João acarreta um tópico aqui.

Ao comparar João e os sinóticos, parece que temos que aplicar um princípio de julgamento correto, a saber: se o quarto evangelista é cópia de um ou de vários dos relatos sinóticos, pois a maior parte do que ele registra deverá achar-se nas palavras dos relatos sinóticos. Se há diferenças em João, então na teoria da cópia haveria algum motivo, teológico ou literário, que pode explicar por que se introduziu uma mudança. É verdade que nunca podemos estar certos de que, ao copiar, o evangelista não fez mudanças por mero capricho e sem qualquer razão aparente; mas aceitar esta possibilidade como um princípio explicativo é reduzir análise à irracionalidade. Se encontrarmos um considerável número de diferenças em elaboração, sequência e detalhe, e tais diferenças não têm aparente explicação, o mais lógico será supor que o relato de João não foi copiado dos sinóticos, porém representa tradição independente. Nesse caso, teremos que pesar o valor e antiguidade da tradição joanina contra os da tradição sinótica.

A comparação entre João e os sinóticos é complexa pelo fato de que Marcos e Mateus terem dois relatos da multiplicação dos pães e peixes, um para cinco mil homens e um segundo para quatro mil homens, enquanto Lucas tem apenas um relato. Tem-se argumentado desde a muito tempo se a segunda multiplicação é realmente um incidente separado ou simplesmente uma forma variante do mesmo incidente. No segundo caso, teríamos em Marcos e Mateus um fenômeno similar ao que se encontra no Pentateuco, onde se registram diversos relatos do mesmo evento, amiúde lado a lado. Há vários argumentos para se considerar os dois relatos em Marcos e Mateus como registrados variantes da mesma multiplicação. (*a*) O primeiro relato se encontra em Mc 6,30-44; o segundo, em 8,1-9. Em geral, Lucas segue Marcos mais de perto, porém Lucas nada tem que corresponda àquela seção em Marcos que se desenrola entre 6,45 e 8,26. Em outras palavras, Lucas se separa de Marcos depois do primeiro relato da multiplicação e se junta ao breve esboço marcano depois da segunda multiplicação. Deliberadamente, Lucas teria omitido esta seção, por acreditar que a segunda multiplicação fosse repetitiva? Ou Lucas usa uma versão mais antiga de Marcos que não continha este material? (*b*) No segundo relato da multiplicação não há a mais leve sugestão de que os discípulos estavam vendo algo que já tinham visto. Sua perplexidade sobre onde a multidão receberia alimento é mais difícil de explicar se já tivesse testemunhado uma multiplicação. (*c*) Mc 6,30-8,37 constitui uma passagem muitíssimo parecida com 8,1-26. Não só ambas começam com uma multiplicação, mas também os incidentes sucessivos são em grande medida os mesmos em seus temas (ver TAYLOR, *Mark*, pp. 628-32). É possível que tenhamos aqui duas exposições de material complexo, cada uma baseada na multiplicação dos pães, a agora ambas são preservadas em Marcos e Mateus.

Não podemos pretender resolver este problema complicado, mas podemos trabalhar com o que parece ser a hipótese mais provável, a saber, que Marcos e Mateus nos dão dois relatos da mesma multiplicação. Devemos indagar qual deles é mais antigo, o primeiro relato (Marcos-Mateus-Lucas) ou o segundo (Marcos-Mateus)? Ambos, HAENCHEN e DODD se inclinam para a hipótese de que o segundo é o mais antigo; um dos pontos em que se apoia seu argumento é que o número menor de pessoas está envolvido no segundo relato. Todavia, pode-se argumentar que o uso de *eucharistein*, no segundo relato, indica uma maior conformidade com a liturgia eucarística e, portanto, um estágio posterior da tradição, do que o *eulogein* do primeiro relato (ver gráfico, #11c, p. 472ss). Se temos de tratar com tradições variantes, parece provável que nenhum relato pode ser designado *in toto* como mais antigo do que o outro; os detalhes individuais de cada um terá de ser avaliado, e algumas vezes detalhes que parecem ser mais antigos se encontrarão em um relato, algumas vezes no outro.

Devemos comparar João com todos os relatos sinóticos e não meramente com Marcos, ainda quando Marcos amiúde seja tomado como a fonte dos outros relatos sinóticos. Ocorre, por exemplo, que no primeiro relato da multiplicação, Mateus e Lucas concordam em muitos detalhes contra Marcos, especialmente à maneira de omissão; e L. CERFAUX argumenta que há duas formas da primeira multiplicação, Mateus-Lucas e Marcos, não dependentes uma da outra, mas ambas dependentes de uma fonte comum (*"La section des pains"*, *Synoptische Studien* [Widenhauser Festschrift; Munique: 1954], pp. 64-77; também RecLC, I, pp. 471-85). No segundo relato da multiplicação, ele pensa que Mateus é mais original do que Marcos em muitos detalhes.

Sequência em João comparada com a de Marcos

Começaremos nossa comparação com a sequência geral dos eventos que seguem a multiplicação. Como já mencionamos, Lucas omite muito do que está em Marcos; aqui Mateus é aproximadamente o mesmo que Marcos; portanto, será suficiente comparar João e Marcos. Muitos anos antes, J. WEISS notou alguns paralelos interessantes na sequência entre Marcos e João; e estes têm sido expandidos por GÄRTNER, pp. 6-8. Desenvolvendo isto ainda mais, podemos estabelecer esta comparação:

Multiplicação para 5.000	Jo 6,1-15	Mc 6,30-44
Caminhando sobre o mar	16-24	45-54
(Então saltando para o fim do segundo relato da Multiplicação que se encontra em Mc 8,1-10)		
Pedido por um sinal	25-34	8,11-13
Observações sobre o pão	35-59	14-21
Fé de Pedro	60-69	27-30
Tema da paixão; traição	70-71	31-33

Agora, obviamente, esta tabela de paralelos esconde importantes diferenças. Por exemplo, as observações sobre o pão, em João, constituem um discurso completo, e isto não se dá em Marcos. Mas, admitindo que cada tradição desenvolveu diferentemente o conteúdo das partes do mesmo esquema, cremos que a similaridade geral da sequência dificilmente pode ser fortuita. A ordem em João parece muito de perto à reconstrução que Taylor (Mark, p. 631) faz da ordem do material pré-marcano atualmente dispersos pelos capítulos 6-8 de Marcos. É possível que, ao copiar a tradição sinótica, o quarto evangelista reconhecesse a similaridade do primeiro e segundo relatos da multiplicação em Marcos-Mateus e, por um processo de eliminação, encontrou a sequência que estudiosos modernos consideram mais original. Mas seria muito menos complicado assumir que o quarto evangelista reservasse para si esta sequência mais primitiva (assim Gärtner, p. 12). Teria ele a cópia de uma forma pré-canônica de Marcos que continha somente uma multiplicação? Tal sugestão foi feita acima para explicar a ordem de Lucas; mas se ambos, Lucas e João, eram dependentes de um Marcos pré-canônico, deve-se notar que Lucas e João *não* têm a mesma sequência de eventos. Talvez uma possibilidade mais frutífera seja que o quarto evangelista recorreu a uma tradição independente que tinha a mesma sequência geral como Marcos pré-canônico.

Isso é tudo o que podemos dizer sobre a sequência de eventos. Comparemos então os detalhes dos relatos atuais da multiplicação. Fazemos isto em um gráfico comparativo (pp. 472-475) o qual solicitamos ao leitor que estude cuidadosamente antes de prosseguirmos com nossas observações.

O relato de João da multiplicação e os relatos sinóticos I e II

Em #1, 5(?), 7b, 8, 9, 10 (grama) e 13, bem como ao ser seguido pelo relato do caminhar sobre o mar, o relato de João parece mais semelhante ao relato sinótico I. Em contrapartida, em #3, 4, 6, 7a, 10 (*assentar-se*) e 11c, o relato de João parece mais semelhante ao relato sinótico II. Assim, é difícil defender a teoria de que João representa uma cópia direta de ambos os relatos sinóticos. Mesmo que se proponha que o evangelista amalgamou detalhes de I e II, deve-se admitir que não há esquema ou padrão reconhecível ao que copia. Um dos poucos itens que poderiam ser explicados como empréstimo misto é #10. O que importa especialmente é que João tem um número de detalhes que não se encontra em nenhum relato sinótico, como visto em #1, 5, 7, 8, 11e, 12, 13. Embora alguns destes detalhes possam ser explicados como teologicamente motivados, nem todos podem. Além do mais, é extremamente difícil, se pressupormos como cópia, considerar a omissão de João de detalhes sinóticos que pudessem ter corroborado os temas teológicos joaninos. A omissão de "lugar deserto" em #1 é curiosa, visto que teria preparado o caminho para o tema do maná em Jo 6,31. Ademais, visto que o relado joanino tem matizes eucarísticas, por que o evangelista omitiria o partir do pão em #11d? A sugestão de que o evangelista está pensando no cordeiro pascal cujos ossos não podiam ser quebrados (Ex 12,46; Nm 9,12; Jo 19,36) não é convincente. João também omite o olhar para o céu em #11b, e esta ação poderia ter sido também parte do antigo rito eucarístico. Há uma explicação lógica para todos estes aspectos, omissões, adições e paralelos, a saber, que o evangelista não copiou dos sinóticos, mas tinha uma tradição independente da multiplicação que era parecida, porém não idêntica que as tradições sinóticas.

A época relativa da tradição de João, quando comparada com o Sinótico I e II é difícil de fixar. Em alguns detalhes, como o do dinheiro em #7b, o relato de João parece ser posterior ao sinótico #1 (para Marcos, 200 denários são suficientes; para João, a soma é inadequada – contudo, isto pode ser mais uma questão de exagero espontâneo do que de desenvolvimento real). Todavia, em outro detalhe, como #7a, o relato de João parece ser bem mais antigo; pois é difícil crer que uma tradição posterior registraria uma afirmação que pode parecer atribuir ignorância a Jesus. (Ou o autor ou o redator final de João revela que ele é inconformado com esta aparente ignorância da parte de Jesus, e insere o v. 6 como parênteses para atenuar a dificuldade). Portanto, provavelmente a solução é a mesma a que chegamos avaliando as épocas relativas do sinótico I e II: em cada uma das três tradições há muitos detalhes antigos, e em cada uma há detalhes que foram elaborados no curso da transmissão. Tampouco a própria tradição de João é inteiramente homogênea, como mostra um estudo de #2. Portanto, cada detalhe teria de ser avaliado sob seus próprios méritos.

GRÁFICO COMPARATIVO DA MULTIPLICAÇÃO EM JOÃO E NOS SINÓTICOS

	I PRIMEIRO RELATO SINÓTICO: Mc 6,31-44 Mt 14,13-21 Lc 9,10-17	II SEGUNDO RELATO SINÓTICO: Mc 8,1-19 Mt 15,29-38	RELATO JOANINO 6,1-15
Cenário			
#1	Mc-Mt: segue em um barco para um lugar *deserto*. Lc: retira-se para Betsaida (contraste com Mc 6,45).	Mc: nenhuma localização; mas 7,31 menciona Decápolis região próxima ao Mar da Galileia. Mt: passando junto ao Mar da Galileia.	Atravessa o Mar da Galileia (Tiberíades); ver 6,22-24. Em algum lugar, atravessa o Mar desde Cafarnaum (6,17). Para o tema de *deserto*, ver 6,31.
#2	Mc-Mt: vê uma grande multidão quando aporta. Lc: as multidões o seguem.	Mc: uma grande multidão está com ele. Mt: uma grande multidão foi a ele (30). Ambos: multidão(s) ficou com ele 3 dias.	V. 2: uma grande multidão continua seguindo. V. 5: vê uma grande multidão vindo a ele.
#3	Mc: nenhuma cura mencionada; ele ensina. Mt-Lc: ele cura o enfermo entre as multidões.	Mc: nova história aparentemente desconexa com a cura anterior do surdo-mudo. Mc (30-31): multidões trouxeram um aflito a quem ele curou; viram e se maravilharam.	A multidão viu os sinais que ele realizava nos enfermos.
#4	Mc-Mt: somente depois da multiplicação Jesus sai/sobe (*anabainein*) o monte para orar (Mc 6,46; Mt 14,23). Todos: os doze discípulos/apóstolos estão com ele.	Mt (29): Jesus sobe (*anabainein*) ao monte e se assenta ali. Ambos: os discípulos estão com ele.	Jesus sobe (*anerchesthai*) ao monte e se assenta ali. com seus discípulos.
#5	Mc-Mt: em #10 ambos mencionam relva; Mc diz "relva verde", subentendendo primavera.		Próximo da Páscoa; então primavera.

20 • Jesus na Páscoa: A multiplicação dos pães

	SINÓTICO I	SINÓTICO II	JOÃO
Diálogo #6	Todos: Os discípulos tomam a iniciativa. Mc-Mt: preocupados com a última hora. Todos: Insistem com Jesus que mande embora o povo para comprar alimento para si.	Jesus toma a iniciativa, preocupado em alimentar a multidão que tem estado com ele 3 dias e desfalecerão se os mandar embora.	Jesus toma a iniciativa, preocupado em alimentar a multidão.
#7a	Todos: Jesus responde, dizendo aos discípulos que eles mesmos os alimentem.	Os discípulos respondem, indagando: "Onde acharemos pão no deserto para saciar essa multidão?" (Mt).	Jesus pergunta a Filipe: "Onde compraremos pão para estas pessoas comerem?"
7b	Mc: Eles dizem: "Iremos e compraremos duzentos denários de pão e lhes daremos de comer?" Lc (13): "... a menos que vamos e compramos alimento para todas estas pessoas".		Filipe responde: "Nem mesmo com duzentos denários poderíamos comprar pães suficientes para dar a cada um deles um bocado".
#8	Mc: Jesus lhes pergunta: "Quantos pães tendes? Ide e vede". Pesquisaram. Todos: "Temos cinco pães e dois peixes [ichthys]". Mt: Jesus diz: "Trazei-os aqui a mim".	Ambos: Jesus lhes pergunta: "Quantos pães tendes?" Dizem: "Sete – Mt: e um peixe bem pequeno [ichthydion, porém ichthys em 36]". Mc: (mais adiante no 7). Eles têm um peixe (ichthydion) bem pequeno.	André diz a Jesus: "Há um moço aqui que tem cinco pães de cevada e um par de peixe seco [opsarion], mas o que é isso para tantos?"
#9	Todos: Há cerca de 5.000 homens Mc: além de mulheres de crianças. (Somente Lc, como João, menciona o número neste ponto; Mc-Mt o mencionam no fim do relato).	Mc: Há cerca de 4.000 Mt: Há cerca de 4.000 homens, além de mulheres e crianças (Ambos mencionam o número no fim do relato).	Os homens somam cerca de 5.000.

	SINÓTICO I	SINÓTICO II	JOÃO
Multiplicação			
#10	Mt: Ele ordena que as multidões tomem um lugar (*anaklinein*) na relva. Mc: Ele ordena que todos tomem lugares (*anaklinein*) por grupos na relva verde. Assim se assentam em grupos de 100 e 50. Lc: Ele diz a seus discípulos: "Mandai-os tomar lugares [*kataklinein*] em grupos de cerca de cinquenta cada um". E fazem assim, e todos tomam seus lugares.	Ele orienta a multidão a sentar-se (*anapiptein*).	Jesus diz: "Manda ao povo que se assente [*anapiptein*]". Há abundância de relva ali; então se sentaram.
#11	Ver gráfico especial abaixo para a ação de Jesus sobre os pães e o peixe.		
#12	E todos comeram e se saciaram.	E todos comeram e se saciaram.	– o quanto queriam. Quando têm o suficiente.
#13	Todos: E recolheram (*airein*) 12 cestos (*kophinos*) dos pedaços. Mt-Lc: do que sobejou. Mc: e do peixe. Mc-Mt: E os que comeram (Mc os pães) são cerca de 5.000 homens = #9.	E recolheram (*airein*) 7 canastras (*spyris*) dos pedaços que sobraram. Há cerca de 4.000 (Mt: que comeram) = #9.	ele diz a seus discípulos: "Recolhei (*synagein*) os pedaços que sobreram para que nada pereça". E assim eles reuniram 12 cestos (*kophinos*) cheios de pedaços que sobraram dos que comeram e se fartaram com os 5 pães de cevada.

20 • Jesus na Páscoa: A multiplicação dos pães

SUBDIVISÃO ESPECIAL DO GRÁFICO: Comparação das ações de Jesus sobre os pães no relato da multiplicação com a ação eucarística sobre o pão na última ceia (Mc 14,22; Mt 26; Lc 22,19; 1Cor 11,23-24).

	MULTIPLICAÇÃO SINÓTICA I	MULTIPLICAÇÃO SINÓTICA II	MULTIPLICAÇÃO JOANINA	Última ceia
#11a	E tomando os cinco pães e os dois peixes (*ichthys*).	Mt: Ele toma os sete pães e os peixes (*ichthys*), Mc: E tomando os sete pães,	Então Jesus toma os pães;	Mc-Mt-Lc: E tomando o pão, Paulo: Ele toma o pão;
11b	e, olhando para o céu,			
11c	ele abençoa (*eulogein*)	e dando graças (*eucharistein*)	e dando graças (*eucharistein*),	Mc-Mt (sobre o pão): e, abençoando (*eulogein*), Lc-Paulo (sobre o pão) e Todos sobre o vinho: e, dando graças (*eucharistein*),
11d	e parte (o pão)	ele parte		ele parte
11e	e dá (os pães) aos discípulos (*didonai*)	e dá aos discípulos (*didonai*)	ele os distribui (*diadidonai*)	Mc-Mt-Lc: e lhes dá/os discípulos (*didonai*).
11f	e os expõe diante da(s) multidão(s).	Mc: os expõe. E os expõe diante da multidão. Mt: e os discípulos os dá às multidões.	aos assentados ali;	
11g	Mc (único): E ele divide os dois peixes (*ichthys*) entre todos eles.	Mt: ver #11a. Mc: E recebem um pouco do pequeno peixe (*ichthydion*); e, abençoando-os (*eulogein*), ele lhes diz que os distribuíssem.	e o mesmo com os peixes secos (*opsarion*).	Ação sobre o vinho.

O relato de João e a multiplicação nos evangelhos sinóticos individualmentes

Observamos que, ao falarmos dos relatos sinóticos I e II, podemos estar simplificando demais; por exemplo, alguns estudiosos encontram duas tradições em I, a saber, a do Evangelho de Marcos e a de Mateus-Lucas. Portanto, comparemos João e cada evangelho sinótico a fim de estabelecermos a questão ainda mais meticulosamente.

Em alguns detalhes, João, indiscutivelmente, se aproxima de Marcos I, por exemplo, a figura de 200 denários em #7b. João se assemelha com Marcos I e II em #11g ao mencionar a distribuição dos peixes. Todavia, mesmo nestes casos, não há identidade: o vocabulário é diferente em #11g, e o montante da soma suficiente difere em #7b. Em passagens onde Marcos tem material que Mateus-Lucas não tem, por exemplo, #3, 10, João não revela afinidade com Marcos.

Em #4, 7a, João tem aspectos peculiares que têm afinidade com Mateus II, embora outra vez com diferenças de vocabulário. Não há nada em João segue igual aos aspectos de Mateus II em #8, 9 ("além de mulheres e crianças"). João difere de Mateus I ainda mais do que de Marcos I.

Lucas e João são parecidos em que ambos têm somente um relato da multiplicação, porém não partilham de muita similaridade de detalhe (ver #2, 9). Os característicos notáveis que João partilha com Marcos I não se encontram em Lucas.

Assim, nossa comparação de João e os sinóticos individuais confirma a conclusão a que chegamos nas discussões mais gerais na Introdução, a saber, que o relato joanino não foi copiado de nenhum dos evangelhos sinóticos nem coligido de diversos evangelhos. Não é impossível que o redator final tenha agregado ao relato joanino basicamente independente detalhes de Marcos, por exemplo, 200 denários. Entretanto, é igualmente possível que tais detalhes fossem parte da tradição joanina desde seu estágio identificável mais antigo.

Avaliação de detalhes peculiares a João

No relato de João, da multiplicação, há uma orientação teológica exatamente como há nos relatos sinóticos. Alguns estudiosos, especialmente os que pensam que o relato de João foi copiado da tradição sinótica, usam esta orientação para explicar todos os detalhes próprios a João, detalhes que consideram como adições criativas, em vez de um eco da tradição primitiva. Esta é uma questão delicada. Tudo o que podemos fazer é estudar os detalhes peculiares a João e salientar a motivação teológica onde ela existe. Não cremos que todos os detalhes peculiares possua motivação teológica; mas, mesmo onde existem, não podemos *a priori* concluir que, por isso, foram inventados pelo evangelista para adequar sua teologia. Deve-se enfatizar ser perfeitamente lógico pensar que a teologia cristã primitiva foi erigida sobre o que realmente estava contido na tradição, e que essa é a razão por que os detalhes se ajustam bem à teologia. Os seguintes detalhes importantes são peculiares a João.

(1) *O cenário da Páscoa em #5*. O relato sinótico I parece fixar implicitamente o tempo da multiplicação na primavera, quando haveria relva verde no solo. Aliás, na sequência que segue o relato sinótico II pode haver uma referência implícita à Páscoa na passagem em que Jesus adverte contra o fermento dos fariseus (Mc 8,14-21). Tal alusão seria muito apropriada à Páscoa, quando se adquiria pão sem fermento. Entretanto, a introdução explícita que João faz do tema da Páscoa pode ser designada a preparar para o discurso que seguirá no capítulo 6. BULTMANN, p. 156[6], pensa que a referência pascal foi adicionada pelo Redator que adicionou ao capítulo os vs. 51-59. Pode-se dizer em favor de sua teoria que, como vimos nas respectivas notas, há diversos aspectos peculiares na introdução à multiplicação (Tiberíades no v. 1; sinais no v. 2; multidão nos vs. 2 e 5) que sugerem uma história complexa para os vs. 1-4. Entretanto, o tema pascal enquadra não só os vs. 51-59, mas também a menção do maná no v. 31, pois o maná é proeminentemente mencionado na liturgia da refeição pascal. Esta liturgia também menciona a travessia do Mar Vermelho que *pode* ser associada com o caminhar sobre as águas em 6,16-21 (ver discussão abaixo).

Se as observações de AILEEN GUILDING sobre as leituras na sinagoga são corretas (ver p. 518 abaixo), então entrelaçadas na própria estrutura do discurso de Jesus, são muitos dos motivos que estavam sendo lidos nas sinagogas durante o período da Páscoa. Ela indicaria que o evangelista elaborou artificialmente o discurso sobre as bases de tais temas tomados das leituras na sinagoga; mas, ao menos em princípio, se há alguma base histórica para a cena no capítulo 6, então Jesus estaria simplesmente se reportando em seu discurso a ideias veterotestamentárias que bem sabia estavam frescas na mente do povo nesta ocasião do ano. Para mais possíveis reflexões sobre o ritual judaico da Páscoa, ver 6,28ss., como discutido abaixo (p. 501ss.). Assim, a menção da Páscoa certamente enquadra toda a perspectiva teológica do capítulo. Sua presença não é um ato isolado do redator; e nada há que contradiga a possibilidade de que a cena foi originalmente conectada à Páscoa.

(2) *A identificação de Filipe e André em #7, 8*. Estudiosos repetem categoricamente que a introdução de nomes pessoais numa narrativa é frequentemente o sinal de um imitador tardio tentando dar à sua obra um ar de autenticidade. Se isto é aplicável a João, então se admitiria, porém, que o evangelista o escolheu estrategicamente, pois Filipe e André estão entre os membros mais obscuros dos Doze. O fato de que ambos estes discípulos eram honrados na Ásia Menor, o *locus* tradicional do Evangelho de João (ver nota sobre 1,43) é digno de consideração. Alguns pensam que esses nomes foram introduzidos para fazer o evangelho mais aceitável na Ásia Menor; outros são mais inclinados a pensar de que esses discípulos estavam originalmente envolvidos na narrativa e a memória disto foi preservada somente na tradição de uma comunidade que tinha especial devoção para com eles.

(3) *Os detalhes especiais de #8.* João especifica que um *moço* (*paidarion*) tinha cinco pães de cevada e peixes (*opsarion*) *secos*. Nada há de implausível sobre qualquer destes detalhes, mas o "moço" e os "pães de cevada" evocam o relato de Eliseu em 2Rs 4,42. Recordamos que o NT estabelece um paralelismo entre Jesus e as figuras estreitamente conectadas de Elias e Eliseu. Bultmann, p. 157³, questiona as conexões do relato de João com o relato em 2 Reis, mas os paralelos são surpreendentes. Um homem vem a Eliseu com vinte *pães de cevada* (um dos quatro usos de "cevada" como um adjetivo na LXX). Eliseu diz: "Dá aos homens para que comam". Há um servo presente (aqui designado como *leitourgos*, mas como *paidarion* cinco versículos antes, e a última é sua designação normal – ver nota sobre v. 9). O servo indaga "Como vou pôr isto diante de cem homens?" – uma questão similar ao v. 9 de João. Eliseu repete a ordem de dar o alimento aos homens, e comem e ainda sobra algo.

Outro pano de fundo para a menção de João de pão de cevada foi proposta por Daube, p. 42, e Gärtner, p. 21. Em Rt 2,14, Boaz dá a Rute algum grão tostado para comer; ela comeu e se saciou e algo sobrou. Embora o grão usualmente seja tido como de trigo, no momento a ação se dá na colheita de cevada; e estes estudiosos sugerem que o que estava envolvido era o pão de cevada. O teor teológico estaria na interpretação rabínica da cena de Rute como uma antecipação do banquete messiânico. Em nosso juízo, esta associação com Rute é tênue demais.

Um terceiro item que menciona João é o "peixe seco". Aqui, os *ichthys* da tradição sinótica podem ser considerados o termo mais teológico, visto que, no Cristianismo primitivo (2º século, porém com raízes mais antigas?), suas letras formaram um acróstico para Cristo. Como salientamos nas notas sobre vs. 9 e 5, o *opsarion* de João poderia ecoar Nm 11; mas isto parece forçado demais. MENDNER argumenta que esta palavra não é importante em João, pois foi adicionada pelo mesmo redator que adicionou o capítulo 21, onde ela aparece nos vs. 9, 10 e 13. Entretanto, o argumento seria o inverso: quem foi responsável pelo 21 não foi responsável pelo uso de *opsarion* em 6; pois em 21 a palavra é usada para peixe pescado recentemente, enquanto em 6 tem o mesmo sentido clássico de alimento em conserva.

(4) *Os aspectos eucarísticos em #11, 12, 13*. Aparentemente, em todos os relatos da multiplicação há um forte motivo eucarístico. Este milagre não se ajusta ao esquema normal dos milagres de Jesus na tradição sinótica (ver nosso estudo, *"The Gospel Miracles"*, BCCT, pp. 184-2001), onde inclusive os milagres sobre a natureza é tratada como atos de poder estabelecendo o reino de Deus contra o domínio de Satanás. Segundo os evangelistas, por que Jesus opera este milagre? O motivo de compaixão não parece ser a principal explicação; pois os evangelhos enfatizam que os discípulos não entenderam a implicação da multiplicação (Mc 6,52; 8,14-21), e não teria tido nenhuma dificuldade em entender a partir da compaixão. Assim, mesmo na tradição sinótica, este milagre parece se aproximar do conceito de um milagre como sinal, como algo designado a ensinar aos que o presenciavam acerca da pessoa de Jesus. Aparentemente, os evangelistas sinóticos o viam como um sinal messiânico cumprindo as promessas veterotestamentárias de que nos dias futuros Deus alimentaria seu povo com abundância (ver nota sobre v. 12). Por exemplo, ao prometer aos exilados em Babilônia um novo êxodo, Deuteroisaías (49,9ss.) ecoa as palavras do Senhor: "eles pastarão nos caminhos, e em todos os lugares altos terão o seu pasto. Nunca terão fome nem sede".

Ora, como o relato da multiplicação foi transmitido na tradição do ensino da comunidade cristã, sua conexão com o alimento especial do povo de Deus, a eucaristia, foi reconhecida. Um relance no gráfico para #11 mostra os estreitos paralelos no gesto e redação entre os relatos sinóticos I e II e as descrições da última ceia. A explicação mais plausível é que a redação dos relatos da multiplicação foi colorida pelas liturgias eucarísticas familiares às várias comunidades. G. BOOBYER (JTS 3 [1952], 161-71) tem argumentado contra a influência eucarística sobre os relatos sinóticos da multiplicação, porém duvidamos se os paralelos em nosso gráfico podem ser explicados de outro modo. E. GOODENOUGH (JBL 64 [1945], 156ss.), em contrapartida, vai longe demais quando mantém que o relato I da multiplicação era a narrativa eucarística original. Como um exemplo final do tom eucarístico, podemos mencionar que a multiplicação foi usada na arte das catacumbas no 2º século para simbolizar a Eucaristia, e epitáfio posterior ao 2º século, de ABERCIUS em Hierópolis, menciona os peixes (*ichthys*), significando Cristo, e o pão e o vinho da Eucaristia, todos juntos.

Não surpreende, pois, que o relato que João faz da multiplicação também apresenta uma certa adaptação à cena da instituição da Eucaristia. Ainda que João não registre a cena de instituição (ver 6,51), não vemos razão para suspeitar que as igrejas da Ásia Menor, presumivelmente o auditório do Quarto Evangelho, não estivessem familiarizadas com uma liturgia eucarística primitiva tal como a preservada em Paulo-Lucas e Marcos-Mateus. As adaptações eucarísticas no relato joanino da multiplicação são diferentes das adaptações nos relatos sinóticos (#11d), como poderíamos esperar se a tradição joanina da multiplicação fosse independente. Uma exceção é #11c, onde tanto João como o relato sinótico II usam *eucharistein*. Um aspecto peculiarmente joanino se encontra em #11e, onde Jesus mesmo distribui os pães sobre os quais ele deu graças, precisamente como fez na última ceia (ver nota sobre v. 11). Pode ser também que a frase de João, "Quando estavam saciados"... (#12), ecoe a liturgia eucarística, posto que também aparece no relato da refeição eucarística na *Didaquê*. Ali, depois que o capítulo 9 registra a oração eucarística sobre o cálice e o pão, 10,1 começa: "E depois de satisfeitos"...

Ainda mais claramente, há nos detalhes joaninos em #13 um eco eucarístico, onde Jesus diz aos seus discípulos: "Recolhei [*synagein*] os pedaços [*klasma*] que sobraram para que nada pereça". Como C. F. D. MOULE, "A Note on Didache ix 4", JTS 6 (1955), 240-43, tem ressaltado, aqui João é muito parecido com a oração eucarística da *Didaquê* sobre o pão: "Acerca do pão [*klasma*] fragmentado, 'Damos graças [*eucharistein*] a ti, nosso Pai. ... como este pão fragmentado foi disperso *sobre os montes*, porém foi recolhido [*synagein*] e se fez um, assim seja a Igreja recolhida dos quatro cantos da terra em teu reino'".

Além dos paralelos óbvios com o relato de João no uso de *klasma*, *eucharistein*, *synagein* (a última delas é peculiar ao relado que João faz da multiplicação), devemos notar que somente João enfatiza que a multiplicação ocorreu sobre um monte, e somente João menciona o tema de Jesus como rei (v. 15). O verso da *Didaquê* supracitado também tem paralelos em Jo 11,52.

Continuando nossa discussão dos detalhes eucarísticos joaninos em #13, notamos que alguns estudiosos também veem um eco eucarístico na frase "... para que nada pereça". Pensam no cuidado que eram tratados os fragmentos eucarísticos na Igreja primitiva. Entretanto, a frase pode simplesmente ser uma preparação para o v. 27, onde Jesus diz que o povo entendeu mal o milagre dos pães: devem trabalhar pelo alimento que dura para a vida eterna, e não por *o alimento que perece*. João pode estar enfatizando que mesmo os pães miraculosamente multiplicados podem perecer. BARRETT, p. 231, vê outro possível significado, a saber, que esta é uma referência poética à união dos discípulos para que não pereçam. Este tema é recorrente em 17,12; e a *Didaquê*, como supracitada, usa o recolhimento dos fragmentos eucarísticos como um símbolo da união da Igreja. Os doze cestos, como símbolos dos Doze Apóstolos, cada um ajuntando para Cristo, têm sido também proposto. Pode-se mencionar uma referência eucarística mais *possível*, a saber, que na Igreja primitiva o pão de *cevada* era usado para a eucaristia (ver J. McHUGH, VD 39 [1961], 222-39).

Assim, mesmo que não possamos ter certeza de cada detalhe, o colorido eucarístico do relato joanino da multiplicação parece estar além de toda dúvida. Entretanto, é possível a hesitação sobre a alegação de que o relato de João é mais eucarístico do que os relatos sinóticos. Os elementos eucarísticos nos relatos da multiplicação são mais ou menos do mesmo número, ainda que diferentes em detalhe. Que todas as tradições teriam colorido eucarístico, significa que se percebeu na relação da multiplicação e a ação na última ceia teria sido granjeada na tradição da pregação primitiva. Aliás, está longe do impossível que o próprio Jesus conectou a alimentação da multidão com os pães e a instituição da eucaristia (ambas num contexto pascal), por meio de uma uniformidade deliberada no esquema de suas ações. Veremos a importância destas observações quando tratarmos a pretensão de BULTMANN de que foi somente a adição dos vs. 51-59 que introduziu um tema eucarístico no capítulo 6 de João. Antes, a adição daqueles versículos realçou um tema eucarístico que já estava lá.

(5) *A conclusão da cena nos vs. 14-15*. Após o relato sinótico I, Jesus ordena seus discípulos a partir em um barco para o outro lado do mar; então despede a multidão e sobe ao monte para orar. (A sequência depois do relato II é de menos importância, visto que na próxima cena de João – o caminhar sobre as águas – João se aproxima do relato I). Não se dá nenhuma razão para o abrupto envio dos discípulos e a despedida da multidão.

Mas no relato de João há uma razão para este comportamento enigmático, a saber, o perigo de uma manifestação política por parte da multidão. Todavia, esta informação nos vs. 14-15 não deixa de causar dificuldades. Nos vs. 25ss., Jesus encontra no dia seguinte a mesma multidão. Não só não existe nenhuma referência de fazê-lo rei, mas a multidão têm dúvidas sobre ele. Podemos pressupor que este é um exemplo da leviandade das multidões, mas a ilação é difícil. Além do mais, se o plural, "sinais", for lido no v. 14, então 14-15 são apenas anexados livremente à multiplicação dos pães e se referem a todos os milagres do ministério galileu.

Ainda que os sinóticos não narrem o incidente encontrado nos vs. 14-15 de João, possuem informação que é útil na avaliação destes versículos. O capítulo 6 de Marcos, que contém o relato I da multiplicação, marca uma das divisões maiores do evangelho. No início deste capítulo, Jesus é rejeitado em Nazaré. Isto é vinculado o relato da morte do Batista por ordem de Herodes. Estas duas questões, a segunda das quais parece constituir uma ameaça a Jesus, o leva a concluir seu ministério galileu e a sair do território herodiano. A razão para a ameaça herodiana contra Jesus se faz evidente por JOSEFO, *Ant.* 18.5.2; 118: "Herodes temia que a grande influência que João [Batista] exercia sobre o povo incentivasse sua força e desejo de suscitar uma rebelião". Se Jesus continuasse a atrair grandes multidões na Galileia, poderia facilmente a tornar-se o próximo alvo da ira de Herodes. Este, pois, é o ambiente que Marcos propicia em seu primeiro relato da multiplicação; e tal cenário nos adverte ser totalmente plausível que João esteja atribuindo uma reação política às multidões no v. 14 e uma profunda desconfiança e temor daquela reação contra Jesus no v. 15.

Temos indicado nas respectivas notas que a relação nos vs. 14-15 entre a operação de sinais e a aclamação de Jesus como "o Profeta" não é clara e é suscetível de várias explicações. DODD, *Tradition*, p. 214, indica que em quase todas as narrativas de Josefo concernentes às insurreições políticas do 1º século, por supostos libertadores (p. ex., Teudas; o Egípcio; entre outros), aparecem os temas do profeta e a operação de sinais. Esta é mais uma confirmação para a atribuição de João do tom político ao comportamento do povo.

Assim, se os versículos 14-15 foram ou não sempre parte da cena da multiplicação, cremos que nestes versículos João nos deu um item da confirmação histórica correta. O ministério de milagres na Galileia, culminando na multiplicação (que em João, como em Marcos, é o último milagre do ministério galileu), suscitou um fervor popular que gerou o risco de um levante que daria às autoridades, seculares e religiosas, uma chance de prender Jesus legalmente. A época desta informação joanina pode ser julgada pela tendência contrária de remover dos evangelhos algo que poderia dar substância à acusação judaica de que Jesus era uma figura política perigosa. Se João foi escrito já no final do século quando a perseguição romana aos cristãos sob Domiciano era ainda mais patente, então a invenção da informação, nos vs. 14-15, parece fora de questão.

Finalmente, podemos notar que os vs. 14-15 exercem um importante papel dentro do esquema do capítulo 6. A crassa da reação dos galileus aos sinais prepara o caminho para a profunda incompreensão da multiplicação e de fato de todo o discurso do pão da vida que veremos nos vs. 26 e seguintes.

Terminamos agora de discutir todos os detalhes peculiares ao relato que João faz da multiplicação. Como já vimos, alguns deles podem ser explicados como possivelmente oriundos da perspectiva teológica do evangelista. Em geral, porém, quando estes detalhes são propriamente compreendidos, nada há que seja realmente implausível ou que pesaria contra o valor independente da tradição joanina.

[A Bibliografia para esta seção está inclusa na Bibliografia para o capítulo 6, no final do § 26.]

21. JESUS NA PÁSCOA:
– CAMINHANDO SOBRE O MAR DA GALILEIA
(6,16-21)

6 ¹⁶Ao entardecer, seus discípulos desceram ao mar. ¹⁷E, uma vez embarcados, começaram a atravessar o mar para Cafarnaum. Por esse tempo, já era escuro, e Jesus ainda não havia se juntado a eles; ¹⁸além do mais, sopra um vento forte; o mar fica encapelado. ¹⁹Quando haviam avançado cerca de uns 4 ou 5 km, avistaram Jesus caminhando sobre o mar, aproximando-se do barco. Ficaram atemorizados, ²⁰porém ele lhes disse: "Sou eu! Não temais". ²¹Queriam então recebê-lo no barco, e de repente o barco alcançou a praia para onde estavam indo.

19: *avistaram*; 20: *disse*. No tempo presente histórico.

NOTAS

6.16. *ao entardecer*. Talvez o tempo seja à tardinha, pois o v. 17 indicaria que não era ainda escuro quando saíram para o mar.

ao mar. Ou "à praia". A mesma expressão grega é usada em 21,1: "Jesus apareceu aos discípulos *no mar* de Tiberíades". Ali, ele se pôs em pé na praia.

17. *embarcados*. Literalmente, "entraram em um barco". Uma vez que Marcos e Mateus mencionaram *um* barco no início no relato sinótico I, aqui falam *o* barco; as testemunhas gregas tardias põem o artigo também em João.

começaram a atravessar. Literalmente, "foram indo"; provavelmente, o imperfeito seja conativo (BDF, § 326).

Jesus ainda não havia se juntado a eles. A sequência da ação indica que já havia adentrado ao mar. Como, pois, havia Jesus de juntar-se a eles? Talvez estivessem velejando perto da terra à espera de encontrar Jesus na praia. BULTMANN, p. 159, vê esta frase como obra do Redator, pois os discípulos não tinham razão para esperar Jesus, uma vez que estavam mar adentro. WIKENHAUSER, p. 121, pensa na sentença como a expressar a razão pela qual haviam embarcado, e assim a última metade do v. 17 se torna um parêntese que explica a primeira metade.

18. *além do mais*. O grego *te* é um forte conectivo, infrequente em João.
19. *quatro ou cinco km*. Literalmente, "25 ou 30 estádios"; um estádio media uns 6 ou 7 km, aproximadamente duzentos metros. JOSEFO, *War*, 3.10.7; 506, dá as medidas do "Lago de Genesaré" como 40 estádios de largura por 140 de comprimento; atualmente, em sua maior extensão é de 61 estádios (11,2 km) de largura e 109 estádios (19,3 km) de comprimento. Mc 4,47 menciona que o barco está "no meio do mar". Fosse isso tomado literalmente, significaria que o barco estava de 20 a 30 estádios ao largo da praia, uma distância que concordaria com a informação de João. Mas a designação de Marcos simplesmente significa "no mar", pois em Mc 6,47, lemos ainda que Jesus pode vê-los da terra.

    avistaram. Seria o presente histórico um reflexo de tradição ocular?

    sobre o mar. Esta é a mesma expressão grega "ao mar" no v. 16 (ali, *epi* com o acusativo; aqui, com o genitivo). BERNARD, I, p. 186, sugere que isto significa "perto da praia" e que a narrativa joanina, originalmente, não era o relato de um milagre. Não obstante, então o relato parece sem sentido. Além do mais, em 6,25 está implícito que Jesus atravessou o mar de uma maneira inesperada. Mc 6,49 usa a mesma expressão vaga como João; Mas o uso que Mateus faz da preposição com o acusativo em 14,25 mostra claramente que o primeiro evangelista pensava em Jesus como a caminhar sobre a água.

20. *Sou eu*. Para *egō eime,* ver Apêndice IV, p. 841ss. Este é um caso ambíguo em que não se pode ter certeza se está implícita uma fórmula divina.

    não temais. OS^{cur} omite isto, e poderia ser uma adição redacional em vista à tradição sinótica.

21. *queriam*. Como este verbo é usado em 7,44 e 16,19, ele se refere a um desejo não concretizado; como é usado em 1,43 e 5,35, se refere a um desejo concretizado. João não deixa claro se entraram ou não no barco. TORREY sugeriu que a raiz das consoantes aramaicas *b'w* foram mal interpretadas por alguém que traduziu João para o grego e que o significado original era: "eles se regozijaram grandemente"; mas esta é uma solução muito exagerada.

    de repente o barco alcançou a praia. Miraculosamente?

    para onde estavam indo. Omitido em CRISÓSTOMO e NONNOS.

COMENTÁRIO

Relação com o relato sinótico

Em ambos, Marcos-Mateus e em João (porém, inexplicavelmente, não em Lucas) a multiplicação dos pães para os cinco mil é seguida pelo caminhar sobre o mar. No relato sinótico, esta narrativa está intimamente ligada ao que segue antes e constitui a conclusão da cena da multiplicação; o que segue o caminhar sobre o mar é simplesmente um grupo de incidentes com nenhuma conexão aparente. Em João, os vs. 14-15 constituem a conclusão da cena da multiplicação, e assim o caminhar sobre o mar e mais bem o aspecto de uma narrativa independente. Isso serve como uma transição entre a multiplicação e a cena que se dá no dia seguinte, quando a multidão vem a Jesus e ouve o Discurso do Pão da Vida. Visto que teria sido mais simples para o quarto evangelista, se fosse simplesmente um artista criativo, ter colocado o discurso sobre o pão imediatamente depois da multiplicação, sua inclusão do caminhar sobre o mar indica que ele foi dirigido por uma tradição mais antiga em que a multiplicação e o caminhar sobre o mar já estavam reunidos.

Ao comparar os relatos sinóticos e joaninos, se nota imediatamente que aqui há muito mais similaridades de vocabulário do que houve nos relatos da multiplicação, por exemplo: *ao entardecer, embarcar, barco, atravessar, mar, vento, remar, estádio, caminhar sobre o mar, "Sou eu; não temais"*. Naturalmente, a maioria destas similaridades está nos termos náuticos, e ninguém pode contar uma história sobre um incidente no mar sem certo vocabulário náutico básico.

Há também diferenças – tão impressionantes, como uma questão de fato, que Crisóstomo (*In Jo.* 43,1; PG 59: 246) pensava que os sinóticos e João se destinavam a descrever eventos distintos! Em geral, o relato de João é muito mais breve. Mais se diz do ponto de vista dos discípulos que estão esperando por Jesus, enquanto o relato sinótico é do ponto de vista de Jesus que está sozinho em terra e vê os discípulos enfrentando dificuldades etc. O elemento do maravilhoso é mais proeminente no relato sinótico, especialmente em Mateus (ver nota sobre v. 19), onde Jesus vem pelo mar rumo a um barco que está a muitos estádios distante da terra. Também, no relato sinótico, Jesus, para o total espanto dos discípulos, acalma a tempestade.

21 • Jesus na Páscoa: Caminhando sobre o Mar da Galileia

Voltando a uma comparação mais detalhada, podemos distinguir:

Cenário:
  sinóticos: Jesus faz os discípulos embarcar enquanto ele despede a multidão e permanece no monte em oração.
  João: Jesus foi para o monte fugindo da multidão. Os discípulos descem à praia e embarcam por sua própria iniciativa.

Tempo:
  sinóticos: À tardinha, saem ao mar – Mt 14,15 inclusive fixa a hora para a multiplicação, no momento em que vem chega a tardinha (Mc 6,35: quando a hora já estava avançada)! Ambos os evangelhos trazem Jesus indo aos discípulos perto da quarta vigília da noite (3 da manhã).
  João: Ao entardecer, eles descem à praia. Provavelmente, escurece depois que embarcam (ver nota sobre v. 17); Jesus só vai a eles depois que remaram até certa distância.

Tempo climático:
  sinóticos: O vento lhes é contrário. Mateus acrescenta que estão sendo açoitados pelas ondas; Marcos acrescenta que estão remando com dificuldade.
  João: Sopra um vento forte; o mar fica encapelado.

Posição:
  sinóticos: Marcos diz que saem ao mar, porém Jesus pode vê-los da terra. Mateus diz que estão a muitos estádios longe da terra.
  João: Chegaram a remar vinte e cinco ou trinta estádios, mas a distância da terra não é especificada.

Jesus vem:
  sinóticos: Ele anda sobre o mar; Marcos acrescenta que sua intenção era passar por eles.
  João: Não esclarece se o veem andando sobre o mar ou pela praia.

Reação:
  sinóticos: Pensam ser um fantasma e ficam aterrorizados. Jesus lhes reassegura: "Sou eu; não temais".
  João: Ficam atemorizados, porém Jesus lhes tranquiliza: "Sou eu! não temais".

Conclusão:
Somente Mateus: O relato de Pedro indo ao encontro de Jesus.
sinóticos: Jesus entra no barco e o vento se acalma. Mateus acrescenta que os discípulos adoram a Jesus, glorificando-o como o Filho de Deus.
João: Não fica claro se Jesus entra no barco; o barco chega na praia de repente e talvez miraculosamente.

Ao avaliarmos estes detalhes individuais, descobrimos a situação um tanto anormal. O relato de João contém elementos evidentes para ser considerado como uma forma mais primitiva do relato. A brevidade de João e falta de ênfase sobre o miraculoso são quase impossíveis de explicar em termos de uma deliberada alteração da narrativa marcana. Melhor, pareceria que na forma marcana do relato foram introduzidos ali elementos de outros relatos, por exemplo, o acalmar da tempestade (Mc 4,35-41). Este processo de amálgama parece ainda mais desenvolvido na forma mateana do relato onde há uma profissão de fé como aquela em outro lugar atribuída a Pedro (Mt 16,16), e onde há um incidente de Pedro saindo do barco e caminhando sobre a água em direção a Jesus. Podemos comparar o segundo ao relato pós-ressurreição de Pedro em Jo 21,7; pois, como DODD tem indicado, há elementos apropriados à forma literária da narrativa pós-ressurreição no relato do caminhar sobre o mar – *"The Appearances of the Risen Christ", Studies in the Gospel*, ed. D. E. NINEHAM (Lightfoot vol.: Oxford: Blackwell, 1957), pp. 23-24. Assim, o relato que João faz do caminhar sobre a água parece representar uma forma relativamente não desenvolvida desse episódio.

O significado da cena

Na versão marcana-mateana, onde Jesus acalma o mar e entra no barco, este relato do milagre assume o aspecto de um milagre na natureza no qual os discípulos são resgatados. Entretanto, em João, onde tais elementos se perdem, a substância do milagre é significativamente diferente. (Tomamos por admitido que o evangelista pretende retratar um milagre; ver nota sobre v. 19). A explicação mais plausível é que João trata a cena como uma epifania divina centrada na expressão *egō eimi*, no v. 20. Uma vez que esta expressão ocorre em ambas as formas, sinótica e joanina, do relato, pode-se considerar como pertinentes à forma primitiva da tradição. Mas o quarto evangelista tomou a expressão, em si mesma neutra (ver Apêndice IV, p. 841ss), e fez dela um motivo condutor do evangelho como aquela forma do nome divino que o Pai deu a Jesus e pelo qual ele se identifica. Provavelmente, na forma primitiva do relato, este foi um milagre que deu expressão à majestade de Jesus, não diferente da Transfiguração. Em João, a ênfase especial sobre *egō eimi*, no restante do evangelho, parece dar a este relato um sentido mais preciso, isto é, a majestade de Jesus é que ele pode ostentar o nome *divino*. A forma que Mateus dá ao relato parece ter tomado uma direção independente, como testificado na adoração rendida a Jesus pelos discípulos e sua confissão que fazem dele como o Filho de Deus.

Qual o papel que este milagre exerce em relação à multiplicação e ao restante do capítulo? Até certo ponto, o evangelista o usa como o corretivo da inadequada reação da multidão à multiplicação. Impressionados pelo maravilhoso caráter daquele sinal, estavam dispostos a aclamá-lo como um messias político. Mas ele está longe de deixar-se capturar pelos títulos tradicionais como os de "o Profeta" e "rei"; o caminhar sobre a água é um sinal de que ele interpreta a si mesmo, um sinal de que ele só pode ser plenamente expresso pelo nome divino "Eu sou".

Acaso há um simbolismo pascal no caminhar sobre o mar à maneira de uma referência à travessia do Mar Vermelho no tempo do Êxodo? (Isto seria próprio a um milagre no contexto geral do capítulo 6). A *Haggadah* da páscoa, a narrativa litúrgica recitada na refeição pascal, como nos é preservada de um período ligeiramente posterior, associa estreitamente a travessia do mar e a dádiva do maná. Visto que o segundo tema aparece em 6,31, é possível que João esteja fazendo a mesma associação. Será visto abaixo que Jo 6,31 parece evocar o Sl 78,24. Este mesmo Salmo menciona no v. 13 como os israelitas passaram pelo mar. Pensando na cena joanina como uma epifania divina, notamos que a *Midrásh Mekilta* sobre Êxodo (citada por GÄRTNER, p. 17) menciona que Deus abriu caminho para Si através do mar, quando o homem não poderia fazê-lo. GÄRTNER, p. 28, conecta a fórmula *egō eimi* com a ação divina, libertando Israel do Egito; a fórmula "Eu sou o Senhor", de Ex 12,12, é insistida na *Haggadah* pascal.

No Sl 77,20, numa descrição poética da travessia do Êxodo, lemos de Deus: "Teu caminho foi *sobre* [ou *em*] *o mar*, e tuas veredas pelas grandes águas; e não se conheceram teus caminhos".

Isto ecoa uma descrição mais geral de Iahweh, a quem o Sl 29,3 descreve como "o Senhor sobre as muitas águas". AILEEN GUILDING (ver p. 518ss) ressalta que uma das leituras (uma *haphtarah*) da sinagoga para o ciclo pascal era Is 51,6-16, onde há referências a como o redimido passava pelo caminho profundo do mar (v. 10) e o Senhor Deus agita o mar de modo que as águas bramem (15); além do mais, o v. 12 é uma das passagens *egō eimi* mais importantes no AT. Talvez uma construção mais completa dos paralelos veterotestamentários com os temas de Jo 6 possa ser encontrada no Sl 107: em 4-5 ouvimos do povo peregrinando faminto pelos ermos desérticos; no v. 9 somos informados que o Senhor sacia [*empimplasthai* de João] estes famintos com coisas boas; no v. 23 alguns descem ao mar em navios; no v. 25 o Senhor suscita um vento tempestuoso que eleva as ondas do mar; em 27-28 são atormentados e clamam ao Senhor; em 28-30 Ele os liberta, acalmando o mar e conduzindo-os ao seu porto.

Assim, há passagens no AT, particularmente entre as que tratam do Êxodo, que ajudam a explicar por que o episódio de Jesus caminhando sobre o mar teria sido oportuno num tema pascal geral do capítulo 6 de João e, assim, ter permanecido em estreita associação com a multiplicação. Naturalmente, é difícil provar que o evangelista tivesse alguma dessas passagens em mente, porém são bastante numerosas para tornar plausível que ele queria que o milagre refletisse o simbolismo geral da travessia do mar no tempo do Êxodo e a prerrogativa de Iahweh fazer um caminho sobre ou nas águas.

[A Bibliografia para esta seção está inclusa na Bibliografia para o capítulo 6, no final do § 26.]

22. JESUS NA PÁSCOA:
– A MULTIDÃO VAI ATÉ JESUS
(6,22-24)*

Transição ao discurso do Pão da Vida

6 ²²No dia seguinte, a multidão que permanecera do outro lado do mar observou que ali não havia senão um barco, e que Jesus não partira com seus discípulos naquele barco, pois seus discípulos partiram sozinhos. ²³Então alguns barcos saíram de Tiberíades próximo do lugar onde haviam comido o pão [depois que o Senhor dera graças]. ²⁴Então, assim que a multidão viu que nem Jesus nem seus discípulos estavam ali, embarcaram também e foram para Cafarnaum em busca de Jesus.

NOTAS

6.22. *No dia seguinte*. Isto não precisa ser entendido como uma indicação cronológica real; mas, como os "dias" do capítulo 1, pode ter sido usado simplesmente para dar ao capítulo uma estrutura literária unificada.
observou. Como construída, esta afirmação é ilógica. O que está implícito é que no dia seguinte se lembraram de que *no dia anterior* tinham visto somente um barco ali.
barco. *Ploiarion*, literalmente "um pequeno barco", diminutivo de *ploion*; porém é dúbio se tal diminutivo designa um tipo diferente de barco,

---

* Nota: Há um grande número de variantes textuais nestes poucos versículos. O Codex Sinaiticus (mão original) tem uma forma notavelmente anômala do texto, e ainda há mais variantes no *Diatessaron*, em Crisóstomo e nas versões primitivas. Para um estudo completo, ver Boismard, RB 60 (1953), 359-70.

como pensa Bernard, I, p. 188. Nos vs. 17, 19, 21, João usou *ploion* para o barco dos discípulos. *Ploiarion* descreve o mesmo barco, cuja mudança do termo indica uma diferente mão joanina em 22-24? As testemunhas textuais para o v. 22 variam entre *ploiarion* e *plorion*, a segunda redação revelando o desejo dos copistas de harmonizar. Depois de "barco" algumas das testemunhas textuais ocidentais e o Sinaiticus acrescentam para clarificar: "aquele em que os discípulos de Jesus haviam embarcado".

23. *Tiberíades, próximo do lugar*. Deliberadamente, temos deixado o texto obscuro. Enquanto as melhores testemunhas do texto parecem implicar que os barcos vieram de Tiberíades *a* o lugar próximo da multiplicação (uma descrição um tanto estranha), outras testemunhas dizem: "Tiberíades, que ficava próxima ao lugar". A segunda redação fixa Tiberíades na vizinhança da multiplicação (ver nota sobre v. 1).

[*depois que o Senhor dera graças*]. Esta sentença não se encontra em Bezae, OL e OS. O uso absoluto de *eucharistein* aqui é quase litúrgico, e o uso de "o Senhor" não é joanino. Algumas testemunhas da Vulgata têm a multidão dando graças, em vez de Jesus.

24. *embarcaram*. Literalmente, "entraram no barco" (o qual viera de Tiberíades).

COMENTÁRIO

As variantes textuais, nestes versículos, sugerem uma história muito complexa. Boismard propõe que a forma do texto que temos traduzido é um amálgama de duas tradições textuais diferentes. Em uma destas há uma multidão que esteve com Jesus no momento da multiplicação; na outra, a multidão consiste de pessoas que estavam perto do local onde os discípulos aportaram depois de atravessar o lago após a tempestade. (Em apoio à segunda interpretação da multidão, pode-se mencionar que segundo alguns manuscritos cópticos e etíopes os discípulos e a multidão foram juntos para Cafarnaum). Boismard ressalta que nos versículos que seguem, parece manter esta mesma confusão acerca da multidão. Nos vs. 26-27, Jesus se dirige a uma multidão que já comeu com ele no dia anterior; em 30-31, a multidão pede um sinal como se nunca vissem um (comparar com v. 14) e exigem que ele repita o milagre do maná, suprindo-os de pão.

Se admitirmos que há alguma confusão no texto dos vs. 22-24, que valor tem a passagem como tradição histórica? Não há nenhum verdadeiro paralelo na tradição sinótica. No relato sinótico I, quando Jesus e seus discípulos aportam, estão em Genesaré (Mc 6,53; Mt 14,34). O povo desta região o reconhece e traz seus enfermos para serem curados. Depois do relato II, Jesus e seus discípulos vão de barco para Dalmanuta/Magadan (Mc 8,10; Mt 15,39 – uma confusão geográfica, a menos que seja uma forma deturpada de Magdala, vizinha a Genesaré); e, aparentemente, quando ele aporta, os fariseus vêm e lhe pedem um sinal. Mas em nenhum dos dois casos a multidão que testemunhou a multiplicação segue a Jesus. Se no relato de João há uma insinuação da presença de uma nova multidão no lugar onde Jesus aporta, isto pode formar um paralelismo com o relato sinótico I.

Os detalhes que João narra são difíceis de interpretar. Acaso faze-nos pensar que cinco mil homens cruzaram o mar com o intuito de arrebatar Jesus? Se a multiplicação ocorreu nas proximidades de Tiberíades (ver notas sobre vs. 23 e 1), a presença de barcos vindos de Tiberíades não é difícil de explicar; mas se ocorreu em Betânia ou na Transjordânia próxima ao mar, então existe uma dificuldade. BULTMANN, p. 160, pensa que no relato a multidão estava originalmente em Cafarnaum, mas que o evangelista confundiu esta multidão com a multidão que testemunhou a multiplicação e então criou um meio de transferir a segunda multidão para Cafarnaum. Todavia, se o evangelista realmente está dando informação fictícia, por que ele introduz Tiberíades? A introdução de barcos de Cafarnaum teria sido a solução óbvia. Assim, não parece envolver aí nenhuma solução fácil para as dificuldades. Podemos fazer a tentativa de harmonizar com certa plausibilidade: a multiplicação ocorreu nas proximidades de Tiberíades; no dia seguinte, barcos de Tiberíades apanharam uns poucos dos que viram a multiplicação e os levaram para Cafarnaum e foi este grupo que ao qual Jesus falou nos vs. 26-27; mas também havia pessoas de Cafarnaum que se reuniram para ver Jesus e foi esta a outra parte da multidão mista que falou a Jesus nos vs. 30-31. Ou, talvez, caberia imaginar que duas cenas foram combinadas: uma que foi o clímax da multiplicação e envolvia pessoas que viram aquele sinal; a outra que foi uma introdução ao Discurso do Pão da Vida e envolvia pessoas na sinagoga de Cafarnaum: a estranheza nos vs. 22ss. refletiria aquela tentativa de ligar estas duas cenas.

Podemos notar que nos vs. 22-24 há um aprofundamento dos temas teológicos que encontramos na cena da multiplicação. Se a sentença entre parênteses, em 23, for original, então o fato de que o

Senhor dera graças (*eucharistein*) se tornou muito importante, ênfase que reflete a interpretação eucarística da cena. Já não é uma questão dos pães (plural), e sim do *pão*, o que parece outra vez uma concessão à linguagem eucarística do NT.

[A Bibliografia para esta seção está inclusa na Bibliografia para o capítulo 6, no final do § 26.]

23. JESUS NA PÁSCOA: – INTRODUÇÃO AO DISCURSO SOBRE O PÃO DA VIDA
(6,25-34)

6 ²³E quando o encontraram no outro lado do mar, lhe disseram: "Rabi, quando chegaste aqui?" ²⁶Jesus lhes respondeu:

"Na verdade vos asseguro,
não me buscais porque vistes sinais,
mas porque comestes dos pães e vos saciastes.
²⁷Não trabalheis pela comida perecível,
e sim pela comida que dura para a vida eterna,
comida que o Filho do Homem vos dará;
pois é nele que o Pai tem posto Seu selo".

²⁸Nisto, eles lhe disseram: "Que devemos fazer, pois, para 'trabalhar' nas obras de Deus?"
²⁹Jesus replicou:

"Esta é a obra de Deus:
que tenhais fé naquele que Ele enviou".

³⁰"Para que depositemos fé em ti", lhe perguntaram, "que sinal estais fazendo para levar-nos a ver? Que sinal realiza tu? ³¹Nossos ancestrais tinham maná para comer no deserto; segundo a Escritura, 'Ele lhes deu pão do céu para comerem'". ³²Jesus lhes disse:

"Na verdade, eu vos asseguro,
não foi Moisés quem vos deu o pão do céu,
mas é meu Pai quem vos dá o verdadeiro pão do céu.

³³Pois o pão de Deus desce do céu
e dá vida ao mundo".
³⁴"Senhor", rogaram eles, "dá-nos sempre deste pão".

NOTAS

6.25. *no outro lado do mar*. Literalmente, "além do mar". O lugar onde o encontraram era Cafarnaum (vs. 24, 59), litoral norte do lago, um pouco a oeste. A descrição neste versículo parece favorecer a localização da multiplicação na praia oriental, em vez de Tiberíades, na praia ocidental; contudo, não é impossível que "além do mar" pudesse indicar uma viagem de Tiberíades a Cafarnaum.

Rabi. Nicodemos se dirigiu a Jesus com este título em 3,2, quando ele veio como porta-voz daqueles de Jerusalém que ficaram impressionados com os sinais de Jesus (2,23); a situação, seguindo o incidente no v. 14, é bem similar aqui. O título reflete uma atitude *geral* para com Jesus como mestre, pois no relato de João Jesus não tinha ensinado em conexão com a multiplicação como fizera no relato de Marcos (gráfico no § 20 acima, #3), ver, porém, nota sobre v. 3: "assentou-se".

quando chegaste aqui? Literalmente, "Quando tens estado aqui?" – uma pergunta que combina ideias entre "Quando chegaste aqui?" e "A quanto tempo tens estado aqui?" Temos traduzido o perfeito do verbo *ginesthai* (aqui quase com o sentido de *paraginesthai*, "chegar") como um aoristo.

26. *não me buscais*. Este tema é tomado do v. 24.

comestes... e vos saciastes. Chortazesthai; ver nota sobre v. 12, "ficaram satisfeitos".

27. *trabalheis pela*. Não no sentido de que qualquer dádiva eterna pode ser ganha pelo mero esforço humano; antes, o sentido de empenhar-se por ou trabalhar para. BAG, sob *ergazesthai*, 2e (p. 307), sugere o possível significado de "digerir, assimilar"; mas todos os jogos de palavras sobre "trabalhar" nos poucos versículos seguintes tornam isso duvidoso.

comida perecível. Isto pode ser um eco do v. 12, onde os pedaços foram recolhidos para que nada *perecesse*. INÁCIO pode refletir a *ideia* do v. 27 em Rm 7,3: "Não tenho prazer em nutrição corruptível... desejo o 'pão de Deus', o qual é a carne de Jesus Cristo... e pela bebida eu desejo seu sangue, que é o amor incorruptível". A segunda parte da citação é reminiscente de Jo 6,53ss.

comida que dura. Este é o verbo joanino favorito, *menein* (ver Apêndice I:8, p. 794ss). A ideia não é que a comida dura para sempre, mas que a comida é imperecível, porque ela dá a vida eterna. Comparar 4,14: "A água que eu lhe der se tornará nele uma fonte de água que salte para a vida eterna".

o Filho do Homem vos dará. Em 4,14, "eu der". As multidões entenderiam este termo? Não ocorre assim com a multidão hierosolimitana, em 12,34.

dará. Um tempo presente é bem atestado, mas P^{75} inclinam a balança decisivamente em favor do futuro. Os que rejeitam o futuro pensam que esta é uma adaptação teológica ao tema da eucaristia que *será* dada mais adiante; contudo, o presente é provavelmente uma adaptação de copista ao v. 32.

posto Seu selo. Em 3,33, ouvimos que, por aceitar o testemunho de Jesus, o crente tem certificado (pôr seu selo de aprovação) que Deus é fiel. Aqui, Deus põe Seu selo sobre o Filho, não tanto à modo de aprovação, porém mais à modo de consagração (10,36). O verbo está no aoristo de modo que os comentaristas pensam em uma ação particular, como a Encarnação (Spicq) ou o batismo (Bernard). Westcott sugere que esta é uma consagração ao sacrifício. Outros pensam no Filho como a portar o selo-imagem do Pai (Cl 1,15), precisamente como ele porta o nome divino. Tem-se proposto ainda que esta selagem de Jesus pelo Pai é contrastada com a tentativa da multidão no v. 15 para fazer rei a Jesus.

28. *'trabalhar' nas obras*. Esta tradução preserva o jogo de palavras em grego, mas "trabalhar", aqui, não significa "trabalheis pela" como no v. 27, mas "realizar". Bultmann, p. 162^8, não crê se explique bem nesta passagem que a multidão chegasse a entender as palavras de Jesus, pois no v. 34 parecem mostrar nenhuma percepção que ele está falando da obra de Deus.

as obras de Deus. As obras que Deus quer dos homens.

29. *a obra de Deus*. Aqui a expressão pode ter o mesmo significado, mas também pode significar a obra que Deus realiza nos homens.

tenhais fé. Este é um subjetivo presente com um teor de duração.

30. *que sinal realiza tu?* O "tu" é enfático: *tu* que estás dizendo que outros façam.

31. *ancestrais*. Literalmente, "pais".

maná. A provisão do maná era considerada como sendo um dos maiores milagres de Moisés; as narrativas básicas são Ex 16 e Nm 11. Josefo, *Ant*. III.I.6; 30, fala dele como um alimento "divino e miraculoso".

Escritura. A citação em João não é uma tradução exata de nenhuma passagem do AT. Podemos notar o seguinte:

Ex 16,4:   Eu farei chover sobre vós pães do *céu*.
Ex 16,15:   Este é o pão *que o Senhor vos tem dado a comer*.
Sl 78,24:   E fizesse chover sobre eles o maná *para comerem*.
             e deu-lhes o *pão do céu*.
Sb 16,20:   Alimentaste teu povo com a comida dos anjos,
             e lhes enviaste *do céu pão* que não custou nenhum trabalho.

32. *não foi Moisés*. BORGEN, *"Observations"*, pp. 233-34, tem mostrado que este é um bom exemplo de exegese tipicamente judaica. A multidão citou a Escritura: "Ele lhes deu pão do céu para comerem". No esquema da exegese judaica, o intérprete diz: "Não ledes ____, e sim ____". Então Jesus diz: 'Não interpreteis o 'ele' como sendo Moisés e não ledes no pretérito 'deu'; mas interpretai o 'ele' como sendo o Pai e ledes 'dá'". O tempo da correção é baseado em uma vocalização hebraica diferente na qual as consoantes *ntn* são lidas como *nōtēn*, em vez de *nātan*. Com estas mudanças, Jesus indica que o AT está se cumprindo agora em sua própria obra. O maná dado por Moisés não era o verdadeiro pão do céu do qual fala o AT; é o ensino de Jesus. Se nos lembrarmos de que no pensamento rabínico pão era um símbolo da Torá (StB, II, p. 483), podemos ter aqui um contraste entre Moisés e Jesus, entre a Lei e o ensino de Jesus, como em 1,17.

deu. A evidência textual é dividida entre ler um aoristo ou um perfeito ("tem dado"). Alguns sugerem que o aoristo vem do uso daquele tempo no v. 31. Note o contraste entre o tempo pretérito (aoristo ou perfeito) e o tempo presente na linha final no v. 32: a doação do Pai começou e continuará. A tentativa de TORREY de ler esta sentença como uma pergunta ("Não foi Moisés que vos deu o pão do céu?") é desnecessária. Ver comentário.

o verdadeiro pão. Aqui "verdadeiro" tem valor enfático. Esta afirmação adquiriria um novo alcance se já se havia formulado a argumentação rabínica fosse corrente se o maná foi ou não realmente a comida celestial dos anjos (StB, II, p. 482).

33. *o pão de Deus desce*. Literalmente, "o pão de Deus é aquele que [ou *quem*] desceu". Os estudiosos estão divididos sobre se o predicado é pessoal ou impessoal. Talvez ambos estejam implícitos, pois a ambiguidade joanina amiúde é intencional. O povo o toma impessoalmente no v. 34, mas a conotação pessoal prepara para as ideias dos vs. 35ss. A frase "o qual [ou quem] desce do céu" ocorre sete vezes neste discurso. Foi assumida no credo niceno para reportar-se a Jesus: "Foi para nós, homens, e para nossa salvação que ele desceu do céu".

COMENTÁRIO

O problema da divisão do grande discurso sobre o Pão da Vida é difícil, e quase todos os comentaristas têm sua própria divisão. Cremos que seria mais proveitoso discutir este problema em um adendo (ver § 25, p. 537) após o comentário sobre todo o discurso.

Os vs. 25.34 servem como um prefácio ou introdução ao discurso do Pão da Vida, e assim o arranjo se assemelha àquele do capítulo 5, onde os vs. 16-18 apresenta o tema para o longo discurso que seguiu. Os vs. 25-34 não só servem a este propósito no capítulo 6, mas também servem (um tanto artificialmente) para conectar o discurso ao que vem antes (assim como em 5,16-18). Remetemos o leitor à breve tábua de sequência de paralelos entre João e Marcos na p. 469. Mc 6,34 diz que Jesus ensinava por ocasião da multiplicação (relato I); em João, Jesus ensina no dia seguinte. Em Mc 8,14-21, depois do relato II da multiplicação, há um pedido por um sinal e algumas breves observações de Jesus sobre pão, indicando a falha dos discípulos em entender as multiplicações. Todos estes temas aparecem em Jo 6,25-34, porém numa relação cronológica e geográfica muito mais estreita. Ver também o uso figurativo de pão em Mc 7,24-30 na sequência do ensino que segue o relato I da multiplicação. Estes paralelos nos levam ao gênio organizador do quarto evangelista (como muito do Sermão do Monte reflete o gênio do primeiro evangelista), não obstante composto de elementos de material tradicional.

Versículos 24-27

Como temos dito em nossas observações sobre os vs. 14-15 e sobre 22-24, há muitas dificuldades sobre a identificação da multidão à qual é dirigido o discurso do Pão da Vida com a multidão que testemunhou a multiplicação. No v. 25, Jesus já não é tido como "o Profeta" e lhe querem fazer rei (14-15); ele é abordado com o modesto título de "Rabi". A estranha pergunta em 25, "Quando chegaste aqui?" (ver a respectiva nota), pode ter um significado teológico mais profundo se aqui o evangelista está pensando na questão das origens de Jesus, que é de seus temas favoritos (7,28 etc.). Em termos desse tema, a menção de o Filho do Homem e o pão *do céu* constituiria uma resposta teológica a como Jesus chegou aqui: ele é o Filho do Homem que desceu do céu (3,13). No nível factual, todavia, a questão parece permanecer sem resposta.

Outra vez no nível factual, o v. 26 é difícil. Como pode Jesus dizer à multidão que não o estão buscando por terem visto sinais, quando nos vs. 14-15 fomos informados que o povo queria vir e arrebatar Jesus precisamente por terem visto os sinais que ele realizava? Enquanto tal dificuldade reflete a complexa história que subfaz esta cena, ela não oferece dificuldade no nível teológico do discernimento que o evangelista tinha dos sinais. O entusiasmo de 14-15 tinha por base a visão física do maravilhoso aspecto do sinal, mas sem que isso se acrescenta um conhecimento profundo do que o sinal ensinava sobre Jesus – o conceito que tinham dele como o rei davídico era político. É a compreensão mais profunda do sinal de que fala o v. 26, contrastando -o com o comer dos pães miraculosos. Requererá um longo discurso da parte de Jesus para explicar que a multiplicação foi um sinal de seu poder para dar vida através do pão de seu ensino e de sua carne, poder este que ele possui por haver descido do céu. A mesma incompreensão do pão (e do fermento) em um nível meramente natural se encontra em Mc 8,14-21; Mt 16,5-12; e especialmente em Mt 16,12 fica claro que Jesus esteve falando do ensino.

No v. 27, Jesus enfatiza a lição em termos do familiar dualismo joanino: o alimento perecível e o alimento que dura para a vida eterna. No capítulo 4, o contraste foi entre água que podia matar a sede temporariamente e a água para a vida eterna que satisfaria a sede eternamente. Embora a expressão seja joanina, tais símbolos são frequentes na Bíblia. Is 55,1 convida a todo o que está sedento que venha às águas e a todo o que não tem dinheiro que compre e coma. Esta bebida e comida não é algo que o dinheiro possa comprar; é a palavra de Deus à qual devem ouvir. O paralelo em João, "Não trabalheis pelo alimento que perece", ouvimos Lc 12,29, "Não busqueis o que haveis de comer, ou o que haveis de beber... em vez disso, buscai Seu reino".

No v. 27, Jesus identifica o alimento que dura para a vida eterna como o dom do *Filho do Homem*. Frequentemente, este é um título escatológico (ver nota sobre 1,51), e o uso aqui provavelmente reflita a escatologia realizada joanina. Se lermos "dará" ou "dá", o alimento que dura para a vida eterna em parte é um dom atual, justamente como a própria vida eterna é um dom atual. Estas realidades celestiais são concretizadas no ministério de Jesus.

Versículos 28-31

Nos vs. 28ss. há um jogo de palavras sobre o tema "trabalho" que já foi introduzido em 27, e este tema parece quase constituir uma aplicação separada na discussão maior de alimento e pão. BULTMANN, p. 164, pensa que isto pertence a um diálogo perdido em referência às obras, algo do qual é preservado em 8,39-41. Todavia, se o discurso sobre o Pão da Vida diz respeito à revelação de Jesus, então, já que a fé é a resposta essencial à revelação de Jesus, 28-29 têm um lugar na introdução ao discurso no sentido que fornecem o contraste tradicional entre fé e obras. A multidão se viu levada por Jesus a penetrar além do nível superficial e material do alimento, mas sua resposta (28) é em termos de obras que podem realizar. Jesus, por sua vez (29), põe a ênfase na fé. Paulo e Tiago são os nomes neotestamentários que associamos ao problema de fé e obras, aqui, porém, temos a solução joanina. Obter vida eterna não é uma questão de obras, como se a fé não importasse; nem é uma questão de fé sem obras. Ao contrário, ter fé é uma obra; aliás, é a mais importante de todas as obras de Deus. Todavia, como BULTMANN observou, este crer não é tanto uma obra feita pelo homem quanto uma submissão à obra de Deus em Jesus. At 16,30-31 mostra uma cena na vida da Igreja primitiva que nos ilustra a situação existencial em que os vs. 28-29 de Jo 6 teriam tido pleno significado e teriam sido preservados.

A menção de fé faz a multidão hostil e começam a questionar as reivindicações de Jesus (v. 30). Impõem-lhe uma exigência por um sinal similar ao que ouvimos das autoridades no templo em 2,18; e, como já mencionamos, há um paralelo sinótico após o relato da segunda multiplicação em Mc 8,11. O versículo 31 indicaria que o sinal que a multidão espera é a provisão de pão; ver supra (p. 492s.) para a dificuldade de conciliar isto com a indicação de que esta é a mesma multidão que viu a multiplicação no dia anterior. O importante é a própria multidão que introduz o tema do maná como modelo de sinal. O desafio a Jesus de produzir maná ou seu equivalente como um sinal é mui compreensível, se pensavam ser ele o Profeta-como-Moisés (ver nota sobre v. 14).

Temos nos documentos judaicos posteriores evidência de uma expectativa popular de que nos últimos dias Deus proveria outra vez o maná – uma expectativa conectada com as esperanças de um segundo Êxodo. O apócrifo do 2º século d.C., *2 Baruque* 29,8, traz: "O tesouro do maná descerá outra vez das alturas, e comerão dele naqueles anos". A *Midrásh Mekilta* sobre Ex 16,25 diz: "Não o encontrarás [o maná] nesta era, mas o encontrarás na era que está vindo". A *Midrásh Rabbah* sobre Ecl 1,9, traz: "Como o primeiro redentor fez descer o maná, como se afirma: 'Porque eu farei chover para vós pão do céu (Ex 16,4)', assim o segundo redentor fará descer maná". A *Midrásh* homilética *Tanḥuma* (*Beshallah* 21:66) é de particular interesse quando fala do maná de uma maneira sapiencial: "Ele tem sido preparado para os justos na era por vir. Todo aquele *que crê* é digno e come dele" (citado por Hoskyns, pp. 293-94). Veremos como o tema de crer é elaborado no discurso de Jesus sobre o Pão da Vida. Além da expectativa escatológica geral do maná, parece que o maná era particularmente associado ao tempo da Páscoa, e assim a referência ao maná, no v. 31, se ajusta bem ao cenário de João para a cena da multiplicação. A *Midrásh Mekilta* sobre Ex 16,1 diz que o maná caiu pela primeira vez no dia 15 do segundo mês, uma data associada à celebração da Páscoa por aqueles que perderam a data regular (Nm 9,11). Js 5,10-12 diz que o maná caiu pela última vez na véspera da Páscoa. Aumentou-se a expectativa de que o Messias viria na Páscoa, e que o maná começaria a cair outra vez na Páscoa (Gärtner, p. 19). Embora todos estes textos iluminem a passagem em João, devemos enfatizar que as referências rabínicas vêm de um período posterior, e não podemos ter certeza quão importante era o tema do maná nos dias de Jesus. Entretanto, Dodd, *Interpretation*, p. 335, cita um fragmento de um oráculo sibilino que pode ser pré-cristão: "Os que temem a Deus herdarão a verdadeira vida eterna... sobre o doce pão do céu estrelado".

Versículos 32-34

Agora Jesus informa à multidão que suas expectativas escatológicas já se cumpriram. Já citamos o maná dado por Moisés, mas isto é apenas uma prefiguração do verdadeiro pão vindo do céu que é o próprio ensino de Jesus. Tal contraste entre maná, como comida física, e o poder de Deus de conceder o alimento espiritual não é novo. Há um pano de fundo para ele em Dt 8,3, onde Moisés informa ao povo: Deus "vos alimentou com maná que não conhecestes, nem vossos ancestrais conheceram, para que Ele vos faça compreender que o homem não vive só de pão, senão que ele vive de tudo quanto [ou de toda palavra que] procede da boca do Senhor". Esta interpretação do maná ecoa em Sb 16,20 (ver nota sobre v. 31) que fala do maná e 16,26 que diz: "Para que vossos filhos, aos quais amaste, aprendam, ó Senhor, que não são os diversos tipos de frutos que alimentem o homem, mas é tua palavra que preserva os que creem em ti". Talvez a mesma ênfase é conseguida no equilíbrio das sentenças em Ne 9,20: "Deste teu bom espírito para instruí-los, e não subtraíste teu maná de sua boca, e lhes deste água para sua sede". FILO alegorizou o maná como uma referência à sabedoria. Assim, havia certa preparação para o simbolismo que Jesus iria usar na aplicação do maná ou pão do céu à sua revelação. (Naturalmente, Jesus vai além de todo o pano de fundo veterotestamentário ao falar de si mesmo como o pão do céu e, assim, identificando-se como a revelação encarnada). Mas, como mostra o v. 34, a multidão falha completamente em entender o simbolismo e fica com uma compreensão meramente materialista do pão. Esta incompreensão leva Jesus a começar o grande discurso sobre o Pão da Vida.

Recentemente, estudiosos, tais como GÄRTNER e KILMARTIN, têm visto uma aplicação pascoal adicionada aos vs. 25-34, pois creem que encontraram no esquema pergunta e resposta destes e versículos sucessivos um eco da Páscoa judaica, *Haggadah*. Durante a liturgia da refeição pascal, quatro meninos perguntam o que está sendo ordenado; e GÄRTNER encontra paralelos para estas quatro perguntas nos vs. 28, 32, 42, 52. (Podemos notar que a análise das perguntas da *Haggadah* por DAUBE, pp. 158-69, é ligeiramente diferente da de GÄRTNER). Por exemplo, na primeira pergunta durante a refeição o judicioso menino pergunta sobre as ordenanças de Deus; assim no v. 28 a multidão pergunta sobre a operação das obras de Deus. A um menino tenro demais para formular perguntas é instruído sobre uma passagem da Escritura; assim, no v. 32, Jesus interpreta a passagem da Escritura concernente ao maná. A pergunta zombeteira no v. 42 é equiparada à pergunta proposta na refeição pelo menino ímpio. Presume-se que uma quarta pergunta durante a refeição é uma pergunta prática sobre o viver feita por um menino sincero; forçando um tanto a imaginação, isto se encontra no v. 52. Toda esta correlação parece artificial e forçada demais, e duvidamos que a espinha dorsal do relato de João fosse suprida pelas perguntas rituais da refeição pascal (embora os temas pascais estejam presentes em todo o capítulo). Temos que ressaltar que a teoria citada acima tem que passar por alto necessariamente algumas perguntas para que possa sustentar essa identificação (cf. observações sobre vs. 25, 34) para tornar adequado.

Até onde podemos ver, o esquema de pergunta e resposta dos vs. 25-34 é parte da técnica do mal-entendido joanino. Isto tem um paralelo perfeito no capítulo 4, onde não há questão da influência do ritual pascal:

João 6	*João 4*
P: 25 "Rabi, quando chegastes aqui?"	P: 9 "Tu és judeu, como podes, pedir-me, uma samaritana, de beber?"
R: 27 "Não trabalheis pela comida perecível".	R: 13 "Todo aquele que bebe desta água terá sede outra vez".
P: 30-1 "Que sinal estás fazendo para levarmos? Nossos ancestrais tinham o maná para comer no deserto".	P: 11-2 "Aonde estás indo para obter esta água corrente? Seguramente, não pretendes ser maior que nosso ancestral Jacó que nos deu este poço?"
R: 32-3 "Meu Pai vos dá o pão do céu. Pois o pão de Deus desce do céu e dá vida ao mundo".	R: 14 "A água que eu lhe der será tornará nele uma fonte de água que salta para a vida eterna".
Reação: 34 "Senhor, dá-nos sempre deste pão".	Reação: 15 "Dá-me, desta água, Senhor, para que eu não tenha mais sede".

[A Bibliografia para esta seção está inclusa na Bibliografia para o capítulo 6, no final do § 26.]

P = Pergunta
R = Resposta

24. JESUS NA PÁSCOA:
– DISCURSO SOBRE O PÃO DA VIDA
(6,35-50)

6 ³⁵Jesus lhes declarou:

"Eu sou o pão da vida.
Todo aquele que vem a mim jamais terá fome,
e todo aquele que crê em mim jamais terá sede outra vez.
³⁶Mas, como vos tenho dito,
ainda que [me] tendes visto, contudo não credes.
³⁷Todos quantos o Pai me dá virão a mim;
e todos os que vêm a mim jamais lançarei fora,
³⁸porque não é para fazer minha própria vontade
que desci do céu,
mas para fazer a vontade daquele que me enviou.
³⁹E a vontade daquele que me enviou
é que eu nada perca do que Ele me deu;
ao contrário, eu o ressuscitarei no último dia.
⁴⁰Aliás, esta é a vontade de meu Pai:
que todo aquele que vê o Filho
e crê nele
tenha a vida eterna.
E eu o ressuscitarei no último dia".

⁴¹Nisto os judeus murmuravam contra ele, porque ele alegava: "Eu sou o pão que desceu do céu". ⁴²E continuaram dizendo: "Não é este Jesus o filho de José? Não conhecemos seu pai e a sua mãe? Como pode ele alegar haver descido do céu?" ⁴³"Cessai de murmurar entre vós", lhes disse Jesus.

⁴⁴"Ninguém pode vir a mim,
  a não ser que o Pai, que me enviou, o atraia.
  E eu o ressuscitarei no último dia.
⁴⁵Está escrito nos profetas:
  'E todos serão ensinados por Deus.'
  Todo aquele que tem ouvido o Pai
  e aprendido dele
  vem a mim.
⁴⁶Não que alguém haja visto o Pai –
  somente aquele que é de Deus
  tem visto ao Pai.
⁴⁷Deixai-me assegurar-vos firmemente:
  o crente possui a vida eterna.
⁴⁸Eu sou o pão da vida.
⁴⁹Vossos ancestrais comeram o maná no deserto, porém morreram.
⁵⁰Este é o pão que desce do céu
  para que o homem que o come jamais morra".

NOTAS

6.35. *Eu sou*. Embora tenhamos traduzido o "Eu" enfaticamente como exige o contexto, este é um tipo frequente da expressão *egō eimi* em João (ver Apêndice IV, p. 841ss). O *egō eimi* com um predicado não revela a essência de Jesus, mas reflete sua relação com os homens; neste caso, sua presença é alimento para os homens. Borgen, *"Observations"*, p. 238, ressalta que as palavras de Jesus, aqui, são ilustrativas da exegese judaica (ver nota sobre v. 32). Jesus está se identificando como o pão mencionado na citação bíblica de Êxodo citado no v. 31, justamente como o Batista se identificou como a voz mencionada em Is 40,3 (Jo 1,23). Borgen fornece impressionantes paralelos judaicos.

o pão da vida. Isto significa o pão que dá vida. Comparar 6,51: "o pão vivo".

vem a mim... crê em mim. Estes estão em paralelismo, como também em 7,37-38; significam a mesma coisa (ver supra, p. 267). Estas duas linhas do vs. 35 ecoa Siraque 24,21: "Aquele que come de mim [a Sabedoria] ainda terá fome; aquele que bebe de mim terá mais sede". Embora a primeira vista as palavras de Jesus pareçam negar Siraque, o significado de ambos é o mesmo. Siraque quer dizer que os homens nunca terão tanta Sabedoria e sempre desejarão mais; as palavras de Jesus de que os homens nunca terão fome ou sede de nada mais além da própria revelação de Jesus. João também pode ecoar Is 49,10 ("não terão fome, nem terão sede"), passagem supracitada (p. 479s.) como pano de fundo veterotestamentário para a multiplicação.

36. *como vos tenho dito.* ABBOTT, JG, § 2189-90, enfatiza que o *hoti* que introduz o discurso é frequentemente usado em João quando Jesus está citando suas próprias palavras; às vezes não fica claro se está introduzindo discurso direto ou indireto. Na verdade, pressupõe-se que as palavras que Jesus tem dito não se encontram como tais no que precede. No versículo 26, ouvimos: "Não *me* buscais porque *vistes sinais*"; mas isso está ainda muito longe do que lemos no v. 36. BULTMANN, p. 163, põe 36-40 depois de 41-46, obtendo assim uma melhor sequência. Outra possibilidade é o v. 36 depois do v. 40. Entretanto, em nenhuma destas transposições sugeridas são as palavras do v. 36 encontradas no que Jesus disse. BORGEN, "*Observations*", p. 239, sugere outra tradução para 36: "Mas eu tenho dito, 'Vós', porque [*hoti* causativo, não consecutivo], ainda que tendes visto, contudo não credes". Ele pensa no v. 36 como parte da exegese técnica já discutida na nota sobre v. 32. Jesus significa que, quando em 32 ele deu a exegese da Escritura citada pelos galileus em 31, ele disse "vos" em vez de "lhes" (v. 31 – Escritura citada: "Ele lhes deu pão do céu para comerem"; v. 32 – "não é Moisés quem *vos* deu o pão do céu"). A razão por que ele aplicou a Escritura a seus ouvintes foi sua falta de fé.

ainda que... não. Para esta tradução de *kai... kai*, ver ABBOTT, JG, § 2169; BDF, § 444[3].

[*me*]. Os dois papiros Bodmer acumulam novas provas para esta leitura; a omissão pode representar um desejo de copista de deixar o v. 36 mais vago para que seu antecedente fosse encontrado no v. 26.

37. *todos os que.* Em ambos, João (também v. 39; 17,2.24) e 1 João (5,4), encontramos o singular neutro onde esperaríamos o plural masculino. BDF, § 138[1], oferece uma explicação plausível: "algumas vezes, o neutro é usado com referência a pessoas, se não a indivíduos, mas bem em uma qualidade geral é que deve ser enfatizada". ZERWICK (*Analysis Philologica*) sugere influência semítica; pois *kol d^e*, "todo aquele que", não distingue gênero ou número. Entretanto, pode-se indagar se o evangelista (que sabe muito bem como dizer "todo aquele que" no v. 40) não poderia querer dar uma maior força coletiva aqui. BERNARD, I, p. 200, cita o exemplo do emprego em 17,21: "para que todos sejam um [neutro]".

me dá. Contrastar o perfeito, "tem dado", no v. 39; a ação de Deus não está atrelada pelas categorias de tempo. Que os crentes são dados a Jesus pelo Pai, menciona-se em 10,29; 17 *passim*; 18,9.

38. *minha própria vontade... a vontade daquele que me enviou*. O mesmo contraste se encontra na descrição sinótica da agonia no jardim (Mc 14,36; especialmente Lc 22,42). Para a relação de João à cena da agonia, ver abaixo, pp. 765-766.
   desci. Este é um dos poucos ecos do tema do pão do céu (v. 33) que se encontram nos vs. 36-40.
39. *último dia*. Aqui, como em 11,24 e 12,48, faz-se referência ao dia do juízo. Este versículo fala da ressurreição do justo; comparar com a dupla ressurreição de maus e bons em 5,28-29.
40. *vê*. **Theōrein** (ver Apêndice I:3, p. 794ss) – não só fisicamente, mas o conhecimento espiritual.
   o Filho... nele. Nestes dois versos, Jesus de repente passa a falar de si mesmo na terceira pessoa, enquanto o resto dos vs. 36-40 está na primeira pessoa. Pode ser que tenhamos uma coleção de ditos de estrato diferente da tradição joanina, embora a diferença de pessoa não seja necessariamente um critério absoluto.
   E eu. A última frase do v. 40 parece constituir uma sentença independente, diferente a sentença similar na última linha do v. 39, que é explicativa da vontade de Deus. No v. 40, a mudança de pessoa para a primeira pessoa é abrupta, e o "Eu" é enfático.
41. *os judeus*. Esta é a primeira vez em João que o povo da Galileia é reportado como "os judeus", um termo que geralmente se refere aos que eram hostis a Jesus em Jerusalém. Não se pode supor que estes são dirigentes judeus de Jerusalém (como em Mc 7,1), porque conhecem os detalhes locais da vida da vila de Nazaré. Pode ser que esta objeção tenha sido introduzida aqui de outra cena.
   Murmuravam. A mesma palavra aparece no relato que a LXX tem da murmuração dos israelitas durante o êxodo (Ex 16,2.7.8); 1Cor 10,10 também a usa para descrever esta situação. A imagem é a de um crítico complacente mais que uma hostilidade franca.
   porque alegava. BORGEN, *"Observations"*, pp. 235-37, ressalta que este tipo de objeção tem paralelos na exegese judaica contemporânea. Pensando na objeção de Ex 16 que propuseram no v. 31, estão objetando à exegese radical proposta por Jesus nos vs. 32, 35.
42. *este*. Há neste pronome um elemento de depreciação: "este indivíduo".
   Jesus, o filho de José. O paralelo nos sinóticos se encontra na rejeição de Jesus de Nazaré:

• Mc 6,3: "Não é este o carpinteiro, filho de Maria e irmão de Tiago, José, Judas e Simão? E não vivem aqui entre nós suas irmãs?"

- Mt 13,55: "Não é este o filho do carpinteiro? E não é sua mãe chamada Maria, e não vivem seus irmãos Tiago...?"
- Lc 4,22: "Não é este o filho de José?"

Obviamente, João se aproxima mais de Lucas, embora João mencione a mãe, como fazem Marcos e Mateus. Já vimos outros paralelos joaninos a esta cena sinótica em Nazaré, no comentário sobre 4,43-45 (em § 15).

e sua mãe. Isto é omitido por algumas testemunhas associadas ao grupo ocidental e pelo OS.

como. Algumas testemunhas trazem "Assim como [*oun*]"; outras trazem "Como agora [*nyn*]". Parece mais provável que as partículas fossem agregadas a um original mais breve. BORGEN, *"Observations"*, p. 235, aponta para o uso de *kêṣad*, "Como [então]", ao introduzir objeções rabínicas contra uma interpretação da Escritura. Comparar também a objeção de Nicodemos que começa com "Como" em 3,4.

44. *atraia*. As fontes rabínicas usam a expressão 'aproximar-se [da Torá]' para descrever conversão. *Pirqe Aboth* i 12, diz: "O desejo natural de quem se sente assim [ter amor] para com seus companheiros é 'aproximá-los da Torá', pois isto significa fazê-los participantes do mais pleno conhecimento de Deus". Para João, o que faz os homens participantes do conhecimento de Deus é trazê-los para mais perto de Jesus. O tema de atrair reaparecerá em 12,32: "E quando eu for levantado da terra, atrairei todos os homens a mim". BERNARD, I, p. 204, sugere que um pano de fundo para isto pode ser encontrado na LXX de Jr 38,3 (TM, XXXI), onde Deus diz de Israel: "Eu vos tenho traído com benignidade". Alguns negam que a LXX dê uma tradução correta do hebraico deste versículo; ver, porém, A. FEUILLET, VT 12 (1962), 122-24. Note que um paralelo ao v. 44 em João se encontra no v. 65, onde, em vez de "a não ser que o Pai o traga", ouvimos "a não ser que lhe seja concedido pelo Pai".

45. *nos profetas*. É provável que este plural seja uma generalização, embora alguns tenham pensado numa coleção de testemunhos proféticos usados pela igreja primitiva. Todavia, outra possibilidade é exibida pelo padrão homilético descoberto por BORGEN; isto pode representar a nota de que a citação subordinada do profeta está sendo introduzida (ver comentário).

'*E todos serão ensinados por Deus*.' Esta é uma citação livre de Is 54,13:
 o TM: "Todos os vossos filhos serão ensinados pelo Senhor".
A LXX: "E eu farei com que vossos filhos sejam ensinados por Deus".

ouvido o Pai/e aprendido dele. Literalmente, "ouvido do Pai e aprendido".

46. *Não que alguém haja visto o Pai.* Este é o mesmo tema que em 1,18; e o contraste com Moisés sugerido ali (p. 213) provavelmente também esteja em mente aqui, em vista do v. 32. Ver também nota sobre 5,37.
49. *Vossos ancestrais.* Literalmente, "pais". Este é um dos exemplos de "vosso" indicando a cisão mais profunda que existe entre Igreja e Sinagoga no tempo em que o evangelista está escrevendo; ver "vossa Lei" e "vosso pai Abraão" em 8,56.
   morreram. No v. 49, está implícita a morte física; no v. 50, a morte espiritual. Comparar 11,25-27.
50. *Este é o pão.* A fraseologia se aproxima mais de Ex 16,15; ver nota sobre v. 31.

COMENTÁRIO: GERAL

O significado de "O Pão da Vida"

Antes de comentarmos o discurso propriamente dito, abordemos antes a questão do que Jesus tem em mente quando fala de pão. Já mencionamos acima (p. 501ss.) que o maná era interpretado, em alguns círculos judaicos, como significando a palavra ou instrução divina; assim houve preparação para se compreender "o pão do céu" ou "o pão da vida" de que Jesus falava como *revelação divina* dada aos homens por e em Jesus. Entretanto, nos vs. 51-58, "o pão da vida" é identificado com a carne de Jesus, e ali parece que Jesus está falando do *pão eucarístico.* (No que vem a seguir, discutiremos não só os vs. 35-50, mas também 51-58).

Mesmo na antiguidade, não houve concordância. Alguns dos Padres da Igreja primitiva, como CLEMENTE de Alexandria, ORÍGENES e EUSÉBIO, entenderam espiritualmente todo o discurso (vs. 35-58): para eles, a carne e sangue de 53ss. significavam não mais que o pão do céu – uma referência a Cristo, porém não em termos eucarísticos. Para AGOSTINHO, a carne se referia à imolação de Cristo para a salvação dos homens. No cerne do período patrístico, CRISÓSTOMO, GREGÓRIO de Nissa, os CIRILOS de Jerusalém e de Alexandria deram proeminência à teoria eucarística. Saltando para a Reforma, descobrimos que muitos dos reformadores não aceitaram a interpretação eucarística, e coisa que tampouco fez o campeão católico CAETANO. O Concílio de Trento, após longa discussão, não tomou posição, muito menos forneceu munição aos hussitas que usavam Jo 6,53 para exigir comunhão sob ambas as espécies.

Em tempos modernos, podemos distinguir as seguintes teorias: (a) Todo o discurso (vs. 35-58) se refere à revelação por e em Jesus, ou ao seu ensino. Esta interpretação "sapiencial" de 35-58 é acompanhada por GOEDT, B. WEISS, BORNHÄUSER, ODEBERG, SCHLATTER, STRATHMANN. (b) Somente a primeira parte do discurso (35-50 ou 35-51 tem este tema sapiencial, mas em 51-58 o pão se refere à carne eucarística de Jesus. Este ponto de vista atraiu mais ou menos a LAGRANGE, E. SCHWEIZER, MENOUD, MOLLAT, MUSSNER, BULTMANN. (Os pontos de vista de DODD e BARRETT também parecem implicar dois temas sucessivos no discurso). Muitos destes considerariam 51-59 como uma adição posterior. (c) Todo o discurso (35-58) se refere ao pão eucarístico. Diferentes nuanças deste ponto de vista são endossadas por LOISY, TOBAC, BUZY, CULLMANN, VAN DEN BUSSCHE. (d) O pão se refere tanto à revelação quanto à carne eucarística de Jesus. LÉON-DUFOUR vê estes temas percorrendo todo o discurso (35-58). Nosso ponto de vista, que é também o de FEUILLET, vê os dois temas na primeira parte do discurso (35-50) como se referindo primariamente à revelação, mas secundariamente à Eucaristia; a segunda parte (51-58) se refere somente à eucaristia.

O tema sapiencial em 6,35-50. Comecemos justificando nossa afirmação de que o tema sapiencial está primariamente no discurso propriamente dito (vs. 35-50). A reação fundamental à apresentação que Jesus faz de si mesmo como pão em 35-50 é a de fé (35, 36, 40, 47) ou de ir a ele, o que é sinônimo de fé (35, 37, 44, 45). Uma vez mais (50), nesta seção é dito que alguém tem de comer o pão da vida; é em 51-58 que "comer" aparece mais e mais. A citação que Jesus usa (45) para ilustrar o que está acontecendo às pessoas que o ouvem e vêm a ele é: "e todos serão *ensinados por Deus*" – uma clara referência ao simbolismo sapiencial do pão. O paralelo mais próximo do pão da vida é o tema da água viva no capítulo 4, e o da água é também um símbolo para revelação (ver p. 394 supra).

Já descobrimos que a maior parte dos ditos de Jesus em João tem alguma citação do AT ou pano de fundo judaico que os faz parcialmente inteligíveis ao auditório retratado na cena. Isto é procedente também no capítulo 6, pois a palavra e sabedoria divinas são frequentemente apresentadas no AT sob o simbolismo de alimento ou pão. Ao discutir a referência ao maná, no v. 31, a qual introduz o tema do pão da vida, já vimos este pano de fundo simbólico. As palavras de Am 8,11-13 são interessantes à luz da fome das multidões e sua busca por Jesus: "Eis que vêm dias, quando enviarei fome sobre a terra, não fome de pão ou sede de água, e sim de ouvir a palavra do Senhor. ... Correrão de um lado para o outro em busca da palavra do Senhor, porém não a acharão". A literatura sapiencial do AT oferece o maior número de paralelos. Já vimos na nota sobre o v. 35 que as linhas iniciais do discurso sobre o Pão da Vida parecem ecoar Siraque 24,21. Neste discurso, Jesus se assemelha à Sabedoria que em Pr 9,5 enuncia um convite: "Vinde, comei do meu pão; bebei do vinho que eu mesmo misturei". A descrição em Siraque 15,3 do que a Sabedoria fará pelos que temem a Deus e praticam a Lei é também oportuna: "Ela o alimentará com o pão de entendimento e lhe dará a água de erudição para beber".

Mais o pano de fundo no AT para o discurso sobre o Pão da Vida se encontra nas descrições do banquete messiânico, como FEUILLET, pp. 814-22, tem ressaltado. No pensamento israelita, as alegrias dos dias messiânicos eram às vezes retratadas sob a imagem de um banquete íntimo com Iahweh ou com Seu Messias. Is 65,11-13 adverte os que abandonaram o Senhor e Seu santo monte que teriam fome e sede enquanto os servos de Iahweh comeriam e beberiam. Nos evangelhos sinóticos, este banquete é retratado como ocorrendo no após vida ou segunda vinda (Mt 8,11; 26,29), mas em João Jesus anuncia que este banquete é iminente. Jesus é o pão da vida para aqueles servos de Iahweh que creem naquele que Iahweh enviou. Neste contexto da escatologia (realizada) Jesus fala de si mesmo como o Filho do Homem (v. 27).

A melhor preparação para a reorientação sapiencial do banquete messiânico se encontra em Is 55. Ao comentarmos o mandamento no v. 27 de não trabalhar pela comida perecível, já citamos a água e alimento de Is 55,1, os quais não se compram com dinheiro. O v. 3 da passagem isaiana deixa claro que este é o convite de Iahweh para comer como parte de suas promessas de renovação do pacto com Davi e, portanto, um banquete messiânico. É nesta atmosfera que Iahweh diz: "Inclinai vosso ouvido e vinde a mim; ouvi para que tenhais vida" – palavras bem reminiscentes de Jo 6,35-50. De particular interesse é Is 55,10-11: "Porque, assim como *desce a chuva e a neve dos céus...* e a fazem produzir, e brotar, e dar semente ao semeador, e *pão ao que come,* assim será a *minha palavra,* que sair de minha boca". A frutificação dos dias messiânicos é aqui associada com a palavra de Deus que desce do céu e dá alimento aos homens. Que Is 55 estava em mente na composição do discurso de João sobre o Pão da Vida é sugerido pela citação direta do capítulo precedente de Isaías (54,13) em 6,45.

Podemos acrescentar que, posto que a vinda do Messias às vezes era associada à Páscoa, a refeição pascal tinha certas características de uma antecipação do banquete messiânico. Na Páscoa final de sua vida [terrena], Jesus instituirá a eucaristia como sua própria antecipação do banquete messiânico. Mas no capítulo 6, no cenário galileu, ele deseja mostrar que o banquete dado aos cinco mil justamente antes da Páscoa era messiânico de uma maneira que não haviam reconhecido: era um sinal de que a Sabedoria veio para dar alimento a todos os que a buscavam.

O tema sacramental em 6,35-50. Se "pão da vida", nesta parte do discurso, se refere primariamente à revelação em e por Jesus, há também indicações de alusões eucarísticos secundários. Aliás, ficaríamos surpresos se não houvesse, pois João relaciona este discurso à multiplicação dos pães, o qual tem passado por adaptação eucarística. Além do mais, como ressaltamos, a transição entre as duas cenas (v. 23) realça o impacto eucarístico da multiplicação. No próprio discurso, é significativo que Jesus se identifique como o pão da vida. Recordamos que no capítulo 4 Jesus falou em dar a água viva, porém não se identifica com a água; todavia, ele é o pão da vida. Enquanto tal identificação não é impossível na interpretação meramente sapiencial dos vs. 35-50, certamente se adequa muito bem ao tema eucarístico.

A justaposição de fome e sede, no v. 35, parece estranha em um discurso sobre pão que nunca menciona água. Uma vez mais, tal justaposição não é impossível se o pão se refere somente à revelação (ver Siraque 24,21, citado na nota sobre v. 35); mas faz mais sentido se há também uma referência à eucaristia, a qual envolve carne e sangue e são igualmente para ser comidos e bebidos.

A menção de maná que introduz o discurso teria tido associações eucarísticas para os auditórios cristãos. Em 1Cor 10,1-4, Paulo introduz sua advertência sobre o cálice e pão eucarísticos evocando o exemplo de todos aqueles *ancestrais* que comeram o *alimento* sobrenatural (maná) *no deserto* e beberam da bebida sobrenatural que emana da rocha. Suspeitamos também que a petição na oração do Senhor, "dá-nos hoje nosso pão de amanhã", ecoa os temas combinados do maná e da eucaristia (ver TS 22 [1961], 198). Assim, há séria evidências para se manter que há uma referência secundária e eucarística em 35-50, e esta referência passará ao primeiro plano em 51-58.

O valor do discurso como tradição histórica

Já vimos que a conexão que João estabelece entre o discurso sobre o Pão da Vida e a multiplicação pode bem representar uma construção literária. De igual modo, devemos assumir que no próprio discurso as ressonâncias eucarísticas são mais provavelmente o produto de interpretações cristãs. Entretanto, nada há que suprimiria automaticamente a possibilidade de que ditos sapienciais atribuídos a Jesus, nesta seção, não representam a tradição primitiva. A coleção destes ditos em um só discurso provavelmente reflete um processo redacional (ver notas sobre vs. 36-40); entretanto, o conjunto do discurso, juntamente com a sequência de ideias, pode muito bem ter sido suprido pela tradição, como sugerem os paralelos marcanos dados na p. 469. Ao comparar Mc 8,14 e 16, alguns intérpretes têm encontrado um paralelo para identificar Jesus como pão (i.e., o único pão é Jesus mesmo, em vez do pão físico; pois ainda que tenham um único pão, dizem que não têm pão). Em Mc 16,11-12, Jesus deixa claro que ele não está falando do pão natural, e sim do ensino. Outros paralelos sinóticos aos versículos individuais serão salientados no comentário abaixo. Assim, o discurso sobre o Pão da Vida não deve ser avaliado simplesmente como a criação do evangelista, mesmo que ele tenha contribuído muito para sua forma atual.

COMENTÁRIO: DETALHADO

Versículo 35

Nas questões que precederam o discurso, Jesus falou do pão de Deus descido do céu para dar vida ao mundo. Uma vez que o leitor já tenha lido em 3,13 que o Filho do Homem é o único que desceu da parte do Pai, então se pode assumir que Jesus esteja falando de si mesmo como o pão. Mas a multidão não entende, e Jesus deve identificar-se especificamente como o pão que dá vida. Já vimos que isto significa que ele é o revelador da verdade, o mestre divino que vem alimentar os homens. Ao reivindicar ser a revelação divina personificada, Jesus avança para além das perspectivas veterotestamentárias na literatura sapiencial. Quando Jesus diz que os que creem nele nunca terão fome ou sede, ele está expressando a mesma ideia que proclamará em 11,25-27: "Eu sou a vida... aquele que crê em mim de modo algum morrerá". Sob todas estas metáforas de pão, água e vida, Jesus está simbolicamente se referindo à mesma realidade, uma realidade que, quando uma vez possuída, faz o homem ver fome, sede e morte naturais como insignificantes.

Versículos 36-40

Nas notas salientamos que estes versículos não têm estreita conexão com o tema do pão da vida e podem ter uma origem independente. Mediante cuidadosa análise, Léon-Dufour encontrou neles um quiasma:

```
36: visto e não credes         40: vê e crê
37: não lançar fora o que      39: nada perca do que
    o Pai tem dado                 Ele me deu
          38: Eu desci do céu.
```

Enquanto estes versículos têm sua própria organização, Léon-Dufour pensa que a objeção dos judeus no v. 41 pressupõe que 35 foi seguido por 36-40. Atribuem a Jesus a afirmação: "Eu sou o pão que desceu do céu"; e Léon-Dufour pensa que esta é uma afirmação composta elaborada de "Eu sou o pão" de 35 e "Eu desci do céu" de 38. Entretanto, supondo que o v. 35 foi seguido imediatamente por 41-43, então o descer do céu poderia ter ecoado o v. 33. Assim, o argumento em sequência não é convincente.

Estes versículos expressam a necessidade de crer em Jesus e a vontade do Pai de que os homens tenham vida através dele. A escatologia é interessante. No v. 37, Jesus fala jamais *lançarei fora* alguém que vai a ele. Esta é a expressão que os sinóticos usam no contexto do juízo final, quando os homens forem expulsos do reino (Mt 8,12; 22,13). Para João, o contexto é o da escatologia realizada. Todavia, no v. 39, que se assemelha ao v. 37, o contexto se desvia para a escatologia final ("o último dia"). E o v. 40 tem ambos os aspectos: todo o que crê no Filho tem a vida eterna agora, e, no entanto, será ressuscitado no último dia. Naturalmente, BULTMANN recorre ao Redator Eclesiástico para explicar a escatologia final, mas parece mais objetivo reconhecer que ambas as tensões escatológicas estão presentes na obra do evangelista.

No v. 37, a ênfase de que Deus destina homens a irem a Jesus de modo algum atenua, em última instância, a culpa, dos que não creem no v. 36. Poderia se conjeturar de que a razão de não crerem é porque Deus não os "deu" a Jesus. Todavia, seria injusto a concepção neotestamentária elaborar isto como uma explicação psicológica da recusa a crer. O NT frequentemente dá sua própria explicação em um nível simplificado enquanto todos os acontecimentos são atribuídos à causalidade divina sem qualquer distinção incisiva entre a causalidade primária e secundária. Tampouco estes versículos resolvem as disputas sobre predestinação que têm sido o tema de debate teológico desde os tempos da Reforma. Com toda a insistência de João sobre a escolha que os homens fazem entre luz e trevas, seria sem sentido indagar se o evangelista cria na responsabilidade humana. Seria um tanto sem sentido duvidar que, como os demais autores bíblicos, ele via a soberana eleição de Deus sendo operada naqueles que vão a Jesus.

Versículos 41-43

Com a "murmuração" no v. 41 (ver nota), voltamos à atmosfera dos israelitas no deserto e ao maná. Embora as conexões históricas entre a multiplicação e o discurso não poderiam ter sido tão estreitas como ora retratadas, o evangelista não perde a oportunidade de mostrar como em ambas se acham constantemente em jogo os mesmos temas. A questão já tão conhecida das origens de Jesus revela o usual mal-entendido que saúda Jesus como o Revelador. Se ele é pão do céu, se ele é o Filho do Homem (27), que há de vir sobre as nuvens, como é possível que ele tenha crescido numa família em Nazaré?

Versículos 44-50

Jesus nunca responde à pergunta sobre suas origens em um plano humano; suas palavras nos vs. 44-46 constituem uma resposta, porém em um plano teológico. Ele é enviado por Deus (44) e procede de Deus (46) e é por isso que pode alegar que desceu do céu. Se os judeus desistissem de sua murmuração, a qual é indicação de uma recusa de crer, e se abrissem à ação de Deus, Ele os atrairia a Jesus. Esta é a era indicada pelo profeta Isaías, quando estão sendo ensinados por Deus, se apenas ouvirem. Este ensino tem seu aspecto externo no sentido de que é incorporado em Jesus que anda entre eles, mas é também interno no sentido de que Deus age em seus corações. É o cumprimento do que Jr 31,33 prometeu: "Porei neles minha lei, e em seus corações a inscreverei" (JOHN BRIGHT, The Anchor Bible, vol. 21). Este mover interior do coração, da parte do Pai, os capacitaria a crer no Filho e, assim, a possuir a vida eterna.

Os vs. 48-50 constituem uma inclusão, pois resumem a introdução ao discurso e seus versículos iniciais. O v. 48 é uma inclusão com o 35; os vs. 49-50 compõem os temas de 31-33. A multidão tinha apresentado a Jesus o exemplo de seus ancestrais que comeram do maná no deserto, mas Jesus (49) adverte que isto não salvou seus antepassados da morte. E então (50), tomando uma vez mais a citação da Escritura do v. 31 ("Ele lhes deu pão do céu a comer"), Jesus diz que o pão realmente que vem do céu é um pão que não permite que o homem morra.

O pano de fundo judaico por detrás da técnica e temas do discurso

Técnica homilética no discurso. PEDER BORGEN tem contribuído com algumas interessantes percepções para a composição deste discurso. Realmente BORGEN aplica sua teoria a todo o discurso, inclusive os vs. 51-58, mas tudo o que ele diz é igualmente válido, e se não mais, aplicando-o exclusivamente dos vs. 35-50 (ver p. 538ss abaixo). BORGEN tem estudado cuidadosamente o modelo homilético em FILO e no *midráshim* palestinense, e disto ele tem deduzido alguns dos aspectos da pregação judaica nos dias de Jesus. Já notamos algumas de suas observações sobre padrões exegéticos nas notas sobre vs. 32, 36, 42; aqui, porém, estamos interessados no esquema geral.

O esquema deve começar com uma citação da Escritura (usualmente o Pentateuco) que algumas vezes é parafraseada. O corpo da homília comenta o texto bíblico quase palavra por palavra, embora um cuidadoso escrutínio às vezes mostrará que os comentários pressupõem não só o versículo principal que tem sido citado, mas também outros versículos dentro do contexto. Usualmente, a afirmação que abre a homília é reiterada no final da homília, talvez não textualmente, mas ao menos evocando suas palavras principais. No *midráshim* palestiniano, a citação bíblica é reiterada no final da homília. Comumente, dentro da homília há uma citação secundária (amiúde dos Escritos ou dos Profetas) à qual umas poucas linhas de comentário são devotadas. Esta citação secundária ajuda a desenvolver o comentário principal.

Jo 6 é surpreendemente próximo a este esquema. A citação inicial foi feita no v. 31, e procede do Pentateuco. Embora se assemelhe a Ex 16,4, também tem elementos de 16,15 (ver a respectiva nota), em concordância com a prática de empregar todo o contexto. Os vs. 32-33 constituem a paráfrase da citação feita por Jesus: "Ele lhes deu pão do céu a comer" vem a ser "Meu Pai vos dá o verdadeiro pão do céu". Então, em 49-50, encontramos a homília sobre esta citação bíblica: primeiro se discute o tema de "pão"; então, o tema "do céu"; e, finalmente, em 49-50, o tema de "comer". A citação secundária dos Profetas aparece em 45 (ver a respectiva nota) com um breve comentário. Segundo as regras homiléticas, a afirmação que abriu a homília (35) é reiterada exatamente no fim (48); e de fato inclusive a citação bíblica e sua paráfrase (31-33) são reformuladas em 49-50. Assim, parece que 35-50 representa uma homília sobre o texto da escritura citado em 31.

Que luz estas observações projetam sobre o valor histórico do discurso? BORGEN crê que, como agora se encontram, o discurso é uma construção judaico-cristã seguindo o típico esquema homilético da época. Posto que BORGEN inclua os vs. 51-58 no discurso, teríamos que concordar; porque, como explicaremos abaixo, consideramos 51-58 como uma construção posterior. Entretanto, concentrado-nos apenas nos vs. 35-50 e admita que em parte (talvez 36-40, 42) ela é um amálgama de ditos que uma vez foram independentes, há uma razão *a priori* pela qual o esquema da parte principal desta seção poderia não ter procedido de Jesus? Ele é apresentado como que falando numa sinagoga em Cafarnaum (59). Acaso ele não teria se conformado ao estilo homilético ordinário dos pregadores da sinagoga? Não poderia ter extraído a citação bíblica, como fez em Lc 4,17-19, e a tomado como texto de seu sermão? Ao menos, parece-nos que o reconhecimento do esquema homilético, neste discurso joanino, não resolve, em sentido negativo, a questão da historicidade e de fato dá certa plausibilidade à apresentação que João faz da cena.

O lecionário da sinagoga e o discurso. Devemos também levar em conta, aqui, as interessantes o observações de AILEEN GUILDING sobre o ciclo de leituras bíblicas usadas nas sinagogas. Jo 6,4 situa o tempo deste capítulo como próximo da Páscoa; e inclusive, se considerarmos como artificial a conexão de um dia entre a multiplicação e o discurso, o tempo da Páscoa poderia ter sido o cenário do discurso. Se tomarmos as seis semanas em torno da Páscoa como se referindo as nossas considerações, segundo a teoria de Miss Guilding, as passagens seguintes teriam servido como leituras da sinagoga (*sedarim*) de acordo com o ciclo de três anos:

> Ano I: Gn 1-8, com Gn 2 e 3 sendo lidos aos sábados mais próximos da festa.
> Ano II: Ex 11-16, com Ex 16, sendo lidos cerca de quatro semanas após a festa.
> Ano III: Nm 6-14, com Nm 11, sendo lidos no segundo sábado após a festa.

Ora, o discurso que acabamos de discutir obviamente está centrado em torno de Ex 16, o *seder* [heb. serviço litúrgico] do Ano II. Mas também ecoa o *sedarim* dos outros dois anos. Em nossa nota sobre v. 5, salientamos uma série de paralelos entre Nm 11 e Jo 6. Miss Guilding, p. 62, cataloga alguns paralelos entre Gn 3 e Jo 6, particularmente centrando a árvore do conhecimento do bem e do mal no Jardim do Paraíso:

> Gn 3,3 reitera a advertência de Deus de 2,17: "Não comerás do fruto desta árvore... para que não morras". Isto pode ser contrastado com Jo 6,50: "Este é o pão que desce do céu, para que o que dele comer jamais morra".
> Gn 3,22 contém a decisão de Deus de expulsar o homem do jardim, "... para que não estenda sua mão e tome também da árvore da vida e coma e viva para sempre". Isto pode ser contrastado com o convite a comer o pão da vida de que fala Jo 6,51: "Se alguém comer este pão, esse viverá para sempre".
> Gn 3,24: "Então, ele expulsou o homem". Jo 6,37: "Aquele que vem a mim jamais o lançarei fora".

Os Padres da Igreja reconheceram este contraste entre o pão da vida e o fruto proibido em Gênesis; por exemplo, Gregório de Nissa

(*Great Catechism* XXXVII; PG 45:93) apresentou o pão eucarístico como um antídoto ao fruto proibido. E se o pão da vida, nos vs. 35-50 representa primariamente a revelação e o conhecimento que Jesus traz do alto, então ele não é diferente do conhecimento do bem e do mal que o primeiro homem passou a desejar.

Miss Guilding também argumenta que uma leitura dos Profetas (*haphtarah*) acompanhava cada leitura do Pentateuco. No Ano I, a *haphtaroth* que acompanhava as leituras de Gênesis parece ter incluído Is 51,6ss. como uma *haphtarah* a Gn 2,4, e Is 54-55 como uma *haphtarah* a Gn 6,9 (Guilding pp. 67, 63). Encontramos paralelos em Is 61 ao caminhar sobre o mar em Jo 6 (ver p. 489 supra), e em Is 54-55 ao discurso sobre o Pão da Vida (ver p. 511s. – Is 54 é citado em Jo 6,45). No Ano II, Is 63,11ss. servia como *haphtarah* a Ex 15,22, e temos ali outra vez o tema da travessia do mar.

Estes paralelos são impressionantes, e parece legítimo manter que Jo 6 reflete um misto de temas extraídos das leituras na sinagoga no período da Páscoa. Para Miss Guilding, o cenário em Jo 6 é fictício, e foi um autor cristão que compôs o discurso pela combinação de temas. Entretanto, uma vez mais, se Jesus falou numa sinagoga (v. 59), como podemos estar certos, *a priori*, que ele não foi aquele que extraiu os temas do discurso das leituras da sinagoga? Pode-se objetar que o discurso reflete leituras de todos os três anos; todavia, numa tradição litúrgica, como um ciclo é repetido vezes e mais vezes, alguém se torna familiarizado com todas as leituras para as grandes festas. Assim, Jesus poderia ter ilustrado seu tópico geral extraído do *seder* de um ano (Ex 16) com frase pertinente ao *sedarim* e *haphtaroth* pascal de outros anos. Podemos notar que o alinhamento exato de *sedarim* e *haphtaroth* correspondentes é um dos aspectos mais incertos da tese de Miss Guilding. Esta tese tem sido sujeitada a uma crítica incisiva de Leon Morris, *The New Testament and the Jewish Lectionaries* (Londres: Tyndale, 1964), e somos relutantes em fazer nossa abordagem a Jo 6 dependentes de algo mais além da implicação geral de que os temas em João refletem plausivelmente os temas familiares na sinagoga no período pascal.

As observações de Borgen e Miss Guilding podem ser usadas, ao menos em parte, para complementar umas às outras. Parece-nos que ambos iluminam a *possibilidade* de que por detrás de Jo 6,35-50 temos uma homília pregada por Jesus sobre um texto selecionado de um *seder* lido na sinagoga de Cafarnaum no período da Páscoa (embora, para ser exato, nenhum desses estudiosos chegam a esta conclusão). Temos que enfatizar outra vez que reconhecemos que a presente forma do discurso foi expandida por combinações redacionais de outro material, tudo isso à luz das reflexões teológicas joaninas.

[A Bibliografia para esta seção está inclusa na Bibliografia para o capítulo 6, no final do § 26.]

25. JESUS NA PÁSCOA: – DISCURSO SOBRE O PÃO DA VIDA (*Continuação*)
(6,51-59)

*Duplicata do discurso precedente na qual o Pão da Vida
é agora a eucaristia*

6   51"Eu sou o pão vivo
    que desceu do céu.
    Se alguém come este pão,   [52]*
    viverá para sempre.
    E o pão que eu darei
    é minha própria carne para a vida do mundo".

52[53]Nisto, os judeus começaram a disputar entre si, dizendo: "Como pode ele dar-nos [sua] carne para comer?" 53[54]Portanto, Jesus lhes disse:

"Eu vos asseguro com toda firmeza,
se não comerdes a carne do Filho do Homem,
e não beberdes seu sangue,
não tendes vida em vós.

---

* Os números dos versículos na Vulgata. A numeração dos versículos na Vulgata latina difere daquela do grego nos vs. 51ss. – uma diferença refletida nas traduções da Bíblia católica e protestante. Todas as nossas referências são à numeração grega, mas para conveniência adicionamos a numeração da Vulgata entre colchetes.

25 • Jesus na Páscoa: discurso sobre o pão da vida (*continuação*)

⁵⁴Aquele que come de minha carne [55]
e bebe do meu sangue
tem vida eterna.
E eu o ressuscitarei no último dia.
⁵⁵Pois minha carne é verdadeira comida, [56]
e meu sangue é verdadeira bebida.
⁵⁶Quem se alimenta de minha carne [57]
e bebe do meu sangue
permanece em mim e eu nele.
⁵⁷Assim como o Pai que tem vida me enviou, [58]
e eu tenho em por causa do Pai,
assim o homem que se alimenta de mim
terá vida em virtude de mim.
⁵⁸Este é o pão que desceu do céu. [59]
Diferente daqueles ancestrais que comeram e ainda morreram,
o homem que se alimenta deste pão viverá para sempre".

⁵⁹⁽⁶⁰⁾Ele disse isto numa instrução da sinagoga em Cafarnaum.

NOTAS

6.51. *pão vivo*. Quanto a alternativa entre "pão da vida" (vs. 35, 48) e "pão vivo", comparar também entre "água da vida" (Ap 21,6; 22,1.17) e "água viva" (Jo 4,10). Entretanto, Jesus nunca se identifica com a água viva.

desceu. Aqui, o aoristo pode ser comparado com o presente "desce", no v. 50; vimos a mesma variação concernente a "dá" e "tem dado", nos vs. 37, 39. Provavelmente, nos cansaríamos de pôr tanta ênfase sobre o uso do aoristo, mas o "descer" inclui a Encarnação.

come... viverá para sempre. Pode haver um eco disto em *Barnabé* 11,10. Citando a passagem de Ez 42,1-12, onde um rio flui do templo e belas árvores crescendo à sua margem, *Barnabé* interpreta estas como sendo árvores da vida e diz: "Todos quantos comerem delas viverão eternamente". *Barnabé* pode estar associando o pão da vida e a árvore da vida de João, uma associação que, como temos visto, pode ter sido inspirada pelas leituras pascais da sinagoga.

eu der... minha própria carne. Comparar a descrição da morte voluntária em 1Cor 13,3: "Se entregar meu próprio corpo para ser queimado"... Assim, pode bem ser que a conexão entre a eucaristia e a morte de Jesus esteja sendo sugerida em João.

para a vida do mundo. O Codex Sinaiticus coloca esta frase com o verbo "dar", e não com "carne". Esta leitura "eu darei pela vida do mundo" pode ser uma tentativa de conformar mais estreitamente a uma fórmula eucarística como a de Lc 22,19: "meu corpo que é *dado por vós*".

52. *Disputar*. O grego sugere uma disputa violenta.

   ele. Literalmente, "este [um]" – provavelmente com uma nota de menosprezo, como no v. 42.

   [*sua*]. Há boas testemunhas para inclusão e para omissão, respectivamente.

53. *comerdes... beberdes*. Em 6,26.50, o verbo "comer" (*esthiein, phagein*) toma *ek* e o genitivo antes de seu objeto; ele é usado com o acusativo direto em 6,23.49.53. J. J. O'Rourke, CNQ 25 (1963), 126-28, vê uma diferença significativa nesta variação, como também faz entre *pinein* ("beber") usado com *ek* e o genitivo no capítulo 4, e com o acusativo aqui. A diferenciação parece sutil demais.

   carne... sangue. No estilo hebraico, "carne e sangue" significa o homem por inteiro. Nos dias da Reforma, os vs. 53-55 se tornaram o centro de uma disputa teológica sobre se era necessário receber a eucaristia sob ambas as espécies. Tudo o que se pode decidir à luz deste texto é que é necessário receber Cristo por inteiro. Feuillet, p. 822, sugere que, se o maná era o pano de fundo do AT para o tema pão/carne, a menção do sangue da aliança no Sinai (Ex 24,8) inspirou o tema do sangue à maneira da fórmula eucarística "meu sangue da [nova] aliança" ou "a nova aliança em meu sangue".

   o Filho do Homem. Ver o v. 27. Este é o único versículo, nesta seção, em que Jesus fala de si mesmo na terceira pessoa; contudo, isto não é estranho nas passagens sobre o Filho do Homem.

   não tendes vida em vós. A universalidade e incondicionalidade desta afirmação têm levado algumas igrejas a adotar a prática de dar a eucaristia às criancinhas. Põem esta afirmação em pé de igualdade com a incondicionalidade da exigência de ser gerado da água e o Espírito (batismo) em 3,5.

54. *come*. No grego secular, este verbo *trōgein* era originalmente usado para animais; mas, ao menos desde o tempo de Heródoto, era também usado para a alimentação humana. Ele tinha uma conotação rude (ver Mt 24,38) refletida nas traduções como "roer, mascar". Alguns estudiosos negam isto, mantendo que João simplesmente o usa no tempo presente de *esthiein*, o verbo normal "comer". Entretanto, parece mais provável que o uso de *trōgein* seja parte da tentativa de João de enfatizar o realismo

da carne e sangue eucarísticos. As outras únicas vezes que ele aparece em João fora desta seção é em 13,18, onde, no contexto da última ceia, é deliberadamente introduzido em uma citação veterotestamentária, provavelmente como uma recordação eucarística.

E eu o ressuscitarei. WILKENS, *"abendmahlzeugnis"*, pp. 358-59, pensa que a ênfase sobre a ressurreição dentre os mortos pode ser anti-docética.

55. *verdadeira.* Aqui a palavra não é *alēthinos*, e sim *alēthēs* (embora haja importantes testemunhas na tradição ocidental que tragam *alēthōs*, um advérbio que, provavelmente, represente uma interpretação, especialmente nas versões). *Alēthinos* ("o único verdadeiro"), que é usado para distinguir a realidade celestial de sua contraparte natural, ou distinguir a realidade neotestamentária de sua contraparte veterotestamentária (ver Apêndice I:2, p. 794ss), seria fora de lugar aqui, pois Jesus não está contrastando sua carne e sangue com algo natural ou sua contraparte veterotestamentária. Antes, Jesus está insistindo sobre o valor genuíno de sua carne e sangue com comida e bebida. A leitura ocidental de um advérbio capta o significado deste versículo. Ver RUCKSTUHL, pp. 235-42.

56. *permanece em mim.* Para *menein*, ver Apêndice I:8, p. 794ss. Esta afirmação parece muito aproximada do que será dito da videira verdadeira em 15,3-7, e, provavelmente, a videira seja também um símbolo eucarístico.

nele. Aqui o Codex Bezae e alguns manuscritos da Vetus Latin adicionam: "como o Pai em mim e eu no Pai [10,38; 14,10]. Solenemente eu vos asseguro, a menos que recebais o corpo do Filho do Homem como o pão da vida, não tereis vida nele". Note o uso de "receber", uma redação que Bezae também tem em lugar de "comer" no v. 53. Alguns estudiosos (ver LAGRANGE, p. 185) pensam que esta redação pode ser genuína, omitida em outras testemunhas por *homoioteleuton.* Mais provavelmente, é uma adição homilética ocidental.

57. *o Pai que tem vida.* Literalmente, "o Pai vivo". Este é o único caso desta expressão no NT, embora "o Deus vivo" ocorra em ambos os Testamentos. Talvez o emprego seja determinado por "o pão vivo" no v. 51. Compare 5,26: "Assim como o Pai possui vida em Si mesmo, assim Ele concedeu que o Filho também possua vida em si mesmo".

por causa do Pai. A preposição é *dia* com o acusativo. Significa "através de, por meio de" (*source*: BAG, p. 180, B II, 4; BDF, § 222) ou "por causa de" (*finalidade*: o significado mais normal do acusativo)? LAGRANGE favorece a causalidade final, mas realmente não se adequa ao contexto, visto que Jesus parece estar falando da sucessão de fontes da vida. Para Jesus como a fonte de nossa vida, temos 1Jo 4,9: "Deus enviou seu único Filho ao mundo para que tenhamos vida através dele [*dia*, com genitivo que significaria fonte]". O paralelo supracitado de Jo 5,26 também sugere que fonte está subentendida.

alimenta. Depois do v. 56 não mais se menciona beber. Precisamente como a última parte dos vs. 35-50 constituiu uma inclusão com os temas iniciais do discurso, assim também na duplicata do discurso sobre o Pão da vida em 51-58. Portanto, ali os últimos versículos se concentram no pão.

58. *Este é o pão*. A fraseologia é a mesma que no v. 50, exceto que não há propósito na sentença seguinte. Embora o antecedente de "este" não seja expresso, é claramente a carne de Jesus.

daqueles ancestrais. Não "vossos ancestrais", como no v. 49.

morreram. Isto certamente quase significa morte física como contrastada com vida espiritual. No entanto, há uma tradição judaica posterior de que a geração no deserto morreu também espiritualmente e não teria nenhum lugar no mundo por vir.

59. *Isto*. Literalmente, "estas coisas".

instrução numa sinagoga. Literalmente, "ensinando numa sinagoga". A falta de artigo definido antes de *synagōgē* leva alguns a pensar mais em uma reunião pública (ver Tg 2,2) do que na sinagoga. Entretanto, a sinagoga de Cafarnaum nos é conhecida à luz da tradição sinótica (Lc 4,31; 7,5), e o hábito de Jesus de ensinar nas sinagogas é bem atestado (Mt 4,23; 9,35; 12,9; 13,54).

em Cafarnaum. O Codex Bezae, alguns manuscritos OL e Agostinho acrescentam "num sábado". Isto pode representar uma conjectura correta e até plausível. A objeção de que todo o movimento nos barcos descrito nos vs. 22-24 não poderia ter ocorrido no sábado realmente é apenas mais um argumento provando a artificialidade da conexão de João no dia seguinte entre multiplicação e discurso. Se a teoria de que os vs. 51-58 constituem uma adição posterior prova ser procedente, então o v. 59 pertence ao discurso original que subjaz aos vs. 35-50.

COMENTÁRIO: GERAL

O significado de "o Pão Vivo" nos vs. 51-58

Nesta seção, o tema eucarístico que foi apenas secundário nos vs. 35-50, passa agora ao primeiro plano e se torna o tema exclusivo. Não mais somos informados que a vida eterna é o resultado de crer em Jesus; ela vem do comer sua carne e beber seu sangue (54). O papel do Pai em conduzir homens a Jesus ou dá-los a ele já não é o refletido; Jesus mesmo domina como o agente e fonte da salvação. Mesmo quando os versículos 51-58 são notavelmente como os 35-50, um novo vocabulário corre através deles: "comer", "alimentar", "beber", "carne", "sangue".

Há duas indicações chamativas de que a eucaristia está em mente. A primeira indicação é a ênfase sobre comer (alimentar-se de) a carne de Jesus e beber seu sangue. É impossível que isto seja uma metáfora de aceitar sua revelação. "Comer a carne de alguém" aparece na Bíblia como uma metáfora para ação hostil (Sl 27,2; Zc 11,9). De fato, na tradição aramaica transmitida através do Siríaco, "comer da carne" é o título do diabo, o caluniador e adversário por excelência. Beber o sangue era visto como algo horroroso proibido pela lei de Deus (Gn 9,4; Lv 3,17; Dt 12,23; At 15,20). Seu significado simbólico transferido foi o de brutal matança (Jr 46,10). Na visão da carnificina apocalíptica de Ezequiel (39,17), ele convida as aves de rapina a que viessem à festa: "comereis carne e bebereis sangue". Assim, se as palavras de Jesus, em 6,53, devem ter um significado favorável, devem referir-se à eucaristia. Reproduzem simplesmente as palavras que ouvimos no relato sinótico da instituição da eucaristia (Mt 26,26-28): "Tomai, *comei*; isto é o *meu corpo*; ... *bebei*... isto é o *meu sangue*".

A segunda indicação da Eucaristia é a fórmula encontrada no v. 51: "O pão que eu darei é minha própria carne pela vida do mundo". Se considerarmos que João não registra as palavras do Senhor sobre o pão e o cálice na última ceia, é possível que tenhamos preservada em 6,51 a forma das palavras da instituição. Em particular, se assemelha à forma lucana da instituição: "Isto é o meu corpo que é dado por vós" (ver nota sobre v. 51). A diferença importante é que João fala de "carne", enquanto os relatos sinóticos da última ceia falam de "corpo". Entretanto, no hebraico ou no aramaico, realmente não existe palavra para "corpo", como entendemos o termo; e muitos estudiosos mantêm que na última ceia o que Jesus realmente disse era o equivalente aramaico de "Isto é a minha carne". Um dos escritores eclesiásticos mais antigos, INÁCIO de Antioquia (cidade onde a tradição semítica das palavras de Jesus podem ter sido preservadas), usa "carne" em numerosas referências à eucaristia (*Rom* 7,3; *Phila* 4,1; *Smyr* 7,1). Isso se dá igualmente com JUSTINO, *Apol*. 1,66 (PG 6:428). Então, é possível que, neste aspecto, João seja o mais exato dos evangelhos à linguagem eucarística original de Jesus. Que Jo 6,51 lembra uma fórmula eucarística, isso foi notado nos tempos primitivos, pois ambas as testemunhas, a OL e Siríaca, leem este versículo: "Este pão, que darei, é meu *corpo* para a vida do mundo".

A relação dos vs. 51-58 com o restante do capítulo

Se admitirmos que o significado primário de "o pão da vida" muda nos vs. 51-58 do significado que já vimos em 35-50, as duas partes do discurso pertencem ao mesmo e único discurso? Primeiro, discutamos esta questão no nível *literário*: 51-58 é simplesmente um bloco estranho de material não joanino ou é uma parte integral do capítulo? (No momento deixaremos a questão *histórica* de se originalmente era parte do discurso). Como o capítulo ora está, deve-se reconhecer que há muitos aspectos em 51-58 que combinam muito bem como o conteúdo. Por exemplo, 51-58 retoma alguns temas que já vimos na introdução (25-34) que não se encontram em 35-50, p. ex., *dar* o pão (51-52; 31-32); o Filho do Homem (53, 27). Além do mais, como veremos, 51-58 é notavelmente semelhante a 35-50 em composição e afirmação. Ruckstuhl tem estudado a linguagem de 51-58 com o máximo de cuidado, e pensa que há bastante evidência para caracterizar a seção como genuinamente joanina. Seus argumentos convenceram J. Jeremias; mas Eduard Schweizer, outro especialista em estilo joanino, não crê que haja bastante evidência linguística para decidir por um dos dois sentidos. Entre os aspectos joaninos mais óbvios nestes versículos são: "eu vos asseguro firmemente" (53); "vida eterna" (54); "comer" (ver 13,18); "permanecer" (56). Há outras peculiaridades joaninas no uso de partículas gregas menores.

Estas observações, em nossa opinião, mostram que os vs. 51-58 pertencem ao corpo geral da tradição joanina; não exclui a possibilidade de que 51-58 foi adicionado num estágio posterior da redação do capítulo 6. Qualquer redator que adicionasse estes versículos, naturalmente faria um esforço para pô-los em harmonia com seu novo contexto. Entretanto, as observações acima mencionadas dificultam crer na teoria de Bultmann de que um Redator Eclesiástico adicionou estes versículos para *corrigir* o capítulo, introduzindo um tema sacramental não joanino que faria o discurso mais aceitável à igreja em geral. Há evidência de que estes versículos contêm material tradicional genuíno (p. ex., fórmula eucarística) e que representam verdadeiro pensamento joanino e não uma correção dele. Além do mais, uma objeção insuperável à teoria de BULTMANN é a evidência de matizes eucarísticas secundárias na multiplicação, os versículos de transição (22-24), a introdução ao discurso e o corpo do discurso (35-50). Este capítulo seria eucarístico se os vs. 51-58 não fossem parte dele; e se os vs. 51-58 constituem uma adição posterior, foram adicionados não para introduzir um tema eucarístico, mas para realçar mais claramente os elementos eucarísticos que já estavam ali.

Não obstante, o próprio fato de que o elemento eucarístico é primário nos vs. 51-58, enquanto é secundário no restante do capítulo, sugere que os vs. 51-58 teve uma procedência diferente do restante do capítulo. O discurso sobre o Pão da Vida em 35-50 é em si mesmo completo, como vimos em nosso estudo de técnica homilética; ele termina com uma inclusão cuidadosamente ordenada. Parece ilógico para um discurso recomeçar confusamente no v. 51. Uma sugestão muito mais plausível é que temos aqui duas formas diferentes de um discurso sobre o pão da vida, ambos joaninos, porém oriundos de estágios diferentes da pregação joanina.

Voltemos agora à questão *histórica* de se o tema diretamente eucarístico dos vs. 51-58 era originalmente parte das palavras de Jesus à multidão. Pois os que consideram todo o cenário do discurso sobre o Pão da Vida, em Jo 6, como fictício, não pode haver dúvida histórica. Entretanto, como temos mostrado com base nos paralelos de sequência nos sinóticos, parece que a tradição pré-evangélica tinha uma cena onde Jesus explicou a seus discípulos as implicações da multiplicação. À luz de uma análise de Jo 6, vimos que não é implausível que Jesus falasse na sinagoga, fazendo um discurso sobre elementos sugeridos pelas leituras pascais na sinagoga, e que houve pano de fundo veterotestamentário para entender sua observação em 35-50, onde se referiu à sua revelação sob o simbolismo do pão. Cientificamente falando, de tudo isso nada podemos estabelecer além do plausível. Todavia, isto é suficiente para suscitar a seguinte questão: *se* Jesus falou do pão da vida na sinagoga de Cafarnaum, a doutrina sobre a eucaristia, como registrada em 51-58, poderia ter sido parte daquele discurso. LÉON-DUFOUR tem tentado resolver o problema de como a multidão poderia ter entendido estes versículos, afirmando que, simultaneamente, o significado sapiencial do pão se mantem ao longo de 51-58 e que este significado poderia ter sido entendido. Entretanto, existe aí uma leve evidência de que o pão vivo, em 51-58, se refere a algo mais além da eucaristia? Se respondermos negativamente, e parece que devemos fazê-lo, então tudo indica ser impossível que as palavras de 51-58, as quais se referem exclusivamente à eucaristia, fossem entendidas pela multidão ou inclusive pelos discípulos. Realmente estão fora de lugar em qualquer parte durante o ministério, exceto na última ceia. Mesmo tal crítica usualmente conservadora, como LAGRANGE tem reconhecido isto, e tem sido seguido por muitos estudiosos que de outro modo não mostram muita inclinação para desmantelar os discursos joaninos. Combinando, pois, nossos julgamentos com as questões literárias e históricas sobre 51-58, sugerimos que 35-50 e 51-58 são duas formas diferentes do discurso sobre o Pão da Vida, ambas joaninas no sentido de que são elaboradas dos ditos transmitidos na tradição da pregação joanina. A forma do discurso representa uma forma sapiencial muito mais primitiva do discurso. Seus matizes eucarísticos secundários provêm de um repensar cristão do discurso em que o tema eucarístico passou ao primeiro plano. Foi acrescido a 35-50 em um estágio positivamente posterior na redação do Quarto Evangelho, provavelmente na redação final.

A possível origem do material nos vs. 51-58

Desejamos propor aqui a hipótese de que a espinha dorsal dos vs. 51-58 é elaborada de material da narrativa joanina da instituição da eucaristia que originalmente se situava na cena da última ceia, e que este material foi refundido em uma duplicata para fazer deles uma duplicata do discurso sobre o Pão da Vida. Esta hipótese explica diversos fatos: (*a*) A ausência de um relato da instituição no capítulo 13, a cena da última ceia onde todos os demais evangelhos colocam a instituição. O deslocamento do material institucional tem deixado suas marcas em 13, por exemplo, a referência a comer o pão, com o uso do verbo *trōgein* em 13,18. (*b*) A estreita similaridade de 6,51 com uma fórmula institucional. (*c*) A clara referência à eucaristia, nos vs. 51-58, teria sido compreensível na última ceia. À maneira de suporte, do que dissemos podemos notar que já encontramos um possível exemplo de uma cena originalmente associada à última Páscoa da vida de Jesus sendo transposta para o corpo do ministério e uma Páscoa anterior, a saber, a purificação do templo.

Um importante aspecto em nossa hipótese é que o material tomado da última ceia foi reelaborado com base no modelo do discurso do Pão da Vida, quando foi acrescentado ao capítulo 6. Eis por que ele se adequa tão bem ao capítulo 6. Abaixo, damos um diagrama pondo os vs. 35-50 e 51-58 lado a lado, de modo que o leitor possa ver quão estreitamente as duas seções formam um paralelo. Combinando os temas do 6 com o material da última ceia, o redator final criou um segundo discurso sobre o Pão da Vida. Seu propósito em tudo isso parece ter sido ressaltar os matizes eucarísticos já implícitos no capítulo. Ele deu a 51-58 o mesmo início e o mesmo final que deu a 35-50; o mesmo tipo de interrupção onde os judeus protestam; a mesma promessa de vida eterna. Mas onde o discurso original enfatizou a necessidade de crer em Jesus, o novo discurso enfatiza a necessidade de comer e beber a carne e sangue eucarísticos.

Até aqui falamos da formação dos vs. 51-58 como uma obra redacional, mas bem que podemos suspeitar que o redator estivesse apenas completando e aperfeiçoando um processo de assimilação que já havia começado. Enfatizamos uma vez mais que o processo de interpretar este capítulo eucaristicamente já está presente de uma forma menos específica na multiplicação. A presença de matizes eucarísticas nas narrativas sinóticas da multiplicação sugere que a comunidade cristã associou a multiplicação e a eucaristia em estágio primitivo. DAUBE, ZIENER, GÄRTNER e KILMARTIN têm estudado a *Haggadah* pascal e extraído muitas analogias a Jo 6, como já mencionamos (p. 476ss.). Sugerem ainda que a possibilidade de que uma Páscoa cristã era a situação vital (*Sitz-im-Leben*) na Igreja que deu origem à presente forma de Jo 6. As cenas do capítulo 6 (multiplicação dos pães, menção do maná na introdução ao discurso sobre o Pão da Vida e a forma original do discurso em 35,50), começadas na Páscoa, teriam feito uma leitura admiravelmente adaptada para esse culto pascal cristão. Naturalmente, neste culto, o cerne da refeição pascal cristã consistiria na reapresentação da refeição eucarística que o Senhor comeu na véspera da Páscoa, a noite antes de morrer. Assim, a própria liturgia poderia ter introduzido uma estreita justaposição ao discurso sobre o Pão da Vida e o relato joanino da instituição eucarística que, por hipótese, agora se encontra refundida nos vs. 51-58. Se o tema do maná do lecionário pascal na sinagoga e a *Haggadah* pascal estão por detrás da apresentação que Jesus faz de si mesmo como o pão que desceu do céu, o temas da carne e sangue não teriam sido familiares em meio às

COMPARAÇÃO DOS DOIS DISCURSOS

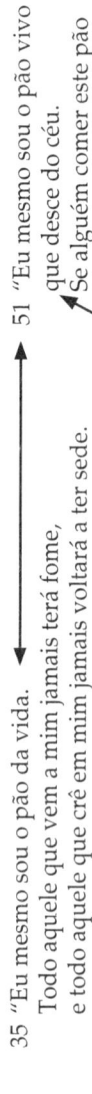

6,35-50

35 "Eu mesmo sou o pão da vida.
Todo aquele que vem a mim jamais terá fome,
e todo aquele que crê em mim jamais voltará a ter sede.
36 Mas, como eu vos disse,
ainda que [me] tenhais visto, contudo não credes.
37 Todos quantos o Pai me dá virão a mim;
e todo o que vem a mim jamais será lançado fora,
38 porque não é para fazer minha própria vontade
que eu desci do céu,
e sim a vontade daquele que me enviou.
39 E a vontade de quem me enviou
é que eu nada perca do que Ele me deu;
antes, eu o ressuscite no último dia.

6,51-58

51 "Eu mesmo sou o pão vivo
que desce do céu.
Se alguém comer este pão
viverá para sempre.

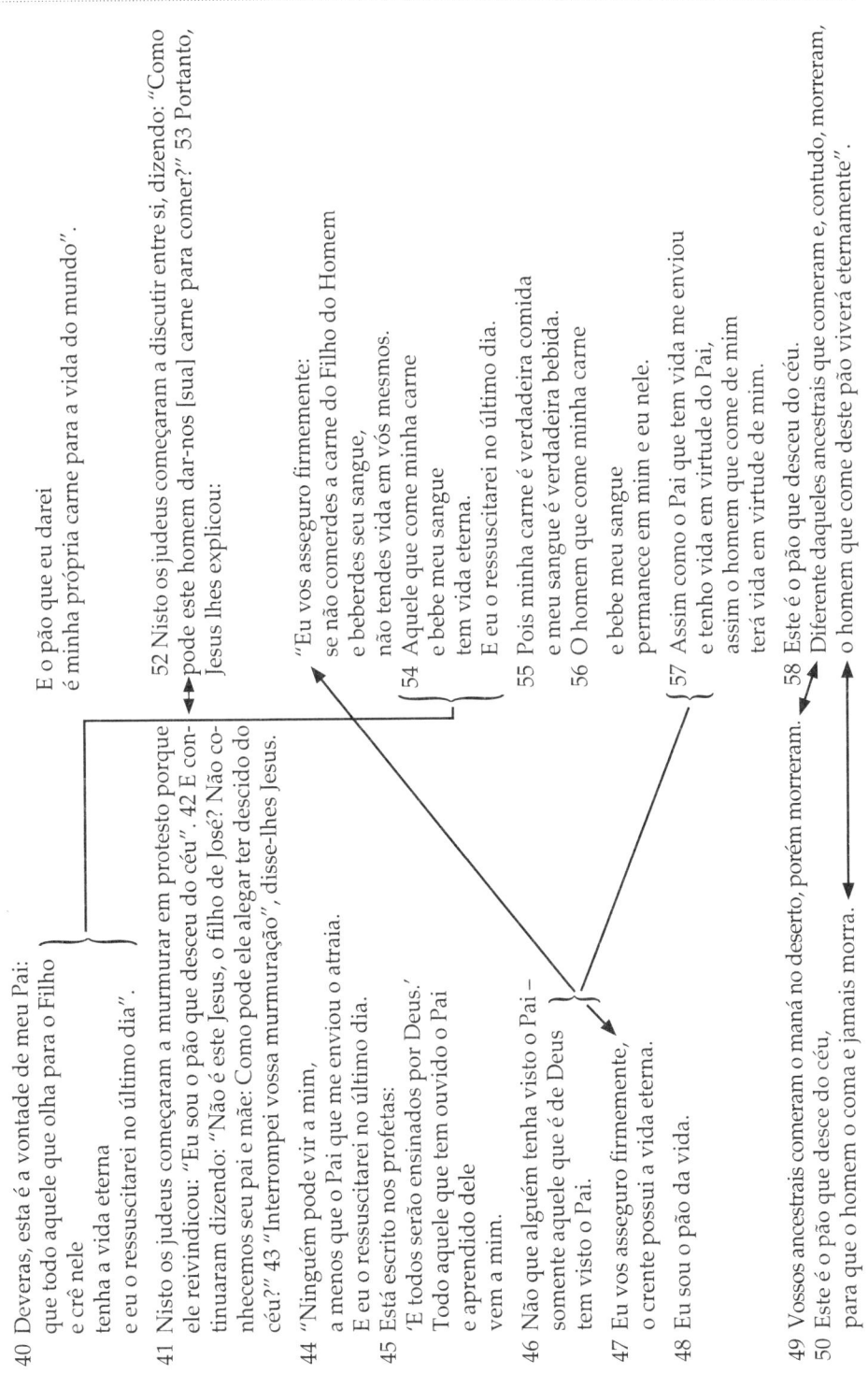

25 • Jesus na Páscoa: discurso sobre o pão da vida (*continuação*)

40 Deveras, esta é a vontade de meu Pai:
que todo aquele que olha para o Filho
e crê nele
tenha a vida eterna
e eu o ressuscitarei no último dia".

E o pão que eu darei
é minha própria carne para a vida do mundo".

41 Nisto os judeus começaram a murmurar em protesto porque ele reivindicou: "Eu sou o pão que desceu do céu". 42 E continuaram dizendo: "Não é este Jesus, o filho de José? Não conhecemos seu pai e mãe: Como pode ele alegar ter descido do céu?" 43 "Interrompei vossa murmuração", disse-lhes Jesus.

44 "Ninguém pode vir a mim,
a menos que o Pai que me enviou o atraia.
E eu o ressuscitarei no último dia.
45 Está escrito nos profetas:
'E todos serão ensinados por Deus.'
Todo aquele que tem ouvido o Pai
e aprendido dele
vem a mim.
46 Não que alguém tenha visto o Pai –
somente aquele que é de Deus
tem visto o Pai.
47 Eu vos asseguro firmemente,
o crente possui a vida eterna.
48 Eu sou o pão da vida.

52 Nisto os judeus começaram a discutir entre si, dizendo: "Como pode este homem dar-nos [sua] carne para comer?" 53 Portanto, Jesus lhes explicou:

"Eu vos asseguro firmemente:
se não comerdes a carne do Filho do Homem
e beberdes seu sangue,
não tendes vida em vós mesmos.
54 Aquele que come minha carne
e bebe meu sangue
tem vida eterna.
E eu o ressuscitarei no último dia.
55 Pois minha carne é verdadeira comida
e meu sangue é verdadeira bebida.
56 O homem que come minha carne
e bebe meu sangue
permanece em mim e eu nele.
57 Assim como o Pai que tem vida me enviou
e tenho vida em virtude do Pai,
assim o homem que come de mim
terá vida em virtude de mim.
58 Este é o pão que desceu do céu.
Diferente daqueles ancestrais que comeram e, contudo, morreram,
o homem que come deste pão viverá eternamente".

49 Vossos ancestrais comeram o maná no deserto, porém morreram.
50 Este é o pão que desce do céu,
para que o homem o coma e jamais morra.

memórias pascais da carne do cordeiro pascal e do sangue nas vergas das portas (Hoskyns, p. 281ss.)?

Isto é apenas uma hipótese, mas devemos ter em mente que a justaposição dos temas sapienciais e sacramentais é tão antiga como o próprio Cristianismo. As duas formas do discurso sobre o Pão da Vida representam uma justaposição da dupla forma em que a presença de Cristo aos crentes na *palavra pregada* e no *sacramento* da eucaristia. Esta dupla presença é o esqueleto estrutural da Liturgia Divina Oriental, da missa romana e todos os serviços litúrgicos protestantes que têm se evoluído historicamente a partir de modificações da missa romana.

Finalmente, notamos que esta hipótese tem muito em comum com os pontos de vista de V. Taylor, Feuillet e J. Jeremias. É apenas uma tentativa, mas é uma séria tentativa de sanar as seguintes dificuldades que qualquer teoria sobre os vs. 51-58 tem de ser levada em conta:

- Há matizes eucarísticas por todo o capítulo.
- Os vs. 35-50 têm primariamente, porém não exclusivamente um tema sapiencial.
- Os vs. 51-58 têm uma referência eucarística muito mais clara do que o restante do capítulo, uma referência raramente inteligível no cenário em que atualmente se encontra.
- Os vs. 35-50 parecem constituir em si mesmos um discurso simétrico, e a mudança de ênfase entre 35-50 e 51-58 é notavelmente abrupta.
- Os vs. 51-58 têm muitos traços em comum com o restante do capítulo 6, e deveras paralelos extremamente estreitos em estrutura com 35-50.
- Os vs. 60ss., como veremos, se referem mais diretamente a 35-50 do que a 51-58.
- Não há instituição da eucaristia na narrativa joanina da última ceia.
- Pode ser o resultado de uma influência da liturgia pascal cristã sobre Jo 6.

COMENTÁRIO: DETALHADO

O v. 51 é paralelo ao v. 35, o qual é o início da primeira forma do discurso sobre o Pão da Vida, exceto que no v. 51 Jesus fala como "o pão vivo", em vez de "o pão da vida". Embora os dois sejam sinônimos, "o pão vivo" é mais apropriado à eucaristia. É interessante que neste versículo, onde ele falará do pão de sua *carne*, Jesus enfatiza que ele desceu do céu. Em Jo 1,14, o acesso do Verbo ao mundo foi expresso em termos de tornar-se carne; e é esta mesma carne que agora deve ser dada aos homens como o pão vivo. Se o v. 51 ecoa o tema da Encarnação, também parece focar a morte de Jesus, um tema tradicionalmente associado à eucaristia; pois Jesus teve de *dar* sua carne pela vida do mundo (ver notas sobre v. 51 e 3,16 concernente ao "dar"). No v. 32, ouvimos que é o Pai quem dá o pão celestial no sentido de que o Filho vem do Pai; mas quando o pão agora vem a ser identificado com a carne de Jesus, ele a daria de si mesmo. Jesus entrega sua vida por sua própria iniciativa (10,18), e que a morte voluntária faz possível a participação eucarística de sua carne. No início do evangelho ouvimos Jesus ser aclamado como o Cordeiro Pascal que tira o pecado do mundo (1,29); agora, no contexto de um discurso atinente ao tempo da Páscoa ouvimos que Jesus dá sua carne pela vida do mundo.

Vimos que o uso de "carne", no v. 51, pode ecoar as palavras atuais de Jesus sobre o pão da eucaristia. Não obstante, o termo tem certa rudeza e realidade; e esta conotação, mais o fato de que ele evoca a Encarnação, poderia ter sido empregado pelo evangelista com intenção anti-docética. Jo 6 não chega ao fervor anti-docético de 1Jo 4,2 ("Todo espírito que reconhece Jesus Cristo vindo em carne é de Deus"), porém resiste a qualquer hiper-espiritualização da humanidade de Jesus.

No v. 52 encontramos um equívoco que forma paralelos com 41-42. Muito estranhamente, Jesus não se preocupa muito em atenuar a repugnância judaica ante o pensamento canibal de comer sua carne; antes, em 53 ele enfatiza a realidade de "comer" (ver nota) sua carne e acrescenta a nota ainda mais repugnante de beber seu sangue. Jo 6 não só resiste a qualquer hiper-espiritualização da humanidade de Jesus; também resiste a qualquer hiper-espiritualização da realidade da carne e sangue eucarísticos. A objeção e resposta nos vs. 52-53 pode refletir uma disputa da própria época do evangelista, pois a apologética judaica contra o cristianismo ataca a eucaristia. ORÍGENES, *Celsus* 27 (GCS 3:97), alude às acusações judaicas de que os cristãos comiam carne humana. KILMARTIN, *"Chalice Dispute"*, sugere que a consistente ênfase sobre o beber o sangue é dirigida contra um círculo gnóstico judaico que se opunha ao uso do cálice na prática eucarística por causa de medo profundamente radical de sangue. Entretanto, se o Quarto Evangelho não faz concessão às sensibilidades judaicas e insiste obstinadamente na realidade da carne e sangue, ele não vai ao outro extremo de atribuir poder mágico à recepção da carne e sangue de Jesus e, assim, equiparando o sacramento cristão com o mistério pagão. Os vs. 53-56 prometem o dom da vida ao homem que comer o corpo de Jesus e beber seu sangue, mas esta promessa eucarística segue no corpo principal do discurso sobre o Pão da Vida em 35-50 que insistia na necessidade de crer em Jesus. A justaposição das duas formas do discurso ensina que o dom da vida vem através de uma recepção *com fé* do sacramento (cf. 54 e 47).

No v. 54 encontramos outra vez fundidos os dois tipos de escatologia. Aquele que comer a carne de Jesus tem a vida eterna aqui embaixo (escatologia realizada); mas também se promete que Jesus o ressuscitará no último dia (escatologia final). A escatologia final está também implícita na referência de comer a carne do Filho do Homem (53) que é uma figura escatológica. Naturalmente, sabemos que outros autores neotestamentários associam intimamente a Eucaristia com a escatologia final. 1Cor 11,26 descreve a eucaristia como uma proclamação da morte do Senhor *até que ele venha*; e também se apresenta como um penhor do banquete celestial no reino de Deus (Mc 14,25; Lc 22,18).

Uma comparação dos vs. 54 e 56 mostra que ter a vida eterna é estar em íntima comunhão com Jesus; é uma questão de o cristão permanecer (*menein*) em Jesus e a permanência de Jesus no cristão. No v. 27, Jesus falou da comida que permanece (*menein*) para a vida eterna, isto é, uma comida imperecível que é a fonte da vida eterna. No v. 56, o *menein* se aplica não à comida, e sim à vida que ele produz e alimenta. Comunhão com Jesus é realmente uma participação na comunhão íntima que existe entre Pai e Filho. O v. 57 simplesmente menciona a comunhão entre Pai e Filho ao mesmo tempo dá por suposto de que o leitor o entenderá. DODD, *Interpretation*, p. 340, argumenta que tal suposição só faz sentido se o capítulo 6 seguir o capítulo 5 (ver supra, p. 465ss), pois foi em 5,17-30 que ouvimos que Jesus não era uma fonte independente de vida, mas era em uma identidade inquebrável de ação com o Pai. Seja como for, em sua brevidade o v. 57 é uma expressão mui forçosa da tremenda reivindicação que Jesus dá ao *homem*

25 • Jesus na Páscoa: discurso sobre o pão da vida (*continuação*)

uma participação na própria vida de Deus, uma expressão muito mais do que uma formulação abstrata de 2Pd 1,4. E assim é que, enquanto os evangelhos sinóticos registram a instituição da eucaristia, é João quem explica o que a eucaristia faz pelo cristão. Justamente como a própria eucaristia ecoa o tema da aliança ("sangue da aliança" – Mc 14,24), assim também a mútua habitação de Deus (e Jesus) e o cristão poderia ser um reflexo do tema pactual. Jr 24,7 e 31,33 abordam a promessa pactual: "Vós sereis o meu povo e eu serei o vosso Deus", e lhe diz da intimidade da operação de Deus no coração humano. Em Qumran (1QS 1.16ss.) a comunhão daqueles sectários com Deus era vista como uma marca da nova aliança.

Adendo à divisão do discurso do Pão da Vida

O leitor já viu a divisão que temos proposto para o discurso do pão da vida. É apenas uma dentre muitas. Gächter, p. 438, quando escreveu em 1935, deu uma lista das divisões propostas por comentaristas católicos até seu tempo. Aqui estão exemplos de propostas mais recentes:

F. J. Leenhardt propõe três divisões do discurso, correspondentes aos três estágios da ação nos vs. 1-21:

1-21	26-70
(a) Multiplicação dos pães	= (a) 26-35: A natureza do pão
(b) Tentativa de fazer Jesus rei	= (b) 36-47: O Pai deve trazer homens a Jesus
(c) Travessia do mar	= (c) 48-70: Necessidade de uma compreensão *espiritual* (Jesus vem em outra forma)

J. Schneider e C. Barrett também propõem uma tríplice divisão: (a) 27(28)-40, (b) 41-51, (c) 52-58. Para Schneider, o v. 51 tanto encerra o segundo estágio como abre o terceiro. Um princípio por detrás desta divisão é o de uma pergunta formulada pela multidão que vem logo depois da afirmação inicial de cada estágio. Cada um dos três estágios também tem a afirmação: "Eu sou o pão", bem como uma referência aos ancestrais no deserto.

S. Temple vê três níveis de materiais que percorrem o discurso: (a) um núcleo de tradição antiga: 24-35, 41-43, 45, 47, 60, 66-70; (b) a amplificação que o evangelista faz deste núcleo: 36-40, 44, 46, 61-65; (c) uma homília eucarística: 48-59. Ele vê diferentes aspectos literários e teológicos em cada um dos níveis.

P. BORGEN, *Bread*, pp. 59-98, propõe uma divisão baseada no modelo midráshico homilético: (a) 31-33, a citação básica do pentatêuco, corrigida por Jesus; (b) 34-40, exposição sistemática dos termos da citação; (c) 41-48, discussão exegética; (d) 49-58, mais exposição de termos da citação.

J. BLIGH propõe uma dupla que abarca 26-65: (a) 26-47, (b) 48-65. Em cada uma destas Jesus faz uma oferta (pão, carne); os ouvintes são incrédulos e murmuram (41-42, 60-61); enfatiza-se a fé como um dom de Deus (43-47, 61-65).

T. WORDEN encontra dois níveis básicos de material em 26-59, que constituem discursos paralelos: Discurso A: 26, 30-35, 37-39, 41-44, 48-50, 58-59. Discurso B: 27-29, 36, 40, 45-47, 51-57.

H. SCHÜRMANN reparte o mesmo material em duas divisões: (a) 26-52, (b) 53-58. Ele crê que 51c se refere primariamente à morte no Calvário, e não à eucaristia, e assim ele começa a parte eucarística do discurso com 53.

E. GALBIATI começa o discurso com 32: (a) 32-50, (b) 48-58. Note que 48-50 são listados em ambos os estágios, fechando um e abrindo o outro. O v. 50 forma uma inclusão com 32; 48 combina 58.

X. LÉON-DUFOUR e D. MOLLAT começam o discurso com 35, mas põem a divisão depois de 47: (a) 35-47, (b) 48-58. O suporte para esta divisão é extraído da similaridade de 35 e 48. Os temas de "dar" e "comer" marcam a segunda metade.

A maioria dos estudiosos que dividem, como fazemos, em 35-50 e 51-58 começa a divisão na última sentença de 51 (51c). Começamos a divisão com o início de 51.

Obviamente, não podemos tentar discutir todos os argumentos prol e contra cada uma destas divisões. Cremos que os estudos de BORGEN da técnica midráshica são mais convenientes, mesmo quando propomos uma divisão um tanto diferente. Em nossa opinião, os vs. 25-34 propiciam um cenário para o discurso, com 31-33 se recolhe a passagem e as correspondentes paráfrases pentatêuticas em que a homília se baseia. BORGEN supõe que o v. 34 faz parte da explicação homilética, porém parece servir de transição. O discurso propriamente dito começa no v. 35. O argumento mais conveniente em prol da divisão em 35-50 e 51-58 pode ser encontrado nos paralelos de estrutura evidentes quando as duas partes são postas lado a lado como o diagrama nas pp. 532-533. Note o mesmo início, o mesmo final, o mesmo tipo de objeção que o interrompem. Nas pp. 532-533 ressaltamos como os vs. 48-50 formam uma inclusão, e assim o provável término para o discurso original pão da vida. As diferenças internas de vocabulário e tema que existem entre os vs. 35-50 e 51-58 são novos argumentos para considerar estas passagens como refletindo dois discursos paralelos que foram postos lado a lado por um redator.

É possível que surja a objeção de que o próprio BORGEN considera 51-58 como parte do mesmo discurso como 35-50; enquanto 34-40 explica a primeira parte da citação bíblica encontrada em 31, "*Ele lhes deu pão do céu* para comer", 49-58 explica a última parte da citação, a saber, "*para comer*". Entretanto, visto que o tema de comer aparece em 49-50, ainda que consideramos que 35-50 tem todo o discurso completo teríamos que encontrar abordadas todas as partes da citação bíblica. De fato, contudo, na forma final do evangelho onde 35-50 e 51-58 foram amalgamados, existe certa unidade ao todo. Mas o argumento de BORGEN não prova necessariamente que 51-58 era originalmente unido a 35-50.

[A Bibliografia para esta seção está inclusa na Bibliografia para o capítulo 6, no final do § 26.]

26. JESUS NA PÁSCOA: – REAÇÕES AO DISCURSO SOBRE O PÃO DA VIDA
(6,60-71)

6 ⁶⁰[⁶¹]*Ora, após ouvir isto, muitos de seus discípulos disseram: "É duro de ouvir esse discurso. Como pode alguém prestar atenção a isto?" ⁶¹[⁶²]Jesus estava bem ciente de que seus discípulos estavam murmurando em protesto a isto. Então lhes disse: "Acaso isto abala vossa fé?"

> ⁶²"Se, pois, virdes o Filho do Homem
> subindo para onde estava antes...?   [63]
> ⁶³É o Espírito que dá vida;
> a carne é sem valor.   [64]
> As palavras que eu tenho falado
> são ambos Espírito e vida.
> ⁶⁴Mas entre vós há alguns que não creem".   [65]

(De fato, Jesus sabia desde o início quem se recusava a crer, e também quem o entregaria). ⁶⁵[⁶⁶]Então ele passou a dizer:

> "Eis por que eu vos disse
> que ninguém pode vir a mim,
> a menos que lhe seja concedido pelo Pai".

⁶⁶[⁶⁷]Nisto muitos de seus discípulos se apartaram e não mais o acompanharam. ⁶⁷[⁶⁸]E por isso Jesus disse aos Doze: "Acaso vós também

quereis ir embora?" ⁶⁸⁽⁶⁹⁾Simão Pedro respondeu: "Senhor, para quem iremos nós? És tu que tens as palavras de vida eterna; ⁶⁹⁽⁷⁰⁾ e nós temos crido e estamos convencidos de que tu és o Santo de Deus". ⁷⁰⁽⁷¹⁾Jesus lhes replicou: "Acaso não escolhi Doze para mim? E, no entanto, um de vós é um diabo". (⁷¹⁽⁷²⁾Ele falava de Judas, filho de Simão o Iscariotes; porque, ainda que um dos Doze, estava para entregar Jesus).

NOTAS

6.60. *ouvir... disseram*. O mesmo verbo, *akouein*, está envolvido; na primeira parte do versículo, significa ouvir sem aceitar; no final do versículo, significa ouvir com aceitação. A última conotação, comum quando *akouein* governa o genitivo, se assemelha ao *šāmaʻ* hebraico, "ouvir, obedecer".

seus discípulos. As indicações prévias têm sido que o discurso foi dirigido à multidão mencionada no v. 24 e denominada de "os judeus" no v. 41. Evidentemente, temos de pensar que os discípulos de Jesus eram também parte do auditório. São estes os discípulos que atravessaram o mar de noite (16-21)? Os vs. 66-67 indicam que os discípulos constituem um grupo maior que os Doze. De Lc 10,1 somos informados de setenta (e dois) discípulos.

duro de ouvir. Literalmente, "severo, ríspido"; há uma dupla conotação de ser fantástico e ofensivo.

atenção a isto. Ou "para ele".

61. *estava bem ciente*. Literalmente, "sabia em si mesmo"; isto não é um grego elegante, porém reflete o uso semítico. Está implícito conhecimento sobrenatural.

abala vossa fé. Literalmente, "vos escandaliza".

62. *Se, pois*. Esta sentença é elíptica, consistindo apenas de prótase. Estudiosos têm proposto vários tipos possíveis de apódose: (**a**) Aqueles onde a apódose está conectada com o escândalo mencionado no v. 61: – "então vosso escândalo realmente será grande" (BULTMANN) [este é um argumento *a fortiori* (ver 1,50; 3,12)]; – "então vosso escândalo será removido" (BAUER) [esta sugestão implica que a manifestação da ascensão do Filho do Homem os levará a crer]; (**b**) aqueles onde a apódose está relacionada com o que foi dito em 48-50: – "então entendereis que o pão da vida desceu do céu" (THÜSING, p. 261); (**c**) aqueles onde a apódose está relacionada com 51-58: – "então julgareis minha carne por um ângulo diferente".

virdes. Theōrein; ver nota sobre v. 40. Note que Jesus não diz categoricamente que veriam esta ascensão; isso é deixado como hipotético.

subindo para onde estava antes. Isto significa para o Pai (17,5). Há uma implicação de que o Filho do Homem desceu, uma noção que já vimos (ver nota sobre 3,13) ser muito incomum. Esta ascensão ao Pai é através da crucifixão e ressurreição.

63. *É o Espírito.* BULTMANN, pp. 341-42, menciona a possibilidade de que a primeira parte deste versículo seja uma proposição defendida pelos ouvintes: "Vós dizeis: 'É o Espírito que dá vida; a carne é sem proveito'; eu, porém, digo: 'As palavras que eu vos falei são ambos: Espírito e vida'". Entretanto, o versículo como um todo é perfeitamente inteligível como sendo o próprio ensino de Jesus.

dá vida. Este verbo foi usado em 5,21; aparece sete vezes nos escritos paulinos. Os seguintes são de particular interesse: 2Cor 3,6: "A letra mata, mas o Espírito dá vida"; 1Cor 15,45: "O último Adão veio a ser um Espírito que dá a vida".

carne. O contraste entre a carne que é sem proveito e as palavras de Jesus que têm o poder do Espírito que dá vida não é um contraste diferente encontrado em Is 40,6-8: "Toda carne é erva... A erva murcha; a flor fenece; mas a palavra de nosso Deus durará para sempre". Esta passagem de Isaías foi usada nos círculos cristãos primitivos (1Pd 1,24-25).

palavras. Alguns dos que conectam os vs. 60ss aos vs. 51-58 e ao tema da eucaristia se sentem confusos pela referência a "palavras" como a fonte de vida aqui e no v. 68. É como se Jesus voltasse ao tema sapiencial de 35-50, e não ao tema sacramental de 51-58. Para evitar esta dificuldade, estes intérpretes recorreriam a uma exegese do grego à luz do hebraico *dābār*, que significa ambos, "palavra" e "coisa"; assim, traduzem: "As *coisas* [i.e., a eucaristia – carne e sangue] das quais eu tenho falado". DODD, *Interpretation*, p. 342[3], admite que isto é temerário.

eu tenho falado. O "eu" é enfático. Recordando a menção do maná dado por Moisés (31-32) e rememorando que Dt 8,3 relaciona o maná com as palavras de Deus, alguns mantêm que Jesus está enfatizando o valor de suas próprias palavras como contrastadas com as de Moisés. Jesus poderia estar desafiando o tipo de pensamento judaico que encontramos exemplificado posteriormente na *Midrásh Mekilta* sobre Ex 15,26: "As palavras da Lei que eu vos tenho dado vos são vida". Neste mesmo padrão de contraste, compare Jo 6,68 que atribui as palavras de vida a Jesus com a afirmação em At 7,38, onde é Moisés quem recebeu as palavras vivas a fim dá-las ao povo.

26 • Jesus na Páscoa: Reações ao discurso sobre o pão da vida

são ambos Espírito e vida. Literalmente, "são Espírito e são vida". Todavia, Dodd, *Interpretation*, p. 342, está certo em ver "Espírito e vida" como uma hendíadis. Ver comentário.

64. *Jesus sabia*. Compare 2,25: "Pois estava bem ciente do era o coração do homem".

desde o início. Literalmente, "desde o princípio". Este não é o princípio mencionado em 1,1, onde está envolvida a preexistência da Palavra, e sim o princípio do ministério ou da vocação dos discípulos (ver 16,4). Uma vez mais, como em 6.6, esta é uma tentativa redacional de prevenir qualquer concepção equivocada que pudesse implicar que Jesus cometera um equívoco. Celso usou o exemplo da escolha de Judas como argumento de que Jesus não tinha conhecimento divino (Orígenes, *Celsus* II 11; GCS 2:138).

o entregaria. Um particípio futuro, uma forma gramatical que é rara no NT fora dos escritos lucanos. O verbo grego *paradidonai* significa "entregar, ceder"; não tem necessariamente uma conotação de traição, ou insídia. Em Mc 9,31 e 10,33, é usado na segunda e terceira predições da paixão.

65. *Eis por que*. Presumivelmente, o "eis" se refere à falta de fé mencionada na primeira parte do v. 64.

eu vos disse. Uma vez mais (ver nota sobre v. 36), o que segue não é uma citação exata de algo que Jesus teria dito, embora seja quase uma combinação do que é dito nos vs. 44 e 37. Podemos contrastar isto com os casos em João onde Jesus cita suas próprias palavras com exatidão (8,24 citando 21; 13,33 citando 8,21; 15,20 citando 13,16; 16,15 citando 14).

66. *Nisto*. Literalmente, "disto". Estaria João exibindo a noção de que os discípulos o abandonaram porque o Pai não os havia escolhido, em cujo caso "isto" se refere ao término do v. 65? Ou "isto" se refere à totalidade do diálogo e a dificuldade do ensino de Jesus.

se apartaram. Literalmente, "voltaram atrás"; Bultmann, p. 343[5], aponta para a expressão idiomática hebraica *nāsōg 'āḥōr*, "retroceder" (ver Is 1,5).

acompanham. Literalmente, "andar com" – outro semitismo. Embora o alvo imediato deste versículo diga respeito à situação histórica do ministério de Jesus, João poderia também estar pensando nos apóstatas do final do 1º século (1Jo 2,19).

67. *aos Doze*. Esta é a primeira vez que são mencionados em João.

quereis vós também? A fraseologia da pergunta implica uma resposta negativa.

68. *palavras de vida eterna*. Ver nota sobre v. 63.

69. *nós*. O "nós" é enfático: os Doze contrastados com aqueles discípulos cuja fé tem provado ser insuficiente. No v. 67, Jesus se dirigira aos Doze, e então Pedro fala por eles; no v. 70, Jesus continua falando aos Doze.

temos crido e estamos convencidos. Literalmente, o segundo [termo] é "sabemos". Esta é uma combinação joanina encontrada na ordem inversa em 17,8 e 1Jo 4,16. Os dois verbos são praticamente sinônimos; todavia, é digno de nota que, enquanto lemos que o próprio Jesus conhece a Deus, nunca lemos que ele cria nele.

o Santo de Deus. Algumas testemunhas gregas, o OS e a Vulgata harmonizaram isto com Mt 16,16, lendo "o Messias, o Filho do Deus [vivo]". A frase "o santo de Deus" ou "o santo do Senhor" é usada no AT como uma referência a homens consagrados a Deus, p. ex., Jz 13,7 e 16,17, em referência a Sansão (LXX; TM traz nazireu); Sl 106,16 em referência a Arão. O paralelo mais estreito com esta expressão em outro lugar em João é em 10,36, onde Jesus fala de si mesmo como "aquele a quem o Pai consagrou [santificou]" – uma referência posta contra o pano de fundo da dedicação do altar no templo. Alguns ainda veriam aqui em 6,69 uma referência ao sacerdotal ou sacrifical; p. ex., BULTMANN, p. 345, em vista da subsequente referência à morte, vê uma possível referência a Jesus como a vítima. Na véspera de sua morte, Jesus dirá de seus discípulos: "É por eles que me consagro [me santifico]" (17,19). Nos sinóticos, o título "o Santo de Deus" aparece nos lábios de um espírito imundo (Mc 1,24 – é interessante que em João, em resposta ao uso deste título por Pedro, Jesus diga que um dos Doze é um *diabo*). "Santo" aplica-se a Jesus nos discursos de Pedro em At 3,14; 4,27.30.

70. *escolhi Doze*. Essa escolha dos Doze não está registrada em João. Ver Mc 3,14: "Ele designou [fez] Doze para estar com ele"; Mt 10,1: "Ele chamou a si seus Doze discípulos"; Lc 6,13: "Ele convocou seus discípulos e escolheu Doze dentre eles". Que Jesus escolheu seus próprios seguidores é reiterado em Jo 13,18 e 15,16.

um diabo. Em 13,2 ouvimos que "o diabo induziu Judas", e em 13,27, "Satanás entrou em seu coração". Portanto, para João, Judas era definitivamente o instrumento de Satanás ou diabo. J. JEREMIAS, *The Parables of Jesus* (2ª ed.; Nova York: Scribnere's, 1963), p. 81[49], afirma que a designação "o diabo" pertence a um extrato posterior da tradição evangélica, em vez de "Satanás". Assim, ele manteria que na cena em Cesareia de Filipe, que é o paralelo sinótico para esta cena em João: "Arreda de mim, Satanás" (Mc 8,33) é mais antigo que a forma joanina do dito.

71. *Judas, filho de Simão o Iscariotes*. Judas é mencionado nominalmente oito vezes em João: (*a*) quatro vezes simplesmente como Judas; (*b*) em 12,4 como Judas o Iscariotes; (*c*) aqui e em 13,26, as melhores testemunhas favorecem "Judas, filho de Simão o Iscariotes, uma leitura onde "Iscariotes" concorda com Simão; (*d*) em 13,2, onde "Iscariotes" concorda com Judas,

a redação parece ser: "Judas, filho de Simão, o Iscariotes". Talvez a flutuação no grego reflita a expressão idiomática aramaica original, onde o apelido tende a seguir o patronímico, de modo que, na frase aramaica, "X, filho de Y, o Iscariotes"; o adjetivo "Iscariotes" modifica tanto Simão como Judas. Somente João menciona Simão, o pai de Judas; nos sinóticos, o próprio Judas é "o Iscariotes" ou "Iscariothe". Têm-se feito muitas sugestões para o significado de "Iscariotes". A melhor parece ser a que reflete o hebraico ʻīš Q^eriyyōt, "homem de Kerioth [uma cidade a sudeste da Judeia]". Esta é uma antiga interpretação, e é refletida na redação "de Kerioth" encontrada em algumas testemunhas para este versículo em João. Isso faria Judas um judeu [da Judeia] discípulo de Jesus (ver 7,3), enquanto os outros membros dos Doze, dos quais bem sabemos, eram galileus.

um dos Doze. Usa-se o número cardinal; todavia, visto que algumas vezes o número cardinal "um" pode ser usado como ordinal (= "primeiro"; BDF, § 247), tem-se sugerido que João está se referindo a Judas como "o primeiro dos Doze". Isto é inverossímil; Mt 10,2 usa o ordinal para Pedro. A posição de Judas junto a Jesus na última ceia não foi necessariamente o resultado de primazia em posição, e sim de sua posição como aquele que levava a bolsa.

estava para entregar Jesus. A traição de Judas tem um ar de inevitabilidade; isto não constitui uma negação do livre-arbítrio, porém reflete o caráter inexorável do plano de salvação.

COMENTÁRIO

Devemos começar perguntando sobre a relação dos vs. 60-71 com o discurso do pão da vida. Refere-se a todo o discurso, inclusive a seção eucarística (51-58), ou se refere somente ao que temos caracterizado como o discurso "original" (35-50)? O v. 63 é crucial para esta questão. Sua exaltação do Espírito e depreciação da carne é uma referência à carne eucarística mencionada em 51-58? ZUÍNGLIO pensava assim e tomou o v. 63 como a chave mestra de seu argumento contra a presença real, visto que ela parecia implicar que Jesus queria que sua presença na eucaristia fosse interpretada de uma maneira espiritual (ver GOLLWITZER, *art. cit.*). Entretanto, essa interpretação do v. 63 no sentido depreciativo da importância da carne eucarística é difícil de conciliar com a ênfase em 53-56 sobre a necessidade de comer a carne eucarística por sua condição de fonte de vida.

Hoje há maior concordância entre os estudiosos de que a menção de carne no v. 63 *não* diz respeito à carne eucarística de 51-58. Em nosso juízo, Bornkamm, *art. cit.*, tem mostrado conclusivamente que 60-71 se refere não a 51-58, e sim a 35-50; Schürmann tem argumentado contra Bornkamm, mas inclusive ele admite que, ao interpretarmos 60-71, devemos considerar 53-58 como um parênteses. Por enquanto, suponhamos que o v. 60 uma vez seguiu imediatamente 50 a fim de ficar clara a excelente sequência. No v. 50, Jesus reivindicou ser o pão que desceu do céu; em 60, os discípulos ficam indignados com isto e murmuram em uníssono com a multidão que murmurou sob a mesma alegação de 41. Os discípulos não podem suportar *ouvir* – note que todas as referências em 60-71 dizem respeito ao ouvir ou crer na doutrina de Jesus; não há uma única referência à recusa de comer sua carne ou beber seu sangue. Visto que se queixam de que não podem ouvir sua reivindicação de ter descido do céu (*katabainein*), no v. 62 Jesus lhes pergunta o que pensarão se o vissem subir (*anabainein*) para onde estava antes. Ele usa o termo Filho do Homem para identificar-se com uma figura a quem ambos, Daniel e *1 Enoque*, caracterizam como celestial. (O leitor sabe que esta ascensão só será concretizada através da morte e ressurreição, e é interessante que os sinóticos usem o título "Filho do Homem" nas predições de Jesus da paixão, morte e ressurreição, p. ex., Mc 8,31; 9,31; 10,33).

Temos no capítulo 3, até certo ponto, um paralelo com os vs. 62-63. Quando Nicodemos não consegue entender como um homem pode ser gerado de cima, da água e do Espírito, à moda de explicação, Jesus chama a atenção para a ascensão ao céu do Filho do Homem (3,13); pois é o Filho do Homem ascendido que pode dar o Espírito. Assim também em 6,63 o Espírito é mencionado imediatamente após a referência à ascensão do Filho do Homem. O contraste entre Espírito e carne, em 63, é o mesmo contraste que encontramos em 3,6. Jesus não está falando da carne eucarística, e sim como fala da carne no capítulo 3, a saber, o princípio natural no homem que não pode dar vida eterna. O Espírito é o princípio divino do alto, que é o único que pode dar vida. Este contraste entre carne e Espírito aparece também em Paulo, por exemplo, Rm 8,4: "... que não anda segundo a carne, e sim segundo o Espírito" (Gl 5,16; 6,8). O paralelo sinótico na cena de Cesareia de Filipe com "a carne é sem proveito" se encontra em Mt 16,17: "Carne e sangue não vos revelou isto, e sim meu Pai que está no céu".

Se "carne", em 63, nada tem a ver com a eucaristia, então nenhuma ênfase sobre o Espírito tem qualquer relação com uma interpretação espiritual da presença de Jesus na Eucaristia. A menção do Espírito, o princípio gerador de vida a ser dado pelo Cristo ressurreto, segue a da ascensão porque, como veremos em 7,38-39 e 20,22, João enfatiza que o Espírito só é dado quando Jesus for ressuscitado. O comentário sobre o Espírito é pertinente ao discurso do pão da vida, porque o v. 32 caracterizou o pão do céu como *verdadeiro* (*alēthinos*). Isto significa que o pão pertence à esfera celestial e eterna, como oposto ao meramente natural e fortuito; e esta esfera do real é a esfera do Espírito da verdade (*alētheia*).

Assim, no v. 63, Jesus está uma vez mais afirmando que o homem não pode conseguir a vida por sua própria iniciativa. Se Jesus é a revelação divina que desce do céu como pão para alimentar os homens, seu propósito é comunicar-lhes o princípio de vida eterna. O homem que aceita as palavras de Jesus receberá o Espírito gerador de vida. No capítulo 4, quando discutimos se a água viva oferecida por Jesus era sua revelação ou o Espírito, vimos que o simbolismo teve que incluir ambos. Também aqui, as palavras de Jesus (68) e o Espírito (63) são mencionados lado a lado como geradores de vida, assim como o v. 40 menciona a fé e sua indispensável conexão com vida eterna. João não desvenda as inter-relações destes vários fatores geradores de vida; essa é a tarefa da teologia mais recente.

O v. 64 é claramente reminiscente daquela parte do discurso do pão da vida (35-50), onde pão se refere primariamente à revelação de Jesus que deve ser crida. Jesus reitera aos discípulos a advertência que ele fez em 36 sobre o não crer. Esta advertência foi seguida em 37, 40, 44, com referências à ação da vontade do Pai – somente os atraídos pelo Pai creem em Jesus. Temos no v. 65 exatamente a mesma sequência. Note que uma vez mais, em 64 e 65, temos *crer* em Jesus e *ir* a ele como expressões paralelas; comparar 35, 37, 45.

O v. 66 mostra que a reação final dos discípulos é a de incredulidade. Na p. 482, em discussão de 6,14-15, ressaltamos o paralelo entre a fuga de Jesus da coroação messiânica e o relato sinótico do fim do ministério galileu, onde Jesus parece deixar a Galileia para que Herodes não o envolvesse em alguma cilada política. Ressaltamos ainda os paralelos entre a cena sinótica da rejeição de Jesus em Nazaré e a rejeição de Jesus em Jo 6,42 (ver a respectiva nota). Isso não surpreende, pois, encontrar este mesmo tom em Jo 6,66, visto que o relato sinótico do ministério na Galileia terminou em um tom de incredulidade. Os Doze creem, mas a maioria das pessoas, não. Depois deste capítulo, Jesus irá para Jerusalém a fim de ensinar, e em 12,37 descobriremos que o ministério hierosolimitano termina no mesmo tom: ainda quando haja uns poucos no Sinédrio que creem, a maioria dos líderes e o povo, não.

É interessante comparar Jo 6,65-66 com Mt 11,20-28. Em Mt 11,20-24, Jesus emite um juízo sobre as cidades galileias que se recusaram a crer em seus poderosos feitos; mesmo assim, em Jo 6,66 os discípulos não creem nele. Em Mt 11,27, que é parte do "logion joanino" encontrado em Mateus e Lucas, ouvimos: "Todas as coisas me foram entregues por meu Pai. Ninguém conhece o Filho exceto o Pai, e ninguém conhece o Pai exceto o Filho e aquele a quem o Filho escolhe para revelá-Lo"; isto é bem parecido com Jo 6,65.

A reação de incredulidade e a recusa de ir a Jesus se adequa bem com o que conhecemos do tema da Sabedoria personificada que matiza a apresentação joanina de Jesus e, em particular, oferece um pano de fundo para o aspecto sapiencial do discurso do pão da vida. Os convites da Sabedoria de vir para comer e beber (p. ex., Siraque 24,19-20) não são aceitos por todos; há sempre o néscio que rejeita a Sabedoria e segue outro caminho.

Os vs. 67-71 volvem nossa atenção para a diferente reação dos Doze que creem em Jesus. Pode haver pouca dúvida de que este é o paralelo joanino com a cena sinótica em Cesareia de Filipe (Mc 8,27-33 e par.) que é parte da sequência seguindo a segunda multiplicação dos pães (ver supra, p. 469). João tem paralelos não só com a forma marcana mais breve da cena, mas também com a forma mateana mais longa:

- Mc 8,27-28 (Mt 16,13-14): vários títulos são propostos para identificar Jesus, inclusive o de profeta. Jo 6,14: Este é o profeta.
- Mc 8,29 (Mt 16,15): Jesus pergunta aos Doze: "*Vós*, porém, quem dizeis que eu sou?" Jo 6,67: Jesus aos Doze: "*Vós* também quereis ir embora?"
- Mc 8,29 (Mt 16,16): (Simão) Pedro responde: "Tu és o Messias [Mateus: o Filho do Deus vivo]". Jo 6,69: Simão Pedro responde: "Tu és o Santo de Deus".

- Mt 16,17: "Carne e sangue não te revelou isto, e sim meu Pai que está no céu". Jo 4,63: "A carne é sem proveito"; 6,65: "Ninguém pode vir a mim, a menos que lhe seja concedido pelo Pai".
- Mc 8,31 (Mt 16,21): Primeira predição da paixão. Jo 6,71: a primeira referência à traição de Judas contra Jesus.
- Mc 8,33 (Mt 16,23): Pedro protesta e Jesus o repreende: "Para trás de mim, Satanás". Jo 6,70: Jesus fala de Judas: "Um de vós é um diabo". Neste caso, há quem sugira que uma sentença áspera dirigida originalmente a Pedro foi adaptada e reaplicada a Judas.

Pode ser que uma objeção de ver o paralelismo entre as cenas sinóticas e joaninas seja baseada na geografia. É como se João colocasse a confissão de Pedro em Cafarnaum, enquanto Marcos e Mateus a colocam em Cesareia de Filipe, 48 km ao norte. (Lc 9,18, seguindo 9,10, *prima facie* para colocar em Betsaida, mas a omissão de Lucas, nesta cena, diminui o valor dessas conclusões geográficas). Já vimos que, cronologicamente, Jo 6 combina as cenas que originalmente estavam separadas; podemos ter o mesmo fenômeno em questões geográficas.

Na lista de paralelos acima mencionados concentramos nestes elementos da cena de Cesareia encontrada em *Jo 6*. É digno de nota que quase todo elemento da peculiaridade do material mateano, na cena de Cesareia, se encontre em *algum lugar* em João:

- Mt 16,16: Simão diz: "Tu és o Messias, o Filho do Deus vivo". Jo 1,41 associa a designação de Jesus como Messias com o chamado de Simão. Jo 11,27 tem esta confissão nos lábios de Marta: "Tu és o Messias, o Filho de Deus".
- Mt 16,17: Jesus a Simão: "Carne e sangue"...; ver quarto paralelo acima.
- Mt 16,18: Jesus a Simão filho de Jonas (assim chamado em 17): "Tu és Pedro e sobre esta rocha"... Jo 1,42: "Tu és Simão, filho de João; teu nome será Cefas" (que é traduzido como "Pedro").
- Mt 16,18: Jesus faz Pedro a rocha sobre a qual a Igreja havia de ser edificada. Jo 21,15-17: Jesus faz Pedro o pastor do rebanho.

- Mt 16,19: Jesus a Pedro (em 18,18 aos discípulos): "Tudo o que ligares na terra será ligado no céu, e tudo o que desligardes na terra será desligado no céu". Jo 20,23: Jesus aos discípulos: "Se absolverdes os pecados dos homens, seus pecados são absolvidos; se os retiverdes, são retidos".

Porque este material adicional na cena de Mateus em Cesareia de Filipe não se acha presente na cena marcana e lucana, e porque ele não se harmoniza inteiramente com o contexto, estudiosos têm sugerido que Mateus reuniu material petrino de outros contextos e o juntou e o adicionou à cena de Cesareia de Filipe. Se esse for o caso, a imagem que nos dá João, onde o material petrino está disperso, pode ser mais primitivo do que a imagem mateana, embora não possamos, naturalmente, estar certos de que a localização que João faz destes ditos individuais seja sempre original. Para discussão ulterior, ver comentário sobre 21,15-17.

• • •

Temos interpretado os vs. 60-71 como se estes versículos não tivessem relação com os 51-58; de acordo com nossa teoria de que os vs. 51-58 é uma inserção redacional posterior de material joanino que interrompe a unidade que uma vez existiu entre 35-50 e 60-71. Mas é possível que se pergunte: mesmo que esta teoria seja correta, acaso a forma final do capítulo, onde 60-71 *ora* segue 51-58, não requer que 60-71 houvesse alguma referência secundária à eucaristia? Não estamos convictos de que tenha; pois cremos que o redator final anexou 51-58 para salientar as implicações eucarísticas secundárias em 35-50, mas não fez qualquer tentativa real de dar uma nova orientação a 60-71 à luz desta adição.

Não obstante, ao menos listaríamos algumas das sugestões que têm sido feitas para ligar os vs. 60-71 ao tema eucarístico. Há quem veja no tema da ascensão do Filho do Homem, no v. 62, uma indicação aos discípulos de que somente depois desta ascensão é que começarão a receber o pão vivo da Eucaristia. O v. 27 é citado nesta conexão: "... a comida que *o Filho do Homem* vos dará". A menção do Espírito no v. 63 tem também recebido uma referência eucarística, pois WILKENS, "*Abendmahlzeugnis*", p. 363, propõe que o Espírito despertará aquela fé necessária para ver a eucaristia como a carne e sangue do Filho do Homem. Outros veem no v. 63 a ideia de que a eucaristia só pode ser recebida proveitosamente por alguém que possui o Espírito, uma interpretação que rejeita uma aproximação materialista do sacramento, ou uma aproximação mágica análoga àquela das religiões de mistério. Todavia, outra sugestão é que no v. 63 significa que não é o corpo ou carne morta de Jesus que será proveitoso/a na eucaristia, mas seu corpo ressurreto cheio do Espírito de vida. CRAIG, JBL 58 (1939), 39[38], pensa em um paralelo primitivo à *epiklesis* ou invocação do Espírito, associada atualmente com o rito eucarístico nas liturgias orientais.

BOISMARD sustenta que os vs. 70-71 fazem parte, com 51-58, do material eucarístico deslocado da última ceia. Ele ressalta que o tema da traição de Jesus teria sido perfeitamente familiar em relação a 13,18-30. Ele sugeriria que ela foi introduzida no capítulo 6 como uma substituição pela repreensão original dirigida a Pedro encontrada na cena sinótica em Cesaria de Filipe.

Todas estas são propostas engenhosas, mas seria mais desejável que apresentem mais evidência. A maior parte delas realmente não explica como a conclusão absoluta, "A carne é sem proveito", poderia ter sido dito da carne eucarística de Jesus.

BIBLIOGRAFIA

BLIGH, J., "*Jesus in Galilee*", Heythrop Journal 5 (1964), 3-21.
BORGEN, P., "*The Unity of the Discourse in John 6*", ZNW 50 (1959), 277-78.
_____ "*Observations on the Midráshic Character of John 6*", ZNW 54 (1963), 232-40.
_____ *Bread from Heaven* (SNT X, 1965).
BORNKAMM, G., "*Die eucharistische Rede im Johannes-Evangelium*", ZNW 47 (1956), 161-69.
BAUN, F.-M., "*Quatre 'signes' johanniques de l'unité chrétienne*", NTS 9 (1962-63), especialmente pp. 147-48 sobre 6,12-13.
BROWN, R. E., "*The Eucharist and Baptism in St. John*", Catholic College Teachers of Religion Annual 8 (1962), 14-33. Também em NTE, Ch. v.
DAUBE, D., *The New Testament and Rabbinic Judaism* (Londres: University, 1956), especialmente pp. 36-51, 158-69.

FEUILLET, A., *"Les thèmes Bibliques majeurs du discours sur le pain de vie (Jean 6)"*, NRT 82 (1960), 803-22, 918-39, 1040-62. Em inglês, em JohSt, pp. 53-128.

GÄCHTER, P., *"Die Form der eucharistischen Rede Jesu"*, ZKT 59 (1935), 419-41.

GÄRTNER, B., *John 6 and the Jewish Passover* (Coniectanea Neotestamentica, XVII; Lund: Gleerup, 1959).

GALBIATI, E., *"Il Pane della Vita"*, BibOr 5 (1963), 101-10.

GOLLWITZER, H., *"Zur Auslegung Von Joh. 6 bei Luther und Zwingli"*, IMEL, pp. 143-68.

HAENCHEN, E., *"Johanneische Probleme"*, ZTK 56 (1959), especialmente pp. 31-34.

JEREMIAS, J., *"Joh. 6, 51c-58 – redaktionell"*, ZNW 44 (1952-53), 256-57.

JOHNSTON, E. D., *"The Johannine Version of the Feeding of the Five Thousand – an Independent Tradition?"* NTS 8 (1961-62), 151-54.

KILMARTIN, E. J., *"Liturgical Influence on John 6"*, CBQ 22 (1960), 183-91.

_____ *"A First Century Chalice Dispute"*, ScEccl 12 (1960), 403-8.

LEENHARDT, F. J., *"La structure du chapitre 6 de l'Evangile de Jean"*, RHPR 39 (1959), 1-13.

LÉON-DUFOUR, X., *"Le mystère du pain de vie (Jean VI)"*, RSR 46 (1958), 481-523.

_____ *"Trois chiasmes johanniques"*, NTS 7 (1960-61), especialmente pp. 251-53 sobre 6.36-40.

MACGREGOR, G. H. C., *"The Eucharist in the Fourth Gospel"*, NTS 9 (1962-63), 111-19.

MENDNER, S., *"Zum Problem 'Johannes und die Synoptiker'"*, NTS 4 (1957-58), 282-307 on vi 1-30.

MOLLAT, D., *"Le chapitre VI de Saint Jean"*, LumVie 31 (1957), 107-19. Agora em inglês em *The Eucharist in the New Testament* (Baltimore: Helicon, 1964), pp. 143-56.

RUCKSTUHL, E., *"Auseinandersetzung mit Joachim Jeremias über die Echtheit von Jh 6, 51ᵇ-58"*, *Die literarische Einheit des Johannesevangeliums*, pp. 220-72.

RULAND, V., *"Sign and Sacrament: John's Bread of Life Discourse"*, Interp 18 (1964), 450-62.

SCHNEIDER, J., *"Zur Frage der Komposition von Joh. 6, 27-58 (59) – Die Himmelsbrotrede"*, IMEL, pp. 132-42.

SCHÜRMANN, H., *"Joh 6, 51ᶜ – ein Schlüssel zur johanneischen Brotrede"*, BZ 2 (1958), 244-62.

_____ "Die Eucharistie als Representation und Applikation des Heilsgeschehens nach John 6, 53-58", *Trierer Theologische Zeitschrift* 68 (1959), 30-45, 108-18.

SCHWEITZER, Ed., *"Das johanneische Zeugnis vom Herrenmahl"*, EvTh 12 (1952-53), 341-63. Também em *Neotestamentica* (Zunrich: Zwingli, 1963), pp. 371-96.

TEMPLE, S., *"A Key to the Composition of the Fourth Gospel"*, JBL 80 (1961), 220-32 on vi 24-71.

WILKENS, W., *"Das Abendmahlzeugnis im vierten Evangelium"*, EvTh 18 (1958), 354-70.

_____ *"Evangelist und Tradition im Johannesevangelium"*, TZ 16 (1960), 81-90.

WORDEN, T. E., *"The Holy Eucharist in St. John"*, *Scripture* 15 (1963), 97-103; 16 (1964), 5-16.

ZIENER, G., *"Johannesevangelium und urchristliche Passafeier"*, BZ 2 (1958), 263-74.

27. JESUS NA FESTA DOS TABERNÁCULOS: – INTRODUÇÃO
(7,1-13)

Jesus subirá à festa?

7 ¹[Ora,] depois disto, Jesus se movia pelo interior da Galileia, porque, com os judeus buscando uma chance de matá-lo, ele decidiu não viajar pela Judeia. ²Entretanto, visto que a festa judaica dos Tabernáculos estava próxima, ³seus irmãos lhe disseram: "Sai daqui e vai para a Judeia para que teus discípulos também vejam as obras que estás realizando. ⁴Pois ninguém mantém suas ações ocultas e ainda espere ser publicamente conhecido. Se vais continuar realizando tais coisas, manifesta-te ao mundo". (⁵Na realidade, nem mesmo seus irmãos criam nele). ⁶Então Jesus respondeu-lhes:

> "Ainda não é chegado meu tempo,
> para vós, porém, está sempre disponível.
> ⁷O mundo não vos pode odiar, mas odeia-me
> porque dou testemunho contra ele
> porquanto suas obras são más.

⁸Subi vós à festa. Eu não subo para esta festa porque meu tempo ainda não tem chegado". ⁹Tendo dito isto, ele permaneceu ainda na Galileia. ¹⁰Entretanto, assim que seus irmãos subiram à festa, então ele também subiu, porém [por assim dizer] em secreto, para que nem todos vissem.

6: *respondeu*. No tempo presente histórico.

¹¹Ora, os judeus o procuravam durante a festa, indagando: "Onde está esse homem?" ¹²E entre as multidões havia muito debate acirrado sobre ele. Alguns mantinham: "Ele é bom", enquanto outros insistiam: "Absolutamente não – ele não passa de um enganador da multidão". ¹³Entretanto, ninguém falava abertamente sobre ele por medo dos judeus.

NOTAS

7.1. [*Ora*]. Um importante grupo de manuscritos relacionados à tradição ocidental omite o *kai* inicial.

depois disto. A festa dos Tabernáculos é aproximadamente seis meses após a Páscoa, a festa do capítulo precedente.

os judeus. Aqui são tidos como sendo mais ativos na Judeia, e isto concorda com a ideia de que são as autoridades hierosolimitanas. Todavia, 6,41 e 52 mencionaram "os judeus" em um cenário galileu. Provavelmente, o significado é que somente na Judeia eles tinham bastante poder para executar Jesus.

matá-lo. Ver 5,18.

ele decidiu não. Ou "não ousou". Uma redação mais difícil, "não podendo", conta com o apoio de OL, OS, Agostinho e Crisóstomo.

2. *Tabernáculos*. A festa da colheita no outono recebeu o nome de *Sukkôṯ* ("cabanas", mas também traduzido "barracas, tendas, tabernáculos"), porque o povo a celebrava do lado de fora das vinhas onde faziam cabanas de ramos de árvores. Mediante adaptação teológica, isto foi associado com a habitação dos israelitas em tendas durante suas peregrinações pelo deserto depois do êxodo. Lv 23,39 fixa o dia em que a festa teria começado como o 15º de Tishri (setembro-outubro). Embora Dt 16,13 mencione uma celebração no sétimo dia, Levítico fala de um oitavo dia adicional de descanso solene.

3. *irmãos*. Ver notas sobre "irmãos" e "discípulos" em 2,12, a última menção prévia destes parentes. Ali, estavam em Cafarnaum.

e vai. Há alguma leve evidência para a omissão destas palavras, produzindo a rude construção "Sai daqui para a Judeia" (ver nota sobre 4,43). Boismard, RB 58 (1951), 166, prefere a omissão.

discípulos. Isto parece implicar que os discípulos de Jesus se encontrassem na Judeia; todavia, o capítulo 6 os colocou claramente na Galileia. (Se os Doze estão implícitos, a maioria deles era de galileus). Teriam alguns daqueles que se apartaram (6,66) ido (de volta) para a Judeia? Ou esta é uma referência aos crentes de 2,23 e 4,1?

as obras. Até este momento no relato joanino, os milagres mais impressivos foram realizados na Galileia (água em vinho; *cura à distância*; *multiplicação dos pães*; *caminhar sobre a água*).

4. *publicamente*. Este convite ao profeta provincial de buscar publicidade na metrópole esconde um desafio mais teológico à Luz para que se manifeste ao mundo.

5. *seus irmãos*. Aparentemente, os irmãos se tornaram crentes depois da ressurreição, pois são mencionados em At 1,14 juntamente com os Doze. Tiago e Judas vieram a ser eminentes figuras na Igreja.

6. *tempo*. Esta palavra, *kairos*, em geral tem um teor teológico mais profundo como um momento salvífico decisivo do que a palavra *chronos*, que significa tempo ordinário do calendário. "Tempo" é uma alternativa joanina para a "hora" (comparar 2,4); encontramos exatamente a mesma alternância em Mt 26,18 e 45. Aqui, no v. 6, há diferentes significados nos dois usos de "tempo"; o primeiro é uma referência à hora salvífica da morte de Jesus; a segunda é mais geral.

7. *O mundo*. Em 7,1 ouvimos do ódio de "os judeus" da Judeia para com Jesus; aqui é o mundo que odeia Jesus. Embora sejam um grupo histórico no ministério de Jesus, "os judeus" são também os porta-vozes de uma oposição mais ampla da parte do mundo, uma oposição bem evidente no tempo do evangelista.

8. *Eu não subo para esta festa*. As melhores testemunhas agregam "ainda"; é omitido no Codex Sinaiticus e Bezae, o latino e a OS. Provavelmente, "ainda" foi inserido por um copista para solucionar a dificuldade de que, após declarar absolutamente que ele não estava subindo, depois Jesus subiu. Ver comentário.

chegado. Literalmente, "cumprido". O tema do cumprimento escatológico do AT ou do plano divino é comum no NT, especialmente com respeito à paixão (19,24.36).

9. *tendo dito*. Algumas importantes testemunhas, incluindo P[75], trazem "com eles".

permaneceu. Um aoristo complexivo; ver nota sobre 2,20 para reflexões sobre sua qualidade incompleta.

10. [*por assim dizer*]. Omitido em importantes testemunhas relacionadas à tradição ocidental, esta frase pode ter sido inserida por um copista para evitar a impressão de decepção da parte de Jesus.

11. *esse homem*. CRISÓSTOMO entendeu este pronome (*ekeinos*) de uma maneira marcantemente hostil ("esse indivíduo", como o uso hostil de *houtos*);

essa interpretação tem por base o fato de que a questão está sendo formulada por "os judeus".

12. *muito debate acirrado*. Esta é a mesma expressão grega como a "murmuração" de 6,41.61. Havia hostilidade contra Jesus; aqui é mais o caso de indagar secretamente. "Muito" é encontrado em diferentes sequências em diferentes manuscritos e pode ser uma adição de copista. Encontraremos outros debates positivos-negativos como este em Jo 7,40-41 e 10,20-21; têm um paralelo nos debates judaico-cristãos posteriores.

    enganador da multidão. Esta era uma acusação apresentada pelos judeus em seus debates com os cristãos (JUSTINO, *Trypho* 69,7; PG 6:640). Lc 23,2 faz dela uma acusação formal contra Jesus no julgamento diante de Pilatos ("pervertia o povo"), enquanto em Mt 27,63 os fariseus se referem a Jesus como um enganador.

13. *medo dos judeus*. Isto é uma clara indicação de que "os judeus" são as autoridades hierosolimitanas, pois as próprias multidões certamente eram formadas por judeus e, no entanto, temem os judeus.

COMENTÁRIO

Os discursos de Jesus no templo por ocasião da festa dos Tabernáculos encontraram hostilidade acentuada da parte de "os judeus". João prepara o ambiente para isto mostrando que antes da festa Jesus vivia evitando a Judeia, porque tinha ciência desta hostilidade. Ele já havia se deparado com tentativas de tirar-lhe a vida em sua última estada em Jerusalém narrada no capítulo 5. O fato de que o capítulo 7 evoca o capítulo 5 tem sido usado por alguns como um argumento em prol da reorganização dos capítulos em que 7 seguiria imediatamente o 5 (ver acima, p. 466ss.). Entretanto, se Jesus apenas tivesse operado em Jerusalém o milagre narrado em 5,1-15, o pedido de 7,3, de que ele fosse para a Judeia e operasse ali alguns milagres, pareceria estranho.

O v. 1 também serve para situar o diálogo entre Jesus e seus parentes incrédulos. Este diálogo ilustra o fato de que milagres, em si mesmos, não conduzem à fé. Os "irmãos" admitem que Jesus pode realizar feitos espantosos; contudo, não creem, porquanto não veem o significado real por detrás destes sinais. No capítulo 6 vimos que a incredulidade dos judeus galileus tinha muito em comum com a cena sinótica da rejeição de Jesus em Nazaré (ver nota sobre 6,42).

Este é outro paralelo joanino àquela cena (note que em Mc 6,3 os irmãos de Jesus são mencionados).

Os irmãos queriam que Jesus exibisse seu poder miraculoso em Jerusalém. Em CBQ 23 (1961), 152-55, ressaltamos que três pedidos feitos a Jesus em Jo 6 e 7 se assemelham estreitamente às tentações de Jesus em Mt 4,1-11 e Lc 4,1-13:

João	*Tentações*
6,15: O povo quer fazê-lo rei	– Satanás lhe oferece os reinos do mundo
6,31: O povo busca um pão miraculoso	– Satanás o convida a transformar pedras em pão
7,3: Os irmãos querem que Jesus vá a Jerusalém e exiba ali seu poder	– Satanás leva Jesus ao templo em Jerusalém e o convida a exibir seu poder, saltando do pináculo

Assim, parece que Mateus e Lucas estão dando uma forma dramática ao tipo de tentações que Jesus realmente enfrentou de uma maneira mais prosaica durante seu ministério.

A resposta que Jesus dá a seus irmãos nos vs. 6-10 é um clássico exemplo dos dois níveis de significado encontrados muitas vezes em João. No nível meramente natural, aos irmãos parece que Jesus acha que este momento não é oportuno para subir à festa em Jerusalém. O subsequente comportamento de Jesus de subir à festa nos mostra, contudo, que isto realmente não é o que ele tinha em mente. João preparou o leitor para entender a real intenção de Jesus pela referência à morte nas mãos de "os judeus" no v. 1. Quando Jesus fala de seu "tempo", ele está falando no nível do plano divino. Seu "tempo" é sua "hora", a hora da paixão, morte, ressurreição e ascensão ao Pai; e este tempo de não ir à festa dos Tabernáculos – está reservado para uma Páscoa subsequente. "Os judeus" tentarão matá-lo na festa dos Tabernáculos (8,59), como um exemplo do ódio do mundo do qual Jesus fala no v. 7; mas fracassarão. Nesta festa ele não *subirá* (v. 8), isto é, subir ao Pai. João está fazendo um jogo de palavras com o verbo *anabainein*, que pode significar subir em peregrinação ao monte Sião e Jerusalém, e pode também significar "ascender". Em 20,17, Jesus usa este verbo quando fala de ascender ao Pai, e que é o sentido mais profundo aqui. No v. 8, ele diz que seu tempo ainda não tem chegado (ou cumprido – ver a respectiva nota), pois as Escrituras e o plano de Deus pertinentes à sua morte e ressurreição ainda não estão no ponto exato para cumprir-se. Os dois níveis de significado foram reconhecidos pelos comentaristas antigos. Epifânio (*Haer*. LI 25; GCS 31:295) diz: "Ele fala a seus irmãos espiritualmente e em mistério, e não entenderam o que ele dizia. Pois lhes informou que não subiria à festa, nem ao céu nem à cruz para cumprir o plano de seu sofrimento e o mistério da salvação"...

Esta viagem a Jerusalém para a festa dos Tabernáculos deve ser identificada com a única viagem a Jerusalém na tradição sinótica do ministério, aquela no final da vida de Jesus? Em João, nunca ouvimos de Jesus retornar à Galileia depois desta viagem a Jerusalém. Ouvimos apenas que ele foi para a Transjordânia (10,40) e que passou algum tempo em Efraim na região próxima ao deserto (11,54). Assim, *se* a cronologia joanina é completa, esta é a última viagem de Jesus a Jerusalém a partir da Galileia. Na descrição sinótica da viagem a Jerusalém, Mc 9,30-33 nos informa que Jesus passou pela Galileia, detendo-se em Cafarnaum (ver nota sobre v. 3, "irmãos"); então foi para a Judeia e a Transjordânia (Mc 10,1) de caminho para Jerusalém (10,32). Um paralelo interessante é que sua viagem é marcada em Mc 9,30 por sigilo, exatamente como em João; também o tema de subir a Jerusalém com o fim de morrer aparece em Mc 10,33 (*anabainein*). Entretanto, o fato de que a viagem sinótica a Jerusalém é em si mesma composta e, especialmente em Lucas, uma construção com propósitos teológicos definidos torna muito difícil qualquer comparação histórica com João. Simplesmente dizemos que o quadro de João em que Jesus permanece um longo período na área hierosolimitana entre a festa dos Tabernáculos e a Páscoa seguinte pode muito bem ser mais acurada do que a descrição sinótica, em que os acontecimentos se acumulam até chegar em Jerusalém poucos dias antes de sua morte. Muito do material, particularmente à moda de acusação e julgamento, que os sinóticos resumem nestes dias finais, se encontra em João nos capítulos que cobrem o período dos Tabernáculos e Páscoa (ver nota sobre v. 12; observe também abaixo sobre 10,24.33; 11,47-53).

[A Bibliografia para esta seção está inclusa na Bibliografia para o capítulo 7, no final do § 29.]

28. JESUS NA FESTA DOS TABERNÁCULOS: – CENA I
(7,14-36)

Discurso enunciado em meio à festa

a. O direito de Jesus de ensinar; continuação da questão do sábado

7 [14]A festa já estava ao meio quando Jesus subiu aos recintos do templo e começou a ensinar. [15]Os judeus ficaram surpresos com isto, dizendo: "Como este obteve sua educação quando nem teve mestre?" [16]Então Jesus lhes respondeu:

> "Minha doutrina não é propriamente minha,
> mas vem daquele que me enviou.
> [17]Se alguém decide fazer a vontade dele,
> Ele saberá sobre tal doutrina –
> se vem de Deus,
> ou se eu estou falando de mim mesmo.
> [18]Todo aquele que fala de si mesmo
> busca sua própria glória.
> Mas aquele que busca a glória daquele que o enviou –
> ele é verdadeiro
> e não há injustiça em seu coração.
> [19]Não deu-vos a Lei Moisés?
> Contudo nenhum de vós guarda a Lei.
> Por que estais procurando uma chance para matar-me?"

[20]"Tu és louco", retorquiu a multidão. "Quem quer matar-te?"

28 • Jesus na festa dos tabernáculos: Cena I

²¹Jesus lhes deu esta resposta:

"Eu só realizei uma obra,
e todos vós admirais
²²por causa disso.
Moisés vos deu a circuncisão
(realmente, ela não se originou de Moisés, e sim dos Patriarcas);
e assim circuncidais um homem mesmo no sábado.
²³Se um homem pode receber a circuncisão em um sábado
a fim de impedir a violação da lei mosaica,
vos irais comigo
só porque curei de todo um homem no sábado?
²⁴Não julgueis pelas aparências,
mas julgai segundo a reta justiça".

b. Origens de Jesus; seu retorno ao Pai

²⁵Isto levou alguns do povo de Jerusalém a dizerem: "Não é este o homem que querem matar? ²⁶Mas, ei-lo aqui falando em público e não lhe dizeis sequer uma palavra! Acaso as autoridades têm reconhecido que este é realmente o Messias? ²⁷Nós, todavia, sabemos de onde vem este homem. Quando o Messias vier, ninguém saberá de onde ele vem". ²⁸Nisso, Jesus, que estava ensinando na área do templo, clamou:

"Então, me conheceis e sabeis de onde eu sou?
Todavia, eu não vim de minha própria iniciativa.
Não, há verdadeiramente Um que me enviou,
e vós *não* O conheceis.
²⁹Eu O conheço,
porque é da parte dele que eu vim
e ele me enviou".

³⁰Então eles tentaram prendê-lo, mas ninguém lhe pôs sequer um dedo, porque sua hora ainda não havia chegado. ³¹De fato, muitos dentre a multidão vieram a crer nele. Continuaram dizendo: "Quando o Messias vier, pode-se esperar que ele realize mais sinais do que este homem tem realizado? ³²Os fariseus ouviram esta murmuração sobre ele entre a multidão, então eles [a saber, os principais sacerdotes e os

fariseus] enviaram a guarda do templo para prendê-lo. ³³Por conseguinte, Jesus disse:

"Por pouco tempo estou convosco;
então eu me vou para Aquele que me enviou,
³⁴Vós me buscareis, e não me achareis;
e onde eu vou vós não podeis ir".

³⁵Isso levou os judeus a exclamarem uns aos outros: "Aonde este pretende ir que não o acharemos? Acaso irá ele para a Diáspora entre os gregos a ensinar aos gregos? ³⁶De que mesmo ele está falando: 'Vós me buscareis e não me achareis', e 'Onde eu vou vós não podeis ir'?"

NOTAS

7.14. *ao meio*. Este é o terceiro ou quarto dia da festa ao longo da semana. Pode bem ser um sábado, daí a referência nos vs. 22ss.

recintos do templo. No relato sinótico da (única) estada de Jesus em Jerusalém, ele ensina nos recintos do templo (Mc 11,27).

15. *Como...* Uma reação similar se acha registrada em Mc 1,22, em Cafarnaum, e 6,2, em Nazaré (ver comentário sobre 4,44).

obteve sua educação. Literalmente, "conhece as letras". O conhecimento de como ler e escrever estava centrado no conhecimento das Escrituras, pois era por esse meio que as crianças eram treinadas a ler. Não obstante, isto é mais que uma questão sobre a instrução de Jesus; é uma questão sobre seu ensino. Antes que um homem se tornasse rabino normalmente tinha que estudar diligentemente sob outro rabino; muito da cultura rabínica consistia em conhecer as opiniões de mestres famosos do passado. Todavia, Jesus não passara por nenhum treinamento do tipo. Alguns conectariam esta questão com 5,46, onde Jesus exibiu conhecimento das Escrituras ao alegar que Moisés escrevera a seu respeito.

16. *vem daquele*. Literalmente, "é de"; ver vs. 27ss. e a discussão sobre de onde é Jesus.

18. *glória*. Este tema é evocado de 5,41-47. É bem provável que aqui tenhamos a resposta ao desafio lançado sobre Jesus por seus irmãos em 7,3-5.

ele é verdadeiro. Em 3,33 e 8,26 ouvimos que Deus é verdadeiro; aqui quem é verdadeiro é Jesus.

injustiça. A palavra *adikia* ocorre somente aqui em João (Bultmann considera este último verso do v. 18 como redacional). Na LXX, muitas vezes *adika* traduz *šeqer*, "mentira"; tal conotação continuaria a reflexão sobre ser fidedigno. É interessante comparar este versículo com 2Sm 14.32: "Se houver *adikia*, então que seja entregue à morte"; Jesus argumenta que, já que não há *adikia* em seu coração, então que não busquem matá-lo (19).

19. *deu-vos a Lei*. Jesus, um judeu, aparentemente se dissocia da herança da Lei. Na tradição sinótica, o que ele dissocia de si era a interpretação que os fariseus davam da Lei, a qual, na opinião de Jesus, anulava a Lei (Mt 23,23). Em João, porém, tais ataques se vinculavam à disputa entre a Sinagoga e a Igreja, e a dissociação é mais absoluta (ver "vossa Lei" em 8,17 e 10,34; "sua Lei em 15,25). Em *Diálogo com Trifo* de Justino este mesmo "vosso" é usado pelo apologista cristão ao dirigir-se aos judeus.

nenhum de vós guarda a Lei. Literalmente, "faz a Lei" – um bom semitismo. Esta afirmação absoluta é dirigida a "os judeus" (15) na multidão. Ver Gl 2,14, onde Paulo diz praticamente a mesma coisa a Pedro.

20. *És louco*. Literalmente, "tu tens um demônio"; a insanidade era vista como um caso de possessão. Ouvimos a mesma acusação em Mc 3,22 ("Ele tem Belzebu"); não muito depois, desenvolve-se uma cena de uma cura no sábado (3,1-6).

21. *uma obra*. Presumivelmente, esta é a cura de 5,1-15. Bernard, I, p. 263, pensa que a objeção não é tanto baseada na cura, mas no trabalho acarretado nessa cura (Ex 31,15: "Qualquer que no dia de sábado fizer algum trabalho, certamente *morrerá*").

admirais. Não há menção de surpresa da parte dos que testemunharam o milagre em 5,1-15.

22. *por causa disso*. Como a própria versificação indica, uma tradição ilustrada nas versões e endossada por alguns comentaristas modernos (Westcott, Hoskyns) conectariam esta frase à linha seguinte: "Por causa disso Moisés vos deu a circuncisão".

Patriarcas. Literalmente, "pais"; ver "ancestral" em 4,12. A ordenança que prescreve a circuncisão está na Lei de Moisés (Lv 12,3), mas a aliança da circuncisão procede do tempo de Abraão (Gn 17,10; 21,4). Ver Rm 4.

mesmo no sábado. A circuncisão se dava no oitavo dia após o nascimento; se o nascimento ocorresse num sábado, então se fazia a circuncisão. A Mishná *Nedarim* 3:11: "R. José diz: 'Grande é a circuncisão, porquanto ignora o inexorável sábado'".

23. *curei*. Esta palavra grega (*hygiēs*) só ocorre em outro lugar em João no capítulo 5 (5 vezes).

de todo. Este é um argumento *a minori ad maius* (do menor para o maior), muito comum na lógica rabínica. A circuncisão afeta somente uma parte do corpo; se isso é permitido, seria permitida uma ação que afeta o bem de todo o corpo. Realmente, os rabis permitiam práticas de cura no sábado, quando houvesse perigo imediato à vida. Mas, no presente caso, no capítulo 5, o homem fora doente por muito tempo (5,6), e eles argumentariam que Jesus poderia ter adiado até o dia seguinte para curá-lo (Lc 13,14).

24. *julgueis... reta justiça*. Temos tentado preservar a nuança do imperativo presente na primeira linha, e o imperativo aoristo na segunda. Um apelo similar por reto juízo se encontra no AT: Is 11,3 (do rei messiânico); Zc 7,9; Dt 16,18.

25. *o povo de Jerusalém*. Estes parecem compor um grupo especial na multidão maior (v. 12) que conteria também visitantes. Tabernáculos era a festa judaica mais importante e assistida por inúmeras pessoas. Note que João apresenta estes hierosolimitanos plenamente cientes de que há um complô para matar Jesus da parte das autoridades.

26. *não lhe dizeis sequer uma palavra*. Há uma expressão rabínica semelhante, que reflete aprovação tácita.

    as autoridades. Literalmente, "governantes", palavra usada para descrever Nicodemos em 3,1. Estes são "os judeus", mas particularmente os membros do Sinédrio.

27. *de onde vem este homem*. Em uma civilização primitiva, sem nomes familiares, o lugar de origem é equivalente a um nome identificador, p. ex., José de Arimateia, Jesus de Nazaré. Este é não só o uso bíblico (Jz 13,6; Gn 29,4), mas também o uso corrente entre os beduínos que costumam perguntar pela identidade de uma pessoa, indagando: "De onde você é?"

    ninguém saberá de onde ele vem. Ver pp. 233-234 para a teoria do Messias oculto. Os hierosolimitanos pensam que o fato bem notório de que Jesus é de Nazaré milita contra ser ele identificado como o Messias oculto.

28. *verdadeiramente*. *Alēthinos*, tomado adverbialmente. O Codex Sinaiticus e o P[66] dizem: "Aquele que me enviou é verdadeiro [ou fidedigno – *Alēthēs*]"; esta redação pode vir sob a influência de 7,26.

    Um que me enviou. Aqui o verbo "enviar" é *pempein*; no v. 29, é *apostellein*, um indício de que os dois verbos são intercambiáveis.

29. *é da parte dele que eu vim*. Literalmente, "Eu sou dele [*para* com genitivo]". O Sinaiticus diz "com [*para* com dativo] Ele", uma redação endossada por OS, Sah. BOISMARD, *Prologue*, p. 9[1], prefere isto como a leitura mais difícil.

30. *eles tentaram prendê-lo*. Ao que parece, o "eles" se refere ao povo de Jerusalém, pois esta tentativa parece ser distinta daquela das autoridades no v. 32.

31. *mais sinais*. Não há indicação no AT de que se esperassem milagres da parte do Messias; passagens como Is 25,5-6 ("os olhos dos cegos se abrirão") tinham uma significação figurativa. Todavia, a ideia de uma operação de milagres da parte do Messias pode ter se desenvolvido nos dias do NT; ver Mc 13,22. Note que em 6,15, após a multiplicação, a multidão se prontifica a coroar Jesus como o rei messiânico. Entretanto, há outra possibilidade: segundo Mt 12,22-23 parece que os milagres levavam as pessoas à compreensão de que alguém extraordinário estava diante deles, e começaram a indagar se esta pessoa extraordinária não seria o Messias. Ainda outra possibilidade é que a concepção do Messias foi influenciada pelas imagens do Profeta-como-Moisés e de Elias, pois ambos, Moisés e Elias, operaram milagres.
32. *murmuração*. Ver nota sobre v. 12.

[*a saber*...] A frase entre colchetes falta em algumas das versões mais antigas (OS, OL) e citações patrísticas (Crisóstomo); ela aparece na maioria dos manuscritos gregos, mas com ordens diferentes da palavra. Talvez o tema original fosse "eles"; mas um copista, entendendo que não estava correto ter os fariseus no comando da guarda do templo, introduziu no texto "os principais sacerdotes", bem como "os fariseus". O v. 45 pode ter guiado a inserção. Visto que os sacerdotes e os fariseus são descritos como agindo juntos, o autor da frase entre parênteses está pensando no Sinédrio como responsável (18,3; ver nota sobre 3,1).

guarda do templo. Blinzler, *Trial*, pp. 62-63, distingue dois grupos: (*a*) os levitas do templo, empregados dentro dos recintos do templo e, ocasionalmente, fora durante uma crise; (*b*) a força policial do Sinédrio costumava manter a ordem pública na cidade e no campo. Ele afirma que no NT a palavra *hypēretai*, usada neste versículo de João, sempre se refere à última [hipótese]. A distinção é artificial, como o indicará um estudo cuidadoso da própria evidência de Blinzler. Neste mesmo caso, a prisão é ordenada pelos saduceus e fariseus (portanto, pelo Sinédrio) e de dentro dos recintos do templo; portanto, ela tem elementos de ambas as divisões propostas por Blinzler.

33. *pouco tempo*. Este é um tema joanino frequente: 12,35; 13,33; 14,19; 16,16.
34. *me buscareis*. Dois manuscritos gregos menores e a Vulgata de Jerônimo trazem o tempo presente. Wordsworth e White observam acerca disto que Jerônimo às vezes seguia um tipo de manuscrito grego do qual sabemos bem pouco. Ver nota sobre 10,16.

não me achareis. Este segundo "me" é omitido em muitas testemunhas gregas importantes, mas aparece no Codex Vaticanus e P[75].

onde eu vou. Alguém esperaria "Aonde eu vou", como em 8,21; e alguns têm sugerido que *eimi*, aqui, procede do verbo *ienai*, "ir", em vez de o *eimi*, "estar", mais usual. Não obstante, mais provavelmente isto reflita o uso divino de *egō eimi* – ver Apêndice IV, p. 841ss. É Agostinho quem capta a atemporalidade da afirmação de Jesus: "Cristo sempre esteve naquele lugar para onde voltaria" (*In Jo.* 31,9; PL 35:1640). Há certa similaridade no tema com Lc 17,22: "Estão vindo dias em que desejareis ver um dos dias do Filho do Homem, e não o vereis".

35. *Diáspora*. Este termo se refere aos judeus que viviam fora da Terra Santa; a expressão "Diáspora de Israel" ocorre na LXX, em Is 49,6 e Sl 147,2. Para o uso cristão do termo, (i.e., os cristãos que viviam no mundo e longe de seu lar celestial), ver 1Pd 1,1.

entre os gregos. Literalmente, "dos gregos". Entendemos o termo como uma referência aos gentios pagãos do império romano que foram influenciados pela cultura grega, e assim extrapolando as fronteiras da nacionalidade grega. Em 12,20, o termo é usado para prosélitos (também At 17,4). Alguns estudiosos, como J. A. T. Robinson (p. 76s. acima), têm sugerido que o genitivo é explicativo: "a Diáspora que consiste de gregos, i.e., judeus de fala grega". Todavia, por que os judeus hierosolimitanos sugeririam esta possibilidade, a saber, que Jesus iria em busca de um auditório melhor entre os judeus que falavam outro idioma? Um contraste muito mais provável é que ele poderia encontrar um auditório melhor entre os gentios. Portanto, com BDF, § 166, tomamos o genitivo como de direção: estão sugerindo que Jesus poderia sair e se tornar um dos judeus da Diáspora, vivendo entre os gentios e ensinando-os.

COMENTÁRIO

Como já indicamos no Esboço (p. 423), a Cena I do discurso de Jesus durante a festa dos Tabernáculos se localiza num momento em que a festa já estava na metade, e pode ser dividida em duas partes, cada uma com seus próprios temas. Estes temas têm certa unidade, um pouco clara; e reaparecerão de vez em quando nas outras cenas deste discurso. (Como veremos, tem havido várias tentativas críticas de introduzir uma sequência melhor por meio de reorganização; mas, seguindo nosso plano usual, trataremos o material como o encontramos no evangelho). De muitas maneiras, o discurso na festa dos Tabernáculos representa uma coleção polêmica do que Jesus disse em resposta aos ataques feitos pelas autoridades judaicas contra suas reivindicações. Há paralelos esparsos na tradição sinótica, particularmente nos últimos dias da vida de Jesus. Conquanto seja controvertido, este discurso difere, em estilo, um pouco dos discursos anteriores, pois é constantemente interrompido por réplicas e objeções. Não obstante, encontramos também aqui a técnica joanina habitual do duplo nível de significado: enquanto Jesus está argumentando com a multidão no primeiro plano, ao fundo as autoridades estão planejando sua prisão.

Cena I: (a) o direito de Jesus de ensinar; reaparece a questão do sábado (7,14-24)

Esta é a parte do discurso com uma relação mais estreita com o capítulo 5; como mencionamos na p. 458, muitos comentaristas o transfeririam para o final do capítulo 5. Na presente sequência do evangelho, tem transcorrido tempo considerável desde o milagre registrado em 5,1-15 (cerca de quinze meses, se aquela festa era Pentecostes); todavia, esse milagre parece ser em grande medida o tema da conversação em 7,21. (Ver também notas sobre v. 15, "educação", v. 18, "glória"). Entretanto, enquanto João fez a cura no sábado do capítulo 5 o foco da discussão em 7,21ss., fazemos bem em suspeitar que temos aqui uma limitação do tema para propósitos dramáticos. O evangelista selecionou criteriosamente uns poucos sinais que ele narra (20,30-31); e, a fim de simplificar o quadro histórico, ele mostra estes sinais como as causas diretas do que aconteceu a Jesus. Agindo como um bom dramaturgo, o evangelista nunca oculta os fios da trama de sua narrativa com tantos personagens ou detalhes. Os evangelhos sinóticos nos demonstram que a acusação de violar o sábado que foi lançada contra Jesus não tinha por base uma cura em um só sábado, mas em uma prática constante. Ao usar um milagre como o exemplo específico em que o argumento se baseava, João condensa em um só acontecimento todo o um ministério. Mesmo quando João coloque os argumentos dos capítulos 7 a 8 em um contexto histórico específico, a avaliação destes capítulos como uma coleção de polêmica típica nos adverte contra uma dependência tão precisa das relações cronológicas entre a cura do capítulo 5 e a discussão do capítulo 7. Não é necessário que nos preocupemos se "os judeus" que viram o milagre muito tempo antes ainda estariam pensando nele; o leitor cristão, para quem o evangelho foi organizado (20,31) veria facilmente a relação existente entre este discurso e o milagre de que ele lera antes numas meras cem linhas.

As primeiras linhas desta cena do discurso (v. 15) estão centradas na acusação de que Jesus era um mestre irregular, visto que não havia recebido sua doutrina de um mestre reconhecido. A resposta de Jesus (16) é que ele recebeu sua doutrina de um mestre reconhecido, a saber, seu Pai celestial. Ele frequentou as melhores de todas as escolas rabínicas. A única prova que ele oferece em prol de sua reivindicação (17-18) é o mesmo tipo de testemunho que ele ofereceu no capítulo 5. Havia uma questão de ter alguém o amor ou a palavra de Deus no coração (5,42.38) e de atentar bem na busca da glória de Deus (v. 44), pois tais traços capacitariam os homens a reconhecerem que Jesus viera no nome do Pai (5,43). Em 7,17, somos informados que aquele que faz a vontade do Pai reconhecerá aquele que fala por Deus. Fazer a vontade de Deus é mais do que obediência ética; envolve a aceitação, pela fé, de todo o plano divino da salvação, inclusive a obra de Jesus (5,30). Podemos notar que fazer a vontade de Deus é também mencionado na tradição sinótica, mas ali como uma condição para entrar no reino do céu (Mt 7,21). Como já observamos, a descrição sinótica do reino do céu partilha muitos aspectos com a descrição joanina do próprio Jesus.

A referência a Moisés e à Lei, no v. 19, é outra razão por que estudiosos sugerem que esta parte do discurso foi uma vez conectada ao final do capítulo 5, onde Moisés é mencionado. Entretanto, é bem possível que o contraste entre a formação de Jesus e o treinamento padrão dos mestres judaicos poderia ter logicamente levado a uma referência a Moisés, pois a Lei de Moisés era a base da educação formal. Qual é a razão para a acusação de Jesus de que "os judeus" não estão guardando a Lei? Pode ser que esta fosse uma denúncia geral no estilo de Jr 5,5; 9,4-6 etc. Alguns têm pensado que Jesus está acusando os judeus de quebrarem o espírito do sábado, não desejando ver um homem curado no sábado (ver v. 23). Mais provavelmente, a linha final do v. 19 seja a chave para a resposta. Ao desejarem matar Jesus (5,18; 7,1), estão violando um dos mandamentos. Estaria João nos dando uma reminiscência histórica em retratar assim uma prolongada hostilidade a Jesus em Jerusalém, ao ponto de tirar-lhe a vida? Naturalmente, os sinóticos não nos dão informação sobre o ministério hierosolimitano, exceto nos últimos dias, e concentram sua descrição do plano de matar Jesus naquele período final. Não obstante, Lc 4,29 registra um atentado contra a vida de Jesus na Galileia, região onde poderíamos esperar que o sentimento religioso fosse menos intenso do que em Jerusalém. E já vimos que, após a morte do Batista, Jesus sentiu estar mais seguro saindo da Galileia e do território governado por Herodes (também Lc 18,31). Argumentando a partir do quadro sinótico de hostilidade durante o ministério galileu, podemos plausivelmente suspeitar que João nos está dando tradição confiável que não limita o plano hierosolimitano de matar Jesus aos últimos dias do ministério.

No v. 20, a multidão nega qualquer plano do gênero. Se esta multidão é distinta de "os judeus" e de "o povo de Jerusalém" (25), que tinha conhecimento da trama, é bem plausível que houvesse muitos, especialmente dentre os peregrinos, que nada soubessem sobre um intento de matar Jesus. Mas, ainda que Jesus esteja falando primariamente a "os judeus", isto é, às autoridades, permanece o fato de que, na descrição dos sinóticos já no final do ministério hierosolimitano, *a multidão* teria sido controlada pelas autoridades para solicitar a morte de Jesus (Mc 15,11).

A objeção da multidão leva Jesus a ser específico (22-23) e a evocar o exemplo ocorrido de uma cura no sábado em razão da qual haviam decidido matá-lo (5,18). O argumento que Jesus usa aqui (22-23) em defesa de sua cura no sábado é menos teológico do que o apresentado em 5,17 e pode ser classificado com os argumentos humanitários encontrados nos sinóticos (ver p. 440). Não obstante, é coincidente que o contraste entre o caráter *parcial* da circuncisão que permitiam no sábado e a cura de Jesus em um homem por *inteiro* é bem semelhante ao contraste entre Moisés e Jesus encontrado em outro lugar em João (1,17)? Em geral, cremos que João tem mais êxito do que os sinóticos em desvendar o propósito de cura no sábado. Não era primariamente uma questão de uma liberação, por motivos sentimentais, de uma lei dura e impraticável. Seus milagres no sábado eram a realização do propósito redentivo pelo qual a Lei foi dada (Barrett, p. 265).

Cena I: (b) As origens de Jesus; seu retorno para o Pai (7,25-36)

Nesta segunda parte não mais ouvimos de milagre no sábado, e o tema se volta para a pessoa de Jesus. Pode ser que a lógica seja que, ao reiterar seus direitos com respeito ao sábado, Jesus tenha uma vez mais exibido suas reivindicações sobre quem ele é, o mesmo que em 5,17-18. O tema da pessoa de Jesus e suas reivindicações constitui uma forte provocação para "os judeus"; daí a hostilidade se intensificar dramaticamente nesta cena, e registrar-se a primeira tentativa de prender Jesus. As várias declarações ousadas do povo de Jerusalém e dos judeus concernentes a Jesus demonstra, em típico estilo joanino, a ignorância da sabedoria humana, quando contrastada com a penetrante luz da Sabedoria encarnada.

Primeiramente, vemos isto na declaração do v. 27, a saber, que sabem de onde Jesus é (Nazaré) e que, portanto, ele não pode ser o Messias oculto. Seu pensamento está no nível terreno; estão dando um perfeito exemplo daquele julgamento com base nas aparências contra o qual fomos advertidos no v. 24. Falavam a verdade quando diziam que ninguém conheceria de onde o Messias viria, e realmente *não sabiam* que Jesus vem do céu e da parte do Pai. Uma vez mais, no v. 29 temos uma afirmação da unicidade de Jesus e do conhecimento íntimo do Pai (1,18; 6,46; 8,25; 17,25). O paralelo sinótico está no assim chamado *logion* joanino (Mt 11,27; Lc 10,22): "Ninguém conhece o Pai senão o Filho e aquele a quem o Filho escolhe para O revelar".

A reivindicação de Jesus a origens divinas provoca a tentativa de prendê-lo (30), tentativa que revela o soberano poder de Jesus. Mesmo quando chegar sua hora, João mostrará que ninguém pode pôr sua mão em Jesus até que ele o permita (18,6-8). Lc 4,29-30 retrata uma incapacidade similar dos inimigos de Jesus que tentaram prejudicá-lo em Nazaré. A tentativa mais formal contra Jesus pelas autoridades do Sinédrio, no v. 32, de modo algum terá êxito, como veremos em 7,45ss.

Estes atentados contra sua vida levam Jesus, nos vs. 33,34, a pensar em seu retorno, mediante a morte e ressurreição, a seu Pai. O verbo "partir", usado no v. 33, será encontrado em 13,3, onde, no contexto da hora, Jesus diz que ele está partindo para o Pai. O retorno ao Pai significará para os seus ouvintes o fim de sua oportunidade de crer nele. Enquanto estiver diante deles, ele está se descobrindo a eles; mas quando se for, eles se porão a buscá-lo e não o acharão. Uma vez mais, as observações de Jesus são incompreendidas, porquanto ele é entendido em um nível terreno, pois "os judeus" pensam que ele está falando de partir em uma viagem para alguma outra terra. Desta vez Jesus não responde com o fim de confundi-los, porque ironicamente eles têm falado a verdade. A ideia deles de que Jesus poderia sair a ensinar o mundo gentílico veio a ser uma realidade no tempo em que o Quarto Evangelho foi escrito. A Igreja cristã que o evangelista pode contemplar extendido no império romano é grandemente gentílica, e a Diáspora dos filhos de Deus dispersos e congregados por Jesus (11,52) realmente tem sido uma Diáspora dos gregos.

Ao concluirmos nossas observações sobre esta segunda parte da Cena I do discurso, temos de salientar que o tema de Jesus como a Sabedoria divina é muito forte aqui e se encontra no fundo de muitas das suas afirmações. A questão sobre de onde Jesus vem, nos vs. 27ss., nos lembra de Jó 28,12ss., que suscita a questão sobre onde a Sabedoria pode ser encontrada; também Baruque 3,14-15: "Aprendei onde está a Sabedoria. ... Quem pode descobrir sua localização?" Assim como Jesus foi enviado de Deus (29) para estar com os homens (33), assim no AT o homem roga a Deus para que a Sabedoria seja enviada do céu a fim de estar com ele (Sb 9,10; Siraque 24,8). O tema de buscar e achar (34) é frequente no AT. Em alguns dos livros bíblicos, o tema se centra numa busca pelo Senhor, por exemplo, Is 55,6: "Buscai o Senhor enquanto se pode achar" (também Os 5,6; Dt 4,29). Mas na literatura sapiencial o tema é transferido para a Sabedoria. Em Sb 6,12, ouvimos que a Sabedoria "é facilmente vista por aqueles que a amam, e encontrada por aqueles que a buscam". As palavras de Jesus no v. 34 são muito parecidas com as da Sabedoria de Pr 1,28-29: "Eles me buscarão, mas não me acharão, porque odeiam o conhecimento e não escolheram o temor do Senhor".

[A Bibliografia para esta seção está inclusa na Bibliografia para o capítulo 7, no final do § 29.]

29. JESUS NA FESTA DOS TABERNÁCULOS: – CENA II
(7,37-52)

Jesus no último dia da festa

7   ³⁷No último dia da festa, que é o mais solene, Jesus se pôs em pé e exclamou:

"Se alguém tem sede, que venha [a mim];
e beba ³⁸quem crê em mim.
Como diz a Escritura:
'De dentro dele fluirão rios de água viva'".

(³⁹Aqui ele se referia ao Espírito que os que viessem a crer nele haviam de receber. Pois não havia ainda Espírito, já que Jesus não havia sido ainda glorificado).

⁴⁰Alguns da multidão que ouviram [estas palavras] começaram a dizer: "Este, sem dúvida alguma, é o Profeta". Outros estavam clamando: "Este é o Messias". Mas outras, porém, diziam: "Porventura, o Messias virá da Galileia? ⁴²Não diz a Escritura que o Messias, sendo da família de Davi, deve vir de Belém, a vila onde viveu Davi?" ⁴³Assim, a multidão ficou incisivamente dividida por causa dele. ⁴⁴Alguns deles ainda queriam prendê-lo; todavia, ninguém lhe punha as mãos.

⁴⁵E então, quando a guarda do templo voltou, os principais sacerdotes e os fariseus lhes perguntaram: "Por que não o trouxestes?" ⁴⁶"Nunca ninguém falou como este", replicou a guarda. ⁴⁷"Não nos digais que também vós fostes enganados!", retrucaram os fariseus. ⁴⁸"Não percebeis que nenhum do Sinédrio crê nele? Ou algum dos

fariseus? ⁴⁹Não, apenas esta plebe que nada sabe da Lei – e estão condenados!" ⁵⁰Um de seu próprio número, Nicodemos (o homem que viera ter com ele), retrucou: ⁵¹"Desde quando nossa Lei condena alguém sem primeiro ouvi-lo e conhecer os fatos?" ⁵²"Não nos digas que tu também és galileu", o insultaram. "Olha e examina se descobres o Profeta vindo da Galileia".

50: *falou*. No tempo presente histórico.

NOTAS

7.37. último dia, *...mais solene*. Este seria o sétimo ou oitavo dia (ver nota sobre 7,2)? Visto que o oitavo dia foi uma adição posterior à festa, era mais um dia de repouso além da festa. Como veremos no comentário, as palavras de Jesus, nesta ocasião, se adequam às cerimônias do sétimo dia. A designação "mais solene" também se enquadra melhor ao sétimo dia. De fato, visto que "solene" se perdeu em algumas testemunhas menores, esta frase poderia ser ainda uma adição posterior para especificar que o sétimo dia estava implícito.

se pôs em pé. Provavelmente devamos pensar que Jesus esteve assentado e ensinava nos recintos do templo (ver nota sobre 6,3).

exclamou. Este verbo foi usado acerca do Batista em 1,15; neste capítulo é usado duas vezes acerca de Jesus (7,28 e aqui; outra vez em 12,44), quando ele faz uma solene proclamação de uma verdade concernente à sua pessoa e obra.

Se alguém [tem] sede... água viva. Estas quatro linhas poéticas dos vs. 37-38 têm sido objeto de prolongada discussão e uma imensa literatura. Há dois problemas básicos de interpretação que devem ser discutidos extensamente.

Primeiro, *quem é a fonte dos rios de água viva: Jesus ou o crente?* (a) A tradução que temos dado favorece a teoria de que Jesus é a fonte (interpretação "cristológica"). Como tem demonstrado H. RAHNER (também BOISMARD, *"De son ventre"*, pp. 523-35), esta interpretação remonta ao 2º século e ao tempo de JUSTINO. Hoje podemos ter outra testemunha do 2º século no *Evangelho de Tomé*, 13, onde Jesus diz: "Tendes bebido da borbulhante nascente que tenho distribuído". Enquanto isto reflete uma miscelânea de versículos joaninos (p. ex., 4,14), faz de Jesus a fonte da água. (Ver nosso artigo em NTS 9 [1962-63], 162). Outro apoio antigo para esta interpretação, algumas vezes chamado a interpretação ocidental, se encontra em HIPÓLITO, TERTULIANO, CIPRIANO, IRINEU, AFRAATES e EFRAEM. Entre os comentaristas modernos que a aceitam estão Boismard, Braun, Bultmann, Dodd, Hoskyns, Jeremias, Macgregor, Mollat, Stanley. Podem-se apresentar os seguintes argumentos em prol da interpretação cristológica: (1) Ela dá excelente paralelismo poético nos dois primeiros versos: o homem sedento no verso **um** vai a Jesus, e o crente no verso **dois** bebe de Jesus. Que o paralelismo é quiásmico se adequa bem ao estilo joanino (ver p. 153s.). (2) A ideia de que água fluirá de Jesus é endossada por 19,34, onde ela flui de seu lado. (3) Outra obra joanina, Ap 22,1, mostra um rio de água viva fluindo do trono de Deus e do Cordeiro (i.e., Cristo). (4) Segundo 7,39, a água é o Espírito, e para João é Jesus quem dá o Espírito (19,30; 20,22).

(b) O grego pode ser traduzido de outra maneira que favorece fazer do crente a fonte da água:

Se alguém [tem] sede, que venha a mim e beba.
^{38}Aquele que crê em mim (como diz a Escritura),
"De seu interior fluirão rios de água viva".

Esta pontuação foi endossada por Orígenes e percorre a maioria dos Padres orientais. Entre os comentaristas modernos que a seguem estão Barrett, Behm, Bernard, Cortés Quirant, Lightfoot, Michaelis, Rengstorf, Schlatter, Schweizer, Zahn. É seguida pela Standart American Catholic (Confraternity) e as versões protestantes (RSV). O melhor argumento textual para ela é que esta pontuação se encontra em P^{66} (2º século). Um argumento gramatical para ela coloca o particípio *ho pisteuōn* ("aquele que crê") ao princípio de uma nova construção (um padrão encontrado 41 vezes em João), em vez de omiti-la na sentença condicional anterior (uma prática aparentemente ausente em João). Entretanto, Kirkpatrick, *art. cit.*, em contrapartida, tem mostrado que por o particípio como sujeito antecipado da citação bíblica (como seria feito nesta interpretação) tem pouco suporte no estilo joanino. BDF, § 466^4, tem tentado defender tal anacoluto, mas os exemplos oferecidos como paralelos na realidade não são pertinentes para o caso peculiar em discussão. Assim, os argumentos gramaticais na verdade se anulam mutuamente. Acaso há em João algum paralelo para a ideia de água viva fluindo do crente? (Há um paralelo no pensamento rabínico da época; segundo a *Midrásh Sifre* sobre Dt 11,22, # 48, o Rabi Aqiba disse: "O discípulo que está iniciando é como um poço que só pode oferece a água que ele tem recebido; o discípulo mais avançado é uma corrente que propicia água viva".) Muitos citam Jo 4,14 (entre os tais Cortés Quirant, pp. 293ss.), onde Jesus fala de uma fonte de água no interior do crente que salta para a vida eterna. Entretanto, neste versículo não há sugestão de que o crente será uma fonte para outros. Outro texto citado, 14,12, parece geral demais para ser probatório. Tendo em conta tudo isto, o melhor argumento para esta interpretação é o forte endosso patrístico que ela tem tido. Todavia, muito deste endosso flui do ímpeto inicial do próprio influente Orígenes. Ele viu em 7,37-38 um eco da doutrina de Filo de que o perfeito gnóstico poderia se tornar, através de sua compreensão espiritual da Escritura, uma borbulhante fonte de luz e conhecimento para outros. Tal entendimento de João não é muito convincente.

(c) Há ainda um terceiro modo de traduzir o grego, um que não dá indicação definida quanto à identidade da fonte da água:

Se alguém [tem] sede, que venha a mim e beba (i.e., que creia em mim). Como diz a Escritura: "De seu interior fluirão rios de água viva".

Esta tradução evita a objeção suscitada por Kirkpatrick contra a tradução anterior: o particípio *ho pisteuōn* não é mais longo que o sujeito antecipado da citação bíblica, e sim um esclarecimento do sujeito dos verbos "vir" e "beber". Kirkpatrick mostra que o particípio pode servir como sujeito de ambos os verbos, mas seus exemplos de tal particípio que resume o "alguém" indefinido são fracos. Blenkinsopp, *"Crux"*, defende uma tradução similar a esta, porém insiste que "aquele que crê em mim" não tem nexo sintático com a sentença – é meramente um parênteses explicativo extraído de "aquele que crê" no v. 39. Há alguma evidência de versão no latim e siríaco para omitir "aquele que crê em mim"; esta evidência não é suficientemente forte para fazer o particípio textualmente duvidoso, mas pode dar apoio para vê-lo como meramente o parênteses. Naturalmente, esta tradução do grego perde o paralelismo quase perfeito que temos proposto em nossa tradução. Ela nada faz para identificar o "ele" da citação bíblica; mas parece que quando o particípio é tratado como um parênteses, há pouca razão para presumir-se que o "ele" da citação é o crente.

Segundo, *que passagem da Escritura é citada no v. 38?* Obviamente, a resposta a esta pergunta refletirá na primeira também. As palavras citadas em João não refletem exatamente qualquer passagem no TM ou na LXX, e assim os comentaristas têm que usar certa engenhosidade para rastrear passagens que são ao menos similares.

Os que pensam no crente como a fonte da água frequentemente sugerem Pr 18,4: "As palavras da boca de um homem são águas profundas; a fonte da sabedoria é manancial que jorra". Is 58,11 é digno de consideração como pano de fundo; ali Deus promete ao israelita dos tempos escatológicos: "serás como um jardim regado, como uma fonte transbordante, cujas águas nunca faltam". Siraque 24,30-33 (28-31) faz do discípulo da Sabedoria um canal que conduz águas da Sabedoria para outros.

1QH 8.16 diz: "Tu, ó meu Deus, tem posto em minha boca, por assim dizer, chuva para todos [os que têm sede], e uma fonte de águas vivas que não falharão". Uma passagem que tem sido citada com frequência é Provérbio 5,15: "Bebe água da tua cisterna, a água que jorra de teu poço"; mas a semelhança com João é apenas verbal, pois o texto de Provérbios é uma injunção contra o adultério ("cisterna/poço" = a esposa de alguém). Uma orientação plausível em que buscar o pano de fundo da citação bíblica de João está nas várias descrições da cena que ocorreu durante o êxodo, quando Moisés feriu a rocha e água jorrou dela. Esta rocha era vista na Igreja primitiva como um tipo de Cristo (1Cor 10,4), e por isso este pano de fundo favoreceria a interpretação cristológica da fonte na citação de João. BRAUN, *JeanThéol*, 1, p. 150, menciona que a rocha das peregrinações no deserto era o símbolo mais frequentemente pintado nas catacumbas veterotestamentárias. Frequentemente, ele era conectado com o batismo através da interpretação de Jo 7,38. Tal simbolismo se adequaria bem com a predileção de João por símbolos tomados das narrativas do Êxodo (1,29: o cordeiro pascal; 3,14: a serpente de bronze; 6,31: o maná; 6,16-21: a travessia do Mar Vermelho?) Pode ser que esteja nos comentários poéticos encontrados nos Salmos sobre o tema da água-da-rocha os melhores paralelos para o vocabulário de Jo 7. O Sl 105,40-41 diz: "Oraram, e ele fez vir codornizes, e os fartou de pão do céu. Abriu a penha, e dela correram águas; correram pelos lugares secos, como um rio". Esta sequência de pão do céu e de água da rocha é exatamente a sequência que temos nos capítulos 6 e 7 de João (incidentalmente, uma razão a mais para não mudar a presente sequência dos capítulos). Outras passagens que descrevem a água da rocha são Is 43,20; 44,3; 48,21; Dt 8,15; AILEEN GUILDING, p. 103, tem ressaltado que muitas das passagens eram usadas como leituras na sinagoga no mês em que [a festa dos] Tabernáculos era celebrada. O Sl 114, cujo v. 8 menciona como Deus converteu a rocha fendida em manancial de água, era um dos salmos do HALLEL cantados pelos peregrinos nas procissões diárias durante a festa dos Tabernáculos.

A passagem trata da rocha no deserto que, possivelmente, seja o mais estreito paralelo verbal para João é o Sl 78,15-16: "Fendeu as penhas no deserto; e deu-lhes de beber como de grandes abismos. Fez sair fontes da rocha, e fez correr *as águas como rios*". (uns poucos versículos mais adiante no Salmo, o v. 24, ouvimos: "E chovera sobre eles o maná para comerem, e lhes dera do trigo do céu" – ver nota sobre 6,31). Embora esta tradução do hebraico do salmo já seja como Jo 7,38, a semelhança pode manifestar-se grandemente se alguém aceita a tese apresentada por

BOISMARD de que Jesus realmente está citando uma tradução do Targum ou versão aramaica do Salmo. Segundo BOISMARD, é possível traduzir o aramaico assim: "Ele extraiu mananciais de água da rocha; e produziu, por assim dizer, *rios de água corrente*". Ora, quando Jesus falava ao povo, sem dúvida ele às vezes usava as Escrituras aramaicas para inteligibilidade deles (ver nota sobre 3,14), embora pudéssemos esperar isto mais na Galileia do que em Jerusalém. Entretanto, nem todos concordam com a compreensão que BOISMARD tem do Targum (o Targum que ele cita é bem posterior). Ver a controvérsia com GRELOT nos artigos citados na Bibliografia.

Outra passagem bíblica importante, citada como possível pano de fundo para Jo 7,38, provém da segunda parte de Zacarias (14,8). Esta é uma sugestão interessante, porque, como ressaltaremos no comentário, esta parte de Zacarias estabelece uma mística acerca da festa dos Tabernáculos. FEUILLET tem formado a conexão entre João e Zacarias por meio de Ap 22,1.17. Ele salienta que Ap 22,17 oferece o mesmo tempo de paralelismo que temos sugerido para João em nossa tradução:

"Que aquele que tem sede venha;
que aquele que deseja tome a água da vida sem preço".

Se agregarmos este versículo a Ap 22,1, "Ele me mostrou o rio da vida... fluindo do trono de Deus e do Cordeiro", temos um paralelo muito estreito para as ideias e palavras de Jo 7,37-38. Ora, este capítulo em Apocalipse tem seu pano de fundo em Ezequiel e Zacarias (Ap 22,2 = Ez 42,12; Ap 22,3 = Zc 14,11). Em particular, o rio descrito em Apocalipse, como a fluir do trono de Deus e do Cordeiro, é reutilização do símbolo do rio em Ez 47; e "a água da vida" ecoa Zc 14,8. FEUILLET argumenta que devemos atribuir este mesmo pano de fundo, particularmente a de Zacarias, a Jo 7,37-38. Em João, isto não está fora de lugar, pois este evangelho recorre livremente a Zacarias, quer implicitamente (ver comentário sobre 2,16), quer explicitamente (19,37).

DANIÉLOU, *art. cit.*, argumenta com mais veemência do que faz FEUILLET em prol da dependência de João de Ez 47,1-11, uma passagem bem conhecida na literatura cristã primitiva. Em sua visão, Jesus seria a fonte da água no sentido que seria a rocha do templo, da qual, na imagem de Ezequiel, o rio flui, que é a fonte da vida. Já vimos Jesus identificado em Jo 2,21 como o templo; ver DANIÉLOU para a tradição patrística que identifica Jesus com a rocha do templo.

Ao buscar-se o pano de fundo de Jesus como a fonte de água viva, deve-se escolher entre a rocha do deserto e as passagens apocalípticas de Zacarias e Ezequiel com seus rios escatológicos de água viva fluindo de Jerusalém e do templo? Em seu artigo de 1963, GRELOT demonstra que, nas tradições rabínicas da *Tosephta*, os textos associados com a festa dos Tabernáculos evocam ambas as implicações. Ele pensa que esta combinação de implicações remonta a um período anterior à destruição do templo, e assim João pode estar refletindo ambos os temas. Citações de duas ou mais passagens em combinação não são incomum em João (ver 19,36); e já vimos que o pano de fundo para outro simbolismo joanino, como o do Cordeiro de Deus, é também composto (*cordeiro apocalíptico*; *servo sofredor*; *cordeiro pascal*).

38. *de seu interior*. Literalmente, "de seu ventre [*koilia*]". Há quem alegue que isto é equivalente a "de seu coração", já que, enquanto para os hebreus o ventre é a sede da natureza emocional do homem, o coração tem o mesmo papel no simbolismo ocidental. BEHM, TWNT, III, p. 788, mostra que na LXX "ventre" é às vezes empregado no mesmo sentido de "coração"; e mesmo no NT são bastante intercambiáveis, p. ex., o Codex Alexandrinus traz "coração", em Ap 10,9, enquanto outros manuscritos dizem "ventre". Entretanto, BOISMARD, "*De son ventre*", p. 541, mostra que este uso metafórico de "ventre" se restringe, com raras exceções, a passagens que descrevem emoções fortes. DANIÉLOU, p. 161, de acordo com a teoria proposta acima, pensa em uma cavidade ou cova na rocha do templo da qual flui água; e compara isto com a cavidade no lado de Jesus aberta pela lança do centurião, em 19,34, uma cavidade da qual flui água. (A maioria dos autores concorda sobre a conexão entre 7,38 e 19,34). Tem-se sugerido ainda outra possibilidade por estudiosos como TORREY, BOISMARD, GRELOT e FEUILLET: creem que "de seu ventre" é uma tradução muito literal do aramaico. A mesma expressão aramaica, *min giwwēh*, pode significar "de dentro dele" e "de seu ventre". Esta sugestão implica que João está tomando a citação bíblica do Targum. Na mesma linha de pensamento, StB, II, p. 492, seguida por JEREMIAS e BULTMANN, associa *koilia* com o aramaico *gūf*, "corpo, pessoa, ego". Não obstante, a tradução grega normal desta palavra seria *sōma*, não *koilia*.

39. *o Espírito*. O simbolismo no qual água está para espírito parece estranho para a mente ocidental, mas é bem atestado no hebraico, como tem salientado AUDET, *art. cit*. Os verbos aplicáveis a água são usados para descrever o dom do espírito, p. ex., derramado (Is 44,3). A alma, *nepheš* (que também pode ser traduzida por "espírito"), era considerada como a [sede] da sede, visto que *nepheš* parece, originalmente, ter implícita a "garganta". Is 29,8 diz: "Um homem sedento sonha que está bebendo, porém acorda com uma *nepheš* seca"; Sl 43,1-2: "Como a corça suspira pela corrente de água... minha *nepheš* tem sede de ti, ó Deus". Como pano de fundo veterotestamentário para a justaposição de ideias em

Jo 7,38-39 (água do ventre = espírito), podemos citar Pr 20,27: "O fôlego [outro sinônimo para "espírito"] do homem é a lâmpada do Senhor, sondando todas as partes interiores de seu ventre". *nepheš*, além de ser a [sede] da sede, é também a fonte de palavras, p. ex., 1Sm 1,15 afirma que Ana esteve derramando sua *nepheš* diante do Senhor nas palavras de sua oração (note o simbolismo da água). Este é o pano de fundo para nossa discussão no comentário de que a água do v. 38 está tanto para o Espírito como para o ensino de Jesus.

que viessem a crer. Lemos o particípio aoristo, endossado por ambos os papiros Bodmer, em vez do presente. Evidentemente, o comentário entre parênteses é de uma perspectiva posterior. Interessantemente, BULTMANN, p. 229², atribui o v. 39 ao evangelista, e não ao redator; BULTMANN considera a citação bíblica do v. 38 como a parte redacional da passagem.

não havia ainda Espírito. Alguns manuscritos e versões buscam amenizar o impacto disto, p. ex., "o Espírito ainda não fora *dado*" ou "ainda não *neles*". Provavelmente, escribas notaram uma dificuldade teológica, como se João estivesse dizendo que a Terceira Pessoa da Trindade não existisse antes de Jesus ser glorificado na paixão, morte e ressurreição. Mas uma afirmação evangélica tal como esta não se preocupa com a vida interior de Deus; ela se preocupa com a relação de Deus conosco. O Espírito não era uma realidade no tocante ao homem até que o Jesus glorificado comunicasse o Espírito aos homens (20,22). Então o Espírito operaria em uma nova criação de uma maneira até então não possível (ver artigos de HOOKER e WOODHOUSE).

40. [*estas palavras*]. Há muitas variantes nas testemunhas no registro destas palavras, e são omitidas no OS^sin; provavelmente sejam um esclarecimento posterior anexado por copistas.

o Profeta. Ver p. 288s.

42. *Escritura*. Mt 2,5-6 é outra testemunha da crença popular no 1º século de que o Messias haveria de nascer em Belém. A passagem citada em Mateus é Mq 5,2(1H). Ao mencionar Belém, esta passagem, originalmente, significava não mais que uma referência à origem davídica do líder ungido, mas em séculos subsequentes ela, aparentemente, foi tomada literalmente como uma predição de que o Messias realmente nasceria naquela vila. Entretanto, estranhamente, Mq 5,2 não aparece na literatura rabínica sobre o Messias até bem mais tarde.

onde viveu Davi. Há algum suporte menor nas versões para ler-se "de Davi", ou "onde ele viveu"; estas variantes levaram a SB = [La Saint Bible] a omitir a frase.

44. *Alguns deles*. Presumivelmente, da multidão; encontramos a mesma imprecisão no "eles" do v. 30.

mãos. No v. 30, o singular foi usado (traduzimos por "dedo"); aqui se usa o plural.

45. *quando a guarda do templo voltou*. Segundo a cronologia do v. 37, este é o quarto dia depois que foram enviados. Obviamente, o arranjo é artificial.

os principais sacerdotes e fariseus. Um só artigo governa dois substantivos, um detalhe que dá a impressão de que eles estão muito unidos nesta ação.

46. *falou como este*. Em Mt 7,29, as multidões galileias exclamaram que ele os ensinava como se tivesse autoridade, e não como os escribas.

48. *Sinédrio... fariseus*. Literalmente, Sinédrio equivale a "autoridades". Havia membros do partido dos fariseus no Sinédrio, aqui, porém, está implícito o partido geral dos fariseus. O v. 50 ressalta que, ironicamente, um do Sinédrio creu nele; ver também 12,42.

49. *esta plebe que nada sabe da Lei*. Ver StB, II, p. 494, para passagens rabínicas que atestam o desdém dos que eram educados na Lei para com o povo comum sem qualquer cultura (*'am hā'āreṣ*, "povo da terra") que às vezes eram displicentes quanto à Lei. Este "povo da terra" era contrastado com os "estudantes dos sábios", e *Pirqe Aboth*, 2,6, diz que os primeiros não podiam ser santos. (Os pobres que eram ignorantes da Lei já tinham tido problema no tempo de Jeremias – ver Jr 5,4, onde ele busca escusá-los). De fato, por certo que muitos dos fariseus não teriam partilhado deste desdém para com o povo.

e estão condenados. Pode ser que esta maldição esteja associada com passagens como Dt 37,26; 28,15; Sl 119,21, as quais amaldiçoam os que não se conformam com a Lei.

50. *Um de seu próprio número*. Esta frase está em outra ordem em alguns manuscritos, e está faltando em parte da tradição siríaca; é possível que seja uma glosa de esclarecimento.

(*o homem que viera ter ele*). Uma indicação adicional como "previamente", "de noite" ou "primeiro" aparece em muitas testemunhas, mas a variante sugere que estamos tratando com esclarecimentos de copistas. Este parêntese é um caso da prática joanina comum de identificar personagens já encontrados; ver 19,39.

51. *sem primeiro ouvi-lo*. (Há pouca evidência nas versões para omitirem "primeiro"). Ex 23,1 adverte contra falsas denúncias; Dt 1,16 tem uma orientação implícita de ouvir ambas as partes de um caso. O princípio rabínico se encontra nas palavras do Rabi Eleazar ben Pedath na *Midrásh Rabbah* sobre Ex 21,3: "A menos que um mortal ouça as alegações que um homem tenha a apresentar, esse não está apto a emitir juízo".

52. *examina*. As testemunhas da tradição ocidental acrescentam "as Escrituras"; é isto que está implícito, mas a frase é um esclarecimento de copistas.

o Profeta. A vasta maioria de testemunhas lê "um Profeta"; mas aceitamos a redação dos dois papiros Bodmer (ver SMOTHERS, *art. cit*.), pois o conceito joanino de *o* Profeta-como-Moisés poderia facilmente ter sido equivocado no processo de copiar. A redação mais comum sugere que nenhum profeta jamais viria da Galileia. Isto não foi assim no passado, pois Jonas era de Gate-Hefer, uma vila galileia (2Rs 14,25). Parece ainda ir contra a ideia posterior de que Israel não tinha cidade ou tribo da qual não viesse um profeta (TalBab *Sukkah* 27b).

COMENTÁRIO

O pano de fundo da festa dos Tabernáculos

Para entender o que Jesus diz em 7,37-38, e depois no capítulo 8, tem que se ter um conhecimento profundo da celebração da festa dos Tabernáculos. Esse tema tem sido tratado conveniente por G. W. MACRAE em CBQ 22 (1960), 251-76. No tempo de Jesus, esta era uma festa "especialmente sacra e importante para os hebreus" (JOSEFO, *Ant*. 7.4.1; 100). A importância da festa dos Tabernáculos pode ser traçada do período pré-exílio; pois a dedicação do templo de Salomão ocorreu na festa dos Tabernáculos (1Rs 8,2), e isto deu à festa uma relação especial com o templo.

A festa estava também associada com o triunfante "dia do Senhor". No contexto da festa dos Tabernáculos, Zc 9-14 descreve o triunfo de Iahweh: o rei messiânico vem a Jerusalém, triunfante e montado em um asno (9,9); Iahweh derrama um espírito de compaixão e súplica sobre Jerusalém (12,10); Ele abre uma fonte para a casa de Davi para purificar Jerusalém (13,1); águas vivas correm de Jerusalém para o Mediterrâneo e o Mar Morto (14,8); e, finalmente, quando todos os inimigos são destruídos, o povo sobe ano após ano a Jerusalém para observar corretamente a festa dos Tabernáculos (14,16). Nesta festa ideal dos Tabernáculos, em Jerusalém tudo é santo, e não há mais mercadores no templo (14,20-21). O leitor terá notado que o NT se vale de muitos destes temas de Zacarias, e mencionamos na respectiva nota que Zc 14 é provavelmente o pano de fundo não só para Jo 7,38, mas também para Ap 22. Em um artigo recente, C. W. F. SMITH mostrou o uso implícito do tema da festa dos Tabernáculos entre os judeus cristãos. O interesse messiânico na festa dos Tabernáculos persistiu nos séculos posteriores do judaísmo também. Uma declaração está associada com o 4º século a Rabi Abba bar Kahana (StB, II, p. 793), de que a festa mantém em si mesma a promessa do Messias. O pseudo-Messias Bar-Kochba (Ben Kosiba) usou símbolos da festa dos Tabernáculos em suas moedas na Segunda Revolta Judaica (132-35 d.C.).

De particular importância para nossos propósitos são as cerimônias que surgiram em conexão com a celebração com a festa dos Tabernáculos em Jerusalém. (Ver StB, II, pp. 774-812; JEREMIAS, TWNT, IV, pp. 281-82; e o comentário de BORNHAÜSERER sobre o tratado mishnáico *Sukkah* na edição Töpelmann). O antigo pano de fundo agrícola da festa dos Tabernáculos como sendo a festa da ceifa do outono a tornou adaptável a tornar-se a ocasião de orações por chuva. Os [festa dos] Tabernáculos se celebravam no final de setembro ou início de outubro; e se a chuva caía durante este tempo, isso era considerado como uma garantia de chuvas iniciais abundantes, tão necessárias para as férteis colheitas no ano seguinte. Ainda hoje, tão amargamente como os árabes da Jordânia odeiam os israelitas, não deixam de observar cuidadosamente para ver se a chuva cai durante a celebração israelita dos Tabernáculos como sinal do tempo por vir. Alinhado com esta crença, encontramos em Zc 10,1 instruções para oração pela chuva, e em 14,17 uma advertência de que não haverá chuva para aqueles que não forem a Jerusalém celebrar a festa ideal dos Tabernáculos. A fonte de águas que jorra de Jerusalém, mencionada acima como parte da visão de Zacarias, pode ser interpretada contra o pano de fundo de chuva abundante enviada por Deus durante os Tabernáculos.

Durante a festa, isto era dramatizado por uma cerimônia solene. Em cada uma das sete manhãs, uma procissão descia o monte Gion, do lado sudeste da colina do templo, cuja fonte fornecia as águas para o poço de Siloé. Ali um sacerdote enchia de água um cântaro de ouro, enquanto o coro repetia Is 12,3: "Com alegria tirareis água dos poços da salvação". Então a procissão subia ao templo pelo Portão da Água. As multidões acompanhantes levavam os símbolos dos Tabernáculos, a saber, na mão direita o *lulab*, que era um ramo de murta e brotos de salgueiro atados com palmas (uma reminiscência dos ramos usados para construir as tendas – ver nota sobre v. 2), e na mão esquerda o *ethrog*, que era um limão ou cidra que servia como sinal da colheita. Entoavam também os salmos Hallel (113-118). Quando chegavam ao altar dos holocaustos em frente do templo, andavam ao redor do altar acenando os *lulabs* e cantando o Sl 118,25. Então o sacerdote subia a rampa do altar para derramar água em um funil de prata de onde corria para o solo. No sétimo dia havia uma sétima caminhada em torno do altar.

Jesus, a Fonte de Água Viva (i.e., da Sabedoria e do Espírito: 7,37-39

Foi neste momento solene das cerimônias no sétimo dia que o mestre da Galileia ficou em pé no átrio do templo para proclamar solenemente que ele era a fonte de água viva (ver a respectiva nota para esta interpretação). Suas orações por água foram respondidas de uma maneira inesperada; a festa que continha em si a promessa do Messias se cumpriu. Zc 14,8 predizia que águas vivas jorrariam de Jerusalém, e Ez 47,1 via um rio fluindo da rocha debaixo do templo. Agora, porém, Jesus diz que estes rios de água viva fluirão de seu próprio corpo, aquele corpo que é o novo templo (2,21). Nas peregrinações pelo deserto que a festa evocava, Moisés saciara a sede dos israelitas ferindo a rocha da qual ele fez correr rios de água viva (Sl 78,16 – ver a respectiva nota). Ora, os que têm sede só necessitam de ir a Jesus, e pela fé a água da vida lhes pertencerá. Assim como o maná dado a seus ancestrais no deserto não fora o pão verdadeiro do céu (6,32), assim a água da rocha era apenas uma prefiguração da verdadeira água da vida que emana do Cordeiro (ver Ap 7,17; 22,1).

O que Jesus quer dizer por "água viva"? O v. 39 identifica a água como sendo o Espírito; mas o v. 39 tem um caráter de um parênteses e isso nos faz duvidar de que ele representa o significado primário de 37-38. Em nosso comentário, onde buscamos o pano de fundo bíblico proposto em 38, vimos que um número de textos da literatura sapiencial do AT pôde ser citado. Abstraindo do fato de que estes textos às vezes são defendidos pelos que pensam que o crente é a fonte dos mananciais de água, podemos, não obstante, usar tais textos em apoio da sugestão de que a água mencionada no v. 38 é passível de uma interpretação sapiencial. Nas pp. 394-395 vimos que a água viva de 4,10-14 se referia não só ao Espírito, mas também à revelação ou ensino de Jesus, e citamos textos do AT para estabelecer este ponto. Estes textos são aplicáveis também aqui, e nos levam a pensar que a água de 7,38 pode também referir-se à revelação de Jesus.

Há um número de detalhes no contexto imediato que confirma isto. Vimos que o tema de buscar e achar de 7,34 era um tema sapiencial (p. 570). É preciso notar que no v. 37 João diz que Jesus se pôs em pé e exclamou. Podemos chamar a atenção para as passagens em Provérbios onde a Sabedoria *entoa* seu convite aos homens (1,20; e 8,2-3, onde ela se põe em pé e canta). Em Pr 9,3ss. a Sabedoria convida os símplices: "Vinde, comei de meu alimento e bebei do vinho que eu misturei" (também Siraque 51,23); tais convites se assemelham ao de Jesus em 37-38. Somos lembrados ainda do convite para a obtenção de sabedoria em Is 55,1: "Todos os que têm sede, vinde às águas". Já mencionamos o uso em Qumran e círculos rabínicos de água (viva) como símbolo da Lei. Passagens do AT como Jr 2,13 podem ser re-interpretados à luz dessa simbologia: "Eles me abandonaram, a fonte de águas vivas e cavaram para si cisternas, cisternas rotas, que não podem reter a água". (De acordo com MISS GUILDING, p. 105, Jr 2 era um dos *haphtaroth* da sinagoga para a festa dos Tabernáculos, e muitos o têm citado em relação à citação bíblica de Jo 7,38). O simbolismo joanino onde a água flui do ventre de Jesus (ver nota sobre v. 38, "de seu interior") não oferece dificuldade a uma interpretação sapiencial da água; por exemplo, Sl 40,8 diz: "Vossa lei está em meu ventre". Assim, a apresentação que Jesus faz de sua revelação como água viva pode ser a modo de contraste com o pensamento judaico sobre a Lei. Há diversas referências à Lei neste mesmo capítulo de João (7,19.49).

Se a água é um símbolo da revelação que Jesus dá aos que creem nele, é também um símbolo do Espírito que o Jesus ressurreto dará, como v. 39 especifica. No momento de sua morte, Jesus renderá o Espírito (19,30), precisamente como água fluirá de seu lado (19,34). 1Jo 5,7 reúne os temas do Espírito, do sangue e água do lado de Jesus: "Há três testemunhas: o Espírito, a água e o sangue; e estes três são um só". Na p. 347 demos um número de textos do AT que usam a imagem de água para o derramamento do espírito de Deus. A estes podemos anexar Is 44,3, que, segundo MISS GUILDING, p. 105, poderia ter sido um *haphtarah* da sinagoga para o mês da festa dos Tabernáculos: "Eu derramarei água sobre a terra sedenta, e mananciais no solo seco; derramarei meu *espírito* sobre vossos descendentes". Em conexão com as cerimônias de água na festa dos Tabernáculos, o TalJer (*Sukkah* 55a) afirma que a parte dos recintos do templo percorridas durante a procissão com a água era chamada "Lugar da Extração", porque dali extraíam *o espírito santo*" (também *Midrásh Rabbah* 70,8 sobre Gn 29,1). Há uma interessante repercussão histórica secundária do simbolismo de que água como símbolo do Espírito Santo. Na respectiva nota mencionamos que a maioria dos padres orientais interpretava v. 38 no sentido de que o crente, não Jesus, era a fonte da água; uma razão para este ponto de vista era a controvérsia sobre as processões na Trindade em que os gregos mantinham que o Espírito Santo não procede do Filho.

• • •

Se a água de 7,37-39 simboliza tanto a revelação de Jesus como o Espírito (como também no cap. 4), porventura há um simbolismo batismal a ser descoberto nestes versículos? Obviamente, se a água se refere ao Espírito, não podemos simplesmente identificar esta água com a água batismal que *comunica o Espírito*. Não obstante, não somos avessos em ver aqui um amplo simbolismo sacramental, no sentido que esta passagem de João teria levado os leitores cristãos primitivos a pensar no batismo como vemos no capítulo 4 (ver p. 395). Como mencionamos, BRAUN, *JeanThéol*, 1, p. 150, pensam que este texto exerceu um papel na arte batismal primitiva das catacumbas. Pela maneira das indicações internas no seio do evangelho, há uma estreita relação entre 7,37-39 e 19,34; e o último tem uma significância batismal tão forte, que BULTMANN o trata como uma adição sacramental feita pelo Redator Eclesiástico. Além do mais, parece que a tipologia da rocha das peregrinações do êxodo já por detrás da citação bíblica no v. 39; e a Igreja primitiva recorre amplamente a tal tipologia do êxodo para explicar o batismo (epístolas paulinas; 1 Pedro).

Reações à declaração de Jesus (7,40-52)

A reivindicação de Jesus de dar água viva leva alguns dentre a multidão a pensar nele como o Profeta-como-Moisés. Isto é muito inteligível se a referência bíblica para o v. 39 é a cena onde Moisés feriu a rocha. Vimos em 6,14 que a semelhança entre o poder de Jesus em multiplicar pães e o de Moisés em fazer descer maná do céu levou a multidão a identificar Jesus como o Profeta. O mesmo tipo de semelhança está em ação aqui. Há uma passagem rabínica posterior na *Midrásh Rabbah* sobre Ecl 1,9 que é muito interessante neste aspecto:

"Como o primeiro redentor [Moisés] fez também ressuscitar, assim o último Redentor fará subir água, como se declara: 'E uma fonte jorrará da casa do Senhor...'". (Jl 3 [IVH] 18).

Outros identificam Jesus como o Messias. Esta expectativa se enquadra bem no colorido messiânico que a festa dos Tabernáculos havia adquirido (ver respectiva nota). Lembramos que o importante pano de fundo em Zacarias mencionou uma fonte para *a casa de Davi* (13,1; também 12,10). A objeção que é suscitada contra Jesus ser o Messias indica que em Jerusalém não havia conhecimento de que Jesus realmente nascesse em Belém, uma indicação que é difícil conciliar com Mt 2,3, onde "toda Jerusalém" fica agitada pelo nascimento da criança. Alguns comentaristas transfeririam a ignorância do nascimento de Jesus em Belém da multidão para o evangelista. Mantêm que o silêncio de João em não oferecer uma refutação à objeção no v. 42 significa que o autor não conhecia a tradição da recolocação do nascimento de Jesus como encontrado em Lucas e Mateus. Todavia, este argumento do silêncio não é convincente. Havia duas teorias sobre o Messias (ver supra, p. 233), e ambas são exemplificadas no capítulo 7. No v. 27, a objeção contra Jesus ser o Messias provém da teoria do Messias oculto. O povo crê que sabe de onde é Jesus (Galileia), mas ironicamente está equivocado; ele é do céu, e não têm tal conhecimento. Portanto, Jesus é desconhecido e pode bem ser o Messias oculto. No v. 42, a objeção sobre Jesus ser o Messias provém da descendência davídica do Messias. O povo crê que sabe que Jesus nasceu em Nazaré, mas ironicamente está equivocado: ele nasceu em Belém. Portanto, Jesus pode ser o esperado Messias davídico. Portanto, sobre a base do paralelismo entre 27 e 42, cremos que o evangelista conhecia perfeitamente bem a tradição de que Jesus nasceu em Belém. Visto que ele esperasse que esta tradição seria conhecida de seus leitores, o equívoco dos judeus no v. 42 lhes seria aparente, precisamente como foi o equívoco no v. 27. Entretanto, admito francamente que as outras interpretações do silêncio do evangelista sobre a questão da recolocação do nascimento de Jesus são possíveis, de modo que não se pode reivindicar com certeza nenhuma solução definitiva.

Nos vs. 45-52 João nos dá um esboço literário da frustração e impotência das autoridades do Sinédrio, quando se defrontaram com Jesus. Jesus conseguiu recrutar seguidores entre as multidões; a guarda do templo fica atônita; e inclusive um dos membros do Sinédrio faz uma defesa de Jesus. A única coisa que resta às autoridades está no *argumentum ad hominem* e o sarcasmo (52) que encerra a cena. Em 1,46, Natanael havia também escarnecido das origens galileias de Jesus; porém fora bastante sincero em vir e ver por si mesmo, e ele descobriu, pela fé, o que estivera buscando. Entretanto, quando as autoridades do Sinédrio escarneceram as origens galileias de Jesus e são convidadas a ouvir Jesus falar de si mesmo, fazem ouvido mouco. Este é o mesmo tema que encontraremos no capítulo 9: os fariseus são cegos porque se recusam a ver. É interessante notar que, enquanto os autores neotestamentários são hostis ao Sinédrio, de tempos em tempos salientam a presença de homens serenos e honestos nesta assembléia: aqui, Nicodemos; em At 5,34, Gamaliel.

Antes de concluirmos o capítulo 7, é nosso dever salientar que a segunda parte da Cena I, isto é, 25-36, e a Cena II (37-52) partilham um grande número de paralelos na reação das multidões e das autoridades contra Jesus. Evidentemente, existe aqui alguma duplicação, e uma vez mais podemos estar lidando com duplicata de relatos joaninos da mesma cena.

Cena Ib (25-36)		*Cena II (37-52)*
25	As declarações de Jesus leva alguns do povo ou multidão a emitir sobre ele algum juízo.	40
26-27	A questão de se ele é o Messias e uma objeção.	41-42
30	Um grupo vagamente definido quer prendê-lo, mas ninguém pode deitar-lhe sequer um dedo ou mão.	44
31	Suas obras ou suas palavras impactam grandemente a alguns.	46
32	O princípio e a conclusão da tentativa da polícia do templo de prendê-lo.	45-49

BIBLIOGRAFIA

AUDET, J.-P., *"La soif, l'eau et la parole"*, RB 66 (1959), 379-86.

BLENKINSOPP, J., *"John vii 37-39: Another Note on a Notorious Crux"*, NTS 6 (1959-66), 95-98.

_____ *"The Quenching of Thirst: Reflections on the Utterance in the Temple, John 7:37-9"*, Scripture 12 (1960), 39-40.

BOISMARD, M.-E., *"De son ventre couleront des fleuves d'eau (Jo., VII, 38)"*, RB 65 (1958), 523-46.

_____ *"Les citations targumiques dans le quatrième évangile"*, RB 66 (1959), especialmente pp. 374-76 sobre 7,37-38.

CORTÉS QUIRANT, J., *"'Torrentes de agua viva'". Una nueva interpretación de Juan 7, 37-39?"* EstBib 16 (1957), 279-306.

DANIÉLOU, J., *"Joh. 7, 38 et Ezéch. 47, 1-11"*, StEv, II, pp. 158-63.

FEUILLET, A., *"Les fleuves d'eau vive"*, Parole de Dieu et sacerdoce (Weber volume; Tournai: 1962), pp. 107-20.

GRELOT, P., *"'De son ventre couleront des fleuves d'eau'. La citation scripturaire de Jean, VII, 38"*, RB 66 (1959), 369-74.

_____ *"A propos de Jean, VII, 38"*, RB 67 (1960), 224-25.

_____ *"Jean, VII, 38: eau du rocher ou source du Temple"*, RB 70 (1963), 43-51.

HOOKE, S. H., *"'The Spirit was not yet'"*. NTS 9 (1962-63), 372-80.

KILPATRICK, G. D., *"The Punctuation of John vii 37-38"*, JTS 11 (1960), 340-42.

KOHLER, M., *"Des fleuves d'eau vive. Exégèse de Jean 7:37-39"*, Revue de Théologie et de Philosophie 10 (1960), 188-201.

KUHN, K. H., *"St. John vii, 37-38"*, NTS 4 (1957-58), 63-65.

RAHNER, Hugo, *"Flumina de ventre Christi. Die patristische Auslegung Von Joh. 7, 37-38"*, Bib 22 (1941), 269-302, 367-403.

SMITH, C. W. F., *"Tabernacles in the Fourth Gospel and Mark"*, NTS 9 (1962-63), 130-46.

SMOTHERS, E. R., *"Two Readings in Papyrus Bodmer II"*, HTR 51 (1958), 109-11 on vii 52.

WOODHOUSE, H. F., *"Hard Sayings – ix. John 7. 39"*, Theology 67 (1964), 310-12.

30. O RELATO DA MULHER ADÚLTERA
(7,53; 8,1-11)

Uma interpolação não joanina

[⁷ ⁵³Então cada um foi para sua própria casa, ⁸ ¹enquanto Jesus saiu para o monte das Oliveiras. ²Mas de manhã bem cedo ele tornou a aparecer nos recintos do templo; e quando todo o povo começou a ir ter com ele, então assentou-se e passou a ensiná-los. ³Então os escribas e os fariseus apresentaram uma mulher que fora apanhada em adultério, e a puseram em pé ali diante de todos. ⁴"Mestre", disseram-lhe, "esta mulher foi apanhada no próprio ato de adultério. ⁵Ora, na Lei Moisés ordenou que tais mulheres sejam apedrejadas. Tu, porém, o que tens a dizer a respeito?" (⁶Propuseram esta questão para enredá-lo a fim de terem algo para acusá-lo). Jesus, porém, simplesmente abaixou-se e passou a desenhar no chão com seu dedo. ⁷Quando persistiram em seu questionamento, ele se ergueu e disse-lhes: "O homem entre vós que não tem pecado – seja o primeiro a lançar-lhe uma pedra". ⁸E abaixou-se outra vez e começou a escrever no chão. ⁹Eles, porém, ouvindo isto foram-se retirando um após o outro, começando com os anciãos; e foi deixado sozinho com a mulher ainda ali diante dele. ¹⁰Então Jesus, erguendo-se, disse-lhe: "Mulher, onde estão todos? Ninguém te condenou?" ¹¹"Ninguém, senhor", respondeu ela. Jesus disse: "Nem eu te condeno. Vai e doravante não peques mais".]

3: *apresentaram*; 4: *disseram*. No tempo presente histórico.

NOTAS

7.53. *cada um foi*. A situação pressuposta neste relato independente em princípio, parece ser uma em que Jesus esteve ensinando diariamente nos recintos do templo ("outra vez" no v. 2). Esta situação se encontra nos relatos sinóticos dos últimos dias de Jesus em Jerusalém (Lc 20,1; 21,1.37; 22,53).

8.1. *Monte das Oliveiras*. Este nome, que ocorre três ou quatro vezes em cada sinótico, se encontra somente aqui em João. Lc 21,37 diz que durante os últimos dias de sua vida Jesus buscava abrigo no Monte das Oliveiras.

2. *de manhã bem cedo*. Sem o artigo, ocorre em outro lugar no NT somente em Lucas e Atos. Lc 21,38 diz que de manhã bem cedo todo o povo veio aos recintos do templo para ouvi-lo.

assentou-se e passou a ensiná-los. Ver nota sobre 6,3.

3. *os escribas*. Mencionados somente aqui em João; a combinação "os escribas e os fariseus" é bem comum na tradição sinótica. Não temos que distinguir entre os dois grupos como se estes fossem os escribas que não pertenciam ao partido dos fariseus. Uns poucos manuscritos dizem "os principais sacerdotes", em vez de "os escribas" sob a influência de 7,32.

uma mulher. Uma mulher casada, estando em pauta o adultério na Lei com infidelidade por parte da *esposa*, e não com atividades entre um homem casado e mulheres solteiras.

apanhada em adultério. O Codex Bezae diz "em pecado", um eco do relato da mulher no *Evangelho Segundo os Hebreus*; ver comentário. Como o v. 4 indica, a mulher foi apanhada no próprio ato de relação sexual. DERRETT, pp. 4-5, defende a tese de que, segundo Dt 19,15, tinha de haver ao menos duas testemunhas da ação, com exclusão do esposo. Nada se menciona de seu amante, que teria escapado. A história deuterocanônica de Susana (Vulgata = Dn 13) oferece um bom paralelo para tudo isto, p. ex., vs. 36-40.

em pé ali diante de todos. Esta é a posição para o comparecer em juízo em At 4,7.

4. *Mestre*. Este é a forma normal na tradição sinótica; em João, é especificamente uma tradução de "Rabi" (1,38). DERRETT, p. 3, pode estar certo em dizer que, a despeito da saldação, eles se dirigem a Jesus mais na qualidade de profeta do que na de rabi ou expert sobre a Lei.

5. *sejam apedrejadas*. Lv 20,10 ordena a pena de morte, porém deixa a forma sem especificar. Dt 22,21 especifica o apedrejamento como a punição para a falta de castidade da parte da mulher que está noiva, e isto tem levado muitos a sugerir que a mulher no relato de João estava noiva, não uma mulher casada que participa da vida doméstica com seu esposo. Entretanto, como Ez 16,38-40 mostra, o apedrejamento era a forma normal

da pena de morte para todos os tipos de adultério; a LXX, sobre a história de Susana (v. 62), menciona a morte por esmagamento em ou por apedrejamento. BLINZLER, *art. cit.*, ao contrário, tem mostrado conclusivamente que o apedrejamento estava em vigor nos dias de Jesus, e que somente mais tarde os fariseus adotaram a estrangulamento como a punição por adultério.

6. *propuseram esta questão para enredá-lo*. O texto grego é quase o mesmo de Jo 6,6 (ver nota ali).

a fim de terem algo para acusá-lo. Quase o mesmo grego se encontra em Lc 6,7.

desenhar. O verbo pode significar "escrever" ou "registrar"; o verbo simples "escrever" se encontra no v. 8. O que Jesus desenhava no chão com seu dedo? Há muitas sugestões: (*a*) Uma tradição que retrocede a JERÔNIMO e que encontrou seu caminho em um manuscrito armênio do evangelho do 10º século é que ele escrevia os pecados dos acusadores. Isto é mais apropriado para a escrita no v. 8, a menos que pensemos que ele escrevia a mesma coisa ambas as vezes. (*b*) MANSON, *art. cit.*, tem chamado a atenção para o fato de que na prática romana legal o juiz primeiro escrevia a sentença em então a lia em voz alta. Assim, pode ser que na ação descrita no v. 6 Jesus escreveu a sentença que enunciaria em 7; então, no 8, ele é descrito como a escrever o que diria em 11. Todavia, os fariseus podiam ler; e se ele escreveu a decisão como descrita em 6, então 7 é de difícil explicação. S. DANIEL, segundo o resumo de NTA 2 (1958), 553, também pensa que a escrita com o dedo deve conectar-se com julgamento e cita o paralelo do manuscrito na parede em Dn 5,24. (*c*) Outros pensam que a ação de Jesus é a representação de Jr 17,13: "Os que se desviam de ti serão escritos na terra, pois que abandonaram o Senhor, a fonte de água viva". (*d*) DERRETT, pp. 16-22, pensa que, segundo o v. 6, Jesus escreveu as palavras de Ex 23,1b: "e *não porás a tua mão com o ímpio* (para ser uma testemunha maliciosa)". As palavras em itálico se adequam ao número de letras que Jesus poderia ter escrito em sua posição inclinada sem mudar a postura, e o texto se adequa à situação que DERRETT tem conjeturado que o esposo havia tramado para ter testemunhas que flagrassem sua esposa. Ver abaixo sobre v. 8. (*e*) Aí permanece a possibilidade muito mais simples de que Jesus estava simplesmente traçando linhas no chão enquanto pensava, ou quisesse mostrar imperturbabilidade, ou conter seus sentimentos de desgosto ante o violento zelo exibido pelos acusadores. POWER, *Bib* 2 (1921), 54-57, dá um número de exemplos da literatura rabínica para ilustrar o costume semítico de rabiscar no chão quando perturbado. Para mais pontos de vista, ver DERRETT, p. 16[4].

Simplesmente não há evidência suficiente para endossar conclusivamente qualquer destas conjeturas; e por outro lado, cabe pensar que, se a questão fosse da máxima importância, o conteúdo da escrita teria sido registrado.

7. *O homem. ... lançar-lhe uma pedra*. Dt 17,7 reconhece que as testemunhas contra o acusado têm a especial responsabilidade por sua morte. O Tal-Bab *Soṭah* 47b cita o princípio de que o teste da água para provar a culpa ou inocência da esposa só será eficaz se o próprio esposo está isento de culpa. Esta passagem no v. 7 tem particular significado na conjetura de DERRETT, (*d*) acima, onde o esposo demonstrou cupidez e ciúme em enredar a esposa, e as testemunhas tenham consentido em apanhá-la.

8. *escrever*. DERRETT, pp. 23-25, mantém que ele escreveu outra vez de Ex 23; desta vez, foi o v. 7a: "*Não admitirás falso boato* (e não matarás o inocente e o justo, pois não absolverei o culpado)". Ao obter a absolvição de Susana, Daniel cita esta passagem de Êxodo (Susana 53).

9. *ouvindo isto*. Algumas testemunhas menos importantes acrescentam: "convencidos por sua consciência".

   começando com. Isto simplesmente pode significar "incluindo".

   anciãos. Há várias tentativas, nas testemunhas textuais, de terminar esta frase: "e continuando até os últimos"; "de modo que se foram".

10. *erguendo-se*. Alguns manuscritos menos importantes acrescentam: "e não vendo ninguém, senão a mulher".

    onde estão todos? Surpreso? Ou sarcasmo gentil?

    Ninguém te condenou? As testemunhas e os acusadores se foram; o caso cai por terra. Aqui, o verbo "condenar" é o verbo técnico *katakrinein*; em outros lugares João sempre usa o *krinein* mais ambíguo (ver nota sobre 3,17).

11. *não peques mais*. Literalmente, "não voltes a cometer mais este", como em 5,14. Mas, enquanto a diretiva era geral ali (não se mencionou nenhum pecado particular), aqui está implícita a atividade amorosa adulterina. O "não mais" é um tanto tautológico depois do "doravante".

COMENTÁRIO

Problemas de autoria e de canonicidade

Estes problemas devem ser tratados como uma série de questões distintas. A primeira questão é se o relato da mulher adúltera era parte do evangelho original segundo João ou se foi inserido em um período posterior. A resposta a esta questão é obviamente que esta foi uma inserção ulterior. Esta passagem não se encontra em qualquer uma das importantes testemunhas textuais gregas primitivas de procedência oriental (p. ex., em nenhum papiro Bodmer); nem se encontra no OS ou na versão Cóptica. Não há nesta passagem nenhum comentário feito por escritores gregos sobre João no primeiro milênio cristão, e só é a partir de 900 que ela começa a aparecer no texto grego padrão. A evidência em prol da passagem como parte da Escritura, nos primeiros séculos, se restringe à Igreja ocidental. Ela aparece em alguns textos OL dos evangelhos. AMBRÓSIO e AGOSTINHO queriam que fosse lida como parte do evangelho, e JERÔNIMO a incluiu na Vulgata. Ela aparece no Codex Bezae greco-latino do 5º século.

Não obstante, pode-se argumentar plausivelmente que o relato teve suas origens no Oriente e realmente é antiga (ver SCHILLING, *art. cit.*). EUSÉBIO (*Hist.* 3, 39:17; GCS 9¹:292) diz: "PAPIAS relata outra história de uma mulher que foi acusada de muitos pecados diante do Senhor, a qual está contida no *Evangelho Segundo os Hebreus*". Se esta é a mesma história daquela adúltera, a referência apontaria para origens palestinas primitivas; mas não podemos estar certos de que nosso relato é aquele implícito. A *Didascalia Apostolorum* do 3º século (2, 24:6; FUNK ed., 1, 93) dá uma clara referência ao relato da mulher adúltera e a usa como um exemplo presumivelmente bem conhecido da brandura de nosso Senhor; esta obra é de origem siríaca, e a referência significa que o relato era bem conhecido (porém não necessariamente como bíblico) na Síria no 2º século. Do ponto de vista da crítica interna, o relato é bem plausível e bem semelhante a de outros relatos evangélicos das tentativas de provocar Jesus (Lc 20,20.27). Não há nada no relato em si ou sua linguagem que nos proibiria de pensar nele como um relato primitivo concernente a Jesus. BECKER argumenta energicamente em prol desta tese.

Se o relato da mulher adúltera foi uma antiga história sobre Jesus, por que ela não se tornaria imediatamente parte dos evangelhos aceitos? RIESENFELD tem feito uma explicação mais plausível da demora na aceitação deste relato. A facilidade com que Jesus perdoou a adúltera foi difícil de conciliar com a o tema da disciplina penitencial em voga na Igreja primitiva. Somente quando uma prática penitencial mais liberal foi solidamente estabelecida que este relato recebeu ampla aceitação. (RIESENFELD traça sua aceitação litúrgica até o 5º século como uma leitura para a festa de Stª Pelágia).

A *segunda* questão é se o relato é ou não de origem joanina. O fato de que o relato foi anexado ao evangelho só em um período posterior não exclui a possibilidade de que estamos tratando de uma narrativa extraviada composta nos círculos joaninos. O texto grego do relato exibe um número de redações variantes (oriundas do fato de que a princípio ela não foi plenamente aceita), mas em geral o estilo não é joanino seja no vocabulário, seja na gramática. Estilisticamente, o relato é mais lucano do que joanino.

Tampouco é o manuscrito evidência unânime em associar o relato com João. Um importante grupo de testemunhas coloca o relato depois de Lc 21,38, uma localização que seria muito mais apropriada do que a presente posição do relato em João, onde ela interrompe a sequência dos discursos [na festa] dos Tabernáculos.

Se o relato não foi de origem joanina, e realmente está fora de lugar, o que propiciou sua localização depois de Jo 7,52? (Na realidade, umas poucas testemunhas a colocam em outro lugar em João: depois de 7,36 ou no final do evangelho). Há diversos pontos de vista. MISS GUILDING, pp. 110-12, 214[1], explica a situação da passagem tanto em João como em Lucas sobre a base de sua teoria do ciclo lecionário. SCHILLING, p. 97ss., insistindo sobre o paralelo com a história de Susana, chama a atenção para ecos de Daniel em João, e assim faz de Daniel a motivação decisiva para a introdução do relato da mulher adúltera em João. Uma explicação mais correta para a localização do relato no contexto geral de Jo 7 e 8 pode ser encontrada no fato de que ele ilustra certas declarações de Jesus naqueles capítulos, por exemplo, 8,15: "Eu a ninguém julgo"; 8,46: "Pode algum de vós convencer-me de pecado?" DERRETT, p. 1[3], o qual pensa que a chave para o relato está na indignidade dos acusadores e das testemunhas, salienta que o tema da admissibilidade da evidência se mostra no contexto imediato de 7,51 e 8,13. HOSKYNS, p. 571, traz a lume uma verdade quando diz que, enquanto o relato pode estar textualmente fora de lugar, do ponto de vista teológico ele se encaixa no tema do julgamento do capítulo 8.

A *terceira* questão é se o relato é ou não canônico. Para alguns, esta questão já teria sido respondida acima, posto que, a seu modo de ver, o fato mesmo de que seja uma adição posterior, de origem não joanina, significa que o relato não pode ser canônico (mesmo quando seja um relato antigo e genuíno). Para outros, canonicidade é uma questão de aceitação e uso eclesiásticos tradicionais. Assim, na Igreja Católica

Romana, o critério de canonicidade é sua aceitação na Vulgata, pois a Igreja tem usado a Vulgata como sua Bíblia durante séculos. O relato da mulher adúltera foi aceito por JERÔNIMO, e por isso os católicos o consideram como canônico. Ele encontrou também seu caminho para o texto recebido da Igreja Bizantina, e finalmente na Bíblia King James. E assim a maioria dos cristãos não católicos romanos também aceita o relato como bíblico.

O significado do Relato

Nenhuma defesa é necessária para a inserção deste relato, por algum tempo, o qual encontrou seu caminho para o Quarto Evangelho e alguns manuscritos de Lucas, pois em qualidade e beleza ele é digno de ambos. Sua expressão sucinta da misericórdia de Jesus é tão delicada como tudo em Lucas; o perfil que ele traça de Jesus como um sereno juiz possui toda a majestade que esperaríamos de João. O momento em que a mulher pecadora é confrontada com o Jesus impecável constitui um drama inusitado, um drama lindamente captado na sucinta fórmula latina em AGOSTINHO: *relicit sunt duo, misera et misericordia* (*In Jo.* 33,5; PL 35:1650). E o delicado equilíbrio entre a justiça de Jesus em não tolerar o pecado e sua misericórdia em perdoar o pecador é uma das grandes lições evangélicas.

O relato nos apresenta várias questões. A mais difícil diz respeito à razão por que os escribas e fariseus levaram a mulher a Jesus. Ela está sendo levada a ele para ser julgada ou apenas para receber a sentença? JEREMIAS, *art. cit.*, sugere que ela já fora julgada e sentenciada pelo Sinédrio, e que Jesus estava apenas sendo interrogado para decidir a punição. Entretanto, a pergunta no v. 10, "Alguém te condenou?", parece opor-se contra esta explicação. E parece improvável que, depois de um julgamento regular pela suprema corte do país, a sentença seria deixada para um pregador itinerante. Ou, se a sentença foi passada, dificilmente se pode crer que a Jesus se permitiria ab-rogá-la.

Outros creem que a mulher ainda não tinha sido submetida à juízo porque o Sinédrio havia perdido sua competência em casos capitais. Como veremos na discussão de 18,31, há uma tradição que data do ano 30 que diz que os romanos tiraram do Sinédrio o direito de impor pena capital. Se este relato se deu ou não depois da ação romana, e se a tradição é ou não correta, é difícil de decidir. O Quarto Evangelho indica que o Sinédrio não tinha o poder de execução, mas os outros escritos neotestamentários não são claros sobre isso; e posto que o relato da mulher adúltera não aparente ser de origem joanina, não podemos reconstruir a situação visualizada no relato, provando com base na atitude geral do Quarto Evangelho. Não obstante, se o Sinédrio não era apto a julgar e executar a mulher, então a razão para levá-la a Jesus e a natureza da trama envolvida se tornam claras. Se ele decide o caso em favor da mulher e a libera, assim violenta as claras prescrições da lei mosaica; se ordena que fosse apedrejada, estaria em franca oposição aos romanos. Este dilema seria similar àquele da moeda romana em Mc 12,13-17.

DERRETT, pp. 10-16, tem outra sugestão. Ele crê que, a despeito da proibição romana, os fariseus e a plebe estão dispostas exercer a lei do linchamento e apedrejar a mulher. Estavam inflamados com o zelo de Fineias (Nm 25,6-18), uma figura admirada no judaísmo tardio (1Mc 2,26). Mas havia certa dúvida na lei, e por esta razão saíram em busca de Jesus. Era necessário que a mulher fosse advertida sobre a punição que seu pecado acarretaria? Encontramos um caso semelhante onde um disputado problema legal é levado a Jesus em Mt 19,3. Uma resposta direta por Jesus, no caso de a mulher o envolver numa disputa legal e pô-lo em dificuldade com os romanos. De acordo com DERRETT (ver notas sobre vs. 6, 8), Jesus evitou uma decisão direta, citando Ex 23 e, assim, lembrando as autoridades, demasiadamente zelosas, que seu caso não era conforme a lei. A interpretação que DERRETT dá da cena é altamente engenhosa, porém não passa de uma hipótese.

Um problema ainda mais prático no relato da mulher adúltera diz respeito ao princípio enunciado por Jesus no v. 7: "O homem entre vós que não tem pecado – seja o primeiro a lançar-lhe pedra". Alguns têm usado isto para pintar seu retrato do Cristo liberal e convertê-lo em uma justificação piegas pela indiferença para com os pecados sexuais. Todavia, Jesus não está dizendo que todo magistrado deve ser sem pecado para julgar outros, um princípio que anularia o ofício de juiz. Aqui ele está lidando com zelotes que têm tomado sobre si de impor por força o cumprimento da Lei, e tem todo o direito de exigir que seu caso seja totalmente lícito e seus motivos sejam honestos. Ele reconhece que, embora sejam zelosos pela palavra da Lei, não estão interessados no propósito da Lei, pois o estado espiritual da mulher nem mesmo está em questão, ou se ela está ou não arrependida. Além do mais, Jesus sabe que a estão usando como uma manobra para enredá-lo. Ainda mais, se DERRETT está certo, o marido da mulher poderia ter cinicamente montado tudo para apanhá-la, organizando cuidadosamente de antemão para que houvesse testemunhas de seu pecado, em vez de reconquistar seu amor. Os vis motivos dos juízes, do marido e das testemunhas não são consoantes à Lei, e Jesus tem todo o direito de desafiar a tentativa deles de garantir a condenação da mulher. Entendido à luz destas circunstâncias, o v. 7 faz sentido. Mas é preciso precaver-se das tentativas de fazer dele uma norma geral, proibindo a promulgação da pena capital.

BIBLIOGRAFIA

BECKER, U., *Jesus und die Ehebrecherin* (Beihefte zur ZNW, No. 28; Berlin: Töpelmann, 1963).
BLINZLER, J., "*Die Strafe für Ehebruch in Bibel und Halacha zur Auslegung von Joh. viii 5*", NTS 4 (1957-58), 32-47.
DERRETT, J. D. M., "*Law in the New Testament: The Story of the Woman Taken in Adultery*", NTS 10 (1963-64), 1-26. Abbreviated in StEv, II, pp. 170-73.
JEREMIAS, J., "*Zur Geschichtlichkeit der Verhörs Jesu vor dem Hohen Rat*", ZNW 43 (1950-51), especialmente pp. 148-50.
MANSON, T. W., "*The Pericope de Adultera (Joh 7, 53-8, 11)*", ZNW 44 (1952-53), 255-56.
RIESENFELD, H., "*Die Perikope Von der Ehebrecherin in der frühkirchlichen Tradition*", Svensk Exegetisk Arsbok 17 (1952), 106-11.
SCHILLING, F. A., "*The Story of Jesus and the Adulteress*", ATR 37 (1955), 91-106.

31. JESUS NA FESTA DOS TABERNÁCULOS: – CENA III
(8,12-20)

Discursos Mistos

a. Jesus como a luz do mundo; o testemunho que Jesus dá de si mesmo. Discurso enunciado junto ao tesouro do templo

8 ¹²Então Jesus lhes falou outra vez:

"Eu sou a luz do mundo.
Quem me segue não andará nas trevas;
mas terá a luz da vida".

¹³Isto levou os fariseus a objetarem: "Tu dás testemunho de ti mesmo, e teu testemunho não é válido". ¹⁴Jesus respondeu:

"Ainda que eu seja minha própria testemunha,
meu testemunho é válido,
porque eu sei de onde vim e para onde estou indo.
Vós, porém, não sabeis de onde eu vim nem para onde estou indo.
¹⁵Vós julgais segundo os padrões humanos,
eu a ninguém julgo.
¹⁶Todavia, ainda que eu julgasse,
esse meu juízo é verdadeiro,
porque eu não estou só –
mas comigo está Aquele [o Pai] que me enviou.
¹⁷Porque em vossa própria Lei se declara
que o testemunho dado por duas pessoas é verdadeiro.

¹⁸Eu sou testemunho de mim mesmo,
e também o Pai, que me enviou, dá testemunho de mim".

¹⁹Então lhe perguntaram: "Onde está este teu 'pai'?"Jesus replicou:

"Vós não me reconheceis, nem a meu Pai.
Se me reconhecêsseis, também reconheceríeis a meu Pai".

²⁰Ele falou estas palavras enquanto ensinava junto ao tesouro do templo. Todavia, ninguém o prendeu, porque sua hora ainda não havia chegado.

NOTAS

8.12. *lhes falou*. Esta é uma referência vaga, visto que (se visualizarmos no relato interpolado da mulher adúltera) Jesus não falava desde 7,38, onde parece ter-se dirigido à multidão de peregrinos nos recintos do templo. Agora ele se encontra outra vez na área do templo (ver v. 20), e é possível que esteja se dirigindo mais uma vez à multidão. Entretanto, muito estranhamente, "a multidão" que foi mencionada oito vezes no capítulo 7 já não é mencionada no capítulo 8 (e de fato não até o cap. 11,42). É também possível que o "lhes" se refira aos fariseus. Se 8,12 seguiu imediatamente 7,52, os fariseus eram o último grupo a ser mencionado (7,47), e serão mencionados outra vez no versículo seguinte.

luz do mundo. Em Mt 5,14 os discípulos são informados: "Vós sois a luz do mundo". Não há contradição aqui, pois os discípulos são a luz do mundo somente enquanto refletem Jesus.

andará nas trevas... a luz da vida. Qual é o pano de fundo deste contraste dualístico entre trevas e luz? No AT ouvimos de "luz da vida", i.e., a luz que dá vida (Sl 56,13; Jó 33,30). O Sl 27,1 diz: "O Senhor é minha luz"; Baruque 5,9 diz: "Deus guiará Israel com júbilo, pela luz de Sua glória". Todavia, no AT luz e trevas não são opostos como princípios do bem e do mal como o são em João; e para essa oposição dualística os Rolos do Mar Morto oferecem um paralelo muito melhor para o uso joanino. Os essênios de Qumran são os filhos da luz; seus corações foram iluminados com a sabedoria da vida (1QS 2,3); e podem contemplar "a luz da vida" (i.e., a interpretação que Qumran faz da Lei – 1QS 3,7). O bom espírito que guia sua vida é chamado, entre outros títulos, "o príncipe das luzes", enquanto o mau espírito que luta contra eles é "o anjo das trevas" (3,20-21), e os homens *andam* segundo um ou outro destes espíritos de luz e trevas. Ver H. BRAUN, ThR 28 (1962), 218-20, para discussão e bibliografia. Como observação final podemos mencionar que a atual sequência nos manuscritos de João, onde 8,12 segue o relato da mulher adúltera, é interessante quando comparado com 1QS 3,6-7, que fala de "o perdão de pecados para que vejam a luz da vida".

13. *teu testemunho não é válido*. Para esta objeção e a resposta de Jesus, ver as notas sobre 5,31. A *Mishná Kethuboth* 3:9 reza: "Nenhum homem pode aduzir testemunho em prol de si mesmo".

14. *meu testemunho é válido*. Esta é uma contradição formal de 5,31: "Se sou minha própria testemunha, meu testemunho *não* pode ser válido". Todavia, a ideia em ambos os versículos é realmente a mesma: seu testemunho é válido porque seu Pai está por detrás dele (comparar 5,32 e 8,16.18).

15. *julgais segundo os padrões humanos*. Literalmente, "segundo a carne"; este é outro caso implícito do dualismo entre os mundos da carne e o espírito que vimos em 3,16 e 6,63. Em 1Cor 1,26 e 2Cor 5,16, Paulo usa a expressão "segundo a carne" como um falso padrão de julgamento. Lembramos que em Jo 7,24 Jesus advertiu a multidão que não julgasse pelas aparências.

eu a ninguém julgo. (Este versículo pode ter inspirado a inserção do relato da mulher adúltera em sua presente posição). WIKENHAUSER, p. 168, crê que isto significa: "a ninguém julgo segundo a carne"; todavia, há um número de afirmações em que Jesus nega que é juiz, sem tais qualificações, e é duvidoso se a qualificação está implícita aqui. Uma solução mais plausível é a sugerida por LOISY, p. 288, de que há dois tipos diferentes de julgamento envolvidos nas duas frases do v. 15. O julgamento dos fariseus é o de avaliação; enquanto que o julgamento de Jesus é o julgamento que situa no plano de salvação e condenação. Ver comentário.

16. *verdadeiro*. Isto é *alēthinos* (que amiúde traduzimos por "verdadeiro" – ver Apêndice I:2, p. 794ss); nos vs. 13 e 14, a questão era de o testemunho ser "verificado" (*alēthēs*, "verdadeiro"), e a palavra retorna no v. 17. João nem sempre mantém distintos *alēthēs* e *alēthinos*.

mas comigo está Aquele [o Pai] que me enviou. Literalmente, "mas eu e Aquele que me enviou". DODD, *Interpretation*, pp. 94-96, salienta que a divina afirmação *egō eimi*, "Eu sou [Ele]", que exerce um importante papel em João (ver Apêndice IV, p. 841ss), frequentemente aparece na forma hebraica pós-bíblica "eu e ele". De fato, há evidência de que a segunda forma foi usada na festa dos Tabernáculos na cerimônia de dar voltas em torno do altar (ver p. 583 acima). "Eu e ele" parece sublinhar a quase identidade de Deus e Seu povo. Assim, segundo Dodd, ao dizer "comigo está Aquele que me enviou", Jesus está usando uma forma do nome divino e implicando sua solidariedade com seu Pai.

[*o Pai*]. Esta leitura (omitida em Sinaiticus*, Bezae e OS) é endossada por testemunhas significativas, incluindo P⁶⁶ e P⁷⁵. Bernard, I, p. 296, entretanto, sugere que é um empréstimo que o copista tomou do v. 18.

17. *vossa própria Lei*. Para esta aparente dissociação de Jesus da herança judaica, ver nota sobre 7,19. Charlier, p. 506, insiste que a função real do "vossa" não é expressar qualquer hostilidade ou superioridade para com a Lei, e sim dizer a "os judeus": "É a Lei que vós mesmos aceitais". Jesus deseja tornar seu argumento irrefutável e, assim, levar os judeus a contradizer-se. A interpretação de Charlier tem considerável validade para tais afirmações, quando são consideradas no contexto histórico da vida de Jesus. Mas, como estas afirmações aparecem em um evangelho posterior ao 1º século, contra o pano de fundo da hostilidade judaico-cristã, o "vossa Lei" tem uma conotação hostil.

se declara. Literalmente, "escrito"; mas a forma do verbo (*gegraptai*) é diferente da construção perifrástica (*gegrammenon + einai*) que João usa seis vezes em outra ocasião [rubrica] introdutória para citações bíblicas.

duas pessoas. Em geral isto significa duas pessoas uma colocada exatamente ao lado da outra; todavia, no v. 18 o próprio Jesus é uma das duas testemunhas, de modo que, realmente, ele só tem uma testemunha adicional, o Pai. (surpreende que ele não mencione o Batista, que foi enviado para testificar *da luz* – 1,7). Há algumas exceções na jurisprudência rabínica em que o testemunho de uma testemunha adicional era considerado suficiente, p. ex., era suficiente o testemunho de um parente de que este era seu filho ou filha. Mas seria estranho que Jesus citasse a lei geral de duas ou mais testemunhas, e então provasse sua tese mediante uma exceção. Charlier, p. 514, sugere que Jesus é apresentado como realmente citando duas testemunhas, mesmo quando se menciona ele mesmo no v. 18. João apresenta Jesus, não só como um homem, mas também como Filho de Deus; portanto, não é Jesus como homem que está dando testemunho de si mesmo, mas o Filho de Deus que está dando testemunho. As duas testemunhas são o Filho de Deus e o Pai, ou, como o expressa Loisy (1 ed.), p. 555, a Palavra-feita-carne e o Pai que o enviou. No entanto, esta interpretação pode ser sutil demais.

18. *Eu sou*. Em linha com esta interpretação, Charlier, p. 513, trata isto como um uso divino de *egō eimi*.

testemunho de mim mesmo. Em Ap 3,14, Jesus fala como "a fiel e autêntica [*alēthinos*] testemunha".

o Pai... dá testemunho. Em 5,31-39, Jesus listou uma série de modos como o Pai tem dado testemunho (4,37): João Batista; as palavras de Jesus; a palavra de Deus habitando nos corações dos ouvintes e as Escrituras.

19. *Onde está este teu [pai]?* Em 7,27 estavam tão certos de que sabiam de onde ele era.

se me reconhecêsseis. O mesmo princípio concernente ao conhecimento do Filho e do Pai se encontra em 14,7 e 16,3.

20. *no tesouro do templo*. Literalmente, "nos recintos do templo, no tesouro". Até onde conhecemos, o tesouro era uma câmera para armazenamento, e daí Jesus não estar dentro dela. É bem provável que o grego reflita o vago uso de preposições de lugar no koinê; para *en* denotando proximidade, ver BAG, p. 257, I 1ᶜ. O tesouro do templo levava ao Átrio das Mulheres e também foi o cenário de Jesus ensinando em Mc 12,41.

COMENTÁRIO: GERAL

Análise literária

Uma análise da estrutura do capítulo 8 (12ss.) talvez seja mais difícil do que a de qualquer outro capítulo ou discurso longo na primeira parte do evangelho. O contexto geral parece ainda ser a festa dos Tabernáculos, pois o tema de luz (8,12) se encaixa nas implicações dos Tabernáculos. Além do mais, há certa unidade entre 7 e 8 (sem o relato da adúltera), posto que o v. 7 comece com o tema de Jesus subindo secretamente (*en kryptō*: 7,10) à festa dos Tabernáculos e o v. 8 termina com o tema de Jesus se ocultando (*kryptein*).

Nossa interrupção de 8,12-59 em três divisões (ver p. 423) segue as indicações do próprio evangelho, que parece indicar uma interrupção em 21 e 31. Mas quando penetramos nas divisões individuais, descobrimos que a sequência nelas está longe de ser clara e que às vezes estamos lidando com duplicações de outros discursos. Embora comentaristas como Dodd e Barrett aceitem as mesmas divisões que fazemos, Kern, *art. cit.*, tem tentado uma análise muito mais elaborada da estrutura poética de 12-59. Ele vê cinco divisões, cada uma com um padrão estrófico definido. O tema da verdade do julgamento de Jesus [sobre si] percorre as primeiras duas divisões (12-19 e 21-30) e é equiparado ao tema da mentira nas últimas duas divisões (41b-47 e 49-58); e a divisão que consiste de 31b-41a serve como passagem de transição.

31 • Jesus na festa dos tabernáculos: Cena III

Há algumas possibilidades interessantes na análise de KERN, a qual basicamente se encontra na mesma direção que os estudos de GÄCHTER (ver p. 150); no entanto, a estrutura poética às vezes parece ser mais um *tour de force* do investigador do que as intenções do evangelista.

Voltando agora à nossa primeira divisão, 12-20, estes versículos parecem constituir uma unidade estrutural, não só porque o v. 20 marca uma pausa na ação e o v. 21 é outro tópico, mas também porque há uma inclusão menor entre 12 e 20, formada pela repetição do verbo "falou" nas palavras de abertura destes dois versículos.

Todavia, dentro de 12-20 o pensamento saltam de um tema para outro. Podemos reconhecer três assuntos básicos: (**a**) *Luz*. Isto é introduzido no v. 12, mas nunca é mencionado outra vez até o capítulo seguinte, onde é repetido (9,5) e dramatizado quando Jesus dá a luz, ou restitui a visão ao cego. (**b**) Jesus *testifica* de si mesmo. Isto é introduzido pelo desafio dos fariseus no v. 13, e é defendido por Jesus em 14a,b e em 17-18, onde desemboca no tema do testemunho do Pai. (Os versículos 14c,d, 15-16 realmente interrompem a sequência entre 14b e 17 e será discutido abaixo). Os versículos que tratam do testemunho de Jesus têm *paralelos* quase palavra por palavra *em 5,31-39*, e pode bem ser que estejamos lidando com duas formas diferentes do mesmo discurso. Ambos, 8,14a,b e 5.37, enfatizam que o Pai dá testemunho a respeito de Jesus. Naturalmente, 5,31-39 é uma forma mais longa do discurso e registram como o Pai dá este testemunho. (**c**) O *julgamento* de Jesus acerca de outros. Isto se encontra nos versículos intermediários mencionados acima, a saber, "14c,d, 15-16, e está conectado com o conhecimento do Pai de Jesus em 19-20. Estes versículos têm claros *paralelos* no capítulo 7, *especialmente nos vs. 25-36* (já vimos na p. 587 que 7,25-36 tem paralelos em 7,37-52).

Capítulo 7		*Capítulo 8*
27-28	de onde Jesus veio	14c,d
33-35	para onde Jesus está indo	
24	julgamento pelas aparências, padrões humanos	15
28	conhecendo Jesus e Aquele que o enviou	19
30	incapacidade de prendê-lo; ainda não chegou a hora	20

Há também *um paralelo entre 8,16 e 5,30* numa só frase: "meu julgamento é verdadeiro/válido".

Assim, a evidência sugere mui fortemente que 8,12-20 é um composto e teria tido uma história literária complexa antes assumir sua presente forma. Tentativas de reconstruir essa história parecem especulativas demais para prestar-lhes consideração detalhada.

COMENTÁRIO: DETALHADO

Jesus é a luz (8,12)

Jesus se proclama como sendo a luz do mundo, mesmo quando em 7,37-38 ele se proclamasse como sendo a fonte da água viva; e ambas estas proclamações parecem ter sido inspiradas pelas cerimônias da festa dos Tabernáculos. Como se dava com a cerimônia da água, havia um pano de fundo bíblico para o tema da luz na festa dos Tabernáculos e, de fato, nas mesmas passagens no AT. No versículo anterior à passagem de Zacarias (14,8) que descreve a água viva jorrando de Jerusalém, ouvimos: "E haverá um único dia... cem dia e sem noite, mas à tarde haverá luz". O relato das peregrinações do êxodo que proporcionou a imagem da água que flui da rocha também proveu a imagem de uma coluna de fogo que guiava os israelitas em meio às trevas da noite (Ex 13,21). Que esta imagem poderia ter entrado no pano de fundo da reivindicação de Jesus de ser a luz é sugerido quando nos lembramos de que Sb 18,3-4 dá testemunho da tradição que identificava esta coluna com "a luz imperecível da Lei". As outras imagens que Jesus usa para si são frequentemente imagens que o judaísmo usava para a Lei.

Nas cerimônias próprias da festa dos Tabernáculos, como desenvolvidas no tempo de Jesus, na primeira noite (e talvez também nas outras noites) havia um ritual de acender quatro candelabros de ouro no Átrio das Mulheres. Cada um destes, segundo a *Mishnah Sukkah* 5:2-4, tinha quatro globos de ouro no topo que eram alcançados por meio de escadas. Flutuando nesses globos ficavam pavios feitos das vestimentas e cintos dos sacerdotes; e quando eram acesos, dizia-se que toda a Jerusalém refletia a luz que ardia na Casa da Extração de Água (aquela parte do Átrio das Mulheres através da qual passava o curso da água – ver acima, p. 583).

Na cena que descreve o evangelho, Jesus está em pé neste mesmo Átrio das Mulheres e proclama que ele é a luz, não só de Jerusalém, mas do mundo inteiro. Anteriormente ouvimos Jesus falando da água que dá vida e do pão que dá vida; agora ele fala da luz que dá vida. Visto que as duas primeiras metáforas basicamente se referiam à sua revelação, podemos plausivelmente suspeitar que aqui está implícita a mesma coisa. Isto é confirmado na dramática ação do capítulo 9, quando, como a luz (9,5), Jesus abre os olhos do cego à fé (9,35-38, também 12,46). Assim como se dá com as metáforas da água e pão, as passagens sapienciais do AT oferecem um valioso pano de fundo para o uso que Jesus faz da luz como símbolo de sua revelação. Em Pr 8,22, a Sabedoria diz que ela foi feita no princípio dos caminhos do Senhor, e na tradição hebraica a primeira criação foi a luz (Gn 1,3). Sb 7,26 nos informa que a Sabedoria é um reflexo da luz eterna. Já na era pré-cristã a Sabedoria era identificada com a Lei, e vimos acima que a Lei era mencionada como luz imperecível. Indicamos na nota sobre v. 12 que o pensamento joanino sobre luz e trevas se assemelhava ao de Qumran, e ali a luz da vida é uma interpretação especial da Lei.

Nos evangelhos sinóticos também a imagem associada à luz é usada por Jesus para descrever a revelação e ensino que ele trouxera ao mundo. Pensamos na parábola da candeia que dá luz à casa. No contexto de Lc 11,33 este dito é introduzido de tal maneira que o significado parece ser que o próprio Jesus é a candeia (justamente como Jesus é a luz em João); mas em Mc 4,21 e Lc 8,16 a parábola da candeia é usada para explicar por que Jesus está *ensinando* por parábolas, a saber, para iluminar aos que querem entrar.

Em outro lugar nos escritos joaninos (1Jo 1,5) ouviremos que Deus é a luz sem qualquer mescla de trevas. Em Jesus esta luz e a vida entraram no mundo (Jo 1,4-5; 3,19) para dissipar as trevas, pois os que passam a crer nele não permanecem nas trevas (12,46). Brilhando nele como o revelador encarnado, a luz de Deus irradia a existência humana e dá ao homem conhecimento do propósito e significado da vida.

Jesus o juiz (8,15-16)

Ao discutirmos o capítulo 5, abordamos o tema de Jesus dando testemunho de si mesmo e do Pai testificando de Jesus. Isto deixa para a discussão aqui somente o tema do julgamento. Reuniremos em um só lugar o que é dito de Jesus e do julgar (*krinein*) em João.

Primeiro, há um grupo de afirmações no sentido de que Jesus não veio para julgar, isto é, para condenar:

3,17: Porque Deus não enviou o Filho ao mundo para condenar o mundo, mas que o mundo seja salvo através dele.
12,47: Pois eu não vim para condenar o mundo, mas para salvar o mundo.

Cremos que a tradução de *krinein* como "condenar", nestas passagens (também em 8,26), é claramente justificada pelo contraste com "salvar". Não obstante, a afirmação de que Jesus não veio para condenar não exclui o próprio julgamento verdadeiro que Jesus provoca. No contexto imediato das afirmações acima (em 3,19; 12,48) somos informados que aquele que se recusa a crer em Jesus se condena, enquanto o que crê escapa da condenação (também 5,24). Portanto, a ideia em João parece ser que durante seu ministério Jesus não é juiz apocalíptico como aquele esperado no fim do tempo; todavia, sua presença leva os homens a julgar a si mesmos.

É neste último sentido que devemos entender o *segundo* grupo de textos no sentido de que Jesus *veio* para julgar:

9,39: Eu vim a este mundo para juízo.
5,22: O Pai entregou ao Filho todo o julgamento.

Embora estes textos pareçam contradizer o primeiro grupo, simplesmente amplificar a noção de provocar o juízo que está no contexto do primeiro grupo. A passagem que ora estamos considerando, 8,15-16, é um exemplo que abarca os dois grupos e contém as ideias de ambos. No v. 15, Jesus diz que ele a ninguém julga; mas no v. 16 lembra que o juízo está associado à presença de Jesus. Quando Jesus diz, "ainda quando eu julgue [condição real, não contrária ao fato], esse meu julgamento é válido", parece significar que o julgamento que ele provoca entre os homens é aquele que o Pai aceitará. É um julgamento que tem consequências eternas e será ratificado naquele julgamento geral quando os mortos saírem de seus túmulos. O paralelo a "aquele meu julgamento é válido" se encontra em 5,30: "meu julgamento é justo". O contexto em 5,26-30 é o de julgamento na ressurreição dos mortos quando, como o Filho do Homem, Jesus exerce aquele julgamento que o Pai lhe entregará (5,27), um julgamento que é do Pai, porque Jesus julga somente como ouve (5,30). Assim também em 8,16, a razão de Jesus poder asseverar que ele provoca um julgamento válido entre os homens é a presença corroborante do Pai.

[A Bibliografia para esta seção está inclusa na Bibliografia para o capítulo 8, no final do § 33.]

32. JESUS NA FESTA DOS TABERNÁCULOS:
– CENA III (*Continuação*)
(8,21-30)

Discursos mistos

    b. Ataque aos judeus incrédulos; questão sobre quem é Jesus

8   ²¹Então ele lhes disse outra vez:

> "Eu me vou, e me buscareis,
> mas morrereis em vosso pecado.
> Para onde eu vou vós não podeis ir".

²²Diziam então os judeus: "Certamente, ele não está indo para matar-se? – porquanto ele exclama: 'Para onde eu vou não podeis ir'". ²³Mas ele continuou dizendo:

> "Vós sois daqui de baixo;
> eu sou de cima.
> Vós sois deste mundo –
> eu não sou deste mundo.
> ²⁴Eis **por** que eu vos disse que morreríeis em vossos pecados.
> A menos que venhais a crer que EU SOU,
> seguramente morrereis em vossos pecados".

²⁵"Ora, pois, quem és tu?" – perguntaram. Jesus respondeu:

> "O que eu vos tenho dito desde o princípio.

²⁶Muitas são as coisas que eu poderia dizer acerca de vós e vos condenar;
mas as únicas coisas que eu digo a este mundo
é o que eu tenho ouvido dele,
Aquele que me enviou, que é verdadeiro".

²⁷Não entenderam que ele lhes falava sobre o Pai. ²⁸Então Jesus continuou:

"Quando levantardes o Filho do Homem,
Então compreendereis que EU SOU,
e que nada faço de mim mesmo.
Não, eu só digo aquelas coisas
que o Pai me ensinou.
²⁹E Aquele que me enviou está comigo.
Ele não me deixou só,
porque eu faço o que Lhe agrada.

³⁰Enquanto falava assim, muitos nele acreditaram.

NOTAS

8.21. *ele lhes disse*. A forma inicial desta seção é muitíssimo parecida com a seção anterior (§ 31). Na divisão anterior vimos uma inclusão no "falou... falou" dos vs. 12 e 20; há também uma inclusão entre 21 e 30, mas não tão regular: "disse... falava".

morrereis em vosso pecado. O restante das palavras de Jesus, no v. 21, é muitíssimo parecido com 7,33b-34, com a exceção desta frase. Temos esta expressão na LXX: Ez 3,18; Pr 24,9.

pecado. Aqui, no singular; no v. 24, porém, citando este versículo, usa o plural.

Para onde eu vou. "Ir" aparece também em 13,33; contrastar com "onde eu estou" em 7,34 e ver nota ali.

23. *Vós sois... eu sou*. Literalmente, "ser do". Pode-se formular a pergunta se "eu sou [*egō eimi*] do que é de cima" é um caso especial de *egō eimi* (ver Apêndice IV, p. 841ss). De um lado, a ênfase clara sobre *egō eimi*, nos vs. 24 e 28 dá apoio à sugestão; do outro, o contraste em 23 com

"*Vós sois* do que é de baixo" faz uma ênfase especial em "eu sou" menos provável.

de baixo... de cima; deste mundo... [não para] *este mundo.* O mesmo dualismo se encontra no "de cima... da terra" em 3,31. Em 17,16, os discípulos são incluídos na mesma esfera que Jesus: "não pertencem ao mundo, como também eu não pertenço ao mundo". Cl 3,1 oferece um interessante paralelo a esta terminologia: "Se fostes ressuscitados com Cristo, *buscai as coisas que são de cima*".

24. *crer.* Algumas testemunhas importantes acrescentam "em mim".

seguramente. Esta é a única vez que João usa o indicativo na apódosis deste tipo particular de condição negativa, e temos buscado indicar a ênfase especial implícita.

25. *O que vos tenho dito desde o princípio.* Este versículo representa uma famosa dificuldade. Nossa tradução é mais branda do que o grego permite. As palavras gregas realmente não são uma sentença completa, e tem havido muitas tentativas para interpretá-las: (**a**) *Como uma afirmação*: (1) "Primariamente, [eu sou] o que vos digo". (2) "Antes de tudo, [eu sou] o que vos digo". (3) "[Eu sou] desde o princípio o que vos digo". Ao comentarmos, devemos notar que as palavras "Eu sou" não estão no grego, mas devem ser subentendidas. O grego simplesmente diz "o princípio", e assim a ideia expressa por adição, "desde", realmente é uma interpretação. (Há uma base gramatical para esta interpretação [BDF, § 160], porém é mais normal que João usasse a preposição, p. ex., 6,64; 8,44 etc.). Da mesma forma, literalmente, o verbo grego é "eu falo", não "eu digo". (**b**) *Como uma pergunta*: "Como é mesmo o que eu vos falo?" A frase traduzida "absolutamente, de modo algum", aqui em (c) abaixo, normalmente não significa "absolutamente", exceto com uma negativa. A interrogativa, "Como é isso" implica o uso de uma interrogativa grega que não é tão frequente (BDF, § 300^2). (**c**) *Como uma exclamação*: "É precisamente isso que eu vos falo!" Cada um desses três tipos de traduções tem tido seus defensores, desde a antiguidade. NONNUS de Panópolis dá uma tradução semelhante a (*a*3); CRISÓSTOMO e CIRILO de Alexandria estão na tradição de (*c*). As traduções latinas dão proeminência a uma redação equivocada que não pode ser justificada pelo grego. Tomam "o princípio" como um normativo, em vez de um acusativo, e traduzem: "[Eu sou] o princípio que também vos fala" ou ["Eu sou] o princípio porque vos falo". Avaliando as traduções possíveis, o fato de que a questão seja formulada na primeira parte do v. 25 pode dar uma leve margem à possibilidade de que temos uma afirmação a modo de resposta. Para obter uma afirmação do que ora se encontra no texto grego, há que suprir

algumas palavras; mas os muitos estudiosos que insistem que o grego como ora se encontra está corrompido ou incompleto e poderiam ter razão neste caso. Temos agora algum suporte textual para acrescentar palavras, pois P[68] dá um texto mais longo para o qual não há outra testemunha: "Eu vos disse no princípio o que também estou dizendo-vos [agora]". Esta é uma leitura tentadora, a qual faz bom sentido; mas Funk e Smothers a defendem, e temos feito uso parcial dela na tradução que temos feito.

26. *Eu digo... o que tenho ouvido dele*. Comparar 12,49: "Eu não tenho falado de mim mesmo".

a este mundo. Literalmente, "neste mundo". Para este uso amplo de *eis*, ver BDF, § 207[1]. Temos uma ideia um tanto similar em 17,13: "Enquanto ainda no mundo, eu digo tudo isto"; mas, no caso em pauta, De la Potterie, Bib 43 (1962), 372, provavelmente esteja certo em insistir que *eis* tem um aspecto de movimento. Jesus veio do Pai para falar ao mundo.

verdadeiro. Alēthēs; no v. 17 ouvimos que o testemunho dado por duas pessoas é *alēthēs* ("válido"), e o Pai que enviou Jesus é uma dessas duas testemunhas.

27. *o Pai*. Algumas testemunhas da tradição ocidental agregam "Deus", propiciando assim a leitura: "ele estava dizendo-lhes que Deus era [seu] Pai". Este é o teor do versículo mesmo sem a adição.

28. *levantardes*. Na crucifixão, levando à ressurreição e ascensão (ver p. 354).

EU SOU. Este é um dos quatro exemplos relativamente claros do uso absoluto de *egō eimi*, sem um predicado implícito (ver Apêndice IV, p. 841ss). Alguns têm sugerido que "Filho do Homem" é o predicado implícito, porém, não está alinhado com as ideias de João de que o conhecimento que ele é o Filho do Homem seja a visão mais profunda do Jesus exaltado. O Jesus exaltado é confessado como Senhor e Deus em 20,28, e nossa leitura do uso divino de *egō eimi*, aqui, se encaixa bem neste caso.

nada faço de mim mesmo. Isto complementa o v. 26, onde Jesus diz que nada *diz* de si próprio. Este versículo pode ser evocado por Inácio, *Magnesians* vii 1: "como o Senhor nada fez sem o Pai"...

29. *Ele não me deixou só*. Este é o mesmo tema do v. 16.

Eu... faço o que Lhe agrada. Em Is 28,3, Ezequias ora: "fiz o que era reto aos teus olhos". Inácio, *Magn* VIII 2 tem: "Jesus Cristo... Seu Filho que em tudo foi agradável Àquele que o enviara". Ver Braun, *JeanThól*, 1, pp. 274-75.

30. *Enquanto estava falando*. Um genitivo absoluto, que é raro em João. Pode ser que esta sentença seja uma invenção do redator para elaborar o discurso em divisões.

COMENTÁRIO

Análise literária

A história da composição desta divisão é tão complicada como a divisão anterior (§ 31). Como indicamos na nota sobre v. 21, esta unidade dos vs. 21-30 é marcada pelo mesmo tipo de inclusão que os vs. 12-20. Pode ser que os vários temas dos vs. 21-30 se liguem mais levemente uns nos outros do que os temas de 12,20, mas os paralelos entre os versículos individuais e os de outras partes de João são não menos evidentes.

Na p. 603 vimos que o terceiro tema dos vs. 12-20, a saber, o do julgamento, teve muitos paralelos cruzados com 7,25-36. Assim também os versículos iniciais desta divisão (8,21-22) têm paralelos com aquela parte do 7.

Capítulo 7		Capítulo 8
33b	*Eu me vou*	21a
34a	*Me buscareis*	21a
34b	*Para onde eu vou não podeis ir*	21c
35	*Incompreensão da parte dos judeus*	22
36	*Os judeus repetem a afirmação de Jesus*	22

Em cada uma das interpretações errôneas, "os judeus", ironicamente, falam a verdade. Uma no v. 7 acerca da possibilidade de Jesus ir-se para ensinar aos gregos, e isto se tornou verdadeiro na Igreja. A que aparece aqui, diz respeito à possibilidade de ele matar-se, e, naturalmente, entregará voluntariamente sua vida (10,17-18). Pode haver alguma dúvida de que João preservou duas formas diferentes da mesma cena?

Nos versículos subsequentes desta seção há outros paralelos. Os pensamentos paralelos entre 8,23 e 3,31, e entre 8,28 e 3,14 são interessantes, porém não bastante próximos para levar-nos a pensar que temos verdadeira duplicação. Em qualquer caso, os vs. 23-24 se destinam a servir de resposta a 22; em 7,33-36 não tivemos tal tentativa de responder aos equívocos dos judeus.

No v. 25 aparece aí o novo tema sobre quem é Jesus. Tem-se sugerido que os vs. 25-28 estão fora de lugar onde agora se encontram, e que devem ser recolocados na passagem sobre o julgamento na seção anterior. Uma ordem sugerida é 8,15.25-27.19.28-29. Isto é engenhoso, mas tudo o que é certo é a perda dos paralelos entre 26 e 17 e entre 29 e 16, como indicado nas respectivas notas. Na verdade, 8,25-28 não se adequa tão impropriamente bem onde está, explicando, como faz, o v. 24.

COMENTÁRIO DETALHADO

Uma vez mais, Jesus desafia seus ouvintes a tomar uma decisão antes que fosse tarde demais. Ele se identificara como a luz (8,12), e a vinda da luz força os homens a tomarem a opção de ver ou de apartar-se dela (3,19-21). Mas, nestes discursos da festa dos Tabernáculos há uma nota de urgência. Os homens têm bem pouco tempo de ver Jesus, de buscá-lo e de achá-lo; uma oportunidade única lhes está sendo dada e não será dada uma segunda vez. Jesus tem oferecido a água *viva* (7,38) e a luz *da vida* (8,12). Caso os homens recusem este dom da vida, morrerão em seu pecado. Notamos que, no v. 21, "pecado" está no singular, pois no pensamento joanino só há um pecado radical do qual os muitos pecados dos homens (plural no v. 24) são apenas reflexos. Este pecado radical consiste em recusar crer em Jesus e, assim, recusar a própria vida. (Ver LYONNET, VD 35 [1957], 271-78). Os sinóticos trazem o mesmo pensamento formulado de outra maneira. Em Mc 3,29 ouvimos que todos quantos blasfemem contra o Espírito Santo (atribuindo a obra do reino de Deus a Satanás) são culpados de pecado eterno. Na tradição sinótica, a blasfema recusa do reino de Deus é o equivalente da recusa de ver quem é Jesus na tradição joanina.

Os vs. 23-24 explicam a urgência da insistência de Jesus de que, uma vez indo embora, não haverá outra possibilidade para libertá-los do pecado. Aquele que vem de cima entrou no mundo para dar aos homens a possibilidade de serem gerados de cima, e então erguê-los ao nível da esfera do que é de baixo. Quando o próprio Jesus é levantado (v. 28) na crucifixão, ressurreição e ascensão, ele atrai a si todos os homens (12,32); e naquele momento isso ficará claro a todos os que têm os olhos da fé que realmente ele porta o nome divino ("EU SOU"), e que tem o poder de elevar homens ao Pai. Mas se os homens recusarem crer, recusarem ver, então não há outro caminho (14,6) que conduza ao alto, ao Pai; e os homens irão para seus túmulos sem o dom da vida.

No v. 24, ao enfatizar que os homens creiam que ele vem do alto com o poder da vida da parte do Pai, Jesus diz que os homens devem crer que ele porta o nome divino "EU SOU" (ver Apêndice IV, p. 841ss.). Com o típico mal-entendido joanino, "os judeus" buscam um predicado que lhes expliquem quem ele é. Ora, pois, quem poderia explicar a divindade? Tudo o que Jesus pode fazer é reafirmar sua reivindicação no v. 25. Desde o início, desde seu primeiro discurso com Nicodemos, ele alegou ser do alto e ser o único representante do Pai. Talvez devamos associar também a afirmação no v. 25 com a tradição sapiencial (assim FEUILLET, NRT 82 [1960], 923), pois em Pr 8,22 a Sabedoria diz: "O Senhor fez de mim o princípio de Seus caminhos". Em Siraque 34,9, a Sabedoria fala outra vez do princípio: "Antes de todas as eras, desde o princípio, Ele me criou".

A observação redacional no v. 27 nos assegura que temos interpretado corretamente as palavras de Jesus, e que seu significado profundo diz respeito à sua relação singular com a divindade, tão única que Deus é seu Pai (ver a respectiva nota). Uma vez mais, porém, suas palavras são recebidas com uma interpretação errônea. No v. 28, Jesus insiste que somente o vigente retorno para o Pai revelará que Deus é Aquele que o enviou, que ele porta o nome divino e que Deus está sempre com ele (29). Mas enquanto este retorno para o Pai na crucifixão, ressurreição e ascensão será o grande momento da revelação aos que creem, a própria morte de Jesus que é uma parte essencial deste momento será causada por aqueles que não creem. E assim eles julgarão a si mesmos e rejeitarão a possibilidade de receber vida. O v. 28 representa o segundo destes três ditos joaninos concernentes à elevação do Filho do Homem, três ditos que, como ressaltamos (p. 354), têm paralelos nas três predições sinóticas da Paixão. Mc 9,30-31 põe a segunda das predições sinóticas na estrutura da viagem de Jesus pela Galileia de caminho para Jerusalém. Já notamos paralelos entre a viagem de Jesus a Jerusalém, nos sinóticos, e sua visita na festa dos Tabernáculos em Jo 7-8 (ver p. 559).

O v. 30 encerra esta seção sobre a nota de muitos que chegam a crer em Jesus. Enquanto o v. 30 faz uma inclusão conveniente com o v. 21, e assim serve para interromper o longo registro das palavras de Jesus em unidades mais manejáveis, podemos perguntar se ele não representa simplesmente um artifício redacional conveniente em vez de uma parte integral do discurso. Em 22, 25 e 27 temos ouvido da consistente incompreensão e recusa de crer; isto continuará na seção seguinte, p. ex., 33, 39. É bastante surpreendente no meio disto (30-31) achar alguns que creem em Jesus, enquanto faz suas observações a *"judeus" crentes* (! – ver nota abaixo sobre o v. 31). Encontramos previamente pareceres contrários entre a multidão, e João, consistentemente, deixou bem claro que alguns estavam inclinados a aceitar Jesus, ao menos como o Messias. Mas Jesus não dirigiu suas observações a estes, como fez no v. 31. Assim, parece melhor considerar o v. 30 como uma declaração sumariada, enfatizando uma verdade indubitável e ele a inseriu para uma melhor ordem organizacionais. O intuito não era dar aos crentes um papel no discurso subsequente como a inserção ulterior da primeira linha do v. 31 o fez.

[A Bibliografia para esta seção está inclusa na Bibliografia para o capítulo 8, no final do § 33.]

33. JESUS NA FESTA DOS TABERNÁCULOS:
– CENA III (*Conclusão*)
(8,31-59)

Discursos mistos

c. Jesus e Abraão

8 ³¹Então Jesus continuou, dizendo àqueles judeus que haviam crido nele:

"Se permanecerdes em minha palavra,
realmente sereis meus discípulos;
³²e conhecereis a verdade,
e a verdade vos libertará".

³³"Somos descendência de Abraão", responderam, "e nunca fomos escravos de alguém. O que queres dizer com 'Sereis livres'?"
³⁴Jesus lhes respondeu:

"Verdadeiramente vos asseguro,
todo o que comete o pecado
é escravo [do pecado].
(³⁵Enquanto o escravo não tem lugar permanente na família,
O filho tem ali um lugar permanente).
³⁶Consequentemente, se o Filho vos libertar,
verdadeiramente sereis livres.
³⁷Eu sei que sois descendência de Abraão.
Todavia, vós procurais matar-me,
porque minha palavra não penetra em vós.

^{38}Eu digo o que tenho visto na presença do meu Pai;
  portanto, deveríeis fazer o que ouvistes do vosso Pai".

^{39}"Nosso pai é Abraão", responderam-lhe. Jesus replicou:

"Se fôsseis realmente filhos de Abraão,
estaríeis fazendo as obras dignas de Abraão.

^{40}Mas, na verdade, procurais matar-me,
   precisamente porque eu sou um homem que vos tem
      dito a verdade que ouvi de Deus.
   Isto, Abraão não fez.
^{41}Deveras estais fazendo as obras de vosso pai!"

Protestaram então: "Não tivemos um nascimento ilegítimo. Mas nós temos um pai, Deus mesmo". ^{42}Jesus lhes disse:

"Se Deus fosse vosso pai,
vós me amaríeis,
  pois eu saí de Deus e estou aqui.
Eu não vim de mim mesmo,
mas Ele me enviou.
^{43}Por que não entendeis o que digo? –
  porque sois incapazes de ouvir minha palavra.
^{44}Vós sois do diabo, vosso pai,
  e de bom grado satisfazeis os desejos de vosso pai.
  Ele foi homicida desde o princípio
  e nunca se firmou na verdade,
    pois nele não há verdade.
  Quando ele profere mentira,
  fala do que lhe é próprio,
    pois é mentiroso e o pai da mentira.
^{45}Mas, visto que, de minha parte, digo a verdade,
  não credes em mim.
^{46}Pode algum dentre vós convencer-me de pecado?
  Se estou dizendo a verdade,
    por que não me credes?

⁴⁷Quem é de Deus
  ouve as palavras de Deus.
  A razão por que não me ouvis
  é que vós não sois de Deus".

⁴⁸Os judeus responderam: "Acaso não estamos certos em dizer que és samaritano e um louco?" ⁴⁹Jesus replicou:

  "Eu não sou louco,
  mas honro a meu Pai,
  enquanto vós não conseguis honrar-me.
  ⁵⁰Eu não busco glória para mim mesmo;
  Há Quem a busque, e julgue.
  ⁵¹Solenemente vos asseguro:
  se alguém guarda minha palavra,
  esse jamais verá a morte".

⁵²"Agora estamos certos de que és louco", replicaram os judeus. "Abraão morreu; assim também os profetas. Todavia, tu alegas: 'Um homem jamais experimentará a morte se guardar minha palavra.' ⁵³Seguramente, acaso pretendes ser maior que nosso pai Abraão que está morto? – ou os profetas que estão mortos? Quem realmente pretendes ser?" ⁵⁴Jesus respondeu:

  "Se eu glorifico a mim mesmo,
  minha glória nada é.
  Aquele que me glorifica é o Pai
  a quem alegais ser 'nosso Deus',
  ⁵⁵mesmo quando não O conheceis.
  Eu, porém, O conheço;
  e se eu disser que não O conheço,
  estarei sendo como vós – mentiroso!
  Sim, eu O conheço
  e guardo Sua palavra.
  ⁵⁶Vosso pai Abraão exultou-se
  ante a esperança de ver meu dia.
  Quando ele o viu, alegrou-se".

33 • Jesus na festa dos tabernáculos: Cena III (*continuação*)   619

⁵⁷Isto levou os judeus a objetarem: "Ainda não tens cinquenta anos. Como podes ter visto Abraão?" ⁵⁸Jesus respondeu:

"Verdadeiramente, vos asseguro,
antes mesmo de Abraão vir à existência, EU SOU".

⁵⁹Então pegaram pedras para atirar em Jesus, mas ele se ocultou e se retirou dos recintos do templo.

NOTAS

8.31. *àqueles judeus que haviam crido nele*. Que as observações que seguem são dirigidas aos crentes é muito difícil de conciliar com a aguda discordância expressa por esses "crentes" no v. 33 e seu desejo de matar Jesus no v. 37. Alguns têm salientado que é dito que estes "judeus" punham fé *nele* (dativo); não é dito que criam *nele* (*eis* com o acusativo, que é uma expressão mais densa). Todavia, Dodd, *art. cit.*, p. 6, insiste que a variação não tem aqui nenhuma importância; e mesmo que esteja implícita uma fé parcial, dificilmente isto pode ser conciliado com o desejo de matar Jesus umas poucas linhas depois. Quase certamente as palavras de Jesus, nesta seção, foram dirigidas ao mesmo tipo de incrédulos que deparamos ao longo de todo o discurso. Não obstante, quando a redação do v. 30 foi inserido para interromper o discurso, era necessário acrescentar uma frase no v. 31 introduzindo palavras de Jesus. Visto que a referência no v. 30 de que havia alguns que creram em Jesus, o compositor do v. 31 (o redator final?) pensou ser razoável fazê-los o auditório para o que se seguiria e não viam nenhuma contradição em descrever estes crentes como "judeus". Houve um bloco do material joanino ou um estágio da redação joanina na qual "os judeus" foram usados simplesmente para descrever os habitantes de Jerusalém ou Judeia, e não se referia necessariamente às autoridades hostis a Jesus (ver p. 85). Veremos outros exemplos deste uso dos "judeus" nos capítulo 11-12.
permanecerdes em minha palavra. Em 2Jo 9 ouvimos: "Aquele que não permanece no ensino de Cristo não tem Deus". Em outro lugar, se invertem os termos, e a palavra de Deus permanece no crente (Jo 5,38). Bernard, II, p. 305, está certo quando diz que realmente isto é a mesma coisa que permanecer na palavra e ter a palavra de Deus permanente no crente.

32. *a verdade vos libertará*. A "verdade" implícita é a revelação de Jesus, como vemos comparando isto com o v. 36, onde é o Filho quem liberta. O frequente

uso desta frase na oratória política ao apelar para a liberdade nacional ou pessoal é uma distorção do valor puramente religioso tanto da verdade como da liberdade nesta passagem. O livramento do pecado por meio da força da verdade não aparece no AT. Em Qumran, lê-se (1QS 4,20-21): "E então Deus expurgará, por meio de Sua verdade, todos os feitos dos homens... e aspergirá sobre ele um espírito da verdade como água que purifica de toda enganosa abominação". Não se diz que a verdade liberta do pecado, mas ela destrói o pecado. No escrito rabínico (*Pirqe Aboth* 3,6) encontramos a ideia de que o estudo da Lei é um fator libertador, livrando alguém do cuidado mundano. Assim, uma vez mais *podemos* ter um contraste implícito entre o poder da revelação de Jesus e o da Lei.

33. *descendência de Abraão*. A palavra *sperma* em grego é um singular coletivo. Na boca de "os judeus" esta frase pode significar: "Somos da descendência de Abraão". Mas não é impossível que João, como Paulo em Gl 3,16, faça um jogo de palavras para indicar que Jesus é o descendente real de Abraão. Temos tentado deixar esta possível nuança em nossa tradução.

    nunca... escravos de alguém. "Os judeus" parecem entender erroneamente as palavras de Jesus sobre a liberdade e as tomam num sentido político. Entretanto, ainda neste nível, sua arrogância é mau fundamentada, pois o Egito, Babilônia e Roma os haviam escravizado. Pode ser que tivessem em mente que, sendo os privilegiados herdeiros da promessa feita a Abraão, não podem ser realmente escravizados, embora ocasionalmente Deus lhes permitisse ser castigados através de sujeição temporária.

34. [*do pecado*]. A evidência para omitir esta frase se encontra em uma forte combinação de testemunhas da família ocidental e CLEMENTE de Alexandria. No comentário veremos que há paralelos de pensamento entre estes versículos joaninos e a argumentação de Paulo em Gálatas e Romanos, e assim é possível que um copista haja anexado a frase "de pecado" de Rm 6,17: "Uma vez fostes *escravos do pecado*". Fora de João e Romanos a imagem de homens sendo escravos do pecado se encontra no NT somente em 2Pd 2,19: "escravos da corrupção".

35. Este versículo parece ser um parêntese inserido. Aqui, o escravo certamente não é escravo do pecado no v. 34. O contraste tem mudado daquele entre o livre e o escravo em 34 para um de gradação na família entre escravo e filho. Assim, provavelmente temos um dito independente da tradição joanina que foi inserido aqui, porquanto o v. 34 menciona "escravo" e 36 menciona "Filho". DODD, *Tradition*, pp. 380-32, defende, com argumentos convincentes considerando o v. 35 como uma breve parábola do escravo e do filho. Artigos definidos aparecem antes dos substantivos principais como fazem em estilo parabólico. Escravo e filho são personagens

importantes das parábolas sinóticas. Quanto à moral da parábola, podemos pensar na parábola sinótica da vinha onde arrendatários são informados que a vinha será tirada deles. Em João, o escravo não tem lugar permanente na casa. Podemos pensar ainda em Mt 17,25-26, onde lemos que os reis terrenos não cobram impostos dos filhos por *serem livres* (note a implicação de liberdade no contexto joanino). A parábola de João menciona o lugar privilegiado do filho. Um paralelo final que pode lançar luz sobre a moral da parábola de João está em Hb 3,5-6, onde Moisés é retratado como um escravo doméstico enquanto Jesus é o filho.

tem lugar permanente. Literalmente, "perdurar", o mesmo verbo que vimos no v. 31.

o filho tem ali um lugar permanente. Esta cláusula é omitida no Codex Sinaiticus e alguns manuscritos menores, talvez por causa da dificuldade deste versículo, quando lido em presente contexto.

36. *Consequentemente*. A consequência é do v. 34: já que é uma questão de ser livre da escravidão do pecado, somente o Filho tem esse poder.

37. *procurais matar-me*. Este último tema apareceu em 7,19.20.25. Embora estes discursos [na festa] dos Tabernáculos sejam livremente conectados, alguns temas vão de um extremo ao outro.

não penetra. Ou "não têm lugar". Neste último sentido pode-se encontrar um paralelo de pensamento em 5,38: "Sua palavra não tem permanência em vossos corações". Também 15,7, dirigido aos discípulos: "Se minhas palavras estiverem em vós"...

38. *tenho visto*. Este é um tempo perfeito, como contrastado com o aoristo "ouvido" na linha seguinte. O tempo parece implicar que Jesus tinha uma visão preexistente que continua no presente (ver 5,19). Thüsing, p. 208, prefere esta solução àquela que sugeriria que de algum modo, mesmo que ele estivesse na terra, Jesus permanecia com o Pai no céu.

deveríeis fazer o que ouvistes do vosso Pai. Esta frase é um tanto ambígua, e os manuscritos dão evidência de variantes que representam tentativas de copistas para interpretar a frase. Uma variante que tem suporte na tradição ocidental diz "visto" em vez de "ouvido"; isto faz paralelos com o "vi" na primeira linha do versículo. Não obstante, se a redação original tivesse "vistes" na segunda linha, então é muito difícil explicar como "ouvistes" já estivesse introduzido. Mas se o original era "ouvido", a introdução de "viste", por imitação da primeira linha, é facilmente explicada. Outra variante se encontra em um grupo bem grande de testemunhas (porém não no Vaticanus ou os papiros Bodmer): "*meu* Pai" é lido na primeira linha do v. 38, e "*vosso* pai" é lido na segunda linha. Isto cria um paralelismo antitético onde a linha dois é entendida como uma referência sarcástica ao descendente do diabo de "os judeus" (ver 44): "Vós estais fazendo exatamente o que tendes ouvido de vosso pai". A inserção dos possessivos é obviamente uma tentativa de copista em prol de clareza; mas, esses copistas entenderam corretamente a segunda linha? BERNARD, BARRETT e BULTMANN estão entre os que pensam assim. Entretanto, isso parece prematuro demais nesta seção do discurso para a introdução do tema do diabo como o pai dos judeus; ele deixa sem sentido o desenvolvimento em 41-44. Aqui Jesus ainda está tentando convencer seu auditório a obedecer ao Pai verdadeiro, Deus. O "fazeis" é uma ordem imperativa, não um indicativo sarcástico como é no v. 41.

39. *Nosso pai é Abraão*. A interpretação disto depende do significado da segunda linha do v. 38. Se a referência ali é ao diabo, então "os judeus" dizem isto a modo de protesto. Se a referência ali é ao Pai de Jesus, então aqui os judeus estão dizendo que não querem ter nada com o "pai" de Jesus, porquanto têm a Abraão.

Se fôsseis... estaríeis fazendo. O texto grego é confuso. As testemunhas estão divididas em três leituras diferentes: (**a**) *Condicional real*: "Se fôsseis... faríeis". Codex Vaticanus e P^{66} leem um imperativo na apódosis. (**b**) *Condicional contrária ao fato*: "Se fôsseis... estaríeis fazendo". A tradição bizantina endossa esta redação, a qual implica que "os judeus" não são filhos de Abraão. Isto parece contradizer o v. 37. (**c**) *Condicional mista*, como o temos traduzido. Isto é endossado por P^{75} e Codex Sinaiticus e Bezae. A ideia é que os judeus realmente são filhos de Abraão, porém estão negando-o por suas ações.

A confusão nas testemunhas é melhor explicada quando se assume que (*c*) era a leitura original, e que (*a*) e (*b*) são tentativas de eliminar a condicional mista, fazendo-a consistente em ambas, prótasis e apódosis.

40. *Eu sou um homem*. Este uso incondicional de *anthrōpos* por Jesus, sem qualquer implicação de unicidade, não se encontra em outro lugar no NT (ver BERNARD, II, p. 311). Alguns teólogos têm-se incomodado por suas implicações, talvez por causa de uma tensão cripto-monofisita em seu pensamento. Entretanto, na verdade este versículo não tem grande importância teológica, pois "um homem", aqui, é simplesmente um semitismo para "alguém" (BDF, § 301^2).

Isto, Abraão não fez. Que Abraão não mataria um mensageiro divino pode ser uma inferência geral do caráter de Abraão, ou, quem sabe, uma referência específica a uma cena como a de Gn 18, onde ele recebeu com boas-vindas os mensageiros divinos.

41. *fazendo as obras de vosso pai*. Este é o primeiro caso de sarcasmo que alguns encontrariam acima no v. 38. Jesus se baseia sobre o princípio de que o

filho se comporta como seu pai; e embora "os judeus", por direito, sejam filhos de Abraão, suas ações delatam que o diabo é seu pai (44).

Não tivemos um nascimento ilegítimo. Literalmente, "de fornicação". A interpretação usual é que "os judeus" veem na insinuação, de que o diabo é o pai deles, uma acusação de que Abraão não é seu pai e que são ilegítimos. Nesta interpretação, seu "nós" é simplesmente uma resposta ao "vós [plural]" na última afirmação de Jesus. Mas há outra possibilidade: os judeus poderiam ter recorrido a um argumento *ad hominem* contra Jesus. Ele estivera falando sobre seu Pai celestial e sobre o pai deles, mas acaso não havia rumores acerca de seu próprio nascimento? Não havia alguma dúvida se ele era realmente o filho de José? (Ver nota sobre 1,45). Os judeus poderiam estar dizendo: "*Nosso* nascimento não é ilegítimo [mas o teu foi]". Há uma testemunha antiga dos ataques dos judeus sobre a legitimidade do nascimento de Jesus em Orígenes, *Contra Celso* I 28 (GCS 2:79); e os *Atos de Pilatos* II 3, tem os judeus acusando Jesus: "Nasceste de fornicação".

42. *Eu saí de Deus*. A frase "de Deus" encontrou sua via no credo niceno, na expressão "Deus de Deus". Os teólogos têm usado esta passagem como um descrição da vida interna da Trindade, indicando que a referência é antes à missão do Filho, i.e., a Encarnação. "Eu vim e estou aqui" é uma ideia todo inclusiva. Isto é confirmado pelo mesmo uso do aoristo de *exerchesthai* em 17,8, onde o paralelismo mostra que *saí* refere à missão: "Realmente eles têm compreendido que eu saí de ti, e têm crido que tu *me enviaste*".

estou aqui. O verbo é atestado no uso religioso pagão; refere-se à vinda de uma deidade que faz uma aparição solene. Ele aparece outra vez em 1Jo 5,20: "Sabemos que o Filho de Deus estava aqui".

não vim de mim mesmo [de iniciativa própria]. O mesmo vocabulário de 7,28; note uma vez mais que estes discursos da festa dos Tabernáculos partilham temas comuns.

43. *ouvir.* Isto é *akouein* com o acusativo, uma construção que usualmente se refere à audição física, em vez de escutar com entendimento. Eles se tornaram tão obstinados que não podem nem mesmo ouvi-lo; são surdos.

44. *do diabo, vosso pai.* O grego também pode ser lido: "o pai do diabo"; e os gnósticos o tomaram assim em sua oposição ao Deus do AT, a quem consideravam como sendo a fonte do mal, porque era responsável pela existência da matéria.

vós sois. Literalmente, "vós sois de"; ver o contraste com "Quem é de Deus" no v. 47.

Ele foi homicida desde o princípio. É bem provável que esta seja uma referência ao homicídio de Abel por Caim (Gn 4,8; 1Jo 3,12-15). Em NovT 6 (1963),

79-80, J. Ramón Díaz ressaltou que no Targum palestinense de Gn 5,3 não é especificado que Caim fosse filho de Adão, mas que Eva era sua mãe: "De Eva nasceu Caim, que não era como ele [Adão]". Isto pode ser um exemplo primitivo da tradição de que Caim nasceu de Eva e do anjo mau Samael. Se esta tradição estava em mente no v. 44, podemos ver mui claramente por que Jesus diz que o diabo é o pai de "os judeus", porque queriam matar Jesus, precisamente como Caim, o filho do diabo, matou Abel. Dahl, *art. cit.*, oferece farta documentação para uma referência a Caim. Entretanto, provavelmente ele leva a teoria longe demais, mantendo que o pai dos judeus mencionado em 38(?), 41 e 44 é Caim, e não o diabo. Para isso tem de explicar, como um erro ou resultado de sua interpretação errônea da frase que estudamos.

nunca se firmou na verdade. A implicação de que o diabo era também mentiroso desde o princípio é provavelmente uma referência ao engano da serpente sobre Eva em Gn 3,4-5.

fala do que lhe é próprio. O fato de que Jesus fala a verdade tem sido enfatizado como uma indicação de que ele vem do Pai; assim também a mentira denuncia uma origem diabólica.

o pai da mentira. Literalmente, "o pai dela/ele", i.e., da mentira ou do mentiroso.

45. *não credes em mim.* Aqui se usa o dativo em vez do *eis* com o acusativo (que se refere à fé profunda); a implicação *pode* ser que "os judeus" não mostram sinais mesmo da fé inicial. Este versículo torna difícil aceitar que estas palavras tenham sido dirigidas a "aqueles judeus que tinham crido", como indica o v. 31.

46. *Pode algum dentre vós convencer-me de pecado?* Em 8,7-9, o desafio de ser sem pecado desqualificou os escribas e fariseus de apedrejar a adúltera, mas não há indício de que Jesus fosse desqualificado. Hb 4,15 é outra testemunha da tradição neotestamentária de que Jesus era sem pecado. O pano de fundo da tradição pode ser a do Servo Sofredor de Is 53,9, em quem *não havia engano.* O *Testamento de Judá* 24,1 traz: "Nenhum pecado se achará nele [a estrela de Jacó]"; mas não podemos estar certos se isto foi uma interpolação cristã.

47. *Quem é de Deus.* Ver nota sobre v. 44.

ouve as palavras de Deus. Este critério proposto por Jesus é usado, por sua vez, é aplicado pelos seus discípulos em 1Jo 4,6: "Todo aquele que conhece a Deus nos ouve, enquanto todo o que não pertence a Deus se recusa ouvir-nos".

48. *és samaritano.* Bernard, II, p. 316, sugere que Jesus está sendo associado aos samaritanos que se recusaram reconhecer os judeus como os filhos

exclusivos de Abraão. BULTMANN, p. 225[6], vê na expressão uma acusação de heterodoxia. Não obstante, pode simplesmente ser equivalente a ser "louco", i.e., ter um demônio de loucura (ver nota sobre 7,20). A história de Simão o Mago, em At 8,14-24, indica que a possessão de um espírito e poderes mágicos eram grandemente estimados em Samaria, uma atitude que reflete nas tradições posteriores sobre Simão e Dositheus. Em algumas citações patrísticas do v. 48 (MEHLMANN, *art. cit.*) acrescenta-se a acusação de ser ilegítimo ("nascido de fornicação"); ver nota sobre v. 41.

49. *honro*. Uma interessante passagem que pode ser comparada com o uso de "honra" e "glória" nos vs. 49-50 e 54 é a de 2Pd 1,17, que fala da Transfiguração como o momento em que Jesus recebeu honra e glória da parte do Pai.

50. *há Quem a busque, e julgue*. Isto pode ser um eco de Is 16,5: "um trono se firmará em benignidade [*ḥesed*], e sobre ele no tabernáculo de Davi se assentará em verdade ['*emet*] um que julgue, e busque o juízo, e se apressa a fazer justiça". Em João, mesmo quando nenhum objeto é expresso por "buscas", o que Deus busca é a glória do Filho.

51. *verá a morte*. Um hebraísmo para "morrer" (Sl 89,48; Lc 2,26). Quando os questionadores tomam as palavras de Jesus no versículo seguinte, ele é citado como a dizer "provar a morte".

52. *experimentará a morte*. Literalmente, "provar a morte"; esta expressão idiomática não se encontra no AT, mas equivale o mesmo que "ver a morte". É usada em outro lugar no NT para morte física, e isso é como "os judeus" interpretaram erroneamente aqui; mas Jesus está se referindo à morte espiritual. O *evangelho de Tomé*, dito #1, parece extrair do uso de João: "Todo o que acha a explicação destas palavras não provará a morte". (Ver NTS 9 [1962-63], 159).

53. *Abraão que está morto*. Aqui João usa *hostis*, um relativo indefinido. Pode indicar que o antecedente é tomado como um tipo, assim: "Abraão que, não obstante, era um homem que morreu" (BDF, § 293[2]). Isto poderia tornar-se facilmente causal, tornando-se equivalente de "já que ele morreu". Mas, no grego do NT, tais distinções baseadas no uso prático de relativos são tênues.

pretendes ser. Literalmente, "te fazes".

54. *'nosso Deus'*. As testemunhas textuais manifestam considerável confusão quanto a se se deve ler "vosso Deus" em discurso indireto, ou "nosso Deus" em discurso direto. O segundo parece menos polido e, portanto, mais original; ele se encontra em ambos os papiros Bodmer.

55. *não O conheceis... eu, porém o conheço*. O primeiro "conhecer" provém de *gignōskein*; o segundo, de *eidenai* (*oida*). Ver Apêndice I:9, p. 794ss. A afirmação de que Jesus conhece o Pai é expressa tanto com *eidenai*

(7,29) como com *gignōskein* (10,15; 17-25). Especialmente para comparação são:

7,28-29: "Aquele que não conheceis. Eu O conheço". – *eidenai* em ambas as partes.
17,25: "Ainda que o mundo não te conheça, eu te conheço". – *gignōskein* em ambas as partes.

56. *exultou-se... alegrou-se*. É estranho que o primeiro verbo seja mais forte do que o segundo, pois esperaríamos o cumprimento ser mais forte do que a esperança. Há considerável evidência de versões e da patrística para a leitura "desejou" em lugar de "exultou-se". Isto pode ter sua origem da influência cruzada de Mt 13,17 (= Lc 10,24): "Muitos profetas e justos têm *desejado* ver o que vedes". Mas estudiosos como TORREY, BURROWS e BOISMARD sugerem que as variantes gregas de João representam um mal-entendido de um texto aramaico original. Ver BOISMARD, EvJean, pp. 48-49.

a esperança de. Literalmente, esta é uma cláusula de propósito, mas há uma ideia tácita de desejo e esperança; a cláusula de propósito assume colorido do verbo principal, "regozijou-se" (ZGB, § 410). Outros pensam que o *hina* que introduz a cláusula está para *hote*, "quando" (ZGB, § 429).

quando ele o viu. Até o tempo de MALDONATUS (16º século), os exegetas eram quase unânimes em assumir que isto se referia a uma visão que ocorreu durante a vida de Abraão. Entretanto, mais recentemente a interpretação que tem conquistado terreno de que João tem em mente que, depois que Abraão morreu, ele viu o dia de Jesus. BERNARD, II, p. 321, sugere que isto poderia ser uma referência à alegria entre os santos veterotestamentários quando as notícias chegaram no Hades de que Jesus nascera. Todavia, a forma que João usa do AT milita contra este ponto de vista. Em 12,41, somos informados que Isaías viu a glória de Jesus, e a referência é a um evento na vida de Isaías, a saber, sua visão inicial no templo. Se um evento na vida de Abraão está implícito, poderia ser o nascimento de Isaque que era o cumprimento inicial das promessas de Deus a Abraão, o primeiro na cadeia de ações que finalmente conduziram ao advento de Jesus. Isto se adequa ao tema de alegria, pois em Gn 17,17 somos informados que, no anúncio do nascimento de Isaque, Abraão caiu por terra e riu (de incredulidade, mas os rabinos o tomaram como alegria); ver também Gn 21,6. *Jubileus* 16,17-19 diz que Abraão foi informado que seria através de Isaque que o santo povo de Deus seria descendente, e que ambos, Abraão e Sara, se alegraram nas notícias. Há tradições rabínicas posteriores de que Abraão viu toda a história de seus descendentes

33 • Jesus na festa dos tabernáculos: Cena III (*continuação*)

em uma visão (*Midrásh Rabbah* 44,22 sobre Gn 15,18); *4 Esdras* 3,14 diz que Deus revelou a Abraão o fim dos tempos. Cavaletti, *art. cit.*, sugere em particular a tradição de que Abraão viu o templo construído e conecta 8,56 com 2,19 (ver nota seguinte, sobre 8,57 e 2,20). Isto evocaria o tema da ressurreição (Jesus ressurreto = templo construído) como um comentário sobre a afirmação em 8,51 sobre não ver a morte.

57. *ainda não tens cinquenta anos*. Já vimos que a referência a quarenta e seis anos, em 2,20, não foi interpretada plausivelmente como uma estima da idade de Jesus (ver nota ali). Lc 3,23 diz que Jesus tinha cerca de trinta anos quando começou o ministério. Irineu, seguindo João, diz que Jesus não tinha muito menos de cinquenta quando morreu (*Contra Heresias*, II 23:6; PG 7:785). Crisóstomo e outras testemunhas leem "quarenta" no texto de Jo 8,57, provavelmente uma tentativa de harmonizar-se com Lucas. Para uma discussão completa, veja G. Ogg, "*The Age of Jesus When He Taught*", NTS 5 (1958-59), 191-98.

Como podes ter visto Abraão? Embora a maioria das testemunhas favoreça esta leitura, há boa evidência, incluindo P[75], em prol da leitura: "Como pode Abraão ter-te visto?" Isto é endossado por Bernard, II, p. 321, e explica como a tradução que escolhemos pode refletir um equívoco em copiar. Entretanto, a segunda tradução parece ser uma adaptação ao vocabulário do v. 56. Seria mais provável que "os judeus" dessem prioridade a ver Abraão em vez de ver Jesus.

58. *antes de Abraão vir à existência*. Alguma evidência ocidental, inclusive o Bezae, omite o verbo (*ginesthai*) e tem simplesmente: "Antes de Abraão eu sou". Neste versículo, a distinção é óbvia entre *ginesthai*, que é usado para mortais, e o uso divino de *einai*, "ser", na forma de "EU SOU". Esta mesma distinção foi vista no Prólogo: a Palavra *era*, mas através dela todas as coisas *vieram a ser*. No AT, a mesma distinção é encontrada no discurso a Iahweh no Sl 90,2: "Antes que os montes *viessem a ser*... de eternidade a eternidade *tu és*".

59. *pegaram pedras*. O templo de Herodes ainda não estava terminado, e teria havido pedras expostas ao redor entre os materiais de construção. Para um apedrejamento nos recintos do templo, ver Josefo, *Ant.* 17.9.3; 216. Uma passagem como esta não lança nenhuma luz acerca da questão se o Sinédrio tinha ou não poder de punição capital; esta era apresentada como um ato espontâneo de indignação, e não é provável estar restringida pelas provisões da lei romana, se tal lei existia.

recintos do templo. No fim do versículo uma tradição grega posterior acrescenta: "passando no meio deles, e assim ele se foi". A primeira destas frases adicionadas é de Lc 4,30; a segunda representa uma divisão equivocada de 9,1 (que é o versículo seguinte em João) e a transferência do verbo de movimento de lá para cá. A despeito da impressão criada por esta adição do copista, não há indício claro aqui de que a retirada de Jesus foi miraculosa, como foi o caso em Lc 4,30.

COMENTÁRIO

Análise literária

Esta terceira divisão do capítulo 8 mostra muito menos paralelos com as passagens prévias de João do que mostraram as duas primeiras divisões. Há sinais de umas poucas inserções redacionais (ver notas sobre vs. 31 e 35), mas em geral temos aqui um discurso bastante homogêneo. O tema de Abraão o mantém junto, sendo introduzido no v. 33, continuando através do 37, 39, 40, 53, 56, 57 e encerrando o discurso em 58. A técnica do desenvolvimento do pensamento do discurso através de objeções da parte de "os judeus" alcança aqui sua perfeição, e se pode prontamente sentir ao crescente endurecimento de ambos os lados. Na primeira parte do discurso, os judeus argumentam com Jesus; mas, como continuam a lançar sobre ele acusações de ser ilegítimo e possesso de demônio, finalizam tentando matá-lo. Na primeira parte do discurso, Jesus insiste com os judeus que ajam como filhos de Abraão, mas, na continuação, ele fala mais asperamente, inclusive acusando-os de serem filhos do diabo. W. KERN, *art. cit.*, dividiria o discurso em três estrofes que, com algumas adaptações, podem servir-nos de convenientes subdivisões para nosso comentário:

(1) 31-41a: "os judeus" alegam ter Abraão como Pai deles. Note como suas objeções em 33 e 39 equilibram umas às outras.
(2) 41b-47 (KERN avança para 48): Jesus lhes diz que o pai verdadeiro deles é o diabo.
(3) 48-59: as reivindicações que Jesus faz para si, e comparação com Abraão.

Entretanto, no mais, estas subdivisões representam leves mudanças na direção geral da ideias, que apresentam uma notável concatenação.

COMENTÁRIO: DETALHADO

(1) 31-41a: *Abraão e os Judeus*

Dodd, *art. cit.*, trabalhou intensamente para tornar claro o pano de fundo e a finalidade deste discurso no evangelho e no contexto do NT. A insistência com que o povo de Israel evocava Abraão como seu pai remonta à promessa de Deus a Abraão de que seus descendentes seriam uma benção ao mundo inteiro e aos escolhidos de Deus (Gn 22,17-18; Sl 105,6). No decorrer do tempo, a mesma responsabilidade que acompanhou o *status* de ser filho de Abraão inevitavelmente perde sua intensidade, e para alguns ela foi substituída por um senso de proteção divina automática. Em seu *Diálogo com Trifo*, Justino acusa que os judeus, como semente de Abraão, esperavam receber o reino de Deus, sem importar o que viriam a ser suas vidas pessoais (140,2; PG 6:797; também *StB*, 1, p. 117ss.). Na parábola de Lázaro vemos o reflexo de uma crença corrente de que todo aquele que apelasse para o "pai Abraão" jamais iria para o lugar de tortura eterna (Lc 16,24), crença que Jesus corrigiu. Em seu ministério, Jesus reagiu fortemente contra a reivindicação de que ser filhos de Abraão dava um *status* automático de santidade ou privilégio. João Batista advertira que Deus poderia das pedras criar para Abraão uma nova geração de descendentes (Mt 3,7-10). Jesus advertiu que estrangeiros viriam assentar-se com Abraão à mesa do banquete celestial, enquanto os filhos do reino seriam lançados fora (Mt 8,11-12). Talvez Mt 18,9 fosse também dirigido contra a presunção dos filhos de Abraão: "A ninguém sobre a terra chameis de vosso pai, porque tendes um Pai que está no céu". Assim, ao menos o cerne do ataque de Jesus contra a reivindicação judaica de serem filhos de Abraão, como encontrada em Jo 8, se adequa ao que sabemos ter sido um tema tradicionalmente associado a Jesus.

No conflito da Igreja com a Sinagoga, este tema foi grandemente desenvolvido (e deveras este desenvolvimento tem deixado sua marca em alguns dos ditos sinóticos supracitados). Em Paulo encontramos uma negação de que a promessa de Abraão foi dirigida aos judeus. Gl 3,16 extrai um argumento exegético do fato de que o AT fala da descendência de Abraão no singular (*sperma* no grego), uma indicação para Paulo de que esta apontava para Jesus Cristo. Assim Paulo pode dizer aos cristãos: "Se sois de Cristo, então sois descendência de

Abraão (3,29)"; os cristãos são filhos de Abraão através de sua esposa Sara, uma mulher livre, e não através da jovem escrava Agar, como são todos quantos são escravos da Lei.

Os temas de liberdade e escravidão, bem como de ser verdadeiros descendentes de Abraão, também aparecem em Jo 8,31-41. Compreenderemos o alcance específico destes versículos se lembrarmos que, ao menos em parte, João se dirigiu a cristãos judeus que estavam hesitantes entre suas obrigações para com a sinagoga e seus costumes ancestrais, de um lado, e sua fé em Jesus, do outro. Inclusive se tem sugerido que a estranha referência a "aqueles judeus que haviam crido nele" no v. 31 estava implícita uma referência aos judeus cristãos, mas o desejo desses judeus em 37 de matar Jesus não concorda com essa possibilidade. Antes, pensamos mais precisamente que a substância do discurso é dirigida a "os judeus" no significado joanino ordinário da palavra, i.e., os que são hostis a Jesus, ainda que muitas das sentenças têm uma aplicabilidade secundária à situação dos cristãos judeus.

Em particular, o v. 31 lembraria claramente aos judeus cristãos que o que distingue os verdadeiros discípulos de Jesus é a permanência em sua palavra, não qualquer lealdade especial à Lei. A revelação que o Filho de Deus trouxe, a qual é veraz, tem libertado aqueles que creem nela (32, 36). Paulo clamou: "Cristo nos libertou... não nos submetamos outra vez a um jugo de servidão (Gl 5,1)". Assim, para Paulo a escravidão era a servidão ao jugo da Lei, e, o que é mais trágico, a Lei não podia suprimir o pecado, apenas tornar o pecado mais prejudicial (Rm 7,7ss.). O desenvolvimento do pensamento de Paulo é resumida em Rm 8,2: "A lei do Espírito de vida em Cristo Jesus tem me libertado da lei do pecado e da morte". João não fala de escravidão à Lei, mas vai diretamente a uma escravidão ao pecado (34). Os judeus cristãos que receberam a mensagem evangélica naturalmente entenderiam que Jesus estava falando de liberdade e escravidão no nível espiritual, mas "os judeus" que são retratados como auditório real de Jesus incorrem no mal-entendido e pensam que ele está falando em um nível político. O orgulho nacionalista encontrado no v. 33 lembra o magnificente arroubo de Eleazar aos judeus sitiados em Massada (Josefo, *War* 7.8.6; 323): "Há muito determinamos não ser escravos nem dos romanos nem ninguém mais, senão de Deus". Jesus, porém, diz que não são livres, senão com a única liberdade concernente a ele, uma liberdade do pecado. Esta é a liberdade do verdadeiro descendente de Abraão (*sperma* no singular; ver nota sobre v. 33), e é uma liberdade que só pode vir através do Filho (36). Já vimos na respectiva nota que o v. 35 é uma inserção posterior ao discurso, mas pode ser que sua introdução fosse tida como apropriada, porque se adequava ao uso deste discurso de João na polêmica com os judeus. O tema no v. 35 diz respeito à possibilidade dos escravos serem lançados fora da casa. Como vimos nas passagens mateanas que citamos acima: aos judeus se apresentou a possibilidade de que poderiam perder seu privilegiado posto como filhos de Abraão. Em Gl 4,30, Paulo descreve como o filho de Abraão pela escrava foi lançado fora em favor de seu filho gerado pela livre.

A fraseologia do v. 37 é mais diplomática do que as palavras de Paulo. Para Paulo, somente os cristãos são os verdadeiros descendentes de Abraão. Mas o Jesus joanino admite que "os judeus" são descendentes de Abraão como parte de seu plano de levá-los a agirem como Abraão. Muito estranhamente, aqui não há nenhum apelo a Abraão como homem de *fé*, um tema que parece ter sido o patrimônio comum da Igreja primitiva (Gl 3,6; Rm 4,3; Tg 2,22-23; Hb 11,8.17). Antes, em João, a ênfase está em realizar obras dignas de Abraão, e somente nas breves referências à palavra de Jesus que não abre caminho (37) e sua menção da verdade (40) é que há uma referência indireta à sua falta de fé.

A menção do Pai de Jesus no v. 38 se depara com uma rejeição implícita por "os judeus" em 39. Isto leva Jesus a endurecer sua postura. No v. 39 ele está ainda insistindo que eles são filhos de Abraão (condicional real na protásis), mas a partir do v. 41 ele diz que suas obras revelam uma ascendência demoníaca. Esta variação de perspectiva está tentando captar a mesma ideia que Paulo dá expressão em Rm 9,7: "Nem todos os que são descendentes de Abraão são filhos de Abraão". Que características espirituais se requereram para ser realmente digno de Abraão também se encontram no pensamento judaico contemporâneo; *Pirqe Aboth* v 22 diz: "Bons olhos, um espírito humilde e uma mente dócil são as marcas dos discípulos de Abraão nosso pai".

(2) 41b-47: *O verdadeiro pai de "os judeus" – Deus ou o diabo?*

No v. 41a, com a primeira alusão de Jesus de que o diabo é o pai de "os judeus", o tema de Abraão passa para segundo plano. Torna-se claro que Jesus não está desafiando a pureza da origem deles ou seja de Abraão; ele está desafiando seu *status* como povo de Deus. Talvez por implicação a resposta dos judeus em 41b seja um aviltamento a Jesus (ver a respectiva nota), mas sua principal obrigação é defender a pureza de seu *status* religioso. No AT, a infidelidade a Iahweh às vezes era descrita como prostituição ou adultério, e os israelitas que praticavam um falso culto eram chamados filhos de prostituições (Os 2,4). Portanto, quando no v. 41 os judeus negam que são filhos de fornicação, estão negando que têm se desviado da genuína vereda do culto a Deus. Ao ressaltar que Deus é o pai deles, estão reiterando os termos da aliança com Moisés pela qual Israel se tornou filho de Deus (Ex 4,22) e Iahweh se tornou pai de Israel (Dt 32,6) – um tema reiterado constantemente na pregação profética (Is 44,8; Ml 2,10). Uma passagem que é particularmente aplicável aqui é Is 63,16, dirigido a Iahweh: "Pois tu és nosso pai. Ainda que Abraão não nos reconhece... tu, Senhor, és nosso pai".

Jesus responde com uma tácita negação. No v. 39, expressando-se numa sentença condicional com uma prótase "real", ele admitiu a alegação deles de descenderem de Abraão (segundo a carne); em 42, expressando-se numa sentença condicional que é inteiramente contrária ao fato, Jesus nega terminantemente que Deus seja o Pai deles. O critério para a filiação é uma vez mais o princípio de que o filho deve agir como o pai, e as ações de "os judeus" em odiarem a Jesus mostram que não são filhos de Deus. É interessante que em Gl 3,26.29 temos Paulo associando a questão de ser filhos de Deus com a de ser descendentes de Abraão. Paulo assegura aos cristãos que são filhos de Deus pela fé, assim, por implicação, contrastando-os com os judeus; Paulo, porém, não chega ao ponto de dizer que os judeus são filhos do diabo. Se a afirmação que João registra para este propósito (44) parece áspera, afirmações semelhantes foram atribuídas a Jesus na tradição sinótica. Ao falar aos escribas e fariseus sobre o tipo de conversão que eles fazem, Jesus diz: "Ao fazer-se um prosélito, ele se torna duas vezes mais *filho do inferno como vós* (Mt 23,15)". Na exposição da parábola do joio (Mt 13,38-39), somos informados que as sementes que se opõem aos filhos do reino são *os filhos do Maligno*. Devemos notar ainda que o mesmo pensamento se encontra em outro lugar na literatura joanina, pois 1Jo 3,8 diz: "O homem que age pecaminosamente pertence ao diabo, porque o diabo é pecador desde o princípio".

A ênfase sobre a natureza essencial do diabo ou o que ele foi desde o princípio permeia o v. 44; talvez seja por contraste com o cap.

8,25 onde Jesus frisou que ele mesmo era o que lhes dissera ser desde o princípio. Aqui, pela primeira vez no evangelho, o fato de que o diabo é o verdadeiro antagonista de Jesus passa ao primeiro plano. Este tema se tornará cada vez mais insistente enquanto a hora de Jesus se aproxima, até que a paixão se apresente como a luta até a morte entre Jesus e Satanás (12,31; 14,30; 16,11; 17,15). Assim, ao buscar concretizar a morte de Jesus, que é o principal propósito do diabo, "os judeus" estão realizando a obra de Satanás. Isto é exemplificado ao extremo em Judas; porque, como ele traiu Jesus para a morte, Satanás entrou nele (13,2.27). Ao enfatizar a natureza essencial do diabo como pecador, homicida e mentiroso, Jesus está falando na tradição do período posterior do AT que traçou todo pecado e morte à obra do diabo descrita nos capítulos iniciais de Gênesis. Sb 2,24 trás: "Pela inveja do diabo entrou a morte no mundo"; Siraque 25,24 trás: "O pecado começou com uma mulher [Eva], e por causa dela todos nós morremos". Pontuamos nas notas sobre v. 44 que a acusação específica de mentiroso deve estar conectada com o engodo de Satanás contra Eva, e a acusação de homicida à história de Caim. É possível que no último caso a acusação seja ainda mais ampla, e que, como na Sabedoria de Salomão e Siraque, está implícita a pena de morte através do primeiro pecado. Que a serpente de Gn 3 era considerada homicida é visto na obra do 4º século d.C., *Constituições Apostólicas* (VIII 7:5; Funk ed., I, 482).

Podemos fazer uma pausa por um momento para analisar a ênfase sobre a mentira na última parte do v. 44. No dualismo joanino, mentira é equivalente a trevas; é parte da esfera diabólica que se opõe à verdade e à luz de Deus. Assim, aqui não estamos pensando em engodo ocasional, e sim na perversão fundamental. Se Jesus Cristo é a verdade (14,6), o diabo é a mentira por excelência. No evangelho, o dualismo de luz/trevas é mais comum do que de verdade/perversão; mas em 1Jo 2,22 pergunta-se: "Quem é o mentiroso? Nenhum outro senão quem nega que Jesus é o Cristo. Este é o anticristo, o qual nega o Pai e o Filho" (também 2Jo 7). Isto está muito associado com o pensamento na divisão de Jo 8 em consideração. Um dualismo similar é bem conhecido em Qumran, onde o espírito da verdade é oposto ao espírito da perversão (ver também nota sobre v. 32). Há não só dois grandes líderes angélicos entrando em batalha (1QS 3, 19), mas também dois caminhos da vida pelos quais os homens caminham (1QS 4, 2ss.). Assim também na literatura joanina: se no evangelho verdade e mentira são personificada em Jesus e Satanás, em 1Jo 4,1-6 o espírito da verdade e o espírito do erro se encontram nos homens; e em 2Jo 4 e 3Jo 3, os cristãos andam na verdade. (Ver nosso artigo sobre João e Qumran em CBQ 17 [1955], 559-61). Finalmente, podemos observar que a ênfase sobre a mentira nesta terceira divisão do discurso no capítulo 8 está em contraste com a ênfase sobre a verdade nas duas primeiras divisões. Ali ouvimos que o testemunho de Jesus pode ser *verificado* (14), seu julgamento é *verdadeiro* (16), o que ele diz reflete a *fidedignidade* daquele que o enviou (26).

Os vs. 45-46 ajudam a lembrar ao leitor as primeiras palavras de Jesus concernentes à verdade. Em particular, o v. 45 acentua a oposição radical que existe entre os filhos do pai da mentira e os da verdade. Poderíamos esperar que o v. 45 diga que, mesmo *quando* Jesus disse a verdade, não creram nele; mas João realmente diz que não creram porque ele falava a verdade. Em 3,20, ouvimos que os filhos das trevas odeiam a luz; aqui, os filhos da mentira odeiam a verdade. Jesus poderá discutir com eles tudo o que queirem (46), mas, não adianta, pois são radicalmente incapazes de ouvir (47 – ver a respectiva nota).

O v. 47 forma uma inclusão com os vs. 41 e 42. Os judeus alegaram em 41 que Deus era seu pai; Jesus termina sua resposta a eles em 47 com: "Vós não sois de Deus". Em 42, Jesus inicia sua resposta pontuando que eles não o amavam mesmo quando ele saísse de (*ek*) Deus; em 47, ele diz que a razão de não o ouvirem é porque não são de (*ek*) Deus. Sobre este contraste, ver Barrosse, TS 18 (1957), 557.

(3) 48-59: *As reivindicações que Jesus faz de si mesmo e a comparação com Abraão*

Jesus disse que "os judeus" não são os verdadeiros filhos de Abraão (vs. 31-41a), nem os verdadeiros filhos de Deus (41b-47); na terceira e última subdivisão desta seção, eles respondem desafiando as reivindicações dele sobre quem *ele* é. Jesus disse aos judeus que são do diabo; agora dizem que ele é alguém que tem demônio (48). Jesus diz que ele não tem nada a ver com demônio – que ele comprova em virtude da honra que rende ao Pai (49). Aqui não estamos muito longe da cena na tradição sinótica (Mc 3,22-25), onde Jesus é acusado de ser possuído pelo príncipe dos demônios. Ele responde, dizendo que está expulsando demônios (e assim realizando a obra de Deus), e que isto não é obra de Satanás. Nas acusações contra Jesus de ser filho ilegítimo (vs. 41 – cf. nota), de ser samaritano e de ser louco temos os precursores dos ataques pessoais contra Jesus que se tornaram parte dos apologetas judaicos contra o Cristianismo. (É desnecessário dizer que havia um aviltamento correspondente contra os judeus da parte dos apologetas cristãos).

Na Cena I dos discursos na festa dos Tabernáculos (7,18), Jesus salienta o fato de que não estava buscando sua própria glória como um critério de que estava falando a verdade. Isto é repetido aqui, nos vs. 50 e 54, como a nota acrescida de que Deus busca a glória de Jesus e que esta glorificação de Jesus será consumada através do julgamento de vindicação que o Pai fará. Por último, na hora da paixão, morte, ressurreição e ascensão, que é a hora do julgamento do mundo (12,31; 16,11), seremos informados que o Filho é glorificado (12,23; 13,31; 17,1). Para alguns homens, este julgamento que vindica e glorifica o Filho será um julgamento que conduz à morte e ao reino do mal, porém não para os que guardam a palavra de Jesus (51). "Guardar" a palavra ou mandamento de Jesus é um tema joanino frequente (14,21.23-24; 15,20; 17,6; 1Jo 2,5). Significa ouvir e obedecer, e assim a promessa no v. 51 é muitíssimo parecida com a de 5,24: "Aquele que ouve minha palavra... possui a vida eterna... passará da morte para a vida". Todavia, pode ser que "guardar" signifique apenas um pouco mais que "ouvir"; lembra a noção da palavra de Jesus que permanece no crente (ver nota sobre v. 31). A palavra de Jesus é o antídoto para o pecado e morte que o diabo introduziu no mundo no Jardim do Éden. De modo algum é improvável que interpretemos a promessa de imortalidade, no v. 51, à luz das tendências homicidas do diabo mencionadas em 44. Ver A. M. DUBARLE, *"Le péché originel dans les suggestions de l'Évangile"*, RSPT 39 (1955), 603-14.

A afirmação de Jesus é recebida pelos judeus, nos vs. 52-53, com a má-compreensão que aparece tão amiúde na narrativa de João. Pensando sempre no nível deste mundo aqui de baixo, entendem suas observações em termos de livramento da morte física, justamente como tinham entendido, equivocadamente, suas observações sobre a liberdade em termos de liberdade política (33). Sua objeção reintroduz o tema de Abraão que domina os vs. 31-41. Os judeus evocam o exemplo de Abraão para Jesus em grande medida da mesma maneira que a mulher samaritana (4,12) evocou para ele o exemplo de Jacó: "És tu maior que o nosso pai Jacó, que nos deu o poço?" Exigem conhecer quem ele pretende ser, assim reiterando sua pergunta no v. 25. Ali Jesus lhes respondeu em termos de divindade, re-enfatizando no

v. 28 o *egō eimi* divino de 24; aqui, ele não pode fazer outra coisa que insistir no mesmo sentido e, por isso, e sua resposta terminará em 58 com outro *egō eimi* divino.

Para conduzir a essa solene afirmação, Jesus, no v. 54, volta àquele tema da glória que ele partilha com o Pai. Já ouvimos várias vezes nos discursos da festa dos Tabernáculos do fracasso de "os judeus" de conhecer ou reconhecer a Deus (7,28-29; 8,19). No v. 55, isto é elaborado habilmente com o tema da mentira tão proeminente em 8,44. Mas, em sua autodefesa, Jesus não negligenciou o protesto dos judeus concernente a Abraão, e assim em 56 Jesus insiste que ele é o cumprimento real da história de Israel que começou com a promessa a Abraão. Um pouco antes (5,46), ele dissera que, se os judeus criam em Moisés, também deveriam crer nele, pois foi a seu respeito que Moisés escreveu. Agora ele lhes assegura que foi dele que Abraão teve uma visão. Haviam indagado se ele pretendia ser maior que Abraão; ele lhes informa que Abraão foi apenas seu precursor, contemplando seu dia. O pensamento de que através de seus arautos, o AT contemplou Jesus com alegria, se encontra também em Mt 13,17 (ver nota sobre v. 56) e Hb 11,13 ("Todos estes morreram na fé, sem terem recebido o que fora prometido, mas tendo-o visto e saudado de longe").

O clímax de tudo o que Jesus disse na festa dos Tabernáculos vem na triunfante proclamação por Jesus do nome divino: "EU SOU", o qual ele porta (ver Apêndice IV, p. 841ss). Em 8,12, ele abriu esta cena III dos discursos na festa dos Tabernáculos com "Eu sou a luz do mundo"; o final "EU SOU" do v. 58 representa uma inclusão. Nenhuma implicação mais clara da divindade se encontra na tradição do evangelho, e "os judeus" reconhecem esta implicação. Lv 24,16 ordenara: "Aquele que blasfemar o *nome* do Senhor será morto; toda a congregação o apedrejará". Não estamos certos qual era a definição legal de blasfêmia nos dias de Jesus; mas no relato de João o uso do nome divino representado por *egō eimi* parece ser suficiente, pois os judeus buscam cumprir a ordem de Levítico. Entretanto, na visão do evangelista, estão simplesmente provando que Jesus falava a verdade: são homicidas como seu pai! Jesus se oculta (*kryptein*), esgueirando-se dos recintos do templo. Isto pode ser também uma inclusão destinada a manter unidos os capítulos 7 e 8, pois recordamos que Jesus primeiro subiu secretamente ao templo para a festa dos Tabernáculos (*en kryptō*: 7,10).

Antes de encerrarmos esta discussão, podemos indagar se há alguma probabilidade de que Jesus fez tal reivindicação, em público, de sua divindade como a representada no v. 58, ou aqui estamos tratando exclusivamente com a profissão de fé da Igreja posterior? Como um princípio geral, certamente é procedente que através de sua fé os evangelistas foram aptos para aclarar a imagem de Jesus que era obscura durante seu ministério. Não obstante, é difícil evitar a impressão criada por todos os evangelhos de que as autoridades judaicas viram algo blasfemo na compreensão que Jesus tinha de si mesmo e sua missão. Não há prova convincente de que a única razão real por que Jesus foi levado à morte é porque ele era um reformador social ou ético, ou porque ele era politicamente perigoso. Mas, como podemos determinar cientificamente qual o elemento blasfemo jazia nas reivindicações declaradas ou implícitas de Jesus sobre si mesmo? Na clareza com que João apresenta a divina afirmação de Jesus, "EU SOU", ele está tornando explícito o que de alguma maneira era implícito? Nenhuma resposta definida parece possível sobre bases meramente científicas. Mencionamos ainda a possibilidade de que João esteja historicamente correto em mostrar que as autoridades judaicas se sentiam alarmadas ante as reivindicações de Jesus muito antes que o Sinédrio julgasse, quando, na noite antes da morte de Jesus, outro *egō eimi* (Mc 14,62) provocasse o sumo sacerdote a clamar blasfêmia! e requerer a morte.

Pode ser que aqui devamos re-enfatizar que um capítulo como Jo 8, com suas afirmações ásperas sobre "os judeus", deva ser entendido e avaliado contra a polêmica do pano de fundo dos tempos em que ele foi escrito. Tomar literalmente uma acusação como a do v. 44 e pensar que o evangelho impõe aos cristãos a crença de que os judeus são filhos do diabo é esquecer o elemento condicionado pelo tempo na Escritura. (Est 9 com sua vingança invertida apresenta aos judeus um problema similar de atitudes religiosas condicionadas pelo tempo). Para que o quadro não pareça tão escuro, recordemos que este mesmo Quarto Evangelho registra o dito de Jesus de que a salvação vem dos judeus (4,22).

BIBLIOGRAFIA

CAVALETTI, S., "*La visione messianica di Abramo (Giov. 8, 58)*", BibOr 3 (1961), 179-81.

CHARLIER, J.-P., "*L'exégèse johannique d'un précept legal: Jean VIII 17*", RB 67 (1960), 503-15.

DAHL, N. A., "*Der Erstgeborene Satans und der Vater des Teufels (Polyk. 7:1 und Joh 8:44)*", Apophoreta (Haenchen Festschrift; Berlin: Töpelmann, 1964), pp. 70-84.

DODD, C. H., "*A l'arrière plan d'un dialogue johannique*", RHPR 37 (1957), 5-17 on viii 33-47.

FUNK, R. W., "*Papyrus Bodemer II (P^{66}) and John 8, 25*", HTR 51 (1958), 95-100.

KERN, W., "*Die symnmetrische Gesamtaufbau von Joh. 8, 12-58*", ZKT 78 (1956), 451-54.

MEHLMANN, John, "*John 8,48 in Some Patristic Quotations*", Bib 44 (1963), 206-9.

SMOTHERS, E. R., "*Two Readings in Papyrus Bodmer II*", 51 (1958), especialmente pp. 111-22 sobre 8,25.

34. O CLÍMAX NA FESTA DOS TABERNÁCULOS: – A CURA DE UM CEGO
(9,1-41)

Como um sinal de que ele é a luz, Jesus dá visão a um cego de nascença

9 ¹Ora, enquanto ele caminhava, viu um homem que fora cego desde o nascimento. ²Seus discípulos lhe perguntaram: "Rabi, quem pecou para que ele nascesse cego, ele ou seus pais?" ³"Ninguém", respondeu Jesus:

"Nem ele e nem seus pais.
Antes, isso se deu para que se manifestem nele as obras de Deus.
⁴Temos que realizar as obras daquele que me enviou
enquanto é dia.
A noite está vindo
quando ninguém pode trabalhar.
⁵Enquanto estou no mundo,
sou a luz do mundo".

⁶Então, ele cuspiu no chão, fez lodo com sua saliva e untou os olhos do homem com o lodo. ⁷Então Jesus lhe disse: "Vai, lava-te no tanque de Siloé". (Este nome significa "aquele que foi enviado"). E então ele saiu e lavou-se, e voltou vendo.

⁸Ora, seus vizinhos e o povo que costumavam a vê-lo mendigar começaram a indagar: "Não é este aquele que costumava se sentar e mendigar?" ⁹Alguns passaram a dizer que era ele; outros afirmavam que não era, mas sim alguém que se parecia com ele. Ele mesmo dizia:

"Sou eu, com certeza". ¹⁰Então lhe disseram: "Como teus olhos foram abertos?" ¹¹Ele respondeu: "Aquele homem a quem chamam Jesus fez lodo e untou meus olhos, dizendo-me que fosse ao tanque de Siloé e me lavasse. Assim que fui e me lavei, recuperei minha vista". ¹²"Onde está ele?", perguntaram. "Não tenho ideia", replicou.

¹³Eles levaram aos fariseus o homem que nascera cego. (¹⁴Note-se que foi em um dia de sábado que Jesus fez o lodo e abriu seus olhos). ¹⁵Por seu turno, os fariseus então começaram a inquirir como ele recuperara sua vista. Ele lhes disse: ¹⁶"Aquele que pôs lodo em meus olhos; e me lavei e agora vejo". Isto impeliu alguns dos fariseus a asseverar: "Este homem não é de Deus, porque ele não guarda o sábado". Outros objetaram: "Como pode um homem realizar tais sinais e ainda ser pecador?" E estavam divididos. ¹⁷Então voltaram a falar ao cego: "Visto que ele abriu teus olhos, o que tens a dizer sobre ele?" "Que é profeta", replicou.

¹⁸Mas os judeus se recusavam a crer que realmente ele nascera cego e subsequentemente recuperara sua vista, todavia intimaram os pais do homem [que recuperara sua vista]. ¹⁹"Este é vosso filho?", perguntaram. "Confirmais que ele nasceu cego? Caso seja sim, como é possível que ele veja agora?" ²⁰Os pais deram esta resposta: "Sabemos que este é nosso filho e que nasceu cego. ²¹Mas não sabemos como agora pode ver, nem sabemos quem abriu seus olhos. [Perguntai a ele]. Ele tem idade suficiente para falar de si mesmo". (²²Seus pais responderam desta maneira porque tinham medo dos judeus, pois os judeus já tinham acordado que qualquer um que reconhecesse Jesus como o Messias fosse expulso da Sinagoga. ²³ Foi por isso que seus pais disseram: "Ele idade suficiente. Perguntai a ele).

²⁴E assim, pela segunda vez, intimaram o homem que nascera cego e lhe disseram: "Dá glória a Deus. Nós sabemos que este homem é pecador". (²⁵"Se ele é pecador ou não, eu não sei". ²⁶Persistiram: "O que ele realmente te fez? Como abriu teus olhos?" ²⁷"Eu já vos disse e não prestais atenção", respondeu-lhes. "Por que quereis ouvir tudo outra vez? Não me digais que também quereis tornar-vos seus discípulos!" ²⁸Retorquiram com escárnio: "Tu é que és discípulos desse sujeito; somos discípulos de Moisés. ²⁹Sabemos que Deus falou

---

13: *tomou*. No tempo presente histórico.
17. *se dirigiram*. No tempo presente histórico.

a Moisés, mas nem mesmo sabemos de onde este sujeito vem". ³⁰O homem objetou: "Ora, que coisa estranha! Estais aqui e nem mesmo sabeis de onde ele vem; contudo me abriu os olhos. ³¹Sabemos que Deus não dá ouvidos a pecadores, mas Ele ouve a alguém que é temente e obedece à Sua vontade. ³²Jamais se tem ouvido que alguém já tenha aberto os olhos de um cego de nascença. ³³Se este homem não fosse de Deus, nada poderia ter feito". ³⁴"O quê!" exclamaram. "Tu nasceste impregnado de pecado, e agora estás nos ensinando?" Então o expulsaram.

³⁵Quando Jesus ouviu sobre a expulsão dele, o encontrou e disse: "Crês tu no Filho do Homem?" ³⁶Ele respondeu: "Quem é ele, senhor, para que eu creia nele?" ³⁷"Tu o tens visto", replicou Jesus, "pois é aquele que está falando contigo". [³⁸"Eu creio, Senhor", ele disse e curvou-se para adorá-lo. ³⁹Então disse Jesus]:

> "Eu vim a este mundo para juízo:
> a fim de que os que não enxergam, vejam,
> e os que veem tornem-se cegos".

⁴⁰Alguns dos fariseus que estavam ali com ele por acaso ouviram isto e lhe disseram: "Seguramente, temos de ser considerados também cegos?" ⁴¹Jesus lhes disse:

> "Se apenas fôsseis cegos,
> então não seríeis culpados de pecado.
> Mas agora que alegais ver,
> vosso pecado permanece".

NOTAS

9.1. *Ora*. Literalmente, "e" – um início bastante abrupto.
enquanto ele caminhava. Esta expressão descritiva ocorre somente aqui em João, mas é uma forma frequente de introduzir uma cena nos sinóticos: Mc 1,16; 2,14; Mt 9,27 (cura dos dois cegos); 20,30 (cura dos dois cegos perto de Jericó). Há dúvida se esta cena está em sequência direta com a cena precedente, embora, como o evangelho ora está, se poderia pensar em Jesus como a caminhar para fora do templo. Todavia, certamente ele não está se ocultando (8,59).

desde o nascimento. Esta é uma expressão grega atestada na LXX e em escritos pagãos (BAG, p. 154). A expressão mais semítica parece ser "desde o ventre da mãe" (Mt 19,12; At 3,2).

2. *discípulos*. Não ouvimos dos discípulos de Jesus estando com ele desde o capítulo 6 na Galileia. Se estes discípulos são os Doze, esta é a primeira indicação de que subiram a Jerusalém com Jesus. Ou seriam os discípulos judeus obscuros de 7,3? Ou estaríamos tratando de uma cena que era independente e de fato ocorreu em Jerusalém em outra ocasião?

quem pecou? A despeito do Livro de Jó, a antiga teoria de uma relação causal direta entre pecado e doença ainda estava viva nos dias de Jesus, como indica esta questão e a similar em Lc 13,2. Se um adulto ficava doente, a culpa poderia estar em seu próprio comportamento. O problema de uma criancinha nascida com uma aflição propiciava uma dificuldade mais séria. Todavia, Ex 20,5 ofereceu um princípio para a solução: "porque eu, o SENHOR teu Deus, sou Deus zeloso, que visito a iniquidade dos pais nos filhos, até a terceira e quarta geração"... Alguns dos rabinos mantinham que não só os pecados dos pais podiam deixar uma marca em um recém-nascido, mas também que este podia pecar no ventre da mãe (StB, II, pp. 528-29). Para a atitude de Jesus para com a relação do pecado com a enfermidade, ver nota sobre 5,14.

3. *isso se deu para que*. Jesus foi interrogado acerca da causa da cegueira do homem, porém responde em termos do propósito dela.

para que se manifestem nele as obras de Deus. Os rabinos falavam de Deus como a ministrar nos homens "punições de amor", i.e., castigos que, se uma pessoa os sofria com muito ânimo, lhe trariam longa vida e recompensas. Mas isto não parece ser o pensamento de Jesus aqui ou em 11,4; antes, diz respeito à intervenção na história por parte de Deus para glorificar o Seu nome. Um bom exemplo seria Ex 9,16, citado em Rm 9,17, onde Deus fala a Faraó: "Mas, deveras, para isto Eu te suscitei, para mostrar meu poder em ti, e para que meu nome seja anunciado em toda a terra". Que as obras de Jesus são realmente obras de Deus está implícito em Mt 12,28; Mc 2,7.

4. *Temos... me enviou*. Esta é a redação dos melhores manuscritos, mas algumas testemunhas têm tentado excluir a diferença na pessoa: "Temos... me enviou", ou "Eu tenho... me". BULTMANN, p. 251[9], prefere a última e sugere que "temos" foi introduzido pela comunidade cristã. Ao contrário, é bem provável que o "temos" seja a forma de Jesus associar seus discípulos com ele em sua obra. Que ele deseja esta associação, é visto em 4,35-38; note também que na introdução ao capítulo 11, a qual tem muito em comum com a introdução ao capítulo 9, o uso da primeira pessoa plural é

frequente. Quanto à insistência de que "temos" que trabalhar enquanto é dia, em 12,36, lemos que os discípulos têm a luz e são convidados a se tornarem filhos da luz. Outro caso de Jesus associando os discípulos com ele em seu discurso é Mc 4,30: "A que *compararemos* o reino de Deus?"

temos que realizar as obras... enquanto é dia. O mesmo tipo de necessidade é expresso em Lc 13,32. DODD, *Tradition*, p. 186, sugere que uma afirmação da sabedoria proverbial pode sublinhar o dito joanino e cita exemplos rabínicos.

5. *Sou a luz do mundo.* Em Mt 5,14, os discípulos recebem esta função. A autodescrição de Jesus pode ter sua origem em Is 49,6, onde o Servo (Sofredor) é descrito como luz para as nações.

6. *Então.* Na maior parte dos relatos sinóticos da cura do cego há uma súplica da parte do homem aflito.

ele cuspiu. Somente João e Marcos (7,33: *cura de um surdo/mudo*; 8,23: *cura de um cego*) registram que Jesus usou saliva. Os milagres marcanos com saliva parecem ter sido deliberadamente omitidos por Mateus e Lucas. O uso de saliva era parte da tradição primitiva acerca de Jesus, porém o deixou exposto à acusação de engajar-se na prática da magia. No tratado Mishnáico *Sinedrin* 10:1, o Rabi Aqiba (2º século) é reportado como a amaldiçoar alguém que pronuncia sortilégios sobre uma ferida; a *Tosephta* adiciona cuspe ao pronunciamento de sortilégios (BARRETT, p. 296).

untou. Ou "ungiu" (*epichriein*); esta é a redação grega mais bem atestada e é endossada por ambos os papiros Bodmer. Alguns estudiosos, p. ex., BARRETT, suspeitam que isto foi tirado do v. 11, e preferem a redação do Codex Vaticanus: "ele *pôs* lodo nos olhos do homem" (*epitithenai*). Entretanto, esta redação poderia ter sido tomada do v. 15.

lodo. IRINEU, *Adv. Haer* v 15:2 (PG 7:1165), vê aqui um símbolo do homem sendo criado da terra; vê o uso de "barro" ou "lodo" em Jó 4,19; 10,9.

7. *lava-te no tanque.* Um antecedente para essa diretriz pode ser encontrado em 2Rs 5,10-13, onde Eliseu não cura Naamã naquele lugar, mas o envia a lavar-se no Jordão. Em Lc 17,12-15, Jesus não cura os leprosos imediatamente, mas os encaminha aos sacerdotes e são curados a caminho. Quanto à capacidade de Jesus de curar à distância, isso já foi mostrado na cura do filho do oficial régio em 4,46-54.

Siloé. Este tanque, conhecido em hebraico como Shiloah, estava situado no extremo sul da colina oriental de Jerusalém, perto da conjunção dos vales Cedron e Tiropino. Era um depósito de águas da nascente de Gion que levava ao tanque por um canal. Mencionado em Is 8,6, a água de Siloé era usada nas cerimônias da água e procissões na festa dos Tabernáculos. Fontes rabínicas o mencionam como um lugar de purificação (StB, II, p. 583).

"aquele que foi enviado". O nome "Shiloh", no TM de Gn 49,10, era interpretado em um sentido messiânico na tradição judaica de um período posterior. Tinha-se desenvolvida uma interpretação mística em torno do nome não muito diferente, "Shiloah", com base em Is 8,6? "Shiloah" parece estar relacionado com a raiz šlḫ, "enviar"; mas é difícil dizer se a derivação é ou não válida, pois há similaridade real com o acadiano šilihtu, uma bacia que deságua de um canal. Em qualquer caso, "Shiloah" não é uma forma participial passiva, como seria requerido pela etimologia de João. O evangelista está ou seguindo uma redação diferente das consoantes (p. ex., šālûaḥ, "enviar"), ou exercendo a liberdade de adaptar a etimologia aos seus propósitos. YOUNG, ZNW 46 (1955), 219-21, ressalta que no apócrifo *Vidas dos Profetas* há a mesma etimologia, juntamente com uma tradição de milagres associada a Siloé; entretanto, esta obra poderia ter sido influenciada pelo relato joanino.

8. *costumava-se sentar e mendigar*. Mc 10,46 descreve Bartimeu como um mendigo cego que ficava sentado ao lado da estrada.
9. *Sou eu*. Literalmente, *egō eimi*; este é um exemplo de um uso meramente secular da frase.
11. *recuperei minha vista*. Literalmente, o verbo *anablepein* significa "ver outra vez", é usado nos vs. 11, 15, 18, com a conotação mais ampla de receber visão, pois o homem nunca vira antes.
13. *aos fariseus*. Nos vs. 13, 15, 16 (ver também 40), os interrogadores são chamados fariseus; nos vs. 18 e 22 são chamados "judeus", a terminologia joanina mais usual. A variação não é indicação suficiente de que as descrições dos interrogatórios venham de mãos diferentes; assim também BULTMANN, p. 250[2], contra WELLAUSEN e SPITTA.
16. *Este homem não é de Deus*. O princípio por detrás deste julgamento seria semelhante a Dt 13,1-5 (2-6 TM): mesmo um operador de prodígios não deve ser crido, mas entregue à morte, se tende a afastar pessoas do caminho que Deus ordenou.

ele não guarda o sábado. Primeiro, visto que a vida do homem não corria risco de morte, Jesus deveria ter esperado até o dia seguinte para curar (ver nota sobre 7,23). Segundo, entre as trinta e nove obras proibidas no sábado (*Mishnah Shabbath* 7:2) estava a de amassar, e Jesus tinha amassado o barro com sua saliva para fazer lodo. Terceiro, segundo a tradição judaica posterior (TalBab *Abodah Zarah* 28b) havia uma opinião de que não era permitido ungir um olho no sábado. Quarto, *TalJer Shabbath* 14d e 17f trás que ninguém pode no sábado passar saliva nos olhos.

Como pode um homem realizar tais sinais? O princípio de que um pecador não pode operar milagres *não* é universalmente atestado na tradição bíblica.

Ex 7,11 registra que os magos de Faraó foram capazes de imitar o milagre de Arão. Em Mt 24,24, Jesus admite que falsos messias e profetas exibiriam grandes sinais e prodígios com o intuito de desviar até mesmo o eleito.

estavam divididos. A questão de Jesus divide os fariseus, assim como dividiu a multidão em 7,43.

17. *Que é profeta*. Os únicos profetas que realizaram notáveis milagres de cura foram Elias e Eliseu (ver também Is 38,21). Pode ser que esteja em mente a similaridade com Eliseu ordenando que Naamã se lavasse no Jordão. Todavia, tudo isso pode significar que o homem crê que Jesus tem poder divino e que "profeta" é a categoria bem notória para definir esses homens extraordinários.

18. [*que recuperara sua vista*]. Isto é omitido em P^{66} e em algumas testemunhas menores. Isto é repetitivo e inoportuno, mas essa pode ter sido a razão por que os copistas o omitiram.

21. *não sabemos*. Isto é omitido por SB seguindo evidência de versão menor e citações da patrística.

    [*Perguntai a ele*]. P^{75} agrega considerável força às testemunhas anteriores que omitiram estas palavras. Talvez fossem tiradas do v. 23.

    idade suficiente para falar. Literalmente, "Ele é bastante velho. Ele falará por si mesmo".

22. *expulso da Sinagoga*. Lc 6,22 diz que virá o dia quando os homens apagarão o nome dos discípulos de Jesus como pernicioso e os *excluirão*; assim a possibilidade de algum tipo de excomunhão parece considerado como o futuro destino dos crentes em Jesus. Infelizmente, não estamos plenamente certos da legislação concernente à excomunhão no 1º século; ver E. Schürer, II, 2.59-62. Alguns estudiosos distinguiriam: (a) *n^{e}zīfāh*: excomunhão menor que durava cerca de uma semana; (b) *niddūy* ou *šammatâ*: banimento mais formal durante trinta dias – embora isto elimine associação com outros israelitas, aparentemente não eliminava a participação nos serviços religiosos da comunidade; (c) *ḥērem*: a maldição ou excomunhão solene pelas autoridades judaicas, excluindo permanentemente alguém de Israel. (Estas três categorias são distinguidas com base na lei judaica posterior). João está se referindo à exclusão dos judeus cristãos da sinagoga no final do 1º século (ver comentário), e assim a excomunhão implícita se associa mais ao último dos três tipos.

24. *Dá glória a Deus*. Esta era uma fórmula de juramento usada antes de tomar o testemunho ou uma confissão de culpado (Js 7,19; 1Esd 9,8). Não obstante, não é impossível que esteja implícito um jogo de palavras, pois o cego dará glória a Deus. Rm 4,20 diz que Abraão se tornou forte em sua fé quando deu glória a Deus; também Ap 19,7.

Nós sabemos. Ouvimos este "nós" de erudita autoridade judaica nos lábios de Nicodemos em 3,2; será confrontado com o primeiro "eu sei" do cego no v. 25.

25. *pecador ou não*. O homem parece saber que a lei do sábado tem sido quebrada, e admite que os fariseus são autoridades sobre esse tema. Mas, como mostram suas próprias palavras em seguida, ele está se perguntando se Jesus não estaria acima da Lei, visto que anteriormente agiu corretamente restaurando sua vista.

27. *não prestais atenção*. Literalmente, "ouvis"; algumas testemunhas leem "credes", assim tentando interpretar o ouvir. P^{66} e algumas testemunhas ocidentais inferiores omitem a negativa, dando a conotação: "Eu vos disse, e me ouvistes".

28. *discípulos de Moisés*. BARRETT, p. 300, indica que este não era um título regular para os eruditos rabínicos, embora seja usado para os fariseus em uma *baraitah* em *Yoma* 4a. O exemplo posterior do princípio do pensamento envolvido aqui se encontra na *Midrásh Rabbah* 8,6 sobre Deuteronômio, onde os judeus são advertidos que há somente uma Lei e Moisés a revelou. Não vai haver outro Moisés que descerá do céu com uma lei diferente.

29. *Deus falou a Moisés*. Ex 33,11: "O Senhor costumava falar a Moisés face a face"; igualmente Nm 12,2-8. Outros exemplos do argumento concernente à relação de Jesus com Moisés são vistos em 1,17; 5,45-47; 7,19-23. É interessante que os Papiros Egerton 2 associam Jo 5,45 e 9,29 (ver p. 458).

    nem mesmo sabemos de onde esse sujeito vem. Em 7,27, o povo de Jerusalém, equivocadamente, pensava que sabiam de onde Jesus veio, a saber, da Galileia (17,41). A resposta de Jesus sempre foi insistir que ele vem de cima e do Pai, e é esta origem celestial que "os judeus" não conhecem (8,14). Aqui, os fariseus parecem estar questionando sua reivindicação de vir de Deus, visto que o contrastam com a conhecida relação entre Moisés e Deus. Acaso há também uma insinuação de ilegitimidade (ver nota sobre 7,41)?

30. *nem mesmo sabeis*. O espanto sarcástico do cego lembra o de Jesus em relação a Nicodemos em 3,10.

31. *Sabemos*. O homem adotou o "nós" dos fariseus (v. 24), precisamente como em 3,11 Jesus adotou o "nós" de Nicodemos. Sem dúvida, tais passagens foram usadas nas polêmicas entre os judeus e os cristãos.

    Deus não dá ouvidos a pecadores. Este é um princípio bíblico comum, p. ex., Is 1,15; 1Jo 3,21. "Pecadores" se referem àqueles indispostos a converterem-se.

    temente e obedece à Sua vontade. "Temente", *theosebēs*, é um termo comum nos círculos religiosos helenistas para descrever a piedade; ocorre somente

aqui no NT. "Obedece à vontade de Deus" é uma descrição hebraica da piedade (BULTMANN, p. 256²).
32. *jamais se tem ouvido*. Literalmente, "não ouvido desde a antiguidade" – uma fórmula rabínica. Não se registra nos livros protocanônicos do AT nenhuma cura miraculosa de um cego; a vista de Tobias foi miraculosamente restaurada (Tb 9,12-13), porém não nascera cego.
33. *Se este homem não fosse de Deus*. O mesmo argumento foi usado por Nicodemos em 3,2.
34. *nasceste impregnado em pecado*. Provavelmente, este é mais que um caso de menosprezo da parte de quem não conhece ou observa a Lei (ver nota sobre 7,49). É uma atribuição da cegueira congênita do homem ao pecado antes de nascer.
  o expulsaram. Isto não é uma excomunhão formal, mas simplesmente expulsão de sua presença.
35. *o encontrou*. Isto é contrastado com a ação dos fariseus em expulsá-lo, e ilustra a promessa de Jesus em 6,37: "Todo o que vem a mim jamais o lançarei fora". Também pode refletir o tema joanino de uma analogia entre Jesus e a Sabedoria. Em Sb 6,16, ela é descrita como saindo em busca dos que são dignos de sua graciosa manifestação a eles em suas veredas.
  Filho do Homem. Algumas testemunhas gregas posteriores e o manuscrito latino dizem "Filho de Deus"; mas isto é claramente uma substituição de uma fórmula mais costumeira e completa da fé cristã, provavelmente sob a influência do uso desta passagem na liturgia batismal e da catequese. Por que Jesus se apresenta ao cego sob o título de o Filho do Homem? Os vs. 39-41 têm um tema de juízo, e juízo é um frequente cenário para a figura do Filho do Homem (ver nota sobre 1,51). Podemos evocar Lc 18,8: "Quando o Filho do Homem vier, acaso achará fé na terra?" – em João, o Filho do Homem encontra fé no cego. Também, em Mt 8,20, Jesus se apresenta como o Filho do Homem para um possível discípulo.
36. *Quem é ele?* Esta pergunta poderia refletir a ignorância do homem do que significa o título, mas, mui provavelmente, se refere à identidade do portador do título (ver 12,34). A questão é curiosa, visto que o homem já sabe que Jesus é um profeta (17), tem poder singular (32) e vem de Deus (33).
  senhor. Ou, talvez, "Senhor", uma vez que *kyrios* contém ambos os sentidos. Todavia, parece apropriado indicar um desenvolvimento do v. 36 para o v. 38 no uso do termo.
37. *o tens visto*. Para João, este é o propósito real do dom da vista; ele capacita o homem a ver e a crer em Jesus.

38-39. [*eu... disse Jesus*]. As palavras entre colchetes são omitidas no Codex Sinaiticus, P[75], o OL, Taciano, Achmimic – uma ampla difusão das testemunhas primitivas. Como se verá abaixo, estes versículos contêm algumas peculiaridades não joaninas. Talvez tenhamos aqui uma adição oriunda da associação de Jn 9 com a liturgia batismal e a catequese. O v. 38 descreve um gesto de caráter bem mais litúrgico.

38. *ele disse*. A forma grega *ephē* é rara em João (somente 1,23). Não obstante, algumas testemunhas também a leem no v. 36, e seu uso aqui poderia ser copiado dali.

curvou-se para adorá-lo. Esta é a reação padrão do AT no tocante a uma teofania (Gn 17,3), e João usa o mesmo verbo, *proskynein*, em 4,20-24 para descrever o culto devido a Deus (também 12,20). A ação de curvar-se para adorar Jesus não é incomum nos sinóticos, especialmente em Mateus, mas em João só ocorre aqui.

39. *vim a este mundo para juízo*. Ver p. 606. Aqui, a atitude é muito mais parecida com a de 3,19-21.

tornem-se cegos. Ver a passagem isaiana citada em 12,40. A linha de distinção entre o resultado do ministério de Jesus e seu propósito não é traçada com nitidez por causa da perspectiva simplista que atribui tudo o que acontece ao propósito de Deus. Mt 23,16 denomina os fariseus de guias cegos; igualmente Mt 6,23: "Se, pois, a luz que há em ti são trevas, quão grandes tais trevas serão!"

40. *fariseus que estavam ali com ele*. Sua presença parece um tanto forçada se termos em conta a situação descrita no v. 35.

41. *vosso pecado permanece*. Em Mc 3,29, lemos que aquele que blasfema contra o Espírito Santo nunca recebe perdão. 1Jo 5,16 tem ciência de um "pecado para morte". Para o agravo da culpa, ver Jo 15,22 [Vol. 2]. O tema da permanência é comum em João, aqui, porém, é o pecado que permanece em vez de um dom de Deus.

COMENTÁRIO

Contexto e estrutura

Depois de intrincados e longos discursos de 7-8, o capítulo 9 nos oferece um agradável interlúdio. Quão estreitamente o capítulo 9 se relaciona com o cenário da festa dos Tabernáculos de 7-8? Em si, o relato é completo e poderia ser situado em outra parte em uma das visitas de

Jesus a Jerusalém; por exemplo, há muitas similaridades com o capítulo 3 (ver notas sobre 9,24.30.33.39). Não obstante, a intensidade do ódio dos fariseus para com Jesus cria um cenário muito apropriado para a festa dos Tabernáculos. O tanque de Siloé (v. l7) exerceu um importante papel nas cerimônias da água discutidas em relação a 7,37-38; e 9,4-5 desenvolve o tema da luz nas trevas que é também o tema da festa dos Tabernáculos, como vimos ao analisar 8,12.

Não obstante, a conexão *imediata* do capítulo 9 com a festa e com o que foi dito em 8 não pode ser assegurada. João não dá nenhuma data precisa para a cura, e a próxima indicação de tempo será a da festa da Dedicação, três meses após a festa dos Tabernáculos, em 10,22. Assim, mesmo que aceitemos a presente ordem do evangelho e concordemos que a cura está relacionada com a visita da festa dos Tabernáculos, pode haver uma considerável lacuna no tempo aludido entre 8 e 9.

A estrutura interna do relato mostra consumado talento; nenhuma outro relato no evangelho é tão intimamente entrelaçada. Temos aqui uma amostra da habilidade dramática de João. Já demos um esboço na p. 424, e podemos analisá-la aqui. Antes de narrar o milagre, o evangelista é cuidadoso em mostrar Jesus indicando o significado do sinal como um exemplo de luz adentrando as trevas. Esta é uma história de como um homem que estava nas trevas foi levado a ver a luz, não só fisicamente, mas também espiritualmente. Em contrapartida, é também um relato de como os que pensavam que viam (os fariseus) se mostravam cegos para com a luz e mergulhavam nas trevas. O relato tem seu início no v. 1 com um cego que recuperou sua vista; ele termina no v. 41 com os fariseus que se tornaram espiritualmente cegos.

Depois de estabelecer a cena para uma compreensão teológica do sinal, o evangelista narra o milagre com sóbria brevidade (vs. 6-7), pois seu interesse primordial está nas perguntas que se vão formulando. Em cada uma destas, o cego dá voz às afirmações que revelam um conhecimento profundo de Jesus. Na pergunta feita pelos fariseus, tudo o que o homem sabe é que seu benfeitor era "o homem a quem eles chamam Jesus" (11). Sob a pressão do interrogatório preliminar mais minucioso da parte dos fariseus, o homem é forçado a confessar que Jesus é *profeta* (17). No interrogatório final, feito pelos fariseus, ele se torna um ardente defensor da causa de Jesus: o que Jesus fez mostra que ele é *de Deus* (33). E então, em resposta culminante à própria pergunta de Jesus, o homem passa a ver Jesus como o *Filho do Homem* (37).

Enquanto o que fora antes cego vai gradualmente tendo seus olhos abertos para a verdade sobre Jesus, os fariseus ou "os judeus" vão se tornando mais obstinados em seu fracasso de ver a verdade. Em seu interrogatório preliminar, parecem aceitar o fato da cura (15). Enquanto alguns são ofendidos pela violação das regras sabáticas, outros parecem dispostos a deixar-se convencer (16) e dar ouvidos à própria avaliação que o outrora cego faz de Jesus (17). Mas, no segundo interrogatório, os que são os mais hostis (os judeus) dominam a cena. Passam agora a duvidar do próprio fato do milagre, buscando mostrar, através dos pais do homem, que ele nunca fora cego. No interrogatório final do homem, todo o interesse em ver onde a verdade jaz desapareceu; buscam embaraçar o homem, fazendo-o repetir os detalhes do milagre (27). Não importa o que ele dissesse sobre o milagre, se recusarão a aceitar as origens celestiais de Jesus (29). Seu procedimento legal desce ao nível do aviltamento da testemunha (34). No fim do relato, os fariseus que se sentaram para julgar o milagre são por Jesus julgados culpados (39, 41).

O cuidado com que o evangelista traçou suas descrições da crescente visão e empedernida cegueira é grandioso. Três vezes o que antes fora cego, que realmente está conquistando conhecimento, confessa humildemente sua ignorância (12, 25, 26). Três vezes os fariseus, que realmente estão a mergulhar mais fundo na abismal ignorância de Jesus, fazem afirmações enfáticas sobre o que sabem dele (16, 24, 29). O cego emerge destas páginas em João como uma das figuras mais atraentes dos evangelhos. Embora o cenário do sábado e a acusação contra Jesus criam uma singularidade entre este milagre e a cura do homem no tanque de Betesda, no capítulo 5, este cego inteligente e falador é muito diferente do paralítico obtuso e sem imaginação do capítulo 5 (ver p. 431). A refutação do cego contra os fariseus nos vs. 24-34 constitui um dos diálogos mais habilidosamente composto do NT.

O valor do relato como tradição

Das observações supramencionadas, seria óbvio que o evangelista contribuiu em grande medida, de sua própria maestria, para dar a esta cena seu grande valor artístico. Tem-se adaptado um relato de milagre em um instrumento ideal a serviço da apologética cristã e numa instrução ideal para os que se preparam para o batismo (ver abaixo). Mas, mesmo quando isto é admitido, devemos ainda perguntar se o relato fundamental pode ou não representar a tradição histórica. O que está em pauta aqui – adaptação de uma história primitiva através de seleção e ênfase, uma criação puramente imaginativa, ou reformulação imaginativa de material sinótico?

A tradição de que Jesus curou o cego é bem atestada na tradição sinótica. Tal cura não tem um pano de fundo nos milagres veterotestamentários, mas a descrição do (espiritualmente) cego, tendo seus olhos (figuradamente) abertos, era parte do quadro dos profetas dos tempos ideais ou messiânicos (Is 29,18; 35,5; 42,7). Listamos abaixo as curas de cegos na tradição sinótica; todavia, com a condição de que duplicações podem estar envolvidos.

(a) Cura de Bartimeu, o qual *se sentava e mendigava* perto de Jericó, quando Jesus estava de caminho para Jerusalém (Mc 10,46-52; Lc 18,35-43; Mt 20,29-34 [dois cegos]).

(b) Dois cegos na Galileia (Mt 9,27-31 – uma duplicação da precedente?).

(c) Um cego/mudo na Galileia (Cafarnaum?) – isto concorda com Mt 12,22-23; mas Lc 11,14 menciona apenas um mudo e põe a cena no caminho para Jerusalém.

(d) Um cego curado em Betânia, em estágios, com o uso de saliva (Mc 8,22-26). Em circunstâncias similares, Mt 15,30 dá um resumo que menciona o cego sendo curado.

(e) *Em Jerusalém*, em um resumo conectado com a purificação do templo, lemos que Jesus curou o cego (Mt 21,14).

Ao avaliarmos a similaridade do relato de João com os dos sinóticos, devemos notar que o apócrifo *Atos de Pilatos* 6,2 diz que um cego, que obviamente é o Bartimeu de (a) acima, nascera cego, e assim, aparentemente, que combina o relato sinótico com o de João. É também possível que JUSTINO, *Apol.* 1, 22:6 (PG 6:364), esteja combinando as duas tradições quando diz que Jesus "curou os aleijados, os paralíticos e *os cegos de nascença* [plausivelmente, lendo *pērous* por *ponērous*]". Na verdade, as similaridades entre os vários relatos sinóticos e o relato de João são muito poucas (note os *itálicos* acima). Certamente, João não depende de um único relato sinótico, nem há qualquer evidência convincente de que João é dependente de qualquer combinação de detalhes das várias cenas sinóticas. Os mais notáveis e importantes aspectos em João não se encontram nas cenas sinóticas, por exemplo: *cego de nascença; uso de lodo; cura através da água de Siloé; interrogatório sobre o milagre; questionamento aos pais*. Naturalmente, estes detalhes notavelmente diferentes frequentemente são os mesmos pontos que servem aos interesses teológicos joaninos, e por isso se torna difícil provar cientificamente que não foram criados com um propósito pedagógico. Alguns pontos que podem ser mencionados em favor do caráter primitivo e autêntico do relato joanino são o uso de saliva, a brevidade com que o milagre é narrado, a informação local sobre o tanque de Siloé, a familiaridade com os minuciosos pontos das regras sabáticas. Portanto, em geral parece que a probabilidade favorece a teoria de que por detrás do capítulo 9 jaz uma história primitiva de cura preservada somente na tradição joanina (assim também DODD, *Tradition*, pp. 181-88). O evangelista, com seu senso de drama, viu nesta história um exemplo quase ideal de um sinal que poderia ser usado para instruir seus leitores e fortalecê-los em sua convicção de que Jesus é o Messias (20,31) e elaborou o relato com esse objetivo em mente.

As lições ensinadas pelo relato

(a) *Triunfo da luz sobre as trevas*. A lição primária que o evangelista tencionava comunicar é aquela que enfatizamos acima quando descrevemos a estrutura do capítulo: a representação do triunfo da luz sobre as trevas. Assim como os profetas veterotestamentários acompanhavam sua palavra expressa por ações simbólicas que dramatizavam sua mensagem, assim também Jesus, aqui, representa a verdade que ele proclamou em 8,12: "Eu sou a luz do mundo". Não apenas todo o arranjo do capítulo, mas também a própria introdução específica, nos vs. 2-5, torna esta lição clara. DODD, *Tradition*, pp. 185-88, mantém que em 2-4 há muito que se assemelha ao que se encontra nas afirmações sinóticas de Jesus (ver as respectivas notas), e notamos que o v. 5 se assemelha muito a Mt 5,14. Assim, o evangelista poderia ter encontrado a chave para sua compreensão da cena nos ditos tradicionais de Jesus.

(b) *Lição apologética*. Em adição ao drama luz/trevas, vista/cegueira, o evangelista teve um segundo propósito em apresentar este relato a seus leitores: o de cunho apologético. Na pergunta preliminar dos fariseus ao homem (vs. 13-17), ouvimos algumas das dúvidas que acossavam as autoridades sobre Jesus durante seu ministério. O problema de sua violação do sábado certamente era uma parte autêntica da tradição primitiva sobre Jesus, e com base nos paralelos sinóticos, esta pergunta preliminar tem todo o direito de ser considerada parte do relato da cura (Mc 3,1-6; Lc 13,10-17). Mas, enquanto no capítulo 5 o tema sabático dominou o relato da cura do paralítico, isto é realmente apenas incidental no desenvolvimento do capítulo 9; pois nos interrogatórios subsequentes feitos aos pais do homem (18-23, 24-34), a questão do sábado desaparece no contexto. Nestes interrogatórios, a questão real é se Jesus tinha ou não poder miraculoso e, se ele o tinha, quem é ele.

Aqui, passamos dos argumentos do ministério de Jesus para a apologética da Igreja e da Sinagoga na era da expansão do Cristianismo, e o evangelista nos mostra o prolongamento, em seu próprio tempo, do debate sobre Jesus que já havia começado a inflamar quando Jesus ainda vivia. Nos vs. 28-33 temos de forma sintética a violenta polêmica entre os discípulos de Moisés e os discípulos de Jesus no final do 1º século. A mesma mentalidade está em pauta aqui, a qual propiciou a designação anacrônica das autoridades dos dias de Jesus como "os judeus"; pois o "nós" que é ouvido nos lábios dos fariseus realmente é a voz de seus descendentes lógicos, isto é, os judeus do final do 1º século, os quais, de uma vez por todas, rejeitaram as reivindicações de Jesus de Nazaré, e que consideram seus seguidores como hereges. O "nós" nos lábios do primeiro cego é a voz dos apologetas cristãos que pensam nos judeus como cegos por própria vontade extraviada diante da óbvia verdade implícita nos milagres de Jesus.

Nos parênteses dos vs. 22-23, parece-nos ter o desenvolvimento final do uso apologético deste relato joanino. É bem provável que estes versículos representem a intervenção de um redator que leva o relato ao seu clímax, pois eles são bastante intrusivos na narrativa. Como realçamos na Introdução, eles nos ajudam a determinar a possível data mais antiga para o evangelho em sua forma atual (p. 87); pois se referem à tentativa, em torno de 90 d.C., de expulsar das sinagogas os judeus que aceitassem Jesus como o Messias. É bem possível que, durante o ministério de Jesus e seus discípulos, encontrassem oposição nas sinagogas e foram tratados rudemente no calor do debate (Lc 4,28-29). Mas é quase inacreditável que durante a vida terrena de Jesus uma excomunhão formal fosse lançada contra os que o seguiam. Mt 10,17 menciona o uso de açoites nas sinagogas, mas apenas como parte do *futuro* destino dos missionários cristãos. Atos mostra os apóstolos entrando nas sinagogas e inclusive no próprio templo sem qualquer sugestão de que fossem excomungados. Mesmo a descrição dos seguidores de Jesus, no v. 22, como os que reconheciam que ele era o Messias, é excessivamente formal para o ministério de Jesus. Uma vez mais, o evangelho está mostrando-nos o último desenvolvimento da hostilidade que era incipiente na vida terrena de Jesus. O temor que os pais revelam em falar representa o dilema daqueles judeus praticantes que criam que Jesus é o Messias, mas agora (i.e., no final do 1º século) descobrem que não mais podem professar esta fé e permanecer judeus. Através do exemplo do cego, no v. 34, o evangelho apela para eles: que permitam ser excomungados, pois Jesus os procurará, como procurou o cego no v. 35, e os conduzirá à fé perfeita.

(*c*) *Uma lição batismal.* O relato do cego de nascença aparece sete vezes na arte primitiva das catacumbas, mui frequentemente como uma ilustração do batismo cristão (BRAUN, *JeanThéol*, I, p. 149ss.). O capítulo 9 serviu como uma leitura na preparação dos conversos para o batismo – veja a interessante nota em HOSKYNS, pp. 363-65, sobre o uso de Jo 9 nos lecionários ou livros litúrgicos da Igreja primitiva. Em particular, quando a prática de três escrutínios ou exames antes que o batismo fosse desenvolvido (ao menos desde o 3º século, segundo BRAUN, pp. 158-59), Jo 9 era lido no dia do grande escrutínio. Do que podemos reconstruir da cerimônia como a conhecemos de um estágio levemente posterior, quando os catecúmenos passavam no exame e eram julgados dignos do batismo, eram lidas para eles lições do AT concernentes à água purificadora. Então vinha a abertura solene do livro do evangelho e a leitura de Jo 9, com a confissão do cego: "Eu creio, Senhor" (38), servindo de clímax. (Ver o Missal Romano para quarta-feira após o Quarto Domingo da Quaresma). Depois disto, os catecúmenos recitavam o credo. É também interessante notar que dois dos gestos de Jesus em Jo 9, a unção e o uso de saliva, mais tarde se tornou parte das cerimônias batismais (embora o uso de saliva se relacione mais diretamente com Mc 7,34). Já temos indicado na respectiva nota que a inserção das palavras entre colchetes nos vs. 38-39 poderia também ser um indício do uso batismal deste capítulo.

Assim, não há dúvida de que a Igreja encontrou uma lição batismal na cura do cego. Que evidência temos do próprio evangelho de que a interpretação batismal pode refletir a própria intenção do evangelista? João dedica tão somente dois versículos ao milagre em si (uma indicação de que o relato pode ser primitivo, pois a tendência posterior é chamar a atenção para o elemento maravilhoso na operação do milagre). Embora os gestos de Jesus sejam descritos, é enfatizado que o homem foi curado somente quando se lavou no tanque de Siloé. Assim, diferente da cura do paralítico no capítulo 5, o relato no cap. 9 ilustra o poder curativo da água. O evangelho se detém para interpretar o nome do tanque, onde esta água curativa era obtida, e a explicação de que o nome significa "aquele que foi enviado" associa claramente a água deste mesmo tanque com Jesus. Em João, Jesus é aquele que foi enviado pelo Pai (3,17.34.36.38 etc.). Além do mais, devemos ter em mente que foi a água deste mesmo tanque de Siloé que foi usada na cerimônia na festa dos Tabernáculos, e Jesus dissera por meio da substituição em 7,37-38 que agora ele era a fonte da água que gera vida.

Outra indicação de que o evangelista tinha em mente o simbolismo sacramental na narrativa é a ênfase sobre o fato de que o homem *nascera* cego (vs. 1, 23, 18, 19, 20, 24). Isto vem a ser um clímax no v. 32: "Jamais se tem ouvido que alguém já tenha aberto os olhos de um cego de nascença". Visto que a cegueira física do homem é tão obviamente contrastada com o pecado da cegueira espiritual (39), temos o direito de suspeitar que o evangelista esteja fazendo uso da ideia de que o homem nascera em pecado (2, 34) – pecado que só pode ser removido pela lavagem nas águas da nascente ou tanque que flui do próprio Jesus. Cremos que o simbolismo do evangelho foi corretamente interpretado por Tertuliano, quando abriu seu tratado sobre o Batismo, com as palavras: "A presente obra tratará de nosso sacramento da água que lava os pecados de nossa cegueira original e nos liberta para a vida eterna" (SC 34:64). Agostinho exclama: "Este cego representa a raça humana... se a cegueira é infidelidade, então a iluminação é a fé. ... Ele lava seus olhos naquele tanque que é interpretado 'aquele que foi enviado': ele foi batizado em Cristo" (*In Jo*. 44,1-2; PL 35:1713-14).

Que tal simbolismo seria entendido pelos cristãos do período neotestamentário é indicado pelo fato de que "iluminação" era um termo usado pelos autores neotestamentários para referir-se ao batismo (p. ex., Hb 6,4; 10,32 – Hebreus é uma obra com muitas afinidades joaninas). No 2º século, Justino, *Apol.* 1, 61:13 (PG 6:421), nos informa que a lavagem do batismo era chamada iluminação. Talvez até mesmo a menção de "unção" (*epichriein* = "untar" em 6, 11), a raiz grega da qual se relaciona com "crismo" e "crisma", tenha significação batismal. 1Jo 2,20.27 fala de uma unção que vem do Santo (Batismo?); e 2Cor 1,21-22 fala da unção e da doação do Espírito.

Mesmo a associação paulina do batismo com a morte de Jesus (p. ex., Rm 6,3) pode não estar totalmente ausente de Jo 9. Em 9,3, somos informados que a cura do cego se destina a ser uma revelação das obras de Deus, e o v. 4 insiste que esta obra deve ser feita agora enquanto é dia, pois a noite está vindo. Há aqueles que pensam que isto significa que Jesus quer curar o homem neste dia particular quando ainda era sábado. Não obstante, a mesma necessidade de tirar vantagem do dia se encontra em 9,9-10, onde não tem nada a ver com a questão do sábado. Antes, a necessidade decorre do fato de que a morte já está lançando sua sombra sobre a vida de Jesus. A mesma ideia se encontra em Lc 13,32: "Eis que eu expulso demônios, e efetuo curas, hoje e amanhã, e no terceiro dia terei consumado". No capítulo 8, ouvimos que "os judeus" estavam tentando matar Jesus, e com esta ameaça de morte iminente em mente, Jesus sente que não pode adiar a cura do cego através das águas de Siloé. No capítulo 11, veremos que, como a morte de Jesus se aproxima, aumenta sua atividade de gerar vida. Se estivermos certos em ver significação batismal na cura do cego, este simbolismo tem como seu pano de fundo a morte iminente de Jesus.

35. O CLÍMAX NA FESTA DOS TABERNÁCULOS: – JESUS COMO A PORTA DO APRISCO E O PASTOR
(10,1-21)

Um ataque simbólico contra os fariseus

A(s) parábola(s)

10 ¹"Verdadeiramente eu vos asseguro:
o que não entra pela porta no aprisco das ovelhas,
mas sobe por alguma outra via,
é ladrão e salteador.
²Aquele que entra pela porta
é pastor das ovelhas;
³para esse o porteiro abre a porta.

E as ovelhas ouvem sua voz
quando ele chama pelo seu nome aquelas que lhe pertencem
e as leva para fora.
⁴Quando ele as fizer sair [todas] as suas,
ele caminha adiante delas;
e as ovelhas o seguem
porque reconhecem sua voz.
⁵Mas não seguirão um estranho;
Fugirão dele
porque não reconhecem a voz dos estranhos".

⁶Embora Jesus lhes apresentou esta parábola, não entenderam o sentido do que lhes dizia.

As Explanações: a. A porta

⁷Então Jesus disse [a eles outra vez]:
 "Verdadeiramente eu vos asseguro:
 Eu sou a porta das ovelhas.
⁸Todos quantos vieram [antes de mim]
 são ladrões e salteadores,
 mas as ovelhas não lhes deram ouvidos.
⁹Eu sou a porta.
 Quem quer que entre através de mim
 será salvo;
 e ele entrará e sairá
 e achará pastagem.
¹⁰O ladrão vem
 somente para roubar, matar e destruir.
 Eu vim
 para que tenham vida
 e a tenham com abundância.

b. O pastor

¹¹Eu sou o bom pastor:
 o bom pastor dá sua vida pelas ovelhas.
¹²O mercenário, que não é o pastor,
 e não cuida das ovelhas,
 vê vir o lobo
 e foge, deixando que as ovelhas
 sejam arrebatadas e dispersas pelo lobo.
¹³E isto se dá porque ele trabalha por salário
 e não se preocupa com as ovelhas.
¹⁴Eu sou o bom pastor:
 Conheço minhas ovelhas
 e elas me conhecem,
¹⁵assim como o Pai me conhece
 e eu conheço o Pai.
 E pelas ovelhas eu entrego minha vida.

¹⁶Eu tenho também outras ovelhas
que não pertencem a este aprisco.
Devo conduzir também a estas,
e elas ouvem minha voz.
Então haverá um só rebanho, um só pastor.
¹⁷Eis por que o Pai me ama:
porque eu dou minha vida
a fim de retomá-la de volta.
¹⁸Ninguém a toma de mim;
Antes, espontaneamente a entrego.
Tenho poder para dá-la
e tenho poder para a tomá-la de volta.
Este mandado eu recebi de meu Pai".

¹⁹Por causa destas palavras, os judeus foram outra vez incisivamente divididos. ²⁰Muitos deles passaram a alegar: "Este é possesso de um demônio – ou demente! Por que lhe dais atenção?" ²¹Outros mantinham: "Estas não são as palavras de uma pessoa louca. Seguramente, um demônio não pode abrir os olhos do cego!"

NOTAS

10.1. *Verdadeiramente eu vos asseguro.* BERNARD, II, p. 348, insiste que o duplo "amém", que é o que esta sentença representa, nunca é usado abruptamente para introduzir um novo tema. Em 3,11 e 5,19, ele representa somente um novo estágio nos comentários de Jesus sobre o que precedeu.

aprisco. Havia vários tipos. Às vezes o aprisco era um quadrado cercado ao lado de uma colina com muros de pedra; aqui parece ser um pátio em frente de uma casa, cercado por um muro de pedra que provavelmente era coberto com espinhos.

porta. Embora *thyra* seja a palavra normal para a porta de uma sala (Mt 6,6), a tradução "porta" parece mais apropriada aqui para a abertura num cercado de pedra.

salteador. Lēstēs tem o sentido de "ladrão" (Mc 11,17), mas é também usado nos evangelhos para referir-se a guerrilheiros e bandidos revolucionários como Barrabás, que vivia envolvido em uma insurreição (Lc 23,19). Porque alguns pensam que o v. 8 se refere a revolucionários messiânicos, a combinação "ladrões" e "assaltantes" aparece em Obadias 5.

3. *pelo seu nome.* Parece que os pastores palestinos frequentemente dão nomes familiares às suas ovelhas favoritas: "orelhas grandes", "nariz branco" etc. (BERNARD, II, p. 350).
aquelas. Literalmente, "as ovelhas".
as leva para fora. O verbo *exagein* é usado em algumas das importantes passagens sobre pastor no AT (LXX): Ez 34,13; Nm 27,17.
4. *fizer sair.* Literalmente, "pôr fora" (*ekballein*). Provavelmente, isto seja apenas uma variante de *exagein*; aqui, porém, pode ser uma insinuação do desamparo das ovelhas. As ovelhas costumam ter de ser puxadas para a porta.
[*todas*]. Alguns manuscritos omitem esta palavra; alguns a têm numa ordem de redação diferente.
caminha adiante delas. No pastoreio há ocasionalmente um auxiliar que se põe na retaguarda do rebanho.
5. *não seguirão um estranho.* BERNARD, II, p. 350, sugere que devamos pensar que houvesse vários rebanhos em um só aprisco, de modo que houvesse um processo de separação quando o pastor se punha a chamar para fora seu próprio rebanho. Isto está longe de ser correto, e o evangelho nunca menciona a presença de outras ovelhas neste aprisco.
6. *apresentou esta parábola.* Literalmente, "falou esta parábola". A palavra grega é *paroimia* que às vezes significa "provérbio", p. ex., 2Pd 2,22. Na LXX, *paroimia* (como *parabolē*, que os sinóticos usam) é usada para traduzir *māšāl*, um termo hebraico amplo que abarca quase todos os tipos de discurso figurativo. *Paroimia* e *parabolē* são usadas como sinônimas em Siraque 47,17; em geral, elas não diferem grandemente em significado, embora possa haver mais ênfase sobre o enigmático em *paroimia*. O uso de *paroimia* tende a aumentar nas versões gregas posteriores do AT. Ver E. HATCH, *Essays in Biblical Greek* (Oxford: Clarendon, 1889), pp. 64-71; e F. HAUCK, *paroimia*, TWNT, V, pp. 852-55. Embora o cap. 16,25 indique que no pensamento joanino as parábolas de Jesus não foram facilmente entendidas, a passagem em pauta não deixa dúvida de que Jesus falou desta maneira para fazer-se entender.
7. [*a eles outra vez*]. A tradição manuscrita sobre a inclusão, omissão e ordem destas palavras é muito confusa.
a porta das ovelhas. A versão saídica trás "o pastor", uma redação que agora recebe seu primeiro endosso grego de P^{75}. BLACK, p. 193[1], segue TORREY, crendo que o original "pastor" se converteu em "porta" mediante um equívoco no processo de cópia do aramaico pressuposto. Entretanto, realmente "porta" é a redação mais inesperada e difícil; é bem possível que "pastor" foi introduzido por copistas numa tentativa de fazer a explicação

da parábola um quadro consistente. Se Jesus fosse ao mesmo tempo porta e pastor (11, 14), isso causaria problema.
8. *Todos*. Isto é omitido pelo Codex Bezae e algumas versões e citações patrísticas. Se "vieram antes de mim" foi entendido como uma referência ao período veterotestamentário, então a afirmação de que todos (no AT) foram ladrões e salteadores provavelmente pareceu duro demais.

[*antes de mim*]. Endossado pelo Codex Sinaiticus e forte evidência das versões, a omissão destas palavras agora tem o apoio de P^{75}. As palavras são uma glosa explicativa interpretando o pretérito "veio"? Ou a omissão é outro reflexo da dificuldade recém mencionada?

9. *a porta*. É suficientemente claro que aqui a imagem é a da porta através da qual as ovelhas entram e saem. Bishop, *art. cit.*, dá um interessante exemplo moderno do pastor dormindo bem na entrada do aprisco e, assim, sendo para as ovelhas, respectivamente, como pastor e porta. Em algumas das ramificações do Islam, o título *Bāb* ("porta", p. ex., para o conhecimento) tem sido aplicado aos grandes líderes religiosos.

10. *O ladrão*. Aqui, provavelmente, o artigo definido é estilo parabólico, como "o semeador", em Mc 4,3.

matar. *Thyein* não é o verbo usual para "matar" (*apokteinein*) usado em outro lugar em João; ele tem a conotação de sacrifício e bem que poderia ser uma sutil referência às autoridades sacerdotais. Ver o substantivo semelhante em Mt 9,13; 12,7.

tenham com abundância. Há alguma evidência (P^{66*}, Bezae) para a omissão desta sentença, uma omissão por haplografia, visto que as duas últimas frases do v. 10 terminam ambas com o verbo grego *echousin* ("ter"). Para uma expressão similar da transbordante plenitude trazida por Cristo, ver Rm 5,20.

11. *bom*. Ou "nobre"; pode ser que "nobre" seja mais exato aqui e "modelo" mais exato no v. 14. O grego *kalos* significa "beleza bonito" no sentido de um ideal ou modelo de perfeição; vimo-lo usado no "vinho seleto" de 2,10. Filo (*De Agric.* 6,10) fala de um *bom* (*agathos*) pastor. Não há distinção absoluta entre *kalos* e *agathos*, porém pensamos que "nobre" ou "modelo" é uma tradução mais precisa do que "bom" para a frase de João. Na *Midrásh Rabbah* II 2 sobre Ex 3,1, Davi que era o grande pastor do AT é descrito como *yāfeh rô'eh*, literalmente, "o pastor formoso" (ver 1Sm 16,12).

dá sua vida. Esta é uma expressão joanina (13,37; 15,13; 1Jo 3,16), como contrastada com "dar a vida de alguém" (Mc 10,45). "Dar a vida" é uma expressão rara no grego secular, e o uso de João pode refletir o estilo hebraico rabínico, *māsar nafšō*, "entregar alguém sua vida". A sugestão de que aqui devemos traduzir por "arriscar sua vida" (ver Jz 12,3), enquanto pode ser apropriado neste versículo particular, se torna difícil pela clara referência à morte no vs. 17-18.

12. *deixando que as ovelhas*. Há um interessante paralelo na obra apocalíptica judaica do início do 1º século d.C., 4 Esd (5,18): "Não nos abandones como faz um pastor (que deixa) seu rebanho ao poder de lobos vorazes".

13. *e isso se dá porque*. Este versículo parece ser uma adição explicativa.

14. *minhas ovelhas*. Jesus pode dizer que as ovelhas são suas porque o Pai lhe deu os homens (6,37.44.65; 17,6-7).

15. *entrego minha vida*. Há uma forte e antiga evidência para a redação "dar"; pode ser a original. "Dar" é também uma variante no v. 11, mas a evidência é mais forte aqui.

16. *aprisco*. Este termo apareceu no v. 1 com uma nuança levemente diferente. Ali o aprisco representou aqueles a quem Jesus veio salvar; aqui representa o grupo de Israel que já crê nele. A distinção, contudo, não parece ser tão nítida ou importante como pretende BULTMANN, p. 292.

ouvem minha voz. Este tema se encontra em 8,47; 18,37 (ver 3,29).

haverá. Ou "serão"; a evidência é uniformemente dividida entre as duas redações, embora possa ser que a última seja uma redação ligeiramente mais difícil.

um só rebanho, um só pastor. Embora hoje seja mais comum falar de um *rebanho* de ovelhas, aqui estamos tentando preservar a proximidade no grego entre *poimnē* ("gado ovino, rebanho") e *poimēn* ("pastor"). Não há outro endosso para a redação de JERÔNIMO de "um só *aprisco*, um só pastor", embora pareça que ele tenha traduzido um manuscrito grego que lê *aulē*, em vez de *poimnē*. BERNARD (II, p. 363), um anglicano, diz que "um só aprisco" é errôneo ideologicamente como também textualmente, visto que o que Jesus queria era um só rebanho, mesmo que ele vivesse em muitos apriscos. Entretanto, tal interpretação da intenção do evangelista parece anacrônica; pertence mais à preocupação moderna com um Cristianismo dividido e a teoria da Igreja com distintos "ramos".

17. *ama. Agapan* – Ver nota sobre 5,20.

18. *a toma*. Há muitas testemunhas, inclusive P⁶⁶, em prol de um tempo presente; mas o aoristo é o mais difícil, e quase certamente a redação mais original. A referência pretérita pode ser às tentativas contra sua vida em 5,18; 7,25; 8,59. Não obstante, há também a possibilidade de que este seja outro caso onde João retrata Jesus durante o ministério falando, no pretérito, de sua morte e ressurreição (ver nota sobre 3,13).

tenho poder. BERNARD, II, p. 365, interpretaria isto como "eu tenho autoridade" (ver nota sobre "capacitou" em 1,12), mas isto equivale a elaborar

demais o significado técnico de *exousia*. A frase equivale a "eu posso" (LAGRANGE, p. 283).
20. *possesso de um demônio*. Literalmente, "tem demônio" – uma frase que temos traduzido em termos de ele ser "louco" (7,20; 8,48). Assim, esta acusação e a de ser ele "louco" são dois modos diferentes de dizer a mesma coisa, visto que demência era tida como sendo o resultado de possessão demoníaca (ver Mc 5,1-20).
21. *uma pessoa louca*. Uma vez mais, literalmente, "um que tem um demônio".
um demônio não pode abrir os olhos do cego. Ver nota sobre 9,16. Tem-se sugerido que neste caso particular o argumento geral sobre a proveniência de milagres é reforçado por um texto como Sl 146,8, o qual diz que é o Senhor quem abre os olhos dos cegos.

COMENTÁRIO: GERAL

Sequência

Já vimos que os relatos joaninos, particularmente aqueles que formam as divisões maiores no Livro dos Sinais, tendem a olhar para frente e para trás; resumem temas já vistos e anunciam temas que serão tratados adiante. Este parece ser o caso com o discurso sobre a porta das ovelhas e o pastor que, ainda que não seja uma divisão maior do livro, termina os discursos da festa dos Tabernáculos e introduz o discurso da festa da Dedicação. Cremos que ao se terem em conta essa dupla orientação do discurso ajuda a resolver muitos dos problemas na sequência que tem sempre preocupado os comentaristas.

Primeiro, parece bem claro que ele deve relacionar-se com o que precedeu no capítulo 9. Não se sugere um novo auditório; e como o evangelho ora se encontra não há razão para crer que Jesus não está continuando suas observações relativas aos fariseus de quem ele estava falando em 8,41. Aliás, em 10,21, depois de Jesus haver falado sobre a porta das ovelhas e o pastor, seu auditório evoca o exemplo do cego, enquanto outros repetem as acusações de loucura que ouvimos lançadas sobre Jesus durante os discursos na festa dos Tabernáculos.

Todavia, há duas objeções principais sobre conectar este discurso da porta das ovelhas e o pastor com o anterior. (a) Em 10,1-18 há uma mudança abrupta de tema. Todo o tema do cap. 9 foi o da luz; não houve referência à imagem das ovelhas que domina em 10. Esta objeção tem considerável força e pode significar que o evangelista tem unido discursos independentes, mas realmente nada diz contra o ponto de vista de que o evangelista visava ao mesmo auditório para cap. 10 com que terminou o cap. 9. E, embora a imagem tenha mudado, o tema no início do cap. 10 parece ser um ataque às autoridades (*os ladrões e bandidos; a displicência dos porteiros; os estranhos que não são conhecidos das ovelhas; os salteadores*), e este foi também o tema no final do 9. De fato, o exemplo do cego que se recusou seguir a orientação dos fariseus e se converteu a Jesus não é diferente do exemplo das ovelhas em 10,4-5 que não seguirão um estranho, mas reconhecem a voz de seu verdadeiro dono. (b) A segunda objeção é de natureza cronológica. A festa dos Tabernáculos ocorre em setembro/outubro; a festa da Dedicação, que é a próxima indicação de tempo (10,22), ocorre em dezembro. Assim, o evangelho põe um espaço de três meses entre os incidentes do capítulo 7 e os do 10,22ss. (Provavelmente somos justificados em presumir que o evangelista deseja que concluamos que as duas festas são no mesmo ano). Ora, podemos relacionar 10,1-21 com a festa dos Tabernáculos que acontecia mais cedo, quando 10,26-27, que é claramente datada na festa da Dedicação, menciona o tema das ovelhas? Em outras palavras, 10,26-27 pressupõe o mesmo auditório de 10,1-21. Dificilmente isto é plausível, se as palavras em 10,1-21 foram pronunciadas meses antes em outra festa. Não obstante, esta objeção não é tão convincente como poderia parecer a primeira vista. Temos notado que, enquanto 9 e 10,1-21 são postos no contexto geral na festa dos Tabernáculos, estes capítulos não são tão solidamente vinculados à festa como são os capítulos 7-8. (Ver p. 648). Portanto, mesmo que tomemos literalmente a presente sequência, nada há que indique que o incidente em 9 e o discurso em 10,1-21 não tenha ocorrido *entre* a festa dos Tabernáculos e a festa da Dedicação, e portanto não havia uma separação das observações em 10,26-27 por três meses. Mais importante, devemos dar a este problema a mesma resposta que demos à lacuna que separou capítulos 5 e 7, onde um ano depois (de acordo com a cronologia do evangelho) Jesus estava ainda falando sobre a cura do paralítico no sábado (7,21-23 em referência ao capítulo 5). O evangelista não parece ter-se preocupado com os problemas de como o auditório, ouvindo Jesus, teria conhecimento da ação ou palavras anteriores.

Segundo, 10,1-21 aponta para frente e serve de transição à festa da Dedicação, como exibido pela relação de 10,1-21 com 26-27, recém mencionada acima. BRUNS, *art. cit.*, tem argumentado com muita solidez para ver as implicações da festa da Dedicação no discurso sobre a porta das ovelhas e o pastor (embora tal argumento vá longe demais dissociando o discurso do capítulo 10 dos temas da festa dos Tabernáculos). O evento histórico da nova dedicação do templo por Judas Macabeus (nota abaixo sobre v. 22), que se comemorava naquela festa, que era uma advertência aos sumos sacerdotes, como Jason e Menelau, que haviam traído seu ofício, contribuindo para a profanação síria do santo lugar. Poderiam ser aludidos a eles as referências aos ladrões, salteadores e mercenários que traíram o rebanho. Além do mais, MISS GUILDING, pp. 129-32, tem mostrado que, se sua interpretação do ciclo das leituras na sinagoga for correta, todas as leituras regulares ao sábado mais familiarizadas com [a festa da] Dedicação se preocupavam com o tema das ovelhas e os pastores. Em particular, Ez 34, que, como veremos, é a mais importante e constitui a passagem do AT que serve de pano de fundo para Jo 10, servia como a *haphtarah* ou leitura profética no momento da festa da Dedicação no segundo ano do ciclo.

Se esta interpretação da dupla função de 10,1-21 for correta, então dificilmente podemos crer que sua posição como um nexo entre a festa dos Tabernáculos e a festa da Dedicação seja meramente casual. Que uma abordagem "ou/ou" em decidir a relação desta passagem em João com as duas festas mencionadas em seu contexto pode ser equivocada, é sugerida pelo fato de que os próprios judeus relacionavam as duas festas. Para eles, a festa da Dedicação era outra festa dos Tabernáculos, só celebrada no mês de Chislev (2Mc 1,9). Além do mais, nossa interpretação exclui as numerosas reorganizações do capítulo 10, endossada por estudiosos como MOFFATT, BERNARD, E. SCHWEIZER, WIKENHAUSER, BULTMANN, todos destinados a dar uma "melhor" sequência cronológica e lógica. BERNARD, por exemplo, propõe esta ordem: caps. 9, 10,19-29; 10,1-18; 10,30-39 – uma tese que pressupõe que 10,19-29 constituía uma página do manuscrito de João que acidentalmente saiu da ordem. Esse rearranjo traz a menção do cego em 10,21 para mais perto do capítulo 9, e coloca o discurso sobre a porta das ovelhas e do pastor após a indicação de tempo sobre a festa da Dedicação em 10,22. A reconstrução de BULTMANN é mais elaborada; ele expande as observações que Jesus faz dos fariseus em 9,39-41, adicionando versículos de 8 e 12, e então usa 10,19-21 como a conclusão destas observações. A ordem de BULTMANN para o resto do capítulo 10 é: 22-26; 11-13; 1-10; 14-18; 27-30; 31-39.

Embora tal reordenação contribua para facilitar a sequência, o subjetivismo que as governa é um sério inconveniente. Ao analisarmos a estrutura de parábolas e a explicação, veremos abaixo que BULTMANN viola o plano deliberado que guia 10,1-21. Assim, concordamos com DODD, FEUILLET, SCHNEIDER, entre outros, em aceitar a presente ordem em João como um arranjo proposital e não um produto de acidente ou uma confusão.

Parábola e alegoria

Há uma discussão entre os estudiosos quanto a se devamos falar de parábola ou alegoria (ou ambas) em Jo 10. A distinção entre *parábola* (uma ilustração simples, ou história ilustrativa tendo um ponto singular) e *alegoria* (uma série expandida de metáforas onde os vários detalhes e pessoas envolvidas têm todos estes um significado figurativo) foram propostas como base da exegese crítica das parábolas feitas por A. JÜLICHER no final do último século. JÜLICHER afirmava que alegoria era um recurso artificial e literário, e nunca foi usada por um pregador rústico como Jesus que falava por parábolas simples. Os exegetas cristãos foram aqueles que interpretaram as parábolas de Jesus minuciosamente como se fossem alegorias. Assim, por exemplo, a explicação da Parábola do Semeador (Mc 4,13-20), que dá uma interpretação da semente, as aves e os solos etc., é uma alegorização que tem sua origem no Cristianismo primitivo, e não no próprio Jesus. JÜLICHER traçou este processo da alegorização até a era patrística, onde ser tornou realmente muito elaborada.

Em *"Parable and Allegory Reconsidered"*, NovT 5 (1962), 36-45 (NTE, Ch. xiii), temos tentado mostrar que, embora a teoria de JÜLICHER continue ter um grande número de seguidores, na verdade é fazer uma grosseira simplificação. JÜLICHER estava certo em ressaltar os perigos da alegorização exagerada na exegese patrística, mas estava errado em extrair uma absoluta distinção entre parábola e alegoria na própria pregação de Jesus. M. HERMANIUK, *La parabole évangélique* (Louvain, 1947), tem mostrado que a distinção entre parábola e alegoria, oriunda das precisões da instrução retórica grega, não tinha fundamento no pensamento hebraico; pois o único termo hebraico básico, *māšāl*, cobria todas as ilustrações figurativas: parábola, alegoria, provérbio, máxima, símile, metáfora etc. Uma simples alegoria estava dentro da categoria plausível da pregação de Jesus, como podemos ver dos exemplos contemporâneo de Qumran e o rabínico. Um Jesus que falou unicamente utilizando o que modernamente se entende por parábola é uma criação da crítica do século 19.

Voltando à questão de parábola e alegoria em Jo 10, esperamos mostrar abaixo que 10,1-5 consiste de várias parábolas, enquanto 10,7ss. consiste de explicações alegóricas. Este último aspecto não é um indício *a priori* de que o material não podia ter vindo do próprio Jesus. Como veremos, algo do material em 10,7ss. pode representar uma expansão posterior das observações de Jesus. Também nos evangelhos sinóticos, a maioria dos estudiosos reconhece que nas explicações das parábolas (p. ex., Mc 4,13-20; Mt 13,37-43) tem havido certa expansão nos interesses da catequese cristã primitiva; mas, como temos tentado provar em nosso artigo supracitado, sob esta ampliação e aplicação catequéticas se encontra vestígios de uma explicação que pode muito bem originar-se do próprio Jesus. Assim também em Jo 10, enquanto que nem toda a explicação de 7ss. necessariamente venha de uma época ou de uma situação, não há razão para excluir a possibilidade de que podemos encontrar entre eles os traços da própria explicação alegórica simples de Jesus das parábolas em 10,1-5. É importante notar com SCHNEIDER, *art. cit.*, que as explicações são centradas em três termos que aparecem nas parábolas dos vs. 1-5: (*a*) a porta é explicada em 7-10; (*b*) o pastor é explicado em 11-18; (*c*) as ovelhas são explicadas em 26-30. O reconhecimento deste plano no capítulo 10 é o fator decisivo que, como vimos, milita contra a reorganização dos versículos. Um modo efetivo de ver que temos uma simples alegoria na explicação das parábolas é contrastar o que lemos no evangelho sobre a porta, o pastor e as ovelhas com as elaboradas alegorias patrísticas construídas em torno de Jo 10 (ver Quasten, *art. cit.*). CORNELIUS LAPIDE, que reflete a exegese patrística no 17º século, nos informa que *o rebanho* é a Igreja, *o proprietário* do rebanho é o Pai, *a porta das ovelhas* é o Espírito Santo etc. Este tipo de alegoria é o que resultaria em um anacronismo nos lábios de Jesus.

COMENTÁRIO: DETALHADO

Versículos 1-5: A(s) parábola(s)

CERFAUX, *art. cit.*, tem destacado que as imagens encontradas nestes versículos aparecem com frequência nos sinóticos. Mc 6,34 compara as multidões que vão ouvir Jesus com as ovelhas sem pastor. Jesus ataca a falta de preocupação dos fariseus pelos proscritos com a parábola da Ovelha Perdida em Lc 15,3-7. Assim, ao usar Jesus a imagem do pastoreio, e tendo em tais parábolas continuado as observações dirigidas aos fariseus em 9,41, o quarto evangelista está sendo extremamente fiel ao quadro tradicional do ministério de Jesus. É também digno de nota que estas parábolas em João se relacionam com o tema dos que *não podem ver* em 9,40, enquanto a primeira parábola em Marcos ilustra que alguns podem ver com seus olhos, porém realmente *não percebem* (4,12 e par.). Assim, a falta de sequência frequentemente enfatizada entre Jo 9 e 10 não é tão óbvia como a princípio poderia parecer.

(*a*) O ponto central da parábola em 10,1-3a é relativamente claro: há um modo próprio de aproximar-se das ovelhas, a saber, através da porta aberta pelo porteiro. Qualquer outra aproximação é mal intencionada. Os vs. 1 e 2 mencionam entrar pela *porta*; o v. 3a é a primeira menção do *guarda*. O'ROURKE, *art. cit.*, quer ver aqui duas parábolas distintas; mas ele baseia seu julgamento numa aplicação excessivamente rigorosa do princípio de que todas as parábolas podem ser reduzidas a dois termos de comparação. JOHN A. T. ROBINSON, *art. cit.*, trata 1-3a como uma única parábola, porém centra a imagem em torno do porteiro da porta. Ele nos lembra as passagens sinóticas onde Jesus usa ambas as imagens, do porteiro da porta (Mc 13,34) e a imagem da vinda de um ladrão (Lc 12,39) a fim de inculcar vigilância. Recorrendo a estas comparações, ROBINSON pensa que a parábola em João constitui uma advertência às autoridades que cumpram seu papel como sentinelas do povo de Deus, um tema frequente do AT (Jr 5,17; Ez 3,17; Is 62,6). Esta advertência contém um matiz de urgência escatológica, uma urgência que é expressa em outro lugar no NT em termos do julgamento que está às portas (Mc 13,29; Ap 3,20).

Muito embora esta interpretação da parábola seja possível, parece que os vs. 1 e 2 dão mais ênfase à porta do que ROBINSON o admite. (O artigo de ROBINSON seria modificado pelas observações de P. MEYER, *art. cit.*). A explicação da parábola em 7-10 também indicaria que o ponto central na parábola é o de entrar pela porta. Se este é o caso, o ataque aos fariseus não é tanto em termos de não serem porteiros vigilantes (3a), quanto em termos de serem eles ladrões e salteadores que não se aproximam das ovelhas pela porta. O fato de que a festa da Dedicação (iminente, pareceria à luz de 10,22) poderia trazer à mente o exemplo dos maus sumos sacerdotes dos dias dos Macabeus que eram verdadeiros ladrões e salteadores sugere que Jesus pretendia incluir em suas observações os saduceus juntamente com os fariseus. Em Mc 11,17-18 ambos, sacerdotes e escribas, ouviram a acusação de Jesus de que a casa de Deus estava se convertendo em covil de *ladrões*.

(*b*) Em 3b-5 a estreita relação entre as ovelhas e o pastor está mais em foco do que em 1-3a. Aqui se pode sugerir um rico pano de fundo veterotestamentário. A figura do verdadeiro pastor do rebanho que conduz as ovelhas à pastagem nos lembra a descrição simbólica de Josué (que porta o mesmo nome hebraico *Jesus*) em Nm 27,16-17: "Deus dos espíritos de toda a carne, ponha um homem sobre a congregação [LXX *synagogē*], que saia diante deles, e que entre diante deles, e que os faça entrar; para que a congregação do SENHOR não seja como ovelhas que não têm pastor" (ver também Mq 2,12-13). Podemos notar de passagem que BRUNS, pp. 388-89, vê na passagem de Números um eco da ordenação e do ideal sacerdotais; sua observação seria procedente, daria outra razão para pensar que Jesus, estava nestas parábolas, atacando os sacerdotes tanto quanto os fariseus. Que Jesus pensava em seu ministério em termos desta passagem de Números é sugerido por Mc 6,34, onde ele sente compaixão das multidões que foram a ele em razão de serem como ovelhas sem um pastor.

Há bons paralelos sinóticos que empregam a imagem do cuidado de um pastor por suas ovelhas para descrever a relação de Jesus para com seus seguidores (Mt 26,31; Lc 12,32, "pequeno rebanho"). DODD, *Tradition*, p. 384, ressalta que o conhecimento individual que o pastor tem das ovelhas, quando as chama uma a uma (Jo 10,3b), é muito semelhante ao cuidado individual para com as ovelhas, exemplificado na Parábola da Ovelha Perdida (Lc 15,3-7).

Os versículos 3b-5 constituem uma parábola separada, ou devem ser unidas a 1-3a como uma parábola contínua? O fato de que os fariseus (e os sacerdotes?) são agora atacados como pastores que são estranhos ao rebanho, em vez de serem ladrões e salteadores (ou como os porteiros displicentes) de 1-3a, sugere que temos outra parábola. Assim, é possível que 1-5 consistam de parábolas gêmeas – um aspecto razoavelmente comum na tradição sinótica, p. ex., Lc 15,3-10 (*ovelha perdida*; *moeda perdida*); 14,28-32 (*homem que constrói uma torre*; *rei que vai à guerra*). A afirmação de que as ovelhas não seguirão pastores cujas vozes lhes são estranhas seria um ataque particularmente eficaz aos fariseus do capítulo 9, cujas admoestações o cego rejeitou.

Versículo 6: A reação

Que a reação à(s) parábola(s) é uma incapacidade de compreensão, não surpreende, pois ausência semelhante de compreensão se encontra nas parábolas na tradição sinótica (Mc 4,13). A incapacidade de compreensão leva Jesus a explicar esta(s) parábola(s) da porta e do pastor, precisamente como o levou a explicar a Parábola do Semeador na tradição sinótica. Essa incapacidade não constitui primariamente um problema intelectual; é uma indisposição de responder ao desafio implícito nas parábolas. Nos evangelhos sinóticos, esse desafio é centrado em torno do reino dos céus; em João, é centrado em torno do próprio Jesus. A familiar frase sinótica, "o reino do céu é semelhante"..., tem seu paralelo joanino em "Eu sou [*egō eimi*]"... (10,7.9.11.14).

Versículos 7-10: Explicação da porta

Valendo-se da imagem da parábola nos vs. 1-3a, Jesus então explica: "Eu sou a porta". Entretanto, esta identificação metafórica é passível ao menos de duas diferentes interpretações.

(*a*) A primeira interpretação, encontrada no v. 8, vê Jesus como a porta pela qual o pastor se aproxima das ovelhas. Esta interpretação se aproxima muito da própria parábola, pois uma vez mais ouvimos dos ladrões e bandidos que evitam a porta. A afirmação, "Todos quantos vieram [antes de mim] são ladrões e bandidos", estaria se reportando aos fariseus (e aos sacerdotes) dos dias de Jesus? BULTMANN, p. 286[4], nega isto, pois ele insiste que a vinda referida seria uma vinda escatológica em um dos grandes momentos da salvação. Ele pensa que na fonte gnóstica que ele propõe para João, esta era uma condenação de Moisés e dos profetas, mas que no evangelho ela poderia ter sido realicada aos salvadores divinos do mundo helenista. Outros estudiosos veem uma referência aos falsos messias dos dias de Jesus, ou ainda ao Mestre de Justiça de Qumran. É verdade que, antes de Jesus, houve uma série de supostos libertadores nacionais (JOSEFO, *Ant.* 17.10.4-8; 269-84), mas não temos certeza se reivindicavam ser messias. Não obstante, o termo *lēstēs*, "salteador", certamente se adequaria a tais insurreicionistas (ver H. G. WOOD, NTS 2 [1956], 265-66). Estas sugestões são interessantes; em nossa opinião, porém, os fariseus e saduceus permanecem os alvos mais prováveis aos ataques de Jesus.

A desditosa sucessão de líderes sacerdotais e políticos dos dias dos Macabeus até os dias do próprio Jesus certamente poderia ser caracterizados como falsos pastores, ladrões e salteadores que vieram antes de Jesus. E os fariseus tinham também se infiltrado no poder político que se digladiavam nos períodos hasmoneus e herodianos. A forte linguagem usada nesta explicação da parábola pode muito bem ser comparada àquela de Mt 23, onde Jesus ataca o injusto exercício de autoridade sobre o povo pelos escribas e fariseus.

(b) A segunda interpretação de Jesus como a porta se encontra nos vs. 9-10. Aqui ele é a porta abrindo passagem para a salvação, uma porta, não para o pastor, e sim para as ovelhas. Todos teriam que passar pela porta, que é Jesus, a fim de serem salvos; ele veio (10) para trazer vida às ovelhas. Esta explicação tem pouco a ver com a parábola de 1-3a, e podemos ter aqui um dito de Jesus adaptado de outro contexto. Se o v. 10 for considerado um dito isolado, sua estrutura é muito semelhante ao de Mc 2,17. A ideia no v. 10 lembra a de Jo 14,6: "Eu sou o caminho... ninguém vem ao Pai senão por mim" (ver também Ap 3,7-8). A ideia de porta da salvação se encontra em Sl 118,20: "Esta é a porta do Senhor; os justos passarão por ela". No fim do 1º século d.C., o mesmo período em que a forma final do evangelho estava sendo escrita, CLEMENTE de Roma (*1 Coríntios* 48,3) já estava aplicando a Jesus este versículo do salmo. Aliás, não é tão improvável que Jesus usasse este salmo para interpretar seu ministério, visto que a tradição sinótica o tem empregando outra comparação do mesmo salmo (Sl 118,22, "A pedra que os construtores rejeitaram veio a ser a principal pedra de esquina", citado em Mc 12,10 e par.). Todos os evangelhos associam o Sl 118,26, "Bendito aquele que entra em nome do Senhor", com a entrada de Jesus em Jerusalém.

Esta interpretação de Jesus como a porta para a salvação faz seu aparecimento muito cedo na exegese patrística, pois INÁCIO (*Phila* 9,1) diz: "Ele é a porta [*thyra*, como em João e Apocalipse] do Pai, pela qual entraram Abraão e Isaque e Jacó e os Profetas e Apóstolos e a Igreja". A referência às figuras veterotestamentárias poderia ser a forma de INÁCIO contornar a dificuldade da radical condenação de "todos os que vieram antes dele" em Jo 10,8. Há em Mt 7,13 um paralelo com a imagem joanina da porta para a salvação, onde Jesus fala da porta ou portão (*pylē*) estreito que conduz à salvação. O *Pastor de Hermas* (Similitude 9, 12:3-6), 2º século, parece conjugar a imagem joanina e sinótica: a porta [*pylē*] para o reino de Deus é o Filho de Deus; ninguém pode entrar de outro modo senão através do Filho.

Interpretamos o tema no v. 9 que, os que entram e saem pela porta, que é Jesus, encontram pastagem. Já ouvimos previamente que Jesus fornece a água viva e o pão da vida; agora ele oferece a pastagem da vida, pois o v. 10 deixa claro que, ao falar de pastagem, ele realmente está falando da plenitude da vida. Este dom da vida é oposto à matança que é associada com o ladrão. (No discurso da festa dos Tabernáculos em 8,44, ouvimos que o diabo é um homicida, assim a oposição entre o ladrão e o pastor é um reflexo da oposição entre Satanás e Jesus). O ladrão vem *para destruir*; em 3,16, Jesus disse que Deus deu o único Filho para que todo aquele que nele crê *não seja destruído*, mas tenha a vida eterna (também 6,39). Uma vez que tudo indica que os vs. 8 e 9-10 constituem duas diferentes explicações de Jesus como a porta (com 8 sendo mais parecido com a parábola de 1-3a), não temos que pensar que os ladrões e bandidos do 8 (e 1), aos quais identificamos como os fariseus e os sacerdotes, necessariamente eles são o mesmo ladrão do 10. O ladrão do 10, que só vem para roubar, matar e destruir, parece mais com "aquele que vem em seu próprio nome" de 5,43, isto é, um representante geral das trevas que se constitui um rival do Filho. Este é um exemplo da tendência de os inimigos históricos do ministério de Jesus se tornarem personificações do mal, quando a mensagem evangélica for pregada em um período posterior numa escala mundial.

Versículos 11-16: Explicação do pastor

A primeira parábola nos vs. 1-3a se refere ao modo de aproximar-se das ovelhas; portanto, sua explicação se refere a porta. A segunda parábola em 3b-5 trata da relação entre pastor e ovelhas; portanto, sua explicação se refere ao pastor. Precisamente como tivemos duas interpretações de "Eu sou a porta" (7, 9), cada uma com nuança diferente, assim temos duas interpretações da afirmação "Eu sou o bom pastor" (11, 14), cada uma com sua própria nuança. O reconhecimento de que cada uma das parábolas tem sua própria explicação, e que as próprias explicações seguem diferentes direções, nos livra da solução patrística por demais simples, a qual faria uma consistente alegoria de todos estes temas e teria Jesus como, respectivamente, a porta e o pastor ao mesmo tempo.

35 • O clímax da festa dos tabernáculos: Jesus como a porta do Aprisco... 673

(*a*) Na primeira interpretação, encontrada nos vs. 11-13, Jesus é o bom pastor ou modelo, porque ele está disposto a morrer para proteger suas ovelhas. O tema de morrer pelas ovelhas aparece mais abruptamente, pois na parábola nada disto é insinuado. (MEYER, p. 234, pensa que a porta de 7-10 não é tanto a pessoa de Jesus quanto sua morte, pois isso é o que trará vida às ovelhas [ver 12,24]. Este ponto de vista, atraente como é, parece ir além do texto). A associação da morte com ser pastor se encontra em outros ditos atribuídos a Jesus (Mc 14,27; Jo 21,15-19). A parábola sinótica da Ovelha Perdida retrata a preocupação que um pastor enfrentará por uma ovelha perdida; o dito de João no v. 11 estende o risco do pastor mesmo ao ponto de morte.

Nos vs. 12-13 desta pequena cena, aparecem dois novos personagens: o mercenário e o lobo. Visto que estas figuras não aparecem nas parábolas de 1-5, pareceria que a interpretação de "Eu sou o bom pastor", em 11-13, realmente tem feito uso de uma nova parábola. Se esta parábola é também um ataque contra os fariseus, agora são representados pelo pastor mercenário que trai seu rebanho. A imagem do lobo aparece em Mc 10,16: "Eu vos envio como ovelhas no meio de lobos". O simbolismo do pastor protegendo seu rebanho dos lobos se tornou tradicional na Igreja primitiva. Em At 20,28-29, Paulo instrui os anciãos ou bispos de Éfeso a apascentar seu rebanho, porque lobos ferozes estavam vindo, os quais não pouparíam as ovelhas. O paralelismo com a parábola de João é duplamente interessante, se João foi escrito em Éfeso. Ver também 1Pd 2,25; 5,1-2.

(*b*) Na segunda interpretação, encontrada nos vs. 14-16, Jesus é o bom pastor porque conhece intimamente suas ovelhas, (o v. 15, contudo, mostra que o tema de morte não está esquecido). Visto que a íntima relação entre ovelhas e pastor é o tema da parábola original em 3b-5, esta interpretação de Jesus como o pastor é muito mais semelhante a uma explicação da parábola do que a interpretação encontrada em 11-13. Que Jesus conhece nominalmente suas ovelhas (3b) e que elas reconhecem sua voz (4) é comentado no v. 14: "Conheço minhas ovelhas e elas me conhecem". O íntimo conhecimento que Deus tem de Seu povo é proclamado no AT (p. ex., Na 1,7) e no NT (1Cor 8,3; Gl 4,9; 2 Tm 2,19). Visto que a atividade de Jesus é sempre espelhada na do Pai (Jo 8,28), não ficamos surpresos que ele possua íntimo conhecimento de seus seguidores. O v. 16 enfatiza que o propósito deste conhecimento é manter estes seguidores em união mútua (e, naturalmente, com Jesus e seu Pai – 17,21). Que há outras ovelhas que não pertencem ao aprisco introduz o tema da missão entre os gentios (ver também 11,52).

A questão da missão cristã entre os gentios era algo candente no seio da Igreja primitiva e fazemos bem em perguntar se estamos tratando, no v. 16, com um tema do próprio ministério de Jesus ou um tema introduzido posteriormente pelos teólogos cristãos. Este é um problema crítico complexo, discutido excelentemente por J. JEREMIAS, *Jesus' Promise to the Nations* (Londres: SCM, 1958). É verdade que a Igreja só chegou a uma decisão afirmativa sobre sua missão entre os gentios depois de laboriosa consideração e depois de muita oposição. Entretanto, é uma exagerada simplificação alegar que estas indicações de luta e dúvida torna impossível qualquer orientação do próprio Jesus sobre o tema. Todas as tradições evangélicas incluem afirmações de Jesus pertinentes à conversão dos gentios (p. ex., Mt 8,11; Mc 11,17; algumas das parábolas), e não é fácil explicar tudo nessas afirmações como composições posteriores. Uma solução plausível é que só lentamente a Igreja chegou a compreender o teor desses ditos figurativos de Jesus pertinentes aos gentios – ditos que, por serem figurativos, não foram compreendidos no tempo de sua enunciação. Ora, por certo que nesse processo de compreensão as afirmações de Jesus assumiram escopo mais amplo. Por exemplo, em Jo 10,16, provavelmente o evangelista estivesse pensando em "deste aprisco" em termos a Igreja em seu tempo; mas se o dito foi pronunciado originalmente por Jesus, "deste aprisco" teria tido um significado muito mais simples. Em si mesmo, é a referência a "um aprisco" durante o ministério de Jesus seria mais anacrônico do que a alusão aos seus seguidores como "um rebanho" (Lc 7,32; Mt 26,31, explicando as implicações de Mc 14,27)? O que aconteceu em João é que uma simples expressão parabólica foi aplicada pelo evangelista a uma situação posterior da Igreja; mas então o contexto de Mt 18 tem feito exatamente a mesma coisa com a parábola da Ovelha Perdida (18,12-14).

Temos de deter-nos brevemente para considerar o pano de fundo veterotestamentário que jaz por detrás da reivindicação de Jesus de ser o pastor (ver C. K. BARRETT, JTS 48 [1947], 163-64). Em razão de a civilização patriarcal e a de Israel até bem depois da conquista da Palestina ter sido amplamente pastoril, a imagem do pastoreio é frequente na Bíblia. Mesmo quando a agricultura se tornou dominante em Israel, ali permaneceu uma nostálgica vida pastoril. Iahweh podia ser retratado como o guarda da vinha e o plantador da semente, mas Ele permaneceu, mais familiarmente, sendo o pastor do rebanho (Gn 49,24; Sl 23; 78,52-53). Os Patriarcas, Moisés e Davi foram todos pastores, e assim "pastor" se tornou um termo figurativo para os líderes do povo de Deus, um uso comum em todo o antigo Oriente Próximo. Os reis ímpios eram sarcasticamente denunciados como pastores perversos (1Rs 22,17; Jr 10,21; 23,1-2). Em particular, Ez 34 é um importante pano de fundo para Jo 10. Ali Deus denuncia os pastores ou líderes que não se preocupavam com o rebanho (Seu povo) e o tem saqueado, negligenciando os fracos, os enfermos e os extraviados. "Assim se espalharam, por não haver pastor, e tornaram-se pasto para todas as feras do campo... minhas ovelhas andam espalhadas por toda a terra, sem haver quem perguntasse por elas, nem quem as busque" (34,5-6). Deus promete que arrebataria Seu rebanho dos pastores perversos, e Ele mesmo viria a ser seu pastor. "Eis que eu, eu mesmo, procurarei por minhas ovelhas, e as buscarei. Como o pastor busca o seu rebanho... assim buscarei minhas ovelhas; e as livrarei de todos os lugares por onde andam espalhadas... e as trarei à sua própria terra, e as apascentarei nos montes de Israel... buscarei a perdida" (34,11-16). Deus promete que julgaria entre as ovelhas e os bodes, e poria Seu servo Davi (i.e., o rei ungido) como pastor sobre as ovelhas. O capítulo termina: "E vós, minhas ovelhas, sois as ovelhas de meu rebanho, e Eu sou o vosso Deus". Obviamente, muito do que Jesus diz sobre pastoreio, quer em João, quer nos sinóticos, reflete Ez 34; em particular, Mt 18,12-13 = Ez 34,16; Mt 25,32-33 = Ez 34,20.

A despeito destas similaridades veterotestamentárias, BULTMANN, p. 279, insiste que muitos aspectos no quadro joanino do pastor e do rebanho não podem ser explicado com base no AT. Em João, Jesus não é um pastor régio como o pastor do simbolismo do AT; há ênfase sobre a porta, os ladrões e os bandidos – figuras não encontradas no simbolismo pastoral do AT; e, finalmente, o AT não põe ênfase sobre o *conhecimento* que o pastor tem do rebanho. Para BULTMANN, a tradição da qual provém o quadro de João é a dos mandeanos. (Ver Introdução, p. 47s.). Além da dificuldade de se provar a prioridade dos paralelos mandeanos, sugerimos que BULTMANN exagera as diferenças entre João e o pano de fundo veterotestamentário. Em qualquer uso que Jesus faça das figuras veterotestamentárias há originalidade; negar o pano de fundo do AT só porque uma nova dimensão ou orientação tem sido dada às ideias e simbolismos do AT equivale deixar de entender a relação de Jesus com o AT. Portanto, a questão não deve ser se o simbolismo de Jesus é exatamente o mesmo que o de Ezequiel ou de outras partes do AT, mas se há bastante similaridade para sugerir que o AT proporcionou o material para sua interpretação criativa e em seguida essa interpretação se prolongaria na pregação dos apóstolos.

Basicamente, pareceria que o perfil que Ezequiel traça de Deus (ou do Messias) como o pastor ideal, em contraste com os pastores perversos que despojam o rebanho e permitem que as ovelhas se percam, serviu como o modelo para o perfil que Jesus traça de si mesmo como o pastor ideal, em contraste com os fariseus, que são ladrões que roubam as ovelhas e permite que as ovelhas se dispersem. Se a porta para o aprisco das ovelhas não aparece nas passagens do AT, já mostramos acima que a imagem da porta para a salvação tem precedentes no AT. Quanto ao *conhecimento* do rebanho, já mencionamos que o conhecimento que Deus tem de seu povo é um tema bíblico comum. E visto que o conhecimento do rebanho em João não é meramente intelectual, mas implica cuidado e amor, veremos que essa imagem não fica muito distante de terno cuidado do rebanho em Ez 34,16 e Is 40,11. Se o conhecimento da ovelha individual em João se assemelha ao cuidado pela ovelha individual na Parábola da Ovelha Perdida, então, de fato, estamos perto de Ezequiel, onde Deus diz: "Buscarei a perdida". (É digno de nota que uma representação primitiva do "Bom Pastor" joanino o exibe com a ovelha perdida sobre seus ombros). De fato, o mútuo conhecimento entre o pastor e a ovelha (Jo 10,14) vai além dos paralelos veterotestamentários; mas este tema poderia ser extraído de um conceito veterotestamentário de intimidade (Mt 11,27; Lc 10,22; Gl 4,9), em vez de remotas tradições gnósticas? A imagem no contexto joanino imediato, como a da reunião de outras ovelhas e a de um só pastor (10,16), vem de Ez 34,23, 12-13 (ver também Mq 2,12; Jr 23,3; Is 41,8).

O aspecto singular na imagem joanina do pastor é sua disposição de morrer pelas ovelhas. Isto não se acha claramente no AT, embora em 1Sm 17,34-35 Davi arrisca sua vida contra um urso e um leão em defesa das ovelhas. Não é impossível que Jesus falasse mais vagamente de arriscar alguém sua vida pelas ovelhas (ver nota sobre v. 11) e que à luz de sua morte suas observações fossem reinterpretadas em termos da entrega voluntária de sua vida pelas ovelhas (10,18). No único exemplo nos sinóticos onde Jesus relaciona pastoreio e morte

(Mc 14,27; Mt 26,31), ele cita Zc 13,7. TAYLOR, *Mark*, p. 548, julga que esta citação é autêntica e que ela mostra que Jesus refletia sobre o efeito que sua morte teria em seu pequeno rebanho. Em outro lugar na literatura joanina, encontramos a morte associada com a imagem do cordeiro (Cordeiro de Deus morreu para remover os pecados do mundo cf. Ap 5,6; Jo 1,29), o Cordeiro de quem brota a própria vida (Ap 7,17; 22,1). Isto tem muito em comum com a imagem do pastor que entrega sua vida para que outros tenham vida em abundância. A similaridade sugere que não temos que sair fora do AT em busca de um pano de fundo para este aspecto da imagem joanina do pastor: seria o resultado de uma combinação de elementos da descrição veterotestamentária do pastor e do Servo Sofredor (ver p. 242ss.).

Versículos 17-18: A entrega de sua própria vida

Estes versículos parecem um tanto a margem do quadro geral das parábolas e de sua explicação, pois dão sequência a um breve comentário sobre a frase no v. 15, "Eu entrego minha vida", em vez de algum elemento do simbolismo pastoral. Não obstante, o fato de que o evangelista ou um redator viu ser oportuno juntar estes versículos ao v. 16, o qual menciona a reunião de outras ovelhas, pode significar que temos de entender que as outras ovelhas só virão ao aprisco de Jesus por meio da morte e ressurreição de Jesus. Veremos em 12,20-23 que a vinda dos gentios está intimamente relacionada com a glorificação de Jesus através de sua volta ao Pai.

Muitos comentaristas têm tentado enfraquecer o significado final do v. 17, "Eu dou minha vida *a fim de* reassumi-la" (p. ex., LAGRANGE, p. 283); sentem-se incomodados que Jesus entregasse sua vida com o calculado propósito de retomá-la. Isto equivale deixar de entender que no pensamento neotestamentário a ressurreição não é uma circunstância que segue a morte de Jesus, e sim a consumação essencial da morte de Jesus. No pensamento joanino, em particular, a paixão, morte, ressurreição e ascensão constituem uma só ação salvífica indissolúvel do retorno ao Pai. Se Jesus vai dar a vida através do Espírito, ele ressuscitaria (7,39); e assim a ressurreição é verdadeiramente o propósito de sua morte. Como ouviremos em 12,24, o grão de trigo tem de morrer, porém morre para que germine outra vez e produza fruto.

Notamos que em ambos os vs., 17 e 18, é Jesus mesmo quem retoma sua vida de volta. A expressão normal do NT não é que Jesus ressurge dentre os mortos, mas que *o Pai* o ressuscitou (At 2,24; Rm 4,24; Ef 1,20; Hb 11,19; 2Pd 1,21 – ver também nota sobre 2,22). Visto, porém, que no pensamento joanino o Pai e o Filho possuem o mesmo poder (10,28-30), realmente faz pouca diferença se a ressurreição for atribuída à ação do Pai ou do Filho. Esta é uma profunda visão teológica à qual a teologia trinitariana posterior deu maior realce.

O v. 18 fala da ordem ou mandamento divino, e este é o tema que é recorrente nos capítulos subsequentes. O "mandamento" do Pai abarca a mesma extensão que a "vontade" do Pai: reflete o vínculo de amor que existe entre o Pai e o Filho; envolve a missão e morte obediente do Filho; traz vida aos homens (12,49-50; 14,31). Os que seguem o Filho devem também aceitar o mandamento divino e permitir que o amor que o reflete seja visto em suas próprias vidas (13,34; 15,12.17); se o mandamento do Pai levou o Filho a entregar sua vida pelos homens, a aceitação deste mandamento por meio dos seguidores de Jesus sugere uma prontidão da parte deles em entregarem suas vidas uns pelos outros (15,13). O v. 18 descreve ambas, a morte e a ressurreição de Jesus, como mandado pelo Pai; eis uma prova conclusiva de que, quando Jesus entrega sua vida *a fim de retomá-la*, seu motivo não é o de uma busca pessoal. É o Pai que queria que a morte de Jesus levasse à ressurreição e retorno a Ele mesmo.

Versículos 19-21: Reação dos judeus

A reação à(s) parábola(s), nos vs. 1-5, se deu por falta de compreensão; a reação à explicação da(s) parábola(s), nos vs. 7-18, proveio de divisão. Os versículos que descrevem esta divisão constituem uma boa transição ao que segue na festa da Dedicação, pois ali alguns desafiarão as implicações messiânicas da apresentação que Jesus faz de si próprio como o pastor. Ao mesmo tempo, estes versículos lembram as reações anteriores a Jesus a festa dos Tabernáculos, onde também houve divisão (7,12.25-27.31.40-41; 9,16) e a acusação de estar louco (7,20; 8,48).

BIBLIOGRAFIA

BISHOP, E. F., *"The Door of the Sheep – John x. 7-9"*, ET 71 (1959-60), 307-9.

BRUNS, J. E., *"The Discourse on the Good Shepherd and the Rite of Ordination"*, AER 149 (1963), 386-91.

CERFAUX, L., *"Le thème littéraire parabolique dans l'Evangile de saint Jean"*, Coniectanea Neotestamentica 11 (1947; Fridrichsen Restchrift), 15-25. Também RecLC, II, pp. 17-26.

FEUILLET, A., *"La composition littéraire de Joh. ix-xii"*, Mélanges Bibliques... André Robert, pp. 478-93. Em inglês em JohSt, pp. 129-47.

JEREMIAS, J., *"poimēn"*, TWNT, V, pp. 383-504.

MEYER, P. W., *"A Note on John 10, 1-18"*, JBL 75 (1956), 232-35.

MOLLAT, D., *"Le bon psteur (Jean 10: 1-18, 26-30)"*, BVC 52 (1963), 25-35.

O'ROURKE, J. J., *"Jo 10, 1-18: series Parabolorum?"* VD 42 (1964), 22-25.

QUASTEN, J., *"The Parable of the Good Shepherd: John 10: 1-21"*, CBQ 10 (1948), 1-12, 151-69.

ROBINSON, John A. T., *"The Parable of the Shepherd (John 10. 1-5)"*, ZNW 46 (1955), 233-40. Também em TNTS, pp. 67-75.

SCHNEIDER, J., *"Zur Komposition Von Joh. 10"*, Coniectanea Neotestamentica 11 (1947; Fridrichsen Festschrift), 220-25.

36. JESUS NA FESTA DA DEDICAÇÃO: – JESUS COMO MESSIAS E FILHO DE DEUS
(10,22-39)

Jesus é consagrado no lugar do altar do templo

10 ²²Era inverno, e chegou o tempo para a festa da Dedicação em Jerusalém. ²³Jesus caminhava pelos recintos do templo, no Pórtico de Salomão, ²⁴quando os judeus se reuniram em torno dele e disseram-lhe: "Até quando nos manterá em suspense? Se realmente és o Messias, dize-nos com palavras bem claras". ²⁵Jesus respondeu:

>"Eu vos disse, porém não credes.
>As obras que estou realizando em nome de meu Pai
>dão testemunho a meu respeito,
>²⁶mas recusais a crer,
>porque não sois minhas ovelhas.
>²⁷Minhas ovelhas ouvem minha voz;
>e eu as conheço,
>e elas me conhecem.
>²⁸Eu lhes dou a vida eterna,
>e jamais perecerão.
>Ninguém as arrebatará de minha mão.
>²⁹Meu Pai, que me deu, é maior que todos,
>E da mão do Pai ninguém pode tirar.
>³⁰O Pai e eu somos um".

³¹Quando os judeus [outra vez] pegaram pedras para apedrejá-lo, ³²Jesus lhes respondeu: "Tenho vos mostrado muitas obras boas

36 • Jesus na festa da dedicação: Jesus como Messias e Filho de Deus 681

procedentes do Pai. Por quais destas obras pretendeis apedrejar-me?" ³³"Não é por qualquer 'obra boa' que vamos apedrejar-te", responderam os judeus, "mas pela blasfêmia, porquanto não passas de um homem, e fazes a ti mesmo Deus". ³⁴Jesus respondeu:

> "Não está escrito em vossa Lei,
>   'Eu disse: "Sois deuses"?'
> ³⁵Se ela chama deuses a homens,
>   a quem a palavra de Deus foi dirigida –
>   e a Escritura não se pode anular –
> ³⁶afirmais que eu blasfemei,
>   quando, como aquele a quem o Pai consagrou e enviou ao mundo,
>   eu disse: 'Sou Filho de Deus'?
> ³⁷Se eu não faço as obras do Pai,
>   não ponhais fé em mim.
> ³⁸Mas se as faço,
>   mesmo quando não colocais fé em mim,
>   ponde vossa fé nessas obras
>   para que venhais a conhecer [e entender]
>   que o Pai está em mim
>   e eu estou no Pai".

³⁹Então tentaram [outra vez] prendê-lo, mas ele escapou de suas mãos.

NOTAS

10.22. *Era inverno*. Ou tempo invernal – o mês de dezembro.

festa da Dedicação. Hanukkah, ou "a festa dos Tabernáculos do mês de kislev" (2Mc 1,9), era uma festa que celebrava as vitórias macabeias. Por três anos, 167-164 a.C., os sírios profanaram o templo, erigindo o ídolo de Baal Shamem (a versão oriental do Zeus Olímpio) no altar dos holocautos (1Mc 1,54; 2Mc 6,1-7). Esta contaminação do santo lugar pela "abominável desolação" (Dn 9,27; Mt 24,15) terminou quando Judas Macabeus expulsou os sírios, construiu novo altar e reedificou o templo no vigésimo quinto de kislev (1Mc 4,41-61). A festa da Dedicação era a celebração anual da reconsagração do altar do templo.

Dedicação. O grego *Enkainia*, literalmente "renovação" é usado para traduzir *Hanukkah*, que significa "dedicação". Estes substantivos e verbos relacionados são usados no TM e na LXX para a dedicação ou consagração do altar do tabernáculo dos dias do Êxodo (Nm 7,10-11), no templo de Salomão (1Rs 8,63; 2Cr 7,5), e no segundo templo (Esd 6,16). Assim, o termo é um tanto evocativo da consagração de todas as casas de Deus ao longo da história de Israel.

23. *Pórtico de Salomão*. O átrio superior do templo estava cercado por magníficas colunas ou claustros cobertos dos quatro lados. Estes pórticos eram abertos do lado de dentro do templo, mas fechado do lado de fora. O pórtico mais antigo, aquele do lado oriental, foi popularmente associado com Salomão, o construtor do primeiro templo (JOSEFO, *War* 5.5.1; 184-85; *Ant*. 15.11.3; 396-401, 20.9.7; 221). Embora formasse o limite dos recintos do templo, era exterior ao próprio templo, como a variante ocidental de At 3,11 deixa claro ("Quando Pedro e João saíram [do templo]... o povo se pôs atônico no pórtico que é conhecido como de Salomão").

24. *nos manterá em suspense*. Literalmente, "eliminas nossa vida [*psychē* – fôlego de vida]". O uso desta expressão para manter em suspense não é bem atestado; pode significar, como no grego moderno, "fastigar, desconcertar". Não é impossível que João pretenda projetar um sentido literal (HOSKYNS, p. 383). A ideia, pois, seria que, embora Jesus dê sua própria vida pelos que o seguem (10,11.15), ele também provoca juízo, e assim *elimina a vida* dos que o rejeitam (11,48).

26. *não sois minhas ovelhas*. As boas testemunhas, inclusive P[66], agregam: "como vos disse".

29. *Meu Pai, que me deu, é maior que todos*. As testemunhas textuais estão divididas ao menos por causa de cinco leituras gregas diferentes, cada uma dando uma construção gramatical diferente. Nenhuma leitura é destituída de dificuldade; mas, além da anterior, as duas mais importantes são:

"Meu Pai, que (os) tem dado a mim, é maior que todos".

"Quanto a meu Pai, o que Ele me tem dado é maior que todos".

As razões detalhadas para nossa escolha requereriam algumas longas explicações baseadas no texto grego; elas podem ser encontradas em BIRDSALL, *art. cit*. As outras redações parecem ter-se desenvolvido numa tentativa de amenizar a redação do original.

30. *O Pai e eu somos um*. Este foi um versículo-chave nas antigas controvérsias trinitárias (ver POLLARD, *art. cit*.). Em um extremo, os monarquianos (sabelianos) interpretaram-no no sentido de "uma só pessoa", embora

"uma" seja neutra, não masculina. No outro extremo, os arianos interpretaram este texto, que era frequentemente usado contra eles, em termos de unidade moral da vontade. O comentarista protestante BENGEL, seguindo AGOSTINHO, resume a posição ortodoxa: "Através da palavra 'somos', SABÉLIO é refutado; através da palavra "um", assim é ÁRIO".
31. [*outra vez*]. Algumas testemunhas têm esta leitura "outra vez"; outras, têm "portanto"; Outras têm ambos; ainda outras, não têm nenhuma. "Outra vez" pode representar uma harmonização de copista com 8,59.
32. *boas*. Literalmente, "nobres"; *kalos*; seria este um eco do pastor nobre ou bom (*kalos*) que dá sua vida por suas ovelhas (10,11)?

do Pai. Algumas testemunhas, inclusive aparentemente ambos os papiros Bodmer, dizem "meu Pai".
33. *fazes a ti mesmo Deus*. Contra a evidência da vasta maioria de testemunhas, P^{66} dá evidência de ler o artigo antes de *theon* ("Deus"); para *ho theos* como "Deus, o Pai", ver 1,1.
34. *em vossa Lei*. Aqui, "Lei" se refere ao AT em geral, e não apenas ao Pentateuco, pois o que está sendo citado é um salmo (mesmo uso amplo da expressão em 12,34; 1Cor 14,21). Entretanto, pode ser que a interpretação judaica do salmo como se referindo ao que Deus disse no Sinai (onde a Lei foi dada) fosse considerada – ver comentário. O "vossa" é omitido por algumas testemunhas importantes, mas não por ambos os papiros Bodmer. Tanto BARRETT, p. 319, como BULTMANN, p. 296^8, se inclinam em favorecer a omissão, mas tal omissão bem que poderia ter provindo de uma tentativa de copista para abrandar a aparente aspereza da atitude de Jesus para com o AT e sua tendência de dissociar-se da herança judaica (ver a nota sobre 7,19). É ainda possível que o "vossa" tenha tido uma função argumentativa, sendo equivalente a "a Lei que inclusive *vós* admitis".
35. *chama deuses*. Além deste exemplo onde os juízes eram chamados deuses, Jesus poderia também ter citado Ex 7,1, onde Moisés foi chamado deus.

a palavra de Deus foi dirigida. Esta expressão conota um chamado divino; encontramo-la usada por homens como Oseias (1,1), Jeremias (1,2) e João Batista (Lc 3,2).

a Escritura. O salmo citado no v. 34, ou Escritura em geral?

anular. Literalmente, *lyein* é "interromper, pôr de lado"; aqui é passivo. Às vezes se pressupõe que esta passagem reflete uma reverência pelos detalhes da Lei (Escritura) que não devem ser postos de lado (Mt 5,17-18). JUNGKUNTZ, pp. 559-60, ressalta que, em referência à Escritura, *lyei n* é contrastada com *plēroun*, cujo passivo significa "ser cumprido", e que por isso *lyein* significa "deixar de ser cumprido". No uso rabínico, *baṭṭēl*, que parece ser o equivalente aramaico de *lyein*, significa "anular, invalidar". O uso de *lyein* em Jo 7,23 significa que um homem recebe a circuncisão até mesmo no sábado para que o cumprimento da Lei não fosse frustrado.

36. *consagrou*. *Hagiazein*, "consagrar, santificar", é usada na LXX em Nm 7,1 para descrever a consagração do Tabernáculo através de Moisés, enquanto *enkainizein* (ver nota sobre v. 22 acima) é usada em Nm 7,10-11 para a dedicação do altar. Os dois verbos são sinônimos. Nm 7 era uma leitura na sinagoga para a festa da Dedicação (GUILDING, pp. 127-28). Aqui, o Pai consagrou Jesus; em 17,19, Jesus diz: "Eu me consagrei"; 6,69 chama Jesus "o Santo de Deus [*hagios*].

37. *não ponhais fé*. Aqui e no versículo seguinte se usa o imperativo presente com valor de duração.

38. *mesmo quando não colocais fé em mim*. O Codex Bezae e o Latino trazem "ainda que não quereis pôr fé".

    [*e entender*]. Esta é a leitura das melhores testemunhas; outros substituem "e crer"; Bezae, OL e OS têm ambos. "Conhecer e entender" representam o aoristo e presente do mesmo verbo *ginōskein*; é possível que algum copista achasse a expressão pleonástica.

39. *Então*. Omitido em importantes testemunhas, mas talvez por homoioteleuton: *ezētoun oun*.

    [*outra vez*]. Faltando em algumas importantes testemunhas e numa diferente sequência em outras. Como o "outra vez" no v. 31, isto pode representar uma tendência para harmonizar-se com a menção de outras tentativas de prendê-lo (7,30.32.44; 8,20).

    mãos. Literalmente, "de sua mão [singular]"; há variantes com o plural, provavelmente porque, enquanto o idioma hebraico tende a usar o singular, o idioma grego usa o plural. Ver nota sobre 7,44.

COMENTÁRIO

Atingimos já a última das festas cuja as séries começaram com o capítulo 6: o Sábado, a Páscoa, os Tabernáculos e agora a Dedicação. Como enfatizamos, ao discutirmos o capítulo 10,1-21, a interrupção entre a festa dos Tabernáculos e a festa da Dedicação não é tão abrupta como a ocorrida entre as outras festas. Na Dedicação, Jesus está nos recintos do templo, como estava na festa dos Tabernáculos (7,14.18); "os judeus" o pressionam para que diga quem ele é, o mesmo que ocorreu na festa dos

Tabernáculos (8,25-53); a questão do Messias surge outra vez (7,26.31.41; 9,22); e, naturalmente, a tentativa de prender Jesus e o de apedrejar, a acusação de blasfêmia, as triunfantes respostas em termos de sua relação única com o Pai – tudo isso são ecos do que aconteceu na festa dos Tabernáculos.

Estas similaridades que ocorrem principalmente nas porções da narrativa em 10,39 sugerem que podemos estar lidando com alguns relatos em duplicata das reações diante de Jesus. O arranjo equilibrado com precisão desta seção aponta para uma cena cuidadosamente redigida. Há duas questões básicas: É Jesus o Messias (24)? Ele faz a si mesmo Deus (33)? Cada uma recebe uma resposta de aproximadamente a mesma extensão (25-30, 34-38), resposta que termina no tema da unidade de Jesus com seu Pai. A cada resposta "os judeus" reagem desfavoravelmente, primeiro tentando apedrejá-lo; então, tentando prendê-lo.

Todavia, como ocorre em todas as cenas joaninas, aqui não devemos passar tão depressa para uma avaliação negativa da tradição. É difícil imaginar por que o cenário na festa da Dedicação teria ou poderia ser inventado. Era uma festa relativamente sem importância e não uma festa de peregrinação. Embora encontremos uma conexão entre o tema da dedicação do templo ou um altar e a consagração de Jesus (v. 36), a conexão não é tão óbvia que poderia ter sido responsável pela criação do cenário. Miss Guilding sugeriu que o fato de que as leituras relativas ao pastor eram comuns nas sinagogas no período da festa da Dedicação serviu de estímulo para inventar essa sequência cronológica do evangelista. Todavia, como temos insistido, o argumento pode ser invertido: se Jesus realmente falou em Jerusalém durante a festa da Dedicação, que tópico teria sido mais natural do que as leituras que o povo ouvira recentemente nas sinagogas, ou logo ouviria? E há um detalhe de colorido local que é muito eloquente. Nesta estação invernal, quando ventos frios sopravam do oriente através do grande deserto, encontramos Jesus no pórtico oriental do templo, o único dos pórticos cujo lado fechado o protegeria do vento oriental (ver nota sobre v. 23).

Quanto ao conteúdo do discurso de Jesus, isto também exibe elementos tradicionais que não podem ser facilmente desconsiderado. Como veremos, as duas questões implícitas nos vs. 24 e 33 sobre o fato de Jesus ser o Messias e Deus (ou Filho de Deus) são exatamente as questões que os evangelhos sinóticos põem no ambiente do julgamento de Jesus perante o Sinédrio. As respostas de Jesus e a acusação de blasfêmia se encontram também na cena sinótica do tribunal.

Já sugerimos previamente que, ao distribuir estas acusações em um ministério final mais longo em Jerusalém, João poderia estar fornecendo o quadro mais genuíno; pois a cena sinótica de julgamento tem o aspecto de ser um resumo e uma síntese de acusações reiteradas com frequência. Quanto ao argumento de tom quase rabínico baseado na Escritura, nos vs. 34-36, embora concebivelmente pudesse ser o produto do debate Sinagoga/Igreja, certamente não foi criado em círculos cristãos gentílicos, e ao formatá-lo teria sido perfeitamente familiar no ministério de Jesus.

Uma solução plausível é que, enquanto ao ambiente geral, e no conteúdo básico do discurso, o evangelista está manejando material tradicional. Mas, ao dar à cena forma e movimento, o evangelista tem posto em jogo sua imaginação, propiciando o esquema geral das controvérsias que tem vindo se desenvolvendo nos últimos capítulos.

Versículos 22-31: Jesus como o Messias

A questão que estabelece o motivo para a primeira cena na festa da Dedicação se encontra no v. 24: "Se realmente és o Messias, dize-nos com palavras bem claras". Todos os relatos sinóticos do julgamento perante o Sinédrio têm o sumo sacerdote perguntando a Jesus se ele é o Messias, mas Lc 22,67 é mais parecido com João: "Se realmente és o Messias, então nos digas". A resposta de Jesus, nos dois, é praticamente a mesma: em João, ele diz: "Eu vos disse, porém não credes"; em Lucas, ele diz: "Se eu vos disser, não me crereis".

A insistência para Jesus dizer claramente se ele é ou não o Messias faz particular sentido na presente sequência em João, onde Jesus tem falado de si mesmo em termos figurativos como pastor. Como já vimos no pano de fundo veterotestamentário, o pastor era um símbolo que servia frequentemente para aludir ao rei davídico (ver Ez 34,23), de modo que as implicações messiânicas da reivindicação de Jesus de ser o pastor eram claramente entendidas pelas autoridades judaicas. Todavia, nem aqui, nem nos sinóticos, Jesus responde sem fazer certas precisões a uma pergunta direta sobre sua messianidade. Com muita frequência, os que assim perguntavam a Jesus davam ao termo "Messias" ressonâncias nacionalistas e políticas, as quais Jesus não desejava confirmar. Um bom exemplo disto é a imagem do Messias guerreiro no Sl 17,21-25: ele dispersa os líderes injustos; faz em pedaços os pecadores com uma vara de ferro; as nações fogem de diante dele. Se a tradição cristã subsequente soube captar acertadamente o pensamento de Jesus, dando-lhe o título de Messias ou Cristo, contudo se deve reconhecer que sua messianidade evidenciou uma originalidade que mudou o próprio conteúdo do conceito. Talvez o melhor comentário sobre a atitude de Jesus para com a questão de se ele é ou não o Messias se encontra em Jo 10,30, onde sua resposta está sintetizada na afirmação: "O Pai e eu somo um" – uma resposta que é afirmativa, porém não formulada com terminologia tradicional.

No v. 25, Jesus começa sua resposta à pergunta sobre messianidade, evocando as obras que ele está realizando, antecedendo o que seria a cura do cego que "os judeus" mesmos mencionaram em 10,21. É interessante que na tradição sinótica, quando o Batista envia discípulos a perguntar se ele é aquele que havia de vir, Jesus responde, evocando as obras que ele tem realizado em prol dos cegos, dos aleijados etc. (Mt 11,2-6). Mas, embora possamos supor que a referência às obras de Jesus não deixaria de dar fruto no caso de Batista, em João ela deixa de convencer os judeus, pois não são ovelhas que ouvem a voz do pastor.

Esta alusão às ovelhas, nos vs. 26-27, nos recorda 10,1-21 e se liga eficazmente as duas partes do capítulo 10. Como Schneider tem ressaltado, as explicações em 10,7-10 e 11-16 da(s) parábola(s) pastoral(is) atraíram a atenção para a porta das ovelhas e o pastor, porém deu pouca atenção às ovelhas. O v. 4 afirmara que as ovelhas que pertencem a Jesus o ouviriam e o seguiriam, e temos isto exemplificado pelo contraste nos vs. 26-27, onde "os judeus" não ouvem nem seguem porque não são ovelhas do rebanho. Como o expressa tão bem Crisóstomo (*In Jo.* 61,2; PG 59:338), se não seguem Jesus, não é porque ele não seja pastor, mas porque não são ovelhas. Em 10,1-21 vimos os fariseus sendo comparados a ladrões, bandidos e mercenários; agora somos informados que não estão entre as ovelhas dadas a Jesus pelo Pai (ver nota sobre 14). Para ouvir a voz de Jesus há que ser "de Deus" (8,47), "da verdade" (18,37). Enquanto esta separação dualística do auditório de Jesus em dois grupos é mais clara em João do que nos sinóticos, devemos notar que em Mt 16,16-17 o que capacita Pedro a reconhecer Jesus como o Messias e o Filho de Deus (os dois títulos implicados em Jo 10,22-39) é a revelação que Pedro tem recebido *do Pai*. Na terminologia joanina, Pedro e os outros membros dos Doze são ovelhas dadas a Jesus pelo Pai, e por isso ouvem a voz e sabem quem é ele (ver também Mt 11,25).

Em João, os que não ouvem são como aqueles nos sinóticos que ouvem as parábolas, porém não entendem. Nosso interesse em demonstrar, que o pensamento de João tem paralelos sinóticos, é mostrar a vulnerabilidade do ponto de vista de BULTMANN (pp. 276 e 284), de que o rebanho, aqui, lembra a comunidade do mito gnóstico dos predestinados. JEREMIAS, art. cit. (ver acima, p. 678), parece fazer mais justiça a toda a concepção neotestamentária, afirmando que o rebanho representa, aqui toda a comunidade de Jesus, a comunidade de seus seguidores que após sua morte se transformaram na comunidade cristã primitiva (At 20,28-29; 1Pd 5,3; 1Clemente 44,3; 54,2). Há em João um elemento de predestinação no tocante àqueles que pertencem ao rebanho, mas nisto João não parece se apartar do ensino comum de todo o NT.

A referência às ovelhas, nos vs. 26-27, introduz no 28 a ideia dos lobos que arrebatam as ovelhas quando os mercenários guardam o rebanho (10,12). Todavia, Jesus é o bom pastor e ninguém arrebatará de suas mãos as ovelhas que o Pai lhe deu. Isso é assim porque Jesus age em prol do Pai, e ninguém arrebata as ovelhas das mãos do Pai (v. 29). A afirmação do supremo poder do Pai sobre os homens, em 29, evoca as afirmações veterotestamentárias de que as almas estão nas mãos de Deus (Is 43,13). Notamos que os vs. 28 e 29 fazem a mesma afirmação sobre Jesus e sobre o Pai: ninguém pode arrebatar as ovelhas das mãos de ambos. Isto nos leva a uma compreensão da unidade que é expressa no v. 30: é uma unidade de poder e operação. Foi uma afirmação tal como a encontrada no v. 30 que finalmente levou a Igreja do 4º século à doutrina da natureza una e divina na Trindade, natureza sendo essência considerada como um princípio de operação.

Parece oportuno interromper por um momento para resumir o que já ouvimos até então em João sobre as relações entre Pai e Filho. O Filho vem do Pai (8,42); todavia, o Pai que o enviou está com ele (8,29). O Pai ama o Filho (8,35); o Filho conhece o Pai intimamente (8,55; 10,15). Em sua missão na terra, o Filho só pode fazer o que tem visto o Pai fazer (5,19), só pode julgar e falar como ouve do Pai (5,30). O Filho foi instruído pelo Pai (8,28) e tem recebido dele poderes tais como o de julgamento (5,22) e de dar e possuir vida (5,21.26; 6,57). O Filho faz a vontade do Pai (4,34; 6,38) e tem recebido um mandamento do Pai que diz respeito à sua morte e ressurreição (10,18). Deve-se notar que todas estas relações entre Pai e Filho são descritas em função das que medeiam, por sua vez, entre o Filho com os homens. Seria o trabalho dos teólogos posteriores tomar este material evangélico pertinente à missão do Filho *ad extra* e extrair dele uma teologia da vida íntima da Trindade.

Voltando ao cap. 10,30, descobrimos que a unidade proposta ali também diz respeito aos homens; pois assim como Pai e Filho são um, assim reúne os homens a si como um – "para que sejam um, assim como nós" (17,11). Esta unidade que é comunicada aos crentes é o que impede alguém de arrebatá-las do Pai ou do Filho. Paulo o expressa mais liricamente em Rm 8,38-39: "Nem morte, nem vida, nem anjos... e nenhuma outra criatura, em toda a criação, será capaz de separar-nos do amor de Deus em Cristo Jesus, nosso Senhor".

Versículos 32-39: Jesus como o Filho de Deus

Anteriormente as afirmações de Jesus, o associando intimamente com Deus, levaram "os judeus" a procurar matá-lo (5,17-18; 8,58-59), esta reação é também repetida aqui (v. 31). Jesus se depara com a violência deles por evocar outra vez as obras que ele tem realizado (32, como em 25); sua objeção, não obstante, não é às suas obras (como foi anteriormente aos milagres ao sábado), e sim às suas palavras blasfemas. Esta é a primeira vez (33) que a acusação oficial de blasfêmia ocorre em João, embora já fosse pressuposto em 8,59 (p. 635). Nos sinóticos (Mc 14,64; Mt 26,65), uma acusação solene de blasfêmia é levantada contra Jesus no tribunal depois que descreveu sua futura posição como Filho do Homem, assentando-se à destra de Deus. Uma vez mais, estamos em desvantagem pela falta de evidência quanto ao que constituía blasfêmia segundo a lei judaica deste período (ver Blinzler, *Trial*, pp. 127-33). Tudo indica que os evangelhos estão de acordo que a base da acusação judaica de blasfêmia contra Jesus envolvia mais do que sua reivindicação de ser o Messias; João é mais específico do que os outros em afirmar que o problema foi ele fazer-se a si mesmo Deus ou igual a Deus (5,18). Seguramente, intervém em grande medida a visão cristã pós-ressurreição na avaliação joanina da situação. Todavia, visto que nem aqui nem em 5,19ss. há qualquer negação por Jesus da estima judaica da implicação de suas palavras, podemos razoavelmente estar certos de que o evangelista entendia que aquela valoração era substancialmente correta. No pensamento joanino, o erro não estava na descrição de Jesus como divino ("A Palavra era Deus"), e sim na afirmação de que ele estava *se fazendo* Deus. Para João, Jesus nunca faz absolutamente nada por si mesmo; tudo o que ele é provém do Pai. Ele não é um homem que se fez Deus; ele é a Palavra de Deus que se fez homem. Eis por que o v. 36 realmente responde à acusação judaica: foi o Pai que consagrou Jesus. Além do mais, devemos ser cautelosos em avaliar a aceitação joanina de Jesus como divino ou igual a Deus. Como veremos abaixo ao discutirmos o v. 37, essa descrição de Jesus *não* é divorciada do fato de que ele foi enviado por Deus e agia em nome de Deus e no lugar de Deus. Portanto, embora a descrição e aceitação joaninas da divindade de Jesus tenham implicações ontológicas (como Niceia reconheceu ao confessar que Jesus Cristo, o Filho de Deus, é em si mesmo verdadeiro Deus), em si mesma esta descrição permanece primariamente funcional, e não muito distante da formulação paulina de que "Deus estava em Cristo reconciliando consigo o mundo" (2Cor 5,19).

Vimos que a questão da messianidade de Jesus, no v. 24, se assemelhava à questão formulada a Jesus pelo sumo sacerdote no julgamento sinótico, e em particular à forma da pergunta e resposta de Lucas. Enquanto Mc 14,61 e Mt 26,63 formulam uma questão que menciona o Messias, o Filho de Deus (ou do Bendito), Lc 23,67, em sua primeira pergunta, menciona somente o Messias. Lc 22,70 tem uma segunda pergunta feita pelo sumo sacerdote: "Tu és o Filho de Deus?" Assim, uma vez mais, Lucas se aproxima mais de João onde a questão de se fazer Deus ou o Filho de Deus (33, 36) é separada daquela de ser o Messias. P. WINTER, *Studia Theologica* 9 (1955), 112-15, sugere que a tradição lucana se apoia na de João; mas isto não é impossível no que se refere aos detalhes, mas o número de paralelos joaninos com o julgamento sinótico perante o Sinédrio sugere uma situação mais complexa (ver nossa discussão em CBQ 23 [1961], 148-52, e a discussão abaixo na p. 728ss.).

Em resposta à acusação de "os judeus" de que ele está se fazendo Deus, Jesus responde com um raciocínio extraído do AT. Ele cita uma frase do Sl 82,6, embora aqui, como em outro lugar no NT, não só a frase citada, mas também o resto do versículo e até mesmo o contexto são importantes para o argumento. Todo o versículo diz: "Eu digo: 'Vós sois deuses, e todos vós filhos do Altíssimo'". Jesus está interessado não só no uso do termo "deuses", mas também na expressão sinônima "filhos do Altíssimo", pois no v. 36 ele se refere a si como o Filho de Deus.

O Salmo era entendido como uma advertência aos juízes injustos: embora recebessem o título "deuses" em virtude de sua função quase divina (o julgamento pertence a Deus – Dt 1,17), morrerão como os demais homens. A mesma altíssima apreciação do ofício de um juiz está implícita nas expressões pelas quais ao povo se ordenava que se submetesse aos juízes: "Comparecerão perante Iahweh" (Dt 19,17), ou "serão levados a Deus" (Ex 21,6; 22,9). Agora, o argumento que Jesus extrai parece ter dois aspectos. *Primeiro*, se havia no AT uma prática comum como uma indicação de que homens como os juízes eram tidos como "deuses", e isto não constituía blasfêmia, por que os judeus se opõem quando se aplica a Jesus este mesmo termo? Para uma mente ocidental, este argumento parece ser uma falácia enganosa. Os judeus não estão objetando que Jesus está se elevando ao nível de um deus no sentido em que os juízes eram deuses; estão objetando que ele está se fazendo Deus com "D" maiúsculo. Em outras palavras, Jesus está justificando os dois significados que "deus" tem em seu argumento, um como nome próprio e o outro em sentido derivado. Parte da solução desta dificuldade pode estar em reconhecer que Jesus estava argumentando segundo as regras rabínicas da hermenêutica, que eram bem diferentes das lógicas modernas. A presença da palavra "deus" no texto era o fator importante, sem levar em conta a diferença de significado. Alguns estudiosos, como Bultmann e Strathmann, parecem interpretar o uso que Jesus faz de tal argumento em termos de seu encontro com os fariseus em seu próprio nível ou fazendo ele uma paródia do modo deles de interpretar a Escritura. Não obstante, devemos precaver-nos de assumir que Jesus tinha outros princípios hermenêuticos além daqueles correntes em seu tempo. O padrão consistente de sua exegese não está em harmonia com a hermenêutica moderna mesmo onde ele não está argumentando com os fariseus, por exemplo, as citações atribuídas a ele na cena da tentação pelo diabo (Mt 4,1-11). As citações usadas em seus argumentos com os fariseus (Mt 19,4; 22,41-45) são interpretadas em grande medida com o mesmo padrão excessivamente literal que encontramos em Jo 10,34-36, e parece difícil pensar que estava sempre se adaptando aos princípios que ele mesmo não aceitava. Caso se objete a partir de um ponto de vista crítico que o uso de algumas destas citações bíblicas realmente podem ser oriundas do uso cristão tardio, é preciso observar ainda que a tradição não mostra sinais de considerar tal hermenêutica como indigna de Jesus. Portanto, se parece haver um elemento de sofisma em Jo 10,34-36, não estamos certos se o orador ou o auditório teria tido essa impressão.

Mas há um *segundo* aspecto no argumento que propicia conforto àquele que porventura permanece oscilante. Há um aspecto do *a minori ad maius* ("do menor para o maior") ou do *a fortiori* que era bem conhecido no pensamento rabínico. A razão para os juízes serem chamados deuses era porque se tornaram veículos da palavra de Deus (v. 35), mas, sobre essa premissa, Jesus merece tanto mais ser chamado Deus. Ele é aquele a quem o Pai consagrou e enviou ao mundo e, assim, um veículo singular da palavra de Deus. Assim, há alguma razão que justifica o uso de "deus" em dois sentidos diferentes no argumento. Há em 10,34-36 alguma sugestão de que Jesus é *a Palavra* de Deus? Se o argumento "do menor para o maior" foi elaborado com detalhes completos, poderia ficar assim: "Se é permissível chamar "deuses" a homens, por serem veículos da palavra de Deus, quanto mais permissível é usar "Deus" para aquele que é a Palavra de Deus! Isto nos dá a interessante *possibilidade* (porém não mais) de uma prefiguração do título "Palavra" que se fez tão proeminente no hino joanino que serve de Prólogo ao evangelho.

Outros desejariam levar ainda mais longe o argumento em 10,34-36. BARRETT, p. 319, e DAHL, CINTI, p. 133, recorrem à interpretação rabínica do Sl 82,6. A ocasião do Salmo era tida como sendo a revelação da Lei no Sinai; a vinda desta palavra de Deus aos israelitas os fez deuses ou filhos do Altíssimo. Sobre este pano de fundo, o argumento de Jesus pode ser que, visto que a revelação no Sinai finalmente dá testemunho dele (Jo 5,46), quanto mais justo vem a ser o título Deus ou Filho de Deus! HANSON, *art. cit.*, dá um diferente efeito a este pano de fundo da interpretação rabínica do Salmo. Ele afirma que no pensamento joanino aquele que se dirigiu aos judeus no Sinai era a preexistente Palavra de Deus, e assim podemos traduzir o v. 35: "Se a Lei chama deuses àqueles homens a quem a Palavra de Deus foi dirigida [no Sinai]"... Então, o *a fortiori* se aplica com toda a justiça o título *Deus* ou *Filho de Deus* ao portador humano da Palavra de Deus. JUNGKUNTZ, *art. cit.*, se apoia sobretudo em que o v. 35c tem o significado de que a Escritura não pode ser impedida do cumprimento (ver a respectiva nota). O Salmo se reporta aos juízes que recebiam o título de deuses; um dos temas de João é que Jesus é o juiz por excelência (ver p. 606); e assim a Escritura encontra seu cumprimento em Jesus, que é por excelência digno do título dado aos juízes. Além do mais, visto que os juízes foram os precursores dos reis davídicos, e um dos atributos mais importantes do rei davídico era ser um juiz justo, a Escritura também traz o conceito de juiz ao cumprimento no Messias, o rei-juiz por excelência. Embora nenhuma dessas sugestões seja passível de prova, mostram que o argumento de Jesus poderia ter sido mais sutil e convincente do que a princípio parece aos olhos ocidentais.

Seguindo em frente, agora volvemos nossa atenção para o uso da palavra "consagrar", no v. 36. Na sequência de festas ao longo da Terceira Parte do Livro dos Sinais (caps. 5-10), temos visto que, vez outra, sempre reaparecerá o tema de substituição. Na festa do Sábado (cap. 5), Jesus insistiu que no sábado não poderia haver descanso para o Filho, já que ele continuaria a exercer até mesmo no sábado os poderes de vida e juízo confiados a ele pelo Pai. Na Páscoa (cap. 6, Jesus substituiu o maná no relato da Páscoa-Êxodo, multiplicando a pão como sinal de que ele era o pão da vida que desceu do céu. Na festa dos Tabernáculos (7-9), a cerimônia da água e luz foi substituída por Jesus, a verdadeira fonte das águas vivas e a luz do mundo. Então, na festa da Dedicação, evocando em particular a dedicação ou consagração macabeia do altar do templo, porém mais geralmente reminiscente da dedicação ou consagração de toda a série de templos que foram edificados em Jerusalém (ver notas sobre vs. 22 e 36), Jesus proclama que ele é aquele que realmente foi consagrado por Deus. Isto parece ser um exemplo do tema joanino de que Jesus é o novo Tabernáculo (1,14) e o novo Templo (2,21).

A afirmação de que Jesus foi consagrado por Deus não teria sido estranha na estrutura do pensamento israelita tradicional. No AT, o termo "consagrar" era aplicado aos homens separados para importante obra ou elevado ofício. Foi usado com referência a Moisés (Siraque 45,4), a Jeremias (Jr 1,5), aos sacerdotes (2Cr 26,18) e a outros. O uso deste termo para Jesus (ver nota sobre v. 36) constitui uma alusão joanina ao sacerdócio de Jesus, um tema que se encontra em Hebreus (uma obra com paralelos em João)? Hb 5,5 enfatiza que Jesus foi feito sumo sacerdote por seu Pai, assim como João enfatiza que o Pai consagrou Jesus. No judaísmo dos dias do NT, os sacerdotes eram os exemplos primários de homens cuja consagração os havia separado como "santos"; Jesus era o Santo de Deus por excelência (6,69). Para outro *possível* exemplo do tema de Jesus como sacerdote, ver comentário sobre 19,23 (no volume II).

No v. 37, Jesus volta ao tema das obras que ouvimos no v. 25. Aqui, a referência às obras é especialmente apropriada: Jesus acabou de reivindicar ser o enviado de Deus; portanto, Deus estaria por detrás das obras que Jesus realiza. Este é um exemplo do conceito judaico do *šālīaḥ* ou enviado. No pensamento judaico, o enviado ou alguém oficialmente comissionado tinha a autoridade de quem o enviou e era legalmente identificável com ele. Isto não só explica por que as obras de Jesus são as obras do Pai, mas pode também ter um propósito em todo o argumento dos vs. 34-36, onde Jesus, enviado por Deus, não nega a acusação de que ele mesmo se apresenta como Deus.

Juntamente com 14,11, o v. 38 veio a ser um texto básico para justificar o uso apologético cristão dos milagres para mostrar que ele veio de Deus. Ora, naturalmente há uma probabilidade de que os interesses apologéticos da Igreja primitiva têm tido certa influência sobre um texto como o v. 38, e por isso não estamos certos, historicamente, quanto da própria perspectiva de Jesus sobre suas ações está representado neste versículo. Mas, ao mesmo tempo temos que insistir muito que a ênfase sobre milagres, neste versículo, é levemente diferente do discernimento do que os manuais apologéticos propõem. As obras de Jesus em João (ver Apêndice III, p. 831ss) nunca constituem um critério meramente externo evocado para provar uma tese. São parte do ministério de Jesus; são sinais que conduzem à compreensão em vez de provas que convencem; a resposta a elas é a da fé, antes que do assentimento intelectual.

Esta segunda parte do discurso na festa da Dedicação termina, precisamente como fez a primeira, com uma afirmação da unidade que existe entre Pai e Filho (v. 38, comparado com 30). No v. 30, enfatizamos que a unidade era a de poder e operação; eis por que em 38 as *obras* de Jesus podem revelar esta unidade, pois são as obras comuns do Pai e do Filho oriundas de uma fonte comum.

BIBLIOGRAFIA

BIRDSALL, J. N., *"John x. 29"*, JTS 11 (1960), 342-44.

HANSON, A., *"John's Citation of Psalm LXXXII"*, NTS 11 (1964-65), 158-62 on John x 33-36.

JUNGKUNTZ, R., *"An Approach to the Exegesis of John 10:34-36"*, Concordia Theological Monthly 35 (1964), 556-65.

POLLARD, T. E., *"The Exegesis of John x.30 in the Early Trinitarian Controversies"*, NTS 3 (1956-57), 334-49.

37. APARENTE CONCLUSÃO DO MINISTÉRIO PÚBLICO DE JESUS
(10,40-42)

Jesus se retira ao outro lado do Jordão onde seu ministério teve início

10 ⁴⁰Então ele tornou a atravessar o Jordão para o lugar onde João a princípio estivera batizando; e enquanto ficou ali, ⁴¹muitas pessoas vieram a ele. "João nunca realizou nenhum sinal", comentavam, "mas tudo o que João disse sobre este homem era verdade". ⁴²E muitos ali chegaram a crer nele.

NOTAS

10.40. *onde João a princípio estivera batizando*. Betânia, como em 1,28; ver nota ali.
  ficou. Se aqui o imperfeito é a redação correta, este é o único uso de *menein* em João desse tempo. Todavia, há boas testemunhas, inclusive P⁶⁶, para o aoristo que então teria de ser tomado em um sentido complexo, como se dá amiúde no grego dos papiros.
41. *muitas pessoas*. Provavelmente se deva concluir que estes sejam os seguidores do Batista, que deixaram suas casas assim que ouviram que Jesus regressara à área onde o Batista fora atuante. Que uma colônia dos discípulos do Batista se estabeleceram permanentemente na área parece menos provável, a não ser que pensemos em um grupo como a comunidade de Qumran.
  nunca realizou nenhum sinal. Os sinóticos não atribuem milagres ao Batista, muito embora Herodes dissesse ter concluído que Jesus, que estava operando milagres, era João Batista ressuscitado (Mc 6,14). A implicação ali provavelmente não que houvesse milagres associados ao Batista, mas alguém ressuscitado possuísse poderes miraculosos.

tudo o que João disse sobre este homem era verdade. Todavia, até este momento Jesus não se mostrara como o Cordeiro de Deus que tira o pecado do mundo (1,29); nem batizara com o Espírito santo (1,33), pois o Espírito ainda não fora dado (7,39). Talvez devamos pensar nestas coisas como a se concretizarem na hora da glória de Jesus que logo começaria.

COMENTÁRIO

Estes versículos fornecem uma conclusão para a Terceira Parte do Livro dos Sinais, a saber, 5-10; e de fato, por sua tonalidade, parecem conduzir a um final do ministério público de Jesus. As últimas palavras públicas de Jesus seriam então o desafio retumbante encontrado em 10,37-38. Se, como sugerimos, no verso 11 do Prólogo se descreve o ministério público ("Ele veio para o que era sua [terra]; todavia os seus não o aceitaram"), agora deixa a terra hostil e o povo da Palestina para cruzar o Jordão. Ali ele encontra a fé que faltava em sua própria terra. Além do mais, estes versículos formam uma inclusão com a cena inicial do ministério em 1,19-28. O evangelho nos lembra deliberadamente da cena onde o Batista esteve batizando dalém do Jordão e onde ele dera testemunho de Jesus.

Ao discutirmos os capítulos 11-12, veremos que eles apresentem peculiaridades que sugerem que são uma adição redacional ao esboço original do evangelho. Por essa razão, sugerimos que houve um tempo em que o esquema joanino do ministério público chegou a uma conclusão com 10,40-42. (No entanto, devemos notar que outros comentaristas, como BULTMANN e BOISMARD, os quais creem que o capítulo 10 foi a conclusão original da primeira parte do evangelho, têm uma teoria diferente do papel de 10,40-42. BULTMANN trata estes versículos como a introdução ao capítulo 11; para BOISMARD, 10,22-39 seriam seguidos por 11,47ss). Antes que os capítulos 11-12 fossem anexados ao esboço do evangelho, sugerimos que 10,40-42 foram seguidos pela abertura do Livro da Glória no capítulo 13. A mudança de localidade, da Transjordânia para Jerusalém, não seria mais violenta do que aquela entre capítulos 5 e 6. Além do mais, a frase inicial do cap. 13 contém significado especial se seguido do cap. 10,40-42 ("Jesus estava ciente de que lhe havia chegado a hora de passar deste mundo para o Pai"): quando Jesus atravessa o Jordão pela segunda vez, realmente estaria indo para sua própria terra, pois estaria indo para o Pai. Lembramos que a descrição sinótica da (última) viagem de Jesus a Jerusalém, ele adentrou as regiões dalém do Jordão antes de subir a Jerusalém para morrer (Mc 10,1; Mt 19,1). Ora, já vimos as similaridades entre esta viagem sinótica e o quadro que João forma de Jesus subindo a Jerusalém para a festa dos Tabernáculos (ver p. 559). Se 10,40-42 foi uma vez seguido do cap. 13, teríamos em João uma sequência que se assemelha a outro aspecto da viagem sinótica. Alguém notaria que assim como a memória do Batista é evocada aqui em João, assim também é evocada no relato sinótico dos dias de Jesus em Jerusalém, seguindo sua viagem (Mc 11,27-33).

Em qualquer caso, embora o retiro de Jesus para a região dalém do Jordão tivesse o propósito prático de buscar abrigo da hostilidade suscitada em Jerusalém, também serviu aos propósitos teológicos do evangelista. Jesus não havia de morrer pela violência da plebe; só morreria quando estivesse pronto para entregar sua vida (10,18). Quando voltasse a Jerusalém, ele faria isso de sua própria iniciativa e com o seguro conhecimento de que estava subindo para morrer. Foi somente na Páscoa seguinte que chegaria a hora que o Pai designara. Mas, no momento, em um lugar que ainda ecoa o clamor das testemunhas do Batista, e ainda irradia a luz de sua lâmpada (5,35), Jesus se detém e é saudado pela fé. As trevas ainda não haviam chegado.

T. F. Glasson, ET 67 (1955-56), 245-46, tem chamado atenção para um ponto interessante: as passagens joaninas que tratam do Batista se tornando progressivamente menor: 1,19-36; 3,22-30; 5,33-35; 10,41. A intenção do evangelista teria sido ilustrar o princípio enunciado em 3,30: "Ele [Jesus] deve crescer enquanto devo diminuir"? A ênfase de que o Batista não operava milagres, e que no fim seus seguidores viriam paulatinamente a crer em Jesus pode ser parte da apologética do Quarto Evangelho contra os seguidores do Batista.

O LIVRO DOS SINAIS

Quarta Parte: Jesus segue rumo à Hora da Morte e Glória

ESBOÇO

QUARTA PARTE: JESUS SEGUE RUMO À HORA DA MORTE E GLÓRIA
(caps. 11-12)

A. 11,1-54: Jesus dá vida aos homens; os homens condenam Jesus à morte
    (1-44) Jesus dá vida a Lázaro – um sinal de que Jesus é a vida. (§ 38)
        1-6: Cenário.
        7-16: Jesus subiria para a Judeia?
            7-10.16: Para morrer.
            11-15: Para ajudar Lázaro.
        17-33: Jesus chega em Betânia:
            17-19: Chegada e cenário.
            20-27: Marta sai ao encontro de Jesus.
            28-33: Maria sai ao encontro de Jesus.
        34-44: A Ressurreição de Lázaro:
            34-40: Cenário e preliminares.
            41-44: O milagre.
    (45-54) O Sinédrio condena Jesus à morte; retirada para Efraim. (§ 39)
        45-53: Sessão do Sinédrio presidida por Caifás.
        54: Jesus se retira para Efraim.
  11,55-57: Transição – Jesus irá a Jerusalém para a Páscoa? (§ 40)

B. 12,1-36: Cenas preparatórias para a Páscoa e Morte
    (1-8) Em Betânia, Jesus é ungido para a morte. (§ 41)
    (9-19) As multidões aclamam Jesus enquanto entra em Jerusalém. (§ 42)
        9-11: Introdução: a multidão saindo para ver Lázaro.
        12-16: Aclamação de Jesus e sua reação.
        17-19: Conclusão: a multidão testificando de Lázaro.
    (20-36) A vinda dos gregos marca a chegada da hora. (§ 43)

38. JESUS DÁ VIDA AOS HOMENS: – O RELATO DE LÁZARO
(11,1-44)

Um sinal de que Jesus é a vida

11 ¹Ora, havia um homem chamado Lázaro que estava enfermo; ele era de Betânia, a aldeia de Maria e sua irmã Marta. (²Esta Maria, cujo irmão Lázaro estava enfermo, era aquela que ungiu o Senhor com perfume e enxugou seus pés com seus cabelos). Então as irmãs mandaram informar a Jesus: "Senhor, aquele a quem amas está enfermo". ⁴Mas quando Jesus ouviu isso, disse:

> "Esta enfermidade não para terminar em morte;
> antes, é para a glória de Deus,
> para que o Filho [de Deus] seja glorificado por ela".

(⁵Ora, Jesus realmente amava a Marta à sua irmã e a Lázaro). ⁶E assim, mesmo quando ouviu que Lázaro estava enfermo, ele permaneceu onde estava mais dois dias.
⁷Então, por fim, Jesus disse aos discípulos: "Voltemos para a Judeia". ⁸"Rabi", protestaram os discípulos, "os judeus acabaram de tentar apedrejar-te, e queres voltar para lá outra vez?" ⁹Jesus respondeu:

> "Não há doze horas de dia claro?
> Se um homem caminha durante o dia, ele não tropeça,
> porque pode ver a luz deste mundo.

7: *disse*; 8: *protestaram*. Tempo presente histórico.

¹⁰Mas se caminhar durante a noite, tropeçará,
  porque não tem em si nenhuma luz".

¹¹Ele fez esta observação e então, a seguir, lhes disse: "Nosso amado Lázaro adormeceu, mas estou indo lá para despertá-lo". ¹²Nisto os discípulos objetaram: "Senhor, se ele adormeceu, sua vida será salva". (¹³Na verdade Jesus estava falando da morte de Lázaro, mas entenderam que estivesse falando do sono no sentido de estar em repouso). ¹⁴Então, finalmente Jesus lhes disse claramente: "Lázaro está morto. ¹⁵E estou feliz por eu não estar lá, para que venhais a ter fé. Seja como for, vamos a ele". ¹⁶Então Tomé (este nome significa "Gêmeo") disse aos seus condiscípulos: "Vamos também para morrermos com ele".

¹⁷Quando Jesus chegou, descobriu que Lázaro [já] estava no túmulo há quatro dias. ¹⁸Ora, Betânia não ficava longe de Jerusalém, apenas cerca de três kilômetros; ¹⁹e muitos dos judeus saíram a oferecer suas condolências a Marta e Maria por causa de seu irmão. ²⁰Quando Marta ouviu que Jesus estava chegando, ela saiu a encontrar-se com ele, enquanto Maria ficou sentada quietamente em casa. ²¹Marta disse a Jesus: "Senhor, se estiveras aqui, meu irmão nunca teria morrido. ²²Mesmo agora, estou certa de que tudo o que pedires a Deus, Deus te dará". ²³"Teu irmão ressuscitará", assegurou-lhe Jesus. ²⁴Marta replicou: "Eu sei que ele ressurgirá na ressurreição do último dia". ²⁵Jesus lhe disse:

> "Eu sou a ressurreição [e a vida]:
>   aquele que crê em mim,
>   ainda que morra, voltará à vida.
> ²⁶E todo aquele que está vivo e crê em mim
>   jamais morrerá. –

Crês tu isto?" ²⁷"Sim, Senhor", replicou, "eu creio que és o Messias, o Filho de Deus, que havia de vir ao mundo".

²⁸Ora, quando ela disse isto, saiu a chamar sua irmã Maria. "O Mestre está aqui e te chama", sussurrou. ²⁹Assim que Maria ouviu isto, ergueu-se depressa e saiu ao encontro dele. (³⁰Na verdade, Jesus ainda não havia entrado na aldeia, mas [ainda] estava no local onde Marta

---

11: *disse*. 23: *Assegurou*; 24: *replicou*. Tempo presente histórico.

o encontrara). ³¹Os judeus que estavam na casa com Maria, consolando-a, viram-na levantar-se depressa e sair; e então seguiram-na, pensando que estivesse indo ao túmulo para chorar ali. ³⁴Quando Maria chegou no lugar onde Jesus estava, e o viu, caiu a seus pés e lhe disse: "Senhor, se estiveras aqui, meu irmão não teria morrido". ³³Ora, assim que Jesus a viu chorando, e os judeus que a acompanhavam também chorando, ele se estremeceu, movido das mais profundas emoções.

³⁴"Onde o pusestes?", perguntou. "Senhor, vem e vê", lhe disseram. ³⁵Jesus chorou", ³⁶e isto levou os judeus a observar: "Vedes o quanto o amava!" ³⁷Mas alguns deles disseram: "Ele abriu os olhos daquele cego. Acaso não poderia também ter feito algo para impedir que este homem morresse?" ³⁸Com isto suas emoções se agitaram outra vez, Jesus foi ao túmulo.

Era uma caverna com uma pedra posta sobre ela. ³⁹"Tirai a pedra", ordenou Jesus. Marta, irmã do morto, disse-lhe: "Senhor, é de quatro dias; já cheira mal". ⁴⁰Jesus replicou: "Não te assegurei eu que, se creres, verias a glória de Deus?" ⁴¹Então, removeram a pedra. Então Jesus olhou para o alto e disse:

"Pai, graças te dou porque me ouviste.
⁴²Naturalmente, eu seu sei que sempre me ouves,
   mas eu lhe digo por causa da multidão que jaz ao redor,
   para que creiam que me enviaste".

⁴³Tendo dito isto, clamou em alta voz: "Lázaro, vem para fora!" ⁴⁴O morto saiu, tendo as mãos e os pés ligados com faixas e seu rosto envolto em um lenço. "Desatai-o", disse-lhes Jesus, "e deixai-o ir".

NOTAS

11.1. *Lázaro*. O nome *Laᶜzār* é uma forma abreviada de Eleazar; inscrições ossuárias mostram que o nome Eleazar era comum nos tempos neotestamentários. Este homem não aparece na tradição sinótica; mas o fato de que o nome significa "Deus ajuda" não é razão suficiente para se pensar

---

34: *disse*; 38: *veio*. 39: *ordenou, disse*; 40: *replicou*; 44: *disse*. Tempo presente histórico.

que ele seja uma figura meramente simbólica. Notamos que o evangelista não explica o nome de Lázaro.

Betânia. Alguns sugeririam um papel figurativo deste nome, interpretado como a refletir *Bēt-'anyā*, "Casa de aflição"; ver nota sobre a Betânia dalém do Jordão em 1,28. Não obstante, a Betânia próxima a Jerusalém é bem atestada como o lugar onde Jesus residia quando visitava Jerusalém (Mc 11,11; 14,3); e, portanto, Betânia como o local do relato de João é bastante plausível sem recorrer-se a simbolismo. É bem provável que Betânia seja identificada com a Ananyah mencionada em Ne 11,32; a sequência das cidades mencionadas antes de Ananyah (Anatote e Nobe) sugere que ela deve ser localizada justamente a leste de Jerusalém. Ver W. F. ALBRIGHT, BASOR 9 (1923), 8-10. Hoje, a cidade é chamada El 'Azariyeh, nome derivado de "Lázaro".

Maria e sua irmã Marta. Estas duas irmãs, com Marta mencionada primeiro (como em Jo 11,5.19), aparece na tradição sinótica somente em Lc 10,38. A sequência geográfica em que Lucas menciona o incidente que as envolve, como parte da viagem de Jesus a Jerusalém, sugeriria que sua aldeia ficava na Galileia ou Samaria. Não obstante, o relato lucano da viagem a Jerusalém é um amálgama de cenas, muitas das quais Lucas não poderia localizar com precisão, ou cronologicamente, ou geograficamente. É interessante que o relato lucano segue a Parábola do Bom Samaritano que envolve a viagem de um homem de Jerusalém a Jericó – viagem que o faria passar pela Betânia descrita em João. Assim, poderia haver alguma reminiscência latente na sequência lucana da localização da aldeia de Marta e Maria nas proximidades de Jerusalém. Que João identifique Betânia como a aldeia de Maria e Marta pode indicar que o leitor, que nada soubesse de Lázaro, esperava-se que estivesse familiarizado com os nomes das duas irmãs. O OS^{sin} e, talvez, TACIANO trazem: "Ele era de Betânia, o irmão de Maria e Marta".

2. *Aquela que ungiu o Senhor*. Evidentemente, este versículo é um parêntese acrescido pelo redator: refere-se a uma cena no capítulo 12 que ainda não fora narrada; ele usa o termo "Senhor", o qual João geralmente não usa para Jesus durante o ministério, ao descrevê-lo na narrativa na terceira pessoa. BULTMANN, p. 302, pensa que este versículo é uma harmonização com o relato da unção em Mc 14,3-9; todavia, quase todas as palavras vêm do relato de Jo 12,1-3.

3. *Senhor*. Uma vez mais, esta palavra poderia ser traduzida como "senhor" como simplesmente um título de respeito, mas aqui já são crentes os que estão falando.

aquele que amas. Esta descrição, que usa *philein*, "amar", é a base para a sugestão de que Lázaro é o anônimo "discípulo a quem Jesus amava" (*agapan* em 13,23; 19,26; 21,7.20; *philein* em 20,2). Ver discussão, p. 100.

4. [*de Deus*]. Isto é omitido ou substituído em dois papiros primitivos (P[66], P[45]), a OL e as versões cópticas. Aqui e em 5,25 são os únicos lugares em João que Jesus usa o termo "Filho de Deus" partindo diretamente dele (10,36 envolve a citação de um salmo; a Vulgata Clementina, em 5,28, diz "Filho de Deus").

por ela. Presumivelmente, através da enfermidade; mas, gramaticalmente, o "ela" poderia referir-se à glória de Deus.

5. *amava*. Aqui, o verbo é *agapan*, como contrastado com *philein* em 3,11 (*philos*), 36. Ali parece não haver grande diferença; ver nota sobre 5,20 e Apêndice I:1, p. 794ss. O amor de Jesus para com Lázaro já foi afirmado no v. 3, e realmente não se faz necessário aqui. O v. 5 parece ser um parênteses para assegurar ao leitor que a falha de Jesus em ir ter com Lázaro (6) não reflete indiferença. Como os vs. 5 e 6 ora estão, oferecem um paradoxo.

6. *quando ouviu*. Isto parece repetitivo depois do uso da mesma expressão no v. 4; provavelmente seja uma retomada.

7. *Então*. Depois de dois dias, Jesus age. Alguns sugerem uma conexão com o segundo milagre em Caná, o qual é também um milagre gerador de vida e ocorre depois de Jesus permanecer em Samaria por dois dias (4,40.43); outros sugerem uma semelhança com a própria ressurreição de Jesus que ocorreu ao terceiro dia (1Cor 15,4). Tudo isto parece muito duvidoso.

voltemos. O *palin* é omitido em algumas versões antigas.

8. *Rabi*. Esta é a última vez que os discípulos se dirigem a Jesus com este título. "Rabi" foi também usado em 9,2; note as similaridades entre 9,2-5 e 11,8-11.

acabaram de tentar apedrejar-te. É bem provável que a intenção é uma referência a 10,31.

9. *a luz deste mundo*. Isto significa o sol, mas no nível teológico é uma referência a Jesus (8,12; 9,5).

10. *não tem em si nenhuma luz*. O Codex Bezae diz: "ela [i.e., a noite] não tem luz em si"; mas esta é uma tentativa de simplificar. Evidentemente, os judeus pensavam que a luz residia nos olhos (Mt 6,22-23).

11. *despertá-lo*. Esta expressão não é usada no grego secular no sentido de "despertar da morte", segundo nosso conhecimento.

12. *adormeceu*. No hebraico e no grego, tanto secular como na LXX, "dormir" pode ser um eufemismo para morte, mas os discípulos não conseguem entender essa alusão. BULTMANN, p. 304[6], nega que isto seja um caso de incompreensão joanina que, por sua definição, envolve confusão do celestial com o terreno; isto parece arbitrário.

sua vida será salva. Os discípulos creem que o sono repousante significa que a crise da enfermidade já passou. O passivo de *sōzein*, "salvar", pode

significar, em um nível meramente popular, "recuperar-se da enfermidade", mas João está lidando com o tema da salvação espiritual. P^{75} diz "ele se erguerá".
15. *para que venhais a ter fé*. Esta é uma tentativa de representar o aspecto de um ato único implícito no aoristo.
16. *Tomé*. Não há muita evidência de que o aramaico *t^e'ōmâ* ("Gêmeo"; heb. *t^e'ōm*) fosse usado como um nome pessoal. Tomé poderia representar uma transliteração, mas o BAG, p. 367, sugere que "Tomé" fosse um nome grego que, por se assemelhar ao termo semítico, foi adotado pelos judeus nas regiões de fala grega.
    (*este nome significa "Gêmeo"*). A palavra grega para gêmeo é *didymos*, e este é um nome grego bem atestado. Alguns até mesmo querem que entendamos João como querendo dizer que o homem era chamado *T^e'ōmâ* em aramaico ("Tomé", pois, seria o modo grego de dar seu nome semítico, e não um nome grego) e *Didymos* em grego: "Tomé, chamado Dídimo". Não obstante, ele é conhecido em todas as listas dos Doze como Tomé, nunca como Dídimo. João, consistentemente, explica o nome do homem (20,24; 21,2); para explicações similares, ver 1,38; 4,25; 20,16. Há uma interessante tradição de que Tomé era gêmeo de Jesus, ao menos na aparência.
    morrermos com ele. Alguns veriam aqui uma verdade irônica, pois na terminologia paulina todos os cristãos têm que morrer com Cristo (Rm 6,8; 2Cor 5,14).
17. [*já*]. Isto é omitido em algumas testemunhas importantes; em outras, se encontra em diferentes posições. Pode ser um esclarecimento de copista.
    quatro dias. Este detalhe é mencionado para deixar claro que Lázaro realmente havia morrido. Havia uma opinião entre os rabinos de que a alma pairava perto do corpo durante três dias, mas depois disso já não havia esperança de ressurreição (StB, II, p. 544).
18. *apenas cerca de três kilômetros*. Literalmente, "quinze estádios" ou 3 km. Isto concorda com a localização de El 'Azariyeh (ver nota sobre v. 1).
19. *muitos dos judeus*. O evangelista enfatiza o número dos que seriam testemunhas do milagre.
    oferecer suas condolências. Ou "consolar", como temos traduzido o v. 31. Em um clima quente onde não se costuma embalsamar, o sepultamento ocorre no dia da morte. Isto significa que o pranto, que precede o sepultamento em nossa cultura, deve seguir o sepultamento naqueles países. Segundo o costume nos dias de Jesus, os sexos caminhavam separadamente na procissão fúnebre, e depois do sepultamento as mulheres retornavam do túmulo sozinhas para iniciar o pranto que durava trinta dias. Este pranto incluía lamento em voz alta e expressão dramática de tristeza. Ver StB, IV,

pp. 592-607, para costumes fúnebres; também EDERSHEIM, *Life and Times of Jesus* (Nova York, 1897), I, pp. 554-56; II, pp. 316-20.
20. *Jesus estava chegando*. É hipercriticismo dizer que isto contradiz a afirmação do v. 17 de que ele havia chegado; descrição de eventos simultâneos é sempre incômodo.
    Maria ficou sentada quietamente. As mulheres de luto sentavam-se no chão da casa (ver Ez 8,14). Do v. 29 deduzimos que Maria não fora informada da chegada de Jesus.
21. *Senhor*. Isto é omitido no Codex Vaticanus e no OS^{sin}.
23. *ressuscitará*. As palavras usadas nos vs. 23-25 são *anastasis* e *anistanai*, como em 5,29 e 6,39-45; a única vez em João que uma palavra desta raiz é usada para a ressurreição de Jesus é em 20,9, embora esse uso seja frequente em Atos. O verbo *egeirein* no passivo é o termo comum para a ressurreição de Jesus nos evangelhos.
25. [*e a vida*]. Isto é omitido em P^{45}, uma parte da OL e da OS^{sin} e algumas vezes em ORÍGENES e CIPRIANO. Na verdade, é mais difícil explicar omissão do que adição, a menos que a menção isolada da ressurreição no v. 24 tivesse tido alguma influência. Não obstante, por outro lado, a frase concorda logicamente com o fluxo de ideias – ver comentário.
    ainda que morra. O aoristo aponta para a compreensão disto como uma referência à morte física; o que vai contra a tradução "ainda que esteja morto [i.e., em pecado]".
26. *todo aquele que está vivo*. É uma referência à vida física, ou à vida espiritual? BULTMANN, LAGRANGE e HOSKYNS pensam que o v. 26 se refere à vida espiritual, e entendem a comparação entre 25 e 26 assim:
25: A fé, a despeito da morte física, levará à vida eterna.
26: Vida física combinada com a fé não está sujeita à morte.
    BERNARD e outros mantêm que o v. 26 se refere à vida espiritual ou eterna. Então, a comparação seria:
25: O crente, se morrer fisicamente, viverá espiritualmente.
26: O crente que está vivo espiritualmente, jamais morrerá espiritualmente.
    Um argumento para este ponto de vista é que um só artigo governa os dois particípios "vivendo e crendo" no v. 26, uma indicação de que ambos se encontram no mesmo plano. Além do mais, o verbo "viver" se relaciona com *zōē*, "vida", termo que em João é a palavra chave para vida eterna. Então, parece que este segundo ponto de vista é o mais convincente dos dois. Em ambos, 25 e 26, vida é espiritual ou eterna; em 25, morte é física, enquanto em 26 é morte espiritual. O mesmo uso duplo de morte se encontra em 6,49-50.
    em mim. Isso acompanha "crê", mas também pode estar implícito acompanhar "vivo"; para os dois particípios que governam a mesma frase

preposicional, ver 1,51. Estar vivo em Cristo certamente significaria estar vivo espiritualmente, em vez de fisicamente.

27. *o Messias, o Filho de Deus.* Isso é muito semelhante à confissão petrina em Mt 16,16; contrastar Jo 6,69.

que havia de vir ao mundo. Jo 6,14: "Este é sem dúvida o Profeta que havia de vir ao mundo"; ver nota ali. Marta parece associar diferentes expectativas aqui; podemos comparar isto com os diferentes títulos dados a Jesus em 1,41.45.49.

28. *O Mestre.* Dado como o equivalente grego de rabi em 1,38 e 20,16, "Mestre" é usado para Jesus em 3,2.10; 13,13.14. Em discurso direto no presente capítulo, as irmãs se dirigem a Jesus como "Senhor".

30. *ainda não havia entrado na aldeia.* A permanência de Jesus fora da cidade e o cauteloso sussurro sobre sua presença, no v. 28, sugerem a alguns que há uma tentativa de conservar a presença de Jesus de ser tão amplamente conhecida. Evocamos o elemento de perigo mencionado no v. 8.

31. *pensando.* P[66] e muitos manuscritos posteriores dizem "dizendo".

chorar ali. Isso significa lamentar; ver o comportamento de Maria Madalena junto ao túmulo de Jesus em 20,11.15.

33. *se estremeceu, movido das mais profundas emoções.* Isso traduz duas expressões gregas. A primeira, traduzida por "movido com as mais profundas emoções", é o aoristo médio do verbo *embrimasthai*, que aparece também no v. 38; aqui, o verbo é usado com a expressão *tō pneumati*, "em espírito", enquanto em 38 é usado com *en heautō*, "em si" – estes são semitismos para expressar o impacto interior das emoções. O significado básico de *embrimasthai* parece implicar uma expressão externa de angústia. Na LXX, o verbo, juntamente com seus cognatos, é usado para descrever uma demonstração de indignação (p. ex., Dn 11,30), e este uso também se encontra em Mc 14,5. O verbo descreve também a reação de Jesus para com os necessitados (Mc 1,43; Mt 9,30). Nestes últimos exemplos, o verbo expressa ira? Embora não pareça que Jesus teria se irado para com os afligidos, é bem provável que se irasse com a enfermidade deles e doenças que eram tidas como manifestações do reino do mal de Satanás. (Deve notar-se também que o uso do verbo nessas passagens sinóticas está associado à severa ordem de manter em segredo o que Jesus fizera e o que ele é). Voltando à passagem em João, descobrimos que os Padres gregos a entendiam no sentido de ficar irado, embora a maioria das versões ameniza a emoção, tornando-a em preocupação. P[45], P[66] e o Codex Bezae oferecem uma redação que também ameniza o impacto; dizem "como se" antes do verbo. Tradutores modernos oferecem interpretações tais como "gemer, suspirar, impacientar-se".

A segunda expressão grega, traduzida por "se estremeceu", é *tarassein heauton*. O verbo *Tarassein*, usualmente intransitivo (14,1.27), implica profunda perturbação; aqui, usado com o reflexivo, significa literalmente "ele se perturbou". Note a expressão *tarassein en pneumati* em 13,21, a qual tem elementos de ambas as expressões gregas na presente passagem. BLACK, pp. 174-78, sugere que estas duas expressões gregas são traduções variantes da única expressão aramaica original que significava "comover-se fortemente". BOISMARD, EvJean, pp. 49-51, concorda e oferece exemplos das citações patrísticas de João onde aparece somente uma ou outra expressão.

34. *vem e vê*. Jesus usou estas palavras em 1,39. LIGHTFOOT, p. 223, traça um dramático contraste entre o convite de Jesus de vir e ver a fonte de luz e vida e o convite que os homens a Jesus para vir e ver a morada de trevas e morte. Provavelmente, tal contraste vai além da intenção do evangelista.

35. *chorou*. O pranto é causado pelo pensamento de Lázaro estar no túmulo, mas, primariamente, o propósito do versículo é estabelecer o estágio para v. 36. Em Lc 19,41, Jesus chora sobre Jerusalém; Hb 5,7 menciona suas lágrimas no que parece ser uma referência à cena do Getsêmani.

37. *abriu os olhos*. Estes judeus não duvidam da realidade do milagre da cura do cego, como fizeram "os judeus" do capítulo 9. É bem provável que esta seja outra indicação de diferentes estratos da tradição joanina.

38. *suas emoções se agitaram*. Ver nota sobre v. 33.

uma caverna com uma pedra posta sobre ela. Túmulos com uma abertura vertical eram mais comuns para sepultamento privado do que túmulos com cavernas horizontais. A pedra afastava os animais. O local de sepultamento era fora da cidade, porque assim os vivos podiam contrastar a impureza ritual do contato com os cadáveres dos mortos.

39. *a irmã do morto*. A identificação de Marta neste ponto do relato é estranha; sugere BULTMANN e outros que o papel de Marta no relato, nos vs. 20-28, era secundário. Este evangelho, entretanto, mostra certa tendência a identificar repetidas vezes os personagens. A identificação é omitida na OL e no OS[sin] e no Codex Koridethi tardio; todavia, isto pode ser uma tentativa de evitar a dificuldade. A palavra para "morto", usada aqui, é diferente da palavra usada no v. 44; para alguns este seria outro sinal de glosa.

quatro dias. Ver nota sobre v. 17.

cheira mal. A sugestão de que a decomposição teria começado não contradiz o quadro dos cuidadosos preparativos implícito no v. 44. Os óleos e especiarias empregados na prática judaica de sepultamento preveniam odor desagradável por certo tempo; mas não havia embalsamamento, tal como o praticado no Egito, o qual impedia a decomposição.

O OS^sin adiciona uma sentença de exclamação de Marta: "Senhor, por que estão removendo a pedra?"

40. *não te assegurei?* As palavras que seguem não são uma citação literal de nada que fosse dito a Marta neste capítulo, mas, antes, uma implicação geral das observações de Jesus. Ver comentário.

41. *olhou para o alto.* O gesto de olhar para o céu é um prelúdio natural à oração, como visto em Lc 18,13, onde o publicano não se sentiu digno de fazer este gesto. Os sinóticos mencionam que Jesus elevou os olhos para o céu antes de multiplicar os pães, João menciona isto na oração "sacerdotal" de 17,1. Uns poucos manuscritos gregos dizem "ao céu" em vez de "para o alto", no presente versículo.

42. *Eu lhe digo.* O verbo grego está no aoristo, mas isto provavelmente representa uma tradução literal do perfeito no hebraico. Com verbos que significam falar, o hebraico costuma usar o tempo perfeito para uma ação instantânea em que é completado no momento em que a palavra tem sido pronunciada (ver JOÜON, *Grammaire de l'Hébreu Biblique*, § 112s.). Há uma variante escassamente atestada, "eu o faço", que é defendida por BERNARD, II, pp. 398-99.

jaz ao redor. Este uso intransitivo é único no grego do NT, e BERNARD defende outra redação: "fica perto de mim". Uma vez mais, o apoio textual para sua proposta é fraco.

43. *clamou.* O verbo *kraugazein* ocorre somente oito vezes em toda a Bíblia grega, seis das quais estão em João. Nos capítulos 18-19, ele é usado quatro vezes para brados da multidão para que crucificassem a Jesus. Assim, pode-se traçar um contraste entre o brado da multidão que traz morte a Jesus e o brado de Jesus que traz vida a Lázaro. Todavia, que o evangelista tencionava tal contraste é muito duvidoso, pelo uso do verbo em 12,13, onde a multidão entoa o louvor de Jesus, ainda que com intenções nacionalistas.

44. *ligados com faixas.* Esta é uma palavra grega rara, usada para a cobertura do leito em Pr 7,16; presumivelmente, em João se refira a um determinado tipo de bandagem. A dúvida cética de como Lázaro sairia do túmulo se suas mãos e pés estavam atados é realmente bastante estulta em um relato que obviamente pressupõe o sobrenatural. Poderia haver uma razão teológica para mencionar as indumentárias fúnebres. Em 20,6-7 somos informados que as vestes fúnebres de Jesus permaneceram no túmulo, talvez com a conotação de que não haveria mais utilidade para elas, já que ele jamais morreria outra vez. Portanto, alguns estudiosos sugerem que, visto que Lázaro morreria outra vez, por isso ele saiu com suas vestes fúnebres. Todavia, não há outra evidência de que o futuro destino do Lázaro ressurreto entra na perspectiva do evangelista.

seu rosto envolto em um lenço. No sepultamento de Jesus há também menção de uma cobertura separada para a cabeça (20,7).

COMENTÁRIO: GERAL

Já temos mencionado que em determinado estágio na composição do Quarto Evangelho o ministério público terminou com o que agora é 10,40-42, e que os capítulos 11-12 foram uma adição posterior ao plano do evangelho. Além dos argumentos oferecidos na p. 696, podemos agora chamar a atenção para alguns aspectos em 11 e 12 que endossam esta sugestão. Não há dúvida de que o material dos capítulos 11 e 12 vem de círculos joaninos, pois são ricos em aspectos tipicamente joaninos (personalidades como Tomé, Filipe e André; *egō eimi* em 11,25; "incompreensão" em 11,11-14; o tema de ser "exaltado" em 12,32; muitas palavras do vocabulário joanino etc.). Todavia, no uso do termo "os judeus", estes capítulos diferem notavelmente do que temos visto nos capítulos 1-10. Em 11,19.31.33.36.45; 12,9.11, os judeus não são as autoridades judaicas hostis, e sim o povo comum da Judeia e de Jerusalém, que frequentemente se mostram simpáticos a Jesus e até mesmo creem nele. Vimos esta particularidade em 8,31, um versículo que deu todo sinal de ser uma adição redacional, e é possível que os capítulos 11-12 sejam uma adição feita no mesmo estágio do processo redacional.

Um argumento ainda mais convincente pode ser extraído da sequência em que o milagre de Lázaro ora aparece. É colocado entre a festa da Dedicação no inverno (10,22) e a festa da Páscoa na primavera (11,55), nesta última referência se insinua que o milagre ocorreu perto do final deste intervalo de três a quatro meses. Se seguirmos esta sequência, devemos presumir que Jesus deixou seu retiro na Transjordânia (10,40), subiu a Betânia e então, depois do milagre, retirou-se outra vez para Efraim para os lados do deserto (11,54). Subsequentemente, ele voltaria a Betânia seis dias antes da Páscoa (12,1), somente para voltar a se ocultar outra vez depois de permanecer pregando um único dia em Jerusalém (12,36). Esta complexa sequência é difícil de conciliar com o quadro sinótico no qual antes da Páscoa Jesus veio da Transjordânia, atravessando Jericó até Jerusalém, tendo com Betânia como seu domicílio. Na p. 696 ressaltamos que seria muito mais fácil conciliar a sequência em João com a dos sinóticos se os capítulos 11-12 não forem considerados.

O problema de sequência se torna ainda mais difícil quando compreendemos que João faz do milagre de Lázaro a causa direta da morte de Jesus, pois ele provoca uma sessão do Sinédrio (11,46-53) que tomam a decisão de matar Jesus. O tema do milagre de Lázaro também se encontra na entrada triunfal de Jesus em Jerusalém (12,9-11). O mais surpreendente de tudo isso é que os sinóticos nada sabem de Lázaro. Descrevem com muito mais detalhes do que João os dias precedentes à morte de Jesus, os discursos que ele enunciou nos átrios do templo, e a sessão do Sinédrio; porém não fazem menção da ressurreição de Lázaro. Como é possível explicar tal discrepância, se o milagre de Lázaro sucedeu na sequência em que João a colocou?

Alguns estudiosos resolvem o problema sugerindo que o relato da ressurreição de Lázaro é uma composição fictícia baseada em material sinótico (ver RICHARDSON, p. 139). Presume-se que o relato joanino teve sua inspiração na narrativa lucana da ressurreição do filho da viúva de Naim (7,11-16), e pensa-se que os personagens joaninos foram sugeridos pela narrativa lucana de Marta e Maria (10,38-42) e a parábola lucana do rico e de Lázaro (16,19-31). Em particular, a linha final da parábola é significativa, pois à sugestão de que Lázaro regressaria dos mortos para avisar os irmãos do rico, Deus diz: "Não serão convencidos nem que alguém ressuscite dos mortos".

Como objeção geral contra tal proposta, notamos que ela pressupõe uma abordagem do problema da tradição joanina que não temos visto bem sucedida ao aplicar-se em outros personagens do evangelho, em concreto, nos referimos a teoria de que João não contém tradição histórica independente, mas é dependente do remanejamento de detalhes sinóticos. No entanto, precisamente porque os capítulos 11-12 podem ter tido uma história propriamente sua, a proposta carece de discussão detalhada. Em seu artigo, W. WILKENS sujeitou o relato de Lázaro a uma penetrante análise literária. Ele encontra no substrato do relato joanino uma breve narrativa da ressurreição de Lázaro de Betânia que não é mais difícil de crer que a da ressurreição do filho da viúva de Naim, ou a ressurreição da filha de Jairo (Mc 5,22-43). Que Jesus ressuscitava mortos é uma importante parte da tradição sinótica (Mt 11,5), e não devemos sentir-nos surpresos de encontrar o mesmo quadro na tradição joanina. Quanto à proposta de que a inspiração do relato joanino veio da parábola lucana de Lázaro, é completamente plausível que o empréstimo estivesse na direção oposta, como sugere DUNKERLEY, *art. cit*. A parábola lucana poderia facilmente ter chegado a uma conclusão com 16,26, onde o destino de Lázaro é contrastado com o do homem rico. O tema dos irmãos do homem rico e a ressurreição de Lázaro (16,27-31) parece ser uma reflexão posterior, pois não há preparação para ela na narrativa. Já vimos muitos contatos entre a tradição lucana e joanina, em alguns dos quais Lucas poderia muito bem ter sido influenciado por um antigo estágio (oral?) da tradição joanina, e o final secundário da parábola poderia ser outro exemplo.

À luz do conteúdo do relato joanino, não há razão conclusiva para assumir que a estrutura do relato não se originou de tradição primitiva acerca de Jesus. O que causa dúvida é a importância que João dá à ressurreição de Lázaro como a causa da morte de Jesus. Sugerimos que aqui temos outro caso que mostra o gênio pedagógico do Quarto Evangelho. Os evangelhos sinóticos apresentam a condenação de Jesus como uma reação a toda sua carreira e às muitas coisas que ele disse e fez. Na entrada triunfal de Jesus em Jerusalém, em Lc 19,37 somos informados que, em grande medida para o descontentamento dos fariseus, o povo estava louvando a Deus por causa "de *todos os poderosos milagres* que presenciavam". O Quarto Evangelho não fica satisfeito com tal generalização. Nem é suficientemente dramático nem bem categórico dizer que todos os milagres de Jesus despertavam o entusiasmo da parte de alguns e ao ódio da parte de outros. E assim o autor decidiu eleger *um milagre* e fazer deste o representante primário de todos os poderosos milagres de que fala Lucas. Com um magnífico sentido dramático de desenvolvimento ele escolheu um milagre em que Jesus ressuscita um homem morto. Todos os milagres de Jesus são sinais do que ele é e do que veio dar ao homem, mas em nenhum deles o sinal se aproxima mais estreitamente da realidade do que no dom da vida. A vida física que Jesus dá a Lázaro ainda não pertence à esfera da vida lá de cima, mas se aproxima tanto daquela esfera que se pode dizer que consuma o ministério dos sinais e inaugura o ministério da glória. Assim, a ressurreição de Lázaro oferece uma transição ideal, o último sinal no Livro dos Sinais conduzindo ao Livro da Glória. Além do mais, a sugestão de que o supremo milagre de dar vida ao homem leva à morte de Jesus oferece um dramático paradoxo digno de resumir a carreira de Jesus. E, finalmente, se um esquema de setes tivesse alguma influência na composição deste evangelho (p. 161), a adição do milagre de Lázaro completa o sétimo sinal ao Livro dos Sinais.

Sugerimos, pois, que, enquanto a história básica por detrás do relato de Lázaro poderia vir de uma tradição primitiva, sua relação causal com a morte de Jesus é mais uma questão de propósito pedagógico e teológico joanino do que de reminiscência histórica; e isto explica por que nenhuma conexão causal desse tipo se encontra na tradição sinótica. Uma história de milagre que uma vez foi transmitida sem contexto fixo ou sequência cronológica foi usada em um dos últimos estágios na redação joanina como um final do ministério público de Jesus. Como mencionamos na Introdução (p. 24), esta adição pode ter ocorrido na segunda redação do evangelista de seu evangelho ou, mais provavelmente, na redação final.

Dentro do próprio relato, o milagre foi feito para servir aos propósitos da teologia joanina, mas não podemos admitir a teoria de WILKENS de que, ao despir *toda* a teologia joanina, alguém pode chegar à forma original do relato na tradição primitiva. Se a teologia joanina tinha raízes nos ditos de Jesus, e cremos que sim, não podemos estar certos de que os temas teológicos que ora se sobressai claramente em João não eram embrionários na forma mais antiga do relato. Que há indícios de uma atividade redacional dentro do relato é óbvio nas adições entre parênteses encontradas nos vs. 2 e 5 e nas duplicações que ressaltaremos abaixo. Não obstante, permanecemos céticos se tais observações nos capacitam a fazer com tantos detalhes uma reconstrução como tentou WILKENS.

Vamos apontar finalmente um efeito que a presente sequência do evangelho tem produzido. Em 11,37, os judeus associam a cura do cego (cap. 9) com o relato de Lázaro, e suspeitamos que a intenção do autor era fazer tal associação. Há alguns paralelos interessantes formais entre os dois relatos (ver nota sobre v. 8). No capítulo 9, a cura do cego foi uma dramatização do tema de Jesus como a luz; a ressurreição de Lázaro, em 11, é uma dramatização do tema de Jesus como a vida (11,25). Os dois temas de luz e vida foram mesclados no Prólogo ao descrever a relação da Palavra aos homens (1,4). Assim como a Palavra deu vida e luz aos homens na criação, assim Jesus, a Palavra encarnada, dá luz e vida aos homens em seu ministério como sinais da vida eterna que ele dá através da iluminação obtida de seu ensino (junto com o batismo).

COMENTÁRIO: DETALHADO

Versículos 1-6: Cenário

O relato trata dos personagens de quem somente Lucas, na tradição sinótica, mostra algum conhecimento. Visto que a tradição sinótica contém pouca lembrança do ministério de Jesus na Judeia, o fato de não mencionar judeus originários da Judeia como Marta, Maria e Lázaro não é tão surpreendente. Há pouca prova convincente de que Marta e Maria não foram mencionadas na forma original do relato (Wilkens) e que a relação irmão/irmã entre Lázaro e as duas mulheres é artificial. Por detrás de tal tese frequentemente há uma questionável suposição de que a vaga localização que Lucas faz da casa das duas mulheres na Galileia é correta (ver nota sobre v. 1). É uma interessante coincidência que os nomes de Lázaro, Marta e Maria têm aparecido nos ossários do 1º século d.C. encontrados na área de Jerusalém, e pelo fato todos os três nomes têm sido encontrados em um túmulo bem próximo de Betânia (BA 9 [1946], 18).

Há frequente ênfase sobre o amor que Jesus nutre por essa família. Se Betânia foi o lugar em que Jesus se alojou quando veio a Jerusalém (e isto é atestado na tradição sinótica), então não deixa de ser razoável sugerir que foi nesta casa que ele ficou e que seus moradores eram na verdade seus amigos íntimos. Mas João toma o que pode ser uma reminiscência genuína e o usa com propósito teológico; pois Lázaro, aquele a quem Jesus ama, provavelmente esteja sendo tido como o representante de todos aqueles a quem Jesus ama, a saber, os cristãos. Isto é visto quando comparamos "nosso amado [*philos*] Lázaro" de 11,11 com o título "amado [*philoi*]" que 3Jo 15 usa para os cristãos. Precisamente como Jesus dá vida ao seu amado Lázaro, assim dará vida aos cristãos, seus amados.

A importância simbólica do milagre se faz clara desde o princípio. No relato da cura do cego (9,3) fomos informados que a cegueira foi com o propósito de que as obras de Deus fossem reveladas nele. Assim, em 11,4 somos informados que a enfermidade de Lázaro é para a glória de Deus, visto que a glória de Deus só será evidente quando o Filho for glorificado. Tal afirmação tem diversos jogos de palavras usadas por João. A razão por que a enfermidade *não termina com a morte* é porque Jesus dará vida, isto é, vida física como sinal de vida eterna. Este milagre *glorificará* a Jesus, não tanto no sentido em que o povo o admirará e o louvará, mas no sentido em que ele levará à sua morte, a qual é um passo necessário para sua glorificação (12,23-24; 17,1).

O paradoxo criado pela adição redacional do v. 5 como parênteses é interessante. Por amor, Jesus não foi ajudar o enfermo Lázaro, pois ele seria mais útil a Lázaro quando este estivesse morto. Evidentemente, o autor deseja que pensemos que Lázaro morreu imediatamente assim que as irmãs enviaram a mensagem. O dia gasto para a mensagem chegar a Jesus, mais os dois dias em que Jesus permaneceu ali depois de receber a mensagem (6), mais o dia que gastou para chegar a Betânia – estes são os quatro dias do v. 17. Para os possíveis motivos teológicos e apologéticos por detrás da menção destes dias, ver notas sobre vs. 7 e 17. Podemos notar que a mensagem das irmãs a Jesus (3) é o mesmo tipo de sugestão discreta que encontramos em 2,3: apresenta uma situação em que Jesus pode ajudar sem que formalmente isso fosse exigido dele. Nem em Caná nem aqui é Jesus movido pela sugestão alheia. Como BULTMANN, p. 303, o expressa, "as obras de Jesus têm sua própria hora".

Versículos 7-16: Jesus subiria à Judeia?

A discussão se Jesus iria à Judeia parece correr em dois momentos: (a) Os vs. 7-10 e 16 se preocupam com sua subida para morrer, e nestes versículos não há menção de socorrer Lázaro. A função destes versículos é vincular o relato geral ao que aconteceu nos capítulos precedentes, a saber, as diversas tentativas de apedrejar Jesus (especialmente 10,31) e sua busca por refúgio, deixando a Judeia e entrando na Transjordânia (10,40). O tema de luz e trevas, em 11,9-10, se relaciona com 9,4, onde há a mesma ênfase de tirar vantagem da luz. A luz do mundo mencionada em 9,9 também se encontra em 8,12, e cada passagem expressa repulsa de caminhar nas trevas. A urgência que apresentam essas passagens não é diferente da de Jr 13,16: "Daí glória ao Senhor vosso Deus, antes que venha a escuridão e antes que tropecem vossos pés nos montes tenebrosos". Se estes versículos no cap. 11, especialmente 7-8, foram anexados como parte de uma tentativa redacional de fazer o relato de Lázaro apropriado em sua presente sequência, podemos ter a explicação de por que "os judeus", no v. 8, têm seu significado mais usual de autoridades hostis, significado que não existe no restante do capítulo. O temor dos discípulos, no v. 8, e a sugestão, em 16, de que Jesus está subindo para morrer têm paralelos na tradição sinótica. Em Mc 10,32, quando Jesus começa a subir para Jerusalém, do vale do Jordão, os discípulos seguem Jesus, mas se acham cheios de temor acerca do que está para acontecer. Em 10,34, Jesus lhes informa que está indo para morrer. A antecipação de Tomé, de que os discípulos podem morrer com Jesus (Jo 11,16), não é sem paralelo na tradição sinótica, pois Mc 8,34-35 convida o discípulo a perder sua vida por amor a Jesus. Para um paralelo sinótico remoto com Jo 11,10, ver a respectiva nota.

(b) Os vs. 11b-15, enquanto têm o mesmo tema de subir para Jerusalém, introduzem a possibilidade de socorrer Lázaro. Os discípulos entendem mal a referência de Jesus ao sono de Lázaro (i.e., morte) e a uma jornada para despertá-lo (i.e., ressuscitá-lo). Esse jogo de palavras não é estranho à tradição sinótica; pois em Mc 5,39, depois que a filha de Jairo morreu, Jesus diz à multidão: "A criança não está morta, mas dorme". O mal-entendido dos discípulos, em João, leva Jesus a explicar (14) e proclamar uma vez mais o propósito teológico do que está acontecendo (15). A explicação é a mesma do v. 4; mas, enquanto no v. 4 se enfatiza a relação do milagre com Deus (*a glorificação*), no v. 15 se enfatiza a relação do milagre com os discípulos (*a fé*). Este último sinal de Jesus tem muito em comum com o primeiro: "O que Jesus fez em Caná... manifestou sua *glória* e seus discípulos *creram* nele" (2,11). Os dois aspectos do milagre são unidos em 11,40, onde Marta é informada que *a fé* em Jesus a levará a ver *a glória* de Deus.

Versículos 17-27: Marta sai ao encontro de Jesus

A duplicação que encontramos nos vs. 7-16 parece continuar através de 17-33; pois 20-27 nos informam como Marta saiu da casa para encontrar Jesus, enquanto 28-33 nos informam como Maria saiu da casa para encontrar Jesus. Os dois relatos são muito similares, e ambas as mulheres pronunciam a mesma saudação (21, 32). Muitos críticos pensam que o incidente de Marta foi acrescido mais tarde (assim BULTMANN, WILKENS), porque a teologia joanina do relato de Marta é mais desenvolvido. (Já mencionamos acima o julgamento crítico adicional de que ambos os relatos, primeiramente Maria, então Marta, foram anexados). Entretanto, admitindo que o papel de uma mulher agora se tem transferido para a outra, já não temos tanta certeza de que o episódio foi primeiro centrado em torno de Maria. Das duas, Maria é a mais bem conhecida; e podemos ver por que, se Marta originalmente tinha um papel, um redator poderia sentir-se impelido a não desconsiderar Maria. Não obstante, se Maria tinha um papel original, por que um redator se sentiu impelido a dar um papel mais longo à menos importante Marta? Ao compararmos os vs. 20-27 e 28-33, descobrimos que a parte de Maria carece de originalidade e meramente repete o que ouvimos da parte de Marta, e isto é o que esperaríamos se um papel para Maria foi uma reflexão tardia. Um estudo do v. 2, que evidentemente é uma adição redacional, sugere que a redação posterior deu proeminência a Maria. Igualmente, se o relato de Lázaro uma vez circulado separadamente, entre os aspectos posteriores estariam aqueles que o unem ao seu presente contexto. A ênfase sobre Maria estabelece uma relação entre o relato de Lázaro do cap. 11 e o relato da unção em Betânia em 12,1-9. Certamente, a teologia joanina, nos vs. 20-27, revela desenvolvimento, mas por que tal desenvolvimento não podia ter ocorrido, ainda quando um relato breve de Marta indo ao encontro de Jesus era parte do relato original?

Ao nos concentrar nos episódios de Marta e Maria como ora aparecem no evangelho, descobrimos que as duas mulheres são fidedignas ao retrato pintado delas em Lc 10,38-42. Ali Marta está ocupada em servir, enquanto Maria se senta aos pés do Senhor escutando suas palavras. Em João, Marta se lança ao encontro de Jesus, enquanto Maria está tranquilamente *sentada* em casa. Mas quando Maria ouve que o Mestre chegou, ela se apressa e cai *a seus pés*. Obviamente, há alguma influência cruzada entre os perfis lucano e joanino das duas mulheres, mas em que direção vai a influência não é fácil de traçar.

Por todo o episódio que envolve Marta vemos que ela crê em Jesus, porém inadequadamente. No v. 27, ela se lhe dirige com títulos sublimes, provavelmente os mesmos títulos usados nas profissões de fé cristã primitivas; mas o v. 39 mostra que ela ainda não crê que em seu poder de dar vida. Ela considera Jesus como um intermediário que é ouvido por Deus (22), mas não entende que ele é a própria vida (25).

Vimos que a mensagem enviada a Jesus pelas duas irmãs (v. 3) era bem similar em estilo à delicada sugestão oferecida a Jesus por sua mãe na cena de Caná (2,3). Assim também a afirmação de Marta em 22, "Tudo o que pedires a Deus, Deus te dará", tem certa semelhança com a instrução de Maria aos serventes em 2,5: "Fazei tudo o que ele vos disser". Em cada uma há a mesma esperança apenas expressa que sugere de que Jesus agirá, a despeito da aparente impossibilidade que sugere a situação. Todavia, não temos nenhuma indicação que direção a esperança de Marta ou que ela pensasse que Jesus traria ou poderia trazer Lázaro de volta do túmulo. O alcance de "mesmo agora" no v. 22 é controversa; mas o v. 39 deixa claro que Marta não esperava um retorno imediato do túmulo. BULTMANN, p. 306, está certo quando diz que o v. 22 é mais uma confissão do que um pedido.

A resposta de Jesus, no v. 23, é erroneamente interpretada por Marta como uma das exclamações de conforto que eram costumeiras entre os judeus pronunciar no momento da morte. Ela se junta a ele em confessar a doutrina da ressurreição do corpo, defendida pelos fariseus contra os saduceus (Mc 12,18; At 23,8). Embora esta doutrina se incorporasse à teologia israelita em um período tardio (aparece pela primeira vez no início do 2º século a.C., em Dn 12,2), foi amplamente aceita até mesmo pelo povo comum nos dias de Jesus. No 1º século A.D., se tornaria parte das orações oficiais do judaísmo como uma das *Dezoito Bênçãos*: "Tu, ó Senhor, és eternamente poderoso, pois dás vida aos mortos". Não obstante, o entendimento geral que Marta tinha da ressurreição no último dia é escassamente adequado na presente situação, pois na escatologia realizada joanina o dom da vida que vence a morte é uma realidade *presente* em Jesus Cristo (25-26).

Na nota sobre v. 26 mencionamos várias maneiras de entender os vs. 25-26. Em nossa opinião, a exegese mais satisfatória é a de DODD, *Interpretation*, p. 365. Há duas ideias principais. Primeira, Jesus diz "eu sou a *ressurreição*". Esta é a resposta direta à confissão de Marta no v. 24 e (sem excluir a ressurreição final) lhe assegura a realização imediata do que ela espera no último dia. Esta afirmação é comentada na segunda e terceira linhas do v. 25. Jesus é a ressurreição no sentido de que todos os que creem nele, ainda que vão para o túmulo, irão para a vida eterna. "Vida", em 25c, é aquela vida do alto que é gerada pelo Espírito e vence a morte física. Segunda, Jesus diz "eu sou a vida". Esta afirmação é comentada no v. 26. Todos quantos recebem o dom da vida, pela fé em Jesus, jamais sofrerão a morte espiritual, pois esta vida é *vida eterna*. Notamos que, como geralmente se dá com as afirmações "eu sou", as quais têm um predicado, os predicados "ressurreição" e "vida" descrevem o que Jesus é *em relação com os homens* –

são as causas que Jesus oferece aos homens. Já vimos os conceitos de ressurreição e vida anteriormente unidos: em 6,40 e 54, o aspecto da ressurreição que foi enfatizado era o da escatologia final; em 5,24-25 era o da escatologia realizada.

Em resposta à apresentação que Jesus faz de si como a ressurreição e a vida, Marta confessa sua fé em Jesus mediante uma série de títulos frequentes no NT (ver notas sobre v. 27). Provavelmente devamos entender sua perspectiva em boa medida da mesma maneira que entendemos a da mulher samaritana no capítulo 4. Ali Jesus se apresentou como a fonte da água viva, mas a mulher só pôde entendê-lo como um Profeta (4,19). Finalmente, Jesus teve que mandá-la buscar seu esposo a fim de levá-la a uma fé mais profunda. Assim aqui em 11, para fazer Marta entender que ele tem o poder de dar vida agora mesmo, ele dará uma expressão mais dramática a suas palavras, ressuscitando Lázaro. Ele não rejeita seus títulos tradicionais, mas demonstrará a mais profunda verdade que jaz por detrás deles. O evangelista, em 20,31, mostra como os títulos tradicionais devem ser entendidos em termos do poder de Jesus de dar vida aos homens: "... para que tenhais fé de que Jesus é o Messias, o Filho de Deus, e que, através desta fé, tenhais vida em seu nome". Se podemos simplificar ao máximo, a dificuldade de Marta é que ela não reconhece a plena força de "aquele que está para entrar no mundo"; ela não entende plenamente que a luz e a vida já entraram no mundo.

Versículos 28-33: Maria sai ao encontro de Jesus

Como temos observado, esta cena realmente não avança nada a ação; o v. 34 poderia facilmente seguir o v. 27, e ninguém notaria a diferença. A única dissimilaridade entre a saudação de Maria a Jesus e a de Marta é que Maria cai aos pés de Jesus (32). Alguns veem nisto a sugestão de uma fé mais viva da parte de Maria, mas é digno de nota que Maria de Betânia é sempre retratada aos pés de Jesus (Lc 10,39; Jo 12,3). Podemos observar que a prostração aos pés de Jesus é lucana (8,41; 17,16), mais que um traço joanino – talvez outra indicação de que o episódio relacionado com Maria é secundário.

O v. 33 exige comentário especial, pois tanto aqui como no v. 38 Jesus exibe uma forte demonstração de emoção. (É possível que o v. 33 e o 38 sejam duplicatas do mesmo relato). Temos fornecido uma longa nota sobre a dificuldade de traduzir o texto grego, mas devemos discutir a possibilidade de que Jesus estava indignado ou irado, e não movido de compaixão (LAGRANGE, BERNARD) ou tristeza. HOSKYNS e BULTMANN se encontram entre os comentaristas que pensam que ele estava irado, porque Maria e os judeus exibiam falta de fé. Esta sugestão não é implausível para o v. 38, porque a questão no v. 37 pode ser tomada como uma manifestação de fé insuficiente. Mas o pranto no v. 33 dificilmente indica falta de fé, posto que Jesus mesmo chorou (35). Uma explicação preferível da ira de Jesus no v. 33 seria a razão oferecida para exibições similares de ira na tradição sinótica (ver a respectiva nota), a saber, que ele estava irado porque se encontrou face a face com o reino de Satanás que, neste caso, era representado pela morte. É interessante que outras duas ocasiões em que o verbo *tarassein* é empregado (Jo 14,1.27) descreve a reação dos discípulos em face da iminente *morte* de Jesus; e em 13,21 o verbo é usado para descrever como Jesus se comoveu ante o pensamento de ser traído por Judas em cujo coração *Satanás* penetrou. CRISÓSTOMO (*In Jo*. 63,2; PG 59:350) sugere que temos aqui em João a mesma emoção que, segundo os sinóticos, sobreveio a Jesus no Jardim de Getsêmane (Mc 14,33) – angústia emocional inspirada pela iminência da morte e luta contra Satanás.

Versículos 34-44: A ressurreição de Lázaro

Os vs. 34-40 arma o palco para o milagre, descrevendo a dor de Jesus antes de chegar junto ao túmulo e a oposição à sua ordem de abri-lo. Este cenário do estágio dá ao autor uma oportunidade de lembrar-nos dos temas que têm percorrido o capítulo, de modo que não perderemos a significação final do milagre. O v. 36 recorda que Lázaro é o amado (cristão?). O v. 37 traz à mente o cego, de modo que Jesus como a luz e Jesus como a vida que serão imagens justapostas. O v. 40 une o tema da fé de que Jesus falou a Marta em 25-26, e o tema da glória de que ouvimos no v. 4. É oportuno mencionar aqui a glória; pois ela não só dá uma inclusão dentro do capítulo, mas também, como já mencionamos, forma uma inclusão com o milagre de Caná (11,40 e 2,11), unindo assim o primeiro e o último dos sinais. Além do mais, o tema de glória serve como uma transição ao Livro da Glória, que é a segunda metade deste evangelho.

As palavras de Jesus nos vs. 41-42 têm criado dificuldades aos comentaristas. João apresenta estas palavras como uma oração, e esta interpretação recebe a confirmação de vários detalhes. Antes de falar, Jesus eleva os olhos ao alto, um gesto que é um prelúdio à oração (ver a respectiva nota). A primeira palavra de Jesus é "Pai", tradução do aramaico. *'abbâ*, que era a característica de Jesus, porém um modo incomum de dirigir-se a Deus em oração, por exemplo, Lc 11,2; Mc 14,36 (sobre o uso de *'abbâ*, ver TS 22 [1961], 182-85). A oração de Jesus, no v. 41, começa com ação de graças, como fazem as orações judaicas clássicas. Todavia, a explicação de por que Jesus está orando (v. 42) tem causado muita perplexidade. Loisy, p. 353, escreve com certa rudeza: "O Cristo joanino ora para expandir as teses do evangelista. Na aparência, ele estaria orando pelo grupo, uma vez que ele fala a seu Pai somente para despertar fé em sua própria pessoa e em sua missão divina". Para aqueles que pensam desta maneira, Jesus não está orando, pois ele não pedindo algo da parte do Pai. Não obstante, a oração de petição não é a única forma de oração. Se a oração é uma forma de união com Deus, então o Jesus joanino está sempre orando, pois ele e o Pai são um (10,30).

Uma das orações mais básicas de Jesus, na tradição sinótica, é que o Pai realize o cumprimento de Sua vontade (Mt 6,10; Mc 14,36). A vida do Jesus joanino é um perpétuo "que se faça a Tua vontade", porque Jesus nada faz de si mesmo (5,19). Seu próprio alimento é fazer a vontade do Pai (4,34). É esta poderosa atitude que está resumida em 11,42: "Eu sei que sempre me ouves". Ele exerce uma suprema confiança no Pai, porque sempre faz o que é agradável ao Pai (1Jo 3,21-22). Ele sabe que tudo quanto pede é segundo a vontade do Pai e que, por isso, é ouvido (1Jo 5,14). Ele exige que haja esta mesma confiança na oração de seus seguidores (14,12-13; 15,16; 16,23.26).

Nos vs. 41-42, Jesus se regozija porque o fato de sua oração ser ouvida leva a multidão à fé, mas isto não é arrogância nem exibição pessoal. Porque sua oração é ouvida, verão uma obra miraculosa que é a obra do Pai. Através do exercício do poder de Jesus que é o poder do Pai, virão a conhecer o Pai e assim receber vida em si mesmos. Jesus nada lucra para si; ele só deseja que seus ouvintes venham conhecer que o Pai que o enviou (42c; também 17,20-21). Talvez a multidão ora presente nem mesmo ouvia suas palavras; mas poderia ver sua piedosa atitude quando eleva seus olhos para o Pai, e assim a oração os leva a crer na fonte de seu poder. No AT, Elias havia orado (1Rs 18,37): "Ouve-me, ó Senhor, para que este povo saiba que tu, ó Senhor, és Deus". A oração de Jesus a seu Pai expressa a mesma ideia, mas com suprema confiança. "É para a glória de Deus" (11,4).

Tendo assim preparado o povo para o conteúdo do sinal, Jesus chama Lázaro a sair do túmulo. Com característica brevidade, João não insiste nos detalhes do milagre – este é narrado em dois versículos (43-44) –, pois o maravilhoso não é importante. O crucial é que Jesus deu vida (física) como um sinal de seu poder de dar a vida eterna sobre esta terra (escatologia realizada) e como uma promessa de que no último dia ele ressuscitará dentre os mortos (escatologia final). O último motivo é óbvio na clara reminiscência de 5,26-30 que se encontra no capítulo 11. (Lembramos que 5,26-30 é uma duplicação em termos de escatologia final do que foi dito em 5,19-25 em termos de escatologia realizada). Os paralelos são tão estreitos que alguns têm sugerido que o capítulo 5 era o contexto original do relato de Lázaro. Podemos notar os seguintes paralelos (ver também nota sobre v. 4):

11,17: "Lázaro está *no túmulo*".
43: Jesus clama em alta voz: "Lázaro, *vem para fora!*"
25: "Eu sou a *ressurreição* e a *vida*".
5,28-29: "Está vindo a hora em que todos os que estiverem *nos túmulos* ouvirão sua *voz* e *sairão* – os que tiverem feito o que é justo, para a *ressurreição da vida*".

Assim, em muitos detalhes, o capítulo 11 realiza a promessa do capítulo 5.

BIBLIOGRAFIA

DUNKERLEY, R., *"Lazarus"*, NTS 5 (1958-59), 321-27.
WILKENS, W., *"Die Erwechung des Lazarus"*, TZ 15 (1959), 22-39.

39. OS HOMENS CONDENAM JESUS À MORTE: – O SINÉDRIO
(11,45-54)

Jesus é condenado à morte e se retira para Efraim

11 ⁴⁵Isto levou muitos dos judeus que foram visitar Maria, e viram o que Jesus fizera, colocar sua fé nele. ⁴⁶Mas alguns dentre eles foram aos fariseus e contaram o que ele fizera. ⁴⁷Então os principais sacerdotes e os fariseus convocaram o Sinédrio. "O que havemos de fazer", disseram, "agora que este homem está realizando muitos sinais? ⁴⁸Se o deixarmos continuar assim, todos crerão nele; e os romanos virão e removerão nosso lugar santo e a nação".

⁴⁹Então um deles, que era sumo sacerdote naquele ano, certo Caifás, lhes falou: "Vós nada sabeis! ⁵⁰Não compreendeis que convém ter um só homem morto [pelo povo] do que terdes toda a nação destruída?" (⁵¹Ele não disse isso de si próprio; mas, como sumo sacerdote naquele ano, pôde profetizar que Jesus estava para morrer pela nação – ⁵²e não somente pela nação, mas para reunir até mesmo os filhos de Deus dispersos e torná-los um). ⁵³Então, daquele dia em diante, planejaram matá-lo.

⁵⁴Por esta razão, Jesus não mais se movia abertamente entre os judeus, mas se retirou para uma cidade chamada Efraim, na região próxima ao deserto, onde permaneceu com seus discípulos.

NOTAS

11.45. *muitos dos judeus que*. BERNARD, II, pp. 401-2, insiste que o grego significa "muitos dos judeus, i.e., os que tinham vindo"... – tradução que sugere que todos os judeus que vieram visitar Maria creram em Jesus. Essa tradução provavelmente põe exagerada confiança na exatidão da concordância do particípio no grego koinê. A indicação no v. 46 é que alguns dos judeus *que estiveram ali* não creram, e esta é a maneira do Codex Bezae interpretar o v. 45.

Maria. O fato de que somente Maria é mencionada aqui serve de apoio aos que pensam que Marta foi uma adição posterior ao relato de Lázaro. Não é menos plausível, contudo, que este seja um exemplo da memória da Maria mais famoso (que ungiu Jesus) prefigurando aquele de Marta.

viram. O verbo é *theasthai*, que às vezes conota visões perceptivas. Ver Apêndice I:3, p. 794ss.

46. *aos fariseus*. Somente no v. 54 as autoridades judaicas hostis são chamadas "os judeus", e que o versículo não tem conotação necessária com a reunião do Sinédrio. Em 9,13 e 18, os fariseus e os judeus são expressões sinônimas.

47. *os principais sacerdotes e os fariseus*. Isto seria um equívoco? Os fariseus não tinham autoridade para convencer o Sinédrio. As três classes que integravam o Sinédrio eram os sacerdotes, os anciãos e os escribas. Todavia, a maioria dos escribas eram fariseus, e bem podemos suspeitar que o Sinédrio não teriam agido contra Jesus se os fariseus não lhe fizessem oposição a Jesus. João teria sido mais exato ao falar dos sacerdotes e *escribas* (Mc 14,43.53); mas, como temos enfatizado, João não pretende ser preciso sobre os grupos judaicos existentes antes da destruição do templo. O judaísmo dos fariseus sobreviveu, e foi este judaísmo que apresentou o desafio ao cristianismo quando o Quarto Evangelho estava sendo escrito. Assim, a referência aos fariseus é mais uma questão de simplificação do que de erro.

convocaram. O mesmo verbo é usado no v. 52, e ali pode muito bem ser um contraste intencional entre os dois grupos: o Sinédrio se reuniu para matar Jesus; enquanto que os filhos de Deus são congregados para que lhes fosse dado o dom da vida. Ver também 6,12-13.

o Sinédrio. Embora tenhamos tido referências implícitas a esta instituição (p. ex., 7,45ss.), esta é a única ocorrência do nome próprio em João.

O que havemos de fazer. Interpretamos esta pergunta em sentido deliberativo com um raro uso do tempo presente (BDF, § 366[4]). BERNARD, II, p. 403, e BARRETT, p. 338, estão entre os que a tomam como uma pergunta retórica: "O que vamos fazer agora?", esperando a resposta: "Nada!" Em outras palavras, para eles equivale "Por que não estamos fazendo nada?" Entretanto, SCHLATTER, pp. 256-57, e LAGRANGE, p. 313, citam bons paralelos rabínicos para a construção: "O que havemos de fazer agora que...?"

muitos sinais. Na presente cronologia joanina, Jesus havia realizado dois sinais magistrais em menos de seis meses (o cego em 9 e Lázaro em 11).

48. *todos crerão nele*. Há evidência patrística, p. ex., Agostinho, Crisóstomo, Cirilo de Alexandria, para a omissão desta frase (Boismard, RB 60 [1953], 350-51). Pode ser relacionada com 12,11.

lugar santo e a nação. Crisóstomo lê "nação... cidade", e não é impossível que o "lugar santo" se refira a Jerusalém, o lugar escolhido por Iahweh para ali pôr seu nome (Dt 12,5). Não obstante, mais provavelmente o lugar santo seja o templo (Jo 4,20; At 6,13; 7,7). 2Mc 5,19 menciona juntos a nação e o lugar (i.e., o templo).

49. *sumo sacerdote naquele ano*. Esta fórmula será encontrada outra vez no v. 51 e 18,13. Tem sido usada por muitos estudiosos (p. ex., Bultmann, p. 314²) para mostrar que o autor não conhecia os costumes palestinos, pois o interpretam para implicar uma crença de que o sumo sacerdote era mudado a cada ano, como se dava com os sumos sacerdotes pagãos na Ásia Menor. Invariavelmente, o sumo sacerdote judaico mantinha tradicionalmente o ofício por toda vida (Nm 35,25), embora nos dias de Jesus o ofício dependia do favor romano. Caifás foi sumo sacerdote desde 18 a 36 a.D. A discussão de se o evangelista é ou não culpado de erro aqui depende até certa medida da validade da indicação em 18,13 de que Anás era o sumo sacerdote (ver volume II). Que a afirmação é ou grosseiramente errônea ou trai um íntimo conhecimento de que o deposto sumo sacerdote Anás ainda estava exercendo influência e de fato podia ainda ser chamado sumo sacerdote. Caso se escolha a última alternativa, então dificilmente podemos imaginar que o possuidor de tal conhecimento se equivocasse sobre a questão elementar do prazo que se estendia ao ofício. Aliás, aparte do problema que apresenta 18,13, seria surpreendente descobrir que as indicações veterotestamentárias de ofício sacerdotal fosse desconhecido ao escritor do evangelho, que tem demonstrado considerável conhecimento do AT. Talvez todo o problema seja falso, como ressaltado por Bernard, II, p. 404, e outros que veem outra implicação em "sumo sacerdote naquele ano". A expressão genitiva assim traduzida não precisa significar "para aquele ano", mas pode ser um genitivo temporal (BDF, § 186²) significando "naquele ano". (O fato de que a expressão genitiva é separada do substantivo que a governa pelo particípio "ser" dá suporte a esta sugestão). A ideia, pois, seria que ele era sumo sacerdote naquele ano *fatal* em que Jesus morreu – João está sublinhando não o limite do termo, mas seu sincronismo. Esta sugestão é tão antiga como Orígenes (*In Jo*. 28,12; PG 14:708ᶜ).

Caifás. Provavelmente derivado de um nome semítico como *Qayyafâ*, o nome aparece na tradição ocidental como Caifás. Este neto de Anás foi deposto logo depois que Pilatos foi removido como procurador, e é bem provável que ele retivesse o ofício através de um acordo financeiro com Pilatos. A maneira casual em que ele é introduzido aqui e a aspereza de seu discurso aos seus confrades podem indicar que esta não foi uma sessão oficial do Sinédrio com o sumo sacerdote na presidência. Ao menos, ela parece ser mais informal do que a sessão descrita em Mc 14,55s. na qual Jesus foi julgado. Josefo, *War* 2.8.14; 166, dá uma interessante confirmação de quão severamente falaram os saduceus. Notamos que nem Marcos nem Lucas mencionam Caifás no julgamento de Jesus; Mt 26,3 o menciona em uma sessão preliminar do Sinédrio, e 26,57 o menciona no julgamento final (como faz Jo 18,24).

convém. Assim as melhores testemunhas, mas há respeitável suporte em prol de "nos convém". É tentador reunir o Codex Sinaiticus e alguma evidência patrística e omitir o adjetivo pronominal, mas esta omissão poderia estar sob a influência de 18,14.

[*pelo povo*]. Isto é omitido por alguma antiga evidência patrística latina, Agostinho, Crisóstomo, Teodoreto e algumas testemunhas etiópicas. Normalmente, isto não seria base suficiente para pô-lo entre colchetes, mas a teologia da redenção, de que a frase parece implicar, parece estranha nos lábios de Caifás. A palavra para "povo" aparece em João somente neste versículo e em sua reiteração em 18,14. O desenvolvimento da afirmação de Caifás, encontrada nas observações entre parênteses nos vs. 51-52, menciona apenas "nação". Assim, há razão para tratar a frase como uma glosa. Por outro lado, se a frase era parte do texto original, provavelmente entenderíamos *hyper*, não no sentido de "por, em favor de" (normal em João), mas no sentido "em lugar de".

51. *naquele ano*. Há alguma evidência para omitir ou "que" (P[66]; Bezae) ou toda a frase (P[45]; OS[sin]; OL).

52. *filhos de Deus*. A única outra ocorrência disto no evangelho é no Prólogo (1,12), mas é frequente nas epístolas joaninas. Não todos os homens, mas unicamente aqueles a quem o Pai deu a Jesus são filhos de Deus (8,42); e assim, os filhos dispersos de Deus são os gentios destinados a crer em Jesus. Jr 31,8-11 associa o ajuntamento dos dispersos (judeus) com a paternidade do Pai, e essa associação jaz por detrás da expressão de João.

e torná-los um. Literalmente, "reunir, congregar *em um*". Ver "um só rebanho" de 10,16.

53. *planejaram*. A redação "planejaram juntos", em muitos manuscritos, provavelmente reflete a influência de Mt 26,4 e mostra que os escribas associaram os relatos mateano e joanino das sessões preliminares do Sinédrio.

54. *Efraim*. Não há identificação certa desta cidade. O Codex Bezae diz *Samphourin*, mas isso pode ser uma corrupção do semítico šēm 'efrayīm

("cujo nome é Efraim"). P⁶⁶ omite "cidade", e assim a região vem a ser Efraim. Alguns a identificariam com Et-Taiyibeh, cidade a cerca de 19 km a nordeste de Jerusalém, cujo antigo nome era Ofra (Js 18,23) ou Efron (Js 15,9). 2Sm 13,23 menciona a cidade de Efraim, mas a localização é vaga (perto de Betel, como o Efraim de Josefo, *War* 4.9.9; 551? – se for, poderia ser Et-Taiyibeh). W. F. Albright, AASOR 4 (1922-23), 124-33, afirma que o Efraim de João não era Et-Taiyibeh, e sim Ain Sâmieh, ligeiramente a nordeste e em um vale mais baixo. Et-Taiyibeh, ficando a uns 92 metros mais alta que Jerusalém, é muito exposta e mais fria para uma estada em fevereiro e março, especialmente se tivermos em mente que Jesus não tinha um abrigo permanente. (O argumento de Albright é combinado com a cronologia joanina). Não existem vilas entre Sâmieh e o vale do Jordão, e assim ela fica literalmente na divisa do deserto.

permaneceu. Os manuscritos de testemunhas gregas são quase invariavelmente divididos entre duas redações, uma do verbo *menein*, "ficar", e a outra de *diatribein*, "gastar algum tempo" (ver 3,22).

COMENTÁRIO

Esta sessão do Sinédrio, que segundo a cronologia de João ocorria várias semanas antes da Páscoa (11,55; 12,1), não é atestada na tradição sinótica. Este fato, mais algumas aparentes inexatidões sobre o papel dos fariseus no Sinédrio e o prazo para o ofício do sumo sacerdote, têm levado muitos críticos a considerar 11,45-53 uma construção teológica baseada em material emprestado dos sinóticos. Como de costume, cremos que se requeria um julgamento mais matizado. Temos indicado nas notas sobre vs. 47 e 49 que as "inexatidões" não são tão bem delineadas como pode parecer à primeira vista. Além do mais, a tradição sinótica dá alguma evidência de uma sessão do Sinédrio antes da sessão final que sentenciou Jesus à morte. Mc 14,1-2 e Lc 22,1-2 falam simplesmente do complô dos principais sacerdotes e escribas dois dias antes da Páscoa, mas em Mt 26,1-5 isto parece tornar-se uma sessão preliminar do Sinédrio. Ressaltamos nas notas sobre vs. 49 ("Caifás") e 53 que há pontos de similaridade entre as cenas joaninas e mateanas, e notamos que em ambos os casos a sessão do Sinédrio decide matar Jesus. Ora, obviamente há uma diferença cronológica, mas estamos simplesmente chamando a atenção para a possibilidade e, de fato, da plausibilidade de sessões do Sinédrio antes do julgamento final.

E devemos ter em mente que o julgamento final diante do Sinédrio, como descrito nos evangelhos sinóticos, provavelmente representa uma coleção de acusações que foram feitas em distintos momentos (para traços de elementos dispersos que se assemelham aos do julgamento, ver discussões de Jo 1,51; 10,24-39). De muitas maneiras (ver CBQ 23 [1961], 148-52, ou NTE, pp. 198-203), o quadro joanino que propicia uma distribuição mais ampla destas acusações realmente é mais plausível. É interessante, por exemplo, que o tema da destruição do templo que ocupa um importante papel no julgamento sinótico final (Mc 14,57-58) também apareça nesta sessão em João (v. 48: "e removerão nosso lugar santo"), mas de uma maneira diferente e mais realista. Assim, a similaridade do presente material histórico na cena de João não pode ser decidida com base na conformidade com a tradição sinótica, pois ninguém pode pressupor que o material sinótico pertinente às sessões do Sinédrio é absolutamente confiável.

A introdução à cena em João relaciona a sessão do Sinédrio com o milagre de Lázaro, e isto cria o paradoxo de que o dom da vida procedente de Jesus conduz à sua própria morte. Aqui, naturalmente, estamos tratando da perspectiva teológica do evangelho. O milagre de Lázaro, como tantos dos feitos e ditos de Jesus, cria uma divisão entre os homens que se julgam por sua reação a Jesus. O fato de que alguns estão crendo em seus sinais força as autoridades judaicas a agirem (v. 47). Isto concorda com o que se encontra em Mc 11,18, onde, após a purificação do templo, somos informados: "Os principais sacerdotes e os escribas... buscavam uma maneira de destruí-lo... porque toda a multidão estava atônita ante seu ensino". O ponto básico que parece estar por detrás de todas estas afirmações do evangelho é que o entusiasmo que Jesus despertou perturbava as autoridades hierosolimitanas.

C. H. Dodd, *art. cit.*, tem analisado o caráter literário da cena em João e tem mostrado cuidadosamente que ele se encaixa no formato comum dos relatos primitivos sobre Jesus. É um relato de afirmação, isto é, um relato preservado na comunidade cristã por conter um dito com uma profunda reflexão da comunidade. O relato em João conduz ao dito de grande importância no v. 50: "Não compreendeis que convém ter um só homem morto [pelo povo] do que terdes toda a nação destruída?". Lemos no comentário em forma de parênteses nos vs. 51-52 por que este pronunciamento era tão importante para os círculos cristãos primitivos, a saber, porque ele era considerado uma profecia inconsciente da natureza salvífica da morte de Jesus. Em sua própria mente, Caifás estava pronunciando uma máxima popular da conveniência política. Ele estava ansioso em descartar Jesus, para que, como mais um numa série de revolucionários, este arruaceiro não provocasse os romanos a reagir contra os judeus. Mas, para o ouvido perceptivo do teólogo cristão, ele estava evocando uma dito tradicional do próprio Jesus: "O Filho do Homem veio... para dar sua vida como resgate de muitos" (Mc 10,45). Caifás estava certo; a morte de Jesus salvaria a nação da destruição. Todavia, Caifás não podia suspeitar que Jesus morreria, não no lugar de Israel, mas em favor do verdadeiro Israel. Podemos ver que essa profecia inconsciente, nos lábios de um sumo sacerdote judeu, viria a ser um argumento eficaz nos círculos judaico-cristãos, aos quais (em parte) o Quarto Evangelho se dirige.

O v. 52 expande o escopo da profecia para incluir também os gentios, e temos insistido que o Quarto Evangelho tinha também como seu propósito o encorajamento dos cristãos gentílicos. Visto que a comunidade cristã é o verdadeiro Israel, o genuíno rebanho de Jesus (10,16), a imagem veterotestamentária de reunir os filhos dispersos de Israel (Is 11,12; Mq 2,12; Jr 23,3; Ez 34,16) pode agora ser usada para todos quantos se tornam parte dessa comunidade. E o autor confirma o juízo de Caifás – esta conversão dos gentios seria o efeito ulterior da *morte* de Jesus. Mais adiante em Jo 12,32, Jesus mesmo dirá: "Quando eu for levantado da terra, atrairei *todos* a mim". Em 1Jo 2,2, seremos assegurados: "Ele é a propiciação por nossos pecados, e não somente por nossos pecados, mas também pelos do mundo inteiro".

Todavia, devemos notar que, se o v. 52 pressupõe a universalidade da salvação, ao mesmo tempo enfatiza o aspecto comunitário dessa salvação. Muitos escritores têm comentado sobre o individualismo joanino (p. ex., C. F. D. Moule, NovT 5 [1962], 171-90), pois João não menciona a Igreja. Mas acaso não temos aqui o genuíno conceito da Igreja, uma vez que os filhos dispersos serão reunidos e se farão *uno*? Eles se tornarão unos com aquela verdadeira nação de Israel, aquele verdadeiro povo que seria poupado através da morte de Jesus. Nas palavras de 10,16, as outras ovelhas que ainda não eram parte do rebanho, virão e serão parte do único rebanho. Muitos têm comentado que o conceito paulino da Igreja como o corpo de Cristo provavelmente provinha do pensamento da unidade criada pelo comer o corpo eucarístico de Cristo (1Cor 10,17). Dificilmente é acidental que a descrição que João faz dos judeus e gentios redimidos, reunidos em um, ecoa a terminologia da multiplicação dos pães eucaristicamente orientada (6,13), onde os fragmentos são *reunidos*. A passagem da *Didaquê* (9,4) citada na p. 480s. reúne ecos de Jo 6,13 e 11,52, e assim mostra implicitamente que os temas relacionados da eclesiologia e sacramentalismo joaninos não são ficções da imaginação moderna.

A introdução do tema da reunião dos gentios e sua união com Israel em um contexto relacionado com a morte de Jesus não é inovação joanina. Está implícita na parábola dos lavradores malvados que os três evangelhos sinóticos associam com o período anterior à Páscoa final. Ali (Mc 12,7-10) a morte do filho é o que faz com que a vinha seja dada a outros. Tampouco este tema está fora de lugar em uma passagem onde Caifás acabou de falar do perigo que corre o "lugar santo", isto é, o templo. Como sabemos à luz de 2,19-21, a morte de Jesus levará à substituição do templo de Jerusalém pelo templo de seu corpo. No AT, os gentios às vezes são retratados pelos profetas como subindo para o santo monte do templo (Is 2,3; 9,6; Zc 14,16); Is 56,7 caracteriza o templo como "uma casa de oração para todas as nações". Quando, através da morte de Jesus seu corpo se torna o novo templo, naturalmente passará a ser o centro para congregar os gentios. Caifás prevê a destruição romana do lugar santo; porém não prevê que no novo templo que substituirá todos os sonhos proféticos se cumprirá a reunião das nações. Ver BRAUN, *art. cit*.

O único traço singular desse apotegma em João é que o dito chave não está nos lábios de Jesus, e sim nos lábios de seu inimigo. O princípio de profecia inconsciente era aceito no judaísmo (exemplos, em StB, II, p. 546). Em particular, o dom de profecia estava associado com o sumo sacerdócio. JOSEFO, *Ant.* 13.10.7; 327, informa como o sumo sacerdote Jadua recebeu uma iluminação de que Alexandre o Grande não destruiria a cidade de Jerusalém. Inclusive os sumos sacerdotes, cujas vidas estavam longe de perfeitas, desfrutavam o privilégio, por exemplo, Hircano, em *Ant.* 13.10.7; 299. Portanto, a visão de João sobre os poderes de Caifás era muitíssimo familiar no judaísmo do 1º século. O aspecto cristão particular se encontra na ênfase dada a Caifás porque era o sumo sacerdote *naquele decisivo ano* da salvação. Notamos ainda que não há nada de estranho em Caifás temer a destruição romana de Jerusalém. Na tradição sinótica, o próprio Jesus sugere este destino para Jerusalém (Mc 13,2; Lc 21,20), e ao menos a possibilidade de tal intervenção romana teria sido proposta com frequência.

Não há nada na tradição sinótica que se assemelhe com a retirada de Jesus para Efraim em Jo 11,54. A própria obscuridade da referência torna provável que estamos lidando com uma reminiscência histórica. É um fragmento de transição em João, e não podemos depender de sua atual posição como a representar sua sequência cronológica original. Ao menos em seu uso de "os judeus", certamente o v. 54 é distinto do esquema geral do capítulo 11. A similaridade com o retiro em 10,39 sugere a possibilidade de relatos em duplicata.

• • •

Com o capítulo 12, João começará narrando eventos que têm claros paralelos na tradição sinótica da última semana da vida de Jesus. Pode ser aconselhável que antes de entrarmos nesse material, apresentemos uma lista dos paralelos já vistos nos relatos sinóticos e joaninos do ministério (final) em Jerusalém. Baseamos os paralelos sinóticos em Marcos.

Marcos		João
11,18	Ferrenha oposição dos sacerdotes e escribas (fariseus).	11,47
11,30-33	Última menção de João Batista.	10,40-42
12,1-11	Responsabilidade dos líderes de Israel pela morte de Jesus e a escolha de Deus de um novo povo.	11,46-52
12,12	Tentativa de prender Jesus.	10,39
12,18-27	Jesus afirma a ressurreição dos mortos.	11,1-44
12,31	Mandamento do amor.	(13,34-35)
12,38-40	Ataque dos escribas (fariseus).	9,40-10,18
12,43	Ensino junto ao tesouro do templo.	8,20
13,1-2	Destruição do templo.	11,48

BIBLIOGRAFIA

BRAUN, F.-M., "Quatre 'signes' johanniques de l'unité chrétienne", NTS 9 (1962-63), especialmente pp. 148-50 sobre 11,47-52.

DODD, C. H., "The Prophecy of Caiaphas (John 11.47-53)", NTPat, pp. 134-43.

40. JESUS IRÁ A JERUSALÉM PARA A PÁSCOA?
(11,55-57)

Uma passagem de transição

11 ⁵⁵Ora, a Páscoa dos judeus estava próxima; e muitos daquela região subiram a Jerusalém a fim de se purificarem para a Páscoa. ⁵⁶Saíram em busca de Jesus; o povo que cercava o templo estava dizendo uns aos outros: "Que vos parece? Realmente há uma chance de que ele virá para a festa?" ⁵⁷Os principais sacerdotes e os fariseus emitiram ordens para que, se alguém soubesse onde Jesus estava, o denunciasse para que pudessem prendê-lo.

NOTAS

11.55. *Páscoa*. Esta é a terceira Páscoa mencionada em João. Na primeira Páscoa (2,13), Jesus observara a regulamentação que tornou a Páscoa uma festa de peregrinação (uma função originalmente mantida pela festa do Pão Asmo, agora combinada com a Páscoa) e subiu a Jerusalém. Na segunda Páscoa (6,4), aparentemente ele permaneceu na Galileia.

muitos. Tudo indica que o número de peregrinos para a Páscoa variava entre 85.000 e 125.000 (J. Jeremias, ZDPV 66 [1943], 24-31). Se agregarmos isto à população hierosolimitana (25.000), havia mais de 100.000 participantes no serviço regular da Páscoa em Jerusalém. Josefo, *War* 6.9.3; 422-25, apresenta a extraordinária figura de mais de 2.500.000, derivados do censo feito por Cestius nos anos 60.

para se purificarem. Nm 9,10 proíbe o homem imundo de participar no serviço pascal regular (ver 2Cr 30,17-18). Em particular, teria havido a necessidade de que os que viviam em contato com gentios se purificassem.

Por exemplo, os gentios às vezes sepultavam seus mortos nas proximidades de suas casas, e isto faria seus vizinhos judeus se sujeitarem à purificação de sete dias ordenada pelas leis que orientavam a contaminação proveniente do contato com cadáveres (Nm 19,11-12). Josefo, *War* 1.11.6; 229, menciona que os habitantes da zona rural se purificavam em Jerusalém antes de uma festa; ver também o comportamento de Paulo em At 21,24-27.

para a Páscoa. Há respeitável evidência para a leitura no singular.

para que. A conjunção usada (*hopōs*) ocorre somente aqui nos escritos joaninos.

COMENTÁRIO

Estes versículos constituem uma transição às cenas seguintes. A similaridade dos vs. 56-57 com 7,11.13 sugere que um redator poderia ter utilizado material tradicional de um relato variante para criar a transição. Não obstante, o material no v. 55 revela um conhecimento imediato dos costumes judaicos. É bem provável que o v. 57 deva ser entendido em termos de uma prisão num momento e lugar oportunos. As autoridades certamente conheciam onde Jesus estava quando entrava em Jerusalém (12,12); todavia, não o prenderam, pois ainda a ocasião não era propícia.

41. CENAS PREPARATÓRIAS PARA A PÁSCOA E A MORTE: – A UNÇÃO EM BETÂNIA
(12,1-8)

O corpo de Jesus é ungido para a morte

12 ¹Seis dias antes da Páscoa, Jesus veio a Betânia, a vila de Lázaro a quem Jesus ressuscitara dentre os mortos. ²Ali lhe deram uma ceia em que Marta servia e Lázaro era um dos que estavam à mesa com ele. ³Maria trouxe uma medida de perfume muito caro feito de nardo puro e ungiu os pés de Jesus. Então enxugou seus pés com seu cabelo, enquanto a fragrância do perfume enchia a casa. ⁴Judas Iscariotes, um de seus discípulos (aquele que iria entregá-lo), protestou: ⁵"Por que não se vendeu este perfume por trezentas peças de prata, e o dinheiro poderia ser dado aos pobres?" (⁶Ele não disse isso porque se preocupasse com os pobres, mas porque era ladrão. Ele retinha a bolsa e podia valer-se do que era posto nela). ⁷A isto Jesus replicou: "Deixai-a em paz. O propósito era que ela o guardou para o dia de meu embalsamamento. [⁸Sempre tereis os pobres convosco, mas nem sempre me tereis.]"

4: *protestou*. No tempo presente histórico.

NOTAS

12.1. *Seis dias antes da Páscoa.* Visto que para João a Páscoa será da noite de sexta para sábado, a cena em Betânia parece ser datada da noite de sábado para domingo. A referência ao dia seguinte, no v. 12, aponta para a noite de sábado como a ocasião da ceia. Presumiríamos que o sábado havia terminado, ou Marta não poderia estar servindo à mesa. Há quem pense que a refeição estava conectada com o serviço *Habdalah* que marcava o término do sábado, mas simplesmente não sabemos o suficiente sobre os costumes do tempo para formar qualquer juízo. Somente P^{66} diz "cinco dias" em vez de "seis dias".

a aldeia de Lázaro. Literalmente, "onde Lázaro estava". É estranho encontrar Betânia identificada aqui quando ela exerceu um papel tal no capítulo anterior. Mas se, como temos sugerido, o relato de Lázaro foi trazida à sua presente sequência cronológica mais tarde, e se numa época foi separado do relato da unção, então poderia haver a necessidade de identificar Betânia.

a quem Jesus ressuscitara dentre os mortos. Uma glosa redacional como indica a repetição do nome de Jesus.

2. *deram*. O objeto não é identificado; pode ser equivalente a um passivo: "uma ceia foi dada". O OS^{sin} faz Lázaro o anfitrião, mas a descrição dele como um dos estavam à mesa sugeriria que ele era hóspede. A tradição sinótica (Mc 14,3) fala da casa de Simão o leproso, e SANDERS, *art. cit.*, faria Simão o pai de Lázaro, Maria e Marta.

3. *caro*. Em João, *polytimos*; em Mc 14,3, *polytelēs*, "valioso".

perfume. Ou "unguento"; a palavra grega *myron* normalmente se refere a um perfume ou unguento feito de mirra. Quer como pó ou líquido, *myron* era feito da resina gelatinosa expelida de um arbusto balsâmico rasteiro que cresce no centro-oeste da África do Sul e no nordeste da Somália. Era usada para incenso, cosmético, perfume, medicina e em preparativos fúnebres. (Ver G. W. VAN BEEK, BA 23 [1960], 70-94). Não obstante, o uso que João faz de *myron* (também Mc 14,3) é mais genérico, no sentido geral de "perfume", pois este *myron* não é de mirra, e sim de nardo.

feito de nardo puro. A palavra que traduzimos para "puro" é a forma adjetiva *pistikos*, palavra de significado incerto que aparece no NT somente nos relatos marcanos e joaninos da unção. Entre traduções sugeridas estão: "genuíno"; "*cravo*/nardo"; "mistura com óleo de *pistácia*". Literalmente, *pistikos* é "fiel"; em aramaico, *quštâ* é amiúde encontrado com "nardo" e *quštâ* também significa "fé". Assim, *pistikos* pode ser uma tradução muito literal – ver KÖBERT, Bib 29 (1948), 279. Há também a possibilidade de que *pistikos* seja uma corruptela de *tēs staktēs*; estoraque é um óleo do arbusto estoraque.

nardo. Também conhecido como cravo/nardo, sendo um óleo perfumoso derivado da raiz e cravo (caule fino) da planta do nardo que cresce nos montes no nordeste da Índia. P^{66*} e o Codex Bezae omitem "nardo"; pode ser que o copista sentisse dificuldade em ter *myron* do nardo.

4. Este versículo, em várias testemunhas, é introduzido por "então" ou "mas", mas pode ser que isso provenha de tentativas de copista para suavizar a transição.

Judas Iscariotes. Em outro lugar (ver nota sobre 6,71), Judas é identificado como o filho de Simão. Isto levou SANDERS, *art. cit.*, a fazer de Judas o irmão mais velho na família de Lázaro, Maria e Marta (ver acima sobre v. 2). Ele chega até a descrever-lhe (p. 218), Judas como "uma Marta no masculino que se perdeu".

5. *valia*. Suprimos estas palavras; o grego traz simplesmente: "vendido por 300 peças de prata".

trezentas peças de prata. Mc 14,5 fala de *mais de* trezentas peças de prata; isto é precisamente o oposto do fenômeno encontrado na discussão de Jo 6,7, onde Marcos (6,37) fala de 200 denários e João de mais de 200 denários. O denário servia como o salário de um dia (Mt 20,2), então isto era realmente um perfume muito caro.

6. *não se preocupasse com os pobres*. A mesma expressão foi usada em 10,13 para descrever o mercenário que "não se preocupava com as ovelhas".

bolsa. Originalmente, a palavra grega descrevia algo em que se guardava instrumentos musicais; então, veio a significar uma bolsa, baú ou cofre. É usado como "cofre" em 2Cr 24,8.10.

e podia valer-se. Literalmente, "furtar [o que era posto nele]".

7. *Deixai-a em paz*. Evidentemente, este é o significado em Mc 14,6; mas em João poderia ser conectado com a cláusula seguinte: "o guarde para"...

O propósito era que ela o guardou. Nas melhores testemunhas gregas, esta é uma cláusula elíptica de propósito: "a fim de que ela conserve". Outra redação com atestação mais fraca busca evitar a dificuldade: "Ela tem conservado". Esta segunda redação, embora não original, provavelmente seja a *interpretação* correta. A ideia não é que ela guardasse o perfume para algum uso futuro, mas que (inconscientemente) ela o esteve guardando até agora para embalsamar Jesus. Temos tentado indicar isto com as palavras: "O propósito era". Esta interpretação concordaria com a cena em Mc 14,3, onde a mulher quebra o vaso para que não fosse deixado nenhum perfume, e assim não pode haver dúvida sobre conservar algo para uso futuro. Também explica a indignação de Judas – todo o valioso perfume foi usado. Se João queria dizer que Maria teria que guardar algo do perfume para o embalsamamento futuro de Jesus, esperaríamos ouvir isto depois. Mas não foi assim; Maria de Betânia não exerce nenhum papel na preparação fúnebre do corpo de Jesus; e, aliás, a quantia extraordinária (cem arretéis) de especiarias fúnebres trazidas por Nicodemos (19,39) pareceria excluir qualquer papel significativo que as poucas gotas restantes da medida de perfume de Maria tivesse. Outras traduções sugeridas são:

Boismard: Guarde-o para o dia de meu embalsamamento. (*hina* + subjetivo = imperativo)

Torrey: Ela deve guardá-lo até o dia de meu embalsamamento?

Barrett (como uma possibilidade): Que ela o guarde na mente no dia de meu embalsamamento.

8. Este versículo é palavra por palavra idêntico com Mt 26,11; Mc 14,7 tem o versículo, mas com uma cláusula extra: "e sempre que quiserdes podeis fazer-lhes o bem". Em João, este versículo é omitido por testemunhas do grupo ocidental (Bezae, OL, OS^{sin}); e o fato de que ele concorda com Mateus, em vez de Marcos, sugere que ele foi uma adição posterior de copista tomado do texto de Mateus mais tradicional.

sempre tereis os pobres. Dt 15,11: "Na terra nunca faltarão pobres".

nem sempre me tereis. Este contraste se ajusta bem com a teologia rabínica. Há duas classificações de "boas obras" (a expressão em Mc 14,6): aquelas que pertencem à misericórdia, p. ex., sepultamento; as que pertencem à justiça, p. ex., esmola. As primeiras eram tidas como mais perfeitas que as segundas. Ver J. Jeremias, ZNW 35 (1936), 75-82.

COMENTÁRIO

Comparação com os relatos de unção nos sinóticos

A tradição sinótica tem ciência de duas cenas onde uma mulher unge Jesus. Mc 14,3-9 e Mt 26,6-13 falam de uma unção de Jesus em Betânia, feita por uma mulher anônima justamente antes de sua morte. (O relato de Mateus é totalmente dependente de Marcos e não precisa ser levado em conta para nossos propósitos). Lucas não tem esta cena, mas em 7,36-38 ele fala de uma unção de Jesus na Galileia feita por uma mulher pecadora. Ninguém realmente duvida que João e Marcos estão descrevendo a mesma cena; todavia, muitos dos detalhes em João são como os da cena em Lucas. Todos os evangelistas estariam descrevendo o mesmo incidente, ou houve outros incidentes? João teria algum material original, ou o relato joanino é meramente uma reelaboração imaginativa do material sinótico? Uma tabela que compara detalhes é de valor:

Marcos 14,3-9	João 12,1-8	Lucas 7,36-38
2 dias antes da Páscoa	6 dias antes da Páscoa	durante o ministério
em Betânia	em Betânia	no cenário galileu
casa de Simão (leproso)	não especificada	casa de Simão (fariseu)
mulher anônima com alabastro	Maria de Betânia com uma medida	mulher pecadora com alabastro
valioso perfume	perfume caro	perfume
feito de nardo real	feito de nardo puro	
		chora sobre os *pés*
		seca-os com cabelo
derrama perfume sobre a *cabeça*	unge os *pés* enxuga-os com o cabelo	unge os *pés*
alguns discípulos irados	Judas irado	Jesus critica Simão (44ss.).
valor: mais de 300 denários	valor: 300 denários	
Jesus defende a mulher	Jesus defende Maria	Jesus perdoa a mulher (50)
"Deixai-a em paz"	"Deixai-a em paz"	
"Pobres sempre convosco"	"O guardou para o dia	
"Tem ungido para o sepultamento"	"Sempre tereis os pobres"	
"Ser contado no mundo inteiro"		

Qualquer solução oferecida para as origens do relato joanino explicaria os claros paralelos para ambas as cenas sinóticas. DODD, *Tradition*, pp. 162-73 oferece uma valiosa análise, mas propõe um incidente básico por detrás dos três relatos. Uma solução mais viável é a de P. BENOIT como apresentada por LEGAULT, *art. cit.*, solução que propõe dois incidentes básicos, a saber: (1) Um incidente na Galileia, na casa de um fariseu. Uma pecadora penitente entra e chora na presença de Jesus. Suas lágrimas caem em seus pés, e ela se apressa a enxugá-los com seu cabelo. Nesta cena não há unção com perfume. A ação (escandalosa) de soltar o cabelo em público se adequa ao caráter da mulher e ajuda a explicar a indignação dos fariseus. Este incidente é a espinha dorsal da narrativa de Lucas. (2) Um incidente em Betânia, na casa de

Simão, o leproso, onde uma mulher (chamada Maria), como expressão de seu amor para com Jesus, usa seu dispendioso perfume para ungir a cabeça de Jesus. A proposta de dois incidentes tem a vantagem de respeitar totalmente a diferente natureza e propósito da cena lucana daquela de Marcos e João. O mesmo elemento forte de pecado e perdão, que é essencial ao relato lucano, se perdeu totalmente no relato de Betânia. Ora, começando com estes dois incidentes diferentes, podemos ver como na tradição oral podem ser confundidos e os detalhes de um poderiam passar para o outro.

Lucas, que não narra a unção em Betânia, nos proporciona um relato do primeiro incidente, porém com muita mistura de detalhes do segundo incidente. A unção foi introduzida; e já que o primeiro incidente mencionou os pés de Jesus, a unção é associada com os pés. Tal unção é fora de propósito. As pessoas ungiam o rosto para que a pessoa tivesse uma fragrância agradável, mas a unção de pés realmente é sem paralelo. (LEGAULT, p. 138, ressalta a fraqueza dos paralelos usualmente apresentados). Um detalhe adicional no relato de Lucas, para que viesse a ser o segundo incidente, é o nome Simão, que aparece somente quando Jesus passa a falar aos fariseus (Lc 7,40). Até aquele momento, o anfitrião é simplesmente um dos fariseus, e isto pode representar a forma original do primeiro incidente.

Marcos (e Mateus) parece representar uma forma quase pura do segundo incidente. Não há nomes no relato marcano, exceto o de Simão. A identificação joanina da mulher como Maria de Betânia e do discípulo reclamante como sendo Judas é difícil de avaliar. Bem que poderia representar a informação histórica preservada somente no Quarto Evangelho, mas outros estudiosos o considerariam como parte de uma tendência posterior de identificar personagens desconhecidos com personagens conhecidos. (Mas, para que, pois, Maria de Betânia poderia ser conhecida, se ela não ungiu Jesus? – ver 11,2). Ao dar o valor do perfume como custando *mais* de trezentas peças de prata, Marcos parece representar uma forma mais desenvolvida da tradição do que a fixação exata de João de trezentas peças de prata.

O relato de João representa uma forma do segundo incidente à qual foram incorporados detalhes da *forma lucana* do primeiro incidente. Se a unção de Lucas, dos pés, é anônima, a ação da mulher se torna ainda mais extraordinária em João quando ela prossegue removendo o perfume que ela mesma aplicou! A descrição de Lucas de enxugar as lágrimas faz sentido; mas, visto que o relato joanino não menciona lágrimas, a ação de enxugar então foi transferida para o perfume. O ato de soltar o cabelo, não inapropriado no primeiro incidente, não está de acordo com o caráter da virtuosa Maria de Betânia. Uma transferência tão confusa de detalhes pode ser mais bem explicada no nível de contato durante o estágio oral da transmissão. Já vimos e veremos outros exemplos de influência cruzada entre Lucas e João indo em ambas as direções. Com a exceção de detalhes que têm vindo do relato lucano, o relato de João é tão notavelmente parecido com o de Marcos. Que ambos, Marcos e João, usam a expressão singular "perfume feito do nardo puro" (ver nota) não pode ser por coincidência; mas, um extraiu do outro, ou ambos são dependentes de uma fonte comum? As pequenas diferenças que envolvem os detalhes em que são mais afins (Marcos tem perfume *valioso* em contraste com o perfume *caro* de João; Marcos tem *mais* de 300 denários) sugerem a segunda [alternativa]. Ora, se ambos, João e Marcos, reproduzem para nós uma fonte que lhes é comum, então de modo algum é certo que Marcos representa aquela fonte numa forma mais original do que faz João, uma vez que os elementos lucanos foram suprimidos. Discutiremos abaixo detalhes comparativos, mas sugerimos que o relato do incidente em Betânia que sublinha a presente narrativa joanina dá evidência, em alguns pontos, de ser próximo da tradição mais antiga sobre esse incidente.

Antes de concluirmos esta comparação, desejamos fazer duas observações. *Primeira*, admitindo que a forma joanina final do relato representa um amálgama um tanto confuso de detalhes de dois incidentes originalmente separados, não obstante devemos compreender que o estranho quadro de unção dos *pés* de Jesus foi preservado por alguma razão – como veremos abaixo, essa razão se adequa ao propósito teológico joanino. Ainda quando ele não fosse quase certamente testemunha ocular da cena, o escritor teria sido tão ciente como somos à distância de dois milênios que alguém normalmente não ungiria os pés nem removeria o perfume.

Segunda, as linhas entrecruzadas de detalhes de dois incidentes diferentes que temos descrito não cessaram com a publicação dos evangelhos escritos. Na mente popular, sob a influência do quadro lucano de uma mulher pecadora, a mulher de Betânia (Maria, segundo João) foi logo caracterizada como pecadora. Então, em boa medida, esta Maria pecadora de Betânia foi identificada com Maria de

Magdala, de quem foram expulsos sete demônios (Lc 8,2) e a qual foi ao túmulo de Jesus. E assim, por exemplo, a liturgia católica chegou a honrar numa festa singular as três mulheres (a pecadora da Galileia, Maria de Betânia e Maria de Magdala) como uma só santa – uma confusão que tem existido na Igreja Ocidental, embora não sem contestação, desde o tempo de GREGÓRIO o Grande.

O relato de João

O relato que João faz da unção é datada seis dias antes da Páscoa, enquanto o relato que Marcos faz da cena de Betânia parece estar datado dois dias antes da Páscoa. Dizemos "parece", porque nenhuma data aparece no relato marcano atual da unção (14,3-9), mas somente no contexto (14,1). Mais que provável, Mc 14,1-2 foi, originalmente, reunido a 14,10, e o relato da unção é uma interpolação. Não obstante, mesmo que a data de "dois dias antes da Páscoa" não governe a cena da unção, Marcos e Mateus colocam a cena consideravelmente depois da entrada de Jesus em Jerusalém (Mc 11,1-10), enquanto João a coloca antes da entrada. Nenhuma decisão sobre que localização é correta parece possível. BOISMARD sugeriu que, ao mencionar "seis dias antes da Páscoa", João está estabelecendo uma semana no final do ministério para formar uma inclusão com a semana no início do ministério (ver p. 300); e BARRETT, p. 342, também parece favorecer esta solução. Não obstante, neste relato joanino do final do ministério de Jesus não há insistente contagem dos dias tal como encontramos no capítulo 1.

O relato que João registra da unção em Betânia identifica muitos dos participantes (Lázaro, Marta, Maria, Judas), embora não mencione aquele personagem a quem Marcos identifica, Simão o leproso. Uma vez que consideramos a presente localização do relato de Lázaro como secundária, suspeitamos que a menção de Lázaro e Marta representa uma tentativa redacional para ligar os capítulos 11 e 12. É óbvio que eles não têm um papel importante na cena da unção. A menção de Lázaro, no v. 1, é incômoda (ver nota), e a descrição de Marta servindo à mesa pode representar a influência da descrição similar de Marta em Lc 10,40. Há uma melhor chance de que os personagens de Maria e Judas foram parte originalmente do relato e que seus nomes se perderam na tradição sinótica.

41 • Cenas preparatórias para a páscoa e a morte: A unção em Betânia

Podemos fazer uma breve pausa para discutir o papel de Judas no relato de João. Que um discípulo íntimo como Judas trairia Jesus exigia alguma explicação, e os evangelhos oferecem duas soluções gerais. A primeira explicação, e provavelmente a mais primitiva, das más ações de Judas é que ele foi o instrumento do Príncipe do mal. Lc 22,3 e Jo 13,2.27 nos informa que Satanás entrou em Judas, enquanto Jo 6,70 diz que Judas era um diabo. A segunda explicação, não necessariamente oposta à primeira, é que Judas traiu Jesus por amor ao dinheiro. Enquanto no relato marcano da traição (14,11; também Lc 22,5) a ideia de dar dinheiro a Judas parece ser uma proposta dos principais sacerdotes, Mt 26,15 tem Judas exigindo dinheiro. O quadro da cupidez de Judas foi naturalmente pintado em tons mais e mais escuros quando o relato foi recontado. O perfil de Judas traçado por João em 12,4-6 é ainda mais hostil do que o de Mateus, pois João representa Judas como um ladrão.

Todavia, mesmo que esta apresentação suponha um certo desenvolvimento, é bem provável que João esteja nos dando uma informação histórica não preservada nos outros evangelhos, registrando que Judas guardava os fundos comuns. Esta informação torna mais verossímil o diálogo em 13,27-29 e explica o lugar de honra que Judas teve junto de Jesus na última ceia (ver nota sobre 13,23 no volume 2). Os evangelhos sinóticos parecem implicar que Judas poderia estar de posse de trintas moedas de prata sem causar suspeita, e isto seria explicável se ele tinha os fundos comuns. Não é impossível que a identificação joanina do discípulo reclamante em Betânia com Judas se deva a tendência popular de apresentar Judas como um personagem sinistro. Todavia, tampouco é impossível que precisamente porque ele administrava o dinheiro pelo grupo, Judas *era* o discípulo que suscitou protesto em Betânia, e que uma vez mais essa memória se perdeu na tradição sinótica.

João não registra o louvor dirigido a Maria de Betânia que se encontra em Mc 14,9: "Sempre que o evangelho for pregado no mundo inteiro, o que ela fez será contado em memória dela". Se João era dependente de Marcos, a omissão deste louvor seria difícil de entender, posto que 11,2 presume que Maria era bem conhecida, precisamente porque ela ungira a Jesus. Tem-se sugerido que o paralelo joanino com o dito marcano se encontra em 12,3, onde somos informados que a fragrância do perfume encheu a casa. A *Midrásh Rabbah* sobre

Ecl 7,1 trás: "A fragrância de um bom perfume se difunde desde o leito até a sala de jantar; portanto, um bom nome se difunde de um a outro extremo do mundo". Se esta comparação rabínica era conhecida no tempo em que o Quarto Evangelho foi escrito, então deveras há um paralelo entre as ideias marcanas e joaninas. BULTMANN, p. 317, insiste que, além de indicar a quantidade de perfume usado, a afirmação no v. 3 sobre a fragrância enchendo a casa tinha uma significação simbólica; mas ele vê o simbolismo em termos de *gnosis* enchendo o mundo.

A implicação teológica da unção em ambos, João e Marcos, é direcionada para o sepultamento de Jesus (Jo 12,7; Mc 14,8), e não há evidência de que o relato sempre foi narrado nos círculos cristãos sem tal referência. Se temos compreendido o v. 7 corretamente (ver a respectiva nota), a ação de Maria constituiu uma unção do corpo de Jesus para o sepultamento, e assim, inconscientemente, ela realizou uma ação profética. E de fato isto pode explicar por que o detalhe mais implausível da unção dos *pés* foi mantido na narrativa joanina – ninguém unge os pés de uma pessoa viva, mas alguém poderia ungir os pés de um cadáver como parte do ritual de preparar todo o corpo para o sepultamento. No final do capítulo 11, o Sinédrio decidiu matar Jesus, e agora a ação de Maria o prepara para a morte. HOSKYNS, p. 408, ressalta que na presente sequência joanina o dom da vida a Lázaro provoca duas reações. A sessão do Sinédrio é a suprema expressão da recusa de crer; a unção feita por Maria é a culminante expressão da fé amorosa. Em cada uma há uma profecia inconsciente da morte de Jesus.

BARRETT, p. 341, e outros têm sugerido que a unção feita por Maria é uma unção régia, e que João mudou esta unção para sua posição atual a fim de que viesse a constituir uma preparação para a entrada de Jesus em Jerusalém como um rei ungido. Não obstante, não há no texto da unção nenhuma insinuação de tal aplicação; e, como veremos na próxima cena, Jesus realmente não aceitou aclamações régias da multidão. Se João pretendia significar a unção de Jesus como rei, então alguém teria esperado a unção da cabeça, não dos pés. Alguns estudiosos se sentem insatisfeitos com a teoria de que a unção em Betânia serviu como o embalsamamento de Jesus (v. 7), porquanto 19,39 implica um embalsamamento no dia do sepultamento de Jesus. Todavia, visto que o embalsamamento em Betânia é apenas em um nível figurativo, ele não cria qualquer obstáculo a um futuro embalsamamento régio.

Em Marcos, o motivo do embalsamamento (figurativo) é ainda mais claro em Betânia do que em João; todavia, Mc 16,1 descreve as mulheres indo ao túmulo na manhã pascal para embalsamar Jesus.

BIBLIOGRAFIA

LEGAULT, A., *"An Application of the Form-Critique Method to the Anoitings in Galilee and Bethany"*, CBQ 16 (1964), 131-41.

SANDERS, J. N., *"'Those whom Jesus loved' (John xi. 5)"*, NTS 1 (1954-55), 29-41 – uma discussão do círculo familiar em Betânia.

42. CENA PREPARATÓRIA PARA A PÁSCOA E A MORTE: – A ENTRADA EM JERUSALÉM
(12,9-19)

A reação de Jesus à aclamação das multidões

12 ⁹Ora, a grande multidão dos judeus soube que ele estava ali e saiu, não só por causa de Jesus, mas também para ver Lázaro a quem ele ressuscitara dentre os mortos. ¹⁰Entretanto, os principais sacerdotes planejaram matar também Lázaro, ¹¹porque, por sua causa, muitos dos judeus acudiam a Jesus e criam nele.

¹²No dia seguinte, a grande multidão que viera para a festa, tendo ouvido que Jesus estava para entrar em Jerusalém, ¹³tomaram ramos de palmeiras e saíram a encontrá-lo. Continuaram clamando:

"Hosana!
Bendito é aquele que vem no nome do Senhor!
Bendito é o Rei de Israel!"

¹⁴Mas Jesus encontrou um jumentinho e montou nele. Como diz a Escritura:

¹⁵"Não temais, ó filhas de Sião!
Vede, vosso rei vem a vós
assentado num jumentinho".

(¹⁶A princípio, os discípulos não compreenderam isto; mas quando Jesus foi glorificado, então lembraram que o que lhe fizeram foi precisamente o que estava escrito sobre ele).

42 • Cenas preparatórias para a páscoa e a morte: A entrada em Jerusalém 747

¹⁷E então a multidão que estivera presente quando Jesus chamou Lázaro para fora do túmulo e o ressuscitou dentre os mortos continuava testificando disto. ¹⁸Eis [também] por que a multidão saiu ao encontro dele: porque ouviram que ele realizara este milagre. ¹⁹Nisso, os fariseus disseram uns aos outros: "Vedes, não estais conseguindo coisa alguma. Vede, o mundo tem corrido após ele".

NOTAS

12.9. *a grande multidão*. A construção com artigo resulta violenta, especialmente a sintáxe. A dificuldade da redação tem levado muitas testemunhas textuais a omitir o artigo. À primeira vista, parece haver três multidões nesta seção: (*a*) a multidão (v. 17) daqueles que viram Jesus ressuscitar Lázaro e que agora creem em Jesus; (*b*) a grande multidão (v. 9) daqueles que ouviram falar deste milagre e partiram para Betânia antes que Jesus saísse para Jerusalém; (*c*) a grande multidão (vs. 12, 18) dos que ouviram falar do milagre e saíram ao encontro de Jesus enquanto entrava em Jerusalém. Parte desta confusão parece ter-se introduzido quando os vs. 9-11 e 17-19 foram anexados como estrutura redacional para a narrativa básica de 12-16. Esta narrativa básica tinha somente uma "grande multidão" dos judeus – uma "multidão" estilizada como a do cap. 6,2, um coro grego dando voz aos sentimentos de incompreensão. Esta multidão saiu ao encontro de Jesus. Mas as adições redacionais introduziram outra multidão que acompanha Jesus. (A despeito da estranheza, [*a*] e [*b*] aparentemente devem ser idênticos, pois a descrição sumariada em 17-18 inclui somente duas multidões).

dos judeus. Aqui e no v. 11 evidentemente os judeus distintos das autoridades judaicas, um fenômeno que vimos também no capítulo 11.

Lázaro. O tema Lázaro com persistente identificação ("a quem ele ressuscitara dentre os mortos") é mencionado somente na estrutura redacional (vs. 9-11, 17-19), não na narrativa básica da entrada na cidade.

10. *planejaram matar*. Eco de 11,53.

11. *por sua causa*. ABBOTT, JG, § 2294ª, sugere: "por causa de [ser] ele". Não obstante, aqui se torna difícil fazer uma distinção precisa entre motivo e causa, como faz ABBOTT.

muitos dos judeus acudiam. Embora as palavras "muitos" e "dos judeus" no grego estão separadas, a expressão é partitiva (ABBOTT, JG, § 2041). Há aqueles que prefeririam "Muitos estavam abandonando os judeus", entendendo um genitivo de separação. Isto é difícil de justificar gramaticalmente (BDF, § 180; *hypagein* normalmente toma *apo*), e implica um uso diferente "dos judeus" daquele do v. 9.

acudiam. Isto poderia significar para Betânia, mais provavelmente, porém, signifique passando para o lado de Jesus.

12. *No dia seguinte*. Daquele mencionado em 12,1, e assim, aparentemente, um domingo. É de João que obtemos ambos os elementos no "Domingo de Ramos". Quão literalmente devemos aceitar a sequência cronológica é difícil de julgar.

a grande multidão. Uma vez mais, muitas testemunhas textuais omitem o difícil artigo definido. Sobre o tamanho da multidão festiva, ver nota sobre 11,55.

13. *ramos de palmeiras*. A descrição que João faz, envolvendo duas palavras para palmeira (*baion*; *phoinix*), é precisa, a despeito de um tanto tautológica; a mesma expressão se encontra no *Testamento de Naftali* 5,4. A questão suscitada quanto a se as palmeiras crescidas em Jerusalém poderiam fornecer suas folhas com tanta facilidade. LAGRANGE, p. 325, sugere que elas cresciam no vale ocidental mais quente por onde Jesus passava; e 1Mc 13,51 parece sugerir que a palmeira estava disponível em Jerusalém no segundo mês do ano; portanto, não muito depois da Páscoa. Não obstante, há evidência recente do contrário. Uma carta de Simão Bar-Kochba (Ben Kosiba), escrita diretamente de Jerusalém, ordenou a um homem que tirasse uma palmeira de En Gedi e a levasse para a área de Jerusalém, provavelmente para a celebração da festa dos Tabernáculos (ver YADIN, BA 24 [1961], 90). Ainda hoje a maior parte das palmas para o Domingo de Ramos é trazida de Jericó para Jerusalém. Em virtude da menção que João faz de palmas, alguns têm sugerido que a entrada em Jerusalém realmente ocorreu antes da festa dos Tabernáculos, quando uma grande quantidade de palmas foi trazida do vale do Jordão para edificar cabanas e ser levadas em procissão (Lv 23,40; Ne 8,15). De acordo com todos os evangelhos, o estribilho entoado pelos que testemunharam a entrada de Jesus foi extraído do Sl 118, salmo que era parte da liturgia da festa dos Tabernáculos (mas também entoado na Páscoa e na festa da Dedicação). Da mesma forma, Zc 9,9, citado em Mateus e João, pode estar relacionado com o contexto da festa dos Tabernáculos de Zc 14,16. Aliás, Zc 14,4, em um contexto da festa dos Tabernáculos, profetizou que Deus estava para manifestar-se desde o Monte das Oliveiras, e Jesus estava fazendo sua entrada em Jerusalém por via deste monte. Para outros argumentos, ver J. DANIÉLOU, MD 46 (1956), 114-36; T. W. MANSON, BJRL, 33 (1951), 271-82. É interessante a teoria de que Jesus entrou em Jerusalém durante a festa dos Tabernáculos, e não na Páscoa, porém vai além da possibilidade de prova.

continuaram clamando. A citação bíblica que segue é a única do AT citada no evangelho que não é prefixada ou seguida de uma fórmula de introdução tal como "A Escritura diz"... A omissão dessa fórmula é mais comum nos sinóticos; mas FREED, p. 332, dificilmente esta correto em usar isto como um argumento para provar aqui a dependência de João dos sinóticos. Ter a multidão declarando tal fórmula obviamente teria sido estranho.

Hosana. Isto é uma transliteração do aramaico *hōšaʻ-nâ*, hebraico *hōšīʻā-(n)nâ*, significando "Salve (– por favor)". Isto era usado como uma oração por socorro; particularmente da festa dos Tabernáculos era uma oração por chuva (J. PETUSCHOWSKI, VT 5 [1955], 266-71). Mas era também usada como uma aclamação ou saudação (2Sm 14,4). O fato de que os evangelhos não traduzem o termo hebraico, como faz a LXX, provavelmente indica que, neste uso, "Hosana" não seja uma oração de petição, e sim um grito de adoração. Lc 19,37 fala corretamente de louvar a Deus. Provavelmente, "Hosana" já fora introduzido na fórmula de oração da comunidade cristã. Ver FREED, *art. cit.*, e bibliografia citada ali.

aquele que vem no nome do Senhor. A ideia original do Sl 118,26 era quase certamente: Bendito no nome do Senhor é aquele que vem, i.e., o peregrino que vem ao templo (ver 2Sm 6,18). Não obstante, no NT "aquele que vem" é tomado como um título para Jesus (Mt 11,3; 23,39; Jo 1,27; 6,14; 11,27). Em João, "aquele que vem no nome do Senhor" tem particular significação, visto que, segundo 17,11-12, o Pai deu a Jesus o nome divino (*egō eimi*?).

Bendito é o Rei de Israel. Literalmente, "e o Rei de Israel". Isto não pertence ao Salmo; ver nota sobre v. 15.

14. *jumentinho*. Ao compararmos a terminologia usada nos evangelhos para este animal, devemos distinguir entre (1) a citação veterotestamentária, Zc 9,9, que aparece em Mateus e João, e (2) a descrição do animal na narrativa geral da entrada de Jesus em Jerusalém que se encontra em todos os evangelhos.

(**1**) Zc 9,9 dá duas descrições abaixo ([a] e [b]) em paralelismo poético do animal sobre o qual o rei entaria em Jerusalém; a tradução da LXX é livre:

(*a*) TM *ḥᵃmōr*, "jumento"; LXX *hypozygion*, "animal de carga"; Mateus *onos*, "jumento".

(*b*) TM *ʻayir ben-ʻᵃtōnōt*, um potro, a cria da jumenta";
LXX *pōlos neos*, "um potro novo";
Mateus *pōlos huios hypozygiou*, "um potro, a cria de animal de carga".

(Nota: *pōlos* é usado para um animal jovem, mais frequentemente o potro do cavalo; mas quando o contexto especifica, é também usada para a cria de qualquer espécie – ver W. BAUER, JBL 72 [1953], 220-29). Ao citar Zacarias, Mateus em geral segue a LXX, mas a terminologia mateana para o animal parece ser quase uma tradução literal do TM com algum uso de palavras da LXX. A citação de Zacarias em Jo 12,15, em contrapartida, é única. Para João, o rei está *assentado* (não cavalgando ou montado como no TM, LXX, Mateus) sobre um *pōlos onou*, "um potro do jumento" – só uma descrição combinando (*a*) e (*b*).

(2) Na descrição do animal como parte da narrativa da entrada:
- Mc 11,2 e Lc 19,30 falam de um potro (*pōlos*) sobre o qual ninguém jamais montara – portanto, *novo*, como na LXX de (*b*);
- Mt 21,2 e 7 fala de *dois* animais, "uma jumenta e com ela um potro" (*onos* e *pōlos* – vocabulário tomado da forma mateana da citação de Zacarias) e diz que Jesus montou neles (*sic*);
- Jo 12,14 fala de um "jumentinho" (*onarion*, diminutivo de *onos* – não o vocabulário da forma joanina da citação de Zacarias).

15. *Não temais, ó filhas de Sião*. Diferente do restante deste versículo, isto não é parte da citação de Zc 9,9, a qual diz: "Regozijai-vos, ó filhas de Sião". Este, pois, pode ser outro exemplo de uma citação composta em João (ver nota sobre 7,38 no § 29, p. 577s.). As palavras gregas "não temais" ocorrem frequentemente na LXX de Isaías, p. ex., 40,9; mas a expressão completa que João usa parece mais aproximada do TM (não da LXX) de Sf 3,16: "Não temas, ó Sião ['ó filhas de São' ocorre em 3,14]". O propósito desta passagem em Sofonias é assegurar a Jerusalém que "o Rei de Israel, o Senhor" (3,15) está em seu meio. É bem provável que esta seja a fonte de "o Rei de Israel" que Jo 12,13 anexou à citação do Salmo.

16. *os discípulos*. Muitas testemunhas têm "seus discípulos", mas o possessivo se encontra neles em lugares diferentes e provavelmente seja um esclarecimento de copista.

não compreenderam. Literalmente, "sabiam" (*ginōskein*); mas os Códices Bezae e Koridethi têm o verbo quase sinônimo, *noein* ("entender"), que pode ser original.

lhe fizeram. Na verdade, os discípulos não tinham feito nada que fosse parte das profecias do AT. Somente na tradição sinótica trouxeram o jumento e puseram Jesus sobre ele, e assim, inconscientemente, fizeram-lhe "estas coisas que foram escritas sobre ele". BERNARD, II, p. 427, pensa que João está implicitamente evocando a descrição sinótica. Todavia, pode ser que o "lhe fizeram" fosse tomado em termos mais gerais e entendido como equivalente a um passivo ("foi feito a ele").

17. *a multidão*. Ver nota sobre v. 9.

quando Jesus chamou Lázaro. Há um sólido suporte ocidental, mais P^{66}, para a redação "que" em vez de "quando", assim: "A multidão que estava com ele começou a testificar que ele chamara Lázaro"... Esta redação faz sentido e remove qualquer obstáculo de identificar a multidão no v. 17 com o do v. 9. Todavia, provavelmente seja mais sábio optar pela redação mais difícil.

continuava testificando. Presumivelmente, devemos entender que as testemunhas oculares tinham começado seu testemunho, convencendo aqueles de quem fala o v. 9 (e que são parte desta multidão).

18. [*também*]. Esta palavra se encontra em diferentes posições ou é omitida em algumas testemunhas gregas bem antigas. Todavia, o problema das várias multidões poderia ter sido responsável pela omissão.
19. *vedes*. Isto pode ser traduzido como imperativo.

o mundo. Há boa evidência na tradição ocidental para a redação "todo o mundo" ou "o mundo inteiro". "Todo o mundo" é uma expressão idiomática semítica, como o francês *tout le monde*, "todo o mundo". Lc 19,39 registra indignação entre os fariseus ante o entusiasmo com que Jesus era aclamado.

COMENTÁRIO

Versículos 9-11: Transição

A fim de manter vivo o tema de Lázaro no relato da aclamação de Jesus quando entrou em Jerusalém, o autor tem criado um marco de transição, respectivamente, antes e depois do relato da entrada triunfal. O resultado não é inteiramente feliz. Se o v. 12 foi colocado depois do v. 8, então haveria boa sequência; e de fato a confusão das várias multidões desapareceria (ver nota sobre v. 9). Há pouco ou nenhum material original nos vs. 9-11. O v. 10 é uma re-elaboração de 11,53 e serve para lembrar-nos da perversa trama que está prosseguindo por detrás da cena. Em sua determinação de rejeitar o dom da vida, as autoridades destruiriam não só o doador, mas também ao que a recebe. O v. 11 pode ser entendido contra o pano de fundo da luta entre a Sinagoga e a Igreja no final do 1º século. É um tácito convite àqueles judeus que creem em Cristo para que sigam o exemplo de seus compatriotas que já deixaram o judaísmo para seguir Jesus.

Versículos 12-16: A aclamação de Jesus quando entra em Jerusalém

Relação com os relatos sinóticos. O relato da entrada de Jesus em Jerusalém aparece nos três sinóticos; e alguns estudiosos, como FREED, *art. cit.*, mantêm que a narrativa de João é simplesmente uma reelaboração teológica do relato sinótico e que as diferenças podem ser explicadas em termos de adaptação à teologia de João. Nossa tendência é concordar com a refutação que D. M. SMITH lança contra a posição de FREED; ver também DODD, *Tradition*, pp. 152-56.

As versões sinóticas do incidente se encontram em Mc 11,1-10; Mt 20,1-9; e Lc 19,28-38, e exibe variações menores entre elas. É possível formular os seguintes pontos importantes de comparação com João.

(1) O(s) Animal(s): Diferente dos sinóticos, João não tem uma informação introdutória sobre o envio de dois discípulos a encontrar em Betfagé um jumentinho. Só depois que a procissão começou é que João (v. 14) nos informa que Jesus encontrou um jumentinho. Não há razão particular para duvidar-se da descrição sinótica, e neste caso a descrição joanina poderia ser uma adaptação teológica para enfatizar que cavalgar o jumento revela a reação de Jesus à aclamação da multidão. Não obstante, o fato de que o vocabulário joanino para o animal difira daquele dos sinóticos (ver nota sobre v. 14) sugere a outra possibilidade de variação dentro das tradições primitivas do relato.

(2) A(s) multidão(s): João fala de diversas (dois ou três) multidões dos judeus, com algumas acompanhando-o e algumas saindo ao seu encontro. Como já afirmamos, parte deste quadro de confuso entusiasmo é oriunda do ato do autor de atar este incidente ao relato de Lázaro. Os sinóticos não registram um grupo saindo ao encontro de Jesus, mas há discípulos que escoltam Jesus de Betânia a Jerusalém. Lc 19,37 tem uma multidão de discípulos; Mc 11,9 tem alguns que vão adiante dele e alguns que o seguem; somente Mt 21,9 fala destes como multidões. Já chamamos a atenção (p. 712s.) para o paralelo no tema entre a ênfase de João sobre o milagre de Lázaro como a causa do entusiasmo e Lc 19,37 onde os discípulos louvam a Deus em alta voz por todas as obras poderosas que têm visto.

(3) As ações da multidão: Os sinóticos mencionam que os discípulos colocaram suas vestes sobre o jumentinho e também na estrada; João não menciona isto. Em Marcos e Mateus, os que acompanhavam

Jesus cortavam folhas e ramos e os espalhavam sobre a estrada; em João, o povo que saía ao encontro de Jesus trazia ramos de palmeiras (presumivelmente carregando-os em suas mãos). Nestes detalhes, pois, a descrição de João é menos espetacular do que os dos sinóticos. Há uma certa extensão, a ação descrita por João se assemelha a uma das procissões padrão da festa dos Tabernáculos ou da festa da Dedicação onde o povo carregava o *lulab* de murta, salgueiro e palmeira (ver p. 582s.).

(4) O grito da multidão (Sl 118,25-26): (**a**) *Hosana*. Encontrado em Marcos, Mateus, João (Lucas simplesmente menciona seu *louvor* a Deus). Mt 21,9 acrescenta "ao filho de Davi", que não é parte do salmo. (**b**) *Bendito aquele que vem no nome do Senhor*. A mesma coisa em Marcos, Mateus, João (Lucas tem "o rei" em lugar de "ele"). FREED, p. 332, defende a tese de que "Bendito" não se encontra em outro lugar em João. Todavia, visto que todos os evangelhos estão citando a LXX neste ponto, esta palavra não prova a dependência joanina dos sinóticos. (**c**) Marcos acrescenta outra benção: "Bendito é o reino que vem, de nosso pai Davi!". João acrescenta "Bendito é o Rei de Israel". Mateus e Lucas não têm esta parte essencial. Nenhum dos evangelhos segue o salmo: "Nós vos bendizemos desde a casa do Senhor". (**d**) Os sinóticos agregam um "Hosana" final ou "Glória nas maiores alturas" que João não tem.

A modo de avaliação, deve-se notar que João só é mais familiar com os sinóticos em (*a*) e (*b*) onde *todos* se aproximam do salmo. A forma de João de (*c*) poderia ser um rearranjo imaginativo baseado em "o reino de Davi" de Marcos, ou a menção que Lucas faz de "o rei" em (*b*), mas esta possibilidade dificilmente é convincente.

(5) A citação bíblica: Ambos, Mateus e João, citam Zc 9,9. Mt 21,5 o cita por ocasião em que Jesus ordena aos discípulos a irem a Betfagé e providenciarem o(s) animal(s); Jo 12,15 o cita por ocasião de Jesus receber o jumento. Para a dissimilaridade entre as duas citações, ver a respectiva nota. Não há evidência sólida em apoio da contenda de FREED (p. 595ss.) de que João está adaptando a forma de Mateus da citação. O vocabulário que descreve o animal poderia concebivelmente ser uma combinação das duas descrições mateanas, mas poderia também provir de uma tradução e combinação diretas dos termos hebraicos no TM. Certamente, a compreensão que João teve da passagem é diferente da de Mateus (dois animais).

(6) Não há nada nos sinóticos que se assemelhe a Jo 12,16.

Quando pesamos as similaridades e dissimilaridades nestes seis pontos da comparação, descobrimos que em parte de (1), (2), parte de (3) e (6) as variantes de João poderiam ser explicadas como variantes deliberadas da tradição sinótica, variantes guiadas por um motivo teológico. Mas, nestes casos, é igualmente provável que João esteja nos dando uma adaptação teológica de uma tradição similar àquela dos sinóticos, mas não a mesma. A situação em (4) e (5), e as variantes de vocabulário mencionadas na nota sobre v. 14 inclinam a balança em favor da última sugestão.

Interpretação da Cena. Nos sinóticos, isto representa a primeira vez durante seu ministério que Jesus vai a Jerusalém; a entrada é seguida pela purificação do templo. Este fato, combinado com as referências a Davi, tanto em Marcos como em Mateus, parece dar à cena o aspecto da entrada triunfal do rei messiânico que veio para reivindicar sua capital e seu templo (ver TAYLOR, *Mark*, pp. 451-52, para várias outras interpretações possíveis). Em João, o contexto é marcantemente diferente. Jesus esteve em Jerusalém muitas vezes; e enquanto esta entrada provoca entusiasmo, a explicação para o entusiasmo está no milagre de Lázaro. Aliás, para ser preciso, não se afirma especificamente que Jesus *entrou* em Jerusalém, embora isso esteja implícito; e, naturalmente, não há purificação subsequente do templo. Assim, devemos buscar uma interpretação diferente da cena em João.

Notamos que João põe a saudação com palmas e a aclamação do Sl 118 na própria abertura da narrativa, e isto é importante para a interpretação do que Jesus faz. Embora o gesto das palmas possa ser associado com a festa dos Tabernáculos e da festa da Dedicação (ver nota sobre v. 13), FARMER, *art. cit.*, tem argumentado convincentemente que este gesto era evocativo do nacionalismo macabeu e que era um símbolo do nacionalismo que a palma aparecia nas moedas da Segunda Revolta (132-135 d.C.). Quando Judas Macabeu purificou o altar do templo depois de sua profanação pelos sírios (164 a.C.), os judeus trouxeram palmas ao templo (2Mc 10,7: *phoinix* – uma das duas palavras que João usa). Quando seu irmão Simão conquistou a cidadela de Jerusalém (142 a.C.), os judeus tomaram posse dela carregando ramos de palmeiras (1Mc 13,51: *baion* – a única ocorrência na LXX desta outra palavra usada por João). No *Testamento de Naftali* 5, 4, onde ocorre aí a mesma expressão para ramos de palmeiras que João usa, os ramos são dados a Levi como símbolo de poder sobre todo o Israel. Com base neste pano de fundo, a ação da multidão, na cena de João, parece ter implicações políticas, como se dessem as boas-vindas a Jesus como um libertador nacional. Esta sugestão pode receber alguma confirmação na afirmação de que a multidão "saiu ao *encontro* dele [*eis hypantēsin* – v. 13]". Esta era a expressão grega normal usada para descrever a jubilosa recepção de soberanos helenistas numa cidade. Por exemplo, Pergamum saiu ao encontro de Attalus III; Antíoco saiu ao encontro de Tito (Josefo, *War* 7.5.2; 100) – assim A. Feuillet, *JohSt*, pp. 142-43.

A frase que Jo 12,13 adiciona à citação do Sl 118,26 também cheira a nacionalismo. Evidentemente, a multidão interpreta *"aquele que vem* no nome do Senhor" como o *Rei de Israel*. A justaposição destes dois títulos também se encontra na cena da multidão de 6,14-15. Ali o povo designa Jesus como "o Profeta *que há de vir* ao mundo", e Jesus reconhece que isto significa que tentarão fazê-lo rei. Podemos recordar também que o grito de Hosana pela multidão em 12,13 era usado quando se dirigia aos reis (2Sm 14,4; 2Rs 6,26).

Só depois que a multidão expressar assim suas concepções nacionalistas é que Jesus recebe o jumento e o cavalga. A conjunção adversativa que começa 12,14 sugere que isto ocorre como reação à saudação entusiástica. A grande multidão (v. 12) não entendeu bem o milagre de Lázaro e o dom da vida, da mesma forma que outra grande multidão (6,2) na Galileia não entendeu bem a multiplicação dos pães, o pão da vida e tentou fazer Jesus rei. O Sinédrio reagira ao milagre de Lázaro com uma perversa resolução de matar Jesus; Maria de Betânia reagira a ele com gratidão e amor; agora a multidão reage com mal-entendido nacionalista. Jesus busca dispersar esta incompreensão com uma ação profética que os discípulos não entenderão até após a morte e ressurreição (v. 16).

Que o ato de cavalgar o jumento era uma ação profética se vê na citação de Zc 9,9. Como esta profecia interpreta a ação? Esta não é uma ação designada para enfatizar humildade, pois João omite a linha de Zacarias citada por Mateus, a saber, "humilde e montando um jumento". De fato, é como se a parte da citação que pertence a Zacarias só fosse realmente valiosa a João, em termos materiais, a que retrata um rei assentado sobre um jumento (ver, porém, abaixo para a relevância do contexto em Zacarias). O que é importante para João é a primeira linha do v. 15 que aparentemente provém de Sf 3,16 (ver a respectiva nota). A passagem de Sofonias informa Israel que Iahweh está em seu meio como o "Rei de Israel", mas o retrato do rei não é de um nacionalista. Para Jerusalém, saturada da presença de Iahweh, afluirá um povo *de toda a terra* em busca de refúgio (3,19-10). Iahweh salvará Israel de seus inimigos; em particular, Ele salvará a que coxeia e recolherá a que foi expulsa (3,19). Esta passagem lança luz sobre como o Jesus joanino queria que a multidão interpretasse o milagre de Lázaro. É um dom de vida para todo o povo da terra, não um sinal de glória nacionalista para Israel. Não deveriam aclamá-lo como um rei terreno, mas como a manifestação do Senhor seu Deus que veio para seu meio (Sf 3,17) a fim de congregar aos dispersos.

Esta interpretação universalista da ação de Jesus, no verso 14, se adequa bem ao contexto de Jo 11-12. Em 11,52, João interpretou a inconsciente profecia de Caifás no sentido em que Jesus salvaria não só Israel, mas igualmente os gentios. Em 12,19, os fariseus usam uma hipérbole que, por ironia joanina, é mais verdadeiro do que suspeitam: "O *mundo* tem corrido após ele". Toda a cena da entrada triunfal tem sua culminação no momento quando os gentios gregos vêm a Jesus em 12,20. Jesus relaciona isto com sua exaltação para atrair a si *todos os homens* (12,32). O Sinédrio queria que Jesus morresse no lugar de Israel (11,50); a multidão grita em favor dele como Rei de Israel (ver nota sobre "clamaram" em 11,43). Mas a única unção que Jesus recebe é a unção para a morte (12,7); a única coroa que ele usará é a coroa de espinhos (19,2); e a única túnica que ele usará é o manto da zombaria; e quando uma vez ungido e vestido com a túnica, fica em pé diante de seu povo e é apresentado como seu rei, a multidão gritará: "Crucifica-o!" (19,14-15). Assim, eles o levantarão e ele atrairá todos os homens.

Voltando à citação do AT, que é a chave para a ênfase joanina nesta cena, encontramos o mesmo universalismo no contexto de Zc 9,9. Ali, o próprio versículo seguinte diz que o rei que veio montando o jumento "... ordenará paz aos gentios e seu domínio será de mar a mar". De uma maneira apropriada, 9,11 associa tudo isto com o sangue da aliança. E, finalmente, se nos volvermos para outra obra da escola joanina (Ap 7,9), descobrimos uma descrição semelhante de como Jesus Cristo deve ser aclamado. Ali nos deparamos com outra *grande multidão de toda nação carregando palmas* e clamando em louvor da salvação trazida pelo Cordeiro morto.

Resumindo, embora possa haver um elemento de nacionalismo na descrição sinótica da aclamação de Jesus, isto é mais claro em João; e a entrada de Jesus em Jerusalém cavalgando um jumento é uma ação profética designada a contrapor esse nacionalismo. É uma afirmação de uma realeza universal que só será consumada quando for levantado na morte e ressurreição. A peculiar ordem joanina de eventos (aclamação seguida da reação de Jesus em escolher um jumento) e detalhes (palmas – ver respectiva nota para a dificuldade) estão ordenados para este propósito teológico. Se houve, como suspeitamos, uma narrativa joanina independente da entrada triunfal, paralela com a forma sinótica, não obstante esta narrativa foi, em sua ordem e detalhes, fortemente adaptada para adequar-se à perspectiva teológica do escritor. Em 12,16 somos informados que esta perspectiva teológica não surgiu no momento da entrada triunfal, mas só depois da ressurreição. É interessante que em 2,22 temos uma afirmação similar pertinente à purificação do templo e a identificação que Jesus faz de seu corpo como o templo. Esta repetição seria um eco do fato de que estas duas cenas originalmente foram reunidas em João assim como se encontram nos sinóticos?

Versículos 17-19: Conclusão e transição

Nesta parte da estrutura redacional, que se liga com os vs. 9-11, o tema sobre Lázaro volta à tona. A multidão associada com o milagre de Lázaro é agora levada ao encontro da multidão associada com a entrada em Jerusalém. Notemos o equilíbrio artístico entre os vs. 9-11 e 17-19: ambos começam com o tema da multidão e do milagre de Lázaro; ambos terminam enfatizando a hostilidade das autoridades, principais sacerdotes e fariseus. O v. 11 enfatiza que muitos judeus chegaram a crer em Jesus; 19 enfatiza que o mundo inteiro vai após ele. No v. 19, os fariseus desferem a mesma nota de desespero que fizeram soar juntamente com os sacerdotes em 11,47-48; e como Caifás, embora menos dramaticamente, falam em profecia. O "mundo" vai após Jesus, mas em um sentido mais profundo do que eles entendiam.

BIBLIOGRAFIA

FARMER, W. R., "The Palm Branches in John 12, 13", JTS N.S. 3 (1952), 62-66.
FREED, E. D., "The Entry into Jerusalem in the Gospel of John", JBL 80 (1961), 329-38.
SMITH, D. M., "John 12, 12ff. and the Question of John's of the Synoptics", JBL 82 (1963), 58-64.

43. CENAS PREPARATÓRIAS PARA A PÁSCOA E A MORTE: – A CHEGADA DA HORA
(12,20-36)

A vinda dos gregos marca a chegada da hora

12 ²⁰Ora, entre os que subiram para adorar durante a festa havia alguns gregos. ²¹Aproximaram-se de Filipe, que era de Betsaida na Galileia, e lhe fizeram um pedido: "Senhor", disseram, "gostaríamos de ver Jesus". ²²Filipe foi e disse a André; então ambos, Filipe e André, vieram e informaram Jesus. ²³Jesus lhes respondeu:

> "É chegada a hora
> para o Filho do Homem ser glorificado.
> ²⁴Solenemente vos asseguro:
> a menos que o grão de trigo caia na terra e morra,
> ele permanece apenas um grão de trigo.
> Mas se ele morrer,
> gera muito fruto.
> ²⁵O homem que ama sua vida,
> a perde;
> enquanto que, o homem que odeia sua vida neste mundo,
> a preserva para viver eternamente.
> ²⁶Se alguém me servir,
> que me siga;
> e onde eu estou
> estará também meu servo.

22: *foi, disse, disse*; 23: *respondeu*. No tempo presente histórico.

> O Pai honrará
> àquele que me serve.
> ²⁷Agora minha alma está conturbada.
> Todavia, o que eu diria –
> 'Pai, salva-me desta hora'?
> Não, esta é justamente a razão por que eu vim para esta hora.
> ²⁸'Pai, glorifica o teu nome'!"

Então uma voz veio do céu:

> "Eu o tenho glorificado
> e o glorificarei novamente".

²⁹Quando a multidão que estava ali ouviu isto, disseram que era um trovão; outros, porém, afirmavam: "Foi um anjo que lhe falou". ³⁰Jesus respondeu: "Essa voz não veio por minha causa, e sim pela vossa.

> ³¹Agora é o julgamento deste mundo.
> Agora o Príncipe deste mundo será expulso.
> ³²E quando eu for levantado da terra,
> Atrairei todos os homens a mim".

(³³Esta sua declaração indicava que tipo de morte ele estava para morrer). ³⁴A isto, a multidão objetou: "Temos ouvido da Lei que o Messias há de permanecer para sempre. Como declaras que o Filho do Homem deve ser levantado? Quem é este Filho do Homem?" ³⁵Então Jesus lhes informou:

> "A luz está entre vós somente por pouco tempo.
> Andai enquanto tendes a luz,
> ou as trevas virão sobre vós.
> O homem que anda na escuridão
> não sabe para onde está indo.
> ³⁶Enquanto tendes a luz,
> mantendes vossa fé na luz,
> e então vos tornareis filhos da luz".

Depois de falar isto, Jesus os deixou e saiu para ocultar-se.

NOTAS

12.20. *Ora... havia alguns*. Para este estilo na abertura da narrativa, ver 3,1.

gregos. *Hellēnes* ou gentios (neste caso, prosélitos), não *Hellēnistai* ou judeus de fala grega. Ver nota sobre 7,35. Somente a compreensão de que os primeiros gregos que foram a Jesus explica sua exclamação de que é chegada a hora (v. 23).

21. *Betsaida na Galileia*. Ver nota sobre 1,44. Há quem pense que aqui se menciona a Galileia em razão de sua associação com os gentios (Mt 4,15, citando Is 9,1).

ver Jesus. "Ver" pode ter o sentido de "visitar com, encontrar" (BAG, p. 220, *eidon* § 6), como em Lc 8,20; 9,9. Todavia, no contexto teológico joanino é possível que "ver" signifique "crer em".

23. *lhes respondeu*. O "lhes" se refere a Filipe e André ou aos gregos? Na verdade, a resposta de Jesus é um comentário sobre toda a cena e não uma resposta direta a qualquer dos dois grupos.

glorificado. A menção de "glória" imediatamente após a aclamação com palmas [ramos] tem um interessante paralelo em Lc 19,38, onde, durante a entrada em Jerusalém, a multidão grita: "glória nas maiores alturas".

24. *o grão*. Um uso parabólico do artigo (Lc 8,5.11: "o semeador... a semente").

trigo. *Sitos* pode significar "trigo", em particular, ou "grão", em geral. É usado na parábola do trigo e do joio em Mt 13,25.

caia na terra. Literalmente, "caindo na terra, morre"; a ênfase está em morrer.

permanece apenas um grão de trigo. Literalmente, "permanece sozinho". O verbo *menein* (ver Apêndice I:8, p. 794ss), em João, é usado em relação a pessoas, o Espírito, amor, alegria, ira e a palavra.

25. *ama... odeia*. O uso semítico favorece contrastes vívidos para expressar preferências. Dt 21,15; Mt 6,24; Lc 14,26 são mais exemplos disto.

sua vida. *Psychē* às vezes tem sido traduzida por "alma", mas a antropologia judaica não continha o dualismo de alma e corpo que esta tradução poderia sugerir. *Psychē* se refere à vida física; pode também significar o ego de alguém (Heb. *nefeš*). Em 10,15 se refere à vida, e esse parece ser também o significado aqui.

a perde. *Appolynai* pode significar "perder" ou "destruir"; o último parece que propicia um melhor contraste com "preserva". Alguns manuscritos têm um tempo futuro aqui, mas isto constitui uma harmonização com os sinóticos onde se usa o futuro em sua forma desta afirmação – ver comentário.

viver eternamente. Literalmente, "para a vida eterna"; isto é *zōē*, a vida que o crente recebe do alto.

26. *se alguém*. Enquanto o dito tem paralelos sinóticos (ver comentário), este tipo particular de condição indefinida é joanino. Outros aspectos joaninos no grego deste versículo são o quiasmo e o uso do adjetivo possessivo pronominal.

o Pai honrará. Temos ouvido da honra que os homens rendem a Jesus ou ao Pai (5,23; 8,49), aqui, porém, temos um exemplo da reciprocidade na vida eterna prometida em João.

27. *alma*. *Psychē* como no v. 25; aqui, porém, o perigo de interpretação dualística equivocada não parece tão grande. Poderíamos traduzir isto "estou agitado"; mas quando estão envolvidas as emoções, "alma" ajuda a expressar os aspectos sensitivos do homem.

salva-me. Em Hb 5,7 há uma referência à angústia de Jesus diante da morte: "Jesus ofereceu orações e súplicas Àquele que tinha poder de *salvá-lo* da morte". Isto se assemelha à tradição encontrada em João, pois as narrativas sinóticas da agonia não usam o verbo "salvar".

esta é justamente a razão. Alguns o traduziriam na forma de pergunta: "Foi por esta razão que eu vim para esta hora [i.e., ser salvo da hora]?"

28. *teu nome*. Há uma evidência respeitável para a redação "teu Filho", mas, provavelmente, esta seja uma evidência cruzada de 17,1. Aqui, o Codex Bezae adiciona uma cláusula de 17,5.

uma voz veio do céu. BERNARD, II, p. 438, sugere que isto é um *qōl* ("uma filha da voz" – um tipo de inspiração divina inferior, o produto da palavra de Deus que outrora vinha aos profetas, mas agora já não era ouvida em Israel em sua prístina força). Não obstante, este termo rabínico realmente não se adequa ao quadro neotestamentário onde a voz de Deus é vista como uma manifestação suprema, p. ex., no batismo de Jesus. O paralelo mais estreito seria no *Testamento de Levi* 18,6-7: "Os *céus* serão abertos e a santificação virá sobre ele desde o templo da glória com *a voz do Pai*, como de Abraão para Isaque; e a *glória* do Altíssimo será enunciada sobre ele".

o tenho glorificado/e o glorificarei. Com nenhum tempo do verbo sendo o objeto expresso.

29. *trovão*. No AT, seja de forma popular ou poética, o trovão era descrito como a voz de Deus (1Sm 12,18). A intenção de João é que pensemos que o trovão acompanhava a voz, ou que o som da voz foi confundido com o trovão? A sugestão alternativa de que um anjo estava falando favorece a última. Nenhuma sugestão da multidão indica que a voz foi entendida (ver At 9,7; 22,9).

um anjo que lhe falou. Para vozes angélicas vindas do céu, ver Gn 21,17; 22,11. A teoria de que este versículo em João forma uma inclusão com a menção de anjos em 1,51 parece improvável.

31. *Príncipe deste mundo*. Este é um termo joanino para Satanás (14,30; 16,11), mas talvez ocorra também em 1Cor 2,6-8, onde Paulo fala dos príncipes ou poderes deste mundo condenados. Em 2Cor 4,4, Paulo fala do hostil "deus deste mundo"; Ef 2,2, fala de "o príncipe do poder do ar"; e Ef 6,12, fala de "os dominadores deste mundo tenebroso". INÁCIO de Antioquia usa o termo joanino várias vezes em seus escritos. O equivalente hebraico, *śar haʻōlām*, se encontra em escritos rabínicos como uma referência a Deus, não a Satanás. BARRETT, p. 355, conclui que João, aparentemente, não está, neste ponto, em estreito contato com o pensamento judaico. Entretanto, o dualismo modificado implícito no perfil que João traça de uma luta entre o Príncipe deste mundo e Jesus é muito estreito com o quadro de Qumran de uma luta entre o anjo das trevas e o príncipe das luzes (ver CBQ 17 [1955], 409ss., ou NTE, p. 109ss.).

expulso. Há nas versões respeitável evidência em prol da leitura "lançado fora". O fato de que "lançado fora [expulso]" é o vocabulário joanino mais comum (6,37; 9,34; 15,6) dá origem à possibilidade de que a redação mais bem atestada seja o produto de uma tendência de copista para a conformidade.

32. *da terra*. Há forte evidência patrística, mas praticamente nenhuma evidência de manuscrito; para a omissão destas palavras, ver RB 57 (1950), 391-92.

atrairei. Ver nota sobre 6,44 para possível relação com Jeremias. Tal relação forneceria um pano de fundo do amor divino pactual para o levantamento de Jesus e seus efeitos.

todos os homens. Há interessante atestação, incluindo P[66], para uma leitura plural neutra que faria o levantamento de Jesus eficaz sobre todas as coisas. Não obstante, BDF, § 138[1], sugere que é simplesmente um neutro usado para uma referência masculina geral.

33. *indicava*. O verbo é *sēmainein*, relacionado com *sēmeion*, "sinal". O sinal se encontra na expressão que Jesus usa: "levantado" é um sinal da crucifixão. Nesta passagem não há nada que endossaria a tese de que a morte de Jesus era em si um sinal; antes, como parte de ser levantado, a morte de Jesus pertence à gloriosa realização do plano de Deus, não aos sinais dessa realização.

tipo de morte. O parênteses explicativo relaciona ser levantado com ser crucificado; isto se fará evidente em 18,31-32, que indica uma punição romana. Que a crucifixão não exaure o conceito de ser levantado foi mostrado na p. 354. É possível que o redator que inseriu o v. 33 estivesse pensando que a crucifixão não só levantaria o corpo de Jesus, mas também estenderia seus braços a atrair os homens. Ver uma referência similar à crucifixão de Pedro em 21,19.

34. *da Lei.* Como mencionamos na nota sobre 10,34, "Lei" pode referir-se a todo o AT. Mas, mesmo com este sentido amplo, é difícil encontrar uma passagem particular que diga que o Messias há de permanecer para sempre. BARRETT, p. 356, parece inclinado a decidir pelo ensino messiânico comum das Escrituras, em vez de uma passagem individual. É verdade que há muitas passagens que concernem ao eterno governo da linhagem ou rei davídico (Sl 89,4; 110,4; Is 9,7; Ez 32,25), e outras passagens que concernem ao eterno governo do (ou de um) Filho do Homem (Dn 7,14; *1 Enoque* 49,1; 62,14). Mas não há texto que diga que o Messias *permanece* para sempre. De fato, "permanecer para sempre" é uma expressão que o AT aplica a Iahweh, Sua justiça, verdade, louvor etc. VAN UNNIK, *art. cit.*, tem apresentado a melhor sugestão feita até então. Ele aponta para o Sl 89,36, o qual diz que "a semente de Davi permanece para sempre". Este é um Salmo que é interpretado messianicamente tanto no NT (At 13,22; Ap 1,5; 3,14) como nas fontes rabínicas (StB, IV, p. 1308; *Midrásh Rabbah* 95,20 sobre Gênesis, Soncino ed., p. 901). Embora o v. 36 fale da "semente", o v. 51 fala do "ungido" (messias).

quem é este Filho do Homem. Na verdade, é a multidão e não Jesus que menciona o Filho do Homem. Seria este um pedido para identificar o Filho do Homem, dando o nome da pessoa que é o Filho do Homem? Ou seria este uma solicitação sobre sua natureza e relação com o Messias? Ver comentário

35. *entre vós.* Literalmente, "em vós"; em At 4,34 "em" significa "entre". O "convosco" da texto padrão bizantino é um esclarecimento de copista imitando o estilo joanino.

as trevas virão sobre vós. Este verbo, *katalambanein*, aparece como "vencer" em 1,5; ver nota ali.

O homem que... Este dito é quase idêntico com 1Jo 2,11.

36. *saiu para ocultar-se.* Assim também após [a festa dos] Tabernáculos (8,59).

COMENTÁRIO

A menção da festa, no v. 20, liga esta cena ao contexto geral da Páscoa, a qual tem servido de pano de fundo para 11,55 em diante. A ambientação se consegue com um mínimo de elementos. Pode-se supor que a intenção do autor era situar a cena imediatamente depois da entrada de Jesus em Jerusalém; e, deveras, nos recintos do templo onde Jesus costumava ensinar. Do ponto de vista da sequência de pensamento, a cena é uma inclusão ideal aos capítulos 11-12. O capítulo 11 começou anunciando que o propósito do milagre de Lázaro era "para que o Filho [de Deus] fosse glorificado através dele". Agora chegou a hora para esta glorificação (12,23). O milagre de Lázaro deu início à sequência de ações que apontam para a morte de Jesus; agora chegou a hora para Jesus ser levantado na crucifixão (11,32-33). O milagre de Lázaro apontou para Jesus como a ressurreição e a vida (11,25); agora começa com a hora em que Jesus será levantado na ressurreição e atrair todos os homens a si para dar-lhes vida (12,32.24). Nos capítulos 11-12, vimos uma série de referências universalistas salientando a intenção de Deus de salvar os gentios; agora os gentios vêm a Jesus (12,20-21) para vê-lo. Realmente, esta é uma cena culminante.

Versículos 20-22: A chegada dos gregos

A implicação teológica desta cena é relativamente clara quanto ao que dissemos sobre o universalismo. Jesus dissera que daria sua vida e que outras ovelhas não pertencentes ao aprisco se juntariam ao rebanho. O surgimento de gentios querendo ver Jesus (crer nele?) indica que este é o tempo dele dar sua vida. Entretanto, parece que a implicação teológica de tal modo dominou o interesse do autor que abreviou sua descrição do que aconteceu, a ponto de torná-lo enigmático. Podemos conjecturar que estes gentios se aproximaram de Filipe, o qual portava um nome grego e que veio de uma área predominantemente gentílica, porque ele falava grego. Por que Filipe consultaria André não fica claro, exceto que estes dois discípulos trabalhavam em equipe com João (6,5-8). A *vinda* dos gentios é tão importante teologicamente, que o escritor nunca nos informa se chegaram a ver Jesus, e de fato desaparecem da cena de modo muito semelhante como no capítulo 3 Nicodemos saiu de vista furtivamente. A própria estranheza de tudo isto sugere que um incidente bem pouco conhecido da tradição primitiva foi usado como a base para adaptação teológica. Não há nada intrinsecamente improvável no incidente básico.

Versículo 23 (27-28): A hora da glorificação

Muitas vezes neste evangelho ouvimos Jesus afirmar que sua hora (ou tempo: 7,6.8) ainda não havia chegado (2,4; 7,30; 8,20), i.e., a hora da volta de Jesus para seu Pai através da crucifixão e ascensão (ver Apêndice I:11, p. 794ss.). Agora, e consistentemente nos próximos capítulos (13,1; 17,1), somos informados que a hora havia chegado. Evidentemente, a vinda dos gregos indicou isto; e Jesus, cuja vida não podia ser tirada dele involuntariamente (10,17-18), está pronto para a hora de entregar sua vida e retomá-la. No v. 27, ele resiste a tentação de pedir a seu Pai que o salve da hora; em vez disso, ele se regozija na oportunidade de glorificar a seu Pai que a hora propiciará.

Visto que os vs. 27-28 retomam os temas da hora e da glória que se encontram em 23, não é improvável que em alguma época 23,27-28 eram unidos. Em CBQ 23 (1961), 143-48 (NTE, pp. 192-98), mostramos que, embora João não descreva uma agonia no Getsêmane tal como a encontrada na tradição sinótica, há elementos dispersos através de João que formam paralelo com a cena sinótica da agonia. Alguns desses elementos estão presentes nesta seção do capítulo 12 (ver também comentário sobre 14,30-31; 18,11): (a) Nos sinóticos, é somente na cena da agonia que "a hora" se torna uma expressão técnica para a paixão e morte de Jesus (Mc 14,35; Mt 26,45; ver nota sobre "tempo" em Jo 7,6). Um paralelo marcante com Jo 12,23 se encontra em Mc 14,41: "A hora já chegou". (b) Jo 12,27: "Minha alma está angustiada [*tarassein*]" é paralelo com Mc 14,34: "Minha alma está conturbada [*perilypos*]". Ambas refletem Sl 42,5: "Por que estás perturbada [*perilypos*], ó minha alma, e por que te perturbas [*syntarassein*] dentro de mim?" (c) Jo 12,27: "Pai, salva-me desta hora?" é paralelo com Mc 14,35-36: "Ele orou: Se possível, passa de minha esta hora... ó Pai... remove de mim este cálice". Em ambos os casos, Jesus reconhece que esta não é a vontade do Pai. (d) Há uma possível comparação adicional muito tênue entre a voz do céu que algumas pessoas pensar ser de um anjo (Jo 12,29) e o anjo no jardim mencionado em alguns manuscritos de Lucas (22,43).

Não é necessário que antecipemos a conclusão, dizendo que João nos apresenta uma forma desmembrada da cena sinótica da agonia. É bem provável que Jesus antecipasse a experiência da agonia em face da morte como descrita na cena sinótica, pois isto não é um tipo de incidente que a Igreja primitiva inventasse acerca de seu Senhor glorificado. Todavia, visto que não houve testemunhas que pudessem endossar a oração de Jesus durante a agonia (os discípulos estavam adormecidos à distância), a tendência seria preencher o esquema da cena do Getsêmane com orações e expressões vocais da parte de Jesus em outros momentos. Portanto, o quadro joanino em que tais orações e expressões se acham dispersas realmente *podem* ser mais aproximadas da situação original do que a cena sinótica mais organizada.

Versículo 24: A parábola da semente que morre

O v. 23 se acha agora separado dos vs. 27-28 por uma série de ditos que constituem um magnífico comentário sobre o tema da morte e vida. Embora a atual sequência seja o produto de rearranjo redacional, o autor empregou alguns ditos de Jesus, que circulavam nos círculos joaninos, que têm uma plausível reivindicação de representar a tradição primitiva.

O v. 24 tem sido o tema de estudo por Rasco, *art. cit.*, e Dodd, *Tradition*, pp. 36-69. Tanto no formato quanto no simbolismo, ele representa uma pequena parábola muito similar às parábolas sinóticas. Tem seus aspectos joaninos peculiares: (*a*) o duplo "amém", ao qual traduzimos "Solenemente vos asseguro" ["Em verdade, em verdade vos digo"]; (*b*) o verbo *menein*, "permanecer"; (*c*) o uso de *pherein* na expressão "dar fruto", como contrastado com os verbos sinóticos mais comuns *poiein* ou *dounai*. Todavia, por exemplo, há bons paralelos sinóticos para uma parábola que começa com uma condicional (Mt 5,13; Mc 3,24); e conseguimos um paralelo perfeito a contrastar as condicionais de João em Mt 6,22-23. Quanto ao simbolismo, os sinóticos têm uma parábola sobre *um grão* de mostarda (Mc 4,30-32) e diversas parábolas que tratam do trigo ou grão em geral; por exemplo, o Semeador e a Semente em Mc 4,1-9 e o grão que cresce secretamente em Mc 4,26-29.

O significado geral da parábola joanina é claro à luz do contexto: Jesus está falando da morte como o meio de chegar à vida. Aliás, em sua atual sequência, após a vinda dos gregos, a intenção é indicar a morte de Jesus como o meio de trazer vida a todos os homens (12,32). Os detalhes da parábola não carecem de ser alegorizados; por exemplo, o cair na terra não é uma referência à Encarnação. Devemos notar que o contraste de morrer e dar fruto não é o de morrer e então permanecer improdutivo. Poderíamos esperar uma alternativa da semente apodrecendo; todavia, a parábola não se preocupa com o destino do grão, e sim com sua produtividade – ou permanece estéril ou produz fruto. Este fruto deve ser entendido no mesmo sentido que em 4,36, onde o contexto dos ditos sobre a ceifa mostrou que o fruto consistia nas pessoas que estavam indo a Jesus e, portanto, a Deus.

O aspecto peculiar desta parábola é a insistência de que é somente através da morte que se produz fruto. Há quem saliente que não há mensagem similar em qualquer parábola sinótica, e que mesmo nas predições sinóticas da paixão onde ouvimos que o Filho do Homem *deve* morrer (Mc 8,31; também Lc 24,26), não há ênfase sobre os resultados frutíferos dessa morte. Mc 10,45: "... dar sua vida como resgate por muitos" vem à memória, mas certamente isto está longe do gênero parabólico. Quanto à imagem de gerar fruto, podemos sugerir um possível paralelo sinótico que tem suas raízes no AT. Não há no AT bons paralelos para a parábola de João, embora Is 60,10-11 seja interessante. Não obstante, a expressão "muito fruto" é usada no grego de Dn 4,12 (tanto na LXX como em Teodocião) para descrever a grande árvore do sonho de Nabucodonosor. Este mesmo versículo do AT é usado na parábola sinótica da Semente de Mostarda (Mc 4,32), onde somos informados que a árvore que cresce de um pequeno grão de mostarda fica tão grande que as aves do céu podem aninhar-se nela. TAYLOR, *Mark*, p. 270, comenta que, visto que em Daniel a árvore simboliza a proteção que um grande império dá a seus súditos, é razoável pressupor que a parábola sinótica do reino contemple as nações gentílicas. Assim, em João e nos sinóticos temos duas parábolas concernentes à produtividade de um grão (de trigo, de mostarda); ambas contemplam a vinda dos gentios a Deus, e é bem provável que ambas estejam recorrendo à imagem de Dn 4,12. Se uma vez mais nos lembrarmos que descrição sinótica do reino tem muito em comum com a descrição joanina de Jesus, podemos ver quanta familiaridade existe na parábola joanina básica entre as parábolas tradicionais de Jesus.

Devemos mencionar que outros têm buscado num horizonte mais amplo o pano de fundo desta parábola joanina. Alguns, como HOLTZMANN, traçam uma comparação com as religiões de mistério onde o ciclo anual da morte e renascimento era dramatizado com uma espiga de trigo. Todavia, o caráter automático e imutável deste ciclo formaria um pano de fundo pobre para a concepção que João tem da morte e ressurreição de Jesus na qual a livre escolha que Jesus faz do tempo e condição é fortemente enfatizada. DODD, *Interpretation*, p. 372[1], sugere que os leitores helenistas de João estariam cientes de que o simbolismo no qual há no homem uma semente divina, a qual vem de cima e se destina a retornar a essa fonte. Mas isto não estaria longe da ideia de João de que a morte de Jesus capacita outros a irem a Deus? O paralelo valentiniano que DODD cita sobre o Homem Celestial que morreria a fim de outras sementes encontrem seu caminho no Pleroma que poderia ter sido influenciado por João, em vez de constituir um paralelo independente. Um paralelo melhor se encontra em 1Cor 15,35ss., onde Paulo fala da semente que não gera vida a menos que seja semeada; ele menciona a ressurreição do corpo à luz desta figura. A imagem não é exatamente a mesma que a de João, e a sugestão de LOISY (p. 641) de que João poderia ter emprestado de Paulo é injustificada. Aqui, como em outro lugar, a linguagem figurativa de Paulo poderia ter sido influenciada por uma tradição oral das parábolas de Jesus (ver D. M. STANLEY, CBQ 23 [1961], 26-39).

Versículo 25: Sobre amar e odiar a própria vida

Frequentemente tem-se sugerido que este versículo é uma variação joanina de um dito sinótico, mas DODD, *art. cit.*, agora tem demonstrado que a situação é mais complexa. Há cinco ditos registrados nos evangelhos sinóticos sobre este tema; quando analisados, os ditos se incluem em três categorias: (*a*) Mc 8,35; Lc 9,24; (*b*) Mt 10,39 e, em parte, 16,25; (*c*) Lc 17,33. Comparemos agora estes grupos de sentenças em termos das atitudes alternativas para com a própria vida de alguém que são oferecidas:

1. Perder a vida:
   (*a*) Quem deseja salvar (*sōzein*) sua vida a perderá (*apollynai*).
   (*b*) O homem que acha (*eurein*) sua vida a perderá (*apollynai*).
   (*c*) Quem busca ganhar (*peripoieisthai*) sua vida a perderá (*apollynai*).

Notamos que os esquemas sinóticos para o tema variam entre um particípio geral em (*b*) e o relativo indefinido em (*a*) e (*c*); estes provavelmente representem dois diferentes modos de traduzir o original aramaico para o grego. Há uma variação no verbo da protáse ("salvar, achar, ganhar"), mas sem que isto implique muito em uma mudança de sentido. O verbo grego na apódose é sempre o mesmo, mas parece ser usado em seus diferentes significados de "perder" e "destruir".

2. Preservar a vida:

(a) Mas quem perder (*apollynai*) sua vida por minha causa a salvará (*sōzein*).

(b) E o homem que perde (*apollynai*) sua vida por minha causa a encontrará (*eurein*).

(c) E quem perde [a] (*apollynai*) a conservará viva (*zōogonein*).

Notamos que, enquanto (a) e (b) usam os mesmos verbos como em 1, simplesmente invertendo-os, (c) introduz um novo verbo na apódose. Em (a) e (b) há uma frase explicativa na prótase, a saber, "por minha causa" (ou "pelo evangelho" em importantes testemunhas de Mc 8,35); em (c) não há essa frase e, deveras, nenhum objeto para o verbo da prótase. Em (b) e (c), "e" introduz a sentença, enquanto em (a) usa-se "mas".

Fazendo uma comparação geral, (a) e (b) têm muito em comum, sendo a diferença principal a de vocabulário. O vocabulário em (c) exibe elegância lucana. Em contrapartida, a omissão da frase em 2 (c) parece muito primitiva. Nem um único padrão representa a forma original do dito.

Voltemos agora à forma que João dá às atitudes alternativas para com a vida:

1. O homem que ama (*philein*) sua vida, a perde (*apollynai*);
2. e o homem que odeia (*misein*) sua vida neste mundo a preserva (*phylaxein*) para viver eternamente.

O esquema de João, embora também consista em paralelismo antitético com membros bem balanceados, é tão diferente de qualquer um dos esquemas sinóticos como são diferentes entre si. É mais parecido com o esquema sinótico (c) em que usa mais de dois verbos básicos – quatro verbos, comparados aos três em (c) –, todavia, os verbos joaninos são verbos simples sem a elegância lucana de (c). O verbo "preservar", de João, é equivalente ao "salvar" de (a). Como (a) e (b), João anexa em 2 uma frase explicativa na prótase ("neste mundo") como comparado à sinótica "por minha causa", mas João também nivela isto com a frase explicativa na apódose, "viver eternamente". Estas frases representam o familiar contraste joanino entre a vida neste mundo e a vida eterna (ver Apêndice I:6, p. 794ss). Como (b), João usa o particípio geral, em vez do relativo indefinido, para o sujeito de 1. De tudo isto, temos de concordar com Dodd de que não há prova real para tratar a forma joanina do dito como uma adaptação de um esquema sinótico.

Jo 12,25, se apoia em uma variante independente de um dito atribuído a Jesus, uma variante comparável em cada forma às variantes representadas na tradição sinótica. Dodd sugere ainda que a forma de João é, em certos aspectos, mais parecida com o dito aramaico original do que em qualquer dos padrões sinóticos.

O contraste básico na forma joanina do dito é entre amar e odiar alguém a vida. Este par de opostos é bem atestado biblicamente, como vemos em uma comparação de Lc 14,26: "Se alguém não odiar a seu pai e mãe... e inclusive sua própria vida"..., com a forma mateana do mesmo dito: "Aquele que amar pai ou mãe mais que a mim"... (Mt 10,37). João condena o amor que alguém sente pela vida neste mundo; em outro lugar encontramos condenações de amor pelas trevas (3,19) e de amor pela glória entre os homens (12,43). No dualismo joanino, estes três elementos – trevas, este mundo e glória humana – são apenas diferentes facetas do reino do mal; e o amor que alguém sente para com eles representa uma indisposição de amar a Jesus acima de tudo.

Ao enfatizar a necessidade de odiar alguém a vida neste mundo a fim de viver eternamente, o v. 25 reitera numa forma não parabólica o tema do v. 24, isto é, a necessidade de morrer a fim de viver. Aqui, entretanto, o tema é aplicado de uma maneira diferente. No v. 24, Jesus teria que morrer a fim de levar outros à vida; agora vemos que o seguidor de Jesus não pode escapar da morte não mais que seu próprio Senhor, senão que tem de passar pela morte para que tenha a própria vida eterna. Poderíamos dizer que o v. 25 explica o modo como o novo grão produzido pela semente do v. 24 conquista uma vida propriamente sua. Deve-se notar que um grupo das formas sinóticas não mencionadas deste dito (Mc 8,35 e par.) se encontra imediatamente após a primeira predição que Jesus faz de sua morte (Mc 8,31) e a ênfase sobre a necessidade de cada um dos discípulos carregar a cruz (Mc 8,34). Assim, esta interpretação sinótica do dito é bem parecida com a de João.

Versículo 26: O seguidor de Jesus

Acabamos de mencionar que o paralelo marcano (8,35) com Jo 12,25 sobre preservar e destruir a vida é imediatamente precedido (8,34) pela afirmação: "Se alguém deseja vir após mim, negue-se a si mesmo, tome sua cruz e siga-me". Este é o paralelo para Jo 12,36.

Assim, ambas as tradições, sinótica e joanina, juntam estes dois ditos, porém em ordem inversa. Em ambas as tradições, o dito sobre seguir Jesus requer a disposição de imitar Jesus no sofrimento e na morte.

A tradição sinótica fala de alguém que quer *ir após* Jesus; João fala de alguém que quer *servir* Jesus. DODD, *Tradition*, p. 353, pensa que o verbo joanino *diakonein* pode representar uma adaptação posterior do dito à situação da Igreja. Os evangelhos sinóticos falam do "serviço" que Jesus presta a outros (Lc 22,27) e da necessidade que seus discípulos têm de "servir" a outros homens (Mc 9,35), porém não se refere aos discípulos como servos de Jesus. Todavia, embora seja possível que DODD esteja certo, notamos que as mulheres que *seguiam* Jesus diz-se que o *serviam* (Mc 15,41; ver Lc 10,40). Portanto, não é impossível que a forma que João dá a esta afirmação seja antiga.

Na última parte do v. 26, Jesus mostra a seus servos o que receberão por segui-lo, a saber, estarão com ele e o Pai os honrará. Este é outro modo de dizer o que foi dito no v. 25 sobre preservar a vida para viver eternamente, pois a vida eterna se relaciona com estar com Jesus no amor do Pai.

Já declaramos que os ditos dos vs. 24-26, os quais representam uma inserção entre 23 e 27-28, supõem, apesar disso, um esplêndido comentário sobre o significado que terá a hora da morte e ressurreição de Jesus para todos os homens. Uma ação demonstrativa que une os temas destes ditos se encontra na vida de INÁCIO de Antioquia em cujos escritos parece ter os mais antigos ecos do pensamento joanino. INÁCIO seguiu rumo à morte de mártir, desejando odiar sua vida neste mundo a fim de viver eternamente e, assim, deu exemplo de como um servo deve seguir Jesus. Quando ele fez isso, clamou: "Eu sou o trigo de Deus" (*Romans* iv 1).

Versículos 27-30: A hora da glorificação (recapitulada do v. 23) e a voz do Pai

Nesta cena tão paralela com a agonia no jardim, vemos a verdadeira humanidade do Jesus joanino. Não menos que nos sinóticos, o Jesus joanino se sente temeroso em face da terrível luta com Satanás (v. 31) que a hora de sua paixão e morte acarreta. Se na agonia ele luta com o desejo humano que se passe dele o cálice do sofrimento (Mc 14,36), assim em João ele luta com a tentação de clamar a seu Pai que o salve da hora. Mas ele triunfa em cada cena, submetendo-se à vontade ou plano do Pai. A oração (28), "Pai, glorifica teu nome", realmente é a súplica para que o plano do Pai seja consumado; pois o nome que o Pai confiou a Jesus (17,11.12) só pode ser glorificado quando seu portador for glorificado através da morte, ressurreição e ascensão. Somente então é que os homens virão a compreender o que o nome divino, "EU SOU", significa quando aplicado a Jesus (8,28). O v. 28 nos dá a forma joanina da petição na oração do Senhor: "Santificado seja o teu nome". (Esta petição, propriamente traduzida como "que o teu nome seja santificado" não é um pedido para que os homens louvem o nome de Deus, e sim um pedido para que Deus santifique Seu próprio nome – ver TS 22 [1961], 185-88. As primeiras três petições na oração do Senhor são sinônimas, e a primeira petição tem a mesma implicação que a terceira: "seja feita a tua vontade", ou "que a tua vontade se concretize". Como temos ressaltado, o paralelo na agonia com a "glorificado seja o teu nome" de João está no "seja feita a tua vontade" de Mt 26,42).

A submissão de Jesus ao plano de Deus de fazer Seu nome glorificado em Jesus é satisfeita com a confirmação da resposta do Pai. Esta é a primeira vez em João que o Pai falou desde o céu, visto que não havia voz desde o céu no relato joanino do batismo de Jesus e não há no relato joanino da Transfiguração. Todavia, como salienta BULTMANN, p. 327[7], esta cena em João incorpora alguns dos temas que os sinóticos têm incorporado na cena da Transfiguração. Na sequência em Marcos, a Transfiguração (9,2-8) segue a primeira predição que Jesus faz de sua morte (8,31) e se destina à antecipação da majestade (ou "glória" em Lc 9,32) do Cristo ressurreto. A voz do Pai que fala desde o céu reconhece Jesus como o Filho. Assim também em João, após enfatizar a morte de Jesus em 12,24-25, a voz do Pai desde o céu promete que o nome divino será glorificado outra vez, isto é, no levantamento de Jesus (v. 32).

Os dois tempos do verbo "glorificar", na resposta divina (v. 28), são enigmáticos. Qual é a exata referência ao tempo pretérito (aoristo) e ao futuro? Podemos distinguir três soluções:

(a) É improvável que tenhamos aqui uma referência à glória preexistente e do Jesus ressuscitado. Embora Jesus fale da glória que ele possuía antes que o mundo existisse (17,5), dificilmente esta seja uma glorificação do nome divino. Tal glorificação envolve uma revelação daquele nome aos homens.

(b) O tempo aoristo, se composto, pode ser uma referência a toda a glorificação pretérita do nome divino através dos milagres que Jesus operou durante seu ministério. O tempo futuro pode ser uma referência a toda a glorificação que ocorrerá através da morte, ressurreição e ascensão. Esta sugestão encontra apoio nas passagens como 2,11 e 11,4 que mencionam a glorificação em relação com os sinais.

(c) THÜSING, pp. 193-98, apresenta outra sugestão plausível. O aoristo se reporta a todo o ministério de Jesus, inclusive *a hora*. Encarando a hora que então chega, Jesus orou para que o Pai consumasse a glorificação de seu nome através do Filho. O pretérito usado pela voz celestial significa que Deus ouviu a oração e consumou aquela glorificação na hora então começada. Há um uso similar em 17,4 onde, após dizer que a hora é chegada, Jesus continua: "Eu te glorifiquei [aoristo] na terra realizando a obra que me deste para fazer". Esta glorificação se consumou na cruz quando Jesus pode dizer: "Está consumado!" (19,30). A futura glorificação do nome divino será consumada pelo Cristo exaltado que, como no v. 31 se nos assegura, atrairá a si todos os homens. BOISMARD relaciona esta passagem em João com 13,31-32. Se as duas passagens sempre foram ou não unidas, os versículos em 13 constituem um notável comentário sobre o que acaba de ser dito. "Agora o Filho do Homem foi glorificado e Deus foi glorificado nele. Deus, por sua vez, o glorificará em Si mesmo e o glorificará imediatamente". Aqui também a presente hora está inclusa na glorificação já consumada, e a glória futura está na exaltação com o Pai.

O propósito que Jesus (v. 30) concede à voz celestial é enigmático. Em 11,41-42 ouvimos Jesus falando ao Pai com o propósito de levar os ouvintes a crerem. Todavia, se no presente caso não há a menor indicação de que a multidão entendeu a voz, como ela soou por causa deles? O v. 30 estaria conectado com o 31 no sentido de que o próprio som do céu constitui uma ameaça de julgamento? Ou sua óbvia sincronização com a pregação de Jesus significa para a multidão que Deus aprova Jesus?

Versículos 31-34: A exaltação de Jesus e o problema do Filho do Homem

Nestas últimas palavras que Jesus fala durante o ministério público (31-32, 35-36), a atmosfera da divisão dualística volta outra vez. A hora supõe juízo condenatório ao Príncipe deste mundo, porém vida para os que são atraídos por Jesus; as poucas horas que restam desta luz que é Jesus fazem mais densas as trevas circundantes que se aproximam. Há um interessante paralelo na cena lucana da agonia onde Jesus diz aos que vieram prendê-lo (23,53): "Esta é a hora e o poder das trevas".

A hora que traz glorificação a Jesus significa a expulsão de seu grande inimigo. A variante no v. 31 (ver a respectiva nota) contrastaria a elevação de Jesus com o *abatimento* do Príncipe deste mundo. (Isto pode ser comparado com Ap 12,5.8-9, onde o arrebatamento do filho messiânico ao céu tem paralelo com Satanás sendo lançado do céu; ver também Lc 10,18). Não obstante, a leitura mais correta do v. 31 não é uma referência à expulsão de Satanás do céu, e sim a perda de sua autoridade sobre este mundo. Esta inferência parece ser contrária à afirmação de 1Jo 5,19: "O mundo inteiro jaz no poder do Maligno". Talvez possamos dizer que a hora vitoriosa de Jesus constitui em princípio uma vitória sobre Satanás; contudo, a realização dessa vitória no tempo e espaço é a gradual obra dos cristãos crentes. Mesmo na vida do cristão há uma tensão entre uma vitória já conquistada (1Jo 2,13) e uma vitória ainda a ser conquistada (1Jo 5,4-5). Sugerir que o Quarto Evangelho se acha tanto na atmosfera da escatologia realizada que o autor não espera vitória ulterior sobre o mal que conquistou na vitoriosa hora da vida de Jesus equivale reduzi-lo a um romântico sonhador incapaz de reconhecer o mal existente no mundo. Há no NT outras referências à vitória de Jesus sobre o poder da morte (Hb 2,14) e sobre os poderes e principados (Cl 2,15); todavia, estes não excluem a expectativa de uma futura expansão desta vitória.

Na terceira referência joanina (v. 32) à exaltação de Jesus, encontramos tanto o aspecto salvífico dessa exaltação (primeira referência: 3,14-15) como também o aspecto de juízo (sugerido na segunda referência: 8,28). Já salientamos (p. 354) que o uso joanino de "ser levantado" provavelmente fosse sugerido pela descrição do Servo Sofredor de Is 52,13. Ambos os temas, de morte e glória, que aparece na presente referência de Jesus sendo levantado se encontram também naquele hino do Servo. O grego de Is 52,13 traz o Servo sendo exaltado "e glorificado imediatamente"; e Is 53 descreve sua morte.

As três referências à exaltação de Jesus, esta é a única que não menciona o Filho do Homem; mas a multidão, no v. 34, parece implicar que Jesus já havia falado do Filho do Homem. BULTMANN, p. 269, ligaria 12,34 a 8,28, de modo que a objeção da multidão seguiria a segunda das três referências e aquela que menciona o Filho do Homem. Não obstante, esta sugestão não traz muito avanço, pois 8,28 não diz que o Filho do Homem *seria* levantado, como a afirmação da multidão em 12,34 implicaria. GOURBILLON, *art. cit.* tem uma solução ainda mais imaginativa. Ele salienta que ela é a primeira das três referências (3,14) que enquadram melhor as implicações de 12,34, pois ela declara: "O Filho do Homem deve ser levantado". GOURBILLON pensa que a passagem 3,14-21 como um todo se enquadraria muito bem entre 12,31 e 32. Visto que 3,19-21 tem o tema de luz e trevas, a introdução deste tema em 12,35-36 não seria tão abrupto. Além do mais, o tema do juízo em 3,17-19 seguiria 12,31 muito bem. Se Jesus apenas dissesse (3,14) que o Filho do Homem seria levantado, a abertura de 12,32 propiciaria uma sequência muito suave: "E quando eu for levantado"... Estas são observações interessantes, e é perfeitamente possível que em um estágio na história da tradição joanina estas passagens constituíram uma unidade. Uma vez mais, mesmo assim, devemos hesitar diante da falta de prova conclusiva.

No v. 34, também a multidão faz alusão ao Messias, embora Jesus não tenha usado até agora esse título. Esta é outra indicação de que a aclamação de Jesus com palmas [ramos] deva ser interpretada como um gesto messiânico nacionalista. É interessante que o v. 34 estabeleça uma relação entre o Messias e o Filho do Homem. Em outro lugar em João já vimos duas diferentes expectativas sobre o Messias (p. 234): uma em termos de um Messias davídico nascido em Belém (7,42); a outra em termos de um Messias oculto, semelhante às expectativas de um Filho do Homem oculto em *1 Enoque* (7,27; 1,26). Estaria a multidão identificando as duas expectativas aqui, ou estaria falando do Messias oculto? Aliás, ainda fica difícil de determinar se a própria multidão está fazendo a justaposição de Messias e Filho do Homem, ou está pressupondo que Jesus os identifica. Obtemos uma justaposição similar nos lábios de Jesus na cena sinótica do julgamento diante de Caifás (Mc 14,61-62), quando o sumo sacerdote pergunta a Jesus se ele é o Messias, e Jesus respondo em termos do Filho do Homem.

É impossível que uma discussão como a do v. 34 tenha tido significado para certos grupos de Jesus durante a vida terrena de Jesus, especialmente aqueles influenciados pelo pensamento de *1 Enoque*. Mas o Quarto Evangelho provavelmente tenha em mente aqui os argumentos judaicos contra Jesus no final do 1º século. Isto pode constituir uma formulação primitiva do debate encontrado em JUSTINO, *Trifo* XXXII 1 (PG 6:541, 544). Ali, TRIFO objeta que Jesus não pode ter sido o Messias ou o Filho do Homem porque não estabeleceu o grande reino e eterno governo do que fala o AT. JUSTINO responde em termos da exaltação de Jesus na presença do Pai. Estes são os mesmos temas encontrados em Jo 12,32-34.

Versículos 35-36: A ponto de desaparecer a luz

Jesus não responde diretamente à pergunta da multidão. Em vez de falar sobre o Filho do Homem ou o Messias, ele insiste sobre a curta duração de sua própria permanência como a luz. Se isto parece ter pouca relação com o Filho do Homem, podemos trazer à memória aquela do capítulo 9, a qual começou com Jesus como a luz do mundo (9,5) e terminou com uma identificação de Jesus como o Filho do Homem (9,35-37). É digno de nota ainda que a descrição que Isaías esboça do Servo Sofredor, o qual, como vimos, forneceu o pano de fundo para o conceito de ser elevado em glória, também oferece um pano de fundo para a imagem de Jesus como a luz. Is 49,5-6 fala do servo como a luz das nações, justamente como João retrata Jesus como a luz no contexto da vinda dos gregos.

Ao introduzir o tema de luz e trevas, Jesus dirige sua discussão com a multidão do plano intelectual para o plano moral, muito semelhante ao que ele fez com a mulher samaritana quando ela começou a falar do Messias. A multidão pondera sobre a natureza e identidade do Filho do Homem; porém é mais importante que pensem no julgamento que está associado com o Filho do Homem, o julgamento de ir à luz e andar nela para que não sejam tragados pelas trevas. E isto é de importância imediata, pois só poderão ir à luz por pouco tempo. Como salientamos na nota sobre 8,12, em Qumran há bons paralelos para a expressão "andar na luz ou nas trevas" como uma metáfora para o bom e o mau caminho da vida. A expressão "filhos da luz" (36) provém das habituais descrições de Qumran para a comunidade, justamente como João o usa para descrever os que creem em Jesus (também 1Ts 5,5; Ef 5,8). Esta terminologia era particularmente apta nos círculos cristãos, onde "iluminação" era um termo para designar o batismo (p. 655).

E assim Jesus termina o ministério aos judeus com uma nota de desafio. Se a hora já veio, isto significa que este é o tempo para a luz passar deste mundo. O poder das trevas está se aproximando para a luta final. O momento do juízo já chegou. Para ilustrar dramaticamente o tema da passagem da luz, Jesus então se oculta. Da próxima vez as multidões o buscarão, elas buscarão um homem de sofrimento (19,5.37) a quem rejeitaram. É digno de nota que as últimas palavras do ministério de Jesus em Mc 13,35-37 são também palavras de apelo urgente: os servos devem velar para que o senhor não venha de repente e os encontre dormindo. João enfatiza que o senhor *já* veio, e eles se esquivaram. O ato de Jesus se ocultar, neste segundo final do ministério, é paralelo com sua fuga para além do Jordão (10,40) no primeiro final do ministério.

BIBLIOGRAFIA

DODD, C. H., *"Some Johannine 'Hernworte' with Parallels in the Synoptic Gospels"*, NTS 2 (1955), especialmente pp. 78-81 sobre 12,25. Agora em *Tradition*, pp. 338-43.

GOURBILLON, J.-G., *"La parabole du serpent d'airain"*, RB 51 (1942), 213-26.

RASCO, A., *"Christus, granum frumenti (Jo. 12, 24)"*, VD 37 (1959), 12-25, 65-77.

VAN UNNIK, W. C., *"The Quotation from the Old Testament in John 12:34"*, NovT 3 (1959), 174-79.

O LIVRO DOS SINAIS

Conclusão: Avaliação e balanço do ministério de Jesus

12,37-43: Ministério de Jesus entre seu próprio povo (§ 44)
12,44-50: Jesus resume em um discurso sua mensagem

44. UMA AVALIAÇÃO DO MINISTÉRIO DE JESUS ENTRE SEU PRÓPRIO POVO

(12,37-43)

12 ³⁷Apesar que Jesus realizasse tantos de seus sinais diante deles, recusavam-se a crer nele. ³⁸Foi assim para cumprir-se a palavra de Isaías o profeta:

"Senhor, quem creu o que temos ouvido?
A quem o poder do Senhor foi revelado?"

³⁹A razão de não poderem crer foi que, como em outro lugar disse Isaías,

⁴⁰"Ele tem cegado seus olhos
e entorpeceu suas mentes,
para que não vejam com os olhos
e percebam com sua mente
e se convertam
e eu os cure".

⁴¹Isaías enunciou estas palavras porque vira sua glória e era dele que ele falava.
⁴²Não obstante, houve muitos, mesmo entre o Sinédrio, que creram nele. Todavia, por causa dos fariseus, recusaram a admiti-lo, ou teriam sido expulsos da sinagoga. ⁴³Preferiram mais o louvor dos homens à glória de Deus.

NOTAS

12.38. *Foi assim para cumprir*. Literalmente, uma cláusula *hina* subordinada. Gramaticalmente, poderia ser consecutiva; todavia, como o v. 39 deixa claro, a ideia básica não é que a incredulidade resultou no cumprimento da profecia, e sim a profecia resultou em incredulidade, de acordo com a ideia que as profecias veterotestamentárias tinham de cumprir-se, *hina* tem sentido de final. Ver nota "cumpriu" sobre 13,18.

o que temos ouvido. Literalmente, "nossa notícia", i.e., a notícia que recebemos.

o poder. Literalmente, "o braço.

39. *não poderem crer*. Entre os comentaristas patrísticos gregos há uma tendência de abrandar isto para "não creriam".

40. *entorpeceu*. O verbo *pōroun*, frequentemente traduzido por "endureceu", significa "fazer-se insensível ou obtuso" (também Mc 6,52). Os dois papiros Bodmer têm intensificado a evidência para ler *pēroun*, um verbo quase sinônimo.

mentes. Literalmente, "coração". O coração era considerado como a sede tanto da vida mental como a física.

para que. Esta é uma cláusula negativa de propósito (*hina mē*). Para suavizar o impacto abrupto da visão preventiva de Deus, alguns comentaristas têm sugerido que aqui *hina* é causal: "porque não viam". Não obstante, a existência do *hina* causal no grego do NT é ainda controversa (ZGB, § 412-14), e propô-lo aqui não parece fazer justiça ao significado geral da passagem.

percebam. *Noein* (LXX *synienai*).

se convertam. *Strephein* (LXX *epistrephein*); na realidade, isto tem o sentido de voz média: "volver-se".

eu os cure. Os três verbos precedentes têm sido subjuntivos; agora, porém, o modo muda para o futuro do indicativo (também LXX). Ver BDF, § 369³.

41. *porque*. *Hoti* é a leitura mais bem atestada, mas há considerável apoio para *hote*, "quando". Neste caso, não haveria muita diferença no significado.

sua glória... dele. Evidentemente, estes dois pronomes têm o mesmo antecedente, e o segundo só pode referir-se logicamente a Jesus. Por causa da dificuldade da afirmação de que Isaías viu a glória de Jesus, algumas testemunhas gregas têm corrigido a "sua" para "de Deus".

42. *Sinédrio*. Literalmente, "autoridades"; ver 3,1; 7,26.48.

43. *preferiram... à*. Literalmente, "amaram mais do que". A partícula comparativa *ēper*, endossada por P[66*], ocorre no NT somente aqui, e, provavelmente, deva ser preferida à leitura *hyper* ("sobre"), a despeito da atestação relativamente forte da última. Não é impossível, contudo, que a última seja um semitismo (*'al*).

o louvor dos homens... à glória de Deus. *Doxa* é usada duas vezes, mas com duas diferentes conotações (ver nota sobre 5,41.44). A *glória* de Deus, provavelmente, foi sugerida pela cena de Isaías no v. 41.

COMENTÁRIO

Versículos 37-39: Citações veterotestamentárias

Na conclusão de sua narrativa do ministério de Jesus, o autor se detém para avaliar. A única avaliação honesta possível é a expressa no Prólogo (1,11): "Veio para o que era seu; todavia os seus não o aceitaram". Mas, por quê? Que esta questão deixou perplexo o cristianismo primitivo, vemos em Rm 9-11. A resposta padrão do NT é em termos da profecia do AT, em particular Is 6,10. Deus informara a Isaías que sua mensagem seria rejeitada, e que tudo o que ele fizesse passaria despercebido por olhos que ficaram voluntariamente cegos. Os autores do NT descobriram que isto era verdadeiro, não só no ministério de Isaías, mas também no ministério de Jesus, o qual era o cumprimento do ministério de Isaías. Esta explicação parece insatisfatória ao leitor moderno que sabe que as mensagens proféticas do AT eram dirigidas primariamente à situação contemporânea e não a um futuro remoto. Mas a explicação deve ser entendida na mentalidade hermenêutica dos tempos do NT. O conceito que as pessoas tinham de não crer ("não puderam crer" no v. 39) na palavra e obras de Jesus em virtude do que diz o AT, de que não creriam, não tem que se entender em uma perspectiva psicológica. Esta é uma explicação no plano da história salvífica. Ela não destrói a liberdade humana, pois o v. 42 deixa bem claro que os homens eram livres para aceitar Jesus. A avaliação de João não é uma afirmação de determinismo, e sim um apelo implícito para crer.

No v. 37, o escritor introduz sua avaliação, fazendo ecoar a última parte de Deuteronômio (29,2-4). Ali, Moisés começa seu terceiro e último discurso, lembrando o povo que, embora o Senhor houvesse *realizado sinais diante deles* no Egito, o Senhor ainda não lhes dera mente para compreender, ou olhos para ver, ou ouvidos para ouvir. (Este pensamento primitivo ignora a teoria de causalidade secundária ou a liberdade em que Deus deixa ao homem tudo o que se relaciona com a salvação. O Senhor causa estas coisas diretamente;

e, portanto, se não viam nem ouviam, era porque o Senhor fizera com que não vissem nem ouvissem). Exatamente da mesma maneira, o evangelho nos informa que Jesus realizara sinais e, no entanto, se recusaram a crer.

A razão para tal recusa está na causalidade do Senhor, pois Suas palavras no AT tinham de cumprir-se. Ambos os textos de Isaías (53,1 e 6,10) que João cita são citados em outros lugares no NT, e o autor está quase certamente extraindo um repertório de textos ou testemunhos usados pelos cristãos para explicar e defender suas ideias sobre Jesus Cristo.

A citação de Is 53,1 no v. 38 toma quase ao pé da letra o texto da LXX. Já vimos, em nosso estudo de 12,20-36, que muito da terminologia que João usa para descrever a hora de Jesus ser exaltado em glória tem seu pano de fundo nos hinos do Servo Sofredor no Deuteroisaías. É interessante, pois, que no v. 38 o autor recorra a esta mesma fonte para explicar o fracasso do povo judeu em aceitar Jesus, pois Is 53 é o cântico por excelência do Servo como rejeitado e desprezado. Notemos que a passagem abarca com exatidão todo o ministério de Jesus, tanto suas palavras ("o que temos ouvido") como suas obras ou sinais (o que tem sido efetuado pelo poder ou "braço" do Senhor – esta expressão é usada em Dt 5,15 para descrever a intervenção de Deus nos sinais do Êxodo).

No v. 40, João cita Is 6,10, a passagem clássica do AT usada no NT para explicar o fracasso de Israel em crer em Jesus. As últimas palavras de Paulo em Atos (28,26-27) consistem nesta citação: é sua explicação da razão por que os judeus não têm aceitado o evangelho que ele pregava. (A citação de uma passagem similar de Is 29,10 em Rm 11,8 nos mostra que Lucas em Atos não interpretou equivocadamente a mente de Paulo). Is 6,10 também aparece nos evangelhos sinóticos (implicitamente em Mc 4,12; Lc 8,10; explicitamente em Mt 13,13-15) como uma explicação de por que o povo não tem compreendido as parábolas do reino. Se evocarmos uma vez mais a relação entre o reino nos sinóticos e a pessoa de Jesus em João, podemos ver a similaridade entre a falha de entender as parábolas do reino e a falha de aceitar Jesus. É interessante que, enquanto os sinóticos põem a citação de Is 6,10 nos próprios lábios de Jesus, João a apresenta claramente como uma explicação cristã do que aconteceu.

Talvez nenhuma outra citação do AT em João ilustra tão bem a dificuldade de determinar se a fonte das citações que João faz do AT foi o TM a LXX ou alguma outra tradução grega do TM. Enquanto as outras citações que o NT faz de Is 6,10 se aproximam muito da LXX, a forma de João é muito distinta.

O TM: *Faze* (imperativo) o coração deste povo insensível, e faze seus ouvidos pesados, e fecha seus olhos, para que não vejam com seus olhos, e não ouçam com seus ouvidos, e entendam com seu coração e se convertam e *sejam curados*.

A LXX (Mateus, Atos): O coração desse povo *tem se* tornado obtuso [passivo]; e com seus ouvidos só ouvem com dificuldade; e têm fechado seus olhos, para que não vejam com os olhos e ouçam com os ouvidos, e entendam com o coração, e se convertam e *eu os cure*.

João: Ele tem cegado seus olhos e entorpeceu suas mentes, para que não vejam com os olhos, e percebam com sua mente, e se convertam e *eu os cure*.

Temos deixado em itálico algumas diferenças importantes. A tradução na LXX e em Mateus tem abrandado o imperativo inicial do TM para um passivo menos ofensivo, de modo que já não é o profeta que endurece os corações do povo. Igualmente, nesta tradução no final do versículo, Deus entra diretamente para curar o povo. Na tradução de João, é Deus quem tem cegado os olhos do povo – uma atribuição que deve ser entendida à luz do supramencionado fracasso de distinguir a causalidade secundária. Talvez esta ênfase em João seja uma adaptação do texto para seu novo contexto no evangelho. João omite a frase "deste povo" encontrada tanto no TM como na LXX, e diversos verbos usados por João são diferentes daqueles usados na LXX e em Mateus (ver nota sobre v. 40). Mais importante, em princípio João não segue a ordem de Isaías (coração, ouvidos, olhos) ao catalogar os órgãos afetados; ao contrário, João omite "ouvidos" e fala dos olhos antes da mente (coração). Não é impossível que, como outras diversas vezes, João está amalgamando citações do AT, e que a citação de Isaías foi influenciada pela citação de Dt 29,3-4 que jaz por detrás do v. 37. Em Deuteronômio, é Deus quem age no coração, nos olhos e nos ouvidos do povo. Nas últimas palavras da citação de Isaías, "eu os cure", João está com a LXX e o TM.

Versículo 41: A visão de Isaías da glória de Jesus

Se o v. 40 foi uma citação de Is 6,10, este próximo versículo evoca a visão inicial que Isaías teve do Senhor sobre um trono em 6,1-5.

Há duas coisas a notar na referência de João. Primeira, João parece pressupor um texto onde Isaías vê a *glória* de Deus, mas tanto no TM como na LXX de Isaías lê-se que Isaías viu o próprio Senhor. Isto tem levado muitos comentaristas a sugerir que João está seguindo a tradição do targum (ou tradução aramaica) de Isaías, onde, em 6,1, Isaías vê "a glória do Senhor", e em 6,5 "a glória da *shekinah* do Senhor". A possibilidade de João usar os targuns já foi discutida em relação a 1,51 (p. 282) e 7,38 (p. 321s.), e a citação joanina de um targum para o texto de Isaías pode ter sido determinado pela frequente ênfase neste evangelho de que ninguém jamais viu a Deus.

Segunda, João supõe que foi a glória *de Jesus* que Isaías viu. Isto não contraria a suposição em 8,56 de que Abraão viu o dia de Jesus (ver nota ali). Há diversas formas possíveis de interpretar isto. Se aceitarmos a sugestão de uma citação do targum, então a afirmação de que Isaías viu a *shekinah* de Deus pode ser interpretada à luz da teologia de 1,14, onde Jesus é a *shekinah* de Deus (p. 210). A crença de que Jesus estava ativo nos eventos do AT é atestada em 1Cor 10,4, onde Jesus é retratado como a rocha que forneceu água aos israelitas no deserto (também Justino, *Apol.* 1,63 [PG 6:424], onde Jesus aparece a Moisés na sarça ardente). Na interpretação patrística posterior de Isaías pensava-se que na aclamação de "Santo, santo, santo" as três pessoas divinas eram saudadas (Is 6,3), e Jesus era identificado como um dos serafins que apareceram com Iahweh. Outra interpretação possível de Jo 12,41 é que Isaías olhava para o futuro e viu a vida e glória de Jesus. Certamente este é o pensamento encontrado na seção da visão da *Ascensão de Isaías* (esta parte dos apócrifos é de inspiração cristã do 2º século). Siraque 48,24-25 trás que, por seu poderoso espírito, Isaías previu o futuro e predisse o que seria até o fim dos tempos.

Versículos 42-43: a fé tímida de alguns membros do Sinédrio

Se João interpretou em termos de Isaías o fracasso geral de crer, uma menção especial é dada aos do Sinédrio que creem, porém não professam publicamente sua fé. A desaprovação que o autor dá do comportamento deles é tão enfática que claramente está refletindo um abuso de seu próprio tempo. A menção da excomunhão da sinagoga indica que os vs. 42-43 são dirigidos aos judeus no final do 1º século que creem em Jesus, porém temem professar esta fé. Quanto à informação de que

Jesus tinha seguidores entre os membros do Sinédrio, em outro lugar João fala de Nicodemos (3,1; 7,50); todos os evangelhos mencionam José de Arimateia, que era membro do Sinédrio (Mc 15,43); e Lc 18,18 menciona um jovem membro do Sinédrio. At 6,7 nos informa que nos primeiros dias da igreja hierosolimitana "um grande número dos sacerdotes era obediente à fé" (também Hebreus parece ser dirigido aos sacerdotes convertidos – ver 3,1). Esta afirmação em João sobre as autoridades que creram em Jesus é apenas uma aparente contradição de 7,48, onde os fariseus negam que alguns das autoridades cresse nele. Em 12,42, o autor deixa claro que os fariseus não tinham conhecimento desses crentes.

Na presente ordenação do evangelho, onde os capítulos 11-12 parecem ter sido anexados ao ministério público, esta avaliação de 12,37-43 constitui o fim do Livro dos Sinais – um término um tanto pessimista, pois os sinais de Jesus não conduziram muitos à fé. Todavia, esta avaliação corresponde à avaliação no final do Livro da Glória, em 20,30-31, onde se torna evidente que os sinais de Jesus, apesar de tudo, consumaram seu propósito. Se estes sinais deixaram de convencer os judeus, aqui são escritos no evangelho para confirmar a fé dos cristãos e trazer vida aos que creem.

45. UM DIÁLOGO DE JESUS USADO COMO UM RESUMO DE SUA PROCLAMAÇÃO
(12,44-50)

⁴⁴Jesus proclamou em alta voz:
"Todo aquele que crê em mim,
na verdade está crendo não em mim,
mas naquele que me enviou.
⁴⁵E todo aquele que me vê,
está vendo Aquele que me enviou.
⁴⁶Eu vim ao mundo como luz,
para que, aquele que crê em mim,
não permaneça nas trevas.
⁴⁷E se alguém ouve minhas palavras sem guardá-las,
não sou eu quem o condena;
pois eu não vim para condenar o mundo,
mas para salvar o mundo.
⁴⁸Todo aquele que me rejeita, e não aceita minhas palavras,
já tem seu juiz,
a saber, a palavra que eu tenho falado –
é isso que o condenará no último dia,
⁴⁹porque eu não tenho falado de mim mesmo;
não, o Pai que me enviou,
Ele mesmo me mandou
o que dizer e como falar,
⁵⁰e sei que Seu mandamento significa vida eterna.
Por isso, quando eu falo,
falo assim como o Pai me disse".

NOTAS

12.45. *vê. Theōrein* (ver Apêndice I:3, p. 794ss), um verbo que às vezes implica visão com profundidade espiritual. Cf. 14,9: "Todo aquele que me tem visto [*horan*] tem visto o Pai".

47. *ouve minhas palavras*. Aqui, *rēma* é o objeto do verbo "escutar, ouvir", como também em 8,47. Cerca de umas dez vezes *logos* ou *phōnē* ("voz") servem como objeto.

sem guardá-las. Há respeitável evidência (P[66c]; Bezae) para omitir a negativa. O resultante "e guardá-las" dá um arranjo louvável ao versículo.

48. *rejeita*. O verbo *athetein* ocorre somente aqui em João. Ele ocorre cinco vezes em Lucas – uma de três de suas ocorrências neotestamentárias.

aceita minhas palavras. Para uma expressão similar nos sinóticos, ver Mt 13,20.

já tem seu juiz. Literalmente, "tem aquele que [ou quem] o julga". Recordamos as duas nuances de significado, "julgar, condenar", no uso joanino de *krinein* (ver nota sobre 3,17).

49. *não tenho falado de mim mesmo*. Literalmente, "de [*ek*] mim mesmo"; outras treze vezes em João a preposição usada é *apo*.

falado. "Eu vim" é uma variante escassamente atestada. BULTMANN, p. 263, pensa que, originalmente, a primeira linha do v. 49 corria com a última linha do 50, e que tudo entre eles é comentário do evangelista.

50. *significa*. Literalmente, "é".

quando eu falo. Literalmente, "tudo o que eu falo". Cf. 8,28: "Eu só digo aquelas coisas que o Pai me ensinou".

COMENTÁRIO

O discurso que Jesus apresenta nestes versículos evidentemente não se acha em seu contexto original; pois, visto que Jesus saíra em busca de refúgio (7,36), este discurso carece de auditório ou cenário. Uma solução, adotada por BERNARD e outros, foi a de transferir os vs. 44-50 para um lugar entre 12,36a e 36b. BULTMANN vê 44-50 como parte de um longo discurso sobre a luz que consiste de 8,12; 12,44-50; 8,21-29; 12,34-36; 10,19-21. Não há necessidade de dizer que não há prova real para estas propostas engenhosas. BOISMARD, "Le caractère", ressalta que este discurso possui algumas peculiaridades em estilo (ver a respectiva nota) e sugere que esta passagem de material joanino poderia ter tido sua própria história de transmissão. O fato de que 12,46-48 é muitíssimo semelhante a 3,16-19 (ver supra, p. 355) torna bem plausível que, em parte, 12,44-50 é uma variante de material encontrado em outro lugar em João, porém preservado por um discípulo diferente. Na redação final do evangelho, este discurso independente provavelmente fosse acrescentado onde causaria menos desarranjo (chegamos a uma solução similar para 3,31-36). Realmente, o critério do redator era bom, pois este pequeno discurso, que agora vem no final do Livro dos Sinais, resume com precisão a mensagem de Jesus.

As cláusulas nos vs. 44 e 45 formam um par muito estreito: *crer em Jesus é crer naquele que enviou Jesus; ver Jesus é ver Aquele que enviou Jesus.* Descobriremos ainda uma terceira afirmação com o mesmo propósito em 13,20 (versículo estranhamente fora de lugar): "Quem quer que recebe alguém que eu envio, a mim me recebe; e *todo o que recebe [lambanein] a mim, recebe Aquele que me enviou*". Há pouca diferença nestas três afirmações, já que crer em, ver e receber Jesus são todas, basicamente, a mesma ação. Há ainda outra forma da afirmação em Mt 10,40: "Quem vos recebe, a mim me recebe; e todo aquele que recebe [*dechesthai*] a mim, recebe Aquele que me enviou [*apostellein* – João usa *pempein*]". Visto que este paralelo mateano é mais estreito com Jo 13,20, reservaremos comentário detalhado até ali (ver Vol. 2); mas devemos ter em mente que já vimos que Mt 10,38-39 é paralelo de Jo 12,25-26.

Tendo enfatizado sua íntima relação com o Pai, Jesus volta a falar nos vs. 46ss. de sua missão entre os homens. Muito do que temos dito com referência aos versículos estreitamente paralelos em 3,16-19 é aplicável aqui. Se o v. 46 sustenta a oferta de luz aos que creem em Jesus, 47-48 aplicam aos que não guardam ou aceitam suas palavras e, assim, o rejeitam. A condenação no v. 47 dos que ouvem as palavras de Jesus (*akouein* com o genitivo, o qual usualmente implica entender) e todavia não as guardam (*phylassein*) lembra a crítica em Mt 7,26 de "o que ouve [*akouein* com o acusativo] estas minhas palavras e não as praticam". Ver também Tg 1,22. O "guardar" joanino realmente não é diferente do "fazer" mateano, posto que ambos os verbos significam observar (cf. o uso de *phylassein* em Mc 10,20 para observar os Dez Mandamentos; o hebraico *šmr* tem a mesma gama de significado). Se há um paralelo mateano para a primeira parte de Jo 12,47, há um paralelo para a segunda parte de 47 em alguns manuscritos de Lc 9,56:

"Pois o Filho do Homem não veio para destruir as almas dos homens, e sim para salvá-las".

Ressaltamos na respectiva nota o caráter lucano do verbo "rejeitar" que aparece no v. 48; por exemplo, Lc 10,16: "Todo o que me rejeita, rejeita também Aquele que me enviou". Este é o equivalente lucano de Mt 10,40, citado acima como um paralelo de Jo 12,44-45. Assim, neste discurso tipicamente joanino há muitos ditos individuais com paralelos sinóticos. Outro fato do v. 48 é que ele tem elementos tanto da escatologia realizada como da final. A escatologia realizada aparece na primeira parte do versículo que declara que todo o que rejeita Jesus e não aceita suas palavras é julgado pela palavra que Jesus tem falado. Isto forma um interessante contraste com a escatologia final do que é dito em Mc 8,38 (Lc 9,26): "Todo o que se envergonha de mim e de minhas palavras... também o Filho do Homem se envergonhará dele quando vier na glória de seu Pai com os santos anjos". Mas a escatologia final aparece em Jo 12,48 na referência ao último dia na última linha do versículo (o que BULTMANN, p. 262[7], naturalmente atribui ao Redator eclesiástico). Deve-se notar que a última parte do v. 48 é oferecida como uma explicação da primeira parte – isso indica que na época do NT não se estabelecia uma oposição tão nítida como agora entre escatologia final e escatologia realizada.

Nos vs. 48ss. temos muitos ecos de Deuteronômio, como já foi salientado por M. J. O'CONNELL, "The Concept of Commandment in the Old Testament", TS 21 (1960), 352. (Vimos também em 12,37 similaridades com Deuteronômio). Naturalmente, o pensamento de que Deus punirá o fracasso de Seu povo em ouvir as palavras de Seu mensageiro é muito antigo. Em particular, porém, chamamos a atenção para Dt 18,18-19, onde Deus fala do Profeta-como-Moisés: *"Eis lhes suscitarei um profeta do meio de seus irmãos, como tu, e porei minhas palavras em sua boca, e ele lhes falará tudo o que eu lhe ordenar. E será que qualquer que não ouvir minhas palavras, que ele falar em meu nome, eu o requererei dele"*. Podemos notar vários pontos de comparação entre João e Deuteronômio, seguindo BOISMARD, "Les citations". Nos vs. 47-48, João usa os verbos "ouvir" e "aceitar" para descrever a reação que os ouvintes teriam antes as palavras de Jesus. O TM de Deuteronômio tem o verbo "ouvir, escutar", enquanto o targum aramaico (pseudo-Jônatas) tem o verbo q^ebal, que significa tanto "aceitar" como "ouvir".

(BOISMARD usaria isto como outra prova de que João cita targuns, mas a evidência aqui é tênue). Nos vs. 47-48, João usa *rēma* para "palavra" (ver nota) como faz a LXX no texto de Deuteronômio. A passagem em Deuteronômio também parece estar refletida nos vs. 49-50. Deus porá suas palavras na boca do Profeta-como-Moisés; semelhantemente, Jesus não fala de iniciativa própria, mas somente o que o Pai lhe tem ordenado falar. Uma vez mais, o tema de *ordenar* percorre ambas as passagens. No TM de Deuteronômio, é Deus quem toma vingança sobre o homem que recusa ouvir; nos targuns (*Neofiti I, Pseudo-Jônatas*), é a *memra* ou palavra de Deus que toma vingança. A última [alternativa] oferece um paralelo com João (48), onde a palavra que Jesus tem falado é o agente de condenação.

Nem todos os paralelos de Deuteronômio estão centrados em Dt 18,18-19. Aliás, este mesmo pensamento de que as palavras de Jesus condenarão os que recusam aceitá-las se assemelha muito com as passagens em Deuteronômio (31,19.26), onde Moisés diz que suas palavras e leis serão testemunhas contra o povo, se fizerem o mal. Isto é especialmente interessante, se tivermos em mente que Jo 5,45, o qual disse que Moisés acusaria os judeus por não crerem em Jesus.

Em Jo 12,49-50, a ênfase sobre o mandamento que Jesus tem recebido do Pai se torna muito forte. Este mandamento (ver Apêndice I:5, p. 794ss) afeta não só o que Jesus tem falado (v. 49), mas também suas ações, pois 10,18 falou de uma ordem do Pai em relação à morte e ressurreição de Jesus. Naturalmente, esta ordem não é imposta a Jesus de fora; é apenas outra face do tema sempre repetido de que Jesus e o Pai têm a mesma vontade (5,30; 6,38). E este mandamento que Jesus tem recebido do Pai afeta os homens. Como 12,50 deixa claro, ele envolve vida eterna para os homens; e isto é porque as palavras e feitos de Jesus que o mandamento orienta são em si mesmos a fonte de vida eterna (6,68; 10,10). Aqui também estamos na atmosfera de Deuteronômio, onde "mandamento" estabelece o padrão pelo qual Israel deve cumprir sua vocação como o santo povo de Deus. Dt 32,46-47 diz que o mandamento de Deus dado através de Moisés é um princípio de vida para o povo; o homem vive de toda palavra que procede da boca de Deus (Dt 8,3). Encontramos também nos sinóticos um eco da relação do mandamento divino com a vida. Em Lc 10,25-28, quando um escriba pergunta a Jesus o que deveria fazer para herdar a vida eterna, ele é informado que, se guardar o mandamento de Deus escrito na Lei, então viverá.

Entretanto, em João fica muito claro que o mandamento de Deus que significa vida eterna é mais que o mandamento do AT. É a palavra de Deus falada através de Jesus, que agora resume as obrigações que da aliança se derivam para o crente. Em 5,39, Jesus criticou a ineficácia dos judeus de buscar as Escrituras do AT, nas quais concluíram que tinham a vida eterna. Agora Jesus expressa de uma maneira positiva que é em sua palavra que os homens têm a vida eterna. E assim, a seu próprio modo, este breve discurso de Jesus, posto como uma afirmação sumariada no final do ministério público, é a forma cristã do que Moisés proclamou "quando terminou de falar todas estas palavras a Israel" (Dt 32,45-47):

> Aplicai vosso coração a todas as palavras que hoje testifico contra vós,
> para que as recomendeis a vossos filhos,
> para que tenham cuidado de cumprir
> todas as palavras desta lei.
> Porque esta palavra não vos é vã,
> antes é a vossa vida;
> e por esta mesma palavra
> prolongareis os dias na terra a qual,
> passando o Jordão, ides a possuir.

BIBLIOGRAFIA

BOISMARD, M.-E., *"Le caractère adventice de Jo., XII, 45-50"*, SacPag, II, pp. 188-92.

_____ *"Les citations targumiques dans le quatrième évangile"*, RB 66 (1959), especialmente pp. 376-78 sobre 12,48-49.

APÊNDICES

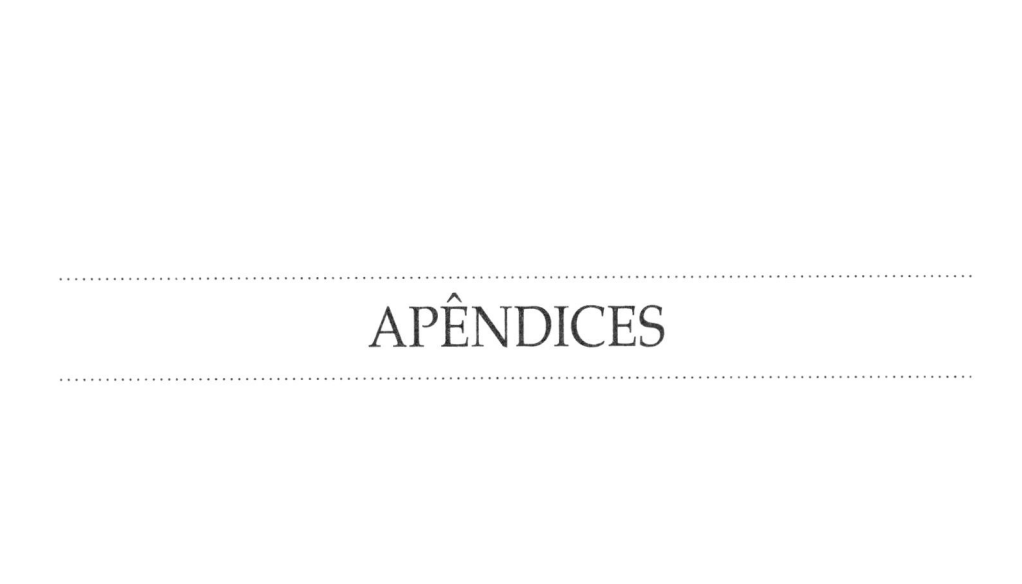

APÊNDICE I: VOCABULÁRIO JOANINO

Aqui, nosso propósito não é abarcar todas as palavras importantes para o pensamento joanino, nem tratar com profundidade as implicações teológicas do vocabulário joanino. Tal investigação constituiria em si mesma um livro. Antes, selecionamos umas poucas palavras dentre as mais cruciais, cuja implicação joanina peculiar deve ser entendida caso alguém queira compreender João, e as temos discutido com muita brevidade para familiarizar o leitor com os problemas envolvidos. Em outros termos, este apêndice é uma introdução ao vocabulário joanino e suas ramificações teológicas. Para leitura adicional, consulte obras como: E. A. Abbott, *Johannine Vocabulary* (Londres: Black, 1905), e E. K. Lee, *The Religious Thought of St. John* (Londres: SPCK, 1950).

As seguintes palavras são tratadas neste apêndice:
(1) *agapē, agapan; philein* = "amor" ("amado", "amigo")
(2) *alētheia, alēthēs, alēthinos* = "verdade", "verdadeiro", "real" ("legítimo", "válido")
(3) *blepein; theasthai; theōrein; idein; horan* = "ver" ("avistar", "olhar")
(4) *doxa* = "glória", "honra"
(5) *entolē* = "ordem", "mandamento"
(6) *zōē* = "vida" (eterna)
(7) *kosmos* = "mundo"
(8) *menein* = "permanecer", "ficar em", "morar", "habitar em"
(9) *pisteuein* = "crer" ("ter fé", "vir à fé", "confiar") – com uma nota sobre *eidenai* e *ginōskein* = "conhecer", "compreender"
(10) *phōs; skotia* = "luz"; "trevas"
(11) *hōra* = "hora"

(1) *agapē, agapan; philein* = "amor" ("amado", "amigo")

FREQUÊNCIA DE OCORRÊNCIA

	Sinótico	João	1, 2, 3 João	Apocalipse	Total Joanino	Total NT
agapan	26	36	31	4	71	141
agapē	2	7	21	2	30	116
philein	8	13		2	15	25

Apêndice I: Vocabulário joanino 795

É muito óbvio que João prefere o uso de verbos para expressar o conceito de "amar"; e, em particular, prefere *agapan* a *philein*. A média do uso no Evangelho do verbo *agapan* ao substantivo *agapē* é especialmente interessante quando contrastado com o uso paulino que dá mais ênfase ao substantivo (75 vezes contra 33 para o verbo). O conceito que João tem de amor parece dar mais ênfase ao elemento ativo.

Acaso *agapan* e *philein* são sinônimos? Em seu famoso *Synonyms of the New Testament*, TRENCH estabelece uma distinção entre os dois. *Agapan* (= *diligere* na Vulgata) significa amor forte, mas ao mesmo é reverente e ponderado; *philein* (= *amare* na Vulgata) se refere ao amor mais forte e íntimo. Assim, segundo TRENCH, em Jo 21,15-17, Jesus pergunta a Pedro duas vezes: "Tu me amas [*agapan*]?" Pedro, porém, em sua resposta, continua insistindo que ama (*philein*) Jesus mais intimamente. Quando Jesus pergunta a Pedro, pela terceira vez, "Tu me amas [*philein*]?", ele está admitindo a alegação de Pedro de ardente afeição. No entanto, WESTCOTT, embora também distinga os dois verbos, interpreta a cena de outra maneira. Em sua visão, Pedro responde em termos de *philein* porque não se atreve a alegar que atingira o mais elevado amor de *agapan*. EVANS, *art. cit.*, pensa que o verbo *agapan* implica certa superioridade, pois conota o relato de um superior a um inferior. Em sua visão, a recusa de Pedro de usar *agapan* é uma expressão de humildade. (Naturalmente, visto que a diferenciação está no grego, estes escritores na verdade estão discutindo a mentalidade do autor mais que a das figuras históricas na cena). Assim, mesmo os que distinguem os dois verbos não estão de acordo sobre qual deles expressa a forma mais elevada de amor.

Em anos recentes, tem-se posto mais ênfase sobre *agapan*, desde que ANDERS NYGREN escreveu seu magistral *Agapē e Eros*. NYGREN enaltece *agapē* como o único amor que é possível através de Jesus – amor espontâneo, imerecido, criador, que abre a via para a comunhão com Deus e o fluxo de Deus para o cristão e do cristão para seu semelhante. SPICQ, *art. cit.*, pensa no *agapan-agapē* joanino como representante de um amor constante, generoso e fecundo. É um amor incansável até que se revele, como na afirmação: "Deus amou [*agapan*] o mundo de tal maneira que deu seu Filho unigênito" (Jo 3,16; 1Jo 4,9). E em Jesus este amor alcança seu auge de eficácia em morrer e ressuscitar pelos homens: "como havia amado os seus que estavam no mundo, amou-os até o fim" (13,1). É o amor que chega ao ponto de enfrentar a morte (15,13). Assim, toda a relação salvífica de Deus com os homens pode ser expressa pela afirmação: "Deus é amor" (1Jo 4,8.16). O cristão ideal é apresentado em termos de amor através da figura do Discípulo Amado.

Teorias como a de SPICQ são muito atraentes; mas é preciso reconhecer que um cuidadoso estudo dos usos joaninos de *agapan* e *philein* mostra que os verbos às vezes são usados intercambiavelmente, de modo que estudiosos

como BERNARD, BULTMANN e BARRETT não estão absolutamente convencidos de que os verbos não são sinônimos. (Podemos insistir ainda que a LXX usa ambos os verbos para traduzir o hebraico *'āhēb*). Podemos citar os seguintes exemplos de intercambiabilidade:
- o Pai ama o Filho: *agapan* em 3,35; *philein* em 5,20.
- o Pai ama os discípulos porque eles amam a Jesus: *agapan* duas vezes em 14,23; *philein* duas vezes em 16,27.
- Jesus ama a Lázaro: *agapan* em 11,5; *philein* em 11,3.
- há um discípulo especial a quem Jesus ama: *agapan* em 13,23; *philein* em 20,2.
- os cristãos são referidos como *agapētoi*, "amados", em 3Jo 2.5,11; são chamados *philoi*, "amigos", em 3Jo 15 (duas vezes).

Não é impossível que a variação nestes exemplos possam algumas vezes representar diferentes tendências no material joanino ou diferentes estágios na redação joanina. Mas, certamente não parece haver qualquer diferença significativa quanto ao sentido. BERNARD, II, pp. 702-4, examina Jo 21,15-17 e não encontra nenhuma reciprocidade que TRENCH encontra. Também se pode notar que *agapan* não se refere necessariamente ao amor sublime, pois ele pode ser usado para descrever uma preferência pelas trevas (Jo 3,19) e pelo louvor humano (12,43). *Philein*, de maneira semelhante, é usado para o amor egoísta que alguém tem pela própria vida (12,25) e por seu próprio amor pelo mundo (15,19). Assim, devemos ser muito cuidadosos em perscrutar generalizações concernentes ao uso e à diferença destes verbos em João. O fato de haver tanto paralelismo sinonímico na poesia hebraica parece ter criado quase uma predisposição para o emprego de sinônimos intercambiáveis.

BIBIOGRAFIA

BARROSSE, T., "The Relationship of Love to Faith in St. John", TS 18 (1957), 538-59.
CERFAUX, L., "La charité fraternelle et le retour du Christ (Jo., xiii 33-38)", ETL 24 (1948), 321-32. RecLC, II, pp. 27-40.
EVANS, T. E., "The Verb 'agapan' in the Fourth Gospel", SFG, pp. 64-71.
SPICQ, C., "Notes d'exégèse johannique. La charité est amour manifeste", RB 65 (1958), 358-70.
_____ *Agapē* (Paris: Gabalda, 1959), especialmente III, pp. 111-357 sobre os escritos joaninos.
Šuštar, A., "De caritate apud Joannem", VD 28 (1950), 110-19, 129-40, 193-213, 257-70, 321-40.

(2) *alētheia, alēthēs, alēthinos* = "verdade", "verdadeiro", "real" ("legítimo", "válido")

FREQUÊNCIA DE OCORRÊNCIA

	Sinótico	João	1, 2, 3 João	Apocalipse	Total Joanino	Total NT
alētheia	7	25	20		45	109
alēthēs	2	14	3		17	26
alēthinos	1	9	4	10	23	28

Evidentemente, estes são termos joaninos favoritos, e os adjetivos são quase exclusivamente de João.

BULTMANN, TWNTE, I, p. 232ss., e DODD, *Interpretation*, p. 170ss., distinguem criteriosamente entre um conceito hebraico de verdade e o conceito grego. No hebraico do AT, *'emet* se relaciona com a raiz *'mn*, "ser firme, sólido"; e assim *'emet* é a solidez essencial de uma coisa, ou aquilo que a faz fidedigna ou confiável. Deus é absolutamente verdadeiro neste sentido de ser digno de confiança e de ser fiel às suas promessas. As palavras são verdadeiras se são solidamente fundamentadas. A vida de um homem é verdadeira se é fiel aos caminhos de Deus. Assim, há um elemento moral no conceito hebraico de "verdade". O grego *alētheia* tem o significado básico de não ocultar; descreve o que não é velado. Assim, a verdade é um fato ou um estado de ocorrências à medida que é visto ou expresso; e, para o grego, verdade e realidade estão estreitamente relacionadas. Em particular, em um sistema platônico de pensamento, "verdade" descreve o mundo de realidade última em contraste com o mundo das sombras. Em FILO, o termo se relaciona com a gnosis. O conceito grego, pois, é mais intelectual do que moral. Embora a LXX use *alētheia* para traduzir *'emet*, algumas vezes os tradutores viam ser apropriado empregar *pistis*, "fé", "fidelidade", como sendo mais aproximado ao significado de *'emet*.

Ambos, DODD e BULTMANN, mantêm que o uso joanino de "verdade" é mais próximo à ideia grega. BULTMANN, TWNTE, I, p. 245, diz que em João *alētheia* denota "realidade divina" e isto pode relacionar-se ao dualismo grego. Visto, porém, que esta realidade divina é revelada aos homens e oferece a possibilidade de vida, o uso joanino de "verdade" é mais próximo ao mito gnóstico do redentor. DODD, p. 177, diz: "o uso do termo *alētheia*, neste evangelho, repousa sobre o uso helenista comum em que paira entre os significados de 'realidade', ou 'a realidade última', e 'conhecimento do real'".

Ao avaliar esta alegação, devemos notar que todos reconhecem que algumas passagens em João refletem o uso hebraico. Na nota sobre 1,14, vimos que *charis* e *alētheia* ecoam a frase veterotestamentária que envolve *ḥesed* e *'emet*. Expressões como "age em verdade" (ver nota sobre 3,21; também 1Jo 1,6) e "andar na verdade" (2Jo 4; 3Jo 3) refletem o uso hebraico. O próprio Dodd (pp. 174-75) aponta para paralelos do AT com Jo 4,23-24 e 17,17. O pano de fundo semítico tem sido grandemente ampliado pelas descobertas de Qumran; e, como veremos no Apêndice V (no vol. 2), estes rolos nos dão os primeiros exemplos extra joaninos de "o espírito da verdade" (Jo 14,17; 15,26; 16,13; ver comentário sobre 4,24).

Levando em conta estas passagens, nos convém agora perguntar se o uso joanino mais característico de *alētheia* para realidade celestial é um reflexo de influência helenista direta. De la Potterie, *"L'arrière-fond"*, tem argumentado insistentemente contra a tese de Dodd e Bultmann. Ele indica que, enquanto na literatura apocalíptica e sapiencial do AT "verdade" costuma referir-se simplesmente ao estado coração e comportamento moral correto, "verdade" também serve como sinônimo de *sabedoria*. Pr 23,23 coloca o mandamento de comprar a verdade em paralelismo com o mandamento de comprar a sabedoria; em Eclo 4,28 o sábio diz a seus discípulos que lutem até a morte pela verdade. Além do mais, "verdade" é associada com "mistério" ou o plano oculto divino da salvação, de modo que conhecer a verdade equivale a conhecer os planos de Deus (Sb 6,22). O "livro da verdade", em Dn 10,21, é um livro em que estão registrados os desígnios de Deus para os tempos da salvação. Sb 3,9 promete aos que confiam em Iahweh um entendimento da verdade. Também em Qumran, além de um tom moral, "verdade" está vinculada com mistérios. "O mistério [*swd*] da verdade" aparecem (1QH 1,26-27, 10,4-5, 11,4) como fazem "os mistérios [*rzy*] de Sua Sabedoria" (1QpHab 7,8). O salmista de Qumran (1QH 7,26-27) agradece a Deus porque, "Tu me tens dado uma compreensão de tua verdade e me tens feito conhecer teus maravilhosos mistérios". A equação de verdade com sabedoria e mistérios significa que no pano de fundo semítico do NT há uma tensão em que a verdade se refere à realidade celestial como faz a sabedoria. Não é preciso que avancemos para além deste pano de fundo semítico para descobrir a verdade usada em referência ao plano divino da salvação que é revelado aos homens.

Assim, De la Potterie pensa que muitas das passagens joaninas que Dodd e Bultmann relacionam a um pano de fundo grego ou gnóstico realmente são herdeiras da associação apocalíptica e sapiencial da verdade com sabedoria e mistérios. Por exemplo, Jo 17,17 diz: "A tua palavra é a verdade"; a expressão "palavra de verdade" ocorre nas passagens sapienciais do AT, p. ex., Sl 119,43; Ecl 12,10. No ambiente joanino, a verdade não é vista por meio de contemplação, como é no helenista, mas é ouvida (Jo 8,40). No AT, a Sabedoria fala aos homens, e Deus ou os anjos falam mistérios aos homens, para que os homens escutem a verdade.

BLANK, *art. cit.*, mantém que o aspecto essencial da verdade, em João, é que ela é associada com o revelador. A afirmação de que Jesus é a verdade (14,6) pode muito bem ser um reflexo do tema de que Jesus é a Sabedoria encarnada (Introdução VIII:D). Além do mais, se tivermos em mente que no pensamento paulino Jesus é a expressão do mistério, i.e., o misterioso plano divino da salvação (Cl 1,27; Ef 3,4), a identificação joanina de Jesus como a verdade poderia refletir uma herança que une mistério e verdade. Portanto, no geral pensamos que a teoria de DE LA POTTERIE merece consideração. Ela se adequa muito bem com nossa tese de que a influência primária sobre João foi o judaísmo, e não o pensamento helenista ou gnóstico (Introdução, IV).

Devemos comentar ainda, sucintamente, sobre o uso joanino dos dois adjetivos, *alēthēs* e *alēthinos*. *Alēthinos* implica exclusividade no sentido de "o único real", quando comparado com o suposto ou pseudo. Ele é usado em um contraste entre o celestial e o terreno, ou entre a realidade do NT e o tipo do AT. Assim, em 1,9, Jesus é a verdadeira luz, enquanto o Batista não o é. Em 6,32, a revelação de Jesus é o verdadeiro pão do céu, quando contrastado com o maná no deserto que as multidões pensam ser o pão do céu. Em 15,1, Jesus, e não o Israel do AT, é a videira verdadeira.

Alēthēs significa "verdadeiro, a despeito das aparências", e não implica necessariamente um contraste com algo suposto. Assim, em 6,55, a despeito das aparências, a carne de Jesus é realmente comida. No sentido de "fiel", "autêntico", *alēthēs* é aplicado ao testemunho que contém afirmações difíceis de crer (10,4; 19,35; 21,24). Em 5,32 e 7,14, somos informados que o testemunho de Jesus é verdadeiro, a despeito da circunstância de que ele é sua própria testemunha.

BIBLIOGRAFIA

BLANK, J., *"Der johanneische Wahrheits-Begriff"*, BZ 7 (1963), 164-73.
DE LA POTTEIRE, I., *"L'arrière-fond du thème johannique de vérité"*, StEv, I, pp. 277-94.
_____ *"La verità in S. Giovanni"*, RivBib 11 (1963), 3-24.

(3) *blepein; theasthai; theōrein; idein; horan* = "ver"
("avistar", "olhar para", "notar", "observar")

Cinco verbos são usados em João para expressar visão [ótica], mas é difícil decidir quantas destas formas representam verbos distintos no pensamento do evangelista. *Blepein* é usado somente no futuro e no perfeito; *idein* (*eidon*) é usado somente no aoristo. Poderia se pensar que estes três verbos estejam proporcionando expressões de tempo diferente do único conceito de "ver"? A maioria dos autores reconhece que ao menos *horan* e *idein* representam a mesma ideia.

FREQUÊNCIA DE OCORRÊNCIA

	João	1, 2, 3 João	Apocalipse	Total NT
blepein	17	1	13	
theasthai	6	3		22
theōrein	24	1	2	58
idein [eidon]	36	3	56	
horan	31	8	7	114

Somente com os verbos indicados, o emprego joanino representa uma importante porcentagem do emprego do NT.

Na tradução, não temos feito nenhuma tentativa de descobrir um verbo português diferente que corresponda a cada um destes verbos gregos. Entretanto, PHILLIPS, *art. cit.*, seguindo ABBOTT, *Vocabulary*, § 1597-1611, pensa que se pode estabelecer para cada verbo uma gama mais consistente de significado. Começando da forma mais material de ver e prosseguir rumo à forma mais elevada de percepção, ele organizaria os verbos gregos assim: *blepein, theōrein, horan (idein), theasthai;* o último verbo seria seguido por *pisteuein*, "crer", verbo que descreve o conhecimento pleno da realidade que é a verdade celeste. Vejamos o significado sugerido para cada verbo.

(a) *blepein*. Ambos, ABBOTT e PHILLIPS, caracterizam este como o verbo que significa a visão ocular ou material. Ele é usado no capítulo 9 para descrever a cura da vista ao cego. Em 13,22, os discípulos *olham* uns para os outros confusos; em 20,1, Maria vê que a pedra fora removida do túmulo (também 21,9). Assim, em muitos casos, *blepein* não tem um significado especial.

Contudo, em 9,39 *blepein* assume uma dimensão espiritual: Jesus veio ao mundo para juízo: "a fim de que os que não enxergam, vejam". Aqui o Evangelho está falando de visão espiritual; todavia, o verbo poderia ter sido escolhido a modo de contraste com seu uso para visão física por todo o capítulo. Em 5,19, *blepein* é usado para a própria forma exaltada da visão, a saber, o Filho vendo o que o Pai está fazendo. Assim, há exceções na tese de PHILLIPS de que *blepein* é o verbo inferior da visão na escala de verbos.

(b) *theōrein*. Segundo PHILLIPS e ABBOTT, isto significa visualizar com concentração, atentar bem. Implica mais gasto de tempo do que *blepein*. Esta maior intensidade de visão acarreta certa profundidade de compreensão, mas não em grau extraordinário. Esta interpretação de *theōrein* parece válida para um número de casos em que o verbo é usado para descrever a

Apêndice I: Vocabulário joanino

visão de sinais – uma visão que leva à aceitação de Jesus como um operador de prodígio ou um homem maravilhoso, mas que não constitui fé plena. (Ver Ap. III). Obviamente, Jesus não fica satisfeito com a fé que nasce do ver (*theōrein*) em 2,23; 4,19; 6,2. Em 6,19 fica claro que ver Jesus sobre as águas não leva à compreensão verdadeira.

Todavia, há outros casos em que *theōrein* parece representar a visão mais profunda e mais perceptiva. Este verbo é usado em 6,40, o qual promete vida eterna a todos os que buscam o Filho e creem nele. Em 17,24, ele é usado para a visão plena da glória de Jesus, presumivelmente no céu.

Todavia, em outros casos, *theōrein* parece significar não mais que visão física, em grande medida como *blepein*. Em 20,12, Maria observa os dois anjos junto ao túmulo, e em 20,14 ela vê Jesus em pé ali – mas em nenhum dos casos se produz uma visão espiritual. Que o mundo não pode ver o Paracleto (14,17) é uma incapacidade que provém particularmente da invisibilidade física do Espírito. Ver também 1Jo 3,17.

(c) *horan*, juntamente com *idein*. Tem-se sugerido que estes verbos descrevem visão acompanhada de compreensão genuína. PHILLIPS sugere a tradução "percebe", pois está envolvida inteligência intuitiva. Alega-se que estes verbos são usados para ver o Jesus ressurreto onde o resultado é a fé verdadeira (20,8.25). Um exemplo é a afirmação na última ceia (16,16): "Um pouco, e não me vereis [*theōrein* = visão física]; e outra vez um pouco, e me vereis [*horan*, i.e., com os olhos da fé após a ressurreição]". Temos outros bons exemplos de visão perceptiva em 1,50.51; 3,11.32; 11,40; 14,7.9; 19,35.37; 20,29. À primeira vista, outro exemplo pode ser 1,34, o qual usa *horan* para descrever como o Batista viu o Espírito descer sobre Jesus; mas, quase a mesma afirmação se encontra em 1,32, o qual usa *theasthai*. Seriam estes verbos apenas sinônimos em diferentes redações da mesma cena?

Além do mais, há claros exemplos em que *horan* é usado para visão sem qualquer percepção real. Em 4,45, ele é usado para ver sinais e reconhecer Jesus como operador de prodígio (= *theōrein*). Em 6,36 indica-se percepção ainda menor. *Idein* (*eidon*) é usado para visão meramente física em 1,39; 5,6; 6,22.24; 7,52; 12,9; 1Jo 5,16; 3Jo 14. É usado para uma visão inadequada dos sinais (= *theōrein*) em 4,48; 6,14.30.

(d) *theasthai*. A raiz do significado deste verbo sugere conexão com o teatro, e assim ABBOTT, *Vocabulary*, § 1604, o traduz por "contemplar". PHILLIPS pensa que ele significa visualizar algum espetáculo dramático e em certa medida tornar-se parte dele. Este significado pode ser assim em 1,14, "temos visto sua glória"; e talvez em 4,35, "vede os campos; estão maduros para a ceifa". Em 1Jo 1,1 parece haver uma progressão de *horan* para *theasthai*: "O que era desde o princípio, o que ouvimos, o que vimos [*horan*] com nossos olhos, o que temos contemplado [*theasthai*]".

Todavia, em outros casos como 1,38 e 6,5, *theasthai* parece referir-se à mera visão física. Em 11,45, *theasthai* é usada para ver um sinal e chegar (aparentemente) à fé (= *horan*) adequada; e, como salientamos acima sob (*c*), *horan* e *theasthai*, em 1,34 e 1,32, respectivamente, parecem ser intercambiáveis. A mesma intercambiabilidade se encontra na afirmação de que ninguém jamais viu a Deus em Jo 1,18 e 1Jo 4,12.

Para concluir, podemos dizer que certamente há em João diferentes modos de ver. Na maioria dos casos pode haver uma tendência para o uso de um verbo em vez de outro para uma forma específica de visão, mas a consistência não é notável. Os estudiosos que pensam que os verbos são sinônimos têm quase tantos textos para provar sua tese quantos têm os estudiosos que atribuiriam significados específicos aos verbos.

BIBLIOGRAFIA (ver também *pisteuein*)

PHILLIPS, G. L., "*Faith and Vision in the Fourth Gospel*", SFG, pp. 83-96.

(4) *doxa* = "glória", "honra"

FREQUÊNCIA DE OCORRÊNCIA

	Sinóticos	João	1, 2, 3 João	Apocalipse	Total Joanino	Total NT
doxa	23	18		17	35	165

Das ocorrências sinóticas, 13 são em Lucas; assim, entre os evangelhos, Lucas e João partilham de uma predileção por esta palavra. No uso joanino há uma *doxa*, "louvor", "honra", que pode ser conquistada em um nível meramente natural, mas Jesus despreza isto (5,41; 7,18). A única *doxa* que tem valor real é aquela que é dada a Deus (7,18; 12,43). E esta *doxa* ou louvor que os homens dão a Deus é apenas um reconhecimento da *doxa* ou glória que Deus possui.

O conceito da glória de Deus no pensamento veterotestamentário oferece importante pano de fundo para o uso joanino. No AT há dois importantes elementos na compreensão da glória de Deus: um é a manifestação visível de sua majestade em *atos de poder*. Enquanto Deus é invisível, de tempos em tempos Ele se manifesta aos homens por meio de uma ação extraordinária, e isto é sua *kābōd* ou glória. Algumas vezes a ação está no reino da natureza, p. ex., uma tempestade. Algumas vezes se dá na história. Em Ex 16,7-10, Moisés promete ao povo: "De manhã vereis a glória de Deus". Ele está se referindo ao milagre do maná a ser realizado por Deus. A glória de Deus está na nuvem através da qual sua presença se torna visível aos israelitas em suas peregrinações pelo deserto (Ex 16,10) e também no fogo (Ex 24,17).

Visto que Jesus é a Palavra de Deus encarnada, ele é a incorporação da glória divina (1,14). Os dois elementos da *kābōd* estão presentes nele. Ele representa a presença divina visível em atos poderosos. Mais que os sinóticos, João insiste que esta *doxa* era visível durante seu ministério e não só depois da ressurreição. É verdade que João não descreve a Transfiguração que para os sinóticos é realmente a única manifestação de glória durante o ministério público (Lc 9,32). Todavia, João enfatiza que a *doxa* divina resplandeceu através dos sinais miraculosos de Jesus (2,11; 11,40; 17,4).

Todo o NT concorda que o Jesus ressurreto foi o veículo da *doxa*, posto que a ressurreição foi o poderoso ato de Deus por excelência. Visto que João concebe da paixão, morte e ressurreição como sendo aquela "hora", João vê o tema da glória como sendo a totalidade daquela hora. De fato, a hora é o tempo de o Filho do Homem ser glorificado (12,23.28; 13,32; 17,1). Jesus ora ao Pai no meio da hora: "Agora, glorifica-me, ó Pai, em tua presença com aquela glória que eu tive contigo antes que o mundo existisse" (17,5).

(5) *entolē* = "ordem", "mandamento"

FREQUÊNCIA DE OCORRÊNCIA

	Sinóticos	João	1, 2, 3 João	Apocalipse	Total Joanino	Total NT
entolē	16	11	18	2	31	68

O verbo relacionado *entellesthai* ocorre três vezes em João.

Para Paulo, *entolē* é a marca característica da Lei mosaica, como vemos em Rm 7. Em 7,8, Paulo diz que o pecado descobriu uma oportunidade no "*entolē*". Todavia, tanto Paulo (Rm 13,9-10) como os sinóticos (Mt 22,36-40) reconhecem que Jesus, sem prescindir dos mandamentos essenciais da Lei veterotestamentária, submeteu-os a um *entolē*, ou mandamento do amor.

Cinco vezes (4 singular; 1 plural) João usa *entolē* em referência à ordem do Pai a Jesus. Outras cinco vezes (2 singular; 3 plural) *entolē* é pertinente à ordem de Jesus aos discípulos. A mesma variação se encontra no verbo *entellesthai*; compare 14,31 com 15,14.17. A frequência do termo *entolē* no último discurso pode ser explicada pelo reconhecimento de que esta é a porção do evangelho onde Jesus fala intimamente com seus discípulos. Além do mais, o último discurso de despedida muito parecido com os discursos dos patriarcas finais no AT que também levam consigo um mandamento (ver também Mt 28,20).

Discutamos primeiro o uso de *entolē* para a ordem do Pai a Jesus. Em 12,49-50, o Pai ordenou a Jesus o que dizer e como falar; em 14,31, o Pai ordenou a Jesus o que fazer, especialmente em face de sua aproximação da morte quando luta com o príncipe deste mundo; em 10,18, a ordem que Jesus recebeu do Pai abrange a entrega de sua vida e de tomá-la de volta. Assim, todo o ministério de Jesus é de submissão à ordem do Pai – suas palavras; seus atos; e especialmente o mais importante de seus atos: sua paixão, morte e ressurreição. E porque Jesus cumpriu este mandamento, ele permanece no amor do Pai (10,17). É óbvio, pois, que o mandamento dado a Jesus diz respeito à sua relação com os homens, i.e., sua missão. E este mandamento tem um efeito sobre os homens: "Eu sei que o seu mandamento significa vida eterna" (12,50).

Voltemos agora ao uso de *entolē* por mandamento por parte de Jesus a seus discípulos. Precisamente como a própria vida de Jesus está sob o mandamento do Pai, um mandamento dado em amor e que se cumpre em aceitação amorosa, assim também o crente que vai a Jesus e quer ser seu discípulo deve viver sua vida sob o mandamento de Jesus. Uma vez mais, a obrigação deste mandamento é a de amor, cujo padrão é o amor que une Pai e Filho: "Permanecereis em meu amor, se guardardes meus mandamentos, assim como eu guardei os mandamentos de meu Pai e permaneço em seu amor" (15,10). Aliás, o cerne do mandamento que Jesus dá encontra sua expressão no amor de seus seguidores, uns para com os outros (13,34; 15,12.17). O que é novo sobre este mandamento não é a substância dele nem a intensidade exigida, mas, antes, sua motivação cristológica que o eleva a uma maneira de vida modelada na vida de Jesus. A ordem que Jesus recebeu do Pai diz respeito especificamente à sua morte pelos homens; o amor exigido entre os cristãos tem de ser modelado neste exemplo (15,12-13). E o *entolē* é não só modelado no exemplo de Jesus, mas inclusive é empreendido em um espírito de amor para com ele (14,15.21).

Como devemos interpretar esta ordem de amar uns aos outros? Significa que não há outra obrigação na vida cristã, ou significa que as muitas obrigações morais da vida cristã devem ser impregnadas com amor como sua inspiração e elemento unificador (como em Mt 19,18-19)? Talvez a variação entre plural e singular no uso de *entolē* indique que o último se aproxima mais da intenção de Jesus. (Esta variação é discutida mais detalhadamente no comentário sobre 1 João). As ordens (plural em 15,10) que Jesus recebeu do Pai concernia a todo o modo de vida. Assim também o mandamento dado por Jesus constitui um modo de vida pelo qual a essência do mandamento é o espírito de amor que se irradia nessa vida. Ao enfatizarmos a relação entre mandamento e modo de vida, podemos notar que 14,21 e 23 equiparam claramente guardar os mandamentos de Jesus e guardar sua palavra (*Tērein*, "guardar", rege *entolas* [sempre plural] 9 vezes nos escritos joaninos, enquanto rege *logon* e *logous* "palavra[s]", 8 vezes). Se a ordem que abrange o ministério de Jesus significa vida eterna para os homens (12,50), assim também as palavras que ele fala aos homens significa vida para eles (6,63). É interessante que o mesmo verbo *didonai*, "dar", que é constantemente usado para os dons salvíficos neste evangelho (*água viva, pão da vida, palavra de Deus*), é usado em 13,34 em relação à doação do mandamento de Jesus a seus discípulos. Em suma, podemos dizer que em João o *entolē* de Jesus a seus discípulos abarca uma forma de vida que leva à salvação dos homens; é dada amorosamente, aceita em amor e vivida com amor em imitação ao de Jesus.

Em um artigo em CBQ 25 (1963), 77-87, intitulado *"The Ancient Near Eastern Background of the Love of God in Deuteronomy"*, W. L. MORAN tem mostrado que o amor está intimamente relacionado com o conceito de aliança em Deuteronômio. Em um estilo semelhante, em seu artigo *"The Concept of Commandment in the Old Testament"*, TS 21 (1960), 351-403, artigo destinado a ser um prolegômeno ao estudo de *entolē* em João, M. J. O'CONNELL salientou quão profundamente o conceito joanino de mandamento se acha radicado no AT, especialmente em Deuteronômio, que é o "último discurso" de Moisés ao seu povo. "*Entolē* expressa o fato de que a vontade geradora de vida do Deus pessoal apresenta uma exigência à totalidade da existência do homem, cuja exigência o homem deve cumprir para si tanto com amor íntimo e reverência quanto com conformidade externa aos preceitos de Deus. *Entolē* tem como sua significação máxima unir o homem a Deus a ponto de levá-lo a 'seguir Iahweh'". Como O'CONNELL salienta, o AT oferece notável pano de fundo para os conceitos joaninos de *entolē* como uma revelação do que Deus é, da íntima associação de *entolē* e amor e a identificação de *entolē* com palavras dadas por Deus para serem ditas a outros.

(6) *zōē* = "vida ("vida eterna")

FREQUÊNCIA DE OCORRÊNCIA

	Sinóticos	João	1, 2, 3 João	Apocalipse	Total Joanino	Total NT
zōē	16	36	13	17	66	135

Obviamente, "vida" é um termo teológico joanino favorito; e, como FILSON, *art. cit.*, tem salientado, o Quarto Evangelho pode ser chamado o evangelho da vida, pois 20,31 enuncia como propósito primordial para o qual o evangelho foi escrito: "para que tenham vida em seu nome". Em particular, a expressão *zōē aiōnios*, "vida eterna", ocorre dezessete vezes em João e seis vezes em 1 João. (*Aiōn* "era", "*aeon*", "segmento do tempo", na tradução grega do hebraico '*ōlām*, um período de tempo sem princípio ou fim visível).

Mesmo sem o adjetivo qualificativo, *aiōnios*, em João *zōē* não se refere à vida natural. Antes, usa-se *psychē* para aquela vida para a qual a morte é um terminus (13,37; 15,13). Todavia, isso não significa que não fora a vida natural que originalmente teria sugerido o uso de "vida" como um símbolo para um dom especial de Deus. A vida natural é para o homem a mais rica das possessões; portanto, "vida" é um bom símbolo para indicar os mais preciosos dons divinos que subsistem além do alcance do homem. Visto que o homem pensa em Deus analogicamente, seria apropriado falar da "vida" de Deus pela analogia da vida do homem; e o maior ato da amizade de Deus com o homem foi descrito em termos do homem recebendo participação da vida de Deus. É óbvia a relação deste simbolismo com aquele de nos tornarmos filhos de Deus.

BULTMANN, TWNTE, II, pp. 870-72, vê forte influência gnóstica no conceito joanino de vida. DODD, *Interpretation*, pp. 144-50, dá a João paralelos do AT e rabínicos, mas também cita paralelos platônicos e herméticos como exemplos do mundo do pensamento filosófico grego para o qual João trouxe o conceito semítico de vida eterna. FEUILLET, *art. cit.*, insiste mais fortemente sobre as diferenças entre o conceito que João tinha da vida e aquele encontrado em Platão e a *Hermética*. Estes pontos de vista refletem diferentes teorias de origens joaninas como discutidas na Introdução, IV.

A expressão hebraica que ao subjacente ao grego *zōē aiōnōs* ocorre pela primeira vez em um livro protocanônico do AT, em Dn 12,2, onde lemos que os justos que morreram despertarão para *hayyē 'ōlām*, "a vida da era eterna". A raridade da expressão é explicada pelo fato de que somente em época mais tardia do pensamento veterotestamentário há atestação explícita de uma crença numa vida que transcende a morte (embora as raízes do conceito na teologia israelita podem ser mais antigas do que se cria até então). Isto foi expresso de duas maneiras nos livros do 2º e 1º séculos a.C.: em Daniel e 2Mc 12,43-44 (e na teologia farisaica) foi expressa em termos da ressurreição dentre os mortos; em Sb 3,2-4 e 5,15, foi expressa em termos da imortalidade da alma após a morte física.

Qual era a atitude dos sectários de Qumran? JOSEFO, *War* 2.8.11; 154, diz que os essênios criam na imortalidade da alma, mas esta crença não é clara nos textos de Qumran. Antes, como parte de sua expectativa de uma iminente intervenção divina, os teólogos de Qumran baseavam suas esperanças na Nova Jerusalém que seriam concretizadas em seus dias. 1QS 4,7 diz que na visitação divina todos os filhos da luz que andam no espírito da verdade terão "alegria eterna na vida sem fim [*hayyē nēṣaḥ* – uma forma mais bíblica de *hayyē 'ōlām*]". Em outras palavras, os sectários parecem entender que os dias messiânicos continuarão eternamente sobre a terra. CDC 3,20 diz: que os que permanecem fiéis à comunidade são destinados à "vida sem fim". Não obstante, as expectativas em Qumran não eram exclusivamente futurísticas, pois os adeptos pensavam na comunidade como já de posse de algum dos benefícios desta benção por vir. Os documentos de Qumran ensinam claramente que a comunidade partilha da comunhão com os anjos (1QS 11,7) que são os filhos de Deus. H. Ringgren, *The Faith of Qumran* (Filadélfia: Fortress, 1963), pp. 85, 128, comenta sobre a vida desta comunhão celestial/terrena e a compara com muita propriedade com a abordagem joanina sobre a vida eterna em termos de escatologia realizada.

Em outros escritos judaicos, o conceito de *hayyē 'ōlām* se desenvolveu de diferentes maneiras. No pensamento rabínico, "vida eterna" é contrastada com "vida temporal", e o princípio de distinção é o de duração. Gradualmente, *hayyē 'ōlām* no Talmude chegou a significar "vida duradoura", i.e., vida não só de duração indefinida, mas que não tem fim; ver Dodd, *Interpretation*, pp. 144-45. Em contrapartida, em escritos apocalípticos como 1 *Enoque* e 4 *Esdras* havia a tendência de distinguir duas eras: "esta era" e "a era por vir". Vida nestas duas eras diferiria não só quantitativamente (duração), mas qualitativamente. Haveria certo tipo diferente de vida no *hayyē 'ōlām*.

Com este pano de fundo em mente, volvamo-nos ao que em João significa "vida eterna". Esta é a vida pela qual Deus mesmo vive, e a qual o Filho de Deus possui da parte do Pai (5,26; 6,57). O Filho tem uma orientação específica para com os homens, pois ele é a Palavra divina falada com o propósito de dar vida eterna aos homens (1,4; 1Jo 1,1-2) e é para este propósito que o Filho veio aos homens e vive entre os homens (10,10; 1Jo 4,9). No que diz respeito aos homens, Jesus é a vida (11,25; 14,6; Ap 1,18); suas palavras são espírito e vida (Jo 6,63). Crer nele é a única forma que os homens têm para receber a vida de Deus (3,16; 5,24; 20,31). Como esta vida é comunicada? A vida natural é dada quando Deus sopra seu espírito ou fôlego no pó da terra (Gn 2,7); assim a vida eterna é dada quando Jesus sopra o Espírito Santo de Deus sobre os discípulos (Jo 20,22). O Espírito é a força geradora de vida (6,63), e o Espírito só pode ser dado depois que Jesus venceu a morte (7,39). A comunicação deste dom do Espírito às futuras gerações está associada com as águas vivas do batismo que gera de novo um homem (3,5; 4,10.14; 7,37-39) e que tem seus afluentes na água que fluiu do lado do Jesus crucificado (19,34). Esta vida eterna dada aos homens pelo Espírito gerador de vida é nutrida pelo corpo e sangue de Jesus na eucaristia (6,51-58).

Não pode haver dúvida, pois, que para João "vida eterna" é qualitativamente diferente da vida natural (*psychē*), pois esta é uma vida que a morte não pode destruir (11,26). Aliás, o verdadeiro inimigo da vida eterna não é a morte, e sim o pecado (1Jo 3,15; 5,16). Em linha com o pensamento apocalíptico esboçado anteriormente, para João "vida eterna" é a vida da Era Vindoura dada aqui e agora. Na Introdução, VIII:C, indicamos que o interesse dominante em João é o da escatologia realizada. Há uma similaridade real entre a vida eterna que Jesus oferece na terra através das águas vivas do batismo e a vida no fim dos tempos quando a Nova Jerusalém descer do céu e através de suas ruas corre a água da vida que sai do trono do Cordeiro (Ap 22,1). No evangelho, vida eterna e filiação divina são dons já de posse do cristão (embora haja lugar para futura perfeição quando a própria morte física não mais existir 5,28-29).

Visto que a diferença entre vida divina e vida natural seja primariamente qualitativa, a melhor tradução de *zōē aiōnios* é "vida eterna", em vez de "vida duradoura", tradução que colocaria a ênfase na duração. No entanto, não negamos que não haja conotação de "eterno" na compreensão que João tem desta vida. Se a morte não pode destruí-la, obviamente não tem um término definido. Em 6,58, ouvimos: "Aquele que se alimenta deste pão *viverá eternamente*". Mas, diferente dos conceitos platônicos e herméticos da vida, o conceito joanino de vida eterna não exclui a relação de tempo. A vida eterna do cristão chegou através da ação do Filho de Deus que se fez homem no tempo. Só se pode possuir esta vida eterna quando se é um ramo da videira que é Jesus (15,5). Mesmo a afirmação mais "gnóstica" no evangelho, "a vida eterna consiste nisto: que te conheçam como o verdadeiro Deus, e aquele a quem enviaste, Jesus Cristo" (17,30), tem suas raízes em um evento histórico de uma maneira em que o pensamento gnóstico não está. Aqui, "conhecer" significa viver em uma relação vital e íntima com o Pai e com Jesus, e tal relação vem através da fé em Jesus e de ouvir suas palavras. João nunca sugere que esta relação pode vir através de contemplação estática da divindade, como na *Hermética*, nem através de visão mística de Deus, como nas religiões de mistério.

A ênfase sobre a vida é muito mais clara em João do que nos sinóticos. Todavia, uma vez mais podemos suspeitar que o quarto evangelista não está inventando um tema, e sim destacando um tema que fazia parte da tradição das palavras do próprio Jesus, a julgar pelos dados que temos. Em Mc 9,43 (também Mt 25,46), Jesus fala de entrar na vida depois da ressurreição do corpo. Em uma passagem encontrada em Mc 10,17, e em uma forma variante em Mt 19,16 (que pode representar "Q"), um homem pergunta a Jesus o que fazer para herdar a "vida eterna". A linguagem de "entrar na vida", "herdar a vida" é similar à linguagem que os sinóticos usam para o reino (Mt 19,24; 25,34). Lc 18,29-30 associa claramente vida eterna com o reino de Deus. O quarto evangelista, que diz pouco sobre o reino, parece ter tomado uma expressão associada com o reino, a saber, "vida" ou "vida eterna", e fez dela o principal tema do evangelho. A maior adaptabilidade do tema da vida em sua ênfase sobre a escatologia realizada, sem dúvida foi um fato na escolha. O fato de que o AT retrata a Sabedoria como a guiar os homens à vida (Pv 4,13; 8,32-35; Siraque 4,12; Baruque 4,1) e imortalidade (Sb 6,18-19) provavelmente era outro fator, pois os temas da Sabedoria são importantes neste evangelho (Introdução, VIII:D).

BIBLIOGRAFIA

FEUILLET, A., *"La participation actuelle à la vie divine d'après le quatrième évangile"*, StEv, I, pp. 295-308. Agora em inglês em JohSt, pp. 169-80.
FILSON, F. V., *"The Gospel of Life"*, CINTI, pp. 111-23.
MUSSNER, F., ZOE, *Die Anschauung vom "Leben" im vierten Evangelium unter Berücksichtigung der Johannesbriefe* (Munique: 1952 – *Theologische Studien* I 5).
SIMON, U. E., *"Eternal Life in the Fourth Gospel"*, SFG, pp. 97-109.

(7) *kosmos* = "mundo"

FREQUÊNCIA DE OCORRÊNCIA

	Sinóticos	João	1, 2, 3 João	Apocalipse	Total Joanino	Total NT
kosmos	14	78	24	3	105	185

O que chamaríamos "o universo" em hebraico é descrito como "céu e terra"; somente no hebraico tardio '*ōlām*, "era", veio a significar "mundo". Não obstante, o grego encontrou em *kosmos*, "mundo", uma palavra para dar expressão ao conceito helenista da ordem do universo. Se a LXX adotou este termo, pode ser pelo desejo de fidelidade ao pensamento hebraico encontrado em Gênesis de que no princípio Deus pôs ordem aos céus e à terra. Em 1,3.10; 17,5.24, João é o herdeiro do pensamento bíblico ao reconhecer a criação do mundo por Deus e, em particular, pela palavra de Deus (ver Apêndice II).

Mas "o mundo" pode significar mais do que o universo físico, pois às vezes ele se refere ao universo à medida que se relaciona com o homem. Algumas vezes "o mundo" tem com frequência a nuança de uma criação capaz de resposta. Gn 1,26 descreve o homem como a culminação da criação de Deus; Gn 2 exibe a criação animada colocados a serviço do homem; Siraque 17,2 diz que Deus concedeu aos homens autoridade sobre as coisas na terra. Assim, o mundo alcança seu sentido pleno no homem que foi criado à imagem e semelhança de Deus. Ela recebe do homem sua orientação – ou através dele louva a Deus, ou através de seu pecado é orientado para o mal. O pensamento bíblico não hesita em atribuir bençãos naturais à observância do homem dos mandamentos de Deus, e as catástrofes naturais aos pecados do homem (Dt 28,39-40).

Além de referir-se ao universo sob a diretriz do homem, "o mundo" pode referir-se ainda mais diretamente à sociedade dos homens (ver nota sobre 1,10). O que chamamos "humanidade" pode ser chamado "o mundo".

Ora, ao estudarmos estes usos de "mundo", o qual envolve o homem, devemos ter em mente que no pensamento bíblico o pecado de Adão exerceu um mau efeito sobre o mundo. As trevas não podem vencer a luz, mas antes da vinda de Jesus as trevas prevaleceram no ambiente do mundo (Jo 1,5). Em Rm 8,22, Gl 4,3, Paulo vê a criação em grilhões que anela por libertação. Satanás é o Príncipe deste mundo (Jo 12,31; 14,30; 16,11).

Todavia, no pensamento joanino é óbvio que o mundo não tem vencido o mal por si mesmo, mas, antes, é orientado e dominado pelo mal. Jo 3,16 diz que Deus amou o mundo e não quis que ele perecesse. Especialmente na primeira metade do evangelho (caps. 1-12) há muitas referências que mostram a benevolência de Deus e sua intenção salvífica para com o mundo. Jesus foi enviado pelo Pai para salvar o mundo (3,17; 10,36; 12,47) e dar a sua vida pelo mundo (6,33.51). Ele é o Salvador do mundo (4,42; 1Jo 4,14; ver também Jo 6,14; 11,27) e o Cordeiro de Deus que tira o pecado do mundo (1,29). Ele veio ao mundo como a luz do mundo (8,12; 9,5) para dar testemunho da verdade (18,37). Ocultos nas trevas houve alguns eleitos por Deus que saíram das trevas para a radiante luz em Jesus. Mas, para os demais que preferiram as trevas, a vinda da luz ao mundo apenas endureceram sua orientação para o mal e assim provocaram sua auto-condenação (3,19-20).

A reação dos que se afastaram de Jesus não foi simplesmente a de rejeição, mas também de oposição. E assim, à medida que seu ministério avança, e particularmente na segunda metade do evangelho, "o mundo" é mais consistentemente identificado com os que se voltaram contra Jesus sob a liderança de Satanás, e uma forte nota de hostilidade acompanha o uso de "o mundo". A vinda de Jesus se tornou juízo sobre o mundo (9,39; 12,31) e sobre os filhos do Príncipe deste mundo que 1Jo 5,19 declara que o mundo inteiro está sob o poder do Maligno. Jesus e seus seguidores não podem pertencer ao mundo, pois o mundo se tornou então incompatível com a fé em Jesus e o amor para com ele (Jo 16,20; 17,14.16; 18,36; 1Jo 2,15). O Espírito que Jesus envia é também incompatível com o mundo e hostil a ele (Jo 14,17; 16,8-11). Em suma, o mundo odeia Jesus e seus seguidores (7,7; 15,19; 16,33; 1Jo 3,13).

Na luta entre Jesus e o mundo, Jesus vence o mundo em seu momento de paixão, morte e ressurreição (16,33) e destrona o Príncipe deste mundo (12,31). Não obstante, o desenvolvimento desta vitória contra o mundo continuaria depois da partida de Jesus. Jesus envia seus seguidores ao mundo (17,18), e sua fé nele há de vencer o mundo (1Jo 5,4-5). Seu propósito é levar o mundo a crer em Jesus e reconhecer que ele é enviado da parte do Pai (Jo 17,21.23). Diante do desafio deles, o mundo, com todos os seus atrativos, há de passar (1Jo 2,17).

BIBLIOGRAFIA

BENOIT, P., *"Le monde peut-il être sauvé?"*, La Vie Intellectuelle 17 (1949), 3-20.
BRAUN, F.-M., *"Le 'monde' bon et mauvais de l'Evangile johannique"*, La Vie Spirituelle 88 (1953), 580-98; 89 (1953), 15-29.

(8) *menein* = "permanecer", "continuar", "estar em", "habitar em"

FREQUÊNCIA DE OCORRÊNCIA

	Sinóticos	João	1, 2, 3 João	Apocalipse	Total Joanino	Total NT
menein	12	40	27	1	68	118

João gosta de usar o verbo *menein* para expressar a permanência da relação entre Pai e Filho e entre Filho e o cristão. Não obstante, João não faz uso dos muitos compostos de *menein* (*epimenein* aparece no relato da mulher adúltera) que são frequentes nos outros escritos do NT (55 vezes).

No AT, permanência é uma característica de Deus e o que lhe pertence, quando contrastado com o aspecto temporário e transitório do homem. Nas palavras de Dn 6,26, "Ele é o Deus vivo que permanece [*menōn*] para sempre". A Sabedoria também é em si mesma permanente e renova todas as coisas (Sb 7,27). No NT, citando o AT, a palavra de Deus permanece para sempre (1Pd 1,25). Esta atmosfera da permanência do divino teve sua influência na predileção joanina por *menein*. As multidões em 12,34 citam como um axioma "o Messias há de permanecer para sempre"; e visto que João apresenta Jesus como o Messias e como o Filho de Deus, tudo o que pertence a Jesus tem de ser permanente e persiste para sempre. O Espírito foi dado aos profetas por certo tempo, mas o Espírito permanece em Jesus (1,32). O homem que imita Jesus, fazendo a vontade de Deus, permanece para sempre (1Jo 2,17). Ver também Jo 6,27; 15,16.

Mas o uso joanino de *menein* é mais complexo; pois o estudo deste verbo, especialmente na fórmula *menein en*, nos introduz à totalidade do problema da teologia joanina da imanência, i.e., uma maneira de permanecer um no outro que une Pai, Filho e o crente. Em João, ouvimos que assim como o Filho está no Pai, e o Pai, no Filho (14,10-11), também o Filho estaria nos homens, e os homens estariam no Pai e no Filho (17,21, 23). Aqui, o verbo é *einai en*, "estar em", mas este é sinônimo de *menein en*, com a exceção que *menein* tem a nota anexa de permanência. *Menein* é usado nas epístolas mais frequentemente para esta permanência. O uso de *menein* para habitação recíproca propicia a possibilidade de um significado secundário e espiritual pelo uso mais ordinário de *menein*, p. ex., Jo 1,39, onde os discípulos ficam com Jesus. Antes de analisar o conceito joanino de habitação recíproca, podemos indagar sobre o pano de fundo de tal ideia. O quadro veterotestamentário da habitação de Deus no tabernáculo ou no templo, no meio de Israel, na verdade não ajuda, pois em João esta é uma questão de Deus habitar em um indivíduo. Talvez o melhor paralelo possa ser achado nas inúmeras passagens do AT, onde o espírito ou a palavra de Deus são dados a um profeta. Há também uma passagem, como Sb 7,27, onde somos informados que a Sabedoria é em si mesma perene, habita entre os homens e transforma as almas santas. A ideia de estar "em Deus" se encontra no mundo helenista. DODD, *Interpretation*, pp. 187-92, discute a união com Deus em FILO e na *Hermética*, distinguindo em particular casos onde estar em Deus implica êxtase ou uma visão panteísta. Nenhuma das passagens joaninas parece ser uma referência à experiência extática, e a união de João não é a de identidade entre Deus e o homem. Os cristãos permanecem um no outro seguindo o modelo da unidade de Pai e Filho (17,21), todavia João nunca pressupõe que se tornam o Pai e o Filho.

O paralelo neotestamentário mais aproximado com a imanência joanina é a frequente fórmula paulina "em Cristo" e sua fórmula correspondente "Cristo em nós". Os exegetas não concordam sobre a implicação precisa da fórmula paulina; todavia, muitos a associariam com o conceito que Paulo tinha do corpo de Cristo. A fórmula paulina de unidade não tem o mesmo modelo na relação Pai/Filho que é característico da teologia joanina da imanência. Entretanto, há um paralelo parcial entre o pensamento paulino de que o Espírito de Deus habita (*oikein* – Rm 8,9) no cristão e o pensamento joanino de que o Paráclito permanece com ou no discípulo de Jesus (14,16-17).

Talvez não seja possível encontrar um pano de fundo completo para o conceito joanino de imanência sem a vincular a outros pontos teológicos já discutidos, p. ex., vida eterna, escatologia realizada. Isto é pressuposto pelo fato de que os escritos joaninos usam *menein* e seus sinônimos não só para a habitação do Pai e o Filho no cristão, mas também para a habitação dos atributos, dons e poderes divinos. Note os seguintes equivalentes:

Diz-se que estes moram ou permanecem no cristão:	*O cristão mora em ou pertence a*:
a(s) palavra(s) de Deus ou de Jesus: 5,38; 15,7; 1Jo 2,14.24.	a palavra de Jesus: 8,31.
vida eterna: 1Jo 3,15.	luz: 1Jo 2,10; ver Jo 12,46.
amor divino: 1Jo 3,17.	amor: Jo 15,9-10; 1Jo 4,16.
verdade: 1Jo 1,8; 2Jo 2.	verdade: 1Jo 3,19.
testemunho divino: 1Jo 5,10.	ensino de Cristo: 2Jo 9.
unção divina: 1Jo 2,27.	
semente divina: 1Jo 3,9.	

Voltando agora ao uso joanino de *menein* para a habitação divina, podemos notar que Pecorara, pp. 162-64, analisou cuidadosamente os sete diferentes significados de *menein* em João, porém se concentra nos dois significados dominantes: "permanecer em algo" e "estar intimamente unido com alguém". É o último o que particularmente nos interessa aqui. Passagens como Jo 6,56 e 15,4-5 tratam da persistência ou permanência de Jesus no cristão e do cristão em Jesus. 1Jo 4,16-16 (3,24?) fala da habitação mútua de Deus o Pai e do cristão, enquanto Jo 14,23 e 1Jo 2,24 falam do Pai, do Filho e do cristão. E isto é muitíssimo compreensível, porque, como vimos na p. 688, o que João diz sobre a relação e unidade do Pai e do Filho é sempre orientado para os homens. A habitação mútua do Pai e do Filho não é estática, e sim uma relação dinâmica (Dodd, *Interpretation*, p. 194).

O fato de que a relação entre Jesus e seus discípulos tem seu modelo na relação Pai/Filho também é dada expressão no que João diz sobre vida e amor (ver nossa discussão acima). Aliás, habitação, vida e amor comuns são apenas diferentes facetas da unidade que une Pai, Filho e o crente (17,11.21). Habitação divina é uma união íntima que se expressa em um modo de vida vivida em amor. Se compreendermos esta verdade, evitaremos a equivocada identificação do conceito que João tem de habitação com um misticismo exaltado como o de uma Teresa de Ávila ou de um João da Cruz. Permanecer em Jesus, ou no Pai, ou em um dos atributos ou dons divinos está intimamente associado com guardar os mandamentos em um espírito de amor (Jo 15,10; 1Jo 4,12.16), com uma luta contra o mundo (1Jo 2,16-17), e com a produção de fruto (Jo 15,5) – todos deveres cristãos básicos. Assim, habitar não é a experiência exclusiva das pessoas escolhidas no seio da comunidade cristã; é o princípio constitutivo essencial de toda a vida cristã.

BIBLIOGRAFIA

PECORARA, G. *"De verbo 'manere' apud Joannem"*, Divus Thomas 40 (1937), 159-71.
SCHNACKENBURG, R., *"Zu den joh. Immanenzformula"*, Die Johannesbriefe (2 ed.; Freiburg: Herder, 1963), pp. 105-9.

(9) *pisteuein* = "crer" ("ter fé", "vir à fé", "pôr fé") –
com uma nota sobre *eidenai*; *ginōskein* = "conhecer", "compreender"

FREQUÊNCIA DE OCORRÊNCIA

	Sinóticos	João	1, 2, 3 João	Apocalipse	Total Joanino	Total NT
pisteuein	34	98	9		107	241

É digno de nota que o substantivo para "fé", *pistis*, nunca ocorre no Evangelho de João (uma vez em 1 João; 4 vezes em Apocalipse); este é outro exemplo da preferência joanina por verbos e ação que vimos com *agapan*. No restante do NT, *pistis* ocorre 243 vezes, e assim mais que o verbo. No Apêndice III, "Sinais e Obras", discutiremos os vários estágios na gênesis da fé em João, bem como a relação existente entre crer e ver; aqui nos preocupamos primariamente com o uso e significado de *pisteuein*.

Frases envolvendo a expressão participial *ho pisteuōn*, "o crente" ou "aquele que crê", são quase próprias de João (p. ex., 3,15.16.18) quando comparadas com o restante do NT – uma exceção é At 13,39. Para João, ser crente e ser discípulo na verdade são sinônimos, pois fé é o fato primário de tornar-se cristão. A frequência de *pas*, "todo, cada", na construção é também indicativo disto. Que João prefere o verbo *pisteuein* ao substantivo mostra que o evangelista não está pensando em fé como uma disposição interna, e sim como um comprometimento ativo. O "Amém" duplo (ver nota sobre 1,51) com que Jesus prefacia suas importantes afirmações é um chamado para uma confiança do crente nele e em sua palavra.

A nuança particular do conceito joanino de crer é vista na predileção pela proposição *eis* depois de *pisteuein*, "crer em[a]" (36 vezes em João; 3 em 1 João; 8 em outros lugares no NT). Não há verdadeiro paralelo para este uso na LXX ou no grego secular. Alguns têm encontrado um paralelo semítico nos Rolos do Mar Morto (1QpHab 8,2-3) onde uma palavra da raiz '*mn*, "fidelidade, fé", é seguida da preposição b^e para descrever a relação que os observadores da Lei (a comunidade) têm com o Mestre de Justiça (o líder deles). Mas não se determina se a passagem está falando da "fidelidade deles para com ele" ou de "sua fé nele".

Com a exceção de 1Jo 5,10, *pisteuein* é usado nos escritos joaninos para confiar em(a) uma pessoa: duas vezes a expressão determina o Pai; 31 vezes, determina Jesus; 4 vezes, determina o nome de Jesus. Há a mesma exigência de crer em Jesus como há de crer em Deus (Jo 14,1). Um sinônimo frequente é "ir a" Jesus (paralelismo em 6,35; 7,37-38), e este sinônimo nos propicia outra prova da natureza dinâmica do conceito joanino de crença. Assim, *pisteuein eis* pode ser definido em termos de um comprometimento ativo com uma pessoa e, em particular, com Jesus. Envolve muito mais que fé em Jesus ou confiança nele; é uma aceitação de Jesus e do que ele reivindica ser e uma dedicação da vida de alguém a ele. O comprometimento não é emocional, mas envolve a disposição de responder às exigências de Deus como são apresentadas em e por Jesus (1Jo 3,23). Eis por que em João não há conflito entre a primazia da fé e a importância das boas obras. Ter fé em Jesus a quem Deus enviou é *a obra* exigida por Deus (6,29), pois ter fé implica permanecer na palavra e nos mandamentos de Jesus (8,31; 1Jo 5,10).

Embora haja vários estágios no desenvolvimento da fé (ver Ap. III), em geral João usa *pisteuein eis* para fé verdadeira e salvífica. Em 2,23-24 e 12,42-43 encontram-se exceções, e estas nos advertem que não devemos traçar uma distinção incisiva demais entre as várias construções com *pisteuein*. Em um artigo do qual só vimos um sumário, T. Camelot, RSPT (1941-42), 149-55, estuda estas construções e minimiza a distinção entre *pisteuein eis* e uma construção rival, *pisteuein* com o dativo, que ocorre umas vinte vezes no evangelho e duas vezes em 1 João. Não obstante, esta última construção tem diferenças em ênfase. *Pisteuein* com o dativo é usado para crer tanto em alguém (Moisés, Jesus, o Pai) como em algo (a palavra, a Escritura). Aqui fica menos óbvio o comprometimento com uma pessoa, e a simples aceitação de uma mensagem parece ser a ideia dominante. Portanto, algumas vezes *pisteuein* com o dativo é usado pelo evangelista para descrever uma fé que em seu juízo não é satisfatória (6,30; 8,31?). *Pisteuein* também ocorre com *dia*, "crer por causa de". Esta expressão abrange as bases da fé, p. ex., as palavras ou obras de Jesus (4,41.42; 14,11). Ver a nota sobre 3,15 para outro possível uso. Naturalmente, muitas vezes *pisteuein* é usado absolutamente sem qualquer objeto, e esta construção tem várias nuanças de significado. Para excelentes tabelas gráficas que ilustram quase todo aspecto do uso joanino de *pisteuein*, ver Gaffney, *art. cit.*

É digno de nota que no Evangelho de João a maioria dos usos de *pisteuein* (74 de 98) ocorre nos capítulos 1-12 ou o Livro dos Sinais. Esta divisão de frequência concorda com a tese de que no Livro dos Sinais Jesus está apresentando aos homens a escolha de crer, enquanto no Livro da Glória (caps. 13-20) ele está falando aos que já creem e, assim, está pressupondo fé. É verdade que em 14,10 Jesus censura a inadequação da fé dos discípulos e tenta intensificar o comprometimento deles (14,1), mas os fundamentos da fé já estão postos. A ênfase sobre a resposta dos discípulos, no Livro da Glória, é em termos de amor que é a perfeição do comprometimento do crente.

• • •

Até certo ponto, "conhecer" e "crer" são intercambiáveis em João. As últimas linhas de 17,8 introduzem paralelismo ao *conhecimento* ("compreender" = *ginōskein*) de que Jesus veio do Pai e a *convicção* de que Jesus foi enviado pelo Pai. Uma comparação de 14,7 e 10 mostra as similaridades entre os dois verbos, "conhecer" (*ginōskein* e *eidenai*) e o verbo "crer". Se "ir a" é sinônimo com o elemento ativo no conceito de crer, "conhecer" é parcialmente sinônimo com o elemento receptivo em crer. Enfatizamos que a área semântica coberta por estes verbos só é parcialmente a mesma; pois enquanto se pode dizer que Jesus conhece o Pai (10,15), nunca lemos que ele crê no Pai. Diretamente, só Jesus conhece o Pai, mas através dele esse conhecimento é oferecido aos homens (14,7).

Os dois verbos "conhecer" ocorrem com a seguinte frequência:

	João	1, 2, 3 João	Apocalipse
ginōskein	56	26	4
eidenai [oida]	85	16	12

Uma vez mais, mostrando certa preferência pelos verbos, os escritos joaninos nunca usam o substantivo *gnōsis*, "conhecimento". De la Potterie, *art. cit.*, tem feito grande esforço para distinguir entre os dois verbos. Em sua visão, *ginōskein* se refere à aquisição de conhecimento; ele abrange o campo do conhecimento experimental que um homem tem que ganhar através de longo esforço. Em contrapartida, *eidenai* (*oida*) não significa "vir a conhecer", mas simplesmente "conhecer"; refere-se à certeza imediata possuída com segurança. Spicq, *Dieu et l'homme*, p. 99[1], mantém o mesmo tipo de distinção: *ginōskein* se refere ao conhecimento através da instrução, enquanto *eidenai* se refere ao conhecimento através da visão (*oida* e *eidon*, "eu vi", se relacionam). Basicamente, a mesma ideia se encontra em Abbott, *Vocabulary*, §§ 1621-29, que traduz *ginōskein* como "adquirir conhecimento sobre", e *eidenai* como "conhecer tudo sobre".

Há alguma base para a distinção. *Ginōskein* é preferido por João para o conhecimento que Jesus adquire por meios humanos, p. ex., 5,1; 6,15. Entretanto, nem sempre é fácil certificar-se de que o evangelista quer que pensemos que Jesus adquiriu conhecimento por meios humanos. Por exemplo, em 5,5 Jesus sabe que o paralítico fora doente por muito tempo; em 16,19, ele sabe que os discípulos queriam interrogá-lo. Estes são exemplos de conhecimento ordinário, ou da capacidade divina de ler os corações dos homens (2,25)? Devemos ser cuidadosos com raciocínio circular, quando estudamos tais usos de *ginōskein*. Um bom exemplo de conhecimento espiritual profundo adquirido pela experiência se encontra no uso que Pedro faz de *ginōskein* em 6,69: "Estamos convencidos de que tu és o Santo de Deus".

Podemos conceder ainda que *eidenai* é frequentemente usado para o conhecimento intuitivo que Jesus tem do Pai e das coisas de Deus. Não obstante, a distinção cai por terra quando compreendemos que *ginōskein* é usado em muitos dos mesmos casos onde se usa *eidenai*. Notemos os seguintes exemplos:

- Jesus conhece o Pai: *eidenai* em 7,29 e 8,55; *ginōskein* em 10,15 e 17,25.
- Jesus conhece todas as coisas ou todos os homens: *eidenai* em 16,30 e 18,4; *ginōskein* em 2,24.
- "Se me conhecêsseis, conheceríeis também a meu Pai: *eidenai* em ambas as partes de 8,19; *ginōskein* e *eidenai* em 14,7.
- O mundo ou os pecadores não conhecem o Pai ou Jesus: *eidenai* em 7,28; 8,19; 15,21; *ginōskein* em 1,10; 16,3; 17,25; 1Jo 3,1.6.

Os partidários da distinção têm elaborado várias explicações para os exemplos quando um ou o outro verbo é usado de uma maneira que parece violar o significado proposto para ela. Contudo, há tantas exceções que provavelmente seja preferível chegar à mesma decisão aqui que alcançamos sobre as tentativas de distinguir os vários verbos "amar" e "ver". Pode ser que João tenda usar um verbo de uma maneira e o outro de outra maneira, mas é realmente uma questão de ênfase e não de distinção incisiva. O evangelista não é tão preciso como querem seus comentaristas.

BIBLIOGRAFIA

BARRISSEM, T. – Ver sob (1) *agapē*...

BONNINGUES, M., *La Foi dans l'Evangile de saint Jean* (Brussels: Pensés Catholique, 1955).

BRAUN, F.-M., *"L'accueil de la foi selon S. Jean"*, La Vie Spirituelle 92 (1955), 344-63.

CULLMANN, O., *"Eiden kai episteusen"*, Aux sources de la tradition chrétienne (Mélanges Goguel; Paris, 1950), pp. 52-61.

DECOURTRAY, A., *"La conception johannique de la foi"*, NRT 81 (1959), 561-76.

DE LA POTTERIE, I., *"Oida et ginōskō, les deux modes de la connaissance dans le quatième évangile"*, Bib 40 (1959), 709-25.

GAFFNEY, J., *"Believing and Knowing in the Fourth Gospel"*, TS 26 (1965), 215-41.
GRELOT, P., *"Le problème de la foi dans le quatrième évangile"*, BVC 52 (1963), 61-71.
GRUNDMANN, W., *"Verständnis und Bewegung des Glaubens im Johannes-Evangelium"*, Kerygma und Dogma 6 (1960), 131-54.
HAWTHORNE, G. F., *"The Concept of Faith in the Fourth Gospel"*, Bibliotheca Sacra 116 (1959), 117-26.
LEAL, J., *"El clima de la fe en la Redaktionsgeschichte del IV Evangelio"*, EstBib 22 (1963), 141-77.
VANHOYE, A., *"Notre foi, oeuvre divine, d'après le quatrième évangile"*, NRT 86 (1964), 337-54.

(10) *phōs; skotia* = "luz"; "trevas"

FREQUÊNCIA DE OCORRÊNCIA

	Sinóticos	João	1, 2, 3 João	Apocalipse	Total Joanino	Total NT
phōs	15	23	6	4	33	73
skotia	3	8	6		14	17

Nos outros escritos neotestamentários que tendem a usar *skotos* para "trevas" – das 30 vezes somente 2 correspondem aos escritos joaninos. Muitos dos usos que o NT faz de "luz" e "trevas" se referem simplesmente a fenômeno físico; aqui não nos interessa o uso simbólico. O contraste dualista entre luz e trevas é preponderantemente joanino, embora apareça ocasionalmente em outras obras do NT (Lc 11,35; 2Cor 6,14; Ef 5,8; 1Ts 5,4; 1Pd 2,9).

Luz é um fenômeno natural que em si tende para o simbolismo. Com sua claridade e calor, obviamente ela é algo desejável e bom, enquanto as trevas são espontaneamente temidas como más. Como E. ACHTEMEIER, *art. cit.*, tem demonstrado, o AT fez bom uso deste simbolismo (Jó 30,26). A vida era associada com a luz solar, enquanto que o reino da morte era retratada como trevas lúgubres (Jó 10,21; Sl 143,3). O Sl 49,19 diz que o homem que morre nunca mais verá a luz. Todavia, no AT luz e trevas não passam de símbolos poéticos para o bem e o mal.

À luz dos escritos de Qumran, agora sabemos que nos tempos que precedem o NT este símbolo assumiu novas dimensões, pois nos Rolos do Mar Morto luz e trevas se converteram em dois princípios morais atracados em uma luta ferrenha pelo domínio da raça humana. Para cada princípio há um líder angélico pessoal criado por Deus, a saber, o príncipe da luz (presumivelmente Miguel) e o anjo das trevas (Belial). Luz é o equivalente de verdade; trevas, de perversão; e os homens caminham em um ou outro desses princípios, segundo sua aceitação ou rejeição da interpretação que a comunidade faz da Lei, se tornam filhos da luz ou filhos das trevas. Em última análise, Deus destruirá o mal e, então, a perversidade desaparecerá diante da justiça, como as trevas diante da luz. Este dualismo modificado ("modificado" porque os princípios são criados) se aproxima muito mais da atmosfera do Quarto Evangelho do que qualquer outro texto no AT.

No pensamento joanino, Deus é luz e nele não há nenhumas trevas (1Jo 1,5). A Palavra, que é Deus (Jo 1,1), vem ao mundo como a luz do mundo (8,12; 9,5), trazendo aos homens vida e luz (1,4; 3,19). A vinda desta luz se fez necessária em virtude do pecado do homem que trouxe trevas sobre o mundo, trevas que tudo fizeram para vencer a luz que foi deixada ao homem pecaminoso (Jo 1,5). Assim, para João o líder das forças da luz é a Palavra incriada – uma significativa diferença da teologia de Qumran –, enquanto o líder das forças das trevas é o Príncipe deste mundo (Lc 22,53 fala de "o poder das trevas").

À maneira de resposta à vinda da luz, os homens se alinham como filhos da luz ou filhos das trevas, dependendo se vão para a radiante luz em Jesus, ou fogem dela. Tudo isto tem sido documentado pelas referências citadas acima, quando discutimos sobre o *kosmos*. Aqui devemos apenas notar que, enquanto em Qumran a aceitação da Lei separava os filhos da luz e os filhos das trevas, para João é a aceitação ou a rejeição de Jesus. Como já mencionamos, mais para o final do ministério e nos últimos dias da vida de Jesus, o termo "mundo" é crescentemente empregado para aqueles que se afastam de Jesus, e então "mundo" e "trevas" se tornam praticamente sinônimos. As trevas se tornam mais intensas no momento em que Jesus é entregue à morte por Judas por instigação de Satanás (13,27); então João, dramaticamente, comenta: "E era noite" (13,30). Estava ainda escuro na manhã pascal quando Maria foi ao túmulo (20,1), mas tudo isto foi mudado pela ressurreição de Jesus.

Como a fé em Jesus começa a vencer o mundo (1Jo 5,4), 1Jo 2,8 exclama: "porque vai passando as trevas, e já a verdadeira luz alumia". Os cristãos devem andar na luz mediante uma vida pura e com amor uns pelos outros (1Jo 1,6-7; 2,9-10). Finalmente, na Jerusalém celestial, virá o dia em que a luz terá triunfando completamente e nunca mais haverá trevas. "E a cidade não necessita de sol nem de lua, para que nela resplandeçam, porque a glória de Deus a tem iluminado, e o Cordeiro é sua lâmpada. E as nações dos salvos andarão em sua luz; e os reis da terra trarão para ela sua glória e honra. E suas portas não se fecharão de dia, porque ali não haverá noite" (Ap 21,23-25).

BIBLIOGRAFIA

ACHTENNEIER, E., *"Jesus Christ, the Light of the World. The Biblical Understanding of Light and Darkness"*, Interp 17 (1963), 439-49.
FENASSE, J. M., *"La lumière de vie"*, BVC 50 (1963), 24-32.
WEISENGOFF, J. P., *"Light and Its Relation to Life in Saint John"*, CBQ 8 (1946), 448-51.

Nota: Muito da literatura sobre os Rolos do Mar Morto discute o dualismo entre luz e trevas, e sua relação com João. Ver a discussão deste escritor em CBQ 17 (1955), 405-19 (também em NTE, pp. 105-20).

(11) *hōra* = "hora"

Embora a frequência desta palavra em João (26 vezes) não seja extraordinária tratando-se de um evangelho, a conotação especial dada a "a hora", em João, é digna de nota. Nos outros evangelhos, *hōra* quase sempre se refere à hora do dia, mas João usa a palavra com frequência para designar um período particular e significativo na vida de Jesus. Podemos determinar preferivelmente o conteúdo de "a hora", alinhando (*a*) as passagens que dizem que a "hora" ainda não chegou ou que ainda está vindo; e (*b*) as passagens que dizem que ela já chegou.

(*a*)   2,4: "Minha hora ainda não chegou" – em Caná.
       4,21: "Está vindo a hora quando adorarás o Pai não neste monte nem em Jerusalém" – à mulher samaritana.
       4,23: "Todavia, é vindo a hora e agora está aqui, quando os verdadeiros adoradores adorarão o Pai em espírito e em verdade".
       5,25: "Vem a hora, e já está aqui quando os mortos ouvirão a voz do Filho de Deus, e os que a ouvirem viverão".
    5,28-29: "Porque a hora está chegando quando todos que se acham nos túmulos ouvirão sua voz [do Filho do Homem]... e sairão".
  7,30; 8,20: O fracasso na tentativa de prender Jesus "porque ainda não era chegada a hora".
      16,2: "Vem mesmo a hora em que qualquer que vos matar cuidará de fazer um serviço a Deus".
     16,25: "Chega, porém, a hora em que não vos falarei mais por parábolas, mas vos falarei abertamente acerca do Pai".
     16,32: "Eis que chega a hora, e já se aproxima, em que vós sereis dispersos cada um para seu lado".

(b) 12,23: "É chegada a hora em que o Filho do homem há de ser glorificado" – em Jerusalém. Antes disto o Sinédrio delineou o plano de matá-lo (11,53); ele foi ungido por Maria com perfume para o dia de seu embalsamamento (12,7); e os gentios pediram para vê-lo (12,21).

12,27: "Pai, salva-me desta hora? Mas para isto vim para esta hora".

13,1: A última ceia começa com Jesus – "Sabendo Jesus que já era chegada sua hora de passar deste mundo para o Pai".

17,1: "Pai, é chegada a hora; glorifica teu Filho para que também teu Filho te glorifique".

Podemos começar distinguindo os casos em que "hora" é usada com o artigo definido ou um adjetivo possessivo pronominal ("a hora; minha hora; sua hora [de Jesus]") daqueles [casos] em que "hora" não tem artigo ("uma hora"). Os primeiros casos se reportam claramente a um período especial na vida de Jesus, um período mais bem definido em 13,1 – a hora de voltar para o Pai. Este retorno é concretizado na paixão, morte e ressurreição; se estende do domingo de ramos ao domingo da páscoa. Recebemos a advertência de que esta hora há de incluir a prisão e morte de Jesus em 7,30 e 8,20. A primeira vez que Jesus diz que a hora chegou (12,23) foi depois de sua entrada triunfal em Jerusalém. Neste momento, o Sinédrio já havia decidido matá-lo; ele foi ungido para a morte; e a vinda dos gentios indica a Jesus que o plano divino de salvação está para concretizar-se. Visto que esta salvação não pode ser consumada, a não ser através de sua morte e ressurreição, Jesus sabe com certeza que a hora é iminente. Que a hora também inclui a ressurreição e ascensão para o Pai, vê-se em 12,23 e 17,1, que põem a glorificação como o alvo da hora.

Voltando agora às passagens que falam de "uma hora", podemos indagar se estas se relacionam com "a hora" de Jesus. Parece que estas passagens aplicam os efeitos da hora de Jesus aos que creem nele. Por exemplo, há quatro passagens que dizem: "uma hora está vindo". Em 4,21, a vinda desta hora verá uma mudança de prestar culto a Deus, com Jerusalém e Gerizim, respectivamente, perdendo sua importância; em 5,28-29, ela trará a ressurreição do corpo; em 16,2, envolverá perseguição; em 16,25, trará uma clara compreensão das palavras de Jesus (através do Paráclito?). Evidentemente, a referência da hora que vem é ao período após a ressurreição, quando difundir-se a crença em Jesus. Os efeitos a serem produzidos nesta hora que vem não tem a mesma iminência, mas então nenhuma das afirmações de Jesus sobre os eventos futuros tem claras perspectivas cronológicas.

Há mais três referências a "uma hora" que falam tanto da que vem quanto da que "já chegou" ou "quase chegou". A combinação das duas indicações temporais sugeriria um efeito incipiente ou antecipado da hora de Jesus sobre os discípulos. Em 4,23, esta hora por vir ou já presente é a de adorar o Pai em Espírito e em verdade; em 5,25, ela envolve o dom da vida eterna para os espiritualmente mortos. Embora o dom do Espírito e daí o dom da vida ainda não estivesse disponível até após a ressurreição (7,39; 20,22), a obra de Jesus durante seu ministério já oferecia aos que criam nele uma antecipação desses dons celestiais. O Jesus ressurreto, além de tudo, agia em continuidade com o que ele já começara durante o ministério. E assim, durante o ministério, podia-se dizer que os efeitos da hora tanto haviam de vir quanto já estavam presentes. A terceira passagem e uma expressa na última ceia é 16,32, a qual diz respeito à dispersão dos discípulos, presumivelmente na morte de Jesus. Visto que esta ceia é parte da hora, João pode dizer com propriedade: "Eis que a hora... já chegou". Todavia, visto que o efeito particular de ser disperso ocorrerá após a ceia e em um momento após "a hora", João pode dizer com propriedade: "Eis que a hora está vindo".

Este conceito de "a hora" de Jesus é exclusivamente joanino? Os sinóticos usam "a hora" para o tempo em que os discípulos enfrentarão perseguição (Mc 13,11 e par.) e para a hora da vinda do Filho do Homem (Mt 24,44; 25,13 – ver Jo 5,28-29). Estas passagens têm paralelos na referência joanina a *"uma* hora". Mais importante é o uso sinótico absoluto de "a hora" para a paixão de Jesus. No Jardim do Getsêmane, em Mc 14,35, Jesus ora ao Pai para que, "se possível, passar dele *a hora*" (cf. Jo 12,27); e em Mc 14,41 (Mt 26,45), ele informa os discípulos que *"a hora* veio", porque seu traidor já chegou. Assim, há um vestígio na tradição sinótica de um conceito de hora de Jesus muito parecido com o conceito de João. Todavia, aqui, como em outro lugar, o Quarto Evangelho formou um tema primordial de algo que aparece só incidentalmente nos outros evangelhos.

Em duas passagens, João usa *kairos*, "tempo [designado]", como sinônimo para "hora". Em 7,6.8, Jesus anuncia: "ainda não é chegado meu tempo", e "meu tempo ainda não tem chegado". Estes versículos lembram o uso de "hora" em 2,4; 7,30; 8,20. É extremamente interessante que em Mt 26,18, em um cenário pouco antes da última ceia, Jesus diz: "Meu tempo [*kairos*] está próximo".

APÊNDICE II: A "PALAVRA"

A dificuldade de determinar o pano de fundo para o primeiro versículo do Quarto Evangelho, "No princípio era a Palavra", é ilustrada dramaticamente no *Fausto* de GOETHE (Pt. I, linhas 1224-37). Quando Fausto começa a traduzir o NT para o alemão, ele começa com o Prólogo, e então descobre que "Palavra" é uma tradução inadequada. Suas sugestões alternativas vêm de uma estranha combinação de filosofia grega e alemã: "No princípio era o Pensamento [*der Sinn*]"; ou "No princípio era o Poder [força] [*die Kraft*]". No final, iluminado pelo espírito, Fausto proclama triunfalmente a tradução genuína: "No princípio era o Ato [*die Tat*]". As investigações modernas para o pano de fundo do uso joanino de "a Palavra" são tão variadas, se não tão românticas. Para referências no que se segue, a atenção dos leitores deve voltar-se para a Bibliografia dada para o Prólogo.

Podemos começar, salientando que "a palavra" era um nome usado pelos protocristãos para as boas novas pregadas pelos apóstolos (Mc 4,14.15; At 8,25), pregação que era uma extensão do ministério de Jesus. Nosso problema é explicar a evolução do uso de "Palavra" em sentido pessoal como um título para Jesus no Prólogo. Duas outras passagens devem ser consideradas nos escritos joaninos. Em Ap 19,11-16, o guerreiro divino chamado Fiel e Verdadeiro, e que porta um nome divino que ninguém conhece senão ele só, desce para ferir as nações. Este Rei dos reis e Senhor dos senhores é chamado "a *Palavra de Deus*". O pano de fundo para a cena se encontra em Sb 18,15, onde o anjo destruidor do Êxodo é descrito como a poderosa palavra de Deus que desce do céu. Ao descrever o portador do juízo como a palavra de Deus, tanto Apocalipse como Sabedoria de Salomão estão fazendo uso do tema de que a palavra de Deus é uma espada do julgamento sobre os homens. A outra passagem que se encontra no Prólogo de 1Jo 1,1: é "era desde o princípio" é "a *palavra* da vida da qual estamos falando". Aqui, Jesus é visto como a palavra reveladora que dá vida aos homens, palavra que alcança os homens através daqueles a quem ela foi enviada. Nenhum desses exemplos do Apocalipse e de 1 João é suficiente para explicar a personificação de "a Palavra" no Prólogo de João; mas é possível que possam guardar-nos de irmos longe de demais em nossa busca pelo pano de fundo, como se o uso no Prólogo fosse inteiramente único na herança judaico-cristã.

A. *O suposto pano de fundo helenístico*

O mundo grego foi a fonte da teologia do *logos* exposto no Prólogo? Devemos distinguir entre duas possibilidades: primeira, que a ideia do *logos* é oriunda do mundo do pensamento helenista; segunda, que os componentes básicos da ideia de "a Palavra" são oriundos de um pano de fundo semítico, e quando esta ideia foi traduzida para o grego, *logos* foi escolhido para expressá-la em virtude das conotações que este termo tinha no mundo helenista. J. A. T. Robinson se inclina para a segunda possibilidade, como fazem muitos outros. Entretanto, visto que a intenção subjetiva na escolha que o autor faz de palavras é sempre difícil de provar, nos concentraremos na fonte da ideia de uma Palavra de Deus personificada. Os seguintes exemplos do uso de *logos* no mundo helenista são significativos: (1) Foi em Éfeso, o local de origem tradicional do Evangelho de João, que Heráclito, no 6º século a.C., introduziu *logos* no pensamento filosófico grego. Esforçando-se por explicar a continuidade em meio a todo o fluxo que é visível no universo, Heráclito recorreu ao *logos* como o princípio eterno da ordem do universo. O *logos* é o que faz o mundo um *kosmos*. (2) Para os estoicos, o *logos* era a mente de Deus (um Deus mais panteístico que penetrou todas as coisas), guiando, controlando e dirigindo todas as coisas. (3) Filo usou o tema *logos* (mais de 1200 vezes em suas obras) em sua tentativa de reunir os mundos do pensamento grego e hebraico. Para Filo, o *logos*, criado por Deus, era o intermediário entre Deus e suas criaturas; o *logos* de Deus foi o que deu sentido e plano ao universo. Era quase um segundo deus, o instrumento de Deus na criação, e o espécime da alma humana. Não obstante, nem a personalidade nem a preexistência do *logos* estão claras em Filo (ver Bernard, I, p. 140), e o *logos* filoniano não estava conectado à vida. (4) Na literatura hermética tardia, o *logos* era a expressão da mente de Deus, ajudando a criar e a ordenar o mundo. (5) Nas liturgias mandeanas ouvimos de "a palavra da vida", "a luz da vida" etc. Estes podem ser ecos distantes de empréstimos do pensamento cristão. (6) Quanto ao campo geral do gnosticismo, "a Palavra" ocorre no *Evangelho da Verdade* recém-descoberto, p. ex., em 16,34-47: "A Palavra que veio do *plērōma* que está no pensamento e mente do Pai, a Palavra que é chamada o Salvador". É plausível que este uso gnóstico valentiniano fosse influenciado por João, visto que o *Evangelho da Verdade* é consideravelmente mais recente que João.

Ao avaliar alguns destes exemplos, deve-se ter em mente que o Evangelho de João e algumas destas obras helenistas tiveram uma herança comum na literatura sapiencial do AT (as quais, certamente, influenciaram Filo e algumas das Odes Gnósticas), e que, portanto, paralelos podem ser traçados de volta a raízes semíticas. Reiterando, os paralelos entre o Prólogo e a literatura helenista estão frequentemente num nível superficial, p. ex., o *logos* se

Apêndice II: A "palavra"

relaciona com a criação. A profunda fusão no Prólogo de temas oriundos de Gn 1-3 ("No princípio", criação, luz, vida, trevas versos a luz) e da teofania do Sinai (tenda ou tabernáculo, glória, amor perene) sugerem que a imagem básica do hino vem do AT. A atividade de "a Palavra" na criação, no mundo e acima de tudo na história da salvação indica que seu conceito é mais estreito às dinâmicas implicações do hebraico *dābār* do que à abstração intelectual implícita nos usos filosóficos do *logos* grego. Quando se lê o hino do Prólogo e o compara aos paralelos helenistas sugeridos acima, então compreende a veracidade da observação de Agostinho (*Confissões* 7.9; CSEL 33:154), a saber, enquanto ele encontrou o equivalente da maioria das doutrinas cristãs nos autores pagãos, havia uma coisa que nunca fora lida neles – que a Palavra se fez carne. O tema básico do Prólogo é estranho aos paralelos helenistas que têm sido oferecidos; e então vejamos se um melhor pano de fundo pode ser achado no pensamento bíblico e judaico.

B. *Sugestões para um pano de fundo semita*

Não existe nenhum paralelo semítico que explique completamente o uso que o Prólogo faz de "a Palavra", mas tomados juntos em conjunto, os seguintes pontos que oferecem considerável pano de fundo contra a qual tal uso torna-se bem mais inteligível.

(1) "A palavra do Senhor" (*d^ebar* YHWH; *logos kyriou*). Já mencionamos o hebraico *dābār*. Isto significa mais do que "palavra falada"; significa também "coisa", "atividade", "evento", "ação". E porque ela abrange ambos, palavra e ato, no pensamento hebraico *dābār* tinha inerentemente certa energia e poder dinâmicos. Quando nos livros proféticos do AT ouvimos que "a palavra do Senhor" veio a um profeta particular (Os 1,1; Jl 1,1), não temos de pensar simplesmente em revelação informativa. Esta palavra desafiava o próprio profeta; e, quando ele a aceitava, a palavra o impelia a avançar e a passar a outros. Esta era uma palavra que julgava os homens. Para o Deuteronomista, a palavra é um fator gerador de vida (Dt 32,46-47); e, para o salmista (107,20), a palavra de Deus tem o poder de curar o povo. Sb 16,26 diz que a palavra (*rēma*) do Senhor preserva os que creem nele, assim como a palavra (*logos*) de Deus curou os picados por serpentes no deserto (16,12 – Jo 3,14). Vemos aqui muitas das funções atribuídas à Palavra no Prólogo: "A palavra do Senhor" do AT também veio, foi aceita, aparecia dotada de força e comunicava vida. Além do mais, a palavra de Deus foi também descrita no AT como a luz dos homens (Sl 119,105; 130; 19,8). Que outros autores do NT viram a similaridade entre a palavra profética e Jesus Cristo pode ser visualizado em Hb 1,1-5, um pequeno hino não destituído de semelhanças com o Prólogo: "De muitas e de várias maneiras Deus *falou* outrora aos pais pelos profetas; nestes últimos dias, porém, Ele *nos falou por meio do Filho*".

A "palavra do Senhor" tinha também uma função criativa no AT, assim como tem a Palavra do Prólogo. Vimos que o Prólogo imita Gn 1, e ali a criação se dá quando *Deus diz*: "Haja luz"... Segundo o Sl 33,6, "pela palavra do Senhor os céus foram estabelecidos"; e em Sb 9,1 Salomão começa: "Ó Deus de meus pais... que fizeste todas as coisas por tua palavra". E assim há um bom pano de fundo veterotestamentário para a afirmação de Jo 1,3 de que através da Palavra todas as coisas vieram à existência. Enquanto o pensamento no hebraico não personificava a "palavra do Senhor", devemos ter em mente que, na perspectiva hebraica, uma palavra uma vez dita, tinha existência própria. Há no AT várias passagens em que a palavra de Deus exerce funções independentes que são quase pessoais. A primeira é Is 55,11 (este capítulo de Isaías forma o pano de fundo para o discurso sobre o Pão da Vida em Jo 6): usando a comparação da chuva e da neve que desce do céu e faz a terra frutífera, Deus diz: "Assim será a palavra [*dābār; rēma*] que sair de minha boca; não voltará para mim vazia. Antes, ela cumprirá o que quero e proponho nas coisas para que as designei". Temos aqui o mesmo ciclo consistente de ir e voltar que encontramos no Prólogo. Uma segunda passagem é Sb 18,15, citada acima como pano de fundo para o uso de "a Palavra de Deus" como título em Ap 19,13. É interessante que o anjo destruidor fosse mencionado como a palavra de Deus, pois as atividades do anjo tocavam as raias do pessoal. A última passagem que pode ser citada como a atribuir atividades pessoais à palavra de Deus é Habacuque 3,5 [na LXX]. Na grande teofania, como Deus vem de Temã, um logos (a tradução da LXX reflete o hebraico *dābār*, mas o TM lê *deber*, "praga") sai de diante de sua face para a terra; e muito da ação que segue pode ser entendido como a obra desta palavra.

Talvez devamos acrescentar que, enquanto temos nos concentrado na doutrina bíblica da palavra divina, este conceito de uma palavra criadora de Deus não se restringe ao pensamento hebraico. Ele se encontra no Oriente Próximo à medida que retrocede ao 3º milênio a.C. Ver W. F. ALBRIGHT, *From the Stone Age to Christianity* (Anchor ed., 1957), pp. 195, 371-72.

(2) Sabedoria personificada. Em *Interpretation*, pp. 274-77, DODD fornece duas listas de paralelos para o uso que o Prólogo faz de "a Palavra", uma da literatura sapiencial do AT, a outra de FILO. A primeira é muito mais eloquente, ainda que deixemos de lado a probabilidade de que paralelos entre João e FILO sejam o resultado de dependência comum da Literatura Sapiencial. Uma vez que o Quarto Evangelho apresenta Jesus como a Sabedoria que veio chamar homens, revela-lhes a verdade e lhes dá vida (ver Introdução VIII), não surpreende encontrar no Prólogo um eco deste pensamento. Aliás, o Prólogo combina os estilos tanto da literatura profética como da literatura sapiencial do AT. O título "a Palavra" se aproxima mais da profética "palavra

do Senhor"; mas a descrição da atividade da Palavra é muitíssimo parecida com a da Sabedoria. Além do mais, as discussões em torno da Sabedoria personificada em Provérbios, Siraque e Sabedoria de Salomão são transformadas em unidades poéticas ou hinos (Pv 1,20-33; 8-9; Siraque 24; Sb 7,22ss.; Baruque 3,9ss.), e estes poemas sapienciais propiciam um paralelo na forma literária geral com o hino joanino à Palavra.

Spicq, *art. cit.*, estudou cuidadosamente as introduções que marcam as cinco divisões dos provérbios selecionados de Siraque, introduções que tratam da Sabedoria. Este autor adverte ser notável que não só as funções da Sabedoria e da Palavra são muitíssimo similares, mas também a ordem em que as funções são apresentadas é aproximadamente a mesma.

Ao compararmos a Sabedoria e a Palavra, podemos começar observando que a Sabedoria nunca é chamada a palavra de Deus. Não obstante, em Siraque 24,3, a Sabedoria diz: "*Da boca* do Altíssimo eu saí... nos mais elevados céus eu habitei"; e Sb 9,1-2 põe a palavra de Deus e a Sabedoria de Deus em paralelismo. Pr 8,22-23 diz da Sabedoria: "O Senhor me possuiu *no princípio* de seus caminhos, desde então, e antes de suas obras. Desde a eternidade fui ungida, desde o princípio, antes do começo da terra". Assim, diferente da Palavra, a Sabedoria foi criada, aquela existiu desde o princípio, antes da criação do mundo. Siraque 1,1 afirma que a Sabedoria vem do Senhor e permanece com (*meta*) Ele para sempre, assim como o Prólogo declara que a Palavra que estava com (*pros*) Deus está sempre ao lado do Pai (1,18). A relação da Sabedoria com Deus é difícil de definir. Se Provérbios e Siraque 24,9 dizem que Deus criou a Sabedoria, Sb 7,25-26 diz que a Sabedoria é uma aura do poder de Deus, uma mera *efusão da glória do Onipotente* (comparar Jo 1,14), a refulgência da *luz* eterna. Assim, enquanto o pensamento hebraico não diria que a Sabedoria era Deus, como o Prólogo diz que a Palavra era Deus, não obstante a Sabedoria é divina. O Prólogo não especula sobre como a Palavra procede do Pai, nada mais faz além de identificar a Palavra como o Filho unigênito (*monogenēs*) de Deus. É interessante que Sb 7,22 aplica o adjetivo *monogenēs* à Sabedoria no sentido de "unicidade". O hino em Hb 1,1-5, que já vimos ter afinidades com o Prólogo, descreve em alguma medida como o Filho procede do Pai. Este hino não pode encontrar melhor linguagem para o propósito do que extrair das descrições da Sabedoria no AT, particularmente no Livro de Sabedoria, pois em Hebreus se diz que o Filho é o reflexo da glória de Deus e a representação de seu ser.

A Sabedoria, como a Palavra, foi um agente ativo na criação. Sb 9,9 nos informa que a Sabedoria estava presente quando Deus fez o mundo, e 7,22 chama a Sabedoria "o artífice de tudo". Em Pr 8,27-30, a Sabedoria descreve como ela ajudou Deus na criação, servindo de artífice de Deus.

A Sabedoria é também similar à Palavra, sendo ela luz e vida para os homens. Ecl 2,13 diz: "Eu vi que a sabedoria é mais proveitosa que a loucura, assim como a luz é mais proveitosa do que as trevas". (Ver também Pv 4,18-19). Em Pr 8,35, a Sabedoria diz: "Aquele que me encontra, encontra a vida"; e Baruque 4,1 promete que todo aquele que aderir à Sabedoria viverá.

O Prólogo diz que a Palavra veio ao mundo, somente para ser rejeitada pelos homens, especialmente pelo povo de Israel. A Sabedoria também veio aos homens; p. ex., Sb 9,10 registra a oração de Salomão para que a Sabedoria fosse enviada do céu para estar com ele e agir com ele. Provérbios afirma que a Sabedoria se deleitou em estar com os homens. Houve homens insensatos que rejeitaram a Sabedoria (Siraque 15,7); e *1 Enoque* 42,2 afirma com toda clareza: "A Sabedoria veio para fazer-se um lugar habitável entre os filhos dos homens e não encontrou nenhum lugar permanente". Baruque 3,12 se dirige a Israel em particular: "Tu rejeitaste a fonte da sabedoria".

A Palavra armou sua tenda ou tabernáculo entre os homens; então Siraque 24,8ss. diz que a Sabedoria armou seu tabernáculo em Jacó (Israel). Se alguém viu a glória (*doxa*) da Palavra cheia de amor pactual (*charis*), a Sabedoria é como uma árvore que estende seus ramos de *doxa* e *charis* (Siraque 24,6).

Assim, na apresentação que o AT faz da Sabedoria, há bons paralelos para quase cada detalhe da descrição que o Prólogo faz da Palavra. O Prólogo efetua mais personificação do que fez o AT ao descrever a Sabedoria, mas esse desenvolvimento se origina da Encarnação. Se indagarmos por que o hino do Prólogo escolheu falar da "Palavra" em vez da "Sabedoria", deve-se considerar o fato de que, no grego, a primeira é masculina, enquanto a segunda é feminina. Além do mais, a relação da "Palavra" com o querigma apostólico constitui uma consideração relevante.

(3) A especulação judaica sobre a Lei (Torá). Ver G. F. MOORE, *Judaism* (Harvard, 1927), I, pp. 264-69; StB, II, pp. 353-58; BOISMARD, *Prologue*, pp. 97-98. Em escritos rabínicos posteriores, a Lei é retratada como tendo sido criada antes de todas as coisas e servido de modelo na criação do mundo por Deus. O "no princípio" de Gn 1,1 era interpretado no sentido de "na Torá". Esta idealização da Lei provavelmente tivesse seu princípio nos últimos séculos pré-cristãos. Siraque 24,23ss. dá evidência da identificação da Sabedoria com a Torá. Baruque 4,1, tendo falado da Sabedoria personificada, diz: "Este é o livro dos mandamentos de Deus, e *a Lei* que durará para sempre". Em muitos casos, a Torá e "a palavra do Senhor" são quase intercambiáveis, p. ex., no paralelismo de Is 2,3, "De Sião sairá a Lei, e de Jerusalém, a palavra do Senhor". Assim, a especulação sobre a Lei tem muito em comum com os outros temas que temos citado como pano de fundo para o uso de "a Palavra" no Prólogo.

Apêndice II: A "palavra"

Em particular, podemos notar os seguintes paralelos com o Prólogo. Pr 6,23 diz que a Torá é uma luz. A passagem em Sl 119,105, a qual diz que a *palavra* de Deus é uma luz está posta no contexto de louvor à Lei; e de fato alguns manuscritos da LXX leem "Lei" em lugar de "Palavra". O *Testamento de Levi* 14,4, em uma passagem muitíssimo semelhante a Jo 1,9, fala de "a Lei que foi dada para iluminar todo homem". (Todavia, há interpolações cristãs no *Testamento de Levi*). Enquanto o Prólogo diz que a Palavra era a fonte de vida, os rabinos afirmam que o estudo da Lei conduziria alguém à vida para sempre (*Pirqe Aboth* 7,6). Enquanto o Prólogo enfatiza que Jesus Cristo é o único exemplo do eterno amor de Deus (ḥesed e 'emet), os rabinos ensinavam que a Lei era o supremo exemplo (DODD, *Interpretation*, p. 82). Jo 1,17, com seu contraste entre a Lei e Jesus Cristo, poderia indicar que, em parte, a doutrina joanina da Palavra foi formulada como uma resposta cristã à especulação judaica sobre a Lei (ver também Jo 5,39).

(4) O uso targúmico de *Memra*. Quando João cita a Escritura, como já vimos, algumas vezes a citação não é tomada do hebraico nem da LXX, e sim dos targuns ou traduções aramaicas. Nestes targuns, *memra*, palavra aramaica para "palavra", tem uma função especial. (As advertências expressas por G. F. MOORE em *"Intermediaries in Jewish Theology"*, HTR 15 [1922], especialmente pp. 41-55, são ainda importantes). A *Memra* do Senhor nos targuns não é simplesmente uma tradução do que temos dito como "a palavra do Senhor"; antes, é um substituto para o próprio Deus. Se em Ex 3,12 Deus diz "Eu estarei convosco", no *Targum Onkelos* Deus diz "Minha *Memra* será vosso sustento". Se em Ex 19,17 somos informados que Moisés conduziu o povo para fora do acampamento ao encontro com Deus, no *Targum Onkelos* somos informados que foram conduzidos à *Memra* de Deus. Se Gn 28,21 diz "Iahweh será o meu Deus", o *Targum Onkelos* fala da *Memra* de Iahweh. Isto não é uma personificação, mas o uso de *Memra* serve como um recurso para assegurar a transcendência divina. Se a expressão aramaica para "palavra" era usada nos targuns como uma paráfrase para Deus em seus tratos com os homens, o autor do hino do Prólogo de João viu ser oportuno usar este título para Jesus que preeminentemente incorporou a presença de Deus entre os homens. A personificação da Palavra, naturalmente, seria parte da inovação teológica cristã.

Em suma, parece que a descrição que o Prólogo faz da Palavra é muito mais estreita com as tensões do pensamento bíblico e judaico do que com algo meramente helenista. No pensamento que compôs o Prólogo, a palavra criadora de Deus, a palavra do Senhor que veio aos profetas, se tornou pessoal em Jesus que é a incorporação da revelação divina. Jesus é a Sabedoria divina, preexistente, mas agora vem para o meio dos homens a ensiná-los e dar-lhes vida. Não a Torá, e sim Jesus Cristo é o criador e fonte de luz e vida.

Ele é a *Memra*, a presença de Deus entre os homens. E, todavia, ainda que todas estas tensões estejam entretecidas com o conceito joanino da Palavra, este conceito permanece a singular contribuição do cristianismo. Ela se mantém além de tudo o que veio antes, do mesmo modo que Jesus está mais além de todos quantos o precederam.

Antes de concluirmos, podemos abordar mais um ponto: a revelação de Deus na Palavra é formulada contra um pano de fundo do silêncio anterior de Deus, como Jeremias, *art. cit.*, (ver Bibliografia ao Prólogo), pp. 88-90, tem sugerido? Hb 1,1-2 contrasta o *falar* de Deus através do Filho com seu falar através dos profetas; mas devemos ter em mente que na estimativa judaica nenhum profeta havia manifestado no país à séculos. O Sl 74,9 diz: "Já não há nenhum profeta". Passagens como 1Mc 4,41-50; 14,41; e o *Testamento de Benjamim* 9,2, mostram um anseio nostálgico por um novo profeta. Na exegese rabínica de Gn 1,1-3 mantinha-se que antes de Deus falar existia o silêncio. O Prólogo está apresentando a Palavra de Deus como uma vez mais saindo do silêncio divino? Certamente tal quadro apela para o mundo helenista onde, como sabemos do papiro mágico e dos hinos ao "silêncio", o silêncio era uma marca do Deus *absconditus*. Há várias indicações relevantes. Na quase personificação da palavra divina em Sb 18,14, discutida acima como parte do pano de fundo para o uso joanino de "a Palavra", a poderosa palavra de Deus saltou do céu "quando o *silêncio* envolvia todas as coisas". Segundo, Inácio de Antioquia, que parece oferecer um eco primitivo do pensamento joanino, fala em *Magn* 8,2 de Deus, "que Se manifestou através de Jesus Cristo seu Filho, que é sua Palavra procedente *do silêncio*". Entretanto, a ênfase sobre o silêncio pode ser uma contribuição do próprio Inácio, e não oriundo de João, pois Inácio insiste do mesmo modo no silêncio que se realizou na encarnação relatada em sua carta aos Ef 19,1. Assim, a sugestão de que Palavra quebrou o silêncio de Deus é uma hipótese atraente, porém destituída de prova adequada.

APÊNDICE III: SINAIS E OBRAS

Quando comparamos a apresentação dos milagres de Jesus no Quarto Evangelho com a apresentação nos sinóticos, há algumas diferenças óbvias. Algumas destas diferenças são relativamente superficiais. *Primeiro*, há uma diferença no número de milagres, pois João narra menos milagres do que os sinóticos. Por exemplo, uns 200 dos 425 versículos dos capítulos 1-9 de Marcos tratam direta ou indiretamente de milagres, estatística que significa que quase metade da narrativa marcana do ministério público de Jesus se ocupa do miraculoso. João descreve somente sete milagres (ver p. 161), cada um cuidadosamente escolhido para confirmar a fé do leitor (20,30-31). *Segundo*, há uma diferença nas circunstâncias que acompanham os milagres. Na tradição sinótica há muito mais atenção ao aspecto miraculoso dos milagres e o entusiasmo que produzem – as multidões se comprimem ao redor de Jesus com seus enfermos e suplicando por socorro; a reverência à vista do milagre; as notícias excitadas do que foi feito, passando de cidade a cidade. Este vívido colorido do milagre se desvanece em João. João, por consequente, não compartilha com os sinóticos como os milagres são narrados em comum com as histórias pagãs de milagres atribuídas aos taumaturgos do mundo helenista.

Quando consideramos os tipos de milagres narrados em João, encontramos pouca diferença das narrativas sinóticas. Três dos sete milagres joaninos são também encontrados na tradição sinótica, a saber, a cura do filho do oficial régio (4,46-54), a multiplicação dos pães (6,1-15), Jesus caminhando sobre o mar (6,16-21). Outros três dos milagres joaninos são do mesmo tipo de milagres encontrado na tradição sinótica, a saber, a cura do paralítico (5,1-15), a cura do cego (9), a ressurreição de um morto (11). Somente a transformação da água em vinho (2,1-11) não tem paralelo na tradição sinótica (ver o comentário sobre a cena de Caná no § 6).

É quando chegamos à questão da função dos milagres que encontramos diferença mais acentuada entre os sinóticos e João. Comecemos com os evangelhos sinóticos, onde os milagres são primariamente atos de poder (*dynameis*) que acompanham a irrupção do reino de Deus no tempo. Os milagres operados por Jesus não são simplesmente provas externas de suas reivindicações, são, porém, mais fundamentalmente atos pelos quais ele estabelece o domínio de Deus e derrota o domínio de Satanás. Muitos dos milagres atacam Satanás diretamente mediante a expulsão de demônios.

Muitas enfermidades que estão associadas com o pecado e o mal. O ato de ressuscitar pessoas à vida constitui um ataque à morte que é o reino peculiar de Satanás. Mesmos os milagres na natureza, como o acalmar da tempestade, constituem um ataque às desordens introduzidas na natureza por Satanás. Para detalhes, ver nosso artigo citado na bibliografia, pp. 186-99.

A função dos milagres como atos de poder que acompanham o reinado de Deus domina a perspectiva sinótica, mas há uns poucos milagres que não parecem ajustar-se a este quadro. Nestes casos, o propósito primário do milagre parece ser o de simbolismo. A multiplicação dos pães parece ser um eco pedagógico de temas veterotestamentários, p. ex., Deus alimentando Israel no deserto; a promessa de Ezequiel de que Deus mesmo pastorearia o rebanho (cf. Ez 34,11; Mc 6,34). Assim, este milagre simboliza o cumprimento das profecias do AT. A pesca miraculosa em Lc 5,1-11 é símbolo do grande número de pessoas a serem pescadas pelos discípulos como pescadores de homens. A figueira que murcha de repente (Mc 11,12-14.20-21) é um símbolo profético da rejeição do judaísmo.

Há mais milagres que são primariamente atos de poder, mas secundariamente exercem um papel simbólico. É possível que a cura de enfermos e a ressurreição de mortos tenham um simbolismo secundário de cumprimento do quadro profético do AT do dia em que o Senhor confortaria seu povo, dando vida aos mortos, vista aos cegos etc. (Is 26,19; 35,5-6; 61,1-3). Em sua resposta aos emissários do Batista (Mt 11,2-6), Jesus denomina este simbolismo de cumprimento para mostrar que ele é aquele que havia de vir. Em Mc 8 (cf. 22-26 no cenário de 11-21 e 27-30), o ato de abrir os olhos ao cego é usado para simbolizar o desenvolvimento da fé. O simbolismo da conversão dos gentios dá colorido à cura do filho do centurião em Mt 8,5-13 e a cura da filha da mulher siro-fenícia em Mt 15,21-28.

Passando dos evangelhos sinóticos para João, encontramos uma ênfase diferente na função dos milagres. João não fala muito do reinado ou reino de Deus, e por isso não apresenta os milagres como atos de poder (*dynameis*) que ajudam a estabelecer o reino. Talvez o mais perto que João chega do conceito sinótico de milagre como *dynamis* seja em 5,19: "O Filho não pode fazer [*dynamis*] nada por si mesmo – somente o que vê o Pai fazer" – esta afirmação se encontra na explicação do milagre de cura do paralítico feito no sábado. Em harmonia implícita com a tradição sinótica, João pensa no Filho agindo com o poder do Pai na realização de seus milagres, e João considera estes milagres como sendo parte integral do ministério ou "obra" de Jesus. Entretanto, que a ênfase é diferente, vê-se no fato de que João não faz aparente conexão entre os milagres e a destruição do poder de Satanás. A completa ausência de exorcismos em João chama a atenção. Naturalmente, João fala de uma hostilidade entre Jesus e Satanás (14,30; 15,33); aliás, o pensamento joanino é mais dualístico

Apêndice III: Sinais e obras

do que o dos sinóticos, mas os milagres não são vistos como armas que servem para essa luta. Uma exceção possível é o milagre de Lázaro, no qual a emoção de Jesus em face da morte (ver nota e comentário sobre 11,33) pode representar ira ante o poder de Satanás.

Em João, a função primária dos milagres parece ser a de simbolismo, função esta que percebemos ser primária para uns poucos milagres nos sinóticos, e secundária para muitos outros. Talvez a melhor abordagem para se compreender o conceito joanino da função dos milagres seja através do vocabulário usado para os milagres de Jesus. Jesus mesmo se refere consistentemente a eles como "obras" (17 vezes, Jesus emprega o singular ou o plural de *ergon*; somente em 7,3 os outros falam de suas "obras"). Outros personagens no evangelho e o redator se referem aos milagres de Jesus como "sinais", um termo que Jesus não usa em referência aos seus milagres.

As obras de Jesus

O termo "obras" é usado em duas ocasiões nos sinóticos para descrever os milagres de Jesus (Mt 11,2; Lc 24,19). Assim, se o termo for autêntico nos lábios de Jesus, este é outro caso do vocabulário enfático de João só preservado incidentalmente na tradição sinótica. O pano de fundo do AT para o uso do termo pode ser encontrado na obra ou obras de Deus realizadas em favor de seu povo, começando com a criação e continuando com a história da salvação. O uso de *ergon* para criação é muito proeminente na LXX (Gn 2,2); e na história da salvação o Êxodo oferece um exemplo especial das obras de Deus (Ex 34,10; Sl 66,5; 77,12; também Dt 3,24 e 11,3, onde "obras" é uma leitura variante). É interessante contra este pano de fundo do Êxodo que em At 7,22 Estêvão chame Moisés "homem poderoso em palavras e *obras*". Mediante o uso do termo "obras" para os milagres, Jesus estava associando seu ministério com a criação e as obras salvíficas de seu Pai no passado: "Meu Pai segue trabalhando até agora, e assim eu também estou trabalhando" (Jo 5,17). Tão estreita é a união de Jesus e o Pai nas obras no seu ministério, que se pode dizer que o próprio Pai realiza as obras de Jesus (14,10).

O conceito de "obra" em João é mais amplo do que o de milagres; em 17,4, Jesus pode sumariar todo o seu ministério como uma obra. Os milagres de Jesus não são apenas obras; suas palavras são também obras: "As *palavras* que eu vos digo, não as digo por mim mesmo; é o Pai, permanecendo em mim, que realiza as *obras*" (14,10). Que em João palavras e obras possuem relações estreitas, pode-se ver à luz do costume joanino de ter uma obra miraculosa seguida de um discurso interpretativo. (As grandes obras de Deus no AT com frequência são também seguidas de uma interpretação, p. ex., o cântico de Ex 15 após a travessia do mar). *Palavra* nos lembra que o valor do milagre não está em sua forma, e sim em seu conteúdo; a *obra* miraculosa nos lembra que a palavra não é vazia, e sim uma palavra ativa, enérgica, designada para transformar o mundo.

Os sinais de Jesus

A palavra "sinal" é usada para milagre nos evangelhos sinóticos, porém não da mesma maneira como em João. Podemos distinguir dois empregos de "sinal" nos sinóticos e um terceiro emprego em Atos. (**a**) "Sinal" é empregado num cenário escatológico, em referência aos sinais dos últimos tempos e da parousia (Mt 24,3.24.30). Em Mt 24,24, a combinação "sinais e prodígios" é empregada para referir-se aos prodígios dos falsos profetas (ver também 2Ts 2,9; Ap 19,20). O emprego escatológico de "sinais" tem sua origem nos livros proféticos e nos videntes apocalípticos do AT (Dn 4,2[3.99H]; 6,28), e é frequente no Apocalipse. JOSEFO, *War* 6.5.3; 288-309, faz referência aos eventos miraculosos vinculados com a queda de Jerusalém como "sinais e prodígios". (**b**) "Sinal" é empregado quando os não crentes pedem a Jesus um milagre como uma prova apologética (Mt 12,38-39; 16,1-4; Lc 23,8; 1Cor 1,22). É bem provável que este uso tenha sua origem no emprego ocasional que o AT faz de "sinal" como marca divina de credibilidade; p. ex., Tb 5,2 (Sinaiticus): "Que sinal posso eu dar-lhe [para que creia que me enviastes como vosso representante]?" De uma maneira similar, os fariseus pedem de Jesus suas credenciais. Este emprego de sinal, nos sinóticos, tem uma conotação pejorativa, pois Jesus se recusa a dar tais sinais, uma vez que são exigidos por uma geração má e incrédula. (**c**) Em Atos, "sinais e prodígios" chegam a ser uma simples descrição dos milagres de Jesus e dos apóstolos. Este emprego pode refletir a influência da linguagem septuagíntica em Lucas; contudo, a expressão aparece também em Paulo (Rm 15,19; 2Cor 12,12). (Para uma história desta descrição combinada, ver MCCASLAND, *art. cit.*). Em At 2,22, Jesus é chamado um homem atestado por "obras poderosas, prodígios e sinais" – texto que equaciona o termo sinótico padrão para milagre, *dynamis* ("obra poderosa") com *teras* ("prodígio") e *sēmeion* ("sinal"). A expressão "sinais e prodígios", bem como "sinais" isolado, é empregado para os milagres dos apóstolos em At 2,43; 4,30; 5,12; 6,8 etc.

Como o emprego joanino de sinal se equipara aos três usos de sinal dado acima? Comecemos com o emprego em (*b*). Em Jo 2,18 e em 6,30, os que não creem pedem um sinal, e estes casos são aproximadamente os mesmos que dos sinóticos. Parcialmente semelhante ao emprego em (*b*) estão os casos em João em que o povo chega a crer em Jesus por causa dos sinais, mas este crer não é satisfatório (2,23-25; 4,48; 6,26). É um crer em sinais como credenciais do sobrenatural, porém não exibe compreensão do que o sinal

Apêndice III: Sinais e obras 835

informa sobre Jesus e sua relação com o Pai. Não obstante, esses crentes imperfeitos deram um passo adiante no caminho da salvação; são totalmente diferentes dos voluntariamente cegos que se recusam terminantemente a ver os sinais (3,19-21; 7,37-41). Os que pedem sinais, na tradição sinótica (Mt 16,1-4), estão próximos dos voluntariamente cegos.

O emprego joanino mais característico de "sinal" é como uma designação favorável para um milagre, e este emprego não é diferente de (c) acima. O evangelista se refere ao que aconteceu em Caná como o primeiro dos sinais de Jesus (Jo 2,11), e à cura do filho do oficial em Caná no segundo dos sinais (4,54). Ele diz que o Batista não operou nenhum sinal (10,41), enquanto Jesus realizou muitos (20,30). É interessante, contudo, que João não demonstre favorecer a combinação "sinais e prodígios". Ela aparece somente em 4,48: "Se não virdes sinais e prodígios, jamais crereis". Essa afirmação reflete a suspeita joanina quanto ao elemento prodigioso no milagre.

Sēmeion, "sinal", é um termo menos amplo que *ergon*, "obra"; enquanto ambos são empregados para milagres, *sēmeion* não é empregado para a totalidade do ministério de Jesus. Todavia, inclusive palavras podem ser sinais; p. ex., em 12,33 (18,32) e 21,19 há uma afirmação que serve como sinal (*sēmainein*) de como Jesus ou Pedro hão de morrer. De modo semelhante, FILO usa o verbo *sēmainein* para o significado simbólico de passagens veterotestamentárias, embora, certamente, em João um elemento de profecia esteja incluso em tais afirmações simbólicas. Exceto para a afirmação sintética em 20,30, o emprego que João faz de "sinal" se limita aos capítulos 1-12, donde a designação "O Livro dos Sinais". Com o capítulo 13 e "a hora", João passa do sinal para a realidade.

Em João existem sinais não miraculoso? Cada emprego de *sēmeion* se refere a um feito miraculoso; mas, por exemplo, DODD sugere que o evangelista considerava como sinais ações tais como a purificação do templo. É possível que ele, sim; todavia os judeus, não (2,18). O fato de que a purificação do templo seja seguida de 2,23, o qual menciona que Jesus não fez muitos *sinais* em Jerusalém, na realidade não prova que a purificação fosse um sinal. Vimos que 2,23-25 é simplesmente uma transição redacional para o capítulo 3. Além do mais, 4,54 pareceria indicar que não houve sinal no período entre os dois milagres em Caná. Outro possível sinal não miraculoso poderia ser 3,14-15, onde a ressurreição do Filho do Homem é comparada à elevação da serpente no relato do Êxodo. A comparação é extraída de Nm 21,9, onde (LXX) lemos que Moisés fixou a serpente em um *sēmeion*.

Ainda não discutimos a relação do sinal joanino com o emprego no grupo sinótico (*a*), o emprego escatológico de sinal. João não usa sinal para referir-se a milagres ou prodígios fazendo a intervenção final de Deus no fim dos tempos ou na segunda vinda do Filho do Homem. Talvez o próprio fato de que o evangelista use sinal para designar os milagres operados por Jesus durante seu ministério seja um reflexo da teologia da escatologia realizada que domina este evangelho. Já havia sinais dos últimos tempos no ministério de Jesus. Este pensamento não está tão longe daquele enunciado em Mt 12,38.41, i.e., que nenhum sinal será dado, senão o sinal da própria pregação de Jesus. Mt 16,3 diz que os sinais dos tempos já estão presentes, se os fariseus pelo menos pudessem interpretá-los.

Qual é o pano de fundo para o uso que João faz de "sinal", já que o uso é um tanto diferente do uso nos sinóticos e em Atos? R. FORMESYN, *art. cit.*, demonstra que há pouco em comum entre João e os escritos pagãos helenistas no emprego de *sēmeion*, e que João se aproxima muito mais da terminologia da LXX. Em particular, sugerimos que, assim como o relato do Êxodo forneceu um pano de fundo para o emprego joanino de *ergon*, assim também fornece um pano de fundo para o emprego joanino de *sēmeion*. Esta sugestão recebe confirmação da frequência de temas do Êxodo em João: o tabernáculo (1,14); o cordeiro pascal (1,29; 19,36; comentário sobre 19,14.29, no volume II); a serpente de bronze (3,14); Jesus e Moisés (1,17; 5,45-47); o maná (6,31ss.); a água da rocha (7,38-39). No relato do Êxodo, somos informados que Deus multiplicou os sinais através de Moisés (Ex 10,1; Nm 14,22; Dt 7,19); todavia, o povo recusou-se a crer. Em Nm 14,11, Deus pergunta: "Até quando não crerão em mim, a despeito de todos os sinais que tenho realizado entre eles?" Isto é muitíssimo parecido com Jo 12,37: "Apesar que Jesus realizasse tantos de seus sinais diante deles, recusavam-se a crer nele". No versículo seguinte, João responde ao problema com uma referência ao braço ("poder") do Senhor (Is 53,1) que esteve em ação nestes sinais. Dt 7,19 fala de "sinais, maravilhas e mão poderosa e braço estendido". Jo 20,30 conclui o evangelho com a nota dos sinais que Jesus realizou diante de seus discípulos, precisamente como Dt 34,11 termina com a nota dos sinais e prodígios que Moisés realizou diante de Israel. Nm 14,22 vincula a glória de Deus com seus sinais; assim também os sinais de Jesus exibiram sua glória (2,11; 12,37.41).

Em suma, os dois termos joaninos para milagres, "obras" e "sinais", partilham do pano de fundo que a descrição do AT faz de Deus que age em favor do homem. Enquanto ambos, *ergon* e *sēmeion*, ocorrem no relato que a LXX faz do Êxodo, o termo sinótico *dynamis* é raro (uma variante em Ex 9,16; também Dt 3,24 – em outro lugar *dynamis* se refere a um exército ou hoste). O termo "obra" expressa mais a perspectiva divina sobre o que é realizado, e assim é uma descrição apropriada para o próprio Jesus aplicar aos milagres. O termo "sinal" expressa o ponto de vista psicológico humano, e é uma descrição apropriada para outros aplicarem aos milagres de Jesus.

• • •

Apêndice III: Sinais e obras

Após esta discussão do vocabulário joanino para os milagres, podemos voltar à questão da função que os milagres exercem no pensamento joanino. João apresenta os milagres como uma obra de revelação que está intimamente vinculada com a salvação. No relato do Êxodo, o livramento físico realizado pela obra de Deus em favor de seu povo é o foco primário (naturalmente, um livramento com implicações espirituais). Em João, a referência a livramento espiritual é primário, e o elemento simbólico é mais forte. E, como já dissemos, esta ênfase primária sobre as possibilidades simbólicas do milagre diferencia João dos sinóticos. Isto não significa que a ação material, como cura, possa ser prescindida, mas simplesmente que há pouca ênfase sobre os resultados materiais do milagre e grande ênfase sobre o simbolismo espiritual. Se Jesus cura o filho do oficial e lhe concede vida (4,46-54), a explicação que segue este milagre e o de Betesda deixa claro que a vida que Jesus comunica é vida *espiritual* (5,21.24). Se Jesus restaura a vista ao cego, o diálogo que segue (9,35-41) mostra que Jesus lhe deu vista espiritual enquanto os fariseus ficam reduzidos à cegueira espiritual. Se Jesus dá vida a Lázaro, as observações de Jesus (11,24-26) mostram que a restauração da vida física só é importante como um sinal do dom da vida eterna.

O sinal joanino com seu simbolismo não é diferente da ação profético-simbólica do AT, como Mollat, *art. cit.*, tem indicado. Às vezes o profeta realizava uma ação que expressava graficamente a vinda do juízo de Deus ou a intervenção de Deus na vida de Israel; p. ex., Is 20,3; Jr 18,1-11; Ez 12,1-16. A ação profética, entretanto, era meramente um sinal, já que ele nada realizava de si mesmo (embora na compreensão hebraica do dinamismo profético houvesse mais de uma conexão entre a ação profética e os eventos que seguiam do que admite a mente moderna). Na escatologia realizada de João, os sinais de Jesus não só profetizam a intervenção de Deus, mas já a contêm. A saúde física, a vista e a vida são dons que contêm uma antecipação da vida e fé espirituais. O aspecto profético dos sinais de Jesus consiste nisto: a vida e vista espirituais que foram anexadas aos milagres físicos serão derramados sem tal intervenção, uma vez que tenha Jesus sido glorificado e o Espírito tenha sido outorgado. Assim, o milagre é um sinal, não só qualitativamente (uma ação material apontando para a realidade espiritual), mas também temporariamente (o que sucede antes de *a hora*, profetizando o que ocorrerá depois da hora que já chegou). Eis por que, como temos explicado, os sinais de Jesus são encontrados somente no primeiro livro do evangelho (caps. 1-12).

O elemento profético no sinal miraculoso é o que permite a narrativa joanina do milagre portar tão frequentemente um significado sacramental secundário (ver introdução, VIII:B). Uma vez que tenha Jesus voltado para seu Pai na crucifixão, ressurreição e ascensão, os sacramentos são o grande meio de derramar a vida espiritual, pois do lado do Senhor crucificado brotaram a eucaristia e o batismo (19,34; 7,38-39). Estes sacramentos são os sinais eficazes do período pós-ascensão, assim como os milagres foram os sinais eficazes e proféticos do período anterior à chegada da hora. Bem faz FITZER, *art. cit.*, pp. 171-72, em observar: "O milagre deve ser entendido como o sinal da presença de Deus em Cristo. O sacramento deve ser entendido como o sinal da presença de Cristo na Igreja".

As várias reações dos homens diante dos sinais

No Apêndice I:9, quando discutimos o conceito joanino de crer, postergamos o tratamento dos vários estágios da fé até tratarmos dos sinais de Jesus. Estes estágios da fé estão estreitamente relacionados com as reações dos homens aos sinais de Jesus. P. RIGA, *art. cit.*, compara os sinais em João às parábolas dos evangelhos sinóticos. Ambos, sinais e parábolas, têm um elemento enigmático que divide os ouvintes. Alguns são impulsionados pelo dom da fé a penetrar este enigma e alcançar a revelação por detrás do sinal ou da parábola; outros aderem cegamente a uma compreensão exclusivamente materialista. Há diversas maneiras de apresentar os vários estágios de reação (ver os artigos de GRUNDMANN e CULLMANN na Bibliografia do Apêndice I:9); mas parece conveniente distinguir quatro estágios, os primeiros dos quais são insatisfatórios, e os dois últimos, satisfatórios. (**a**) A reação dos que se recusam ver os sinais com alguma fé; p. ex., Caifás que aconselha os fariseus a matarem Jesus mesmo que admitam que Jesus esteja realizando muitos sinais (11,47). Esta é a reação do povo que se recusa a chegar-se para a luz (3,19-20); teria sido preferível que eles tivessem seus olhos físicos incapazes de ver (9,41; 15,22). Sua cegueira voluntária só pode ser explicada como o cumprimento da falta de fé predita no AT. (**b**) A reação dos que veem os sinais como prodígios e creem em Jesus como operador de maravilhas enviado por Deus. Jesus, normalmente, se recusa a aceitar o tipo de fé que tem por base os sinais (2,23-25; 3,2-3; 4,45-48; 7,3-7); aliás, o Evangelho de João parece indicar que certa aceitação de sinais não é fé verdadeira (7,5). O que é insatisfatório sobre esta aceitação de sinais? GRUNDMANN parece manter que toda fé em sinais é insuficiente, porque a fé deve ter *a palavra* como sua verdadeira base. Contudo, esta opinião não faz justiça à frequente correlação entre palavra e obra ou sinal miraculoso; nem resolve os casos a serem citados em (*c*), a seguir, onde fé em sinais parece receber aprovação. HAENCHEN, *art. cit.*, parece chegar mais perto da solução do problema, quando distingue entre sinais como provas do poder divino de Jesus e os sinais como revelação do Pai agindo através de Jesus. (HAENCHEN sugere que na tradição usada pelo evangelista os milagres foram sinais no primeiro sentido; e que o evangelista os empregou no segundo sentido). Em outras palavras, não é suficiente ficar impressionado pelos milagres como maravilhas operadas pelo poder de Deus; devem também ser vistos como uma revelação de quem Jesus é e sua unicidade com o Pai. (c) A reação dos que veem o verdadeiro significado dos sinais, e assim vêm a crer em Jesus e saber quem ele é e sua relação com o Pai. Tal fé, que parece ser satisfatória, é a culminação de diversas das narrativas dos milagres de Jesus (4,53; 6,69; 9,38; 11,40). É esta compreensão de um sinal que capacita o crente a ver que Jesus é a manifestação da glória de Deus (2,11). Neste sentido, as obras que Jesus realiza dão testemunho dele (5,36), e Jesus pode desafiar os homens a crerem em suas obras (10,38 – note que este versículo não é simplesmente um desafio a crer nos milagres como credenciais de Jesus, e sim crer nas obras como manifestação da unicidade do Pai e o Filho). No milagre de Lázaro, Jesus agradece ao Pai (11,41-42) este sinal que levará o povo a crer nele como a ressurreição e a vida. Podemos notar que há sub-estágios dentro desta reação satisfatória aos sinais: os discípulos que crerem em Caná (2,11) ainda estão crescendo na fé em 6,60-71 e 14,5-12. Encher-se de fé salvífica em Jesus é um dom de Deus que, como o dom do Espírito, só pode vir após a ressurreição. Isto é visto na mais plena confissão de fé no evangelho (20,28). (d) A reação dos que creem em Jesus mesmo sem ver sinais. Isto é louvado por Jesus (17,20), e Jesus os abençoa e ora para que vejam sua glória (17,24). Não tem sentido especular se os que viram os sinais de Jesus e vieram à fé através deles eram inferiores aos que viriam à fé sem sinais. Uma fé não baseada em sinais se tornou uma necessidade quando o período em que Jesus operou sinais chegou ao fim. Que João não pretendia excluir os milagres dos Doze (ver Atos) e sua utilidade para a difusão da fé é sugerido por 14,12, onde Jesus promete: "Aquele que tiver fé em mim realizará as mesmas obras que realizo. De fato, realizará maiores que estas". O versículo seguinte indica que estas obras realizadas pelo crente se relacionam com a glorificação do Pai e do Filho. Não obstante, ao exaltar uma fé que não depende do sinal miraculoso, João está apontando para a situação da vida da Igreja de seu tempo, onde o sacramento em grande medida substituiu o milagre como o veículo de revelação simbólica.

BIBLIOGRAFIA

BROWN, R. E., *"The Gospel Miracles"*, BCCT, pp. 184-201. Também em NTE, Ch. x.

CERFAUX, L., *"Les miracles, signes messianiques de Jésus et oeuvres de Dieu, selon l'Evangile de saint Jean"*, *L'Attente du Messie* (Recherches Bibliques, I), pp. 131-38. Também RecLC, II, pp. 41-50.

CHARLIER, J.-P., *"La notion de signe (sēmeion) dans le IVe Evangile"*, RSPT 43 (1959), 434-48.

FITZER, G., *"Sakrament und Wunder im Neuen Testament"*, IMEL, pp. 169-88.

FORMESYN, R., *"Le sèmeion johannique et le sèmeion hellénistique"*, ETL 38 (1963), 856-94.

HAENCHEN, E., *"'Der Vater, der mich gesandt hat',"* NTS 9 (1962-63), 208-16.

MCCASLAND, S. V., *"Signs and Wonders"*, JBL 76 (1957), 149-52.

MENOUD, Ph.-H., *"La signification du miracle selon le Nouveau Testament"*, RHPR 28-29 (1948-49), 173-92.

_____ *"Miracle et sacrement dans le Nouveau Testament"*, Verbum Caro 6 (1952), 139-54.

MOLLAT, D., *"Le semeion johannique"*, SacPag, II, pp. 209-18.

RIGA, P. *"Signs of Glory. The Use of 'Sēmeion' in St. John's Gospel"*, Interp 17 (1963), 402-24.

Ver também *pisteuein*, "crer", no Apêndice I:9.

APÊNDICE IV: *EGŌ EIMI* – "EU SOU"

Emprego Joanino

O grego *egō eimi*, "Eu sou", pode ser simplesmente uma frase de linguagem comum, equivalente a "sou eu" ou "eu sou ele". Todavia, a frase tem tido um emprego solene e sacro no AT, no NT, no gnosticismo e nos escritos religiosos do paganismo grego. BULTMANN, p. 167², classificou quatro diferentes empregos da fórmula: (**a**) *Präsentationsformel*, ou uma introdução, respondendo à pergunta: "Quem é você?" Assim: "Eu sou Sócrates"; ou em Gn 17,1: "Eu sou El Shaddai". (**b**) *Qualifikationsformel*, ou como uma descrição do sujeito, respondendo à pergunta: "O que você é?" Assim: "Eu sou um filósofo"; ou em Ez 28,2, o rei de Tiro diz: "Eu sou um deus". (**c**) *Identifikationsformel*, onde o orador se identifica com outra pessoa ou coisa. BULTMANN cita um dito de Ísis: "Eu sou tudo o que já foi que é e que será". O predicado resume a identidade do sujeito. (**d**) *Rekognitionsformel*, ou uma fórmula que separa o sujeito dos demais. Responde à pergunta: "Quem é aquele que...?" com a resposta: "Sou eu". Este é um caso em que o "Eu" realmente é um predicado.

Ora, mantendo em mente esta gama de uso, estendendo do banal ao sacro, consideremos o uso de *egō eimi* em João. Gramaticalmente, podemos distinguir três tipos de uso:

(1) O uso absoluto sem predicado. Assim:

    8,24: "a menos que venhais a crer que EU SOU, seguramente morrereis em vossos pecados".

    8,28: "Quando levantardes o Filho do Homem, então compreendereis que EU SOU".

    8,58: "antes mesmo de Abraão vir à existência, EU SOU".

    13,19: "quando acontecer, creiais que EU SOU".

Há uma tendência natural de sentir que estas afirmações são incompletas; por exemplo, em 8,25 os judeus respondem com uma pergunta: "Quem és tu?" Visto que este emprego vai além do linguajar ordinário, todos reconhecem que o *egō eimi* absoluto tem em João uma função revelatória especial. Segundo DAUBE, *art. cit.*, p. 325, T. W. MANSON tem proposto que a fórmula realmente significa: "O Messias está aqui". O significado é pressuposto por Mc 13,6 (Lc 21,8): "Muitos virão em meu nome, dizendo: Eu sou" – aqui,

Mt 24,5 fornece um predicado: "Eu sou o Messias". Entretanto, não há muito no contexto das passagens joaninas que nos inclinem a pensar que Jesus estivesse falando da messianidade. Uma explicação mais comum, como veremos abaixo, é associar o uso joanino com *egō eimi* empregado como um nome divino no AT e no judaísmo rabínico.

(2) O uso em que um predicado pode ser subentendido mesmo quando não seja expresso. 6,20: Os discípulos no barco se acham amedrontados porque percebem alguém vindo ao seu encontro sobre a água. Jesus lhes assegura: *egō eimi*; não temais". Aqui, a expressão pode simplesmente significar: "Sou eu, i.e., alguém a quem conheceis, e não um ser sobrenatural ou um fantasma". Entretanto, salientaremos que as teofanias divinas no AT frequentemente têm esta fórmula: Não temais; eu sou o Deus de vossos ancestrais. Como já disse no comentário sobre § 21, em 6,20 João pode muito bem ter-nos dado uma cena epifânica, e assim fazendo uso tanto do ordinário como do sacro de *egō eimi*.

18,5: Os soldados e a guarda do templo foram ao jardim atravessando o Cedrom para prender Jesus anunciam que estão buscando a Jesus, e Jesus responde: "*egō eimi*". Isto significa "Sou eu"; mas o fato de que, os que o ouviram caíram por terra quando ele responde, pressupõe uma forma de teofania que deixa os homens prostrados tremendo diante de Deus. Uma vez mais, João parece estar fazendo um duplo uso de *egō eimi*.

(3) O uso com um predicado nominativo. Em sete casos, Jesus fala de si mesmo figurativamente.

6,34.51: "Eu sou o pão da vida [pão vivo]".
8,12 (9,5): "Eu sou a luz do mundo".
10,7.9: "Eu sou a porta das ovelhas".
10,11.14: "Eu sou o bom pastor".
11,25: "Eu sou a ressurreição e a vida".
14,6: "Eu sou o caminho, a verdade e a vida".
15,1.5: "Eu sou a videira [verdadeira]".

(Muito próximo deste grupo de afirmações "Eu sou" estariam outros dois: 8,18: "Eu sou o que testifica de mim mesmo"; e 8,23: "eu sou de cima". Ver as notas sobre ambos os versículos). Ao discutir estas afirmações "Eu sou" à luz das quatro fórmulas possíveis dadas acima, BULTMANN pensa que, como agora se encontram no evangelho, cinco das sete pertencem a este grupo (*d*). Isto significa que Jesus está dizendo: "*Eu sou* o pão, o pastor etc., e este predicado não é verdadeiro no tocante a alguma outra pessoa ou coisa. ZIMMERMANN, p. 273, concorda que o uso é exclusivo; o acento está no "Eu" e o predicado só é um desenvolvimento – assim, este tipo de sentença de "Eu sou" se relaciona com o uso absoluto em (1). Os que pensam que a sentença de "Eu sou" com um predicado veio de fontes proto-mandeanas mantêm que no evangelho Jesus está contrastando sua reivindicação de ser o pão, o pastor etc., com a dos reivindicantes apresentados pelos proto-mandeanos.

Um contraste mais óbvio é sugerido pelo contexto do evangelho. "Eu sou o pão" se encontra em um contexto em que a multidão sugere que o maná dado por Moisés era o pão do céu (6,31). A afirmação na festa dos Tabernáculos, "Eu sou a luz", provavelmente foi à maneira de contraste com as festivas luzes ardendo com esplendor no átrio das mulheres no templo. A dupla reivindicação, "Eu sou a porta" e "Eu sou o bom pastor" foi provavelmente para estabelecer um contraste com os fariseus mencionados no final do capítulo 9 (ver p. 663s.).

BULTMANN pensa que duas das afirmações "Eu sou", 11,25 e 14,6, pertencem ao grupo (c) da fórmula "Eu sou" em que o predicado identifica o sujeito. Assim, estas afirmações não são primariamente um contraste com a reivindicação de ser a ressurreição, a vida, o caminho e a verdade da parte de outro. Em nossa opinião, isto é não só correto, mas é também provável que as cinco afirmações que BULTMANN atribui a (d) têm também aspectos que pertencem a (c). A ênfase em todas estas afirmações "Eu sou" não está exclusivamente no "Eu", pois Jesus também deseja dar ênfase ao predicado que informa algo de seu papel. O predicado não é uma definição ou descrição essencial de Jesus propriamente dito; é mais uma descrição do que Jesus é em sua relação com o homem. Em sua missão, Jesus é a fonte da vida eterna para os homens ("videira", "vida", "ressurreição"); ele é o meio através do qual os homens acham a vida ("caminho", "porta"); ele guia os homens à vida ("pastor"); ele revela aos homens a verdade ("verdade") que nutre sua vida ("pão"). Assim, estes predicados não são títulos estáticos de auto-doxologia, e sim de revelação do comprometimento divino envolvido no envio que o Pai faz do Filho. Jesus é estas coisas para os homens porque ele e o Pai são um (10,30) e ele possui o poder gerador de vida do Pai (5,21). A afirmação de Jesus, "Eu sou a verdade, a luz, "... se relacionaria com afirmações similares sobre a relação do Pai com os homens: "Deus é Espírito" (4,24); "Deus é luz" (1Jo 1,5); "Deus é amor" (1Jo 4,8.16).

Há outras indicações de que, nestas afirmações, o predicado não pode ser negligenciado. Os discursos associados com as afirmações "Eu sou" explicam o predicado; isto é óbvio nas explicações do pão, da porta, do pastor e da videira. Além do mais, há muito a ser dito do paralelismo que alguns estudiosos estabeleceram entre esta classe de afirmações "Eu sou" e as parábolas sinóticas que começam com "o reino do céu [Deus] é como"... (ver J. JEREMIAS, TWNT, V, p. 495; L. CERFAUX, RecLC, II, pp. 17-26). Indicamos ao leitor a discussão acima nas páginas 120ss. Certamente, nas parábolas sinóticas a força da comparação está centrada em torno de uma explicação do símbolo a que o reino é comparado.

Finalmente, deve-se notar que há afirmações "Eu sou" com um predicado nominal tanto em Apocalipse como em João. Mas, enquanto em João os predicados são adaptações do simbolismo do AT (pão, luz, pastor e videira são todos usados simbolicamente em descrever as relações de Deus com Israel), os predicados no Apocalipse são frequentemente tomados diretamente de passagens do AT. Note os seguintes exemplos: Ap 1,8: "Eu sou o Alfa e o Ômega"; 1,17: "Eu sou o primeiro e o último, e aquele que vive" (cf. Is 41,4; 44,6; 48,12); 2,23: "Eu sou aquele que sonda a mente e o coração" (cf. Jr 11,20).

O pano de fundo do uso Joanino

Há muitos exemplos pagãos de um uso sacro de "Eu sou"; p. ex., na fórmula mágica de Ísis, o corpus Hermético e na liturgia do mitraísmo. Se pode encontrar exemplos pertinentes em BERNARD, I, p. 69; BARRETT, p. 242. Já mencionamos a existência de paralelos mandeanos. Muitos estudiosos, como NORDEN e WETTER, têm sugerido que o pano de fundo da fórmula joanina se encontra nesse uso religioso pagão – um uso que passou do mundo oriental para o mundo grego. Todavia, como ZIMMERMANN tem salientado, é difícil encontrar paralelos pagãos para o uso absoluto joanino de *egō eimi*, uso esse que é muitíssimo importante para se compreender esta fórmula em João. Os textos mágicos que dizem simplesmente "Eu sou" não são exemplos de um uso absoluto, pois um nome tem de ser suprido pelo que se utiliza do texto. Certamente, a questão do pano de fundo do *egō eimi* joanino é apenas uma pequena faceta da questão maior das influências no pensamento religioso do Quarto Evangelho que já discutimos na Introdução, IV. Os paralelos gnósticos e helenistas para a fórmula do "Eu sou" não são tão convincentes para alterar a posição geral adotada ali, a saber, que o lugar mais provável para se buscar o pano de fundo joanino é no judaísmo palestino.

O AT oferece excelentes exemplos do uso de "Eu sou", inclusive os únicos bons exemplos do uso absoluto. ZIMMERMANN começa seu estudo das fórmulas do AT com uma discussão das passagens que contêm a afirmação "Eu sou Iahweh", ou "Eu sou Deus", pois o uso absoluto de "Eu sou" é uma variante desta expressão. Em hebraico, a afirmação contém simplesmente o pronome "Eu" (*'anī*) e o predicado "Iahweh" ou "Deus" (*'ēl*; *'elōhīm*), sem um verbo conectivo. A LXX usa *egō kyrios, egō theos*, mas às vezes supre o verbo conectivo *eimi*. A expressão tem vários usos. Pode ser usada quando Deus informa o que Ele é, em um sentido muito semelhante ao de BULTMANN (*a*) das fórmulas "Eu sou" (Gn 28,13; Ex 20,5). Estes casos onde Deus se apresenta ao homem frequentemente são designados para tranquilizar o homem, e assim pode ser acompanhado de um diretivo "não temas" (Gn 26,24). Outro uso de "Eu sou Iahweh" ocorre quando Deus deseja oferecer um fundamento para a aceitação de suas palavras (Ex 6,6; 20,1.5; Lv 18,5). A fórmula assegura o ouvinte de que o que é afirmado tem autoridade divina e vem de Deus. Assim, este uso tem um valor revelatório, ainda que limitado.

Um uso que é mais estreitamente associado com revelação é onde Deus promete: "Saberás que eu sou Iahweh". Este conhecimento de Iahweh será conquistado através do que Ele faz (Ex 6,7; 7,5). Muitas vezes o que Deus faz ajudará ou salvará; outras vezes é o juízo punitivo de Deus que levará os homens a saberem que Ele é o Senhor. Este uso do AT oferece interessantes paralelos para a classe (1) das afirmações joaninas "EU SOU". Ali Jesus diz que os homens virão a conhecer ou a crer que "EU SOU". Em Jo 8,24, isto se relaciona com o juízo punitivo de Deus; em 8,28 se relaciona com a grande ação salvífica da morte, ressurreição e ascensão.

O uso mais importante da fórmula veterotestamentária "Eu sou Iahweh" enfatiza a unicidade de Deus: Eu sou Iahweh e não há outro. Este use ocorre seis vezes no Deuteroisaías, bem como em Os 13,4 e Jl 2,27. O hebraico ʾªnī YHWH, em Is 45,18 é traduzido na LXX simplesmente como *egō eimi*. Neste uso que enfatiza unicidade, uma alternativa hebraica para ʾªnī YHWH é ʾªnī hū ("Eu [sou] Ele"), e a última expressão é sempre traduzida na LXX como *egō eimi*. Ora, como a fórmula está no texto hebraico de Isaías, evidentemente se propõe a enfatizar que Iahweh é o único Deus. Ao discutirmos o uso banal de *egō eimi*, salientamos que normalmente ele significa "Eu sou ele" ou "Eu sou esse", e assim é mui apropriado como uma tradução para ʾªnī hū. Não obstante, visto que o predicado "Ele" não está expresso no grego, como a fórmula está na LXX, houve uma tendência para enfatizar não só a unicidade de Deus, mas também sua existência.* Vemos esta mesma tendência em ação na tradução que a LXX fez de Ex 3,14, o importantíssimo texto para o significado de "Iahweh". Se entendermos "Iahweh" como derivado de uma forma causativa (ver F. M. Cross, Jr., HTR 55 [1962], 225-59), o hebraico lê "Eu sou 'quem causa o ser'"; ou, talvez mais originalmente na terceira pessoa, "Eu sou 'Aquele que faz existir'". Mas a LXX lê: "Eu sou o Existente", usando um particípio do verbo "ser", e assim enfatizando a existência divina.

Há ainda evidência de que o uso de *egō eimi* na LXX de Deuteroisaías chegou a ser entendido não só como uma afirmação da unicidade e existência

---

* Toda esta discussão está pressuposta no ponto de vista mais usual de que *hū* no hebraico ʾªnī hū é o pronome "ele", de modo que, literalmente, temos no hebraico "Eu Ele" com a cópula subentendida. O grego *egō eimi* então neste caso teria um alcance ligeiramente diferente do hebraico. Mas alguns estudiosos pensam que *hū* tinha simplesmente a função copulativa, e que o hebraico significava exatamente o mesmo que o grego. Ver W. F. Albright, VT 9 (1959), 342.

divinas, mas também como um nome divino. O texto hebraico de Is 43,25 lê: "Eu, Eu sou Aquele que apaga as transgressões". A LXX traduz a primeira parte desta afirmação, usando *egō eimi* duas vezes. Isto pode significar "Eu sou Ele, Eu sou Aquele que apaga as transgressões"; mas pode também ser interpretado: "Eu sou 'EU SOU' quem apaga tuas transgressões", tradução que faz de *egō eimi* um nome. Temos o mesmo fenômeno no texto da LXX de Is 51,12: "Eu sou 'EU SOU' quem vos conforta". Em Is 52,6, o paralelismo sugere uma interpretação similar: "Meu povo conhecerá *meu nome*; naquele dia (conhecerão) que eu sou Aquele que fala". A LXX pode ser lida: "o *egō eimi* é aquele que fala"; e assim *egō eimi* se torna o nome divino a ser conhecido no dia do Senhor. DODD, *Interpretation*, p. 94, cita evidência rabínica do 2º século d.C. onde a passagem é tomada neste sentido: "Naquele dia conhecerão que 'EU SOU' lhes está falando". DODD fornece outras passagens para mostrar que não só a forma grega *egō eimi*, mas também a forma hebraica $'^a n\bar{\imath}\ h\bar{u}$ serviram como o nome divino na liturgia. Uma forma variante, $'^a n\bar{\imath}\ w^e h\bar{u}$, "Eu e ele", foi também usada, e DODD pensa que ela indicava a estreita associação ou quase identificação de Deus e Seu povo. (Para possível relevância em João, ver nota sobre 8,16). DAUBE, *art. cit.*, aponta para a ênfase na fórmula "Eu sou" na Páscoa *Haggadah*, onde Deus está dizendo que Ele, e não outro, libertou Israel: "Eu, e não um anjo... Eu, e não um mensageiro; Eu Iahweh – isto significa EU SOU, e não outro".

Contra este pano de fundo, o uso absoluto joanino de *egō eimi* se torna mui inteligível. Jesus é apresentado como a falar da mesma maneira como Iahweh fala em Deuteroisaías. Em 8,28, Jesus promete que, quando o Filho do Homem for levado (de volta para o Pai), "então conhecereis que *egō eimi*". Em Is 43,10, Iahweh diz que Ele escolheu seu servo Israel, "para conhecerdes e crerdes em mim e entendais que *egō eimi*". João chama a atenção para as implicações da divindade no uso de *egō eimi* da parte de Jesus. Após o uso em 8,58, os judeus tentaram apedrejar Jesus; após o uso em 18,5, os que o ouvem caem por terra.

O uso de "EU SOU" como um nome divino no judaísmo tardio pode explicar as muitas referências joaninas ao nome divino que Jesus porta. Em seu ministério, Jesus fez conhecido e revelou a seus discípulos o nome do Pai (17,6.26). Ele veio no nome do Pai (5,43) e fez suas obras no nome do Pai (10,25); aliás, ele diz que o Pai lhe deu seu nome (17,11.12). A hora que traz a glorificação de Jesus significa a glorificação do nome do Pai (12,23.28). Após a vinda desta hora, os crentes podem pedir coisas em nome de Jesus (14,13; 15,16; 16,23). No nome do Jesus glorificado, o Pai envia o Paráclito (14,26). O grande pecado consiste em recusar crer no nome do unigênito Filho de Deus (3,18). Qual é este nome que foi dado a Jesus e o qual ele glorifica através de sua morte, ressurreição e ascensão? Em Atos e em Paulo (p. ex., Fl 2,9) o nome dado a Jesus ante o qual todo joelho se dobrará é o nome *kyrios* ou "Senhor" – o termo usado na LXX para traduzir "Iahweh" ou "Adonai". Muito embora João também use o título *kyrios* para Jesus (20,28; ver também nota sobre 4,11), é bem possível que João esteja pensando em *egō eimi* como o nome divino dado a Jesus. Se este nome tem de ser glorificado através da hora da morte e ressurreição, Jo 8,28 diz: "Quando levantardes o Filho do Homem, então sabereis que 'EU SOU'".

Já vimos que o uso absoluto de "Eu sou", em João, é a base para outros usos, em particular para o uso na classe (3) com um predicado nominal. Se o pano de fundo do uso na classe (1) é o judaísmo veterotestamentário e palestino, somos justificados em suspeitar o mesmo para a classe (3). Já mencionamos que a maioria dos predicados nominais usados em João são adaptações de simbolismo veterotestamentário. O AT oferece exemplos onde Deus usa a fórmula "Eu sou" com um predicado nominal descritivo da ação de Deus em favor dos homens; p. ex., "Eu sou a tua salvação" (Sl 35,3); "porque eu sou o Senhor que te sara" (Ex 15,26). Ver também os paralelos no AT supracitados para as afirmações do "Eu sou" encontrados no Apocalipse. Ocasionalmente, uma fórmula verbal oferece um paralelo semântico a uma afirmação joanina de "Eu sou"; p. ex., "Eu mato e faço viver" (Dt 32,39) comparado com João "Eu sou a vida". Como pano de fundo adicional do AT para o uso joanino, podemos mencionar os discursos na primeira pessoa da Sabedoria em Provérbios e Siraque. Embora a Sabedoria não fale na fórmula "Eu sou", o costume da Sabedoria falar no estilo "Eu" (Pv 8; Sir 24) em parte pode explicar a preferência que Jesus tem em dizer "Eu sou a videira", em vez de "o reino de Deus é semelhante a uma vinha".

O uso sinótico

A frase "Eu sou", nos lábios de Jesus, é uma criação joanina, ou há exemplos deste uso também na tradição sinótica? Estamos interessados primariamente nos ditos "Eu sou" sem um predicado.

Há três passagens sinóticas onde "Eu sou" é usado de uma maneira muito semelhante aos exemplos que vimos sob a classe (2) do emprego joanino, i.e., o predicado não é expresso, embora ele possa estar subentendido; e o evangelista parece fazer uso de ambos os usos de *egō eimi*, o profano e o sagrado.

Mc 14,62; Lc 22,70: Quando Jesus é interrogado pelo sumo sacerdote se ele é o Messias, o filho do Bendito, ele responde: "*Egō eimi*". Isto pode ser simplesmente uma afirmativa "Eu sou". Todavia, sua resposta provoca a acusação de blasfêmia – acusação que seria mais compreensível se Jesus estivesse reivindicando um nome divino do que simplesmente afirmando messianidade.

Mt 14,27 (Mc 6,50): Quando Jesus vem caminhando sobre a água, ele diz aos discípulos no barco: "*Egō eimi*; não temais". Este é o mesmo uso que vimos em Jo 6,20. Que Mateus tenciona mais que um simples "sou eu" é pressuposto pela confissão de fé que fazem os discípulos (Mt 14,33): "Verdadeiramente, tu és o Filho de Deus!"

Lc 24,36 (alguns manuscritos): Após a ressurreição, Jesus aparece a seus discípulos e diz: "*Egō eimi*; não temais". Uma vez mais, isto poderia simplesmente significar "sou eu" (ver 24,39); mas o contexto pós-ressurreição pressupõe uma revelação do Senhorio de Jesus.

Há um exemplo de uma afirmação "Eu sou" nos evangelhos sinóticos que se aproxima muito do uso joanino absoluto da classe (1). Ao falar dos sinais dos últimos dias, Jesus adverte: "Muitos virão em *meu nome*, dizendo *egō eimi*" (Mc 13,6; Lc 21,8). Alguns supririam um predicado; p. ex., "Eu sou ele, i.e., Jesus ou o Messias". Mt 24,5 supre o predicado: "Eu sou o Messias". Não obstante, o contexto não pressupõe claramente o predicado; e a justaposição de *egō eimi* e "meu nome" nos deixa muito perto do emprego joanino.

Assim, o uso absoluto de João de "Eu sou", nas classes (1) e (2), podem ser uma elaboração de um uso de "Eu sou" atribuído a Jesus também na tradição sinótica. Uma vez mais, em vez de criar do nada, a teologia joanina pode ter revalorizado um tema válido da tradição primitiva. Não há paralelos sinóticos explícitos com a classe (3) dos ditos de Jesus "Eu sou", mas esta classe, como temos visto, é uma possível variação do tema parabólico sinótico.

BIBLIOGRAFIA

DAUBE, D., *"The 'I Am' of the Messianic Presence"*, The New Testament and Rabbinic Judaism (Londres: Athlone, 1956), pp. 325-29.

SCHULZ, S., *Komposition und Herkunft der Johanneischen Reden* (Stuttgart: Kohlhammer, 1960), pp. 70-131.

SCHWEIZER, E., *Ego Eimi* (Göttingen: Vandenhoeck, 1939).

ZIMMERMANN, H., *"Das absolute 'Egō eimi' als die neutestamentliche Offenbarungsformel"*, BZ 4 (1960), 54-69, 266-76.

ÍNDICE DOS PRINCIPAIS AUTORES CITADOS

Abbott, E. A.   50, 262, 263, 272, 437, 507, 747, 794, 800, 801, 816
Achtemeier, E.   818
Agostinho   325, 593, 595, 726, 727, 825
Aland, K.   84
Albright, W. F.   29, 361, 704, 728, 826, 845
Alexandria, C. de   91, 95, 106, 189, 305, 510, 620
Allegro   243
Allen   74
Ambrósio   175, 593
Andrews, M.   81
Argyle   52
Atanásio   185, 189
Aucoin, M. A.   191
Audet, J.-P.   463, 464, 578
Bacon, B. W.   66
Bagatti   428
Bailey   33, 35
Balagué, M.   301
Baldensperger   64
Ball   245
Balmforth   29
Barrett, C. K.   2, 10, 29, 46, 80, 81, 82, 91, 111, 114, 122, 182, 188, 239, 241, 273, 308, 316, 327, 355, 370, 371, 374, 388, 395, 400, 441, 453, 455, 481, 511, 537, 569, 574, 602, 622, 643, 646, 674, 683, 692, 738, 742, 744, 763, 764, 796, 844

Barrosse   337, 453, 634
Bauer, W.   45, 112, 185, 206, 361, 370, 541, 750
Baur, F. C.   81
Becker, H.   17
Beek, G. W. van   736
Behm   574, 578
Bell, H. I.   458
Belser   262, 357
Benoit, P.   142, 739
Bernard   9, 11, 91, 93, 104, 178-181, 183, 186, 188, 189, 204, 222, 237, 239, 250, 263, 271, 281, 299, 308, 316, 327, 328, 336, 350, 353, 355, 357, 371, 374, 387, 388, 406, 427, 441, 453, 454, 455, 458, 466, 485, 492, 497, 507, 509, 563, 574, 601, 619, 622, 624, 626, 627, 659, 660, 662, 665, 707, 710, 721, 724, 725, 726, 750, 762, 788, 796, 824, 844
Billerbeck   56
Birdsall, J. N.   149, 682
Black   146, 147, 177, 186, 187, 197, 323, 363, 370, 386, 660, 709
Blank   134, 799
Blass   182
Blenkinsopp   575
Bligh, J.   384, 388, 391, 398, 400, 434, 437, 438, 440, 455, 458, 465, 538
Blinzler   565, 591, 689

Boaz 478
Böcher, O. 58
Bodmer 148
Boismard, M.-E.   9, 18, 19, 22, 33, 36, 82, 132, 135, 146, 147, 149, 161, 174, 176, 177, 179, 181, 182, 183, 185, 187, 189, 190, 195, 197, 200, 201, 203, 204, 222, 237, 238, 239, 243, 245, 253, 254, 256, 257, 260, 261, 263, 267, 271, 272, 275, 278, 290, 291, 299, 300, 336, 356, 361, 364, 366, 382, 386, 409, 411, 415, 417, 418, 446, 451, 452, 461, 463, 491, 492, 551, 555, 573, 574, 577, 578, 626, 696, 709, 726, 738, 742, 774, 788, 790, 791, 828
Bonsirven 291
Boobyer, G. 479
Borgen, P.   33, 57, 498, 506, 507, 508, 509, 517, 518, 520, 538, 539
Bornhäuser 511
Bornkamm   37, 122, 123, 546
Bourke, M. 296
Bousset 45
Bouyer, L. 122, 211
Bowman 385, 386
Braun, F.-M.   46, 50, 52, 53, 55, 56, 58, 81, 82, 83, 93, 176, 179, 182, 185, 235, 239, 251, 290, 302, 304, 317, 337, 349, 350, 357, 427, 437, 458, 574, 576, 585, 611, 654, 731
Braun, H. 230, 600
Brawn, F.-M. 58
Bresolin 291, 292
Bright, J. 517
Brooke 315
Broomfield 111
Brown, R. E. 58, 228
Brownlee 230
Bruns   94, 102, 665, 669
Büchsel 45, 206

Bultmann   2, 9, 10, 11, 13-19, 24, 31, 37, 45-49, 64, 78, 82, 100, 114, 117, 122, 123, 127, 131, 132, 134, 135, 146, 147, 151, 152, 176, 177, 179, 180-182, 185, 187, 188, 195, 197, 200, 202, 206, 208, 209, 212, 239, 253, 254, 256, 257, 262, 268, 272, 275, 282, 290, 294, 302, 308, 309, 312, 313, 328, 333, 334, 348, 350, 357, 360, 361, 370, 371, 374, 385, 387, 415, 445, 453, 457, 458, 466, 467, 477, 478, 481, 485, 493, 497, 501, 507, 511, 516, 528, 529, 541-544, 563, 574, 578, 579, 585, 622, 625, 642, 644, 647, 662, 665, 670, 675, 683, 688, 691, 696, 704, 705, 707, 709, 716, 717, 719, 721, 726, 744, 773, 775, 788, 790, 796, 797, 798, 806, 841, 842, 843, 844
Burney, C. F.   112, 146, 147, 150-152, 177, 179, 182, 187, 197, 245
Burrows 146, 626
Buse, I.   33, 34, 256, 317, 318
Bussche, Van den   290, 325, 349, 357, 383, 511
Buzy 511
Calvino 325
Camelot, T. 815
Carmignac, J. 243
Carrol 73
Cavaletti 627
Cerfaux, L. 469, 667, 843
Charlier, J.-P.   290, 305, 450, 601
Cipriano 179, 707
Collins 2, 308
Colpe, C. 49
Conzelmann 37
Corell 122
Craig 551
Crisóstomo, J.   94, 149, 328, 433, 450, 485, 486, 491, 510, 610, 627, 687, 721, 726, 727
Cross, F. M. Jr. 845

Cullmann, O.   50, 114, 122, 124, 125, 234, 243, 245, 248, 262, 322, 325, 374, 401, 434, 442, 511, 838
D'Aragon   115
Dahl   624, 692
Dahood   59
Daniélou, J.   577, 578, 748
Daube, D.   57, 274, 383, 478, 503, 531, 841, 846
Davies, W. D.   73, 140
De Ausejo   180, 183, 184, 188, 189, 193, 196, 197, 199, 207
De Goedt   277
De la Potterie   172, 174, 190, 243, 245, 341, 346, 351, 611, 798, 799, 816
De Zwaan   146
Delafosse, H.   80
Derrett   295, 590, 591, 592, 594, 596, 597
Dillon, R.   296 ,301
Dodd, C. H.   2, 10, 15, 16, 29, 33, 34, 48, 52, 53, 107, 129, 132, 134, 161, 180, 198, 206, 222, 223, 231, 233, 235, 237, 238, 241, 243, 245, 256, 268, 310, 313, 316, 317, 318, 320, 328, 332, 348, 350, 356, 360, 362, 365, 366, 371, 372, 388, 389, 398, 401, 405, 414, 431, 441, 443, 455, 458, 464, 467, 468, 482, 488, 502, 511, 536, 542, 543, 574, 600, 601, 602, 619, 620, 629, 643, 652, 666, 669, 719, 729, 739, 752, 767, 768, 769, 770, 772, 797, 798, 806, 807, 812, 813, 826, 829, 835, 846
Drower, L.   48
Dubarle, A. M.   323, 325, 326, 635
Duhm   243
Dunkerley   713
Dupont, J.   177, 179, 182, 185, 290, 350
Dupont-Sommer   243
Easton   11
Eckhardt   101
Edersheim   707
Enz   55
Eoyang, Mr. Eugene   XII
Epstein   317
Estius   125
Eusébio   88, 91-96, 104, 106, 112, 175, 179, 193, 271, 306, 360, 428, 510, 593
Evans   795
Farmer   754
Faure   12
Festugière   53
Feuillet, A.   117, 139, 239, 302, 304, 349, 419, 509, 511, 512, 524, 534, 577, 578, 614, 666, 7855, 806
Filo   50-52, 57, 111, 188, 262, 465, 503, 517, 575, 661, 797, 812, 824, 826, 835
Filson   101, 805
Fitzer   838
Fitzmyer, J.   75, 240
Fócio   149
Formesyn, R.   836
Freed   749, 752, 753
Fridrichsen, A.   142
Funk   611
Gächter, P.   109, 150, 151, 178, 181, 195, 290, 292, 438, 443, 446, 537, 603
Gaffney   815
Galbiati, E.   538
Galot   305
Gärtner   469, 470, 478, 489, 502, 503, 531
Giblet, J.   230, 443
Glasson, T. F.   55, 229, 247, 337, 355, 465, 697
Godet   511
Goedt, M. de   240, 511
Goethe   823
Goguel   361, 364

Goitia, J.	345	Iersel, Van	253, 256
Gollwitzer	545	Imschoot, P. van	239, 345
Goodenough, E.	81, 85, 86, 480	Inácio	76, 611
Goodwin, C.	20, 33, 56	Inge, W. R.	50
Gorrey	146	Irineu	74, 75, 81, 88, 91-94, 96, 97, 182, 185, 189, 299, 303, 305, 314, 346, 411, 452, 573, 627, 643
Gourbillon	339, 371, 776		
Grässer	68		
Green	180, 181	Jeremias, J.	16, 181, 243, 245, 249, 273, 350, 428, 458, 528, 534, 544, 574, 578, 582, 595, 674, 738, 830, 843
Grelot	577, 578		
Griffiths	55		
Grossouw	2		
Grundmann	838	Johnston, E. D.	467
Guilding, A.	477, 490, 518, 520, 576, 684	Josefo	50, 57, 224, 271, 272, 289, 308, 313, 314, 321, 381, 384, 410, 428, 451, 461, 482, 483, 485, 497, 581, 627, 630, 670, 682, 727, 728, 731, 733, 734, 755, 806, 834
Haenchen	2, 173, 174, 180, 181, 186, 190, 195, 317, 414, 416, 431, 433, 467, 468, 838		
Haible	292	Joüon	188, 710
Hamartolus, G.	93	Jülicher, A.	666
Hanson	692	Jungkuntz	683, 692
Harnack, A.	206	Kacur	184
Hartingsveld, Van	132	Käsemann	2, 17, 178, 181, 183, 186, 188, 195, 201, 206, 208, 209, 212
Hatch, E.	660		
Hendriksen, W.	188	Kern	602
Heráclito	824	Kern, W.	628
Hermaniuk, M.	666	Kilmartin	306, 503, 531, 535
Higgins	29	Kirkpatrick	53, 54, 411, 574, 575
Hilário	175	Klausner, J.	226
Hipólito	97, 573	Köbert	736
Hirsch	12	Köster	123
Hoare, F. R.	11	Kragerud	100
Holtzmann	768	Krieger	223, 361
Holzmeister, U.	272	Kselman, Mr. John	XII
Hooker, M.	243, 579	Kuhn	58
Hoonacker, Van	175	Kuyper	186
Hoskyns	2, 10, 55, 122, 188, 304, 316, 502, 534, 563, 574, 594, 654, 682, 707, 721, 744	Lacan	175, 188
		Lagrange	176, 179, 185, 188, 221, 239, 290, 308, 315, 334, 336, 339, 340, 357, 371, 374, 390, 404, 427, 453, 458, 465, 511, 525, 530, 663, 677, 707, 721, 725, 748
Howard	2		
Hunt, G.	221		
Hunt, S.	111		

Lake, K. 349
Leal 29, 349
Lee, E. K. 21, 32, 794
Leenhardt, F. J. 537
LeFrois, B. 303
Legault 739, 740
Léon-Dufour, X. 323, 349, 445, 464, 511, 515, 529, 538
Licht, J. 133
Lidzbarski 48
Lightfoot 2, 122, 182, 282, 316, 357, 382, 453, 574, 709
Loewenich, Von 82
Lohse 122, 349
Loisy, A. 80, 100, 175, 314, 361, 511, 600, 601, 722, 769
Lubac, H. de 303
Lund 197, 200
Lyonnet, S. 357, 613
Macdonald, J. 386
Macgregor 12, 146, 179, 574
Macgregor-Morton 17
MacRae, G. W. 581
Manson, T. W. 591, 748, 841
Mark 470
Mártir, J. 82
Maurer 82
McCasland 834
McCool 394, 395
McCown, C. 461
McHugh, J. 481
McNeile 315
Mehlmann 174, 625
Ménard 442
Mendner 317, 339, 467, 479
Menoud, P.-H. 2, 16, 294, 511
Meyer, P. 668, 673
Michaelis 123, 125, 574
Michaud 291
Miss Guilding 520, 584, 594, 665, 685
Moffatt 173, 177, 665

Molin, G. 226
Mollat, D. 151, 152, 175, 182, 335, 511, 538, 574, 837
Mongomery, J. A. 186
Moody, D. 184, 337
Moore, G. F. 828, 829
Mopsuestia, T. de 291
Moran, W. L. 805
Morris, L. 40, 520
Moule, C. F. D. 273, 314, 480, 730
Mowinckel, S. 234, 279
Munck, J. 45
Mussner 511
Nagel 177
Naveh, J. 274
Neugebauer, F. 451
Nevius, R. C. 406
Niewalda 122, 124, 305, 396, 434
Nissa, Gregório de 291, 510, 519
Noack, B. 12, 20, 427
Nock, A. D. 49, 53
Nonnos 485
Norden 844
Nunn 91
Nygren, A. 795
O'Connell, M. J. 790, 805
O'Rourke, J. J. 524, 668
Odeberg 282, 511
Ogg, G. 627
Orígenes 175, 190, 269, 271, 314, 372, 405, 452, 535, 543, 574, 707
Osty 33, 35, 383
Parker, P. 16, 18, 19, 33, 35, 102, 222
Pecorara 813
Percy 45
Petuschowski, J. 749
Phillips 800
Pinto de Oliveira, C.-J. 370
Plínio 199
Policrates 93
Pollard 29, 173, 682

Quirant, C.	574	Schwartz, E.	17
Quispel	46, 282	Schweitzer, A.	129
Rahner, H.	573	Schweizer, E.	16, 26, 45, 114, 116, 118, 119, 120, 122, 415, 416, 511, 528, 574, 665
Reicke, Bo	212		
Reitzenstein	45		
Rengstorf	574	Selms, Van	362
Reuss	291, 292	Senès, H.	461
Richardson	712	Shanks, H.	261
Richter	226, 229	Sidebottom, E. M.	336
Riesenfeld	593	Silberman, L. H.	228
Rieu, E. V.	155	Skeat, T. C.	458
Riga, P.	838	Skehan, P.	228, 300
Ringgren, H.	244, 807	Smith, C. W. F.	13, 14, 55, 131, 581
Roberts, C. H.	84	Smith, D. M.	151, 752
Robinson, J. A. T.	3, 72, 76, 77, 180, 181, 188, 192, 193, 204, 213, 228, 248, 315, 401, 566, 668, 824	Smith, M.	12, 94
		Smothers	581, 611
		Speiser, E. A.	172
Robinson, J. M.	194	Spicq, C.	142, 337, 497, 795, 816, 827
Roma, Clemente de	82, 244, 671	Spitta	12, 201, 415
Romanides	82	Stanks	244
Roustang	341	Stanley, D. M.	122, 305, 574, 769
Ruckstuhl	16, 26, 193, 411, 525, 528	Starchy, J.	240
Rudolph, K.	48	Stauffer, E.	29, 132, 230, 234, 272, 329
Sagnard	305		
Sahlin, H.	204, 227	Strack	56
Sanders, J. N.	40, 81, 82, 92, 101, 102, 111, 736, 737	Strathmann	299, 511, 691
		Sukenik, E. L.	261
Schaeder	177	Taciano	8, 149, 184, 189, 339, 386, 387, 704
Schenke, H. M.	49		
Schilling	593, 594	Tarelli	82
Schlatter	56, 177, 179, 511, 574, 725	Tatiano	314, 339
Schmid, J.	182	Taylor, V.	34, 199, 315, 367, 468, 470, 534, 677, 754, 768
Schmiedel, P. W.	453		
Schnackenburg, R.	2, 63, 64, 72, 77, 117, 123, 179, 180, 181, 183, 188, 193, 195, 205, 225, 228, 274, 295, 296, 297, 302, 357, 371, 372, 397, 412, 413, 415, 416, 458, 466	Teeple, H. M.	6, 59, 228
		Temple, S.	415, 537
		Tenney	154
		Teodoreto	727
		Teodoro	289, 291, 432
Schneider, J.	537, 666	Tertuliano	97, 179, 182, 314, 429, 433, 434, 452, 573, 655
Schürer, E.	645		
Schürmann, H.	538, 546	Thurian	302, 304

Índice dos Principais Autores Citados

Thüsing 190, 335, 374, 389, 542, 621, 774
Tillmann 357
Tobac 511
Töpelmann 582
Torrey 146, 147, 485, 498, 578, 626, 660, 738
Trench 795, 796
Unnik, Van 72, 76, 78, 764
Valentino 46, 75, 111
Vanhoye 451
Vawter 56, 122, 175, 201, 305
Via 120
Virgulin 241
Vogels 314
Walker, N. 262
Weiss, B. 201, 511
Weiss, J. 315, 469
Wellhausen 17, 102, 254, 349, 364
Wendt 12
Westcott 54, 177, 179, 185, 204, 262, 292, 325, 351, 355, 357, 497, 563, 795
Wetter 844
White 565
Wieder, N. 226
Wikenhauser 9, 177, 179, 181, 182, 336, 466, 485, 600, 665
Wiles 394
Wilkens, W. 9, 18, 22, 24, 75, 415, 467, 525, 551, 712, 714, 715, 717
Wilson 52
Windisch 190, 281
Winter, P. 690
Wood, H. G. 670
Woodhouse 579
Worden, T. 538
Wordsworth 565
Woude, A. S. van der 229, 230
Yadin 748
Zahn 96, 201, 290, 574
Zerwick 339, 507
Ziener 531
Zimmermann 842, 844
Zuínglio 545

ÍNDICE DE CITAÇÕES BÍBLICAS

ANTIGO TESTAMENTO

Gênesis

1,1	171
1,1-3	830
1,2	239
1-2,3	300
1,3	202, 605
1,20.24	202
1,26	809
2,2	833
2,4	520
2,7	134, 345, 347, 369, 807
2,9	202
2,17	519
3,3	519
3,4-5	624
3,5-6	437
3,15	202, 203, 302, 303, 304
3,16	304
3,22	202, 519
3,24	519
4,8	623
6,3	345
6,9	520
9,4	527
11,13	353
15	268
17,1	841
17,3	648
17,5	268
17,10	563
17,17	626
21,17	762
21,4	563
21,6	626
22,2	247
22,2.12	355
22,2.12.16	185
22,6	247
22,8	247
22,11	762
22,17-18	629
22,18	355
22,28	268
24,11	382
26,24	844
27,35	278
28,10	384
28,12	281, 282
28,13	282, 844
28,18	283
28,21	829
29,1	585
29,2	382
29,4	564
30,22	441

32,27-30	278	16,7-10	802
32,28-30	278	16,10	803
33,18	382	16,15	498, 510
41,55	292	16,16ss	464
48,20	248	16,25	502
48,22	382	19,5	180
49,10	644	19,9	451
49,11	306	19,11	323, 452
49,24	675	19,17	829
		20,1.5	845
Êxodo		20,5	642, 844
		20,11	441
1,15	247	20,21b	385
1,29	576	21,3	580
2,15	382	21,6	691
3,1	661	22,9	691
3,12	829	23,1	580
3,14	576, 845	23,1b	591
4,22	344, 632	24,8	524
6,16-21	576	24,10	211
6,31	576	24,15-16	211
6,6	845	24,17	803
6,7	116, 845	25,8	210
7,1	683	25,8-9	209
7,3-4	410	29,38-46	247
7,5	845	31,15	563
7,11	645	33,11	646
7,19	292	33,18	213
9,16	642, 836	34,6	186
10,1	836	34,10	833
12,5	246	34,29	454
12,12	489	40,34	211
12,22	245		
12,46	245, 471	**Levítico**	
13,21	604		
15,11	442	3,17	527
15,22	520	5,7	312
15,26	542, 847	11,29-38	292
16,1	502	12,3	563
16,2.7.8	508	14,4	829
16,4	498, 502, 518	15,2	369

15,19	383	4,29	571
18,5	845	5,15	441, 783
20,10	590	5,23-27	452
23,39	555	7,19	836
23,40	748	8,3	388, 502, 542, 791
24,16	636	8,15	576
26,5	399	11,3	833
26,12	116	11,22	574
		12,5	210, 726
Números		12,23	527
		13,1-5	644
5,22	274	15,11	738
7,1	684	16,13	555
7,10-11	682, 684	16,18	564
9,11	502	17,6	450
9,12	471	17,7	592
11,1	463	18,15-18	277
11,7-9	463	18,18	342, 385, 454
11,13	463	18,18-19	790, 791
11,22	463	19,15	450, 590
12,2-8	646	19,17	691
14,11	836	20,6	400
14,22	836	21,15	761
16,28	437	22,21	590
19,11-12	734	27,4	385
21,8	337	28,15	580
21,9	835	28,30	400
21,9ss	336	28,39-40	809
25,6-18	596	29,2-4	782
27,16-17	669	29,3-4	784
27,17	660	30,12	353
35,25	726	31,19.22	454
35,30	450	32,6	344, 632
		32,11	239
Deuteronômio		32,14	306
		32,36	444
1,16	580	32,39	847
1,17	691	32,45-47	792
2,14	429	32,46-47	791, 825
3,24	833, 836	34,11	836
4,12.15	452	37,26	580

Índice de Citações Bíblicas

Josué

5,10-12	502
7,19	645
15,9	728
18,23	728
19,8	241
24,32	382

Juízes

11,12	291
12,3	661
13,2	203
13,6	564
13,7	544
14,12	289
14,20	362
16,17	544
16,18	228
17,14	228
18,1	228

Rute

2,14	478

1 Samuel

1,1	203
1,15	579
9,17	241
12,18	762
15,25	237
16,12	661
17,34-35	676
25,28	237

2 Samuel

6,18	749
7,14	279, 344
13,23	728
14,4	749, 755
14,32	563
16,10	291

1 Reis

8,2	581
8,10-11	211
8,63	682
17,1-16	294
17,18	291
17,18-24	227
17,23	410
18,37	722
18,38	227
19,8	229
22,17	675

2 Reis

1,8	226
4,42	478
2,11	225, 227
3,13	291
4,1-7	294
4,12.14.25	463
4,42-44	294, 465
5,10-13	643
5,20	463
6,26	755
8,9	410
12,49	227
14,25	581
17,24ss	383

2 Crônicas

4,6	385
7,5	682

21,12	226	24,5	389
24,8.10	737	25,10	186
26,18	693	27,1	59, 599
30,17-18	733	27,2	527
35,21	291	29,3	490
		32,5	273
Esdras		33,6	826
		35,3	847
5,16	314	36,9	439
6,16	682	40,8	584
		41,7	186
Neemias		42	396
		42,5	766
8,15	748	43,1	444
9,20	503	43,1-2	578
11,32	704	49,19	818
		56,13	599
Jó		66,5	833
		69,9	313, 314, 318, 324
4,19	643	74,9	830
10,9	643	76,1	385
11,6-7	137	77,12	833
28	137	77,19	489
28,12-20	301	78,15-16	576
28,12ss	571	78,16	583
33,30	599	78,24	489, 498
34,15	345	78,52-53	675
30,26	818	80,14-15	118
31,8	400	82,6	690, 692
		86,15	186
Salmos		89,4	764
		89,27	279, 344
2,6-7	279	89,36	764
2,7	279, 344	89,48	625
2,9	302	89,8	442
16,10	314	90,2	627
17,21-25	686	97,6	299
17,30	344	105,6	629
17,32	299	105,40-41	576
19,8	825	106,16	544
23	675	107	490

107,20	825	8,31	137
110,4	764	8,32-33	138
114	576	8,32-35	137, 808
118	748	8,35	828
118,20	671	9,2-5	138
118,22	671	9,3ss	584
118,25	583	9,5	301, 512
118,25-26	753	13,14	394
118,26	671	18,4	575
118,26	755	20,27	579
119,21	580	20,28	186
119,43	798	23,23	798
119,105	825, 829	24,9	609
126,5-6	399	30,3-4	352
130	825		
132,17	451	**Eclesiastes**	
143,3	818		
146,8	663	1,9	502, 585
147,2	566	2,13	828
		7,1	744
Provérbios		11,5	347
		12,7	345
1-9	137	12,10	798
1,20-21	138		
1,20-28	267	**Isaías**	
1,20-33	827		
1,24-25	138	1,5	543
1,28	138	1,15	646
1,28-29	571	2,3	731, 828
4,13	137, 808	4,1-3	138
4,18-19	828	4,3-5	278
5,15	576	4,4	239
6,23	829	6,1	785
7,16	710	6,1-5	784
8,1-4	138	6,3	785
8,3-36	138	6,5	213, 785
8,7	137	6,10	783, 784
8,17	138	8,6	644
8,22	605, 614	8,9	313
8,22-23	137, 827	8,28	846
8,27-30	827	9,1	761

9,2	204	48,21	576
9,6	731	49,1-6	243
9,7	764	49,5-6	777
11,2	251	49,6	249, 566, 643
11,3	564	49,9ss	479
11,12	730	49,10	507
12,2	389	50,4-9	243
16,5	625	51,6ss	520
20,3	837	51,6-16	490
26,10	339	51,12	846
26,19	832	52,6	846
29,8	578	52,13	354, 775
29,10	783	52,13-53	243
29,13	54	52-53	354
29,18	651	53,1	244, 783, 836
31,3	51	53,4	244
32,15	346	53,4.12	244
35,5	651	53,5-12	246
35,5-6	565, 832	53,7	244, 246, 247
38,3	611	53,9	278, 624
38,21	645	53,12	244, 245, 337
40,3	226, 230, 506	54,4-8	298
40,6-8	542	54,13	509, 513
40,9	750	54-55	520
40,11	676	55,1	394, 512, 584
41,4	844	55,1-2	51
41,8	676	55,1-3	301
42,1	244, 251, 252	55,6	571
42,1-4	243	55,10-11	512
42,6	204	55,11	826
42,7	651	56,7	318, 321, 731
43,10	846	58,11	575
43,13	688	60,1-2	204, 299
43,20	576	60,10-11	768
43,25	846	61,1	244
44,3	346, 576, 578, 584	61,1-3	832
44,6	844	61,10	367
44,8	632	62,6	668
45,18	845	63,11ss	520
46,5	442	63,16	632
48,12	844	65,11-13	512

Jeremias

1,2	683
1,5	693
2,2	367
2,13	584
5,17	668
5,5	568
7,11	318, 321
9,4-6	568
10,21	675
11,19	247
11,20	844
13,16	716
17,10	328
17,13	591
18,1-11	837
23,1-2	675
23,3	676, 730
24,7	537
31,8-11	727
31,12	299
31,33	517, 537
38,3	509
46,10	527

Ezequiel

1,4ss	282
3,17	668
3,18	609
8,14	707
11,23	211
12,1-16	837
12-13	676
16,38-40	590
18,7	210
28,2	841
32,25	764
34,11	832
34,13	660
34,16	675, 676, 730
34,20	675
34,23	676, 686
36,13	441
36,25-26	231, 346
37,4	445
39,17	527
42,1-12	523
42,12	577
44,4	211
47,1	583
47,1-11	577

Daniel

4,12	768
5,24	591
6,26	811
7,13	274, 439, 445
7,14	764
9,27	681
10,21	798
11,30	708
12,2	445, 719

Oseias

1,1	683, 825
1-2	367
2,4	632
5,6	210, 571
6,2	323
11,1	344
13,4	845
14,7	299
14,8	291

Joel

1,1	825
2,27	845

2,28-29	346	3,17	756
3,17	209	**Ageu**	
Amós		2,7-9	321
4,4	313		
8,11-13	512	**Zacarias**	
9,13-14	299		
		2,10	210, 273
Obadias		3,13	278
		3,16	750
5	659	7,9	564
		8,4	226
Miqueias		9,9	389, 748, 749, 750, 753, 755, 756
		9-14	581
2,12	676, 730	10,1	582
2,12-13	669	11,9	527
3,12	321	13,1-3	231
4,4	273	13,7	677
5,2	579	14,4	748
6,15	400	14,8	577, 583
		14,11	577
Naum		14,16	731, 748
		14,21	318, 321
1,7	673		
		Malaquias	
Habacuque			
		2,10	632
3,5	826	3,1	222, 226, 227, 248, 317, 321, 362
		3,2	248
Sofonias		4,1	248
		4,5	226
3,16	756		

NOVO TESTAMENTO

Mateus		2,5	233
		2,5-6	579
1,20	333	3,1-12	65
2,3	586	3,7	222

3,7-10	225, 629	8,11	298, 512, 674
3,10.12	366	8,11-12	629
3,11	232	8,12	515
3,12	242, 248	8,15	411
3,13	365	8,17	244
3,14	237	8,18-22	261
3,14-15	249	8,20	647
3,16	250	8,22	266
4,1-11	558, 691	9,1-8	431
4,4	388	9,13	322, 661
4,11	283	9,27	641
4,12	310, 363	9,27-31	651
4,12-13	276	9,30	708
4,13	309	9,35	526
4,15	761	9,37	388
4,16	204	9,37-38	399
4,19	272	10,1	544
4,23	526	10,2	262, 545
5,1	462	10,4	272
5,9	181	10,5	390
5-7	40	10,17	654
5,13	767	10,23	132
5,14	599, 643, 652	10,32	446
5,15	443	10,37	771
5,17-18	683	10,38-39	789
5,37	274	10,39	769
5,44-45	345	10,40	438, 789, 790
5,45	337	11,2	260, 455, 833
6,6	659	11,2-6	687, 832
6,10	722	11,3	368, 749
6,22-23	705, 767	11,5	712
6,23	648	11,9	229
6,24	338, 761	11,10	362
7,13	671	11,11	67, 367
7,21	388, 568	11,14	222, 227
7,24	140	11,18	225
7,26	789	11,19	140
7,29	580	11,20-24	548
8,5-13	412, 431, 832	11,20-28	548
8,7	416	11,25	687
8,9	411	11,25-27	140

11,25-30	35	16,3	836
11,27	338, 374, 548, 570, 676	16,4	326
11,28-30	140	16,5-12	500
12,5-6	441	16,12	500
12,6	325	16,13-14	548
12,7	322, 661	16,14	225, 321
12,9	526	16,15	548
12,22-23	565, 651	16,16	488, 544, 549, 708
12,28	642	16,16-17	687
12,38.41	836	16,16-18	268
12,38-39	313, 834	16,17	183, 263, 547, 549
12,38-40	326	16,18	115, 263, 268, 549, 550
12,40	326	16,19	550
12,42	140	16,21	549
13,13	439	16,23	549
13,13-15	783	16,27-28	280
13,17	626, 636	17,10-13	228
13,20	788	17,12	227
13,25	761	17,12-13	451
13,37-43	667	17,25-26	621
13,38-39	632	17,27	312
13,41	439	18,3	333, 350
13,53-58	406	18,8-9	130
13,54	526	18,9	629
13,55	308, 443, 509	18,12-13	675
14,9	410	18,16	450
14,15	487	18,17	115
14,25	485	18,34	70
14,27	848	19,1	697
14,33	848	19,3	596
14,34	493	19,4	691
15,21-28	414, 832	19,12	642
15,24	206, 338	19,16	808
15,25-27	296	19,18-19	804
15,28	290	19,21	266
15,30	651	19,24	808
15,32	290	19,29	295
15,39	493	20,1-9	752
16,1-4	313, 834, 835	20,2	463, 737
16,2	388	20,29-34	651
16,2-3	399	20,30	641

Índice de Citações Bíblicas

21,2	750	26,18	556, 822, 823
21,10-17	315	26,20	103
21,12	312	26,26-28	527
21,14	651	26,29	512
21,18-22	320	26,31	669, 674, 677
21,32	225	26,39	440
21,33-41	320	26,42	411, 773
21,42	269	26,45	766, 822, 823
21,43	121	26,61	315, 319
22,1	367	26,6-13	738
22,1-4	298	26,63	690
22,13	515	26,64	132, 274, 280, 284
22,15-22	343	26,65	689
22,36-40	803	27,40	239, 315, 319
22,41-45	691	27,63	557
23,8	261	28,15	70
23,15	632	28,16	462, 123
23,16	648	28,19	125
23,23	563	28,20	803
23,34	140		
23,39	749	**Marcos**	
24,3.24.30	834		
24,5	842, 848	1,2	226, 227
24,15	681	1,4	249
24,24	645, 834	1,4-5	254
24,30	336	1,5	365
24,38	524	1,6	226
24,44	822, 823	1,7-8	232
25,1	367	1,10	250
25,13	822, 823	1,11	244, 279
25,24	400	1,14	310, 363
25,31	439	1,14-16	276
25,31-46	439	1,16	641
25,31ss	130	1,16-20 e par.	260
25,32-33	675	1,18	266
25,34	808	1,21.29	271
25,46	808	1,22	562
26,1-5	728	1,24	291, 544
26,4	727	1,31	411
26,11	738	1,43	708
26,15	743	1,45	362

2,1-2	431	4,35-41	488
2,1-12	431	4,47	485
2,7	642	5,1-20	663
2,11	429	5,7	291
2,13	361	5,22	238
2,14	266, 641	5,22-43	712
2,17	140, 671	5,39	717
2,18 e par.	260	6,1-6	406
2,18-19 e par.	367	6,3	272, 308, 443, 508, 557
2,19	298	6,4	406
2,19-20	115	6,7ss	116
2,26	313	6,10	261
3,1-6	653	6,14	695
3,2	433	6,14.22	410
3,7	362	6,14-15	228
3,13	462	6,15	225
3,13ss	116	6,30	462
3,14	544	6,30-44	468
3,16	268	6,30-8,37	468
3,18	260, 272	6,34	462, 499, 667, 669, 832
3,21	309	6,35	487
3,22	563	6,37	35, 737
3,22-25	634	6,45	468
3,24	767	6,47	485
3,29	648	6,49	485
3,31 e par.	309	6,50	848
3,33-35	295	6,52	479, 781
3,35	388	6,53	493
4,1	462	7,1	508
4,1-9	767	7,1-24	299
4,2	406	7,3-4	292
4,3	437, 661	7,6	54
4,12	154, 783	7,24-30	414, 499
4,13	670	7,27	410
4,13-20	666, 667	7,28	228, 410
4,21	605	7,33	643
4,24	388	8,2	290
4,26-29	348, 399, 767	8,6-7	464
4,30	643	8,10	493
4,30-32	767	8,11	501
4,32	768	8,14	514

Índice de Citações Bíblicas

8,14-21	477, 499, 500	10,46	644
8,17	291	10,46-52	651
8,22-26	651	11,1-10	742, 752
8,23	643	11,2	750
8,26	468	11,9	752
8,27-28	548	11,11	704
8,27-30	234	11,12-14.20-21	832
8,27-33 e par.	548	11,15	312
8,28	226	11,15-17	318
8,29 e par.	268	11,15-19	315
8,29	265, 548, 549	11,17	659, 674
8,31	354, 546, 549, 768, 771	11,17-18	669
8,33	544, 549	11,18	729
8,34	771	11,27 e par.	313, 562
8,34-35	717	11,27-28 e par.	69, 315, 318
8,35	769, 770, 771	11,27-33 e par.	455, 697
8,38	790	11,28 e par.	313
9,1	132	11,30-32	225
9,2-8	773	11,32	229
9,4	229	12,7-10	731
9,5	212	12,10 e par.	671
9,11	226	12,10.35-37	456
9,13	227, 249, 451	12,13-17	596
9,30	559	12,14	332
9,30-31	614	12,18	719
9,30-33	559	12,41	602
9,31	354, 543, 546	13,2	731
9,35	462, 772	13,6	841, 848
9,43	808	13,6.22	453
10,1	559, 697	13,11 e par.	822, 823
10,15	350	13,22	565
10,16	673	13,26	439
10,17	808	13,29	668
10,18	199	13,30	132
10,20	789	13,32	338
10,24	140	13,32-33	132
10,30	130	13,34	668
10,32	717	13,35-37	778
10,33	543, 546, 559	14,1-2	728, 742
10,33-34 e par.	354	14,3	35, 704, 736, 737
10,45	661, 730, 768	14,3-9	704, 738

14,5	35, 708, 737	1,47	389
14,6	737, 738	1,68-79	203
14,7	738	1,80	250
14,8	744	2,8	178
14,9	743	2,26	625
14,13-14	31	2,49	295, 313
14,17	103	3,1	313
14,24	116, 537	3,2	239, 683
14,25	536	3,7	242
14,27	673, 674, 677	3,9	242
14,33	721	3,15	225
14,34	766	3,15-16	220
14,35	292, 766, 822, 823	3,16	232
14,35-36	766	3,17	242
14,36	440, 508, 722, 772	3,19-20	364, 407
14,41	766, 822, 823	3,21	283
14,43.53	725	3,22	250
14,49	178	3,23	627
14,55s	727	4,1-13	558
14,57-58	729	4-5	298
14,58	315, 319, 324	4,16ss	407
14,61	690	4,17-19	518
14,61-62	776	4,20	462
14,62	637, 847	4,22	272, 509
14,64	689	4,23	399
15,1	69	4,24	406
15,11	569	4,24-26	227
15,29	315, 319	4,28-29	653
15,41	772	4,29	568
15,43	786	4,29-30	570
16,1	745	4,30	627, 628
16,4	281	4,31	309, 526
16,11-12	514	4,43	338
16,16	356, 439	5,1	461
16,61	323	5,1-11	832
		5,4-9	36
Lucas		5,22ss	406
		5,33	260
1,5	220	6,7	591
1,17	227	6,13	544
1,39	105	6,14	262

6,22	645	10,21-22	35, 140
6,35	130, 345	10,22	338, 374, 570, 676
6,47	140	10,24	626
7,1-10	412	10,25-28	791
7,3	412	10,27	453
7,5	526	10,32	220
7,11-17	227, 433	10,38	704
7,13	429	10,38-42	32, 718
7,15	429	10,39	720
7,16	465, 260	10,40	742, 772
7,19	368	11,1	260, 361
7,20	365	11,2	722
7,27	362	11,5	463
7,28	67, 367	11,14	651
7,29-33	260	11,27-28	295
7,32	674	11,29-30	326
7,33-34	290	11,31	140
7,35	140	11,33	605
7,40	740	11,35	818
8,2	742	11,49	140
8,5.11	761	12,8	446
8,10	783	12,29	500
8,16	605	12,32	669
8,20	761	12,39	668
9,1	628	13,1-5	430
9,2	400	13,2	642
9,9	761	13,10	433
9,10	461, 549	13,10-17	433, 653
9,18	549	13,11	429
9,24	769	13,12	290, 429
9,26	790	13,13	429
9,32	212, 773	13,14	564
9,32	803	13,15	441
9,52-53	390	13,28-30	412
9,52-56	248	13,32	323, 643, 656
9,56	338, 790	13,34	31
9,57-60	261	14,1	433
10,1	95, 400, 541	14,5	441
10,1-2	399, 400	14,26	338, 761, 771
10,16	438, 790	15,3-7	668, 669
10,18	775	15,3-10	669

15,9-13	446	22,18	536
16,24	629	22,19	524
16,27-31	36	22,27	772
16,31	32	22,42	440, 508
17,12-15	643	22,43	766
17,22	132	22,53	590, 819
17,22	566	22,67	686
17,33	769	22,67,70	36
18,8	647	22,70	690, 847
18,13	710	23,2	557
18,17	350	23,8	313, 834
18,18	343, 786	23,19	659
18,29-30	808	23,67	690
18,31	569	24,12	36
18,35	239	24,19	465, 833
18,35-43	651	24,26	768
19,5	261	24,27	277, 324
19,28-38	752	24,36	848
19,30	750		
19,37	713, 749, 752	**João**	
19,38	761		
19,39	751	1,1	47, 137, 173, 192, 543, 683, 819
19,41	709	1,1.18	199
19,41-44	320	1,1-18	170
19,45-46	315	1,1-2,10	55
20,1	590	1-2	303
20,13	338	1,3	74, 826
20,20.27	593	1-3	117, 405
20,36	130, 345	1,3.10	809
21,1.37	590	1,4	714, 807, 819
21,8	841, 848	1,4.9	192
21,15	140	1,4-5	58, 137, 605
21,20	133, 731	1,5	192, 205, 764, 810, 819
21,36	439	1,6	67, 239, 362, 372, 455
21,37	590	1,6-7(8?)	257
21,38	590, 594	1,6-9	367
22,1	327	1,6-9,15	66
22,1-2	728	1,7	192, 264, 601
22,3	743	1,8-9	65
22,5	743	1,9	47, 77, 178, 799, 829
22,16-18	298	1,10	205, 810, 817

1,11	78, 205, 782		364, 368
1,11-12	159	1,30-31	247
1,12	119, 130, 205, 327, 333, 662, 727	1,31	67, 71, 249, 278, 364, 367
1,12-13	78, 134	1,32	250, 801, 802, 811
1,13	119, 295	1,32-33	250
1,14	47, 55, 75, 127, 130, 137, 137, 159, 186, 192, 207, 325, 337, 457, 535, 693, 785, 797, 801, 803, 827, 836	1,32-34	244, 450
		1,33	177, 362, 396, 696
		1,34	251, 299, 801, 802
		1,35	94, 289
1,14.18	192	1,35-37.47-51	241
1,15	192, 573	1,35-39	266
1,17	55, 70, 189, 498, 569, 646, 829, 836, 844	1,35-42	259, 275
		1,35-49	13
		1,35-50	116, 263
1,18	184, 192, 336, 353, 452, 510, 570, 802, 827	1,35-51	265, 266
		1,35-52	265
1,19-2,11	161, 301	1,35ss.	271
1,19	160, 192, 203, 231, 450	1,36	237, 263
1,19-21	224, 364	1,36-38.43	138
1,19-28	275, 696	1,37	299
1,19-34	19, 23, 252, 254, 256, 257, 263, 365, 455	1,37-42	98
		1,38	71, 263, 706, 708, 802
1,19-36	697	1,38.42	154
1,20	65, 362, 584	1,39	263, 289, 300, 382, 411, 709, 801, 812
1,20-21	230		
1,21	225, 465	1,40	271
1,22-23	230	1,40-42	267, 289, 301
1,23	506, 648	1,41	67, 386, 549
1,24	106, 377	1,41.45	267
1,24-28	231	1,41.45.49	708
1,25	361	1,41-42	35, 280,283
1,26	224, 234, 370, 776	1,42	268, 269, 549
1,26-27	232, 234	1,43	260, 267, 289, 478, 485
1,27	248, 465, 749	1,43-44	276
1,28	153, 178, 360, 377, 695, 704	1,43-51	270
1,29	67, 77, 153, 237, 240-243, 535, 677, 696, 810, 836	1,44	260, 761
		1,45	188, 623
1,29.34	67	1,45-50	276
1,29.35	223	1,46	300, 405, 587
1,29-34	7, 236, 240, 289, 365	1,47	71, 119
1,30	65, 153, 186, 192, 213, 248,	1,49	67

1,50	273, 280, 299, 541	2,24-25	342, 405
1,50.51	801	2,25	332, 429, 543, 817
1,51	708, 152, 278, 280, 284, 326, 445, 500, 647, 729, 762, 785	3,1	409, 564, 565, 761, 781, 786
		3,1-6	563
2,1	262, 271, 300, 405	3,1-21	9, 330
2,1-4,42	161	3,1-30	372
2,1-11	15, 160, 164, 265, 288, 414, 420, 831	3,2	343, 458, 496, 646, 647
		3,2-3	838
2,2	400	3,2-8	342
2,2.11	164	3,2.10	708
2,3	718	3,3	78, 182, 183, 343, 350, 368, 370
2,4	128, 291, 302, 385, 556, 765, 820, 822, 823	3,3.5	205
		3,3.31	127
2,5	719	3,4	509
2,6	71, 361	3-4,42	419
2,6.13	68	3,5	14, 58, 119, 126, 131, 209, 343, 346, 350, 351, 356, 373, 395, 396, 397, 524, 807
2,10	363, 661		
2,11	7, 13, 153, 159, 265, 267, 273, 279, 328, 717, 721, 774, 803, 835, 836, 839		
		3,5.34	251
		3,6	51, 127, 183, 546
2,12	308, 324, 328, 405, 406, 412, 415, 461, 466, 555	3,7	371
		3,8	182, 348
2,13	40, 160, 301, 306, 309, 427, 733	3,9-15	351
2,13-17	317	3,10	646
2,13-22	18, 32, 311, 320, 325, 397, 398	3,11	150, 205, 419, 646, 659, 705
2,16	321, 577	3,11.32	801
2,18	69, 318, 419, 501, 834, 835	3,11-21	372
2,18-22	326	3,12	541
2,19	318, 319, 627	3,13	127, 137, 190, 373, 500, 514, 542, 546, 662
2,19-21	731		
2,19-22	154, 210	3,14	55, 56, 125, 188, 274, 354, 363, 381, 577, 612, 750, 776, 825, 836
2,20	377, 556, 627		
2,21	154, 192, 326, 397, 577, 583, 693		
2,22	266, 678, 757	3,14-15	775, 835
2,22-25	246	3,14-21	339, 776
2,23	7, 160, 181, 339, 342, 404, 415, 461, 496, 556, 801, 835, 844	3,15	152, 153, 750, 815
		3,15.16.18	814
2,23-24	815	3,15-17	185
2,23-25	165, 332, 340, 342, 402, 406, 407, 834, 835, 838	3,16	55, 152, 192, 201, 247, 383, 386, 394, 600, 672, 795, 807, 810
2,24	817	3,16.18	184, 189

3,16.36	419, 438	4,1	260, 310, 437, 556
3,16-17	209	4,1-3	376, 396
3,16-19	355, 789	4,2	65, 154, 360, 365
3,16-21	354	4,3	314, 360
3,17	77, 403, 437, 592, 606, 788, 810	4,3b	405
3,17.34.36.38	655	4,4-26	392
3,17-19	776	4,5	201
3,18	130, 150, 181, 337, 342, 356, 370, 438, 846	4,5ss.	55
		4,6	262
3,19	127, 130, 176, 178, 179, 192, 205, 386, 605, 606, 756, 771, 796, 819	4,6.12	56
		4,10	395, 523
		4,10-11	154
3,19-10	756	4,10.14	394, 807
3,19-20	810, 838	4,10-14	127, 395, 583
3,19-21	58, 393, 444, 613, 648, 776, 835	4,10ss	154
3,20	150, 439, 634	4,11	847
3,20-21	153, 356	4,12 e par.	668
3,21	267, 372	4,12	154, 563, 635
3,22	7, 365, 376, 381, 728	4,13-14	126, 138
3,22.26	65	4,14	51, 394, 497, 573, 574
3,22-30	9, 254, 359, 363-366, 371, 396, 416, 697	4,14-16	289
		4,19	720, 801
3,23	64, 65, 235, 310, 314, 401	4,19-25	386
3,24	25, 154, 377	4,20	726
3,24.26	254	4,20-24	648
3,25	260	4,21	290, 291, 820, 821
3,26	348, 450	4,21-23	128
3,26-30	7	4,22	68, 187, 637
3,27-30	455	4,23	114, 439, 820, 822, 823
3,28	65, 177, 220, 237, 364	4,23-24	396, 798
3,29	67, 115, 119, 364, 367, 385, 630, 662	4,24	798, 843
		4,25	67, 263, 706
3,30	66, 266, 364, 367, 372, 697	4,27-38	398
3,31	51, 137, 369, 610, 612	4,29	165
3,31-36	8, 23, 368, 371, 789	4,33	462
3,32-33	206	4,34	451, 688, 722
3,33	497, 562	4,35	77, 399, 400, 427, 462, 466, 801
3,34	443	4,35-38	120, 128, 642
3,35	366, 796	4,36	150
3,36	332	4,37	602
3,47	606	4,38	336, 400, 401

4,38-5,11	264	5,16-18	441, 499
4,39-42	390	5,17	441, 442, 569, 833
4,40.43	705	5,17.21	199
4,41.42	815	5,17-18	569, 689
4,42	77, 165, 810	5,17-30	536
4,43	289, 419, 555	5,18	173, 466, 555, 568, 569, 662, 689
4,43-45	165, 377, 389, 404, 405, 509	5,19	621, 659, 688, 722, 832
4,44	205, 406, 562	5,19-25	8, 135, 356, 442, 723
4,4-42	376	5,19ss	689
4,44-45	407	5,20	370, 662, 705, 796
4,45	160, 327, 339, 415, 466, 801	5,20-21	279
4,45-48	838	5,21	344, 542, 843
4,46-5,47	161	5,21.24	837
4,46-54	16, 32, 160, 164, 409, 416, 419, 462, 643, 831, 837	5,21.26	440, 688
		5,21ss	419
4,46-54,6	29	5,22	606, 688
4,47-50	296	5,22.27	374
4,48	406, 801, 834, 835	5,23	762
4,49	440, 463	5,24	130, 606, 635, 807
4,50	444	5,24-25	720
4,50.51.53	419, 440	5,25	705, 820, 822, 823
4,53	419, 839	5,26	374, 525, 526, 807
4,54	7, 13, 15, 153, 327, 415, 835	5,26-30	8, 135, 444, 445, 606, 723
4,63	549	5,27	274, 607
4,9	71	5,28	705
43-50	275	5,28-29	131, 508, 723, 808, 820-823
47	300	5,29	339, 707
49,2	299	5,29-29	14
5,1	388, 438, 452, 462, 466, 816	5,30	387, 568, 603, 607, 688, 791
5,1-15	160, 426, 434, 557, 563, 567, 831	5,31	600
5,2	223	5,31-39	602, 603
5,3	198	5,31-40	67, 224, 454
5,5	817	5,31-47	448
5,5-7	295	5,31ss.	68
5,6	416, 564, 801	5,32	600, 799
5,9	427	5,33-35	251, 697
5-10	40	5,35	67, 178, 221, 485, 697
5,14	138, 271, 592, 642	5,36	387, 839
5,15	69	5,37	213, 353, 510, 603
5,16	419	5,38	619, 621
5,16-17	209	5,39	277, 458, 792, 829

5,40	140, 201, 267	6,25	485
5,41	802	6,25-34	495, 499
5,41.44	782	6,26	417, 464, 834
5,41-44	405	6,26.50	524
5,41-47	456, 562	6,27	127, 369, 811
5,42.38	568	6,27.51	131
5,43	205, 568, 672, 846	6,27.55	387, 464
5,45	458, 646, 791	6,28	834
5,45-47	646, 836	6,28ss	477
5,46	55, 71, 139, 188, 562, 636, 692	6,29	815
5,46-47	427, 458	6,30	815, 834
5,47	458	6,31	471, 489, 576, 843
6,1-15	160, 460, 831	6,31ss	55, 836
6,2	415, 466, 562, 747, 755, 801	6,32	51, 126, 583, 799
6,3	573, 590	6,32ss	154
6,4	40, 160, 301, 306, 311, 312, 466, 519, 733	6,33.51	810
		6,34,51	842
6,5	802	6,35	150, 152, 394, 815
6,5-7	271	6,35.37.45	267
6,5.9	295	6,35.45	140
6,5-9	260	6,35.51ss	138
6,6	154, 543, 591	6,35-50	8, 505, 511-513, 520
6,6.8.30	292	6,36	801
6,7	25, 462, 737	6,36-40	154
6,9	463	6,37	150, 192, 366, 370, 374, 519, 647, 763
6,9-11,14-16.24	12		
6,10	783	6,37.44.65	662
6,12	267	6,37.65	182
6,12-13	725	6,38	137, 387, 440, 688, 791
6,13	267, 731	6,39	338, 366, 672
6,14	228, 548, 585, 708, 749, 810	6,39-40.44.54	131
6,14.30	801	6,39-45	707
6,14-15	547, 755	6,40	720, 801
6,15	565, 816	6,40.47	267
6,16	267	6,41	463, 555
6,16-21	38, 160, 477, 484, 831	6,41.61	557
6,19	801	6,4-11	394
6,20	842, 848	6,41-43	463
6,22.24	801	6,42	272, 406, 548, 557
6,22-24	491	6,44	763
6,23.49.53	524	6,45	277, 513, 520

6,46	185, 192, 213, 353, 438, 452, 570	7,6	766
6,50	519	7,6.8	765, 822, 823
6,51	480, 506, 519, 527, 530	7,7	412, 726, 810
6,51-58	8, 14, 18, 23, 24, 76, 81, 86, 123, 125, 209, 807	7,9	292
		7-8	161
6,51-59	208, 366, 523	7,10	602, 636
6,51ss	326, 463	7,11.13	734
6,53	511, 527	7,11-16	712
6,54	131	7,12.25-27.31.40-41	678
6,55	799	7,14	327, 799
6,56	813	7,14.18	684
6,57	126, 688, 807	7,14-24	567
6,5-8	765	7,14-36	560
6,58	808	7,15	406
6,59	235	7,15.27.41	277
6,60-71	540, 839	7,15-24	458
6,62	353	7,16	440
6,63	51, 127, 131, 138, 183, 374, 395, 546, 600, 805, 807	7,17	568
		7,18	453, 635, 802
6,64	610	7,19	453, 601, 683
6,65	366, 548, 549	7,19.20.25	621
6,65-66	548	7,19.49	584
6,66	548, 556	7,19-23	209, 646
6,66-71	265	7,19-24	458
6,67	138, 264, 548	7,20	625, 663, 678
6,68	791	7,21	437, 438, 466, 567
6,68-69	35	7,21-23	664
6,69	67, 239, 269, 544, 549, 684, 693, 708, 817, 839	7,21ss	567
		7,22	827
6,70	116, 549, 743	7,23	441, 644, 684
6,71	549, 737	7,24	600
7,1	556, 568	7,25	662
7,1-10	295	7,25-36	569, 603, 612
7,1-13	554	7,26	564
7,2	68, 311, 573	7,26.31.41	685
7,2.3.10	412	7,26.48	781
7,3	415, 466, 545, 557, 642, 833	7,27	233, 602, 646, 776
7,3-5	7, 562	7,28	443, 499, 573, 623, 817
7,3-7	838	7,28.37	138
7,4	160	7,28-29	626, 636
7,5	309, 838	7,29	172, 185, 626, 817

7,30	291, 765, 820, 821, 822, 823	7,53-8,11	6
7,30.32.44	684	8,1-9	468
7,31	290	8,1-11	589
7,32	590	8,1-26	468
7,33	430	8,2-3	584
7,33-36	612	8,6-8	296
7,33b-34	609	8,7	413
7,34	138, 150, 584, 609	8,7-9	624
7,35	71, 77, 347, 761	8,10	290
7,35.42	154	8,12	9, 47, 137, 176, 178, 192, 266, 386, 419, 599, 600, 602, 604, 613, 636, 649, 652, 705, 716, 777, 788, 810, 819, 842
7,36	594, 788		
7,36-38	738		
7,37	267		
7,37-38	56, 58, 506, 575, 577, 581, 604, 649, 655, 815	8,12-17.34	209
		8,12-20	598, 604
7,37-39	126, 354, 395, 419, 467, 583, 585, 807	8,12-59	602
		8,13	69, 454, 594
7,37-41	835	8,14	450, 646
7,37-52	572, 603	8,14-21	479
7,38	55, 56, 269, 336, 576, 578, 581, 583, 584, 599, 613	8,14a,b	603
		8,15	183, 338, 438, 594
7,38-39	76, 131, 251, 349, 547, 579, 836, 838	8,15.25-27.19.28-29	613
		8,15-16	605, 606
7,39	64, 131, 293, 346, 373, 574, 677, 696, 807, 822, 823	8,16	190, 603, 607, 846
		8,16.18	600
7,40	228	8,17	30, 68, 70, 450, 563
7,40-41	465, 557	8,17-18	450
7,40-52	585	8,18	451, 842
7,41	646	8,18ss.	69
7,42	86, 233, 776	8,19	636, 817
7,42.52	405	8,20	128, 235, 291, 292, 684, 765, 820-823
7,43	645		
7,44	138, 485, 684	8,21	138, 543, 565
7,45ss	570	8,21-22	612
7,47	599	8,21-29	788
7,48	786	8,21-30	608
7,49	374, 647	8,22	154
7,50	154, 332, 786	8,23	127, 430, 612, 842
7,51	339, 594	8,24	543, 841, 845
7,52	228, 272, 594, 599, 801	8,25	570, 632, 841
7,53	589	8,25-28	613

8,25-53	684	9,5	137, 178, 192, 205, 386, 603, 605, 705, 777, 810, 819
8,26	443, 562, 606		
8,26.28	274	9,6	416
8,28	131, 274, 353, 612, 673, 688, 773, 775, 776, 788, 841, 845, 847	9,7	30
		9,9	581, 716
8,29	688	9,9-10	656
8,31	68, 773, 815	9-12	68
8,31-41	630	9,11	756
8,31-59	616	9,13	399, 725
8,31ss.	55	9,14	433
8,32	150, 192	9,16	185, 663, 678
8,33	138	9,17	465
8,34	771	9,22	69, 74, 685
8,35	150, 688, 771	9,24	332
8,38	335, 438	9,24.30.33.39	649
8,39-41	501	9,28	68, 71
8,40	798	9,29	277, 457, 458, 646
8,41	663, 720	9,34	763
8,42	443, 688, 727	9,35	138, 271
8,44	150, 202, 610, 672	9,35-37	777
8,44-47.54-55	68	9,35-38	605
8,45	397	9,35-41	837
8,46	138, 594	9,38	839
8,47	662, 687, 788	9,39	150, 606, 800, 810
8,48	322, 663, 678	9,39-41	665
8,49	762	9,40	668
8,50	137, 453	9,41	9, 277, 668, 838
8,51	332, 419, 627	9,61	227
8,55	688, 817	10,1	480
8,56	139, 510, 627, 785	10,1ss	55, 150
8,57	314, 627	10,1-3a	668
8,58	238, 247, 841, 846	10,1-5	667
8,58-59	689	10,1-18	663, 665
8,59	558, 641, 662, 683, 764	10,1-21	657, 664-666, 684, 687
9,1-10,21	161	10,2	417
9,1-41	639	10,3b	669
9,2	705	10,4	799
9,2-5	705	10,4-5	664
9,3	430, 656, 715	10,4.27	266
9,4	332, 387, 442, 443, 716	10,7ss	667
9,4-5	649	10,7.9	842

10,7.9.11.14	670	10,34-36	68, 691, 692
10,7-10	687	10,35	55
10,8	671	10,36	166, 497, 544, 705, 810
10,10	201, 791, 807	10,37-38	696
10,10.28	419	10,38	525, 839
10,11	683	10,38-42	712
10,11.14	269, 842	10,39	732
10,11.15	682	10,40	153, 235, 559, 711, 716, 778
10,12	688	10,40-42	7, 24, 695-697, 711
10,13	737	10,41	65, 697, 835
10,14	676	11,2	154, 740, 743
10,15	626, 688, 761, 816, 817	11,3	796
10,16	77, 78, 115, 119, 128, 565, 674, 676, 727, 730	11,3.11.36	101
		11,4	137, 642, 715, 774
10,17	804	11,4.40	159
10,17-18	314, 612, 766	11,5	101, 455, 796
10,18	535, 676, 688, 697, 791, 804	11,5.19	704
10,19-21	665, 788	11,8-11	705
10,19-29	665	11,9-10	716
10,20-21	557	11,10	332, 717
10,21	663, 665, 687, 818	11,11	280, 715
10,22	649, 664, 665, 668, 711	11,11-14	711
10,22-23	23, 30	11,14	417
10,22-39	161, 680, 687, 696	11,16	717
10,22ss	664	11,17	723
10,24.33	559	11,18	222
10,24-25.33	36	11,19.31.33.36.45	711
10,24-39	729	11,21	295
10,25	138, 343, 451, 846	11,24	508
10,26-27	664	11,24-26	837
10,28	338	11,25	127, 131, 173, 711, 714, 765, 807, 842, 843
10,28-29	199		
10,28-30	678	11,25-26	51
10,29	366, 507	11,25-27	510, 515
10,30	314, 443, 687, 689, 722	11,26	807
10,30-39	665	11,27	549, 749, 810
10,31	705, 716	11,1-53	161
10,32	559	11,32-33	765
10,33	173	11,33	833
10,33-36	198	11,37	714
10,34	30, 70, 563, 717, 764	11,40	273, 717, 721, 801, 803, 839

11,41	464, 723	12,12	734
11,41-42	774, 839	12,12-19	278
11,42	599, 722	12,13	710, 750, 755
11,43	756	12,14	750, 755, 756
11,45	802	12,15	750, 753
11,45-53	728	12,16	266, 753, 757
11,45-54	724	12,17	303
11,46-53	712	12,19	756
11,47	838	12,19-50	159
11,47-48	757	12,20	77, 566, 612, 648, 756
11,47-53	559	12,20-21	77, 765
11,47ss	696	12,20-23	206, 677
11,48	362, 385, 682	12,20-36	759, 783
11,49	30	12,21	271, 821
11,50	154, 756	12,21-22	260, 271, 462
11,52	77, 119, 181, 206, 481, 571, 674, 731, 756	12,23	128, 293, 635, 765, 766, 821
		12,23.27-28	105
11,53	747, 751, 821	12,23.28	803, 846
11,54	235, 559, 711, 732	12,23-24	716
11,55	40, 160, 311, 312, 711, 728, 748, 764	12,24	152, 673, 677
		12,24-25	773
11,55-57	733	12,25	338, 771, 796
12,1	711, 728, 748	12,25-26	789
12,1-3	704	12,26	152, 266, 267
12,1-7	36, 108	12,27	14, 292, 766, 821-823
12,1-8	122, 735	12,28	251
12,1-9	718	12,29	766
12,1-36	161	12,31	340, 633, 635, 776, 810
12,3	35, 720, 743	12,32	77, 127, 337, 353, 509, 613, 711, 730, 756, 767, 776
12,3.5	25		
12,4	35, 544	12,32.24	765
12,4-6	743	12,32-34	282, 353, 777
12,5	302	12,33	154, 353, 835
12,7	744, 756, 821	12,34	274, 497, 647, 683, 776, 811
12,8	441	12,34-36	788
12,9	801	12,35	565
12,9.11	711	12,35-36	776
12,9-11	712	12,36	8, 643, 711, 771
12,9-19	746	12,37	13, 160, 205, 548, 790, 836
12,10	581, 586	12,37.41	836
12,11	442, 726	12,37-43	7, 159, 779, 780, 786

Índice de Citações Bíblicas

12,38	244	13,30	332, 819
12,40	648	13,31	159, 274, 635
12,41	56, 139, 192, 282, 455, 626, 785	13,31-32	774
12,42	74, 332, 580, 786	13,32	803
12,42-43	74, 815	13,33	138, 543, 565, 609
12,43	453, 771, 796, 802	13,34	58, 678, 804, 805
12,44	9, 573	13,36	7, 266
12,44-45	790	13,37	661, 806
12,44-50	8, 23, 159, 355, 371, 372, 779, 787, 788, 789	13-17	274
		14a,b	603
12,46	179, 205, 605	14c,d	603
12,46-48	355, 789	14,1	742, 815, 816
12,47	338, 789, 810	14,1-10	150
12,48	14, 131, 356, 508, 606, 790	14,1.27	709, 721
12,49	443, 611	14,1-31	8
12,49-50	678, 791, 803	14,2-3	131
12,50	160, 335, 374, 791, 804	14,2.28	159
13,1	159, 159, 305, 353, 581, 586, 766, 795, 821	14,3-9	742
		14,5	7
13,1.3	304	14,5-12	839
13,1-3	159	14,6	47, 58, 173, 373, 397, 613, 633, 671, 799, 807, 842, 843
13,1-7	18		
13,1-11	125	14,7	205, 602, 816, 817
13,2	205, 544, 545	14,7.9	801
13,2.27	633, 743	14,7-9	353
13,3	370, 570	14,8	581, 604
13,7	266	14,8-9	271
13,13.14	708	14,9	265, 329, 337, 788
13,16	150, 543	14,10	525, 742, 815, 833
13,16.20	35	14,10-11	451, 811
13,18	116, 525, 528, 530, 544, 781	14,11	694, 743, 815
13,18-30	551	14,12	279, 575, 839
13,19	841	14,12-13	722
13,20	120, 150, 789, 789	14,13	846
13,21	709, 721	14,15.21	804
13,22	800	14-16	251
13,23	704, 743, 796	14,16	386, 581
13,23-26	99	14,16-17	812
13,26	545	14,17	397, 582, 798, 801, 810
13,27	544, 819	14,19	565
13,27-29	743	14,20-21	581

14,21	150, 804	16,5	7, 387
14,21.23-24	635	16,7	131
14,23	139, 796, 813	16,7.28	159
14,26	346, 374, 396, 846	16,8	128
14-28	199	16,8-11	810
14,28	437	16,11	633, 635, 763, 810
14,28-32	669	16,12	825
14,30	304, 633, 763, 810, 832	16,12ss	329
14,30-31	766	16,13	396, 798
14,31	7, 678, 803	16,14	159
14,91	373	16,14-15	346
15,1	799	16,15	518, 543
15,1.5	842	16,15.31.34	417
15,3	138	16,16	565, 801
15,3-7	525	16,19	485, 817
15,4-5	813	16,19-31	712
15,5	200, 808, 813	16,20	150, 810
15,6	119, 763	16,21-22	304
15,7	452, 621	16,23	846
15,10	804, 813	16,23.26	722
15,12	58, 119	16,25	769, 820, 821
15,12.17	678, 804	16,26	503, 713
15,12-13	804	16,27	138, 185, 796
15,13	661, 678, 795, 806	16,27-31	713
15,14.17	803	16,28	137, 190
15,15	138	16,30	817
15,16	116, 266, 371, 544, 722, 811, 846	16,32	820, 822, 823
15,18ss	35	16,33	337, 810
15,19	796, 810	16,34-47	824
15,20	543, 635	17,1	635, 710, 716, 762, 766, 803, 821
15,21	817	17,1.5	457
15,22	648, 838	17,1.5.24	159
15,23	438	17,2	374
15,25	70, 563	17,2.24	507
15,26	159, 374, 397, 798	17,2.9.11.24	366
15,31	24	17,3	53, 199
15,33	832	17,4	387, 451, 774, 803, 833
16,2	74, 820, 821	17,5	137, 172, 192, 247, 542, 762, 773, 803
16,3	205, 602, 817		
16,4	543	17,5.11	159
16,4-33	8, 24	17,5.22.24	137

17,5.24	809	18,14	727
17,6	374, 635	18,15-16	99, 100, 104
17,6.26	457, 846	18,18	550
17,6-7	662	18,23-26	99
17,8	374, 544, 623, 816	18,24	727
17,11	689	18,28-19,16	154
17,11.12	374, 457, 773, 846	18,28-31	69
17,11.21	813	18,31	595
17,11-12	181, 749	18,31-32	763
17,11-19	390	18,31-33.37-38	84
17,12	338, 481	18,32	835
17,13	611	18,33.35	68
17,14	241	18,36	279, 810
17,14.16	810	18,37	397, 662, 687, 810
17,15	633	19,1	203
17,16	610, 720	19,2	756
17,17	138, 798	19,5.37	778
17,17-19	397	19,11	362
17,18	116, 400, 810	19,11.23	333
17,19	544, 684	19,13	30
17,20	128, 839	19,1-3,19-22	77
17,20-21	722	19,14	245, 262, 382
17,21	507, 674, 812	19,14.29	836
17,21.23	811	19,14-15	756
17,22	118, 185, 374	19,17	247, 355
17,24	131, 293, 801, 839	19,19	405
17,25	570, 626, 817	19,23	693
17-25	626	19,24	253
17,30	808	19,24.36	556
17,41	646	19,24-27	241
18,1	7	19,25	104, 289, 309
18,3	565	19,25-27	99, 104, 303
18,4	394, 817	19,25-30	55
18,5	842, 846	19,26	100, 290, 704
18,6-8	570	19,26-27	98
18,8	417	19,27	180
18,9	154, 338, 507	19,28	382
18,11	766	19,29	245
18,12	69	19,30	131, 574, 584, 774
18,12-14	674	19,30.34-35	346
18,13	726	19,31	245

19,34	75, 76, 117, 126, 578, 578, 584, 585, 807, 838	21,1	461, 484
		21,1-11	116
19,34-35	208	21,2	264, 289, 706
19,34b-35	14	21,3	210
19,35	60, 97, 98, 799	21,5-11	36
19,35.37	801	21,7	99, 101, 488
19,36	153, 245, 471, 578, 836	21,7.20	704
19,37	577	21,8-9	271
19,38	74, 332	21,9	800
19,39	332, 580, 737, 744	21,15-17	35, 120, 121, 128, 269, 550, 795, 796
19,40	71		
20,1	800, 819	21,15-19	673
20,2	99, 100, 103, 704, 796	21,16	411
20,2-10	99, 100	21,18-19	87, 125
20,6-7	710	21,19	835
20,7	711	21,19.22	266
20,8.25	801	21,20	60, 154, 260
20,9	707	21,20-24	88
20,11.15	708	21,22-23	87, 106, 133
20,12	801	21,2-23	99
20,13	290	21,23	103
20,14	801	21,24	98, 99, 110, 799
20,15	261	21,25	7, 253
20,16	706, 708	21,52	128
20,17	116, 159, 199, 309, 353, 558	23,53	775
20,17.22	345, 346	24,39	848
20,21	116, 128, 400	26,57	727
20,22	131, 134, 251, 547, 574, 579, 807, 822, 823	26-30	356
		29,36	254
20,23	120, 550	29-34	275
20,24	264, 706	29-34	275
20,25.28	159	31	371
20,28	131, 173, 199, 279, 353, 611, 839, 847	31,26	454
		31-36	9
20,29	801	32	340
20,30	7, 13, 18, 41, 159, 160, 340, 437, 835, 836	32,33	253
		34,11-16	675
20,30.31	159	34,5-6	675
20,30-31	7, 40, 567, 786, 831	35,50	531
20,31	73, 77, 78, 337, 567, 652, 720, 805, 807	36	371
		50,19	800

Índice de Citações Bíblicas

53,1	783	7,22	833
		7,38	543
Atos		7,47-48	322
		8,1-25	390
1,8	418	8,14	92
1,13	260	8,14-24	625
1,14	556	8,20	395
2,17s	133	8,32	244
2,21-22	265	9,7	762
2,22	834	9,33	429
2,24	678	10,15	411
2,33	353	10,34-43	29
2,38	395	10,45	395
2,43	834	11,17	395
2,46	402	12,2-3	72
3,1	92	12,12	94, 102
3,2	642	13,22	764
3,11	682	13,25	232
3,14	544	13,39	814
4,1-3	72	15,14	262
4,7	590	15,20	527
4,11	269	15,22ss	72
4,13	105	16,30-31	501
4,22	429	17,4	566
4,27.30	544	18,5-19,7	64
4,30	834	19,1-6	232
4,34	764	19,1-7	112
4,36	102, 220	20,18ss	92
5,12	834	20,28-29	673, 688
5,17-18	72	21,18ss	73
5,31	353	21,24-27	734
5,33-40	72	22,9	762
5,34	587	23,5	388
5,37	272	23,8	719
6,1	50	28,26-27	783
6,2	651		
6,5	271	**Romanos**	
6,7	786		
6,8	834	1,3	207
6,13	726	1,19-20	200
6,14	315, 319	2,6-8	439

4,3	631	10,1-4	513		
4,20	645	10,4	269, 576, 785		
4,24	678	10,10	508		
5,20	661	10,17	730		
6,3	656	11,26	536		
6,8	706	12,13	396		
6,17	620	13,3	523		
7,3	496	14,21	683		
7,7ss	630	15,4	314, 705		
7,8	803	15,35ss	769		
7,10	452	15,40	335		
8,1	438	15,45	542		
8,2	630	15,50	183		
8,3	207				
8,4	546	**2 Coríntios**			
8,9	812				
8,15-16	397	1,19	274		
8,22	810	1,21-22	656		
8,23	344	3,6	542		
8,32	337	4,4	763		
8,38-39	689	5,1	335		
9,5	199, 369	5,14	706		
9,6	277	5,16	600		
9,7	631	5,19	690		
9,17	642	6,14	818		
9,33	269	6,16	325		
11,8	783	11,2	362		
11,36	200	12,12	834		
13,9-10	803	13,1	450		
15,19	834	13,13	173		
1 Coríntios		**Gálatas**			
1,22	834	1,4	337		
1,26	600	2,9	92, 104		
2,6-8	763	2,14	563		
3,6	401	2,20	337		
3,16	325	3,6	631		
5,7	246	3,16	620, 629		
6,19	325	3,21	452		
8,3	673	3,26	181		

3,26.29	632	1,18	325
4,3	810	1,27	799
4,30	631	2,15	775
4,5	344	3,1	610
4,9	673, 676	3,16	193
5,1	630	4,10	102
5,16	546		
6,8	546	**1 Tessalonicenses**	

Efésios

		5,4	818
		5,5	777
1,20	678		
1,23	325	**1 Timóteo**	
2,1	439		
2,2	763	3,16	194, 206, 207
2,19-21	325	5,19	450
3,4	799		
4,5-6	199	**2 Timóteo**	
4,9	336		
5,8	777, 818	2,9	834
5,19	193	2,19	673
6,12	763	4,11	94
19,1	830		
		Tito	

Filipenses

		3,5	344, 350
2,6	437		
2,6-7	200	**Filemon**	
2,6-11	193, 206		
2,7	207	24	102
2,9	846		
2,10	335	**Hebreus**	
3,19-20	335		
		1,1	188, 189, 369
Colossenses		1,1-2	830
		1,1-5	825, 827
1,5-20	206	1,2-5	194
1,15	497	1,8	199
1,15-20	194	2,14	775
1,16	200	3,5-6	621
1,17	175	4,9-10	442

4,12	194	1,4	537
4,15	624	1,16-17	212
5,5	693	1,16-18	212
5,7	709, 762	1,17	625
6,4	395, 655	1,21	678
9,11	325	2,19	620
9,11-12	325	2,22	660
9,28	244	3,3-4	87
10,28	450	3,4	133
10,32	655		
11,8.17	631	**1 João**	
11,13	636		
11,17	185	1,1	184, 801
11,19	678	1,1-2	807
		1,2	172, 173, 176
Tiago		1,3	369
		1,5	137, 386, 605, 819, 843
1,22	789	1,6	798
2,2	526	1,6-7	819
2,22-23	631	1,7	306
3,15	137, 335	2,2	730
		2,5	635
1 Pedro		2,8	819
		2,9-10	819
1,1	566	2,11	764
1,18-19	246	2,13	775
1,23	344, 350	2,14	455
1,24-25	542	2,15	810
1,25	811	2,16-17	813
2,5	325	2,17	811
2,9	818	2,19	119, 543
2,25	673	2,20.27	344, 656
4,7	87, 133	2,22	633
4,17	325	2,23	438
5,1-2	673	2,24	120, 813
5,3	688	2,27	396
5,13	102	3,1	205
		3,1.6	817
2 Pedro		3,2	181
		3,5	237, 242
1,1	199, 262	3,8	242, 632

3,9	182, 183, 205, 333, 344	5,19	369, 775, 810
3,12-15	623	5,20	623
3,13	810		
3,14	439	**2 João**	
3,15	807		
3,16	661	4	798
3,17	801		
3,21	646	**3 João**	
3,21-22	722		
3,23	815	3	798
3,24	813	14	801
4,1-6	634		
4,2	535	**Apocalipse**	
4,2-3	74, 208		
4,3	389	1,5	764
4,5	369	1,8	844
4,6	624	1,9	92
4,7	182	1,18	439, 807
4,8	386	2,9	72, 112
4,8.16	795, 843	3,7-8	671
4,9	185, 189, 337, 525, 795, 807	3,9	72, 112
4,12	452, 802	3,14	274, 601, 764
4,12.16	813	3,20	668
4,14	338, 810	4-11	133
4,16	544	5,6	245, 677
4,16-16	813	5,9	245
5,1	182	7,9	756
5,1-4	182	7,15	210
5,4	819, 507	7,17	241, 245, 583, 677
5,4-5	775, 811	8,1	164
5,6	65, 373	9,11	428
5,7	584	10,9	578
5,8	349	11,3ss	249
5,9	450	11,19	325
5,9-10	373, 455	12,2	304
5,10	356, 815	12,5.8-9	775
5,13	181	12,9	303
5,14	722	12,17	304
5,16	648, 801, 807	12-22	134
5,18	182	15,3	245
5,18a	182	16,16	428

17,14	243	21,6	523
18,20	92	21,14	92, 120
19,6-8	119	21,23	137
19,7	303, 367, 645	21,23-25	819
19,9	298, 305	22,1	245, 577, 583, 677, 808
19,11-13	186	22,1.17	523, 577
19,13	193, 826	22,2	202, 577
19,20	834	22,3	577
21,2	119, 367	22,15	339
21,3	119, 184	22,17	577

OUTRAS FONTES CITADAS

1 Clemente

44,3	688	5,19	726
54,2	688	6,1-7	681
		10,7	754
		12,43-44	806

1 Esdras

Baruque

9,8	645	3,9ss	827
		3,9-4,11-19	137
		3,12	138, 828

4 Esdras

		3,37	137
		3,14-15	301, 571
3,14	627	3,29	137, 353
4,21	369	4,1	137, 139, 808, 828
5,18	662	5,9	599
		6,18-31	137
		14,20-15,10	137

1 Macabeus

1,54	681	**2 Baruque**	
2,26	596		
4,41-50	228, 830	29,5	299
4,41-61	681	29,8	502
13,51	748, 754	48,3-4	334
14,4	228		
14,41	830	**1 Enoque**	

2 Macabeus

		10,19	299
		41,3	334
1,9	665, 681	48,7	389

49,1	764	9,1-2	827
60,12	334	9,9	827
62,14	764	9,9-10	137
89,52	226	9,10	137, 571, 828
90,31	226	9,16-17	137
90,38	241	9,16-18	137, 353
		13,1	200
Jubileu		16,6-7	336
		16,20	498, 503
1,23-25	346	16,26	825
16,17-19	626	18,3-4	604
18,15	355	18,14	830
		18,15	826
Sabedoria			
		Siraque	
2,13.16.18	345		
2,24	633	1,1	827
3,2-4	806	1,29	137
3,9	798	4,10	345
5,5	344	4,11	138
5,15	806	4,12	137, 138, 808
6-10	137	4,28	798
6,12	138, 571	6,18	138
6,16	138, 647	6,20-26	138
6,17-18	138	6,27	138
6,17-19	138	9,1-9	387
6,18-19	137, 809	15,3	301, 512
6,22	137, 798	15,7	828
7,10.29	137	17,2	809
7,14.27	138	23,1.4	345
7,22	827	24	138, 827
7,22ss	827	24,3	827
7,24.27	139	24,6	828
7,25	137	24,8	137, 571
7,25-26	827	24,8ss	828
7,26	137, 605	24,9	137, 827
7,27	811, 812	24,19	140
7,29-30	177	24,19.21	301
8,4	137	24,19-21	138
8,35	267	24,19-20	548
9,1	826	24,21	394, 506, 512, 513

24,23	139	50,15	306
24,23ss	828	51,23	584
24,23-29	394	51,23-27	140
24,30-33	575		
25,24	633	**Tobias**	
30,1	443		
32,1	293	4,6	339
34,9	614	5,2	834
44,21	355	9,12-13	647
45,4	693	11,19	289
47,17	660	13,6	339
48,1	248, 450	13,10(12)	322
48,10	226, 249	14,5(7)	322
48,24-25	785		